ELIZABETH GEORGE

Née aux États-Unis, dans l'Ohio, Elizabeth George
est diplômée de littérature anglaise et de psychopéda-
gogie. Elle a enseigné l'anglais pendant treize ans
avant de publier *Enquête dans le brouillard*, qui a
obtenu le grand prix de Littérature policière en 1990
et l'a imposée d'emblée comme un grand nom du
roman « à l'anglaise ». Dans ce premier livre apparaît
le duo explosif composé du très aristocratique
Thomas Lynley, éminent membre de Scotland Yard,
et de son acolyte Barbara Havers, qui évoluera au fil
d'une quinzaine d'ouvrages ultérieurs, parmi lesquels
Un goût de cendres (1995), *Sans l'ombre d'un témoin*
(2005), *Anatomie d'un crime* (2007) et *Le Rouge du
péché* (2008), tous parus aux Presses de la Cité. En
2009, elle a publié un recueil de nouvelles, *Mortels
péchés*, puis en 2010 *Le Cortège de la mort* chez ce
même éditeur. L'incontestable talent de cet écrivain,
qui refuse de voir une différence entre « le roman à
énigme » et le « vrai roman », lui a valu un succès
mondial.
Elizabeth George vit dans l'État de Washington. Elle
accueille régulièrement chez elle un petit groupe
d'étudiants pour des séminaires d'écriture.

Retrouvez l'actualité de l'auteur sur :
www.elizabethgeorgeonline.com

LE CORTÈGE
DE LA MORT

DU MÊME AUTEUR
CHEZ POCKET

ELIZABETH GEORGE

LE CORTÈGE
DE LA MORT

*Traduit de l'anglais (États-Unis)
par Anouk Neuhoff*

PRESSES DE LA CITÉ

Titre original :
This Body of Death

Ce livre est une œuvre de fiction. Les personnages, les événements et les dialogues sont le fruit de l'imagination de l'auteur et ne sont pas réels. Toute ressemblance avec des personnes existantes ou ayant existé relève de la pure coïncidence.

Le papier de cet ouvrage est composé de fibres naturelles, renouvelables, recyclables et fabriquées à partir de bois provenant de forêts plantées et cultivées durablement pour la fabrication du papier.

© 2010, Susan Elizabeth George
© 2010, Presses de la Cité, un département de place des éditeurs,
pour la traduction française

ISBN : 978-2-266-21521-3

À Gaylynnie

Malheureux que je suis ! Qui me délivrera
de ce corps qui m'entraîne à la mort ?

Epître aux Romains, VII, 24

AU DÉBUT

Les rapports des enquêteurs ayant interrogé à la fois Michael Spargo et sa mère
avant l'inculpation du garçon laissent tous
entendre que la matinée de son dixième
anniversaire avait mal commencé. Si ces
rapports peuvent passer pour suspects
compte tenu de la nature du crime de Michael
et de la violente antipathie éprouvée
envers lui par la police et par les membres
de sa communauté, on ne peut ignorer le
fait que le document circonstancié rédigé
par l'assistante sociale restée à ses côtés
durant ses interrogatoires puis son procès
va dans le même sens. Il y a toujours des
détails qui demeurent inaccessibles au spécialiste de la maltraitance infantile, du
dysfonctionnement familial et de la psychopathologie que finissent par engendrer une
maltraitance et un dysfonctionnement de ce
type, mais les faits principaux, eux, ne
peuvent être occultés, car ils ont forcément été constatés ou directement subis par

les personnes entrées en contact avec les sujets au moment où se manifestaient – de manière consciente ou inconsciente – les troubles mentaux, psychologiques ou affectifs desdits sujets. Tel a été le cas pour Michael Spargo et sa famille.

Sixième de neuf garçons, Michael avait cinq frères aînés. Deux de ces garçons (Richard et Pete, âgés de dix-huit et quinze ans à l'époque) ainsi que leur mère, Sue, étaient sous le coup d'un ASBO[1] à la suite de démêlés persistants avec leurs voisins, de harcèlements incessants à l'égard de retraités habitant la cité, d'ébriété sur la voie publique et de destructions de biens publics ou privés. Il n'y avait pas de père à la maison. Quatre ans avant le dixième anniversaire de Michael, Donovan Spargo avait abandonné femme et enfants pour élire domicile au Portugal avec une veuve de quinze ans son aînée, laissant un mot d'adieu et cinq livres en menue monnaie sur la table de la cuisine. Il avait complètement disparu de la circulation. Il ne s'est pas montré au procès de Michael.

Sue Spargo, dont les capacités professionnelles étaient limitées et le niveau

1. Anti-Social Behaviour Order : ordonnance civile prononcée à l'encontre d'une personne ayant un comportement antisocial, et dont le non-respect constitue une infraction pénale passible d'une peine d'emprisonnement. *(Toutes les notes sont de la traductrice.)*

d'éducation se bornait à un échec au GCSE[1],
reconnaît volontiers qu'elle a « un peu
trop levé le coude » à la suite de cet
abandon, et qu'elle ne s'est pas tellement
occupée de ses fils à partir de cette date.
Avant le départ de Donovan Spargo, la
famille maintenait, semble-t-il, une certaine stabilité extérieure (à en croire les
bulletins scolaires et certaines attesta-
tions de voisins ou de la police locale)
mais, une fois le chef de famille parti,
tous les dysfonctionnements qui avaient
jusque-là échappé à la communauté se sont
exprimés au grand jour.

La famille habitait la cité Buchanan,
composée de mornes tours grises de béton
et d'acier et de tristes rangées de maisons
mitoyennes. Le quartier, portant le nom
pertinent de Gallows[2], était connu pour ses
bagarres de rue, ses agressions, ses vols
de voitures sous la menace et ses cambriolages. Le meurtre y était rare, mais la
violence fréquente. Les Spargo comptaient
parmi les habitants les plus favorisés.
Étant donné la taille de la famille, ils
étaient logés dans une maison mitoyenne et
non dans une tour. Ils disposaient d'un

1. General Certificate of Secondary Education, « Certificat général de l'enseignement secondaire » : diplôme obtenu généralement
vers seize ans et sanctionnant la fin de l'enseignement général.
2. Gibet, potence.

jardin sur l'arrière et d'un carré de terre sur le devant, même si aucune de ces deux parcelles n'était entretenue. La maison comprenait un séjour, une cuisine, quatre chambres et une salle de bains. Michael partageait la chambre des plus jeunes. Ils étaient cinq au total, à se répartir entre deux paires de lits superposés. Trois des frères plus âgés partageaient une chambre à côté. Seul Richard, l'aîné, possédait sa propre chambre, un privilège sans doute lié à la propension dudit Richard à commettre des actes de violence sur ses cadets. Sue Spargo jouissait elle aussi d'une chambre individuelle. Curieusement, lors des interrogatoires, elle a répété plusieurs fois que lorsqu'un des garçons tombait malade, il dormait avec elle, « et non avec cette brute de Richard ».

Le jour des dix ans de Michael, la police locale fut appelée peu après sept heures du matin. Une dispute chez les Spargo avait dégénéré au point de semer la perturbation dans le voisinage lorsque les occupants de la maison contiguë avaient tenté d'intervenir. Ils déclarèrent par la suite qu'ils ne cherchaient rien d'autre que la paix et la tranquillité, contrairement aux allégations de Sue Spargo affirmant qu'ils avaient agressé ses fils. Une lecture attentive des différents témoignages recueillis ensuite par la police montre qu'une bagarre avait éclaté entre Richard et Pete Spargo dans le couloir du premier étage de la maison familiale, sous prétexte que ce dernier n'avait pas évacué assez rapidement la salle de bains. L'agression de Richard sur Pete avait été brutale, Richard étant bien plus grand et bien plus costaud que son frère de quinze ans. Doug, seize ans, s'était porté au secours du plus jeune, mais son interposition semblait avoir converti les combattants en alliés, qui s'en étaient alors pris à lui. Quand Sue Spargo était enfin entrée en lice, la bataille avait gagné l'escalier. Lorsqu'il parut évident qu'elle aussi allait essuyer les coups de Richard et Pete, David, douze ans, avait tenté de protéger sa mère à l'aide d'un couteau de boucher provenant de la cuisine, où il était soi-disant allé préparer son petit déjeuner.

C'est à ce moment-là que les voisins étaient intervenus, alertés par le vacarme. Malheureusement, les voisins – au nombre de trois – avaient débarqué chez les Spargo armés d'une batte de cricket, d'un démonte-pneu et d'un marteau, et d'après Richard Spargo, c'était la vue de ces instruments qui avait attisé sa rage. « Ils allaient s'en prendre à ma famille », avait-il aussitôt déclaré, à la manière d'un garçon qui se considérait comme l'homme de la maison, et donc chargé de protéger sa mère et ses frères.

Michael Spargo s'était réveillé au milieu de cet imbroglio. « Richard et Pete se disputaient avec maman, dit sa déposition. On les entendait, moi et les petits, mais on voulait pas s'en mêler. » Il affirme ne pas avoir eu peur, mais, de ses déclarations quand il a été exhorté à en dire davantage, il ressort que Michael aurait fait son possible pour se tenir à distance de ses aînés, « histoire d'éviter une torgnole » s'il les regardait de travers. Qu'il n'ait pas toujours été en mesure d'éviter les raclées est un fait attesté par ses professeurs qui, pour trois d'entre eux, avaient signalé aux services sociaux avoir vu des bleus, des égratignures et des brûlures sur le corps de Michael, et au moins un coquard. Cependant, ces signalements n'ont rien entraîné d'autre qu'une unique visite au domicile familial. Le système était apparemment engorgé.

Certaines choses laissent penser que Michael aurait reproduit ce comportement violent sur ses plus jeunes frères. En effet, à en croire les récits recueillis après le placement de quatre des enfants, Michael aurait été chargé de veiller à ce que son petit frère Stevie ne « mouille pas ses draps ». Ne sachant de quelle façon il était censé procéder, il administrait, semble-t-il, des corrections régulières à l'enfant de sept ans, qui aurait à son tour reporté sa propre rage sur ses cadets.

On ignore si Michael a frappé ses petits frères ce matin-là. Il déclare simplement être sorti de son lit après l'arrivée de la police, avoir revêtu son uniforme scolaire et être descendu dans la cuisine afin de prendre son petit déjeuner. Il savait que c'était son anniversaire, mais il ne s'attendait pas à ce qu'on le lui souhaite. « Je m'en fichais pas mal », a-t-il dit plus tard à la police.

Le petit déjeuner se composait de Frosties et de roulés à la confiture. Il n'y avait plus de lait - Michael mentionne ce détail à deux reprises dans ses interrogatoires initiaux -, si bien que Michael avait mangé ses corn flakes tels quels, et laissé à ses petits frères la quasi-totalité des roulés à la confiture. Après en avoir fourré un dans la poche de son anorak jaune moutarde - anorak et roulé à la confiture destinés à devenir deux éléments cruciaux -, il avait quitté la maison en passant par le jardin de derrière.

Son intention était, paraît-il, de se rendre directement à l'école, et, dans son premier entretien avec la police, il prétendait y être bel et bien allé. Il n'avait modifié sa version que lorsqu'on lui avait lu la déposition de son instituteur attestant qu'il était absent ce jour-là, après quoi il avait avoué avoir fait un tour dans

les jardins ouvriers, lesquels appartenaient à la cité Buchanan et se situaient
derrière la rue où habitaient les Spargo.
Là, il avait « peut-être un peu embêté un
vieux schnock qui travaillait dans un
potager » et « peut-être défoncé la porte
d'une cabane » où il se pouvait qu'il ait
piqué un sécateur. « Sauf que je l'ai pas
gardé, non, non, je l'ai pas gardé. » Le
« vieux schnock » en question confirme la
présence de Michael dans les potagers à huit
heures du matin, même s'il est peu probable
que les planches de légumes aient présenté
un grand intérêt aux yeux du garçon, qui,
selon le retraité, avait passé une quinzaine de minutes à les « piétiner » jusqu'à
ce qu'il lui remonte les bretelles. « Le
petit voyou a juré comme un charretier puis
il a fichu le camp. »

Apparemment, à ce moment-là, Michael avait
pris la direction de son école, qui se trouvait à environ six cents mètres de la cité
Buchanan. C'était quelque part en chemin
qu'il était tombé sur Reggie Arnold.

Reggie Arnold était très différent de
Michael Spargo. Si Michael était grand pour
son âge et maigre comme un coucou, Reggie
était trapu et encore grassouillet comme un
bébé. Avec ses cheveux ras, il se faisait
pas mal charrier à l'école (on le traitait
souvent de « crâne d'œuf ») mais, contrai-

rement aux vêtements de Michael, les siens, en général, étaient propres et en bon état. D'après ses professeurs, Reggie était un « gentil garçon, malgré un côté soupe au lait ». Quand on les pousse un peu, les enseignants ont tendance à attribuer ce tempérament impulsif « aux problèmes des parents, mais il y a aussi les problèmes avec le frère et la sœur ». On peut dès lors supposer sans trop s'avancer que la nature insolite du couple Arnold, en plus de l'invalidité d'un frère aîné et du handicap mental d'une sœur cadette, ne facilitait pas la vie quotidienne de Reggie.

Rudy et Laura Arnold, il faut le reconnaître, n'avaient pas eu de chance. Leur fils aîné était cloué dans un fauteuil roulant à la suite d'une paralysie cérébrale et leur fille avait été jugée inapte à suivre une scolarité normale. Ces deux éléments avaient eu pour effet de concentrer presque toute l'attention parentale sur les deux enfants à problèmes, et d'ébranler davantage un couple fragile qui s'était déjà séparé maintes et maintes fois, ce qui obligeait Laura à faire face toute seule.

Dans ce contexte familial éprouvant, Reggie avait peu de chances de bénéficier d'une grande attention. Laura admet volontiers « avoir négligé ce gamin », mais son père prétend « l'avoir fait venir chez lui cinq ou six fois », en référence aux obligations paternelles qu'il aurait assumées durant les périodes où sa femme et lui vivaient séparés. Comme on peut l'imaginer, le besoin inassouvi de Reggie d'être dorloté s'est métamorphosé en tentatives réitérées pour obtenir l'attention des adultes. Dans la rue, ces efforts se traduisaient par du chapardage et parfois des sévices exercés sur des enfants plus jeunes ; dans la salle de classe, il se conduisait mal. Malheureusement, ses professeurs voyaient dans ces écarts de conduite l'expression de l'impulsivité susmentionnée et non l'appel au secours qu'ils étaient réellement. Lorsqu'on le contrariait, Reggie était enclin à envoyer promener son pupitre ou à se taper la tête dessus, à se jeter contre les murs et à se rouler par terre de fureur.

Le jour du crime, d'après les témoignages - et les films de vidéosurveillance le confirment -, Michael Spargo et Reggie Arnold se sont trouvés ensemble à l'épicerie de quartier la plus proche de chez les Arnold, sur le trajet de Michael vers l'école. Les garçons se connaissaient et avaient manifestement déjà joué tous les deux, mais leurs parents ne s'étaient pas rencontrés. Au dire de Laura Arnold, elle avait envoyé son fils chercher du lait, et le commerçant confirme que Reggie avait bien acheté un demi-litre de lait demi-écrémé. D'après Michael, il en avait éga-

22

lement profité pour voler deux barres de Mars, « histoire de rigoler un peu ».

Michael avait suivi Reggie. En retournant chez les Arnold, les garçons s'étaient amusés à ouvrir le carton de lait et à en verser le contenu dans le réservoir d'une Harley-Davidson. Ils avaient été surpris par le propriétaire de la moto, qui leur avait couru après sans réussir à les rattraper. Il se rappellerait par la suite l'anorak moutarde de Michael Spargo et, bien qu'incapable d'identifier les garçons par leur nom, il reconnaîtrait une photo de Reggie Arnold quand la police la lui soumettrait parmi d'autres visages.

En arrivant chez lui sans le lait qu'on l'avait envoyé chercher, Reggie avait raconté à sa mère - avec Michael Spargo comme témoin putatif - qu'il avait été racketté par deux garçons qui lui avaient volé l'argent du lait. « Il a pleuré et il a commencé à piquer une crise, raconte Laura Arnold. Alors je l'ai cru. Qu'est-ce que je pouvais faire d'autre ? » Question pertinente, en effet, car sans son mari à demeure et avec deux enfants handicapés dont elle s'efforçait de s'occuper seule, l'absence du carton de lait, si regrettable qu'elle ait pu être ce matin-là, avait dû lui paraître un problème bien dérisoire. Elle avait pourtant tenu à savoir qui était Michael Spargo, et elle avait posé la question à son fils. Reggie l'avait présenté

comme un « copain d'école », et il l'avait
emmené avec lui pour exécuter l'ordre suivant de sa mère, qui était de monter lever
sa sœur. Il était alors aux alentours de
neuf heures moins le quart, et si les garçons devaient aller en classe ce jour-là,
ils seraient forcément en retard. Ils le
savaient très bien et, dans son interrogatoire, Michael détaille la dispute que
Reggie a eue avec sa mère en réaction à
ses instructions : « Reggie s'est mis à
râler en disant qu'il allait être en retard,
mais elle s'en fichait. Elle lui a répété
de remuer ses fesses et de monter chercher
sa sœur. Elle lui a dit qu'il pouvait remercier Dieu de pas être comme les deux
autres », faisant sans doute référence aux
handicaps de son frère et de sa sœur. Cette
dernière remarque était, semble-t-il, un
refrain habituel dans la bouche de Laura
Arnold.

Malgré l'ordre qu'il avait reçu, Reggie
n'était pas allé chercher sa sœur. Au
contraire, il avait répondu à sa mère de
« se charger elle-même de ses corvées » (ce
sont les mots de Michael, Reggie paraissant
s'être montré plus direct…), et les garçons
avaient quitté la maison. Dans la rue, toutefois, ils étaient tombés sur Rudy Arnold
qui, pendant qu'ils étaient dans la cuisine
avec Laura, était arrivé en voiture et
« traînait dans les parages, comme s'il
avait la trouille d'entrer ». Reggie et lui

avaient échangé quelques mots, d'une teneur manifestement très désagréable, du moins du côté de Reggie. Michael aurait demandé à Reggie qui était cet homme, présumant que c'était « le petit ami de sa mère ou quelque chose comme ça », et Reggie lui aurait répondu que « ce sale con » était son père, en soulignant cette déclaration par un petit acte de vandalisme : il avait ramassé un casier à lait sur le perron d'un voisin pour le balancer dans la rue, où il l'avait écrabouillé en sautant dessus.

À en croire Michael, il n'y était pour rien. D'après sa déposition, à ce moment-là il avait la ferme intention d'aller en classe, mais Reggie avait annoncé qu'il comptait « sécher les cours » et « se marrer un peu pour une fois ». D'après Michael, c'était Reggie, et non pas lui, qui avait eu l'idée d'inclure Ian Barker dans ce qui allait suivre.

À onze ans, Ian Barker était d'ores et déjà catalogué comme perturbé, difficile, ingérable, dangereux, borderline, caractériel ou psychopathe selon les comptes rendus. Il était, à cette époque, le fils unique d'une mère de vingt-quatre ans (l'identité du père demeure inconnue à ce jour), mais avait été élevé dans l'illusion que la jeune femme était sa sœur aînée. Il avait, semble-t-il, une immense affection pour sa grand-mère, qu'il prenait naturellement pour sa mère, mais une profonde aversion pour la créature censée être sa sœur. À neuf ans, il avait été jugé en âge d'apprendre la vérité. C'était là une vérité qu'il n'avait eu aucun plaisir à entendre, d'autant plus qu'elle avait suivi de près l'injonction adressée à Tricia Barker de quitter la maison de sa mère et d'emmener son fils avec elle. À ce sujet, la grand-mère de Ian déclare aujourd'hui qu'elle s'efforçait par là de « pratiquer l'amour vache ». « Je voulais les garder tous les deux – le gamin, mais aussi Tricia – du moment qu'elle travaillait, mais il n'y avait pas moyen qu'elle garde un boulot et elle ne rêvait que de fiestas et de copains et de sortir jusqu'à pas d'heure, et je m'imaginais que si elle était obligée d'élever son môme toute seule elle changerait de mode de vie. »

Raté. Grâce à la générosité des pouvoirs publics, Tricia Barker avait eu droit à un logement. Mais l'appartement n'était pas grand et elle était forcée de partager une toute petite chambre avec son fils. C'est manifestement dans cette chambre que Ian avait commencé à assister aux rapports sexuels de sa mère avec un grand nombre d'hommes et, au moins à quatre occasions, avec plus d'un homme à la fois. Il est intéressant de noter que, quand il parle d'elle, Ian ne l'appelle jamais ni sa mère ni Tricia, mais emploie plutôt des termes péjoratifs tels que salope, pute, chienne, morue, pouffiasse, roulure ou traînée. Quant à sa grand-mère, il ne parle pas d'elle du tout.

Michael et Reggie semblent n'avoir eu aucun mal à mettre la main sur Ian Barker ce matin-là. Ils n'étaient pas allés chez lui - d'après Reggie, « sa mère était presque tout le temps en rogne et elle gueulait des insultes par la porte » -, mais ils l'avaient rencontré alors qu'il était en train de dépouiller un garçon plus petit sur le chemin de l'école. Ian avait « renversé le sac à dos du gamin sur le trottoir » et passait en revue ce qu'il contenait, espérant dénicher quelque chose de valeur, mais surtout de l'argent. Comme il n'avait rien trouvé d'un peu précieux à prendre au gamin, Ian, au dire de Michael, « l'avait méchamment plaqué contre le mur d'une maison et s'était mis à le tabasser ».

Ni Reggie ni Michael n'avaient tenté de s'interposer. D'après Reggie, « c'était juste pour rigoler. Je voyais bien qu'il allait pas lui faire de mal ». Tandis que Michael prétend : « J'arrivais pas à voir ce que Ian fabriquait. » Affirmation plutôt douteuse dans la mesure où les garçons étaient tous bien visibles sur le trottoir. Néanmoins, quelles qu'aient été au fond les intentions de Ian, les choses n'étaient pas allées plus loin. Un automobiliste s'était arrêté pour leur demander ce qu'ils étaient en train de faire, et ils s'étaient enfuis en courant.

On a laissé entendre que c'est parce que les désirs sadiques de Ian avaient été contrecarrés ce jour-là que les événements ultérieurs se sont produits. En effet, lors des interrogatoires, Reggie Arnold ne semble que trop avide de pointer son doigt en direction de Ian. Or, si la colère de Ian l'avait assurément conduit dans le passé à commettre des actes dont la nature répréhensible l'avait rendu encore plus haïssable que les deux autres lorsque la vérité avait éclaté, les preuves démontrent finalement que, lors des événements ultérieurs, il était non pas le leader mais (c'est moi qui souligne) un simple participant.

JUIN

New Forest, Hampshire

C'est par un pur hasard qu'elle pénétra dans son orbite. Plus tard, il se dirait que s'il n'avait pas baissé les yeux de son échafaudage à cet instant précis, s'il avait ramené Tess directement à la maison sans passer par le bois, elle n'aurait peut-être pas surgi dans sa vie. Mais c'était précisément ce qu'il était censé croire, et lorsqu'il se rendrait enfin à l'évidence, il serait bien trop tard.

C'était le milieu de l'après-midi, et il faisait très chaud. En juin, il pleuvait d'ordinaire à torrents, histoire de bien doucher tout espoir d'été. Mais, cette année, le temps s'annonçait différent. Le soleil qui brillait dans un ciel sans nuages laissait présager des mois de juillet et août durant lesquels la terre se dessécherait et les vastes prairies de la Perambulation roussiraient, obligeant les poneys de la New Forest à s'enfoncer dans les bois pour trouver de quoi se nourrir.

Il était en haut de l'échafaudage, s'apprêtant à grimper sur le faîte où il avait commencé à poser la paille. Beaucoup plus flexible que les roseaux qui constituaient le reste des matériaux, la päille pouvait être ployée pour former l'arête du toit. Aux yeux de certains, ce feston enjolivait les toits de chaume, mais pour lui il n'avait pas uniquement une fonction décorative : il protégeait surtout la dernière couche de roseaux des intempéries et des dégâts causés par les oiseaux.

Il avait atteint l'arêtier. Il était impatient. Ils travaillaient sur cet énorme projet depuis trois mois, et il avait promis d'en attaquer un autre deux semaines plus tard. Les finitions restaient à faire, et il ne pouvait déléguer cette tâche à son apprenti. Cliff Coward n'était pas encore prêt pour utiliser le racloir sur le chaume. Cette étape était cruciale pour parfaire l'aspect général du toit, et elle nécessitait à la fois du savoir-faire et un œil affûté. Or cette mission délicate n'aurait pu être confiée à Cliff, qui, jusqu'ici, n'avait pas réussi à rester concentré même sur la plus simple des besognes, comme celle qu'il était justement censé accomplir, à savoir hisser encore deux fagots de paille jusqu'au faîtage. Pourquoi n'avait-il pas mené à bien cette tâche on ne peut plus élémentaire ?

Chercher une réponse à cette question fut ce qui changea la vie de Gordon Jossie. Il se détourna du faîte, lançant d'un ton sec : « Cliff ! Enfin merde, qu'est-ce que tu fous ? », et il vit en contrebas que son apprenti ne se tenait plus à côté des fagots, là où il était censé se trouver afin de prévenir les besoins du maître chaumier. Il avait rejoint le pick-up poussiéreux de Gordon, quelques mètres plus loin. Là-bas, assise bien droite, Tess remuait joyeusement sa queue touffue tandis qu'une femme caressait la toison dorée de sa tête. Il ne la connaissait pas et, à en juger par ses vêtements et par la carte qu'elle tenait, elle explorait sans doute les jardins.

— Ohé, Cliff ! cria Gordon Jossie.

L'apprenti et l'inconnue levèrent les yeux en même temps.

Gordon ne voyait pas bien le visage de la femme à cause de son chapeau. En paille, doté d'un large bord, il était entouré d'un foulard fuchsia en guise de ruban. On retrouvait cette même couleur sur sa robe, une robe d'été qui mettait en valeur des bras bronzés et de longues jambes tout aussi hâlées. Ses pieds étaient chaussés de sandales. Elle portait un sac à main en paille en bandoulière et un bracelet en or au poignet.

Cliff répondit :

— Désolé ! J'étais en train d'aider cette dame.

Au même moment, la femme expliquait en riant :

— Je me suis complètement perdue.

Elle enchaîna :

— Je suis vraiment désolée. Il m'a proposé…

Elle s'interrompit et agita sa carte, comme pour souligner l'évidence : elle ne savait pas comment elle s'était débrouillée, mais elle s'était égarée dans les jardins, pour aboutir à ce bâtiment administratif, dont Gordon refaisait la toiture.

— En réalité, je n'ai jamais vu faire un toit de chaume avant, ajouta-t-elle, essayant peut-être de se montrer aimable.

Gordon, quant à lui, n'était pas d'humeur badine. Il était hargneux, à cran, et nullement disposé à se laisser amadouer. Il n'avait pas de temps à consacrer aux touristes.

— Elle cherche l'étang de Monet ! cria Cliff.

— Et moi je cherche à installer une putain d'arêtière sur ce toit, répliqua Gordon dans sa barbe.

Il indiqua le nord-ouest.

— Il y a un sentier près de la fontaine. La fontaine aux nymphes et aux faunes. Vous êtes censée prendre à gauche à cet endroit-là. Vous avez pris à droite.

— Ah bon ? s'étonna la femme. Enfin, c'est bien moi, j'imagine.

Elle resta là un moment, comme si elle pensait que la conversation allait se poursuivre. Elle portait des lunettes noires et Gordon se dit qu'elle avait tout à fait l'allure d'une star, une star comme Marilyn Monroe, elle était aussi bien foutue qu'elle, rien à voir avec ces anorexiques à la mode. Dans un premier temps, il pensa qu'elle en était peut-être vraiment une : elle était habillée un peu comme une star, et il lui semblait évident qu'aucun homme n'hésiterait à interrompre son activité pour bavarder avec elle. Il lança d'un ton sec :

— Vous devriez vous repérer facilement, maintenant.

— Puissiez-vous dire vrai !

Puis elle ajouta, de façon assez ridicule, selon lui :

— Il n'y aura pas… euh… il n'y aura pas de chevaux là-bas, dites ?

Elle précisa :

— C'est juste que… en fait, j'ai un peu peur des chevaux.

— Les poneys ne vous feront aucun mal. Ils garderont leurs distances si vous n'essayez pas de leur donner à manger.

— Ah ça, pas de danger.

Elle attendit un moment comme si elle pensait qu'il allait répondre, mais il n'en avait aucune envie.

— En tout cas… merci, conclut-elle.

Elle prit la direction indiquée par Gordon. Tout en marchant, elle ôta son chapeau, qu'elle balança du bout des doigts. Ses cheveux étaient blonds et, lorsqu'elle les secouait, ils retombaient parfaitement en place dans un grand chatoiement, comme s'ils savaient ce qu'ils étaient censés faire. Gordon n'était pas insensible au charme féminin, et il remarqua qu'elle avait une démarche gracieuse. Mais il ne ressentit aucun émoi dans le bas-ventre ou dans le cœur, et s'en félicita. Il préférait que les femmes le laissent indifférent.

Cliff le rejoignit sur l'échafaudage, deux bottes de paille sur le dos.

— Elle a bien plu à Tess, dit-il, comme pour expliquer quelque chose ou pour défendre la femme. Il est peut-être temps de retenter le coup, vieux, ajouta-t-il alors que Gordon regardait la femme s'éloigner.

Mais si Gordon la regardait, ce n'était pas par fascination ou par attirance. Il l'observait pour s'assurer qu'elle tournait bien là où il fallait à la fontaine aux nymphes et aux faunes. Mais non. Il secoua la tête. Indécrottable, se dit-il. Elle ne tarderait pas à atterrir dans les pâturages, mais il était persuadé que là-bas aussi elle réussirait à trouver quelqu'un pour l'aider.

Cliff avait envie d'aller boire un verre à la fin de la journée. Pas Gordon. Il ne buvait jamais d'alcool. Il n'aimait pas non plus l'idée de faire copain-copain avec ses apprentis. Et puis Cliff n'avait que dix-huit ans. Avec ses treize ans de plus, Gordon avait souvent l'impression d'être son père. Ou de ressentir ce que devait ressentir un père, supposait-il, étant donné qu'il n'avait pas d'enfants et ne désirait pas en avoir.

— Faut que j'aille faire courir Tess, dit-il à Cliff. Ce soir, elle tiendra pas en place si elle se défoule pas un peu.

— T'es sûr, vieux ?

— Je crois connaître mon chien, répondit Gordon.

Il savait que Cliff ne parlait pas de Tess, mais sa remarque lui permit de couper court. Cliff aimait beaucoup trop bavarder.

Gordon le déposa au pub de Minstead, un hameau niché dans un vallon et qui comptait une église, un cimetière, une épicerie, le pub en question et une grappe de cottages en torchis rassemblés autour d'une placette. Celle-ci était ombragée par un chêne séculaire au pied duquel broutait un poney pie ; les crins de sa queue avaient repoussé depuis l'automne dernier, quand on l'avait marqué. Le poney ne leva pas la tête alors que le pick-up s'immobilisait avec fracas pas très loin de ses jambes. Résidant ancestral de la New Forest, l'animal savait sans doute que son droit de paître où bon lui semblait précédait de beaucoup celui du pick-up de sillonner les routes du Hampshire.

— À d'main, alors, lança Cliff avant de partir rejoindre ses copains au pub.

Gordon le regarda s'en aller, attendant, sans raison particulière, que la porte se referme derrière lui. Puis il redémarra.

Il se rendit, comme toujours, à Longslade Bottom. Avec le temps, il avait appris qu'il était rassurant d'avoir ses petites habitudes. Le week-end, il pouvait sans problème choisir un autre endroit pour faire courir Tess, mais en semaine, à la fin de sa journée de travail, il préférait un lieu proche de là où il habitait. Il aimait bien aussi le côté découvert de Longslade Bottom. Et puis, dans les moments où il ressentait le besoin de s'isoler, il appréciait la présence de Hinchelsea Wood, sur le coteau juste au-dessus.

La prairie s'étendait au-delà d'un parking cahoteux sur lequel Gordon fut ballotté, tandis que Tess, à l'arrière, jappait joyeusement, impatiente d'aller gambader. Par cette belle journée, la voiture de Gordon n'était pas la seule garée le long de la pelouse : six autres s'alignaient en bordure de la vaste prairie sur laquelle, au loin, broutait un troupeau de poneys qui comptait cinq poulains. Habitués à la fois à l'homme et aux animaux, les poneys n'étaient pas troublés par les aboiements des chiens qui s'ébattaient sur la pelouse, mais, en les voyant à une centaine de mètres, Gordon sut qu'il n'était pas question pour sa chienne d'aller folâtrer sur l'herbe rase. Tess avait un faible pour les poneys sauvages de la New Forest, et elle avait beau avoir récolté une ruade par-ci, une morsure par-là et plusieurs engueulades de Gordon, elle refusait de comprendre qu'elle n'avait pas été créée dans le but de leur donner la chasse.

Elle ne tenait plus en place. Elle gémissait et se léchait les babines comme si elle ne demandait qu'à relever le défi qu'elle s'était inventé. Gordon arrivait presque à lire dans la tête de sa chienne : Et des poulains, en plus ! Super ! On va bien rigoler !

— Même pas en rêve, dit-il avant d'attraper la laisse à l'arrière du pick-up.

Il l'attacha au cou de la chienne puis la laissa filer. Tess s'élança, pleine d'espoir. Lorsqu'il raccourcit la laisse, elle fit tout un cinéma, toussant et s'étranglant. Une fin d'après-midi typique, songea-t-il avec résignation.

— Tu te sers pas trop de ta cervelle, on dirait ?

Tess le regarda, remua la queue et lui adressa un grand sourire canin.

— Ça aurait peut-être marché à une époque, mais plus maintenant.

Il entraîna le golden retriever vers le nord-est, résolument à l'écart des poneys et de leurs petits. La chienne suivit le mouvement, tout en regardant par-dessus son épaule en geignant, dans l'espoir de l'attendrir et de le faire changer d'avis. En vain.

Longslade Bottom comportait trois zones : la prairie sur laquelle broutaient les poneys, une lande au nord-ouest recouverte de bruyère tétragone et de molinies bleues, et, entre les deux, un marais où de gros coussins de sphaigne absorbaient l'eau mouvante tandis que des trèfles d'eau jaillissaient en touffes roses et blanches des rhizomes qui s'élevaient des flaques peu profondes. Un sentier au départ du parking guidait le promeneur en toute sécurité à travers le marais et, le long de ce parcours, les pompons duveteux des linaigrettes formaient de grands panaches blancs.

Gordon choisit ce sentier car il les mènerait sur le flanc de la colline jusqu'à Hinchelsea Wood. Là, dans le bois, il pourrait lâcher Tess. Les poneys seraient sortis de son champ de vision et, pour Tess, ne plus voir quelque chose, c'était ne plus y penser. Elle possédait cette qualité admirable entre toutes : elle était capable de vivre totalement dans l'instant.

Le solstice d'été approchant, le soleil était encore haut dans le ciel dégagé en cette fin d'après-midi. Sa lumière scintillait sur le corps iridescent des libellules et sur le plumage éclatant des vanneaux qui s'envolaient au passage de Gordon et de sa chienne. Une légère brise transportait le riche parfum de la tourbe et des végétaux décomposés dont elle résultait. L'atmosphère tout entière était vibrante de sons, du cri rocailleux des courlis aux appels des propriétaires de chiens, là-bas, sur la pelouse.

Gordon tenait la bride courte à Tess. Ils entamèrent l'ascension vers Hinchelsea Wood, laissant le marais et la pelouse derrière eux. Tout compte fait, le bois était mieux pour une promenade de fin d'après-midi. Avec la frondaison estivale des hêtres et des chênes, et les bouleaux et les châtaigniers qui offraient une protection supplémentaire, il ferait frais dans le sous-bois. Après une journée sous la chaleur, à hisser des bottes de roseaux et de paille sur un toit, Gordon se réjouissait d'échapper enfin au soleil.

Il libéra la chienne lorsqu'ils atteignirent les deux cyprès qui marquaient l'entrée officielle du bois. Elle disparut aussitôt sous les arbres. Il savait qu'elle finirait par revenir. Le dîner n'était pas loin, et Tess n'était pas du genre à sauter un repas.

Il continua à marcher en s'occupant l'esprit. Ici, dans le bois, il pouvait citer le nom des arbres. Il étudiait la New Forest depuis son arrivée dans le Hampshire, et au bout de dix ans, il connaissait les particularités et les traditions de la Perambulation mieux que la plupart des autochtones.

Bientôt, il s'assit sur le tronc d'un aulne abattu, non loin d'un massif de houx. Le soleil filtrait à travers les branches des arbres, tachetant un sol rendu spongieux par des années d'humus accumulé. Gordon continua à nommer les arbres qui l'entouraient, puis il passa aux plantes. Celles-ci étaient rares, car le bois faisait partie des pâturages et était fréquenté par les poneys, les ânes et les daims. En avril et en mai, ils avaient dû se régaler des tendres pousses des fougères, pour s'attaquer ensuite allègrement aux fleurs sauvages, aux jeunes aulnes et aux rejets des nouvelles ronces. Les animaux avaient si bien sculpté le paysage qu'il était facile de marcher dans le sous-bois.

Entendant la chienne aboyer, il sortit de sa rêverie. Il ne s'inquiétait pas, car il savait reconnaître les différents aboiements de Tess. C'était son aboiement joyeux, celui qu'elle employait pour saluer un ami ou un bâton lancé dans la Hatchet Pond. Il se leva et regarda dans la direction des aboiements. Ils se rapprochèrent, et Gordon discerna alors une voix qui les accompagnait : une voix de femme. Il ne tarda pas à voir celle-ci émerger de sous les arbres.

Il ne la reconnut pas tout de suite, car elle s'était changée. Elle avait troqué sa robe d'été, son chapeau de paille et ses sandales contre un pantalon kaki et un chemisier à manches courtes. Elle portait toujours ses lunettes noires – lui aussi, car le soleil brillait encore –, et ses chaussures ne convenaient toujours pas. Si elle avait renoncé aux sandales, elle les avait remplacées par des bottes en caoutchouc, un choix bizarre pour une flânerie estivale, à moins de vouloir patauger dans le marécage.

Elle parla la première.

— Je me disais bien que c'était le même chien. Elle est vraiment adorable.

Il aurait pu se figurer qu'elle l'avait suivi. Or, de toute évidence, elle était là avant lui. Elle ressortait du bois ; lui y entrait. Il se méfiait des gens, mais refusait de céder à la paranoïa.

— Vous êtes la femme qui cherchait l'étang de Monet.

— J'ai fini par le trouver… Non sans avoir atterri d'abord dans un pré au milieu des vaches.

— Oui, dit-il.

Elle inclina la tête. Ses cheveux attrapèrent à nouveau la lumière, exactement comme à Boldre Gardens. Il se demanda, bêtement, si elle y mettait des paillettes. Il n'avait jamais vu une chevelure aussi éclatante.

— Oui ? répéta-t-elle.

— Je sais, bredouilla-t-il. Je veux dire, oui, je sais. Je m'en suis douté. D'après la direction que vous aviez prise.

— Ah. Vous m'observiez depuis le toit, c'est ça ? J'espère que vous n'avez pas ri. Ce serait trop cruel.

— Non.

— C'est que… je suis nulle pour lire les cartes, et pas tellement plus douée avec les indications orales, alors, ça va de soi, je me suis encore perdue. Au moins, je ne suis pas tombée sur des chevaux.

Il regarda autour d'eux.

— Pas l'endroit idéal, si ? Quand on n'est pas douée pour s'orienter ?

— Dans le bois, vous voulez dire ? Mais j'ai été aidée.

Elle désigna le sud et il vit qu'elle indiquait un tertre, au loin, où se dressait un énorme chêne.

— J'ai pris soin de toujours voir cet arbre sur ma droite en entrant dans le bois, et maintenant qu'il est sur ma gauche, je suis à peu près sûre d'aller dans la direction du parking. Alors, j'ai beau me fourvoyer et me retrouver sur un chantier de couvreur ou dans un pâturage, je ne suis pas totalement irrécupérable.

— C'est le chêne de Nelson.

— Quoi ? Vous voulez dire que cet arbre appartient à quelqu'un ? Il est sur une propriété privée ?

— Non. Il est sur le terrain domanial. On l'appelle le chêne de Nelson parce que c'est lui qui l'aurait planté. Lord Nelson, j'entends.

— Ah. Je vois.

Il la regarda de plus près. Elle se pinçait la lèvre, et il se dit qu'au fond elle ne savait peut-être pas qui était lord Nelson. Il y avait beaucoup d'ignorants à l'époque actuelle. Pour la tirer d'embarras sans la mettre mal à l'aise, il expliqua :

— L'amiral Nelson faisait construire ses navires à Buckler's Hard. Après Beaulieu. Vous connaissez l'endroit ? Sur l'estuaire ? Ils utilisaient des quantités de bois phénoménales, alors ils ont dû commencer à replanter. Nelson n'a sûrement pas mis les glands en terre personnellement, mais l'arbre lui est tout de même associé.

— Je ne suis pas d'ici, avoua-t-elle. Mais j'imagine que vous l'aviez compris.

Elle tendit la main.

— Gina Dickens… Sans lien de parenté. Je sais que madame s'appelle Tess, ajouta-t-elle en désignant la chienne qui s'était tranquillement installée à ses côtés, mais vous, je ne sais pas qui vous êtes.

— Gordon Jossie, répondit-il en lui serrant la main.

La douceur de ce contact lui rappela à quel point sa peau était durcie par le travail. Mais également crasseuse, après toute une journée passée en haut d'un toit.

— J'avais deviné.

— Quoi donc ?

— Que vous n'étiez pas du coin.

— Oui, je suppose que les autochtones ne se perdent pas aussi facilement que moi…

— C'est pas ça. C'est vos pieds.

Elle baissa les yeux.

— Qu'est-ce qu'ils ont, mes pieds ?

— Les sandales que vous portiez à Boldre Gardens, et maintenant ça… Pourquoi avoir mis des bottes en caoutchouc ? Vous comptez marcher dans le marais ?

Elle recommença à se mordiller la lèvre. Il se demanda si c'était pour s'empêcher de rire.

— Vous êtes de la campagne, n'est-ce pas, alors vous allez me trouver idiote. C'est à cause des vipères… J'ai lu qu'il y en avait dans la New Forest et j'avais peur d'en rencontrer une. Maintenant vous allez vous moquer de moi pour de bon, n'est-ce pas ?

Il ne put retenir un sourire.

— Vous avez peur de rencontrer des serpents dans la forêt, c'est ça ?

Il n'attendit pas sa réponse.

— Ils sont là-bas, sur la lande. Là où il y a le plus de soleil. Vous pourriez peut-être en rencontrer sur le sentier en traversant le marécage, mais il y a assez peu de chances.

— Je vois que j'aurais dû vous consulter avant de me changer. Vous avez toujours habité ici ?

— Ça fait dix ans. Je viens de Winchester.

— Ça alors, moi aussi !

Elle lança un regard vers les profondeurs du bois.

— Puis-je marcher avec vous un moment, Gordon ? Je ne connais personne dans les parages, j'adore bavarder, et étant donné que vous avez l'air inoffensif et que vous êtes là avec la plus adorable des chiennes…

— Comme vous voudrez, fit-il en haussant les épaules. Mais on n'est pas forcés de marcher. Tess va dans les bois toute seule et elle revient quand elle en a assez… On peut s'asseoir, si vous préférez.

— En fait, oui, je préférerais. À dire vrai, j'ai déjà pas mal tournicoté.

Il indiqua le tronc sur lequel il était assis quand elle était apparue. Ils y prirent place à une distance respectueuse, mais, contrairement à ce qu'il pensait, Tess ne repartit pas. Elle se coucha près de Gina, soupira et posa sa tête sur ses pattes.

— Elle vous aime bien, fit-il remarquer. Les vides sont faits pour être comblés.

— Je ne vous le fais pas dire, acquiesça-t-elle.

Elle avait un ton de regret, et il lui posa la question qui coulait de source. Il n'était pas courant pour quelqu'un de son âge de venir s'installer à la campagne. Les jeunes adultes migraient habituellement dans l'autre sens. Elle répondit avec un sourire :

— Eh bien, oui. Une relation qui a très, très mal tourné… Alors me voici. J'espère pouvoir travailler avec des adolescentes enceintes. C'est ce que je faisais à Winchester.

— Ah bon ?

— Vous paraissez surpris. Pourquoi ?

— Vous avez presque l'air d'une ado vous-même.

Elle abaissa ses lunettes de soleil sur son nez et le regarda par-dessus la monture.

— Est-ce que vous flirtez avec moi, Mr Jossie ?

Il sentit la chaleur lui monter aux joues.

— Pardon. Je ne voulais pas. C'est un malentendu.

— Bah. Il m'avait bien semblé, pourtant.

Elle releva ses lunettes sur le sommet de son crâne et le dévisagea ouvertement. Ses yeux n'étaient ni bleus ni verts mais entre les deux, une couleur indéfinissable et intéressante.

— Vous rougissez. Je n'avais jamais fait rougir un homme. C'est plutôt mignon. Vous rougissez souvent ?

Il s'empourpra encore plus. Il n'avait pas l'habitude de ce genre de conversation avec les femmes.

— Je vous mets mal à l'aise. Je suis désolée. Ce n'était pas mon intention. Il m'arrive de taquiner les gens. C'est une mauvaise habitude. Vous pourrez peut-être m'aider à arrêter.

— Y a pas de mal à taquiner, dit-il. Je suis juste… je suis juste un peu décontenancé. La plupart du temps, vous comprenez… je fais des toits de chaume.

— Sans aucun répit ?

— Pour ainsi dire.

— Et comme distractions ? Pour vous détendre ? En guise de divertissement ? De récréation ?

Du bout de son menton, il désigna la chienne.

— C'est à ça qu'elle sert.

— Hmmm. Je vois.

Elle se pencha vers Tess et la caressa juste derrière les oreilles, son endroit préféré. Si la chienne avait pu ronronner, elle l'aurait fait. Gina semblait réfléchir. Quand elle releva la tête, son expression était songeuse.

— Vous viendriez boire un verre avec moi ? Je vous l'ai dit, je ne connais personne dans les parages, et comme vous continuez à me paraître tout à fait inoffensif, et que moi aussi je suis inoffensive, et que vous avez une chienne adorable… Est-ce que ça vous dirait ?

— Je ne bois pas, en fait.

Elle haussa les sourcils.

— Vous n'ingurgitez aucun liquide ? Ce n'est pas possible, voyons.

Il sourit, malgré lui, mais ne répondit pas.

— Je pense prendre une limonade, dit-elle. Je ne bois pas non plus. Mon père… Il picolait pas mal, alors j'évite l'alcool. Je faisais un peu tache au lycée, mais c'était une qualité, à mon avis. J'ai toujours bien aimé être différente des autres.

Elle se leva brusquement et s'épousseta les fesses. Tess, se levant à son tour, se mit à remuer la queue. La chienne acceptait l'invitation spontanée de Gina.

Pourtant, Gordon hésitait. Il préférait se tenir à distance des femmes, mais, après tout, elle ne lui proposait pas une liaison. Et puis, nom de Dieu, elle n'avait pas l'air dangereuse. Son regard était franc et amical.

— Il y a un hôtel à Sway, dit-il.

Elle resta interdite, et il se rendit compte de l'ambiguïté de ses paroles. Les oreilles en feu, il s'empressa d'ajouter :

— Je veux dire que Sway est le plus près d'ici, et qu'il n'y a pas de pub dans le village. Tout le monde va au bar de l'hôtel. Vous pouvez me suivre là-bas. Nous pourrons boire ce verre.

L'expression de Gina s'adoucit.

— Vous m'avez décidément l'air du plus adorable des hommes.

— Oh, non, je ne crois pas.

— Moi je crois que si.

Ils commencèrent à marcher. Tess gambadait devant et soudain, prodige que Gordon n'oublierait pas de sitôt, elle s'immobilisa à l'orée du bois, là où le sentier descendait en sinuant vers le marécage. Elle s'était arrêtée pour qu'on lui remette sa laisse. C'était une première. Il n'était pas du genre à chercher des signes, mais il vit quand même là un encouragement.

Lorsqu'ils rejoignirent la chienne, il la rattacha et tendit la laisse à Gina.

— Que vouliez-vous dire, « sans lien de parenté » ? demanda-t-il.

Elle fronça les sourcils.

— « Sans lien de parenté »… C'est ce que vous avez dit en vous présentant.

À nouveau cette expression. De la douceur mêlée d'autre chose, un mélange qui l'intimidait et l'attirait en même temps.

— Charles Dickens, dit-elle. L'écrivain. Je n'ai pas de lien de parenté avec lui.

— Ah. Je n'ai… Je n'ai jamais beaucoup lu.

— C'est vrai ? s'étonna-t-elle alors qu'ils attaquaient la descente.

Elle passa une main sous son bras, tandis que Tess ouvrait la voie.

— On va devoir remédier à ça, j'imagine.

JUILLET

1

Lorsque Meredith Powell ouvrit l'œil et vit la date sur son réveil digital, quatre données lui vinrent à l'esprit en l'espace de quelques secondes : c'était son vingt-sixième anniversaire ; c'était son jour de congé ; c'était le jour où sa mère avait proposé de jouer les mamies gâteau avec son unique petite-fille ; c'était l'occasion rêvée pour s'excuser auprès de sa meilleure et plus vieille amie d'une dispute qui leur valait d'être brouillées depuis presque un an. Jemima Hastings et elle étaient nées le même jour. Inséparables dès l'âge de six ans, elles fêtaient leur anniversaire ensemble depuis leurs huit ans. Meredith savait que si elle ne se réconciliait pas avec Jemima ce jour-là, elle ne le ferait sans doute jamais, et dans ce cas une tradition qui lui tenait à cœur serait anéantie. Il n'en était pas question. Les amies proches, ça ne se trouvait pas si facilement.

La façon de s'excuser nécessitait une certaine réflexion, dans laquelle Meredith se lança en prenant sa douche. Elle opta pour un gâteau d'anniversaire. Elle le préparerait elle-même, l'apporterait à Ringwood et l'offrirait à Jemima en même temps que ses excuses sincères et l'aveu de ses torts. Celui dont elle se garderait bien de parler, c'était le compagnon de Jemima, qui avait été la cause de leur dispute. Meredith comprenait à présent que cela ne rimerait à rien. Il fallait simplement accepter l'idée que Jemima avait toujours été romantique en ce qui concernait les hommes, alors que Meredith savait par expérience, de manière absolue et incontestable, que les hommes n'étaient que des animaux déguisés en humains. Ils avaient besoin des femmes pour copuler, pour porter leurs enfants et tenir leur maison. S'ils pouvaient seulement l'avouer franchement, les femmes pourraient alors mener leur vie en connaissance de cause au lieu de se croire amoureuses.

Meredith n'avait que mépris pour la notion même d'amour. Elle était passée par là, elle y avait cru. Résultat : Cammie Powell, une fillette de cinq ans, le soleil de la vie de sa mère, sans père et sûrement vouée à le rester.

Cammie, pour l'heure, cognait à la porte de la salle de bains en criant :

— Maman ! Maaaaaa-maaaaan ! Mamie dit qu'on va voir les loutres aujourd'hui et qu'on va manger des esquimaux et des hamburgers. Tu viens avec nous ? Parce qu'il y a des chouettes, aussi. Elle dit qu'un de ces jours on ira à l'hôpital des hérissons mais comme il faut dormir sur place elle dit que je dois attendre d'être plus grande. Elle croit que tu me manquerais, mais tu pourrais venir, non ? Tu pourrais, hein, maman ? Maaaamaaaan ?

Meredith gloussa. Cammie se réveillait tous les matins réglée en mode monologue, et elle ne cessait généralement de parler que le soir à l'heure du coucher. Tout en se séchant, Meredith demanda :

— Tu as pris ton petit déjeuner, ma chérie ?

— J'ai oublié, répondit Cammie.

Meredith entendit un bruit de frottement et comprit que sa fille, en chaussons, piétinait fébrilement.

— Mais de toute façon mamie dit qu'elles ont des bébés. Des bébés loutres. Elle dit que quand leurs mamans meurent ou quand elles se font manger, leurs bébés ont besoin de quelqu'un pour bien s'occuper d'eux et que c'est ce qu'ils font au zoo. Au zoo des loutres. Par quoi elles se font manger, maman ?

— Je ne sais pas, Cam.

— Il faut bien que quelque chose les mange. Toutes les choses sont mangées par d'autres. Non ? Maman ? Maamaan ?

Meredith enfila son peignoir et ouvrit la porte. Cammie se tenait là, réplique parfaite de Meredith au même âge : trop grande pour ses cinq ans et, comme Meredith, bien trop maigre. C'était vraiment une chance que Cammie ne ressemble pas du tout à son minable de père. Lequel avait juré qu'il ne la verrait jamais, même si Meredith « faisait sa tête de mule et gardait ce bébé ». « Parce que, bon sang, j'ai une femme, espèce de petite idiote. Et aussi deux enfants. Et tu le savais très bien, Meredith. »

— Fais-moi mon bisou du matin, Cam, dit Meredith à sa fille. Et puis va m'attendre dans la cuisine. J'ai un gâteau à faire. Tu voudras m'aider ?

— Mais mamie est en train de préparer le petit déjeuner.

— Il doit bien y avoir la place pour deux cuisinières de plus.

Pendant que sa mère s'activait au fourneau, tournant les œufs brouillés et surveillant le bacon, Meredith, de son côté, commença son gâteau. Elle se servait d'une préparation instantanée, et sa mère tiqua en la voyant vider le contenu de la boîte dans une jatte.

— C'est pour Jemima, expliqua Meredith.

— Un peu comme porter de l'eau à la rivière… fit remarquer Janet Powell.

C'était vrai, mais tant pis. Et puis, c'était l'intention qui comptait, pas le gâteau lui-même. De toute façon, même en travaillant avec des ingrédients fournis par le plus grand cordon-bleu, Meredith n'aurait jamais réussi à égaler les prouesses que Jemima pouvait accomplir avec de la farine et des œufs. Alors pourquoi essayer ? Ce n'était pas un concours, après tout. C'était une amitié qui avait besoin d'être secourue.

Grand-mère et petite-fille étaient parties admirer les loutres et papi était parti travailler lorsque Meredith termina enfin son gâteau. Elle l'avait choisi au chocolat avec un glaçage au chocolat, et il était peut-être juste un tout petit peu de travers et un tout petit peu enfoncé au milieu… mais bon, c'était à ça que servait le glaçage, non ? Utilisé en abondance et agrémenté de fioritures, il pouvait masquer un tas d'erreurs.

La chaleur du four avait fait monter la température de la cuisine, et Meredith dut reprendre une douche avant de partir pour Ringwood. Comme d'habitude, elle s'enveloppa des épaules aux doigts de pied dans un caftan visant à dissimuler son corps de girafe, puis elle emporta le gâteau au chocolat jusqu'à sa voiture, où elle le plaça soigneusement sur le siège passager.

Mon Dieu, ce qu'il fait chaud, songea-t-elle. On suffoquait littéralement et il n'était même pas dix heures du matin. Elle avait cru que la chaleur provenait du four qui fonctionnait à plein régime dans la cuisine, mais de toute évidence il n'y avait pas que ça. Elle baissa les vitres, s'installa délicatement sur le siège brûlant, puis se mit en route. Elle allait devoir sortir le gâteau de la voiture le plus vite possible, sans quoi il ne resterait plus qu'une flaque de chocolat.

Le trajet jusqu'à Ringwood n'était pas très long, une portion de l'A 31 avec le vent qui s'engouffrait par les fenêtres et sa cassette de développement personnel résonnant dans les haut-parleurs. « Je suis donc je peux, je suis donc je peux », récitait une voix, et Meredith se concentra sur ce mantra. Elle n'y croyait pas réellement, mais elle était bien décidée à tout tenter pour réussir sa vie professionnelle.

En voyant le bouchon au niveau de la sortie « Ringwood », elle se rappela que c'était jour de marché. Le centre-ville serait bondé, les gens déferlant sur la place du marché où, une fois par semaine, les étals déployaient leurs couleurs vives sous la tour néoromane de l'église paroissiale St. Peter and Paul. En plus des gens qui faisaient leurs courses, il y aurait des touristes, car à cette période de l'année ils grouillaient dans la New Forest comme des vautours sur une charogne : des campeurs, des marcheurs, des cyclistes, des photographes amateurs et tous les mordus de nature imaginables.

Meredith jeta un coup d'œil à son gâteau. Elle avait eu tort de le poser sur le siège et non par terre. Le soleil donnait directement dessus, et ça n'arrangeait pas le glaçage.

Meredith devait reconnaître que sa mère avait raison : qu'est-ce qu'elle s'imaginait en apportant un gâteau à Jemima ? Tant pis, il était trop tard maintenant pour modifier ses plans. Peut-être que Jemima et elle rigoleraient ensemble quand elle débarquerait avec son gâteau à la boutique. Dénommée la Reine du Cupcake, celle-ci se trouvait dans Hightown Road, et Meredith y était pour beaucoup si Jemima avait pu dégoter ce local vacant.

Il y avait un peu de tout dans Hightown Road, ce qui en faisait l'adresse idéale pour la Reine du Cupcake. D'un côté de la rue, une rangée de résidences en briques rouges composait une courbe gracieuse de porches voûtés, de bow-windows et de chiens-assis, que surmontaient des boiseries blanches ajourées aux motifs tarabiscotés. Une vieille auberge du nom de Railway Hotel se dressait un peu plus loin du même côté : sa façade était ornée de plantes retombant de jardinières en fer forgé et déversant leurs couleurs jusqu'au trottoir en contrebas. De l'autre côté, des entreprises consacrées à l'automobile offraient des services allant de l'atelier de réparation à la vente de 4 × 4. Un salon de coiffure occupait un local à côté d'une laverie, et quand Meredith avait repéré, adjacent à cette laverie, un établissement vide avec, dans la vitrine, un panneau à LOUER poussiéreux, elle avait tout de suite pensé à Jemima. Son affaire de mini-muffins marchait du feu de Dieu dans son cottage près de Sway, mais elle avait besoin de se développer. Meredith avait dit à son amie : « Jem, ce sera fabuleux. Je pourrai passer pendant ma pause-déjeuner et on mangera un sandwich ensemble. » Et puis, il était grand temps, avait-elle insisté. Est-ce qu'elle voulait cantonner éternellement son entreprise à la cuisine d'un cottage, ou est-ce qu'elle était prête à faire le grand saut ? « Tu peux y arriver, Jem. J'ai confiance en toi. » Confiance professionnellement, s'était-elle gardée de préciser. En matière de choix personnels, elle n'avait absolument aucune confiance en Jemima.

Son amie n'avait pas été difficile à convaincre et, comme Meredith s'en doutait, le frère de Jemima avait fourni une partie de l'argent. Mais, peu après que Jemima avait signé le bail, toutes deux s'étaient brouillées à cause d'une discussion animée et franchement stupide sur ce que Meredith considérait comme l'incapacité chronique de son amie à se passer d'un homme. « Tu aimerais n'importe qui pour être aimée en retour », avait déclaré Meredith pour conclure sa dénonciation passionnée du dernier petit ami de Jemima, un des nombreux hommes qui avaient défilé dans sa vie. « Allons, Jem. Il suffit d'avoir des yeux et un peu de cervelle pour voir qu'il y a un truc qui cloche chez lui. » Pas le jugement idéal à porter sur un homme que votre meilleure amie était apparemment décidée à épouser. Vivre avec lui était déjà insensé, d'après Meredith. Alors se mettre la corde au cou…

L'insulte avait donc été double, envers Jemima, mais aussi envers l'homme qu'elle disait aimer. Du coup, Meredith n'avait jamais vu l'aboutissement des efforts de son amie, avec l'ouverture de la Reine du Cupcake.

Malheureusement, elle ne le vit pas davantage cette fois-ci. Lorsque Meredith se gara, attrapa le gâteau – le chocolat, c'était sans doute mauvais signe, donnait l'impression de transpirer à grosses gouttes… – et arriva avec son offrande à la porte de la Reine du Cupcake, elle découvrit une boutique fermée à double tour : les rebords des fenêtres étaient crasseux et l'intérieur respirait la faillite. Meredith aperçut une vitrine vide, ainsi qu'un comptoir poussiéreux et une étagère de boulangerie à l'ancienne qui ne présentait ni ustensiles ni gâteaux. Et il y avait combien de temps que Jemima avait ouvert ? Dix mois ? Six ? Huit ? Meredith ne se souvenait pas exactement, mais une chose était sûre, ce qu'elle voyait là ne lui plaisait pas, et elle avait du mal à croire que l'affaire de Jemima ait pu couler si rapidement. Rien qu'au cottage, son amie comptait déjà plus d'une vingtaine de clients réguliers, et ceux-ci l'avaient forcément suivie à Ringwood. Qu'avait-il pu se passer ?

· Meredith décida de consulter la seule personne susceptible de lui expliquer. Elle avait sa propre théorie sur la question, mais elle voulait savoir à quoi s'en tenir avant de revoir enfin Jemima.

Meredith trouva Lexie Streener chez Jean Michel Coiffure, dans la grand-rue. Elle s'était d'abord rendue chez elle, où la mère de l'adolescente avait interrompu son activité du moment – taper à la machine un long traité sur la Troisième Béatitude – pour lui exposer par le menu ce que signifiait réellement faire partie des débonnaires. En insistant un peu, Meredith apprit que Lexie faisait les shampooings chez Jean Michel Coiffure. (« Il n'y a pas de Jean Michel, souligna sèchement Mrs Streener. C'est un mensonge, voilà ce que c'est, et mentir est contraire à la loi de Dieu. »)

Chez Jean Michel Coiffure, Meredith dut attendre que Lexie ait fini de frictionner avec énergie le crâne d'une dame bien en chair qui avait déjà trop profité du soleil d'été et dévoilait outrancièrement son corps histoire de bien témoigner de cet abus inquiétant. Meredith se demanda si Lexie projetait de faire carrière dans ce métier. Elle espérait que non, car si la coiffure de la jeune fille reflétait un tant soit peu ses talents dans le domaine, aucune personne sensée ne se laisserait approcher si elle tenait à la main des ciseaux ou un flacon de teinture. Ses cheveux très courts étaient roses, blonds et bleus. Soit ils avaient été tondus – on pensait tout de suite à des poux –, soit ils s'étaient cassés, incapables d'autre chose après ces expositions répétées aux décolorants et aux colorations.

— Elle a juste téléphoné un jour, dit Lexie quand Meredith l'eut enfin tout à elle.

Elle avait dû attendre la pause de Lexie et cela lui avait coûté un Coca, mais cette dépense minime ne la gênait pas si elle lui valait un maximum de détails.

— Je croyais que je me débrouillais plutôt pas mal, mais voilà qu'elle me téléphone et qu'elle me dit de pas venir bosser le lendemain. J'lui ai demandé si c'était un truc que j'avais fait, comme fumer une clope trop près de la porte, on sait jamais, mais tout ce qu'elle me répond c'est, genre : « Non, ça vient pas de toi. » Alors je me dis que ça doit être mes parents, avec toutes leurs bondieuseries, et qu'ils ont dû lui faire un sermon ou lui refiler, vous savez, ces bafouilles que pond maman ? Genre, lui glisser sous ses essuie-glaces ? Mais elle répète : « C'est moi. C'est pas toi. C'est pas eux. Les choses ont changé. » J'lui demande lesquelles, mais elle veut pas me répondre. Elle dit qu'elle est désolée et de plus lui poser de questions.

— Est-ce que les affaires marchaient mal ?

— Je crois pas. Y avait tout le temps des gens dans la boutique, à acheter des trucs. C'était bizarre de vouloir arrêter, je trouvais. Alors j'lui ai téléphoné à peu près une semaine après son coup de fil. Peut-être plus. Je sais plus trop. Je l'appelle sur son portable pour savoir de quoi il retourne, mais je tombe sur sa boîte vocale. Je laisse un message. Je fais ça au moins deux fois, d'ailleurs. Mais elle m'a jamais rappelée, et quand j'ai réessayé encore une fois, la ligne était… Y avait plus rien. Comme si elle l'avait fait couper ou je sais pas.

— Tu lui as téléphoné chez elle ?

Lexie fit non de la tête. Elle gratouilla une coupure qui cicatrisait sur son bras. Meredith savait que la gamine se scarifiait, car la tante de Lexie était propriétaire de la société de graphisme où travaillait Meredith en attendant de percer dans ce qui était sa véritable vocation, la création de tissus. La tante de Lexie s'inquiétait pour la jeune fille et elle se demandait s'il n'y avait pas quelque chose qui pourrait la faire sortir de chez elle et l'éloigner de ses illuminés de parents au moins quelques heures chaque jour. Meredith admirait énormément la tante de Lexie et, pour l'aider, elle avait suggéré à Jemima d'employer l'adolescente. L'idée était que la jeune fille commence par aider Jemima à lancer la boutique, et qu'ensuite elle l'assiste comme vendeuse. Jemima ne pouvait pas tout faire toute seule, Lexie avait besoin de ce boulot, et Meredith voulait marquer des points auprès de sa patronne. Tout semblait aller comme sur des roulettes.

Mais manifestement quelque chose avait déraillé.

— Donc tu n'as pas parlé à… enfin, tu ne lui as pas parlé à lui ? Elle n'a rien dit sur des problèmes qu'elle aurait à la maison ? Tu n'as pas essayé de la joindre là-bas ?

Lexie secoua la tête.

— Je me suis juste dit qu'elle voulait plus de moi, répondit la jeune fille. Ça arrive souvent.

Il fallait donc qu'elle aille chez Jemima. Il n'y avait pas d'autre solution. Cette idée ne l'emballait pas vraiment, car elle avait l'impression que Jemima aurait de ce fait une sorte d'avantage sur elle dans la conversation à venir. Mais elle savait que si elle comptait sérieusement se réconcilier avec son amie, elle allait devoir ravaler sa fierté.

Jemima habitait avec son compagnon entre Sway et Mount Pleasant. Là, Gordon Jossie et elle avaient eu la chance de trouver un fermage, si bien qu'il y avait des terres qui allaient avec la maison. Certes, pas énormément, mais cinq hectares, c'était toujours bon à prendre. Il y avait aussi des bâtiments : un vieux cottage en torchis, une grange et une remise. Une partie des terres étaient constituées de paddocks très anciens destinés à accueillir les chevaux du domaine lorsqu'ils n'étaient pas au mieux de leur forme en hiver. Le reste était composé de friches, notamment une lande qui, au loin, cédait la place à des bois ne faisant pas partie de la propriété.

Les bâtiments étaient entourés de châtaigniers, étêtés il y avait tellement longtemps que leurs branches, aujourd'hui, s'élevaient bien au-dessus des vestiges bulbeux de ces amputations passées, qui avaient jadis sauvé les jeunes arbres des bouches voraces des animaux. Ces châtaigniers étaient énormes. En été, ils rafraîchissaient la température autour du cottage, et ils embaumaient l'air de leur parfum capiteux.

Tandis qu'elle dépassait la grande haie d'aubépine et pénétrait dans l'allée qui dessinait une ligne caillouteuse entre le cottage et le paddock ouest, Meredith remarqua que, sous un des châtaigniers devant la maison, une table en fer rouillé, quatre chaises et une desserte roulante formaient un décor pittoresque où dîner les soirs d'été. Avec ses fougères en pot, ses bougies sur la table, ses coussins aux couleurs vives sur les chaises et ses trois torchères ouvragées, l'ensemble aurait pu figurer dans un magazine de décoration. Ça ne ressemblait pas du tout à Jemima... Meredith se demanda quels autres changements étaient survenus chez son amie durant tous ces mois où elles ne s'étaient pas vues.

Elle s'arrêta non loin du cottage, juste derrière le deuxième indice de métamorphose. Une Mini Cooper dernier modèle, rouge vif avec des rayures blanches, récemment astiquée, chromes étincelants et capote baissée. Meredith s'agita nerveusement sur son siège en voyant ce bijou. Elle eut tout à coup un peu honte de sa vieille Polo qui tenait avec du chatterton, et dont le siège passager commençait à s'imbiber de chocolat fondu.

Ce gâteau ne ressemble plus à rien, songea Meredith. Elle aurait dû écouter sa mère. Qu'elle n'avait jamais beaucoup écoutée. Meredith pensa soudain encore plus à Jemima, qui, chaque fois qu'elle se plaignait de sa mère, lui lançait : « Au moins, toi tu en as une. » Son amie lui manquait tellement qu'elle ressentit comme un coup de poignard dans le cœur. Elle rassembla son courage, ramassa son gâteau à demi effondré et se dirigea vers la porte du cottage. Pas la porte d'entrée, qu'elle n'avait jamais utilisée, mais la porte de derrière, celle qui, après une buanderie en appentis, donnait sur une cour que bordaient le cottage, la grange, la remise, un petit chemin rural et le paddock est.

Elle frappa, mais personne ne répondit. Elle appela :

— Jem ? Ohé ? Coucou ? Où es-tu, en ce grand jour ?

Les gens ne fermant jamais leur porte dans cette région, elle était sur le point d'entrer pour déposer le gâteau avec un mot, quand elle entendit appeler :

— Hou hou ? Je peux vous aider ? Je suis par ici.

Ce n'était pas la voix de Jemima. Meredith se retourna et vit une jeune femme blonde surgir au coin de la grange. Elle secouait un chapeau de paille, qu'elle remit sur sa tête tout en s'approchant.

— Désolée. Je faisais une tentative avec les chevaux. C'est vraiment bizarre. Allez savoir pourquoi, ce chapeau paraît les effrayer, alors je l'enlève quand je m'approche du paddock.

Peut-être était-ce quelqu'un qu'ils avaient embauché… Avec leur contrat de fermage, Gordon et Jemima avaient le droit de détenir des poneys sauvages, mais ils avaient aussi l'obligation d'en prendre soin si, pour une raison ou une autre, les animaux ne pouvaient pas pâturer librement dans la New Forest. Étant donné la charge de travail de Gordon et de Jemima, il n'était pas complètement exclu qu'ils aient dû recruter quelqu'un pour le cas où ils auraient été obligés d'en accueillir. Sauf que cette femme n'avait pas l'air d'un valet d'écurie. D'accord, elle portait un jean, mais c'était un jean de créateur, de ceux qu'on voyait sur les stars, qui moulaient bien les formes. Elle portait des bottes, mais en cuir lustré et super-chic, pas des bottes pour traîner dans la campagne. Elle portait une chemise de travail, mais les manches étaient roulées pour dévoiler des bras bronzés et le col relevé pour faire valoir son visage. Elle ressemblait à l'image que certains pouvaient se faire d'une campagnarde, pas du tout à une vraie campagnarde.

— Bonjour.

Meredith se sentait moche et mal à l'aise. La femme et elle faisaient la même taille, mais leur ressemblance s'arrêtait là. Meredith n'était pas élégante comme cette incarnation idéale de la vie dans le Hampshire. Dans son immense tunique, elle avait l'impression d'être une girafe recouverte de tentures.

— Désolée. Je crois que je vous empêche de sortir.

Elle inclina la tête pour montrer sa voiture.

— Pas de problème, répondit la femme. Je ne bouge pas.

— Ah bon ?

Meredith n'avait pas envisagé que Jemima et Gordon aient pu déménager, mais apparemment c'était le cas. Elle demanda :

— Gordon et Jemima n'habitent plus ici ?

— Gordon habite ici, c'est sûr. Mais qui est Jemima ?

Si on doit récapituler ce qui est arrivé à John Dresser, il faut commencer par le canal. Au XIXᵉ siècle, une partie des marchandises étaient transportées d'une région d'Angleterre à l'autre par ce moyen, et le tronçon du Canal transversal des Midlands qui nous intéresse sépare la ville en deux zones socio-économiques bien distinctes. Sur un bon kilomètre, il longe la partie nord des Gallows. Comme dans le cas de la plupart des canaux en Grande-Bretagne, un chemin de halage permet aux marcheurs et aux cyclistes d'avoir accès à la voie navigable, et l'arrière de différents types d'habitations donne sur le cours d'eau.

D'aucuns associent peut-être au mot « canal » des images romantiques, mais la partie du Canal des Midlands qui passe juste au nord des Gallows n'a pas grand-chose de romantique. C'est un cours d'eau graisseux où on ne trouve ni canards, ni cygnes, ni aucune sorte de vie aquatique, et pas le moindre roseau, le moindre saule, la moindre fleur sauvage ou la moindre graminée ne pousse le long du chemin de halage. S'il flotte des choses en bordure du canal, il s'agit en général de détritus, et l'eau dégage une odeur putride qui évoque les relents d'égout.

Les habitants des Gallows utilisent depuis longtemps le canal comme une décharge où ils se débarrassent des objets trop volumineux pour être embarqués par les éboueurs. Quand Michael Spargo, Reggie Arnold et Ian Barker y arrivèrent aux alentours de 9 h 30, ils repérèrent dans l'eau un chariot de supermarché qu'ils se mirent à canarder avec des pierres, des bouteilles et des briques ramassées sur le chemin de halage. Aller au bord du canal semble avoir été l'idée de Reggie, idée initialement rejetée par Ian, qui avait accusé les deux autres de vouloir aller là-bas « pour se branler ou le faire comme des clébards ». Dans cette remarque, on peut voir une référence assez claire à ce dont il avait lui-même été témoin dans la chambre qu'il partageait avec sa mère. À en croire Reggie, Ian aurait également asticoté Michael au sujet de son œil droit. (Les nerfs de sa joue ayant été abîmés par le forceps au moment de sa naissance, Michael avait l'œil droit qui tombait et qui ne clignait pas en harmonie avec le gauche.) Mais Reggie aurait paraît-il « remis Ian à sa place », et ils étaient tous les trois passés à autre chose.

Les jardins derrière les maisons étaient séparés du chemin de halage par de simples clôtures en bois, et lorsque celles-ci étaient délabrées, les garçons avaient facilement accès aux propriétés. Une fois épuisés les plaisirs offerts par le chariot, ils se mirent à flâner sur le chemin, en quête de bêtises à faire : ils piquèrent le linge propre qui séchait sur une corde derrière une maison et le lancèrent dans le canal ; plus loin, ils tombèrent sur une tondeuse (« Mais elle était rouillée », allègue Michael), à laquelle ils firent subir le même sort.

Peut-être est-ce la voiture d'enfant qui leur inspira l'idée suprême. Ils tombèrent sur l'objet à côté de la porte arrière d'une autre maison. À l'inverse de la tondeuse, non seulement le landau était neuf, mais un ballon bleu métal gonflé à l'hélium y était attaché. Dessus, on pouvait lire : « C'est un garçon ! », et le trio savait que cette formule concernait un bébé fraîchement arrivé.

Le landau était plus compliqué à atteindre, car la clôture de cette maison n'était pas en mauvais état. On peut donc constater une sorte d'escalade du vandalisme dans le fait que deux des garçons (Ian et Reggie, d'après Michael ; Ian et Michael, d'après Reggie ; Reggie et

Michael, d'après Ian) aient enjambé la clôture, volé la voiture d'enfant, puis
l'aient hissée par-dessus la barrière pour
la faire passer sur le chemin de halage.
Là, les garçons jouèrent à se pousser réci-
proquement dans le landau sur peut-être une
centaine de mètres, avant de se lasser et
de le jeter dans le canal.

Au dire de Michael Spargo, Ian Barker
aurait déclaré à ce moment-là : « Dommage
qu'y ait pas un bébé dedans. Ça ferait un
joli plouf, vous croyez pas ? » Ian Barker
nie avoir fait cette remarque, et quand on
l'interroge, Reggie Arnold pique une crise
de nerfs et se met à hurler : « Y a jamais
eu de bébé ! Maman, y a jamais eu de bébé ! »

D'après Michael, Ian aurait insisté en
disant que « ce serait vraiment génial de
trouver un bébé quelque part ». Ils pourraient l'emmener « sur ce pont au-dessus de
West Town Road, et là, le tenir par les
pieds, et puis le lâcher et voir son crâne
exploser. Y aurait du sang et de la cervelle
qui sortiraient de partout, il a dit ».
Michael souligne qu'il s'est fermement
opposé à cette idée, comme s'il savait quel
tour pouvait prendre ensuite son interrogatoire. En fin de compte, les garçons en
auraient eu assez de jouer près du canal.
C'était Ian Barker qui avait suggéré qu'ils
« se cassent de là » pour aller aux Barriers.

Il faut noter qu'aucun des garçons ne nie
s'être trouvé aux Barriers ce jour-là, bien

qu'ils aient tous modifié leur version à
de multiples reprises pour ce qui est de
leurs activités sur les lieux.

West Town Road Arcade est connue sous le
nom de Barriers depuis tellement longtemps
que la plupart des gens ne soupçonnent même
pas que cette galerie marchande possède en
fait un autre nom. Très tôt dans son existence, le centre commercial a reçu cette
appellation de « Barriers » car il s'étend
entre le sinistre univers des Gallows et
un quartier propret de maisons mitoyennes
ou individuelles occupées par des familles
bourgeoises ignorant le chômage. Les lotissements qui composent ce quartier
s'appellent les Résidences Windsor, Mountbatten et Lyon.
Si les Barriers comptent quatre entrées
distinctes, les deux le plus couramment utilisées sont celles côté Gallows et côté
Résidence Windsor. Chose assez déprimante,
les boutiques situées à ces deux entrées
sont révélatrices du type de clientèle
attendu. Par exemple, côté Gallows, on
trouve une officine de paris William Hill,
deux magasins d'alcools, un marchand de
tabac, une boutique Tout à une livre, et
plusieurs magasins de plats à emporter proposant fish and chips, pommes de terre au
four et autres pizzas. Côté Résidence
Windsor, en revanche, on peut faire ses

courses chez Marks & Spencer, Boots, Russell & Bromley, Accessorize ou Ryman's, mais aussi dans des petites boutiques vendant de la lingerie, des chocolats, du thé ou des vêtements. S'il est vrai que rien n'interdit d'entrer côté Gallows et de traverser la galerie pour aller effectuer ses achats plus loin, le sous-entendu est clair : si on est pauvre, au chômage ou de milieu ouvrier, on dépensera le peu d'argent qu'on a en aliments bourrés de cholestérol, en cigarettes, en alcool ou en jeux de hasard.

Les trois garçons s'accordent à déclarer qu'après avoir pénétré dans les Barriers ils ont rejoint la salle de jeux vidéo située au milieu de la galerie marchande. Ils n'avaient pas d'argent, mais ce détail ne les empêcha pas de conduire la jeep dans le jeu vidéo Let's Go Jungle, ou de piloter l'*Ocean Hunter* pour traquer les requins. Il est intéressant de noter que les jeux vidéo en question n'autorisaient que deux joueurs en même temps. Ils avaient beau, comme on l'a précisé, ne pas avoir d'argent, lorsqu'ils faisaient semblant de jouer, c'étaient Michael et Reggie qui prenaient les commandes, et Ian qui restait en rade. Il affirme que cette exclusion ne le dérangeait pas, et tous trois déclarent que le fait de ne pas avoir d'argent pour jouer pour de bon ne les dérangeait pas, mais on ne peut que se demander si la journée aurait évolué différemment si les garçons avaient pu sublimer leurs tendances pathologiques en se livrant à certaines des activités belliqueuses offertes par les jeux vidéo qu'ils n'avaient pas été en mesure d'utiliser. (Je ne veux pas dire par là que les jeux vidéo peuvent ou devraient prendre la place de l'éducation parentale, mais en tant qu'exutoire, pour de jeunes garçons aux ressources limitées et à la notion plus limitée encore de leur dysfonctionnement individuel, ils auraient pu s'avérer d'un certain secours.)

Malheureusement, leur séjour dans la salle de jeu fut abrégé lorsqu'un vigile les remarqua et leur demanda de dégager. Ils auraient dû être en classe (les bandes de télésurveillance indiquent dix heures et demie), et il leur dit qu'il préviendrait la police, les écoles ou le contrôleur scolaire s'il les revoyait dans les parages. Dans sa déposition, il prétend « n'avoir jamais revu ces petits loubards », mais cette assertion ressemble plus à une tentative pour soulager sa conscience et alléger sa responsabilité qu'à la vérité. Les garçons ne firent rien pour éviter qu'il ne les voie après avoir quitté la salle de jeux vidéo, et si seulement il avait mis sa menace à exécution, le trio ne serait jamais tombé sur le petit John Dresser.

John Dresser – ou Johnny, comme il fut surnommé par les tabloïds – avait vingt-neuf mois. Il était l'enfant unique d'Alan et Donna Dresser et, pendant la semaine, c'était normalement sa grand-mère de cinquante-huit ans qui le gardait. Il marchait parfaitement bien, mais comme beaucoup de petits garçons, il était un peu en retard pour la parole. À vingt-neuf mois, son vocabulaire se résumait à « Maman », « Papa » et « Lolly » (le chien de la famille). Il ne savait pas dire son nom.

Ce jour-là, sa grand-mère était allée à Liverpool consulter un spécialiste pour ses problèmes de vue. Comme elle ne pouvait pas prendre le volant elle-même, son mari l'avait emmenée. Alan et Donna Dresser se trouvaient donc sans nounou, et dans ces cas-là (la chose arrivait de temps en temps), ils se relayaient pour garder John, car, étant donné leurs professions, il ne leur était pas facile, ni à l'un ni à l'autre, de s'absenter. (Donna Dresser était alors professeur de chimie dans le secondaire, et son mari avocat spécialisé dans le droit immobilier.) De l'avis général, ils étaient d'excellents parents, et John avait été un enfant extrêmement désiré. Donna Dresser avait eu du mal à tomber enceinte et elle avait tout fait durant sa grossesse pour s'assurer de mettre au monde un bébé bien portant. Bien qu'on soit allé lui chercher des poux dans la tête pour être partie travailler et avoir laissé son mari veiller sur son enfant ce jour-là, on ne doit pas pour autant supposer qu'elle ait été autre chose qu'une mère des plus dévouées.

Alan Dresser emmena le petit garçon aux Barriers à midi. Il prit la poussette du gamin et parcourut à pied les six cents mètres qui séparaient leur maison du centre commercial. Les Dresser habitaient la Résidence Mountbatten, le plus haut de gamme des trois lotissements construits près des Barriers, mais aussi le plus éloigné. Avant la naissance de John, ses parents y avaient fait l'acquisition d'un pavillon de trois chambres, et, le jour de la disparition de John, ils n'avaient pas encore fini de rénover une des deux salles de bains. Dans sa déposition, Alan Dresser explique qu'il s'est rendu aux Barriers à la demande de sa femme pour aller chercher des échantillons de peinture chez Stanley Wallingford, un magasin de bricolage situé non loin du côté Gallows de la galerie marchande. Il enchaîne en disant qu'il avait « envie de prendre un peu l'air avec le gamin », un désir compréhensible après treize jours de mauvais temps.

Manifestement, à un moment donné chez Stanley Wallingford, Alan Dresser avait promis à John un déjeuner au McDonald's. Cette promesse avait semble-t-il été formulée au moins en partie dans le but de calmer l'enfant, précision que le vendeur confirma par la suite à la police, car John, dans sa poussette, était agité, grincheux et difficile à distraire pendant que son père choisissait les échantillons de peinture et effectuait divers achats pour la rénovation de la salle de bains. Lorsque Dresser emmena enfin son fils au McDonald's, John était irritable et affamé, et Dresser lui-même était contrarié. La patience en matière d'éducation ne lui était pas très naturelle, et il n'avait rien contre « une bonne tape sur les fesses » quand son fils faisait des caprices en public. Le fait qu'il ait effectivement été vu en train de donner une fessée à John a causé un certain retard dans l'enquête après la disparition de l'enfant, mais quand bien même les recherches auraient commencé immédiatement, il est peu probable que l'issue de la journée en aurait été modifiée.

Si, dans son interrogatoire, Ian Barker prétend qu'il se moquait d'avoir été exclu des fausses parties de jeu vidéo, Michael Spargo pensait apparemment que cette exclusion avait incité Ian à les « balancer », Reg et lui, à l'agent de sécurité, accusation violemment démentie par Ian. Quelle que soit la façon dont ils avaient attiré l'attention du vigile, ils avaient pourtant bien échappé à ladite attention lorsqu'ils étaient entrés ensuite dans la boutique Tout à une livre.

Aujourd'hui encore, ce magasin est plein à craquer de marchandises en tout genre, depuis les vêtements jusqu'au thé en sachets. Ses allées sont étroites, ses rayonnages très hauts, ses bacs remplis d'un méli-mélo de chaussettes, d'écharpes, de gants et de culottes. L'établissement vend des surplus, des contrefaçons, des seconds choix, des produits d'importation chinois, et on ne voit vraiment pas comment peut s'opérer la gestion des stocks, même si le propriétaire semble avoir mis au point un système de calcul mental qui enregistre tous les articles.

Michael, Ian et Reggie entrèrent dans la boutique dans l'intention de voler, probablement pour se venger d'avoir été chassés de la salle de jeu. Le magasin avait beau disposer de deux caméras de surveillance, elles ne fonctionnaient pas ce jour-là, et c'était le cas depuis au moins deux ans. Ce que n'ignoraient pas les enfants du quartier, pour qui le Tout à une livre constituait un lieu de prédilection. Ian Barker comptait parmi les visiteurs les plus assidus de la boutique, et bien qu'il ne connût pas son nom de famille, le propriétaire fut en mesure de citer son prénom.

Lors de leur passage dans le magasin, les garçons réussirent à voler une brosse à cheveux, un sac de papillotes de Noël et un sachet de marqueurs, mais ces rapines trop faciles n'ayant pas su satisfaire leur hargne antisociale ni leur procurer un frisson suffisant, ils firent escale, en repartant, à un kiosque à sandwichs au centre de la galerie marchande, où Reggie Arnold était bien connu du propriétaire, un Sikh de cinquante-sept ans du nom de Wallace Gupta. D'après sa déposition – prise deux jours plus tard et par conséquent quelque peu suspecte –, Mr Gupta aurait ordonné aux garçons de décamper sur-le-champ, les menaçant d'appeler l'agent de sécurité et se faisant traiter tour à tour de « Paki », de « branleur », de « pédé », de « connard » et de « bougnoule ». Comme les garçons ne quittaient pas son kiosque avec l'empressement désiré, Mr Gupta sortit de sous sa caisse un pulvérisateur rempli d'eau de Javel, la seule arme en sa possession pour se défendre ou les inciter à coopérer. Leur réaction, rapportée par Ian Barker avec une certaine fierté, consista à lui rire au nez, puis à s'approprier cinq sachets de chips (dont l'un fut plus tard retrouvé sur le chantier de construction Dawkins), vol qui poussa Mr Gupta à mettre sa menace à exécution. Il les aspergea d'eau de Javel, atteignant Ian Barker à la joue et à l'œil, Reggie Arnold au pantalon et Michael Spargo à la fois au pantalon et à l'anorak.

Si Michael et Reggie comprirent rapidement l'un et l'autre que leurs pantalons d'école étaient fichus, leur réaction à l'agression de Mr Gupta ne fut pas aussi féroce que celle de Ian. « Il voulait se faire ce Paki, déclara Reggie Arnold quand la police l'interrogea. Il avait pété les plombs. Il voulait saccager le kiosque, mais je l'ai arrêté, c'est vrai, je l'ai empêché », une affirmation que ne vient étayer aucun des événements ultérieurs.

Il est possible, toutefois, que Ian ait eu très mal et que, ne disposant d'aucune réponse socialement acceptable à la douleur (il semble peu probable que les garçons aient cherché des toilettes publiques pour lui rincer le visage), il ait réagi en tenant Reggie et Michael pour responsables de la situation.

Il se peut que Reggie, afin de détourner la colère de Ian et d'échapper à une raclée, ait indiqué la boutique d'animaux et accessoires Jones-Carver, où, dans la vitrine, trois chatons persans jouaient sur des estrades recouvertes de moquette. Quand la police lui demande ce qui l'a attiré vers les chatons, Reggie se fait évasif, mais il accuse ensuite Ian d'avoir suggéré qu'ils volent un de ces animaux, « histoire de se marrer un peu ». Durant son interrogatoire, Ian s'inscrivit en faux, mais Michael Spargo prétend que celui-ci aurait dit qu'ils pourraient couper la queue du chat ou « le clouer à une planche comme Jésus ». « J'ai trouvé que ça serait sadique, c'est ce que je lui ai dit. » Naturellement, il est difficile de savoir lequel suggérait quoi à ce stade-là, car à mesure que leurs récits les rapprochent davantage de John Dresser, ils mentent tous les trois de plus en plus.

On sait du moins la chose suivante : enfermés dans leur cage vitrée en raison de leur valeur, les chatons n'étaient pas facilement accessibles. Mais devant la cage se tenait Tenille Cooper, quatre ans. Elle observait les chatons pendant que sa mère achetait de la nourriture pour chiens à quelques mètres de là. Reggie et Michael - interrogés séparément et en présence d'un parent et d'une assistante sociale - s'accordent à dire que Ian Barker a attrapé la petite Tenille par la main en claironnant « Encore mieux qu'un chat, non ? », dans l'intention manifeste de s'éclipser avec elle. Ce projet a été contrarié par Adrienne, la mère de la fillette, qui a intercepté les garçons et, scandalisée, a commencé à les interroger, à leur demander d'un ton impérieux pourquoi ils n'étaient pas à l'école et à les menacer non seulement d'avertir l'agent de sécurité mais également le contrôleur scolaire et la police. Cette femme, bien sûr, joua un rôle capital dans leur identification ultérieure, parvenant à reconnaître les trois garçons parmi la soixantaine de photos qui lui furent présentées au commissariat.

Il faut souligner que si Adrienne était allée chercher tout de suite le vigile, John

Dresser n'aurait sans doute jamais été remarqué par les garçons. Mais la négligence de cette femme – si on peut qualifier ainsi son attitude car, en effet, comment aurait-elle pu imaginer un instant les horreurs qui allaient suivre ? – est dérisoire comparée à celle des individus qui ont croisé ensuite un petit John Dresser de plus en plus bouleversé en compagnie des trois garçons, et qui ne sont absolument pas intervenus, que ce soit en alertant la police ou en leur arrachant le gamin.

2

— Vous êtes au courant de ce qui est arrivé au commissaire Lynley, j'imagine ? demanda Hillier.

Avant de répondre, Isabelle Ardery prit le temps d'examiner aussi bien l'homme que la question. Ils se trouvaient dans le bureau de Hillier à New Scotland Yard, où une rangée de fenêtres donnaient sur les toits de Westminster et sur certains des produits immobiliers les plus chers du pays. Sir David Hillier était debout derrière son gigantesque bureau, impeccablement habillé et remarquablement en forme pour un homme de son âge. Il devait avoir dans les soixante-cinq ans, selon elle.

Sur son insistance, elle-même était assise, ce qu'elle jugeait malin de sa part. Il voulait qu'elle sente sa domination au cas où, par hasard, elle aurait une impression de supériorité. Sur le plan physique, bien sûr. Elle ne risquait pas de croire qu'elle possédait un quelque autre ascendant sur l'adjoint au préfet de police. Elle le dépassait de sept bons centimètres – encore plus si elle portait des talons –, mais là s'arrêtait son avantage.

— Vous parlez de la femme de l'inspecteur Lynley ? Oui. Je sais ce qui lui est arrivé. Je suppose que personne dans la police n'ignore ce qui s'est passé. Comment va-t-il ? Où est-il ?

— Toujours en Cornouailles, pour autant que je sache. Mais l'équipe veut qu'il revienne, et vous allez vous en apercevoir. Havers, Nkata, Hale... Tous. Même John Stewart. Des enquêteurs aux documentalistes. Tout le monde. Jusqu'aux concierges, certainement. C'est un personnage apprécié.

— Je le sais. Je l'ai rencontré. Le parfait gentilhomme. C'est le mot, non ? Gentilhomme.

Hillier la lorgna d'un œil qui ne lui plut pas tellement, car lourd de soupçons. Elle envisagea un instant de l'éclairer sur les circonstances de sa rencontre avec l'inspecteur Thomas Lynley. Non. Il pouvait penser ce qu'il voulait. Elle avait l'occasion de décrocher le poste qu'elle convoitait, et tout ce qui comptait, c'était de prouver à cet homme qu'elle méritait d'être nommée commissaire permanente et non pas simplement intérimaire.

— Ce sont des professionnels, tous, reprit Hillier. Ils ne vous feront pas de misères. Mais certains sont très loyaux. Il y a des attachements qui ont la vie dure.

Et il y en a qui ne meurent jamais, songea-t-elle. Elle se demanda si Hillier comptait finir par s'asseoir ou si cet entretien allait se dérouler entièrement sur le mode du proviseur qui s'emploie à sermonner l'élève indiscipliné. Elle se demanda également si elle n'avait pas fait une sorte de faux pas en prenant elle-même un siège, mais il lui avait pourtant bien semblé que Hillier avait indiqué les deux fauteuils placés en face de son bureau...

— ... ne vous posera pas de problème. C'est un brave homme, disait Hillier. Mais John Stewart, c'est une autre paire de manches. Il vise encore le poste, et il n'a pas digéré de ne pas être nommé commissaire permanent à la fin de sa période d'essai.

Isabelle retrouva subitement ses esprits. En entendant le nom de Stewart, elle comprit que Hillier était en train d'évoquer les différents inspecteurs qui avaient provisoirement rempli la fonction de commissaire. Il avait dû parler des candidats en interne, conclut-elle. Mentionner ceux qui, comme elle, avaient « auditionné » en externe – il n'y avait pas d'autre terme – aurait été inutile puisqu'elle ne risquait pas de tomber sur eux dans un des interminables couloirs au sol recouvert de lino de Tower Block ou de Victoria Block. L'inspecteur Stewart, pour sa part, ferait partie de son équipe. Il allait falloir ménager sa susceptibilité. Ce n'était pas son fort, mais elle ferait de son mieux.

— Je comprends, dit-elle à Hillier. J'irai doucement avec lui. J'irai doucement avec toute l'équipe.

— Très bien. Alors, vous êtes installée ? Comment vont les garçons ? Des jumeaux, c'est ça ?

Elle sourit comme en général quand on parlait des « enfants », et elle se força à penser à eux exactement comme ça, avec des guillemets. Les guillemets les gardaient à distance de ses émotions, et c'était préférable.

— Nous avons décidé, leur père et moi, qu'il valait mieux qu'ils restent avec lui pour l'instant, puisque je suis seulement à l'essai. Bob n'habite pas loin de Maidstone, il a une ravissante propriété à la campagne, et étant donné que ce sont les grandes vacances, il m'a paru plus sage de les laisser vivre avec leur père quelque temps.

— Pas facile pour vous, j'imagine, fit remarquer Hillier. Ils vont vous manquer.

— Je serai occupée. Et vous savez comment sont les garçons. À huit ans… Il faut les surveiller, et pas qu'un peu. Bob et sa femme étant à la maison, ils pourront les avoir à l'œil, beaucoup plus que moi, sans doute. Ça devrait bien se passer.

Elle faisait comme si la situation était idéale : elle-même à suer sang et eau à Londres, pendant que Bob et Sandra respiraient l'air pur de la campagne, tout en chouchoutant les garçons et en les gavant de tourtes au poulet maison cent pour cent bio servies avec du lait glacé. Au fond, ce ne serait sûrement pas très loin de la vérité. Bob, après tout, adorait ses fils, et Sandra était absolument adorable à sa manière, bien qu'un peu trop maîtresse d'école au goût d'Isabelle. Elle avait deux enfants à elle, mais cela n'avait jamais voulu dire qu'elle n'avait pas de place dans sa maison et dans son cœur pour les fils d'Isabelle. Car les fils d'Isabelle étaient également les fils de Bob, et Bob était un bon père et l'avait toujours été. Ah ça, Robert Ardery veillait au grain. Il posait les questions qu'il fallait au moment où il fallait, et les menaces qu'il proférait avaient toujours l'air spontanées.

Hillier semblait lire dans ses pensées, ou du moins essayer, mais Isabelle était plutôt douée pour cacher son jeu. Elle était passée maître dans l'art de paraître calme, sûre d'elle et parfaitement compétente, et cette façade lui avait si bien servi pendant tant d'années que c'était désormais pour elle une seconde nature d'afficher cette image professionnelle comme un soldat porte une armure. Voilà ce que c'était que d'avoir de l'ambition dans un monde dominé par les hommes.

— Oui.

Hillier fit durer le mot, plus par incertitude qu'en signe d'acquiescement.

— Vous avez raison, bien sûr, poursuivit-il. C'est bien d'avoir des rapports civilisés avec votre ex. Bravo. Ce ne doit pas être facile.

— Nous nous sommes efforcés de rester amis, confirma Isabelle. Ça semblait mieux pour les garçons. Des parents en guerre, ce n'est jamais bon pour personne.

— Vous m'en voyez ravi.

Hillier regarda vers la porte comme s'il espérait que quelqu'un allait entrer. Personne n'apparut. Il semblait mal à l'aise, et ce n'était pas pour déplaire à Isabelle. Ce malaise pouvait la servir. Il signifiait que l'adjoint au préfet de police n'était pas un mâle aussi dominant qu'il le croyait.

— Je suppose que vous avez envie d'apprendre à connaître l'équipe, dit-il du ton de celui qui conclut un entretien. Lui être présentée officiellement. Vous mettre au travail.

— En effet. Je vais discuter avec chacun personnellement.

— Ne jamais remettre au lendemain... approuva Hillier avec un sourire. Vous voulez que je vous accompagne ?

— Formidable.

Elle lui rendit son sourire et soutint son regard assez longtemps pour le voir s'empourprer. Il avait le teint rubicond et il rougissait facilement.

— Si je pouvais juste faire un saut aux toilettes, monsieur...

— Bien sûr. Prenez votre temps.

C'était évidemment la dernière chose qu'il souhaitait la voir faire. Elle se demanda s'il disait souvent des choses qu'il ne pensait pas. Ce n'était pas bien grave : elle ne comptait pas passer beaucoup de temps avec lui. Mais il était toujours bon de savoir comment fonctionnaient les gens.

La secrétaire de Hillier – une femme à la mine sévère affligée de cinq verrues qui auraient mérité l'intervention d'un dermatologue – indiqua les toilettes à Isabelle. Une fois à l'intérieur, elle vérifia avec soin qu'il n'y avait personne. Elle entra dans la cabine la plus éloignée de la porte et, là, elle fit un petit pipi. Mais son véritable but se trouvait à l'intérieur de son sac.

Elle récupéra la mignonnette, l'ouvrit puis avala son contenu en deux rapides gorgées. De la vodka. Eh oui, ça requinquait… Elle attendit quelques instants que l'alcool fasse son effet avant de sortir de la cabine. Devant le lavabo, elle chercha dans son sac une brosse à dents et du dentifrice. Elle se lava la bouche à fond, les dents, mais aussi la langue.

Voilà. Maintenant, elle était prête à affronter le monde.

L'équipe de policiers qu'elle allait superviser occupait un périmètre restreint, si bien que dans un premier temps Isabelle les rencontra tous ensemble. Ils se méfiaient d'elle ; elle se méfiait d'eux. C'était normal, et ça ne la dérangeait pas. Les présentations furent faites par Hillier, qui leur exposa son CV dans l'ordre chronologique : police de proximité, vols et infractions, mœurs, incendies criminels, et plus récemment la

Major Crime Investigation Team. Il ne précisa pas combien de temps elle avait passé à chacun de ces postes. Sa carrière progressait rapidement, ce qu'ils avaient dû comprendre étant donné son âge : elle avait trente-huit ans, bien qu'elle se plût à croire qu'elle faisait plus jeune, s'étant judicieusement abstenue de fumer et de s'exposer au soleil la majeure partie de sa vie.

La seule à paraître impressionnée par son CV était la secrétaire du service, une sorte de dame d'honneur de luxe nommée Dorothea Harriman. Isabelle se demandait comment une jeune femme pouvait être si bien habillée avec le salaire qu'elle devait toucher. Elle se fournissait sans doute dans les boutiques caritatives, des cavernes d'Ali Baba où on pouvait dénicher des trésors indémodables à condition de fouiner suffisamment, de savoir repérer la qualité et d'être persévérante.

Elle annonça à l'équipe qu'elle souhaitait avoir une conversation personnelle avec chacun d'eux. Dans son bureau, dit-elle. Aujourd'hui. Elle désirait savoir sur quoi travaillait chacun en ce moment, ajouta-t-elle, alors qu'ils n'oublient pas d'apporter leurs notes.

Les choses se déroulèrent à peu près comme elle l'avait prévu. L'inspecteur principal Philip Hale se montra coopératif et professionnel, affichant une attitude réservée qu'Isabelle ne pouvait lui reprocher. Ses notes étaient à jour et il travaillait actuellement avec le ministère public à la préparation d'un dossier concernant les assassinats en série de jeunes garçons. Elle n'aurait pas de problèmes avec lui. Il n'avait pas posé sa candidature pour le poste de commissaire et il semblait tout à fait satisfait de sa place dans l'équipe.

L'inspecteur John Stewart, c'était une autre affaire. Nerveux, à en croire ses ongles rongés, il avait une manière de fixer ses seins qui indiquait une forme de misogynie qu'elle détestait. Mais elle saurait le mater. Il l'appelait « madame ». Elle lui dit que « chef » ferait l'affaire. Il mit un moment à obtempérer. Elle dit : Je ne compte pas avoir de problèmes avec vous, John. Est-ce que vous comptez avoir des problèmes avec moi ? Il répondit : Non, pas du tout, chef. Mais elle savait qu'il n'était pas sincère.

Elle reçut ensuite le sergent Winston Nkata. Pour elle, il était une curiosité. Très grand, très noir, le visage balafré après une bagarre de rue à l'adolescence, il incarnait les Antilles passées par le sud de Londres. Dur à l'extérieur mais avec quelque chose dans les yeux qui laissait penser qu'à l'intérieur du bonhomme il y avait un cœur tendre. Elle ne lui demanda pas son âge, mais elle lui donnait dans les vingt-cinq ans. Il n'avait qu'un frère aîné, qui était son opposé : il était en prison pour meurtre. Ce détail devait faire du sergent un flic motivé qui avait quelque chose à prouver, et la chose plaisait bien à Isabelle.

Il n'en alla pas de même du sergent Barbara Havers, la dernière de l'équipe. Havers entra dans le bureau comme une loque humaine – il n'y avait pas d'autre description possible –, empestant le tabac froid et l'air d'en vouloir à la terre entière. Isabelle savait que Havers avait été l'équipière de l'inspecteur Lynley pendant des années avant la mort de sa femme. Elle avait déjà croisé le sergent, et elle se demandait si Havers s'en souvenait.

Elle s'en souvenait.

— L'affaire Fleming.

Tels furent les premiers mots de Havers lorsqu'elles furent seule à seule.

— Là-bas dans le Kent. Vous aviez enquêté sur l'incendie.

— Excellente mémoire, sergent, dit Isabelle. Puis-je vous demander ce qui est arrivé à vos dents ? Je ne les voyais pas comme ça.

Havers haussa les épaules.

— Je peux m'asseoir, ou pas ? demanda-t-elle.

À quoi Isabelle répondit :

— Je vous en prie.

Elle avait mené les précédents entretiens façon Hillier – bien qu'elle eût été assise, et non debout, derrière son bureau –, mais là elle se leva et gagna une petite table de conférence où elle fit signe à Havers de la rejoindre. Elle ne voulait pas sympathiser avec le sergent, mais elle savait qu'il était important qu'elle ait avec elle des rapports un peu différents de ceux qu'elle avait avec les autres. Cela tenait plus à la connivence qui unissait Havers à Lynley qu'au fait qu'elles étaient des femmes l'une et l'autre.

— Vos dents ? répéta Isabelle.

— Un problème de baston, expliqua Havers.

— Ah bon ? Vous n'avez pourtant pas l'air du genre à aimer la bagarre…

C'était vrai, mais il était tout aussi vrai que Havers avait l'air exactement du genre à se défendre s'il le fallait, et apparemment il l'avait fallu, à en juger par ses dents de devant, complètement cassées.

— Le mec n'a pas apprécié que je l'empêche de kidnapper un gamin, dit Havers. On s'est rentrés dedans, lui et moi. Coups de poing par-ci, coups de pied par-là, et mon visage est allé cogner le sol. Un sol en pierre.

— Cela s'est passé cette année ? Dans le cadre du boulot ? Pourquoi ne pas les avoir fait arranger ?

Rassurez-moi, la Met a accepté de régler les frais, quand même ?

— Je trouvais que ça donnait de la personnalité à mon visage.

— Ah. Autrement dit, vous êtes hostile à l'orthodontie moderne. À moins que vous n'ayez peur du dentiste, sergent ?

Havers secoua la tête.

— J'ai surtout peur de me transformer en femme fatale, vu que j'aime pas trop l'idée d'avoir à repousser des hordes d'admirateurs. Et puis, le monde est rempli de gens qui ont des dents parfaites. Ça me plaît d'être différente.

— Vraiment ? fit Isabelle, décidant de se montrer plus directe. C'est sans doute ce qui explique votre habillement, alors. Personne ne vous a jamais fait de réflexion là-dessus, sergent ?

Havers remua sur son siège. Croisant une jambe par-dessus son genou, elle dévoila – pitié, Seigneur… – une basket rouge et quelques centimètres d'une chaussette violette. Malgré la chaleur, elle avait combiné cet élégant usage de la couleur avec un pantalon de velours vert olive et un pull-over marron. Ce dernier boulochait allègrement. Elle ressemblait à une journaliste infiltrée enquêtant sur les horreurs de la vie de réfugié.

— Sauf votre respect, chef, dit Havers, dont le ton n'en traduisait pas moins une certaine contrariété, en dehors du fait que le règlement ne vous autorise pas à m'asticoter au sujet de mes vêtements, je ne crois pas que mon apparence ait beaucoup à voir avec la façon dont je…

— D'accord, la coupa Isabelle. Mais votre apparence a à voir avec le fait que vous ayez l'air professionnelle, ce qui, en l'occurrence, n'est pas le cas. Permettez-moi d'être franche : règlement ou pas, je tiens à ce que mon équipe ait l'air professionnelle. Je vous conseille de vous faire arranger les dents.

— Quoi, aujourd'hui ? s'exclama Havers.

Aurait-elle persiflé ? Isabelle plissa les yeux.

— Vous êtes priée de ne pas prendre ce conseil à la légère, sergent. Je vous recommande aussi de modifier votre habillement et de choisir des tenues plus appropriées.

— Encore sauf votre respect, vous ne pouvez pas m'ordonner...

— En effet. Très juste. Mais je ne vous l'ordonne pas. Je vous le conseille. Je vous le suggère. Je vous y invite. Toutes choses, je suppose, que vous avez déjà entendues.

— Pas aussi clairement.

— Non ? Eh bien, là, au moins, c'est clair. Et, en toute honnêteté, vous voulez me faire croire que l'inspecteur Lynley n'a jamais fait de réflexion sur votre allure générale ?

Havers garda le silence. Isabelle comprit que l'allusion à Lynley était tombée juste. Elle se demanda en passant si Havers avait été – ou était – amoureuse de lui. La chose paraissait très improbable, ridicule, en fait. D'un autre côté, si effectivement les contraires s'attiraient, il ne pouvait exister deux personnes plus dissemblables que Barbara Havers et Thomas Lynley, qui, dans le souvenir d'Isabelle, était un être gracieux, cultivé, à la voix veloutée et à la garde-robe extrêmement chic.

— Sergent ? insista-t-elle. Suis-je la seule à...

— Écoutez. Je suis pas très douée pour le shopping, déclara Havers.

— Ah. Alors laissez-moi vous donner quelques tuyaux. Tout d'abord, il vous faut une jupe ou un pantalon qui vous aillent, qui soient repassés et qui aient la longueur qui convienne. Et puis, une veste qui puisse se boutonner sur le devant. Enfin, un chemisier qui ne soit pas froissé, des collants, et aussi une paire de chaussures, des escarpins ou des chaussures plates, qui soient bien cirées. On ne parle pas exactement de chirurgie du cerveau, Barbara...

Havers n'avait cessé de contempler sa cheville, mais en entendant son prénom, elle leva le regard.

— Où ça ? demanda-t-elle.

— Où ça quoi ?

— Où est-ce que je suis censée acheter tout ça ? fit-elle avec dégoût, comme si Isabelle lui avait recommandé de lécher le trottoir.

— Chez Selfridge, répondit Isabelle. Chez Debenham. Et si vous n'avez pas le courage de faire ça toute seule, emmenez quelqu'un avec vous. Vous devez bien avoir une amie ou deux qui savent à peu près s'habiller pour aller travailler. Si elles ne sont pas libres, feuilletez les magazines. *Vogue. Elle.*

Havers n'avait l'air ni contente, ni soulagée, ni un tant soit peu résolue. Elle avait plutôt l'air effondrée. Tant pis, c'était inévitable, songea Isabelle. Cette conversation aurait pu passer pour sexiste, mais nom d'un chien, elle essayait simplement d'aider cette femme. Sûre de sa mission, elle décida d'aller jusqu'au bout :

— Et pendant que vous y êtes, puis-je vous suggérer de faire aussi quelque chose pour vos cheveux ?

Havers, exaspérée, répondit néanmoins d'un ton mesuré :

— Jamais pu en faire grand-chose.

— Mais peut-être quelqu'un d'autre ? Vous allez chez le coiffeur, sergent ?

Havers porta sa main à ses cheveux. Ils avaient une couleur acceptable. Mais ils n'étaient absolument pas coiffés. De toute évidence, le sergent se coupait les cheveux elle-même. Au sécateur, très certainement.

— Alors, vous avez un coiffeur ? insista Isabelle.

— Pas vraiment, avoua Havers.

— Il vous en faut un.

Havers agita les doigts comme si elle mourait d'envie de fumer, roulant une cigarette fictive entre son index et son majeur.

— Quand, alors ? demanda-t-elle.

— Quand alors quoi ?

— Quand est-ce que je suis censée prendre en compte toutes vos… suggestions ?

— Hier, pour être tout à fait franche.

— Vous voulez dire sur-le-champ ?

Isabelle sourit.

— Je vois que vous lisez très bien entre les lignes. Bon…

Enfin elle aborda le point essentiel, la raison pour laquelle elle les avait fait migrer du bureau à la table de conférence.

— Alors, dites-moi. Avez-vous des nouvelles de l'inspecteur Lynley ?

— Pas tellement.

Havers devint tout de suite méfiante : cela se lisait sur son visage mais aussi dans sa voix.

— Je lui ai parlé deux, trois fois, pas plus.

— Où est-il ?

— J'en sais rien, moi… Je suppose qu'il est toujours en Cornouailles. Il marchait le long de la côte, aux dernières nouvelles. Il voulait la faire en entier.

— Une sacrée randonnée. Il vous a fait quelle impression quand vous lui avez parlé ?

Havers fronça ses sourcils non épilés, se demandant manifestement où Isabelle voulait en venir.

— L'impression de quelqu'un qui a été obligé de débrancher le respirateur de sa femme. Pas exactement joyeux. Il essayait de tenir le coup, chef. C'est tout ce que je peux vous dire, ou presque.

— Est-ce qu'il va revenir ?

— Ici ? À Londres ? À la Met ?

Havers réfléchit à la question. Elle réfléchit également au cas Isabelle, passant en revue toutes les possibilités susceptibles d'expliquer pourquoi la nouvelle commissaire par intérim se renseignait sur l'ancien commissaire par intérim.

— Il ne voulait pas de ce poste, dit Havers. Il ne l'occupait qu'à titre temporaire. Il n'est pas du genre à rechercher de l'avancement ou quoi que ce soit. Il n'est pas comme ça.

Isabelle n'aimait pas être percée à jour, et encore moins par une femme. Thomas Lynley constituait en effet un de ses soucis. Elle n'était pas hostile à son retour dans l'équipe, mais s'il devait revenir, elle voulait être avertie et décider elle-même des conditions. Elle n'avait aucune envie qu'il réapparaisse brusquement et que tout le monde l'accueille comme le messie.

— Je m'inquiète de sa santé, sergent, expliqua-t-elle. Si vous avez de ses nouvelles, j'aimerais être prévenue. Juste de comment il va. Pas de ce qu'il dit. Je peux compter sur vous ?

— Je suppose, répondit Havers. Mais je n'aurai pas de ses nouvelles, chef.

Double mensonge, songea Isabelle.

La musique rendait le trajet supportable. La chaleur était intense : elles avaient beau faire la taille d'écrans de cinéma, les vitres des deux côtés du véhicule ne s'ouvraient pas. Chaque fenêtre était munie, en haut, d'un carreau rabattable, et ces étroits panneaux étaient tous ouverts, mais entre le soleil, l'atmosphère torride et la foule fiévreuse, le tube d'acier en mouvement était une véritable étuve.

Au moins, c'était un bus articulé et pas un bus à étage. À chaque arrêt, la porte avant et la porte arrière s'ouvraient et une bourrasque – un air brûlant et désagréable mais, malgré tout, un air renouvelé – lui permettait de respirer à fond et de croire qu'il pourrait survivre à ce périple. Les voix dans sa tête n'arrêtaient pas de lui affirmer le contraire, lui répétant qu'il avait intérêt à sortir, et à sortir vite, parce qu'il avait une mission à accomplir et que cette mission était dictée par Dieu. Mais il ne pouvait pas sortir, du coup il se servait de la musique. Lorsqu'elle jaillissait assez fort de ses écouteurs, elle noyait tout le reste, voix comprises.

Il aurait bien fermé les yeux pour se perdre dans les harmonies du violoncelle, avec ses accents plaintifs. Mais il devait la surveiller et il devait être prêt. Lorsqu'elle s'approcherait de la porte pour descendre, il ferait de même.

Ils roulaient depuis plus d'une heure. Ils n'auraient dû être là ni l'un ni l'autre. Il avait son boulot, tout comme elle, et quand les gens ne faisaient pas ce qu'ils étaient censés faire, le monde allait à vau-l'eau et il devait y remédier. Il en avait reçu l'ordre, en fait. C'est pourquoi il l'avait suivie, en prenant soin de ne pas se faire repérer.

Elle était montée dans un premier bus, puis dans un autre, et maintenant, pour se guider, elle se servait d'un plan de la ville. Ce détail lui indiquait qu'elle ne connaissait pas le quartier qu'ils traversaient, un quartier qui, à ses yeux, ne différait pas beaucoup du reste de Londres. Des rues aux maisons alignées, des boutiques aux enseignes en plastique crasseuses au-dessus des vitrines, des graffitis formant des mots dépourvus de sens.

À mesure qu'ils serpentaient à travers la ville, sur les trottoirs, les touristes se transformèrent en étudiants sac au dos, qui eux-mêmes devinrent des femmes entièrement recouvertes de noir, des fentes à la place des yeux, en compagnie d'hommes confortablement habillés de jeans et de tee-shirts blancs, qui devinrent bientôt des enfants africains s'amusant à courir en cercle sous les arbres d'un parc. Et puis, à un moment donné, des immeubles d'habitation cédèrent la place à une école, qui à son tour se métamorphosa en un ensemble d'immeubles de bureaux duquel il détourna le regard. En fin de compte, la rue se rétrécit, puis elle décrivit une courbe et ils débouchèrent dans ce qui ressemblait à un village, même s'il savait qu'il ne s'agissait pas du tout d'un village mais d'un endroit qui avait jadis été un village. Il faisait partie de la multitude de bourgades qui, au fil du temps, avaient été englobées par la mégalopole.

Le bus grimpa une petite colline et ils se retrouvèrent dans une rue commerçante. Des mères poussaient
des landaus, et les peuples se mélangeaient. Des Africains parlaient avec des Blancs. Des Indo-Pakistanais
achetaient de la viande halal. Des retraités sirotaient du
café turc dans un troquet proposant des pâtisseries françaises. C'était un quartier agréable. Il se détendit et fut
presque tenté d'éteindre sa musique.

Là-bas devant lui, il la vit qui commençait à bouger.
Elle referma son guide de Londres après en avoir soigneusement corné une page. Elle n'avait rien d'autre
avec elle que son sac à bandoulière, dans lequel elle
rangea son guide tout en se dirigeant vers la porte. Ils
étaient désormais au bout de la grand-rue et de ses
commerces. Une grille en fer forgé surmontant un
muret en brique laissait penser qu'ils avaient atteint un
parc.

Il trouva bizarre qu'elle ait fait tout ce chemin en bus
pour se rendre dans un parc, alors qu'il y avait un
jardin à moins de deux cents mètres de son lieu de travail. D'accord, il faisait atrocement chaud et l'ombre
des arbres offrirait une fraîcheur appréciable après la
fournaise du bus. Mais si son but était de trouver de la
fraîcheur, elle aurait pu se contenter d'entrer dans
l'église paroissiale St. Paul, comme elle le faisait parfois à l'heure du déjeuner, lisant les plaques
commémoratives sur les murs ou s'asseyant simplement près du balustre du chœur pour admirer l'autel et
le tableau accroché au-dessus. Ce tableau représentait
la Madone et l'enfant : il le savait, même si, en dépit
des voix, il ne se considérait pas comme très religieux.

Il attendit le dernier moment pour descendre du bus.
Il avait posé son instrument par terre entre ses pieds, et

il était si occupé à la regarder se diriger vers le parc qu'il faillit l'oublier. Cette erreur aurait été désastreuse, et comme il s'en était fallu d'un cheveu qu'il la commette, il retira ses écouteurs pour faire taire la musique. *La flamme est venue elle est venue elle est là…* La litanie commença à tourner dans sa tête dès que la musique se tut. *Que les oiseaux se repaissent des cadavres.* Il cligna fortement des yeux et secoua la tête avec vigueur.

Un portail en fer forgé s'ouvrait en grand, en haut d'un perron qui donnait sur le parc. Avant de gravir les quatre marches, elle s'approcha d'un panneau vitré où était affiché un plan des lieux. Elle l'étudia, mais très brièvement, comme pour vérifier une chose qu'elle savait déjà. Puis elle franchit les portes et s'engouffra sous les arbres touffus.

Il se dépêcha. Il jeta un coup d'œil à l'écriteau – des sentiers allant de-ci de-là, un bâtiment signalé, des mots, un monument –, mais il ne vit pas le nom du parc. Ce ne fut qu'une fois sur le sentier s'enfonçant dans ses profondeurs qu'il comprit qu'il se trouvait dans un cimetière. Il ne ressemblait à aucun cimetière de sa connaissance, car le lierre et la vigne vierge étouffaient les pierres tombales et enveloppaient les monuments, au pied desquels ronces et silènes offraient librement leurs fruits et leurs fleurs. Les gens enterrés ici étaient oubliés depuis longtemps, comme le cimetière lui-même. Si les pierres tombales avaient un jour été gravées au nom des disparus, les inscriptions avaient été effacées par les intempéries et la nature envahissante, qui cherchait à reprendre ses droits sur un terrain qui avait été le sien bien avant que des hommes n'aient l'idée saugrenue d'y enterrer leurs morts.

Il n'aimait pas cet endroit, mais il n'avait pas le choix. Il était son gardien – *oui, oui, tu commences à comprendre !* – et il se devait de la protéger, autrement dit il était investi d'une mission. Mais un vent se mit à rugir dans sa tête et, dans la tourmente, il distingua les mots *Je suis en charge du Tartare.* Puis : *Écoute, allons, écoute* et *Nous sommes sept* et *Nous nous tenons à ses pieds*, et là, il récupéra ses écouteurs pour les replacer sur ses oreilles, montant le volume au maximum jusqu'à ce qu'il n'entende plus rien à nouveau que le violoncelle et bientôt les violons.

Jonché de pierres, le sentier sur lequel il cheminait était inégal et poussiéreux. Sur ses bords subsistait la croûte formée par les feuilles de l'année précédente, moins épaisse toutefois que là-bas, sous les arbres qui se dressaient au-dessus de lui. Grâce à eux, le cimetière était frais et odorant, et il se dit que s'il pouvait se concentrer là-dessus – la fraîcheur de l'air et le parfum du feuillage –, les voix auraient moins d'importance. Il respira profondément et desserra le col de sa chemise. Le sentier décrivait une courbe et il l'aperçut plus loin devant lui : elle s'était arrêtée pour contempler un monument.

Ce monument-là était différent. Il avait été attaqué par les intempéries mais il n'était pas abîmé ni dévoré par les broussailles. Fier et entretenu. Il représentait un lion endormi sur un socle de marbre. Le lion étant grandeur nature, le socle était immense. Il accueillait des inscriptions et des noms de famille, qu'on n'avait pas non plus laissés s'effacer.

Il la vit lever une main pour caresser l'animal de pierre, d'abord ses larges pattes puis ses yeux fermés. Il eut l'impression d'un geste porte-bonheur, et, quand elle repartit et qu'il passa lui-même devant le monument, il effleura le lion à son tour.

Elle prit un deuxième sentier, plus étroit, qui obliquait vers la droite. Un cycliste arriva en sens inverse et elle s'écarta, foulant un tapis de lierre et de petite oseille, où un églantier s'entortillait autour des ailes d'un ange en prière. Plus loin, elle laissa passer un couple avançant bras dessus bras dessous derrière une poussette, que chacun guidait d'une seule main. Il n'y avait pas d'enfant à l'intérieur, mais un panier de pique-nique et des bouteilles qu'il vit chatoyer au moment où il les croisa. Elle dépassa un banc autour duquel étaient rassemblés plusieurs hommes. Ils fumaient et écoutaient de la musique sur un ghetto-blaster. La musique était indo-pakistanaise, comme eux, et réglée si fort qu'il l'entendit même par-dessus le violoncelle et les violons.

Il se rendit compte soudain qu'elle était la seule femme à se promener dans ce parc sans être accompagnée. Il en déduisit que l'endroit devait être dangereux, soupçon confirmé lorsque les hommes se retournèrent pour continuer à la regarder. Ils ne la suivirent pas, mais il savait qu'ils en avaient envie. Une femme solitaire, c'était soit une offrande pour un homme, soit une créature en manque de discipline.

Elle était très sotte d'être venue ici. Les anges de pierre et les lions endormis ne pourraient pas la protéger des périls que recelait ce lieu. On était en pleine journée au milieu de l'été mais les arbres se dressaient partout, menaçants, les sous-bois étaient épais, et il ne serait pas difficile de la surprendre, de l'entraîner à l'écart et de lui faire subir le pire.

Elle avait besoin de protection dans un monde où il n'en existait aucune. Il se demanda pourquoi elle n'avait pas l'air de le savoir.

Devant, le sentier débouchait sur une clairière où les herbes hautes – brunies par la sécheresse – avaient été aplaties par les pas des promeneurs cherchant à rejoindre une chapelle. En brique, celle-ci possédait un clocher qui s'élevait vers le ciel, et deux rosaces marquant les deux bras de la croix formée par l'édifice. Mais le bâtiment lui-même n'était pas accessible. La chapelle était en ruine. Ce n'était qu'en s'approchant qu'on remarquait que des barres de fer bloquaient la porte, que des panneaux métalliques obstruaient les fenêtres, et qu'à chaque extrémité du transept, là où auraient dû se trouver des vitraux dans leurs cercles de guipure, était accroché du lierre mort, sinistre rappel de l'issue inéluctable de toute existence.

S'il fut surpris par l'aspect trompeur de la chapelle, même à une si faible distance, ce ne fut apparemment pas le cas pour elle. Elle s'approcha de la ruine, mais au lieu de l'examiner, elle traversa les herbes hautes jusqu'à un banc en pierre dépourvu de dossier. Il devina qu'elle risquait de s'y asseoir et de le repérer en se retournant. Il se précipita vers l'extrémité de la clairière, où un séraphin tout verdi de lichen entourait de son bras une croix très imposante. Trouvant là l'abri escompté, il se cacha derrière la statue alors qu'elle prenait place sur le banc de pierre. Elle ouvrit son sac et en sortit un livre, sans doute autre chose que le guide de Londres, car elle savait forcément où elle était, à présent. Il devait s'agir d'un roman, d'un volume de poésie, ou peut-être du missel anglican. Elle commença à lire et il constata très vite qu'elle était complètement absorbée. Quelle idiote, songea-t-il. *Elle appelle Remiel*, clamèrent les voix. Par-dessus le violoncelle et couvrant les violons. Comment étaient-elles devenues si puissantes ?

Il lui faut un gardien, dit-il dans sa tête pour répondre aux voix. Elle devait absolument se tenir sur ses gardes.

Puisqu'il n'en était rien, il s'en chargerait pour elle. Telle serait sa seule et unique mission.

3

Elle s'appelait Gina Dickens, apprit Meredith, et elle était apparemment la nouvelle compagne de Gordon Jossie, même si elle ne s'attribuait pas réellement ce titre. Elle ne disait pas « nouvelle » car, en l'occurrence, elle ignorait qu'il y avait une ancienne compagne ou une ex-compagne, ou quelle que soit l'appellation qu'on voulait donner à Jemima Hastings. Elle n'utilisait pas non plus précisément le terme de « compagne », puisqu'elle n'habitait pas tout à fait au cottage, même si, dit-elle avec un sourire, elle avait « bon espoir ». De son propre aveu, elle passait plus de temps à la ferme que chez elle, à savoir une minuscule chambre meublée au-dessus du salon de thé du Chapelier Fou, dans la grand-rue de Lyndhurst. Franchement, le vacarme, du lever du jour à la tombée de la nuit, y était épouvantable. D'ailleurs, à la réflexion, le tapage se poursuivait largement après la tombée de la nuit, vu que c'était l'été et qu'il y avait plusieurs hôtels, un pub, des restaurants… et avec tous ces touristes à cette époque de l'année… Elle s'estimait heureuse de dormir une moyenne de quatre heures par nuit quand elle restait là-bas. Ce que, à vrai dire, elle évitait le plus possible.

Elles étaient entrées dans le cottage. Celui-ci, Meredith ne tarda pas à le constater, avait été dépouillé de toutes les affaires de Jemima, du moins en ce qui concernait la cuisine, qui était la seule pièce dans laquelle Meredith acceptait d'aller. Des sirènes retentissaient dans sa tête, elle avait les mains moites, et ses aisselles transpiraient à grosses gouttes. Son état était dû en partie à la chaleur qui ne cessait d'augmenter, mais il était surtout dû au fait que tout cela était louche.

À l'extérieur du cottage, la gorge de Meredith était devenue soudain aussi sèche qu'un désert. Comme si elle l'avait deviné, Gina Dickens l'avait invitée à entrer. Elle l'avait fait asseoir à la vieille table en chêne puis était allée chercher dans le réfrigérateur une eau minérale snobinarde présentée dans une bouteille en verre givré, exactement le genre de truc qui aurait fait pouffer Jemima. Elle leur en servit un verre à toutes les deux en disant :

— On dirait que vous avez… je ne sais pas comment appeler ça.

— C'est notre anniversaire, déclara bêtement Meredith.

— À vous et Jemima ? Mais qui est Jemima ?

Meredith eut d'abord du mal à croire que Gina Dickens n'ait jamais entendu parler d'elle. Comment pouvait-on vivre avec une femme aussi longtemps que Gordon avait vécu avec Jemima et se débrouiller pour cacher totalement son existence à… Gina était-elle sa maîtresse suivante ? Ou bien faisait-elle partie d'une longue série ? Dans ce cas, où étaient les autres ? Où était Jemima ? Oh, Meredith avait tout de suite repéré que Gordon Jossie sentait les ennuis à plein nez.

— … à Boldre Gardens, disait Gina. Près de Min-stead. Vous connaissez ? Il s'occupait du toit d'un bâtiment et je m'étais perdue. J'avais pourtant une carte, mais je suis complètement nulle, même avec une carte. Indécrottable. Le nord, l'ouest, tout ça ne veut rien dire pour moi.

Meredith sortit de sa torpeur. Gina était en train de lui raconter comment Gordon Jossie et elle s'étaient rencontrés, mais ça, elle s'en fichait pas mal. Ce qui l'intéressait, c'était Jemima.

— Il n'a jamais parlé de Jemima ? demanda-t-elle. Ni de la Reine du Cupcake ? La boutique qu'elle a ouverte à Ringwood ?

— Des cupcakes ?

— Elle avait monté une entreprise ici dans ce cot-tage, mais l'affaire s'était beaucoup développée et… les boulangeries, les hôtels, les goûters d'anniversaire et… il ne vous en a jamais parlé… ?

— J'ai bien peur que non. Non.

— Et du frère de Jemima ? Robbie Hastings ? Il est agister. Ici…

Elle eut un geste du bras pour indiquer l'ensemble de la propriété.

— Ça fait partie de son secteur. Et de celui de son père, avant. Et de son grand-père. Et de son arrière-grand-père. Ils sont agisters dans la famille depuis tel-lement longtemps que toute cette partie de la New Forest porte le nom de Hastings, en fait. Vous ne le saviez pas ?

Gina fit non de la tête. Elle avait l'air perplexe et, à présent, légèrement effrayée. Elle repoussa sa chaise de quelques centimètres et regarda Meredith, puis le gâteau avec lequel, de façon ridicule, elle avait pénétré dans le cottage. Là-dessus, il vint à l'esprit de Meredith que Gina n'avait pas peur de Gordon Jossie – bon sang, elle aurait dû, pourtant… – mais d'elle, qui dégoisait un peu comme une folle.

— Vous devez me trouver saoulante, dit Meredith.

— Non, non. Pas du tout. C'est juste que…

Gina s'exprimait de façon rapide et comme essoufflée ; elle semblait se retenir de poursuivre.

Elles gardèrent l'une et l'autre le silence. Un hennissement leur parvint de l'extérieur.

— Les poneys ! s'écria Meredith. Si vous avez des poneys ici, Robbie Hastings les a sûrement amenés de la Forêt. À moins qu'il ait demandé à Gordon d'aller les chercher. Mais, dans un cas comme dans l'autre, il est forcément passé à un moment donné voir comment ils allaient. Pourquoi est-ce qu'ils sont ici, au fait ?

L'inquiétude de Gina sembla s'accentuer encore. Elle serra ses deux mains autour de son verre d'eau et, le regard baissé, elle dit :

— Une histoire de… Je ne sais pas exactement.

— Ils sont blessés ? Ils boitent ? Ils n'ont plus d'appétit ?

— Oui. C'est ça, je crois. Gordon a dit qu'ils boitaient. Il les a ramenés de la Forêt… il y a quoi, trois semaines ? Quelque chose comme ça. Je ne suis pas sûre, en fait. Les chevaux ne m'intéressent pas.

— Les poneys, rectifia Meredith. Ce sont des poneys.

— Ah, oui. Sans doute. Je n'ai jamais vraiment vu la différence.

Elle hésita.

— Il a bien…

Elle but une gorgée d'eau, soulevant le verre à deux mains comme si, autrement, elle ne serait pas arrivée à le porter à ses lèvres.

— Quoi ? Qu'est-ce qu'il a dit ? Est-ce qu'il vous a dit...

— Bien sûr, à la longue, on finit par poser la question, pas vrai ? Enfin quoi, voilà un homme adorable qui vit tout seul, qui est gentil, délicat, et puis passionné quand il faut l'être, si vous voyez ce que je veux dire.

Meredith cligna des yeux. Non, elle ne tenait pas à voir.

— Alors j'ai posé la question : je lui ai demandé comment il se faisait qu'il était seul, pas de petite amie, pas de concubine, pas de femme. Personne ne t'a mis le grappin dessus ? Ce genre de trucs. Autour d'un dîner.

Oui, se dit Meredith. Dehors dans le jardin, assis à la table en fer forgé avec les bougies allumées et les torchères enflammées. Elle demanda avec raideur :

— Et qu'est-ce qu'il a dit ?

— Qu'il avait eu une relation, qu'il avait été très malheureux et qu'il n'aimait pas en parler. Alors je n'ai pas insisté. Je me suis dit qu'il me raconterait quand il serait prêt.

— Il s'agit de Jemima, dit Meredith. Jemima Hastings. Et elle est...

Elle ne voulait pas formuler les choses. Formulées, elles risquaient de devenir réelles et, pour autant qu'elle sache, elles n'avaient rien de réel. Elle récapitula les faits, au demeurant peu nombreux. La Reine du Cupcake était fermée. Lexie Streener avait passé des coups de fil et Jemima ne l'avait pas rappelée. Ce cottage était plus ou moins occupé par une autre femme.

— Depuis combien de temps vous vous connaissez, vous et Gordon ? Vous vous fréquentez ?

— On s'est rencontrés au début du mois dernier. À Boldre…

— Oui. À Boldre Gardens. Qu'est-ce que vous faisiez là-bas ?

Gina parut surprise. Il était clair qu'elle ne s'attendait pas à cette question, et que cette question ne lui plaisait pas du tout.

— Je me promenais, en fait. Ça ne fait pas longtemps que j'habite la New Forest et j'aime bien explorer.

Elle sourit comme pour adoucir ses propos suivants.

— Enfin bon, je ne sais pas trop pourquoi vous me demandez ça. Vous croyez qu'il est arrivé quelque chose à Jemima Hastings ? Que Gordon lui a fait quelque chose ? Ou que moi j'ai fait quelque chose ? Ou que Gordon et moi ensemble on a fait quelque chose ? Parce que je tiens vraiment à ce que vous sachiez que quand je suis arrivée ici, dans ce cottage, il n'y avait pas le moindre signe que qui que ce soit…

Elle s'arrêta net. Meredith vit que les yeux de Gina étaient toujours fixés sur les siens, mais ils étaient vagues à présent, comme s'ils regardaient tout autre chose. Meredith demanda :

— Quoi ? Qu'y a-t-il ?

Gina baissa le regard. Un moment s'écoula. Dehors les poneys hennirent à nouveau et les gazouillis affolés de bergeronnettes grises retentirent dans les airs, comme si elles se prévenaient mutuellement de l'approche d'un prédateur.

— Peut-être que vous devriez venir avec moi, dit enfin Gina.

Quand Meredith finit par mettre la main sur Robbie Hastings, il se tenait sur le parking derrière le Queen's Head à Burley. Situé à l'embranchement de trois routes, le village se composait d'une rangée de bâtiments qui hésitaient entre torchis, colombages et briques rouges, tous dotés de toits qui, là encore, hésitaient entre chaume et ardoise. Il y avait des voitures partout, dont six cars de touristes : les visiteurs connaîtraient sans doute ici leur seule expérience de la New Forest en dehors de leur circuit motorisé sur les petites routes, qui leur permettrait d'admirer le paysage dans le confort climatisé de leurs sièges capitonnés. Cette expérience consisterait à photographier des poneys qui se promenaient en liberté aux alentours, à prendre un repas frugal mais hors de prix au pub ou dans un petit restaurant pittoresque, et à effectuer des achats dans une ou plusieurs des boutiques à touristes. Ces dernières étaient l'essence même du village. Elles couvraient la gamme complète de tous les commerces imaginables, depuis le Concile des Sorcières – maison qui se targuait d'avoir jadis hébergé une authentique sorcière contrainte de quitter la région lorsque sa réputation avait trop empiété sur sa vie privée – jusqu'aux Caramels de Burley. Le Queen's Head présidait l'ensemble. Plus grand édifice du village, il servait, hors saison, de lieu de réunion aux habitants du village, qui avaient la sagesse de fuir le secteur pendant l'été.

Meredith avait commencé par téléphoner au domicile de Robbie, même s'il était très peu probable qu'il soit chez lui en pleine journée. En tant qu'agister, il était chargé du bien-être de tous les animaux déambulant librement dans la zone qui lui incombait – une zone, comme elle l'avait expliqué à Gina Dickens, qu'on appelait le Hastings –, et il sillonnait sûrement la Forêt en voiture ou à cheval pour vérifier que personne n'embêtait les ânes, les poneys, les vaches et les rares moutons. C'était le plus grand problème rencontré par ceux qui travaillaient dans la Forêt, surtout pendant les mois d'été. Il était attendrissant de voir des animaux sans être gêné par des barrières, des murs ou des haies. Il était alors tentant de leur donner à manger. Les gens ne pensaient pas à mal, mais ils étaient, hélas, des crétins invétérés. Ils ne comprenaient pas qu'en nourrissant un gentil petit poney en été, ils conditionnaient l'animal à s'imaginer qu'il trouverait forcément quelqu'un pour le nourrir sur le parking du Queen's Head en plein cœur de l'hiver.

Robbie Hastings était apparemment en train d'expliquer la chose à une foule de retraités munis d'appareils photo et portant bermudas et chaussures montantes. Robbie les avait rassemblés près de son Land Rover, auquel était accroché un fourgon à chevaux. Il était sans doute venu chercher un des poneys, ce qui n'était pas courant à cette époque de l'année. Elle apercevait l'animal qui s'agitait dans le van. Robbie le désignait tout en parlant.

Elle lança un coup d'œil à son gâteau au chocolat au moment de descendre de voiture. Le glaçage avait fondu et commençait à former une flaque visqueuse dans le plat. Plusieurs mouches avaient trouvé le moyen de se poser dessus, mais on aurait dit une plante carnivore : tout ce qui s'y aventurait se retrouvait englué dans le sucre et le cacao. La mort par l'extase. Le gâteau était bon à jeter.

Cela n'avait plus d'importance. Les choses ne tournaient vraiment pas rond, et elle devait prévenir Robbie. Il était en effet le seul parent de sa sœur depuis les dix ans de Jemima, un accident de voiture l'ayant propulsé à ce statut à l'âge de vingt-cinq ans. Ce même accident de voiture l'avait aussi élevé au poste auquel il croyait ne jamais accéder : il était devenu un des cinq agisters de la New Forest, à la place de son père.

— ... car ce qu'il faut éviter, c'est que les poneys traînent toujours au même endroit.

Robbie terminait semble-t-il son sermon à l'intention d'un public apparemment contrit d'avoir apporté des pommes, des carottes, du sucre et une foule de friandises destinées à attirer des poneys censés se nourrir par eux-mêmes. À la fin de sa harangue – énoncée patiemment alors que les touristes n'arrêtaient pas de le prendre en photo même s'il n'arborait pas sa tenue officielle mais un jean, un tee-shirt et une casquette de base-ball –, il eut un brusque hochement de tête puis ouvrit la portière de son Land Rover pour se remettre en route. Les touristes se dirigèrent tranquillement vers le pub, et Meredith se fraya un passage à contre-courant, criant le nom de Robbie.

Il se retourna. Meredith ressentit ce qu'elle ressentait toujours en le voyant : une profonde affection doublée d'une grande pitié face à l'allure que lui donnaient ses immenses dents de devant. Sa bouche était la seule chose qu'on remarquait chez lui, ce qui était injuste. Robuste et viril, non seulement il était très bien bâti, mais ses yeux étaient extraordinaires – l'un marron et l'autre vert, exactement comme Jemima.

Son visage s'éclaira.

— Merry Contrary ! Ça fait un bail, dis donc. Qu'est-ce que tu fabriques dans le coin ?

Il portait des gants, mais il les enleva et lui ouvrit spontanément les bras, comme il l'avait toujours fait.

Elle l'étreignit. Ils avaient très chaud tous les deux et ils étaient en sueur, et de Robbie émanait un parfum âcre, mélange des odeurs du cheval et de l'homme.

— Quelle journée, hein ?

Il retira sa casquette, révélant des cheveux qui auraient été épais et ondulés s'il n'avait pas eu pour habitude de les tondre presque au ras du crâne. Ils étaient bruns mais commençaient à grisonner, et ce détail frappa Meredith : il lui semblait qu'ils étaient encore complètement bruns la dernière fois qu'elle l'avait vu. Jemima et elle étaient donc brouillées depuis si longtemps ?

— J'ai téléphoné au bureau des gardes forestiers et ils m'ont dit que tu serais ici.

Il s'essuya le front sur son bras, remit sa casquette et l'enfonça sur sa tête.

— Ah bon ? Qu'est-ce qui se passe ?

Il regarda par-dessus son épaule : le poney dans le fourgon piétinait nerveusement en heurtant la paroi. La remorque vibra. Robbie s'écria :

— Hé, là ! Tu sais que tu peux pas rester ici au Queen's Head, mon vieux. Du calme. Du calme.

— Jemima… dit Meredith. C'est son anniversaire, Robbie.

— Eh oui. Donc c'est aussi le tien. Autrement dit, tu as vingt-six ans, et moi, du coup… Merde alors, ça m'en fait quarante et un ! On pourrait croire qu'à cet âge-là j'aurais quand même trouvé une nana pour épouser cette masse de virilité, non ?

— Aucune ne t'a harponné ? Les femmes du Hampshire doivent être à moitié folles, Rob.

Il sourit.

— Toi ?

— Oh, moi, je suis entièrement folle. J'ai déjà donné, merci beaucoup. Pas question de répéter l'expérience.

Il gloussa.

— C'est bien ma veine, Merry. Tu n'imagines pas le nombre de fois où j'ai entendu ça. Bon alors, dis-moi, pourquoi tu me cherches si c'est pas pour m'offrir ta main ?

— C'est Jemima. Robbie, je suis allée à la Reine du Cupcake et j'ai vu que c'était fermé. Et puis j'ai parlé à Lexie Streener et ensuite je suis allée chez eux – chez Gordon et Jemima – et il y a une dénommée Gina Dickens là-bas. Elle n'y habite pas vraiment mais elle est... disons qu'elle y est comme chez elle. Et elle ignorait totalement l'existence de Jemima.

— Tu n'as pas eu de ses nouvelles, alors ?

— De Jemima ? Non.

Meredith hésita. Elle se sentait affreusement gênée. Elle le regarda avec sérieux, tentant de déchiffrer son expression.

— Allons, j'imagine qu'elle t'a expliqué...

— Ce qui s'est passé entre vous deux ? Ah, c'est vrai. Elle m'a dit que vous vous étiez fâchées il y a quelque temps de ça. Je pensais pas que ça durerait.

— C'est que... j'étais forcée de lui dire. J'avais des doutes sur Gordon. Les amis sont bien censés faire ça, non ?

— À mon avis, oui.

— Mais tout ce qu'elle a trouvé à me répondre c'est : « Robbie n'a pas de doutes sur lui, alors pourquoi tu en as ? »

— Elle a vraiment dit ça ?

— Alors tu avais des doutes ? Comme moi ? C'est vrai ?

— Oh, pour ça oui. Quelque chose chez ce type… C'est pas tout à fait qu'il me déplaisait, mais si elle devait avoir un mec, j'aurais préféré qu'elle en choisisse un que je connaisse de A à Z. Je connaissais pas Gordon Jossie à fond. Mais en fin de compte, j'aurais pas dû m'inquiéter – et toi non plus –, puisque Jemima a découvert ce qu'il y avait à découvrir, et qu'elle a eu l'intelligence d'arrêter cette histoire à temps.

— Ça veut dire quoi, exactement ?

Meredith se dandinait. Elle cuisait littéralement sous cette chaleur. Elle avait l'impression que son corps entier était en train de fondre, comme ce malheureux gâteau au chocolat dans la voiture.

— Dis, on ne peut pas se mettre à l'abri du soleil ? demanda-t-elle. Boire un verre ? Tu as le temps ? Il faut qu'on parle. Je pense… Il y a quelque chose de bizarre.

Robbie jeta un coup d'œil au poney puis à Meredith.

— D'accord, mais pas au pub, répondit-il.

Il l'entraîna à travers le parking vers une petite galerie de boutiques, dont l'une proposait des sandwichs et des boissons. Ils emportèrent leurs achats sous un châtaignier qui étendait ses branches feuillues en bordure du parking. Là, un banc faisait face à une pelouse se déployant en forme d'éventail.

Quelques touristes photographiaient des poneys broutant avec leurs petits à proximité. Les poulains étaient particulièrement mignons, mais ils étaient craintifs, c'est pourquoi s'approcher d'eux et de leurs mères était plus dangereux que d'habitude. Robbie contemplait la scène.

— Bon sang, on se demande... lâcha-t-il d'un ton lugubre. Ce type là-bas ? Il va sûrement se faire mordre. Et après il voudra qu'on abatte le poney ou faire un procès à Dieu sait qui. Je me dis qu'il y a des gens qui mériteraient d'être éradiqués de la planète.

— Ah, vraiment ?

Il rougit légèrement, puis il la regarda.

— Je suppose que non... Elle est partie pour Londres, Merry. Elle m'a téléphoné un jour, aux alentours de la fin octobre, et elle m'a annoncé qu'elle allait à Londres. Je croyais qu'elle voulait dire pour la journée, chercher des fournitures ou des trucs pour la boutique. Mais elle a dit : « Non, non, c'est pas pour la boutique. J'ai besoin de réfléchir, elle a dit. Gordon a parlé mariage, et je ne suis pas sûre. » Depuis, elle est toujours là-bas.

— Tu es certain de ça ? Qu'il a parlé mariage ?

— Ben oui. Pourquoi ?

— Mais, et la Reine du Cupcake ? Pourquoi elle laisserait tomber son entreprise ?

— Ouais. C'est un peu bizarre, hein ? J'ai essayé de discuter de ça avec elle, mais y a pas eu moyen. Elle répétait simplement qu'elle avait besoin de réfléchir.

— Londres...

Meredith s'efforçait de relier ce mot à son amie.

— Réfléchir à quoi ? Au mariage ? Pourquoi ?

— Elle a pas voulu me dire, Merry. Elle veut toujours pas.

— Tu lui as parlé ?

— Ah, mais oui. Bien sûr. Au moins une fois par semaine. Ça, on peut dire qu'elle m'appelle. Tu connais Jemima. Elle s'inquiète, elle se demande comment je m'en sors depuis qu'elle peut plus passer me voir. Alors elle reste en contact.

— Lexie m'a dit qu'elle avait essayé d'appeler Jemima. D'abord elle a laissé des messages et après ça sonnait dans le vide. Comment tu fais pour lui parler maintenant que…

— Nouveau portable, dit Robbie. Elle voulait pas que Gordon ait le numéro. Il arrêtait pas de lui téléphoner. Elle veut pas qu'il sache où elle est.

— Nom d'un chien, qu'est-ce qui s'est passé entre eux ?

— Ça, j'en sais rien, et elle refuse de le dire. Je suis allé là-bas une fois après son départ parce qu'elle était vraiment dans tous ses états. Je pensais qu'il fallait que j'aie une conversation avec Gordon.

— Et… ?

Il secoua la tête.

— Rien. Gordon a dit : « J'en sais pas plus que toi, mon vieux. Moi j'ai les mêmes sentiments qu'avant. C'est les siens qui ont changé. »

— Quelqu'un d'autre ?

— Du côté de Jemima ?

Robbie leva sa canette de Coca et la siffla presque en entier.

— Y avait personne quand elle est partie. Je lui ai posé la question. Tu connais Jemima. Elle aurait pas quitté Gordon sans avoir quelqu'un sous le coude.

— Oui, je sais. Cette peur de la solitude… Elle trouve l'idée insupportable, pas vrai ?

— On peut pas vraiment lui reprocher ça. Après ce qui est arrivé aux parents.

Ils restèrent tous deux silencieux, réfléchissant à ce drame, aux peurs que la perte précoce de ses parents avait insufflées à Jemima, et à la façon dont ces peurs s'étaient manifestées dans sa vie.

À l'autre bout de la pelouse, un homme âgé avec un déambulateur s'était trop approché d'un poulain. La tête de la mère se redressa brusquement, mais bon, ouf… Le poulain s'éloigna en trottinant et le petit troupeau suivit le mouvement. Avec son déambulateur, l'homme pouvait s'accrocher pour les rattraper… Il les appela, tendant une carotte.

Robbie soupira.

— Autant pisser dans un violon. J'ai bien gaspillé ma salive, hein ? Y a des gens qui ont sûrement du coton à la place du cerveau. Regarde-le, Merry.

— Il te faudrait un mégaphone.

— Il me faudrait mon fusil.

Robbie se leva. Il allait dire ses quatre vérités au bonhomme. Mais avant, il y avait autre chose que Meredith voulait qu'il sache. Il lui avait peut-être expliqué certaines choses concernant Jemima, mais elle n'était toujours pas satisfaite.

— Rob, comment est-ce que Jemima est allée à Londres ?

— En voiture, je suppose.

C'était bien là le hic. La réponse redoutée. Ce détail paraissait accessoire, or il devenait crucial. Il était comme un signal d'alarme. Meredith le sentit aux picotements sur ses bras et au frisson qui, malgré la chaleur, lui parcourut l'échine.

— Non. Pas en voiture.

— Comment ça ? fit Robbie, se retournant pour la regarder.

— Elle n'est pas allée là-bas en voiture.

Meredith se leva à son tour.

— Justement… C'est pour cette raison que je suis là. Robbie, sa voiture est dans la grange chez Gordon. Gina Dickens me l'a montrée. Elle était sous une bâche comme s'il voulait la cacher.

— Tu plaisantes.

— Pourquoi je plaisanterais ? Gina Dickens l'a interrogé là-dessus. Il a dit que c'était sa voiture à lui. Mais il ne l'a jamais conduite, alors elle en a conclu…

Meredith avait à nouveau la gorge sèche, comme lors de sa conversation avec Gina.

Robbie fronçait les sourcils.

— Elle en a conclu quoi ? Qu'est-ce qui se passe, Merry ?

— C'est ce que je veux découvrir.

Elle enserra son bras musclé :

— Parce que, Rob, il n'y a pas que ça.

Robbie Hastings essayait de ne pas s'inquiéter. Il avait des tâches à accomplir – la plus importante, pour l'heure, étant le transport du poney –, et il devait rester concentré sur ses obligations. Mais Jemima représentait une bonne partie de celles-ci. Le fait qu'elle soit aujourd'hui une adulte n'avait pas changé la situation entre eux. Il était toujours sa figure paternelle et elle serait toujours sa petite sœur, la pauvre gamine qui avait perdu ses parents après un dîner tardif au cours de vacances en Espagne : trop d'alcool, un instant de confusion – fallait-il rouler à droite ou à gauche ? –, et voilà, terminé, fauchés par un camion… Jemima n'était pas avec eux, Dieu merci. Sinon, tout ce qu'il comptait comme famille aurait été anéanti. Mais non, il était allé habiter avec elle dans la maison familiale, et son séjour sous ce toit était devenu permanent.

Ainsi, alors même que Robbie rendait le poney à son propriétaire, et qu'il discutait avec lui de ce dont souffrait l'animal – d'après lui, c'était un cancer, et le poney allait devoir être abattu, mais monsieur voudrait peut-être appeler le véto pour avoir un deuxième avis… –, il continuait à penser à Jemima. Il lui avait téléphoné au réveil ce matin-là parce que c'était son anniversaire, et il réessaya en retournant à Burley après avoir déposé le poney. Mais il obtint la même chose que la première fois : la voix joyeuse de sa sœur sur sa boîte vocale.

Il ne s'était pas alarmé lors de son premier coup de fil, car il était tôt : elle avait peut-être éteint son portable si elle comptait faire la grasse matinée le jour de son anniversaire. Mais d'habitude elle rappelait tout de suite quand elle avait un message de lui. C'est pourquoi, en laissant son deuxième message, il commença à s'inquiéter. Il téléphona à son travail, mais il apprit que, la veille, elle avait pris son après-midi, et qu'aujourd'hui elle n'était pas censée travailler. Monsieur désirait-il laisser un message ? Non, merci.

Il raccrocha et tritura le cuir déchiqueté recouvrant son volant. Bon, se dit-il, les inquiétudes de Meredith mises à part, c'était l'anniversaire de Jemima et elle était sans doute simplement en train de s'amuser. C'était dans sa nature, non ? D'après ce qu'il se rappelait, elle s'était entichée de patinage ces derniers temps. Du pur Jemima…

118

En fait, Robbie n'avait pas tout dit à Meredith sous le châtaignier à Burley. Il ne l'avait pas jugé utile, pour la bonne raison que Jemima avait toujours enchaîné les liaisons, contrairement à cette brave Meredith. Il n'avait pas voulu en rajouter sur ce point, Meredith étant mère célibataire à la suite de l'unique relation, au demeurant catastrophique, qu'elle avait réussi à avoir. En plus, Robbie respectait Meredith pour la façon dont elle avait assumé sa maternité. Enfin, quoi qu'il en soit, Jemima n'avait pas quitté Gordon Jossie pour un autre homme, alors au moins Robbie n'avait pas menti à Meredith. Pourtant, comme de juste, Jemima n'avait pas tardé à se dégoter un autre homme. Robbie n'en avait rien dit à Meredith. Après coup, il se demanda s'il aurait dû.

« Il est vraiment à part, Rob, avait roucoulé Jemima avec son enthousiasme habituel. Oh, je suis folle amoureuse de lui ! »

C'était chaque fois comme ça : elle était toujours folle amoureuse. À quoi bon l'intérêt, la curiosité ou l'amitié quand on pouvait être « folle amoureuse » ? Car être folle amoureuse, c'était repousser d'autant mieux la solitude. Elle était allée à Londres pour réfléchir, mais réfléchir, pour Jemima, aboutissait à la peur, et la peur, elle préférait mille fois la fuir plutôt que de l'affronter franchement. Après tout, comme tout le monde, non ? Il aurait sûrement fait pareil.

Robbie gravissait la colline : il roulait sur Honey Lane, pas très loin de Burley. En plein été, c'était un tunnel verdoyant bordé de houx, sous une voûte de hêtres et de chênes. Le sentier était fait de terre, sans aucun revêtement, et Robbie avançait avec prudence, faisant de son mieux pour éviter les nids-de-poule. Il était à moins de deux kilomètres du village, mais, dans ces parages, on avait l'impression de remonter le temps. Les arbres surplombaient des enclos, et derrière ces enclos se dressaient de très anciens corps de ferme. Derrière ces fermes, il y avait un bois, lequel, planté de pins sylvestres odorants, de noisetiers et de hêtres, offrait un habitat aussi bien aux biches qu'aux loirs, aux hermines qu'aux musaraignes. On pouvait venir à pied de Burley, mais les gens le faisaient rarement. Il y avait des sentiers plus faciles, et Robbie savait par expérience que les gens préféraient la facilité.

En haut de la colline, il tourna à gauche vers ce qui était depuis longtemps les terres des Hastings. Celles-ci consistaient en une petite quinzaine d'hectares de prés et de bois, d'où dépassaient tout juste la toiture de Burley Hill House au nord-est et le sommet de Castle Hill Lane derrière. Dans un des enclos, ses deux chevaux personnels paissaient joyeusement, ravis de ne pas trimballer leur maître sur leur dos dans la New Forest par cette chaude journée d'été.

Robbie se gara près de la grange délabrée et de sa remise tout aussi abîmée, évitant de les regarder pour ne pas penser au travail de titan que leur réfection nécessitait. Il descendit du Land Rover et claqua la portière. À ce bruit, son chien arriva en bondissant de derrière la maison où il était sans doute en train de sommeiller à l'ombre. Queue frétillante et langue pendante, il était méconnaissable. Le braque de Weimar avait d'habitude une allure élégante, mais il avait horreur de la chaleur et il s'était roulé dans le tas de compost comme si ce geste allait l'aider à y échapper. Il portait à présent un manteau au puissant parfum de décomposition. Il s'arrêta pour se secouer.

— Dis, tu trouves ça amusant, Frank ? demanda
Robbie à son chien. T'es vraiment pas beau à voir. Tu
le sais, hein ? Pas question de t'approcher de la maison.

Mais aucune femme ne vivait là pour gronder le
chien ou le chasser elle-même de la maison. Quand
Frank lui emboîta le pas, Robbie le laissa entrer,
content de profiter de sa compagnie. Il alla lui chercher
une jatte d'eau fraîche. Le chien s'amusa à éclabousser
partout.

L'abandonnant à ses bêtises dans la cuisine, Robbie
se dirigea vers l'escalier. Il transpirait et sentait fort le
cheval, mais au lieu d'aller prendre une douche – à
quoi bon à cette heure de la journée ? Il recommence-
rait aussitôt à transpirer et à sentir mauvais… –, il se
rendit dans la chambre de Jemima.

Il s'exhorta à rester calme. Il ne pouvait pas réfléchir
s'il s'énervait, or il avait besoin de réfléchir. La vie lui
avait appris qu'il existait une explication à tout, et il y
en avait forcément une à ce que lui avait raconté
Meredith.

« Ses vêtements sont là, Rob. Mais pas dans la
chambre. Il les a tous rangés dans des cartons qu'il a
fourrés au grenier. Gina les a trouvés parce que,
d'après ses mots à elle, il avait quelque chose d'un peu
bizarre quand il parlait de la voiture de Jemima.

— Alors qu'est-ce qu'elle a fait ? Elle t'a emmenée
les voir au grenier ?

— D'abord elle s'est contentée de m'en parler. C'est
moi qui ai demandé à les voir. Les cartons auraient pu
être là depuis un moment – même avant que Gordon et
Jemima ne prennent la maison –, et les affaires auraient
pu être celles de quelqu'un d'autre. Mais non. Les cartons n'étaient pas vieux, et j'ai vu un vêtement que j'ai

reconnu. En fait, un vêtement à moi, qu'elle m'avait emprunté sans jamais me le rendre. Alors… tu comprends ?

Oui et non. S'il n'avait pas eu de nouvelles de sa sœur au moins une fois par semaine depuis son départ, il serait allé tout droit à Sway, bien décidé à mettre les choses au clair avec Gordon Jossie. Mais il avait eu des nouvelles, et elle avait répété les mêmes mots rassurants à la fin de chaque coup de fil : « T'en fais pas, Robbie. Tout va s'arranger. »

Il avait demandé : « Qu'est-ce qui va s'arranger ? », et elle avait éludé la question. Du coup, il était revenu à l'assaut plusieurs fois : « Est-ce que Gordon t'a fait quelque chose, ma puce ? », et elle avait répondu : « Bien sûr que non, Rob. »

Robbie aurait imaginé le pire, aujourd'hui, si Jemima n'était pas restée en contact : Gordon l'avait tuée et enterrée quelque part sur la propriété. Ou dans un coin de la New Forest, au fond d'un bois, de manière qu'on ne retrouverait pas son corps avant cinquante ans, quand ça n'aurait plus d'importance. Dans un sens, sa disparition n'aurait fait que réaliser une prophétie inavouée – une croyance ou une peur qu'il avait –, car au fond il n'aimait pas beaucoup Gordon Jossie. Il avait dit assez souvent à sa sœur : « Il y a un truc chez lui, Jemima… »

Il avait fini par tomber d'accord avec elle. Il était facile d'aimer et d'accepter des gens qui vous ressemblaient. C'était moins évident avec les gens différents de vous.

Là, dans la chambre de sa sœur, il tenta de la rappeler. À nouveau, pas de réponse. Juste sa voix, et il laissa un message comme on lui demandait de le faire.

Il garda un ton joyeux en harmonie avec le sien.
« Salut, ma grande, tu me rappelles vite, d'accord ? Ça
te ressemble pas de pas le faire et je m'inquiète un peu,
eh oui. Merry Contrary est venue me voir. Elle avait un
gâteau pour toi, trésor. Complètement fondu avec cette
foutue chaleur, mais c'est l'intention qui compte,
hein ? Rappelle-moi, trésor. Je veux te parler des
poulains. »

Il aurait bien continué un moment, mais il n'avait
pas envie de laisser un message à sa sœur. Il voulait
l'avoir directement.

Il gagna la fenêtre de la chambre. Son rebord servait
lui aussi de reliquaire, accueillant ce dont Jemima n'arrivait pas à se séparer, c'est-à-dire quasiment tout ce
qu'elle avait jamais possédé : à cet endroit-là, c'étaient
des poneys en plastique, entassés les uns sur les autres
et recouverts de poussière. Derrière les faux animaux,
de l'autre côté de la fenêtre, il pouvait voir les vrais :
ses chevaux dans l'enclos, leurs robes bien bouchon-
nées étincelant sous le soleil.

Que Jemima ne soit pas rentrée pour la saison du
poulinage aurait dû lui mettre la puce à l'oreille. C'était
depuis longtemps la période préférée de sa sœur.
Comme lui, elle était vraiment attachée à la New
Forest. Il l'avait envoyée étudier à Winchester comme
lui-même y avait été envoyé, mais elle était revenue au
pays dès qu'elle avait terminé son cursus, renonçant à
l'informatique au profit de la pâtisserie. « Ma place est
ici », lui avait-elle dit. Et c'était vrai.

Elle était peut-être allée à Londres non pas pour
avoir le temps de réfléchir, mais juste pour avoir du
temps. Elle avait peut-être voulu rompre avec Gordon
Jossie mais n'avait pas su comment y arriver autrement.

Elle se disait peut-être que si elle s'absentait assez longtemps, Gordon trouverait quelqu'un d'autre et qu'à ce moment-là elle pourrait revenir. Seulement voilà, tout ça ne lui ressemblait vraiment pas.

T'en fais pas, disait-elle tout le temps. T'en fais pas, Rob.

Quelle énorme blague.

4

David Emery se considérait comme l'un des très rares Experts en Cimetière de Stoke Newington, fonction qu'il se représentait toujours en lettres majuscules, étant lui-même très « majuscules ». Il s'était mis dans la tête que le Cimetière d'Abney Park était l'Œuvre de sa Vie – encore des majuscules – et il avait dû passer une éternité à errer, à se perdre et à refuser de se laisser effrayer par le caractère sinistre de l'endroit avant d'oser s'arroger le titre de Maître des lieux. Il s'y était retrouvé enfermé à de multiples reprises, mais il n'avait jamais laissé la fermeture nocturne du cimetière contrarier ses projets. Si au moment de ressortir, par malheur, il se cassait le nez sur une des portes, il ne prenait pas la peine d'appeler au secours la police de Hackney comme le recommandait l'écriteau. Pour lui, il n'était pas bien compliqué de se hisser par-dessus la grille et d'atterrir soit dans Stoke Newington High Street, soit, de préférence, dans un jardin, derrière une des maisons mitoyennes au nord-est du cimetière.

Son titre de Maître du Parc lui permettait d'utiliser les sentiers et autres recoins du cimetière de mille façons, notamment amoureuses. Cela se produisait plusieurs fois par mois. Il savait y faire avec les nanas – il avait, paraît-il, des yeux « profonds » – et, de ce point de vue-là, dans la vie de David, Une Chose en entraînant généralement Une Autre, les refus étaient rares lorsqu'il proposait un petit tour dans le parc. D'autant que « parc » était un mot... eh bien, un mot tout ce qu'il y a d'inoffensif par rapport à « cimetière », non ?

Son objectif était toujours de tirer un coup. En fait, « aller se promener », « aller faire un petit tour » ou « aller faire une balade » n'étaient que des euphémismes pour dire « s'envoyer en l'air », et les femmes le savaient, même si elles prétendaient le contraire. Elles s'écriaient chaque fois : « Oh là là, Dave, cet endroit me flanque la frousse », ou des trucs dans ce goût-là, mais elles se montraient tout à fait prêtes à l'accompagner dès qu'il leur enlaçait la taille – en profitant si possible pour leur palper le sein – et leur affirmait qu'elles n'avaient rien à craindre avec lui.

Alors elles entraient dans le cimetière, directement par la porte principale, qui était son itinéraire préféré car l'allée était large et moins impressionnante que par Stoke Newington Church Road, où on se retrouvait sous les arbres et au milieu des pierres tombales au bout de vingt mètres à peine. Sur l'allée principale, on avait au moins une brève illusion de sécurité, avant de bifurquer à droite ou à gauche sur un des chemins plus étroits qui s'enfonçaient sous les immenses platanes.

Ce jour-là, Dave avait persuadé Josette Hendricks de venir avec lui. À quinze ans, Josette était un peu plus jeune que ses conquêtes habituelles, et elle avait tendance à glousser, ce qu'il ignorait jusqu'à ce qu'il l'entraîne sur le premier sentier, mais elle était jolie, avec un teint ravissant, et sa poitrine généreuse n'était

décidément pas rien. Aussi, quand il avait demandé :
« Qu'est-ce que tu dirais d'aller dans le parc ? » et
qu'elle avait répondu, yeux pétillants et lèvres moites :
« Oh, oui, Dave », ils y étaient allés.

Il avait en tête une petite cuvette idéale, un creux provoqué par la chute d'un sycomore derrière une tombe et
entre deux stèles. Là, des Événements Intéressants pouvaient avoir lieu. Mais Dave était trop calculateur pour
aller droit au but. Il commença par une brève contempla-
tion de statue main dans la main – « Oh là là, c'est fou
ce que ce petit ange a l'air triste, hein ? » –, puis passa à
un effleurement de la nuque, une caresse – « Dave, ça
me donne des chatouilles partout ! » – et enfin à un
baiser suggestif, mais rien de plus.

Josette était un peu plus lente que la plupart des
filles, sans doute en raison de son éducation. Contrairement aux autres filles de quinze ans, elle n'était jamais
sortie avec un garçon – « Papa et maman disent qu'il
est trop tôt » –, du coup, elle ne comprenait pas aussi
bien les signaux. Mais il était patient, et quand elle finit
par se presser d'elle-même contre lui en réclamant
manifestement plus de baisers, et plus appuyés, il proposa qu'ils quittent le sentier « pour aller voir s'il y a
un endroit... tu comprends ce que je veux dire ».

Bon sang, qui aurait cru que ce creux, son Lieu de
Séduction personnel, serait occupé ? C'était scanda-
leux. Dave entendit les gémissements et les
grognements alors qu'il approchait avec Josette, et il
n'y avait aucun doute sur ce que fabriquaient ces bras
et ces jambes emmêlés comme ça dans le sous-bois,
d'autant plus qu'il y en avait deux paires et qu'aucun
morceau de peau n'était couvert du moindre vêtement.
Le cul du mec pompait à qui mieux mieux, sa tête était

tournée vers eux et il avait la figure grimaçante… Merde alors, est-ce qu'on a tous cette gueule-là ? se demanda Dave.

Josette gloussa en les voyant, et c'était rassurant. Toute autre réaction aurait dénoté de la peur ou de la lascivité, et si Dave ne s'attendait certes pas, par les temps qui couraient, à tomber sur une puritaine effarouchée, on ne pouvait jamais savoir. Rebroussant chemin, la main de Josette dans la sienne, il réfléchit à l'endroit où il pourrait l'emmener. Il y avait des coins et des recoins en abondance, mais il fallait que ce soit près d'ici : Josette était chaude bouillante.

Soudain il se dit : Mais bien sûr ! Ils n'étaient pas loin de la chapelle au cœur du cimetière. Ils ne pouvaient pas aller à l'intérieur, mais il y avait juste à côté – ou plutôt, encastré dans le bâtiment – un abri facile à utiliser. Il offrait un toit et des murs et, à la réflexion, c'était mieux que le creux du sycomore.

Inclinant la tête vers le couple dans les buissons, il fit un clin d'œil à Josette.

— Mmm, pas mal, hein ?

— Dave ! s'exclama-t-elle, faussement horrifiée.

— Alors ? fit-il. C'est non ?

— J'ai pas dit ça.

Une véritable invite… Ils se dirigèrent aussitôt vers la chapelle. Main dans la main et au pas de course. Josette était décidément une fleur qui ne demandait qu'à être cueillie.

Ils atteignirent la clairière herbeuse où se dressait la chapelle.

— C'est juste là, mon chou, murmura David.

Ils passèrent devant l'entrée du bâtiment et tournèrent à l'angle. Soudain, Dave s'arrêta dans son élan.

Un adolescent au postérieur gigantesque sortait en trébuchant de l'alcôve convoitée par Dave. Il avait une telle expression sur le visage qu'on aurait pu ne pas remarquer que son pantalon était déboutonné et qu'il le retenait. Il traversa la clairière à fond de train avant de disparaître.

David Emery pensa d'abord que le garçon s'était soulagé à l'intérieur de l'abri. La chose le mit en rogne, car il ne pouvait guère espérer que Josette accepte de faire des galipettes dans un endroit qui empestait la pisse. Mais comme elle était partante et lui aussi, et comme il y avait une infime possibilité que les lieux n'aient pas servi de toilettes au garçon, Dave haussa les épaules et exhorta Josette à avancer :

— Vas-y, entre, mon chou.

Il était tellement obsédé par Une Seule Chose qu'il sursauta de terreur quand Josette pénétra dans l'abri et se mit à hurler.

— Non, non, non, Barbara ! dit Hadiyyah. Le shopping, ça ne se fait pas comme ça. Il faut prévoir avant. Sinon, c'est vraiment trop compliqué. D'abord, il faut faire une liste, mais avant, il faut réfléchir à ce qu'on recherche. Et, pour ça, il faut décider du genre de corps que tu as. C'est de cette façon qu'on procède. On voit ça tout le temps à la télé.

Barbara Havers lorgna la fillette d'un air sceptique. Elle se demandait si elle avait raison de demander des conseils vestimentaires à une gamine de neuf ans. Mais, à part Hadiyyah, il n'y avait que Dorothea Harriman pour l'aider dans ce domaine, or Barbara n'était pas prête à confier son sort à la plus grande élégante de

Scotland Yard. Avec Dorothea à la barre, le navire du shopping risquait de mettre tout droit le cap sur King's Road ou, pire, sur Knightsbridge. Là, dans une boutique chic peuplée de vendeuses longilignes aux coiffures impeccables et aux mains tout aussi soignées, elle serait forcée d'aligner une semaine de paye pour acheter une simple culotte. Au moins, avec Hadiyyah, il y avait une chance pour que la corvée imposée par Isabelle Ardery s'effectue chez Marks & Spencer.

Mais Hadiyyah ne voulait rien entendre.

— Topshop. Il faut qu'on aille chez Topshop, Barbara. Ou Jigsaw. Ou à la rigueur H & M, mais vraiment à la rigueur.

— Je ne veux pas avoir l'air branchée, expliqua Barbara. Il me faut juste des vêtements stricts. Pas de fanfreluches. Ni de pointes qui sortent de partout. Pas de trucs avec des chaînes.

Hadiyyah roula des yeux.

— Barbara. Quand même… Tu crois que moi je porterais des trucs avec des pointes et des chaînes ?

Son père aurait eu son mot à dire là-dessus, songea Barbara. Il fallait bien l'avouer, Taymullah Azhar tenait la bride serrée à sa fille. Même pendant les vacances, elle n'avait pas le droit d'aller jouer avec les enfants de son âge. Au lieu de cela, elle étudiait l'ourdou et la cuisine, et le reste du temps elle demeurait sous la férule de Sheila Silver, une retraitée dont la brève période de gloire – constamment ressassée – remontait à l'époque où elle avait été choriste pour un sous-Cliff Richard sur l'île de Wight. Mrs Silver habitait un appartement dans ce qu'ils appelaient la Grande Maison, un drôle d'édifice édouardien de couleur jaune situé dans Eton Villas ; Barbara habitait derrière le bâtiment, sur la même propriété, dans une maison de poupée. Hadiyyah et son père occupaient l'appartement en rez-de-chaussée de la Grande Maison, devant lequel il y avait un dégagement qui servait de terrasse. C'était là que Barbara et Hadiyyah s'entretenaient devant des jus de cassis, toutes deux penchées sur une double page toute froissée du *Daily Mail*, que Hadiyyah avait apparemment conservée en prévision d'une occasion comme celle-ci.

Elle était allée chercher le journal dans sa chambre quand Barbara lui avait soumis son problème de garde-robe. « J'ai exactement ce qu'il te faut », avait joyeusement annoncé la fillette, qui, ses longues tresses sautillant derrière elle, avait disparu dans l'appartement pour en revenir avec le fameux article. Elle l'avait déployé sur la table en osier : il y était question d'habillement et de morphologie. S'alignant sur deux pages, des mannequins étaient censés représenter tous les types de constitution, à l'exception, bien sûr, de l'anorexie et de l'obésité, le *Daily Mail* ne souhaitant pas encourager les extrêmes.

Hadiyyah avertit Barbara qu'elles devaient commencer par déterminer sa morphologie, et qu'elles ne pouvaient pas vraiment le faire si Barbara n'enfilait pas quelque chose de… eh bien, quelque chose qui leur permette de voir de quoi il retournait. Elle renvoya Barbara se changer dans son pavillon – « De toute manière, il fait bien trop chaud pour du velours et un pull en laine », fit-elle, obligeante –, puis se pencha sur le journal pour examiner les mannequins. Barbara s'exécuta, mais Hadiyyah soupira en la voyant revenir avec un pantalon de jogging et un tee-shirt.

— Quoi ? fit Barbara.

— Enfin, bon, c'est pas grave, répondit Hadiyyah d'un ton léger. On va faire du mieux qu'on peut.

Ce mieux consista à jucher Barbara sur une chaise – elle se sentait totalement ridicule –, alors que Hadiyyah traversait la pelouse « pour prendre un peu de distance et pouvoir te comparer aux nanas des photos ». Elle s'acquitta de cette tâche en levant le journal en l'air et en fronçant le nez, tout en faisant naviguer son regard des différents mannequins à Barbara.

— En poire, je dirais… Le buste un peu court aussi. Tu peux soulever ton jogging ? Barbara, mais tu as des chevilles ravissantes ! Enfin, pourquoi tu les montres pas ? Tu sais, les filles devraient *toujours* mettre en avant ce qu'elles ont de mieux.

— Et je ferais ça comment ?

Hadiyyah réfléchit.

— Des talons hauts… Il faut que tu portes des talons hauts. Tu en as, Barbara ?

— Mais bien sûr. C'est l'idéal dans ma branche : sans talons hauts, les scènes de crime sont un peu sinistres.

— Tu te moques… Il faut que tu sois sérieuse si on veut faire ça bien.

Hadiyyah retraversa la pelouse d'un pas bondissant, le journal à la main. Elle déploya à nouveau l'article sur la table en osier, l'éplucha un moment, puis annonça :

— Une jupe trapèze. L'élément de base de toute garde-robe. Ta veste doit avoir une longueur qui n'attire pas l'attention sur tes hanches, et étant donné que ton visage est un peu rond…

— J'ai toujours mes joues de bébé, plaisanta Barbara.

— … l'encolure de ton chemisier devrait être arrondie, et pas carrée. Les cols de chemisier, vois-tu, doivent se *conformer* au visage. Enfin, au menton, plutôt. Je veux dire, toute la ligne qui va des oreilles au menton, mâchoire comprise.

— Ah. Pigé.

— La jupe doit arriver au genou et les chaussures avoir des brides. *Ça,* c'est pour mettre en valeur tes chevilles.

— Des brides ?

— Mmm. C'est ce qui est dit juste là. Et puis il faut accessoiriser. L'erreur que commettent beaucoup de femmes, c'est qu'elles ne savent pas bien accessoiriser leurs tenues, ou, pire, qu'elles ne les accessoirisent pas du tout.

— Merde alors, on doit faire gaffe, dit Barbara, pleine de ferveur. Ça veut dire quoi, exactement ?

Hadiyyah replia le journal avec soin, ses doigts insistant tendrement sur chaque pli.

— Oh, des foulards, des chapeaux, des ceintures, des broches, des colliers, des bracelets, des boucles d'oreilles et des sacs à main. Des gants, aussi, mais ça c'est seulement en hiver.

— Seigneur ! s'exclama Barbara. Je risque pas d'être un peu déguisée avec tout ça ?

— Tu mets pas tout *en même temps…* Allons, Barbara, ce n'est pas si difficile, au fond. Enfin bon, peut-être *un peu,* mais je t'aiderai. On va vraiment s'amuser.

Barbara en doutait, mais elles prirent le taureau par les cornes. Elles commencèrent par appeler le père de Hadiyyah à l'université, où elles réussirent à le joindre entre un cours magistral et un rendez-vous avec un étudiant de troisième cycle. Barbara avait appris de bonne

133

heure qu'il n'était pas question d'embarquer Hadiyyah sans le prévenir en long et en large. Elle rechignait à avouer pourquoi elle voulait emmener Hadiyyah faire du shopping avec elle, et elle se contenta de dire :

— Faut que j'achète des bricoles pour le boulot et j'ai pensé que Hadiyyah pourrait m'accompagner. Ça lui ferait une petite sortie. J'ai pensé qu'après, on pourrait s'arrêter manger une glace quelque part.

— Est-ce qu'elle a terminé ses devoirs du jour ? demanda Azhar.

— Ses devoirs ?

Barbara interrogea la fillette du regard. La fillette hocha vigoureusement la tête même si Barbara avait quelques doutes concernant son programme culinaire. Hadiyyah ne débordait pas d'enthousiasme à l'idée de travailler enfermée dans une cuisine par cette chaleur.

— Elle me fait signe que tout est en ordre, dit-elle à Azhar.

— D'accord. Mais pas à Camden Market, Barbara.

— Ah ça non, je vous le garantis, lui assura Barbara.

Le Topshop le plus proche se trouvait dans Oxford Street, ce qui enchantait Hadiyyah mais horrifiait Barbara. Mecque du shopping londonien, cette rue était une masse humaine ondoyante tous les jours sans exception hormis celui de Noël. Au cœur de l'été, avec les vacances scolaires et la capitale bondée de touristes du monde entier, c'était une masse humaine ondoyante puissance deux. Puissance trois. Puissance dix… Une fois arrivées, il leur fallut quarante minutes pour trouver un parking avec de la place pour la Mini de Barbara, puis encore une demi-heure pour se frayer un chemin dans la foule jusque chez Topshop, jouant des coudes sur le trottoir comme des saumons remontant un cours d'eau. Quand elles atteignirent enfin le magasin, Barbara jeta un coup d'œil à l'intérieur et eut tout de suite envie de détaler. Il n'y avait là que des adolescentes avec leurs mères, leurs tantes, leurs grand-mères, leurs voisines… Serrées comme des sardines, elles faisaient la queue aux caisses, elles se bousculaient entre les portants, les comptoirs et les étalages, elles beuglaient dans des téléphones par-dessus la musique assourdissante, elles essayaient des bijoux : des boucles d'oreilles, des colliers, des bracelets…

— C'est extra, hein ? se pâmait Hadiyyah. Je veux toujours que papa m'amène ici, mais il dit que ça grouille trop. Il dit qu'il ne viendrait pas à Oxford Street pour tout l'or du monde. Qu'il n'y viendrait pas pour un empire. Il dit qu'Oxford Street est la version londonienne de… je me rappelle plus, mais c'est pas flatteur.

L'Enfer de Dante, sans doute, songea Barbara. Un cercle de l'enfer dans lequel les femmes comme elle – qui détestaient la mode, se fichaient de l'habillement en général et avaient une dégaine épouvantable quoi qu'elles se mettent sur le dos – étaient poussées de force pour expier leurs péchés contre la coquetterie.

— Mais moi j'*adore*, reprit Hadiyyah. J'en étais sûre. Ah ça oui, j'en étais sûre.

Elle s'engouffra dans le magasin. Barbara n'avait plus qu'à la suivre.

Elles passèrent quatre-vingt-dix minutes exténuantes chez Topshop, où l'absence de climatisation – on était à Londres, après tout, où certains croyaient encore qu'il n'y avait que « quatre ou cinq jours de chaleur par an » – et ce qui ressemblait à un millier d'adolescentes frénétiques donnèrent à Barbara l'impression qu'elle était en train de payer pour absolument tous les péchés qu'elle avait pu commettre dans sa vie, et pas seulement ceux contre la haute couture. Elles allèrent ensuite chez Jigsaw, puis de là chez H & M, où elles répétèrent l'expérience Topshop avec en plus des petits enfants qui braillaient pour réclamer leurs mères, des glaces, des sucettes, des hot-dogs, de la pizza, des fish and chips, et tout ce qui pouvait venir d'autre à leur esprit fiévreux. Comme Hadiyyah insistait – « Barbara, non mais *regarde* le nom de cette boutique, s'il te plaît ! » –, elles enchaînèrent avec un séjour chez Accessorize, pour atterrir finalement chez Marks & Spencer, non sans un soupir réprobateur de la fillette.

— C'est là que Mrs Silver achète ses *culottes*, Barbara !

Comme si cette information allait refroidir Barbara et la clouer sur place.

— Tu veux ressembler à Mrs Silver ?

— Au point où on en est, je serais d'accord pour ressembler à Dame Edna Everage.

Barbara entra dans le magasin. Hadiyyah la suivit à contrecœur.

— Ouf ! lança Barbara par-dessus son épaule. Des culottes, mais aussi la clim !

Jusque-là, leurs exploits se limitaient à un collier de chez Accessorize, dont Barbara se disait qu'elle ne se sentirait pas trop grotesque en le portant, et à du maquillage de chez Boots. Barbara avait acheté ces derniers articles sur l'ordre de la fillette, même si elle doutait de s'en servir un jour. Si elle avait cédé là-dessus, c'était uniquement parce que Hadiyyah s'était montrée totalement héroïque face à son refus entêté d'acheter le moindre vêtement. Il ne semblait que justice de céder sur quelque chose, et le maquillage formait le compromis idéal. Elle avait donc mis dans son panier du fond de teint, du blush, de l'ombre à paupières, de l'eye-liner, du mascara, plusieurs tubes de rouge à lèvres aux teintes effrayantes, quatre pinceaux différents, ainsi qu'une boîte de poudre qui, d'après Hadiyyah, était censée « tout maintenir en place ». Apparemment, les achats recommandés par Hadiyyah reposaient beaucoup sur son observation des rituels matinaux de sa mère. « Elle est toujours magnifique, Barbara, tu seras soufflée en la voyant. » Voir la mère de Hadiyyah était une chose qui ne s'était pas produite depuis quatorze mois que Barbara connaissait la petite fille et son père, et l'euphé-misme « elle est en vacances au Canada » commençait à revêtir une signification dont Barbara avait de plus en plus de mal à ne pas tenir compte.

S'insurgeant contre cette dépense excessive, Barbara avait demandé : « Et le blush tout seul ne pourrait pas suffire, dis-moi ? » Hadiyyah avait pouffé. « *Vraiment*, Barbara ! » Elle s'était inclinée.

Chez Marks & Spencer, Hadiyyah refusa de laisser Barbara s'approcher des portants qui, d'après elle, étaient faits pour Mrs Silver. Elle avait en tête l'article de base de toute garde-robe – la jupe trapèze susmen-tionnée – et se félicita de voir qu'on était en plein été mais que les collections d'automne venaient d'arriver. Ainsi, expliqua-t-elle, les vêtements n'auraient pas encore été trifouillés par :

— ... tout un tas de mères qui travaillent et qui por-tent ce genre de trucs, Barbara. Elles sont en vacances avec leurs enfants en ce moment, alors c'est toujours ça, on n'a pas droit qu'aux rogatons.

— Dieu soit loué ! s'exclama Barbara, qui se diri-geait mine de rien vers des twin-sets dans les tons prune et olive.

Hadiyyah lui attrapa fermement le bras pour l'entraîner vers un autre rayon. Elle jubila lorsqu'elles trouvèrent :

— ... des coordonnés, Barbara : on peut les combiner pour faire des ensembles. Oh, et puis regarde, ils ont des chemisiers à lavallière. Ils sont plutôt mignons, non ?

Elle en brandit un pour que Barbara l'inspecte.

Barbara ne se voyait déjà pas porter un chemisier, alors un chemisier avec un énorme nœud au col...

— Je ne crois pas que ça aille avec mon menton, si ? Et ça, qu'est-ce que tu en dis ?

Elle préleva un pull dans une pile bien rangée.

— *Pas* de pulls, lui rappela Hadiyyah.

Elle replaça le chemisier sur le portant.

— Bon, d'accord, je suppose que le nœud, c'est un peu trop.

Barbara remercia le ciel. Elle se mit à fureter parmi les jupes. Hadiyyah fit de même, et à la longue elles en dénichèrent cinq sur lesquelles, de haute lutte, elles finirent par tomber d'accord. Hadiyyah remettait réso-lument en place tout ce qui, d'après elle, évoquait trop Mrs Silver, alors que Barbara frémissait devant tout ce qui pouvait se révéler un tant soit peu voyant.

Elles gagnèrent les cabines d'essayage, où Hadiyyah tint à tout prix à jouer les habilleuses. Du coup, elle eut droit au spectacle des dessous de Barbara, qu'elle jugea :

— Atroces, Barbara. Il faut *absolument* que tu t'achètes des strings.

Barbara n'était pas disposée à s'aventurer ne serait-ce qu'un instant au pays des culottes, et elle obligea Hadiyyah à se concentrer sur les jupes qu'elles avaient choisies. La fillette agitait une main dégoûtée devant les modèles qui « n'allaient pas » : cette jupe-ci faisait des plis aux hanches, celle-là était trop serrée aux fesses, une autre faisait un peu vulgaire, et une quatrième n'aurait même pas convenu à une mamie.

Barbara réfléchissait au châtiment qu'elle pourrait infliger à Isabelle Ardery pour l'avoir mise dans cette situation, quand tout au fond de son sac son portable sonna : les premières notes de « Peggy Sue », qu'elle avait téléchargées avec jubilation sur Internet.

— Buddy Holly, dit Hadiyyah.

— Je constate avec plaisir que je t'ai appris quelque chose.

Barbara s'empara du téléphone et regarda le numéro affiché. Soit elle était comme qui dirait sauvée par le gong, soit on surveillait ses moindres mouvements. Elle ouvrit l'appareil d'un geste sec.

— Chef…

— Où êtes-vous, sergent ? demanda Isabelle Ardery.

— Je fais des courses. Je cherche des vêtements. Comme on me l'a recommandé.

— Dites-moi que vous n'êtes pas dans une boutique caritative et je serai comblée.

— Alors soyez comblée.

— Vous voulez bien me dire où… ?

— Pas vraiment.

— Et ça progresse ?

— Jusqu'ici, un collier.

Craignant que la commissaire ne s'étonne de cet achat incongru, elle ajouta :

— Et aussi du maquillage. Plein de maquillage. Je vais ressembler à…

Elle se creusa les méninges, cherchant une analogie appropriée.

— Je vais ressembler à Elle Macpherson la prochaine fois que vous me verrez. Mais pour l'heure je me tiens dans une cabine d'essayage à écouter une gamine de neuf ans dire du mal de ma culotte.

— Votre conseillère a neuf ans ? Sergent…

— Croyez-moi, elle a des idées bien arrêtées sur ce que je devrais porter, chef. Ce qui explique que nous n'ayons acheté qu'un malheureux collier jusqu'à présent. Mais je crois qu'on va arriver à un compromis sur une jupe. Ça fait des heures qu'on y travaille et je crois avoir épuisé sa résistance.

— Eh bien, finalisez le compromis et rappliquez. Il s'est passé quelque chose.

— Quelque chose… ?

— Un cadavre dans un cimetière, sergent. Mais qui ne devrait pas s'y trouver.

Isabelle Ardery ne voulait pas penser à ses fils, mais en voyant le cimetière d'Abney Park il lui fut quasi impossible de penser à autre chose. Ils étaient à un âge où l'idée d'aventure surpassait tout hormis la magie du matin de Noël, et le cimetière était assurément un lieu propice à l'aventure. Véritable forêt vierge, avec de lugubres statues funéraires recouvertes de lierre, des arbres tombés au sol faisant des forteresses et des cachettes idéales, des pierres tombales écroulées et des monuments en ruine… On aurait dit un décor de roman fantastique, jusqu'aux arbres noueux présentant à hauteur d'épaule d'énormes médaillons sculptés en forme de lunes, d'étoiles ou de visages sarcastiques. Tout cela à deux pas de la grand-rue, derrière une grille en fer forgé, accessible à n'importe qui par différents portails.

Le sergent Nkata avait garé leur voiture à l'entrée principale, où attendait déjà une ambulance. Cette entrée se trouvait au croisement de Northwold Road et de Stoke Newington High Street, un espace goudronné situé devant deux immeubles couleur crème dont le stuc s'écaillait par plaques entières. Ces immeubles encadraient un énorme portail en fer forgé, qui, apprit Isabelle, était en temps normal ouvert toute la journée mais se trouvait à présent fermé et gardé par un constable du commissariat local, qui avança à leur rencontre.

Isabelle sortit dans la chaleur estivale, qui ne fit rien pour apaiser son mal de tête, exacerbé par le bruit d'un hélicoptère de la télévision décrivant des cercles au-dessus d'eux tel un oiseau de proie.

Une foule s'était rassemblée sur le trottoir, contenue par un ruban de scène de crime fermement enroulé autour d'un réverbère puis attaché à la grille du cimetière de chaque côté de l'entrée. Parmi la foule, Isabelle aperçut quelques journalistes, reconnaissables à leurs calepins, à leurs magnétophones, et au fait qu'ils étaient harangués par un type qui devait être le policier chargé des relations avec la presse au commissariat de Stoke Newington. Il avait jeté un coup d'œil par-dessus son épaule au moment où Isabelle et Nkata descendaient de voiture. Il avait eu un hochement de tête un peu sec, tout comme le constable. Ils n'étaient pas ravis. L'intrusion de la Met dans leur secteur n'était pas pour leur plaire.

Prenez-vous-en à la politique, avait envie de leur dire Isabelle. Prenez-vous-en au SO5 et au service des personnes disparues, qui non seulement sont incapables de retrouver une personne disparue, mais sont aussi infichus de rayer de leur liste les personnes réapparues. Prenez-vous-en à la presse, qui a une fois encore dénoncé ce fait accablant, et à la lutte de pouvoir qui en a résulté entre les civils dirigeant le SO5 et les policiers frustrés réclamant un chef à la tête de leur division, comme si la chose allait résoudre leurs problèmes. Et puis, surtout, prenez-vous-en à l'adjoint au préfet de police sir David Hillier et à la manière dont il a décidé de pourvoir le poste vacant pour lequel je suis en ce moment même en train d'auditionner.

Hillier ne l'avait pas formulé franchement, mais Isabelle n'était pas idiote : c'était sa mise à l'épreuve et tout le monde le savait.

Elle avait réquisitionné le sergent Nkata pour qu'il l'emmène en voiture sur les lieux du crime. Comme les agents sur place, lui non plus n'était pas ravi. De toute évidence, il ne s'attendait pas à ce qu'un sergent de police se voie attribuer un rôle de chauffeur, mais il était suffisamment professionnel pour taire ses sentiments. En l'occurrence, Isabelle n'avait guère eu le choix. C'était soit prendre un chauffeur parmi les membres de l'équipe, soit essayer de trouver le cimetière d'Abney Park toute seule, en se servant du *A à Z*. Si elle était affectée à titre permanent à son nouveau poste, Isabelle savait qu'elle risquait de mettre des années à se familiariser avec le dédale compliqué de toutes ces rues et de tous ces villages qui, au fil des siècles, avaient été absorbés par Londres.

— Légiste ? demanda-t-elle au constable après avoir décliné son identité et celle du sergent, puis signé le registre où étaient notés les noms des personnes pénétrant dans la zone. Photographe ? Techniciens de scène de crime ?

— À l'intérieur. Ils attendent pour embarquer le corps. Conformément aux ordres.

L'agent était poli, mais tout juste. La radio qu'il portait à l'épaule croassa, et il baissa le volume. Isabelle le quitta des yeux pour regarder les badauds sur le trottoir, puis les immeubles de l'autre côté de la rue. Ceux-ci accueillaient les commerces qu'on trouvait dans toutes les grand-rues du pays, du Pizza Hut au marchand de journaux. Les étages étaient composés de logements, et au-dessus d'une des boutiques – un delicatessen polonais – se dressait un immeuble moderne. Il allait falloir interroger un monde fou. Les flics de Stoke Newington auraient dû remercier Dieu que la Met s'occupe de cette affaire.

Une fois dans le labyrinthe du cimetière, elle interrogea leur guide sur les inscriptions dans les arbres. Celui-ci était un volontaire qui veillait sur le parc, un retraité de quatre-vingts ans qui leur expliqua qu'il n'y avait pas de gardiens mais des comités de bénévoles comme lui, résolus à empêcher Abney Park de retourner à l'état sauvage. Ils désiraient plutôt en faire une sorte de réserve naturelle. On pouvait y voir des oiseaux, des renards, des écureuils et d'autres animaux. On pouvait remarquer les fleurs sauvages et les plantes.

— Notre objectif est simplement de faire en sorte que les sentiers soient praticables, et que le parc soit un endroit sûr pour les gens qui ont envie de passer un peu de temps au contact de la nature. On a besoin de refuges comme ça dans une ville, vous ne croyez pas ? Un lieu d'évasion, comprenez-vous. Quant aux motifs gravés dans les arbres, c'est un gamin. On le connaît tous mais, bon Dieu, pas moyen de le prendre sur le fait. Si on l'attrape, il va comprendre sa douleur.

Isabelle en doutait. Le vieil homme était aussi frêle que les mufliers sauvages qui poussaient le long du sentier.

Il les entraîna sur des chemins qui se rétrécissaient de plus en plus à mesure qu'ils s'enfonçaient vers le cœur du cimetière. Les sentiers les plus larges étaient caillouteux, offrant à la vue des pierres tellement diverses qu'elles semblaient représenter toutes les périodes géologiques imaginables. Les sentiers plus étroits étaient recouverts d'une épaisse couche de feuilles pourrissantes, et le sol spongieux exhalait un riche parfum d'humus. Enfin, le clocher d'une chapelle apparut, puis la chapelle elle-même, triste ruine de brique, de fer et de tôle ondulée, dont l'intérieur était envahi de mauvaises herbes et condamné par des barres de fer.

Par là-bas, leur précisa inutilement le retraité. Il indiquait un groupe de techniciens de scène de crime en combinaison blanche, de l'autre côté d'une pelouse desséchée. Isabelle remercia l'homme puis dit à Nkata :

— Retrouvez-moi celui qui a découvert le corps. Je veux lui parler.

Le sergent jeta un regard vers la chapelle. Isabelle savait qu'il voulait voir la scène de crime. Elle attendit de l'entendre protester ou ergoter. Il ne fit ni l'un ni l'autre. Il se contenta de dire :

— Très bien.

Sa réaction lui plut. Elle n'insista pas.

Elle-même s'approcha d'un petit bâtiment annexe contigu à la chapelle, près duquel une housse mortuaire attendait, à côté d'un chariot replié. Il allait falloir transporter le corps sur cette civière quasiment jusqu'à la sortie du parc : le chariot n'arriverait jamais à rouler sur les sentiers inégaux du cimetière.

Les techniciens de scène de crime s'appliquaient à tendre du ruban, à prendre des mesures et à circonscrire les empreintes de pas, tâche un peu vaine étant donné qu'il semblait y en avoir des dizaines. Seule une étroite rampe d'accès composée de planches mises bout à bout permettait de rejoindre le lieu où se trouvait le cadavre, et Isabelle enfila des gants en latex tout en s'engageant sur cette passerelle.

La légiste sortit du bâtiment annexe. C'était une femme entre deux âges qui avait la dentition, le teint et la toux des gros fumeurs. Isabelle se présenta puis demanda en désignant le bâtiment :

— C'est quoi, cet endroit ?

— Aucune idée, répondit la légiste.

Elle ne donna pas son nom, mais Isabelle ne tenait pas à le connaître.

— Pas de porte donnant sur la chapelle, donc il ne pouvait pas s'agir d'une sacristie… Une remise de jardinier, peut-être ?

La femme haussa les épaules. Ça n'avait pas vraiment d'importance, si ?

Évidemment que non. Ce qui comptait, c'était le cadavre, qui s'avéra être celui d'une jeune femme. Elle était à demi assise, à demi affalée dans la petite annexe, et sa posture laissait penser qu'elle avait trébuché en reculant lorsqu'on l'avait agressée, et qu'elle avait

145

ensuite glissé le long du mur. Le mur lui-même était marqué par les intempéries, et au-dessus du corps un graffiti représentant un œil au milieu d'un triangle proclamait : « Dieu voit tout. » Le sol en pierre était jonché de détritus. La mort cohabitait avec les sachets de chips, les emballages de sandwichs et de barres chocolatées ainsi que les canettes de Coca vides. Il y avait aussi une revue pornographique, abandonnée bien plus récemment que les autres détritus, car le magazine était impeccable. Il était ouvert sur la photo jambes écartées d'une femme à la moue boudeuse aux lèvres peintes en rouge, avec des bottes vernies et un haut-de-forme pour uniques vêtements.

Un décor ignoble pour trouver la mort, songea Isabelle. Elle s'accroupit pour examiner la victime et faillit vomir en respirant l'odeur émanant du cadavre : une odeur de viande en train de pourrir à la chaleur, aussi épaisse qu'une purée de pois. Des asticots frais éclos se tortillaient dans les narines et dans la bouche de la jeune femme, dont le visage et le cou – quand on arrivait à les voir – avaient viré au rouge verdâtre.

La tête pendait sur la poitrine, où s'était coagulée une énorme quantité de sang. Des mouches s'y activaient et, dans cet espace clos, leur bourdonnement évoquait un bruit de fils à haute tension. Quand, pour regarder son cou, Isabelle déplaça avec soin la tête de la jeune femme, une autre nuée de mouches s'envola. Une vilaine entaille, dont les bords grossièrement déchiquetés suggéraient une arme maniée avec maladresse.

— Carotide, déclara la légiste.

Elle indiqua les mains que les techniciens avaient ensachées.

146

— Elle a dû essayer d'arrêter l'hémorragie, mais c'était peine perdue. Elle a dû se vider de son sang assez vite.

— L'arme ?

— Rien sur les lieux. En attendant de la monter sur la table, je dirais n'importe quel instrument tranchant. Mais pas un couteau. La blessure manque beaucoup trop de netteté pour un couteau.

— Elle est morte depuis combien de temps, d'après vous ?

— Difficile à dire, avec cette chaleur. À en juger par la lividité et la rigidité... peut-être vingt-quatre heures ?

— On sait qui c'est ?

— Pas de papiers sur elle. Pas non plus de sac à main. Rien pour l'identifier. Mais ses yeux... Eux, ils pourront vous aider.

— Ses yeux ? Pourquoi ? Qu'est-ce qu'ils ont ?

— Voyez vous-même, dit la légiste. Ils sont voilés, bien sûr, mais on aperçoit quand même leurs iris. Très intéressant, si vous voulez mon avis. Des yeux comme ça, c'est pas très courant.

D'après le récit d'Alan Dresser, ultérieurement confirmé par les employés du
McDonald's, le fast-food était particulièrement bondé ce jour-là. D'autres parents
de jeunes enfants voulaient peut-être eux
aussi profiter de l'embellie pour mettre le
nez dehors, toujours est-il qu'en cette fin
de matinée la plupart semblaient avoir
convergé au même endroit. Traînant un gamin
grincheux derrière lui, Dresser, de son
propre aveu, était impatient de le calmer,
de le faire manger, puis de rentrer le coucher. Il installa le garçonnet à une des
trois tables restantes - la deuxième après
l'entrée -, après quoi il alla passer sa
commande. Même si, avec le recul, on se
doit de fustiger Dresser pour avoir laissé
son fils sans surveillance pendant une
trentaine de secondes, une bonne dizaine de
mères étaient présentes dans le fast-food
à ce moment-là et, avec elles, au moins
vingt-deux bambins. Dans un environnement

148

si peuplé et en pleine journée, comment aurait-il pu supposer qu'un danger inconcevable approchait ? En effet, s'il faut imaginer un quelconque danger dans un tel contexte, on pensera à la rigueur à un pédophile tapi aux alentours, mais pas à trois gamins de moins de douze ans. Personne dans le restaurant ne paraissait un tant soit peu dangereux. En fait, Dresser était lui-même le seul adulte masculin sur les lieux.

Les films de télésurveillance montrent que trois garçons, identifiés par la suite comme étant Michael Spargo, Ian Barker et Reggie Arnold, approchent du McDonald's à 12 h 51. Ils déambulaient alors dans la galerie marchande depuis plus de deux heures. Ils devaient avoir un creux à l'estomac, et ils auraient sans doute pu l'assouvir avec les sachets de chips volés à Mr Gupta, mais leur intention était semble-t-il de dérober ses achats à un client du McDonald's puis de s'enfuir avec. Les récits de Michael et de Ian coïncident sur ce point. Dans tous les interrogatoires, Reggie Arnold refuse catégoriquement de parler du McDonald's. Sans doute parce que, quel que soit celui des trois qui ait eu l'idée d'embarquer John Dresser, c'est Reggie Arnold qui le tient par la main au moment où la petite troupe se dirige vers la sortie du centre commercial.

En regardant le garçonnet, Ian, Michael et Reggie devaient contempler la parfaite antithèse de ce qu'ils avaient eux-mêmes été. Au moment de son enlèvement, l'enfant était habillé d'une combinaison de ski bleu roi flambant neuve, avec des petits canards jaunes sur le devant. Ses cheveux blonds lavés de frais étaient un peu longs, retombant en boucles autour de son visage comme chez les chérubins de la Renaissance. Il avait aux pieds des tennis d'un blanc éclatant et trimballait avec lui son jouet préféré : un petit chien marron et noir aux oreilles tombantes et à la langue rose à moitié détachée, peluche retrouvée par la suite sur l'itinéraire emprunté par les garçons après avoir quitté le McDonald's.

L'enlèvement s'était apparemment déroulé sans anicroche. Il avait suffi de quelques instants, et le film de surveillance montrant le kidnapping donne le frisson. On y voit clairement les trois garçons entrer dans le McDonald's (qui, à l'époque, ne disposait pas de ses propres caméras de vidéosurveillance). Moins d'une minute plus tard, on les voit qui ressortent. Reggie Arnold apparaît le premier, tenant John Dresser par la main. Cinq secondes après, Ian Barker et Michael Spargo suivent le mouvement. Michael est en train de manger quelque chose dans un récipient en forme de cône. Des frites du McDonald's.

Une des questions le plus fréquemment répétées après coup était la suivante : comment Alan Dresser avait-il pu ne pas remarquer qu'on était en train de kidnapper son fils ? Il existe deux explications. L'une tient au vacarme et à l'effervescence qui régnaient dans le fast-food, et qui ont peut-être couvert les protestations émises par John Dresser lorsqu'il a été abordé par ses trois ravisseurs. L'autre est un appel de son bureau que Dresser a reçu sur son portable au moment où il atteignait la caisse pour passer sa commande. À cause de cet appel affreusement inopportun, il avait tourné le dos à son fils plus longtemps qu'il ne l'aurait sans doute fait dans d'autres conditions, et, comme beaucoup de gens, il avait baissé la tête et conservé cette posture tout en discutant au télé-phone, probablement pour éviter les distractions qui, dans cette atmosphère bruyante, auraient pu entraver sa concen-tration. Lorsqu'il avait finalement raccroché, réglé sa commande et regagné la table avec son plateau, non seulement John avait disparu mais il avait certainement disparu depuis près de cinq minutes, un temps plus que suffisant pour l'entraîner en dehors du centre commercial.

Dresser ne se dit pas tout de suite que John avait été enlevé. En fait, le fast-food était tellement bondé que la chose ne lui vint même pas à l'esprit. Au lieu de cela, il pensa que le garçonnet – agité comme il l'avait été dans le magasin de bricolage – avait dû descendre de son siège pour aller faire un tour, attiré peut-être par quelque chose à l'intérieur du McDonald's, ou juste à l'extérieur, en tout cas toujours dans l'enceinte du centre commercial. Ces minutes-là étaient vitales, mais Dresser ne les avait pas vues comme telles. De manière assez raisonnable, il avait d'abord cherché dans le fast-food avant de demander aux adultes qui se trouvaient dans le McDonald's s'ils avaient vu John.

On se demande comment c'est possible. Il est midi. C'est un lieu public. Il contient d'autres personnes, aussi bien des enfants que des adultes. Et cependant trois jeunes garçons sont à même d'accoster un bambin, de le prendre par la main, et de sortir avec lui sans que personne ne remarque quoi que ce soit. Comment une telle chose a-t-elle pu arriver ? Pourquoi est-elle arrivée ?

Le comment, je crois, tient à l'âge des auteurs du crime. Le fait qu'ils étaient eux-mêmes des enfants les rendait comme qui dirait invisibles car leur acte dépassait totalement l'imagination des personnes présentes dans le McDonald's. Les gens ne s'attendaient pas du tout à ce que le mal arrive sous les dehors sous lesquels il s'était présenté ce jour-là. Les gens ont tendance à avoir dans la tête des images toutes faites des ravisseurs d'enfants, et ces images n'ont rien à voir avec des écoliers.

Une fois qu'il fut bien clair que John n'était plus dans le McDonald's et que personne ne l'avait remarqué, Dresser élargit ses recherches. Ce ne fut qu'après avoir exploré les quatre boutiques les plus proches qu'il s'adressa à la sécurité du centre commercial et qu'une annonce fut faite dans les haut-parleurs, demandant aux clients d'essayer de repérer un petit garçon en combinaison de ski bleu vif. Une heure s'écoula durant laquelle Dresser continua à chercher son fils, accompagné du directeur de la galerie marchande et du chef de la sécurité. Aucun d'eux n'eut l'idée de visionner les bandes de télésurveillance, car aucun d'eux à ce stade-là n'était prêt à penser à l'impensable.

5

Barbara Havers fut obligée de brandir sa carte de police pour convaincre l'agent de faction qu'elle était flic. Il lui avait aboyé après – « Hé ! Le cimetière est *fermé*, madame » – lorsqu'elle s'était approchée de l'entrée principale. Elle avait fini par trouver une place pour sa Mini déglinguée juste derrière une benne, au pied d'un immeuble en rénovation dans Stoke Newington Church Street.

Barbara mit cette méprise sur le compte de sa tenue. Hadiyyah et elle avaient réussi à acheter cet article de base de toute garde-robe féminine qu'était la jupe trapèze, mais la prouesse s'arrêtait là. Après avoir rendu Hadiyyah à Mrs Silver, Barbara avait enfilé la jupe à la hâte, constaté qu'elle était trop longue de plusieurs centimètres, décidé de la porter quand même, mais n'avait rien fait d'autre pour transformer son apparence que mettre à son cou le collier de chez Accessorize.

— La Met, annonça-t-elle au constable, qui la regarda bouche bée avant de parvenir à rassembler ses esprits.

— Dans le parc, lâcha-t-il enfin, lui tendant une feuille à signer, fixée sur une planche à pince.

Tu parles d'une aide… Barbara replaça sa carte professionnelle dans son sac, en extirpa un paquet de cigarettes et en alluma une. Elle s'apprêtait à demander poliment un petit supplément d'information sur l'emplacement précis de la scène de crime quand un cortège émergea au ralenti de sous les platanes juste derrière la grille du cimetière. Le convoi comprenait une équipe d'ambulanciers, un médecin légiste avec sa mallette à la main et un agent en uniforme. Les ambulanciers transportaient une housse mortuaire sur un chariot, qu'ils tenaient comme une civière. Ils s'arrêtèrent pour déplier les pieds du chariot, puis ils reprirent leur route vers le portail.

Barbara alla à leur rencontre. Elle demanda :

— La commissaire Ardery ?

La légiste lui indiqua vaguement la direction du nord.

— Des flics en tenue, se borna-t-elle à dire, même si elle ajouta : Vous les verrez. Fouille du secteur – histoire de faire comprendre qu'ils seraient assez nombreux, au besoin, pour la guider.

Le besoin, en l'occurrence, ne se fit pas sentir, et Barbara s'étonna elle-même, dans ce labyrinthe que constituait le cimetière, de réussir à trouver la scène de crime. Au bout de quelques minutes, elle aperçut le clocher d'une chapelle et, peu après, elle repéra Isabelle Ardery avec un photographe de la police, qui lui montrait l'écran de son appareil numérique. Alors qu'elle approchait, Barbara entendit qu'on l'appelait. Winston Nkata débouchait d'un petit sentier non loin d'un banc en pierre tapissé de lichen. Il était en train de refermer un carnet en cuir dans lequel, Barbara le savait, il avait consigné des observations magnifiquement lisibles de son écriture à l'élégance exaspérante.

— Alors, qu'est-ce qu'on a ? demanda-t-elle.

Il la mit au courant. La voix d'Isabelle Ardery l'interrompit d'un « Sergent Havers » prononcé sur un ton qui ne reflétait ni satisfaction ni plaisir, bien que Barbara eût rappliqué au cimetière au triple galop comme on le lui avait ordonné. Nkata et Barbara se retournèrent. Ardery marchait vers eux à grands pas : pas question de flâner. Son visage était dur.

— Vous vous trouvez drôle ?

Déroutée, Barbara fit « Hein ? » en lançant un regard à Nkata. Il semblait tout aussi perplexe.

— C'est ça que vous appelez une tenue respectable ? demanda Ardery.

— Ah.

Barbara jeta un coup d'œil à son accoutrement. Des baskets rouges, une jupe bleu marine pendouillant une bonne dizaine de centimètres au-dessous du genou, un tee-shirt portant l'inscription « Parle à mon poing, ma tête est malade », et un sautoir avec chaîne, perles et pendentif en filigrane argenté. Ardery devait prendre sa tenue pour de la provocation.

— Désolée, chef. J'ai pas eu le temps de faire mieux.

À ses côtés, elle vit Nkata lever sa main vers sa bouche. Elle savait que ce sagouin essayait de masquer un sourire.

— Je vous assure, c'est la pure vérité. Vous m'avez demandé de rappliquer alors je suis venue aussi sec. J'ai pas eu le temps de…

— Assez.

Ardery la jaugea, yeux plissés.

— Enlevez-moi ce collier. Croyez-moi, il n'arrange rien.

Barbara s'exécuta. Nkata se détourna. Ses épaules tremblaient légèrement. Il toussa. Ardery lui lança, hargneuse :

— Vous avez trouvé quoi ?

Il pivota vers elle.

— Les gamins qui ont découvert le corps sont repartis. Les flics du coin les ont emmenés au poste pour une déposition complète, mais j'ai réussi à leur parler avant. Un garçon et une fille.

Il récita ce qu'il avait appris : deux tout jeunes gens avaient vu un garçon sortir du lieu du crime ; leur description se limitait jusqu'ici à « il avait un cul énorme et son pantalon tombait », mais le jeune homme prétendait qu'il pourrait sans doute aider à établir un portrait-robot. Ils n'avaient pas pu leur donner davantage de précisions car s'ils voulaient aller dans l'annexe, c'était de toute évidence pour copuler, et ils « n'auraient sans doute pas remarqué la crucifixion si elle s'était déroulée sous leur nez ».

— Il faudra demander leur déposition au commissariat local, dit Ardery.

Elle mit Barbara au courant des détails du crime et appela le photographe pour qu'ils regardent à leur tour les photos numériques. Tandis que Nkata et Barbara les parcouraient, Ardery déclara :

— Blessure artérielle. Celui qui a fait ça a forcément été inondé de sang.

— À moins qu'elle n'ait été attaquée par-derrière, fit remarquer Barbara. Qu'on lui ait attrapé la tête en la lui faisant basculer, et qu'on lui ait tranché la gorge. Dans ce cas, on aurait du sang sur le bras et les mains, mais pas tellement sur le corps. Non ?

— Peut-être, dit Ardery. Mais vu l'endroit où se trouvait le corps, elle n'a pas pu être attaquée par surprise, sergent.

De là où elle était, Barbara apercevait l'annexe.

— Attaquée par surprise puis traînée à l'intérieur ?

— Aucune trace.

— On sait qui elle est ? demanda Barbara en levant les yeux des photos.

— Pas de papiers sur elle. On fouille le périmètre, mais si on ne tombe pas sur l'arme ou sur quelque chose qui nous dise qui elle est, on fera un quadrillage des lieux et on procédera par tronçons. Je veux que vous vous chargiez des opérations. De la coordination avec le commissariat local. Je veux que vous vous chargiez aussi de l'enquête de proximité. Concentrez-vous d'abord sur les maisons qui bordent le cimetière. Occupez-vous de ça, puis on se retrouve à la Met.

Barbara hocha la tête tandis que Nkata demandait :

— Vous voulez que j'attende le portrait-robot, chef ?

— Occupez-vous de ça aussi, dit Ardery à Barbara. Assurez-vous que leur déposition soit bien transmise à Victoria Street. Et essayez de voir si vous arrivez à leur soutirer autre chose.

Nkata commença :

— Je peux…

— Vous, vous continuez à me servir de chauffeur, décréta Ardery.

Elle contempla la clairière où se dressait la chapelle. Des agents exploraient le périmètre. Ils allaient progresser par cercles concentriques jusqu'à ce qu'ils trouvent – ou pas – l'arme du crime, le sac de la victime, ou toute autre pièce à conviction. C'était le genre de site cauchemardesque qui pouvait aussi bien receler trop d'indices que pas un seul.

Nkata se taisait. Barbara vit un muscle bouger sur sa mâchoire. Il finit par dire :

— Sauf votre respect, chef, vous pourriez prendre un constable, non ? Ou même un auxiliaire de police ?

— Si je voulais un constable ou un auxiliaire, j'en aurais un. Cette mission vous pose un problème, sergent ?

— Il me semble que je pourrais être plus utile en…

— C'est à moi d'en juger, le coupa Ardery. Est-ce que c'est bien clair ?

Il resta silencieux un moment. Puis il dit « Chef », d'un ton poli, en signe d'assentiment.

Bella McHaggis était complètement trempée de sueur, mais dans le bon sens. Elle sortait de son cours de yoga bikram – par cette canicule, la salle était surchauffée – et elle se sentait à la fois purifiée et apaisée. C'est à Mr McHaggis qu'elle devait cela. Si le pauvre homme n'était pas mort sur le siège des toilettes, son membre à la main et la pin-up dénudée du *Sun* plantureusement déployée sur le sol devant lui, elle serait sans doute encore physiquement dans l'état où elle était ce fameux matin où elle l'avait trouvé. Mais la vue de ce pauvre McHaggis dans cette situation avait été pour elle un appel aux armes. Alors que, avant la mort de son mari, Bella était incapable de monter un étage sans être à bout de souffle, aujourd'hui elle grimpait tous les escaliers sans problème. Elle était particulièrement fière de sa souplesse. Elle arrivait à se pencher et à toucher le sol les mains à plat. Elle parvenait à lever la jambe à la hauteur de la tablette de la cheminée. Pas mal du tout pour une femme de soixante-cinq ans.

Marchant dans Putney High Street, elle rentrait chez elle, toujours en tenue de yoga et son tapis enroulé sous le bras. Elle pensait aux vers, tout spécialement aux vers à compost qui vivaient dans une installation compliquée dans son jardin de derrière. C'étaient des animaux stupéfiants – les braves petits mangeaient pratiquement tout ce qu'on leur donnait –, mais il fallait prendre soin d'eux. Ils n'aimaient pas les extrêmes : trop de chaleur ou trop de froid et, hop, ils partaient pour le grand tas de compost éternel. Elle était occupée à réfléchir à ce que signifiait « trop de chaleur » lorsqu'elle dépassa la boutique du marchand de tabac. Devant se dressait un placard de l'*Evening Standard* annonçant la dernière édition du jour.

Bella avait l'habitude de ces événements dramatiques réduits à trois ou quatre mots chocs pour inciter les gens à acheter le journal. D'ordinaire, elle poursuivait sa route jusqu'à sa maison d'Oxford Road car, de son point de vue, il y avait beaucoup trop de journaux à Londres – qu'ils soient sérieux ou à scandale – et, recyclage mis à part, ils consommaient toutes les forêts de la planète, alors pas question pour elle de contribuer au massacre. Mais cette affiche-là lui fit ralentir le pas : « Femme trouvée morte dans Abney Park ».

Bella n'avait aucune idée de l'endroit où se trouvait Abney Park, mais elle resta plantée sur le trottoir avec les piétons qui passaient à côté d'elle, à se demander si c'était un tant soit peu possible… Elle ne voulait pas croire que ça l'était. Elle détestait l'idée que ça puisse l'être. Mais étant donné que ça pouvait l'être, elle entra acheter un exemplaire du journal, en se disant qu'au moins elle pourrait le mettre en lambeaux pour le donner à manger aux vers si l'article se révélait sans intérêt.

Elle ne se jeta pas dessus. En fait, ne voulant pas apparaître comme une personne capable d'acheter un tabloïd sous prétexte qu'elle s'était laissé séduire par un stratagème publicitaire, elle fit également l'emplette de pastilles de menthe et d'un paquet de chewing-gums Wrigley. Elle repoussa le sac en plastique qu'on lui proposait – il fallait savoir se fixer des limites et Bella refusait de participer à la pollution et à la destruction de la planète par l'intermédiaire de ces sacs en plastique qu'on voyait voleter dans la grand-rue tous les jours –, puis reprit sa route.

Située non loin du marchand de tabac, Oxford Road était une artère étroite perpendiculaire à la fois à Putney Bridge Road et au fleuve, à moins d'un quart d'heure de marche de la salle de yoga. En un rien de temps, Bella parvint au portail de sa maison et contourna les huit bacs en plastique destinés au recyclage qui encombraient son petit jardin de devant.

Une fois à l'intérieur, elle se rendit dans la cuisine, où elle prépara une de ses deux tasses de thé vert quotidiennes. Elle avait ce thé en horreur – il avait le goût que devait avoir la pisse de cheval –, mais elle avait lu assez de choses sur ses bienfaits pour se boucher régulièrement le nez et avaler le breuvage. Elle attendit d'avoir ingurgité l'horrible potion pour déplier le journal sur le plan de travail et jeter un coup d'œil à sa première page.

La photo ne l'éclaira guère. Elle montrait l'entrée d'un parc gardée par un flic. Il y avait une photo plus petite qui empiétait sur la grande, un cliché aérien montrant une clairière au milieu de ce qui avait tout l'air d'une zone boisée, et au centre de cette clairière une sorte d'église avec des techniciens de scène de crime en combinaison blanche qui grouillaient autour.

Bella dévora l'article, cherchant les détails qui l'intéressaient : jeune femme, assassinée, apparemment poignardée, bien habillée, pas de papiers d'identité…

Elle passa directement à la page trois, où elle vit un portrait-robot légendé *Témoin recherché par les autorités*. Les portraits-robots, se dit-elle, ne ressemblaient jamais à la personne qu'ils étaient censés représenter, et cet individu-là avait un type tellement universel que n'importe quel adolescent dans la rue, ou presque, aurait pu être interpellé par la police : cheveux bruns tombant sur les yeux, visage joufflu, sweat-shirt à capuche – celle-ci, au moins, était baissée, et pas sur sa tête – malgré la chaleur… Totalement inutile, comme signalement. Elle venait de croiser une dizaine de garçons correspondant à ce signalement dans Putney Street.

L'article indiquait que l'individu avait été vu quittant le lieu du crime dans le cimetière d'Abney Park. Bella alla alors prendre un vieux guide de Londres sur les étagères de la salle à manger. Elle localisa le cimetière dans Stoke Newington, et le nom même de Stoke Newington, à des kilomètres de Putney, lui rappela quelque chose. Elle était en pleine réflexion quand elle entendit quelqu'un déverrouiller la porte d'entrée et remonter le couloir dans sa direction.

Elle lança :

— C'est vous, mon petit Frazer ?

Mais elle n'attendit pas sa réponse. Elle mettait un point d'honneur à connaître les horaires de ses pensionnaires, et c'était l'heure à laquelle Frazer Chaplin rentrait de son travail de la journée pour faire un brin de toilette et se changer avant d'aller prendre son emploi du soir. Elle admirait beaucoup ça chez ce jeune homme : le fait qu'il ait deux boulots. Les bosseurs, voilà le genre de personnes qu'elle aimait accueillir sous son toit.

— Vous avez un instant ?

Frazer apparut à la porte au moment où elle levait les yeux de son plan de la ville. Il haussa un sourcil – noir comme ses cheveux, qui étaient épais et bouclés et évoquaient l'Espagne du temps des Maures bien que le garçon soit irlandais – et dit :

— Chaleur de bête aujourd'hui, hein ? Tous les mômes de Bayswater étaient à la patinoire, Mrs McH.

— J'imagine, dit Bella. Venez voir par ici, mon chou.

Elle l'emmena dans la cuisine et lui montra le journal. Il parcourut l'article puis la scruta.

— Et alors ? fit-il d'un ton perplexe.

— Comment ça, « et alors » ? Jeune femme, bien habillée, morte…

Il comprit brusquement, et son expression changea.

— Oh non, je pense pas, dit-il, même si sa voix était légèrement hésitante lorsqu'il poursuivit. Vraiment, ce n'est pas possible, Mrs McH.

— Pourquoi ?

— Parce que pourquoi serait-elle allée à Stoke Newington ? Et pourquoi dans un cimetière, pour l'amour du ciel ?

Il contempla les photos une nouvelle fois. Il regarda aussi le portrait-robot, et secoua lentement la tête.

— Non. Non. Je vous assure. Elle est sans doute partie faire un break quelque part, histoire de fuir la chaleur. À la mer ou ailleurs, vous ne croyez pas ? On n'irait pas lui reprocher, du reste…

— Elle aurait prévenu. Elle n'aurait pas voulu qu'on se fasse de souci. Je suppose que vous le savez.

Frazer releva les yeux : ils étaient inquiets, remarqua Bella avec satisfaction. Il y avait peu de choses dans la vie qu'elle détestait autant que les esprits bouchés, et elle accordait à Frazer d'excellentes notes en matière de déduction. Il protesta :

— Je n'ai pas recommencé. J'observe le règlement. Je ne suis peut-être pas un foudre de guerre, mais je ne suis pas…

— Je sais, mon chou, l'interrompit Bella.

C'était un brave petit, au fond. Influençable, peut-être. Un peu obsédé côté nanas. Mais un brave garçon pour tout ce qui était important.

— Je sais, je sais. Mais les jeunes femmes sont parfois de vraies mantes religieuses : vous vous en êtes aperçu.

— Pas cette fois. Et pas cette jeune femme.

— Pourtant vous vous entendiez bien avec elle, non ?

— Comme je m'entends bien avec Paolo. Comme je m'entends bien avec vous.

— Certes, dit Bella, qui ne put s'empêcher de se sentir un tout petit peu réchauffée par cette déclaration d'amitié à son égard. Mais quand on s'entend bien avec les gens, ça donne accès à eux, à ce qui se passe en eux. Or vous ne trouvez pas qu'elle avait l'air différente ces derniers temps ? Vous ne trouvez pas qu'elle avait l'air préoccupée ?

164

Frazer se frotta la mâchoire, l'air pensif. Bella entendait le crissement de ses poils contre sa paume. Il allait devoir se raser avant d'aller travailler.

— Je ne suis pas très psychologue, dit-il enfin. Pas comme vous.

Il se tut à nouveau. Bella aimait bien ça aussi chez lui. Il ne se précipitait pas pour énoncer des opinions stupides et sans aucun fondement, comme tant de jeunes gens. Il était réfléchi et il n'avait pas peur de prendre son temps. Il reprit :

— Il se pourrait – si en effet c'est elle, et je ne dis pas que c'est le cas parce que ça ne tient pas vraiment debout –, il se pourrait qu'elle soit allée là-bas pour réfléchir. Qu'elle ait eu besoin d'un endroit tranquille comme un cimetière.

— Pour réfléchir ? fit Bella. Tout le chemin jusqu'à Stoke Newington juste pour réfléchir ? Elle aurait pu réfléchir n'importe où. Elle aurait pu réfléchir dans le jardin. Dans sa chambre. Elle aurait pu réfléchir en allant se promener au bord du fleuve.

— D'accord. Alors quoi ? En admettant que ce soit elle. Pourquoi serait-elle allée là-bas ?

— Elle faisait des cachotteries ces derniers temps. Elle n'était pas comme d'habitude. Si c'est elle, elle est allée là-bas pour des raisons inavouables.

— Du genre ?

— Du genre retrouver quelqu'un. Du genre retrouver quelqu'un qui l'a tuée.

— C'est complètement dingue, comme hypothèse.

— Peut-être, mais je téléphone quand même.

— À qui ?

— Aux flics, mon chou. Ils demandent des renseignements, et vous et moi on en a.

— Vous leur direz quoi ? Qu'il y a une pensionnaire qui n'est pas rentrée depuis deux nuits ? C'est sûrement une situation très banale dans cette ville.

— Possible. Mais cette pensionnaire-là a un œil marron et un œil vert, et je doute que cette description corresponde à beaucoup d'autres personnes disparues.

— Mais si c'est elle et qu'elle est morte…

Frazer s'arrêta et Bella leva les yeux du journal : il y avait quelque chose de bizarre dans le ton du jeune homme. Mais les soupçons de Bella s'apaisèrent lorsqu'il poursuivit :

— C'est une fille tellement formidable, Mrs McH. Elle s'est toujours montrée tellement ouverte et chaleureuse. On n'a jamais eu l'impression qu'elle cachait des secrets. Alors, si c'est bien elle, la question n'est pas tant pourquoi elle serait allée là-bas mais qui diable aurait pu vouloir la tuer ?

— Un fou quelconque, mon chou, répondit Bella. Ce n'est pas ça qui manque, à Londres.

En dessous, il entendait le boucan habituel : des guitares acoustiques et des guitares électriques, aussi mal maîtrisées les unes que les autres. Les guitares acoustiques étaient supportables car, au moins, les accords indécis n'étaient pas amplifiés. Quant aux guitares électriques, il lui semblait que plus le joueur était mauvais, plus il forçait sur l'ampli. Comme si l'élève guitariste se plaisait à être nul. Ou comme si le prof se plaisait à encourager l'élève à être nul et à faire du bruit, comme s'il lui enseignait quelque chose qui n'avait rien à voir avec la musique. Il ne voyait pas

166

pourquoi l'homme aurait fait cela, mais il avait renoncé depuis longtemps à comprendre ses semblables.

Si tu te déclarais, tu comprendrais. Si tu te montrais comme la personne que tu pourrais être. Neuf ordres mais nous – nous – appartenons au plus élevé. Dénature le projet de Dieu et tu tomberas comme les autres. Est-ce que tu souhaites...

Un accord affreusement discordant chassa soudain les voix. Une bénédiction. Il n'aurait pas dû être là, d'habitude il n'était pas là durant les heures d'ouverture de la boutique du dessous. Mais il n'avait pas pu sortir depuis deux jours. Il avait mis tout ce temps-là à faire partir le sang.

Il avait une chambre meublée et il s'était servi du lavabo. Mais celui-ci était minuscule et placé dans l'angle de la pièce, non loin de la fenêtre. Il avait dû faire attention, car même s'il était peu probable que quelqu'un l'aperçoive à travers les minces rideaux, il y avait toujours le risque qu'une brise vienne les soulever au moment précis où il était en train d'extraire l'eau rouge cerise de la chemise, de la veste ou même du pantalon. Mais il avait besoin de la brise, même s'il la savait dangereuse. Il avait ouvert la fenêtre parce qu'il faisait tellement chaud dans la chambre qu'il n'arrivait pas à respirer et que *tu nous es désormais inutile à moins de te montrer* lui martelait les tympans et que l'espoir d'une bouffée d'air l'avait poussé à rejoindre la fenêtre en trébuchant et à la débloquer avec effort. Il avait agi de nuit, il avait bel et bien agi de nuit, ce qui signifiait qu'il était capable de faire le distinguo et *nous ne sommes pas censés nous battre l'un contre l'autre. Nous sommes supposés combattre les fils des Ténèbres. Tu ne vois donc pas...*

Il enfonça les écouteurs dans ses oreilles et augmenta le volume. Par moments, il écoutait l'« Hymne à la joie » parce que ce morceau était capable d'occuper tellement de place dans son cerveau qu'il ne pouvait avoir aucune autre pensée en dehors de ces sons, et qu'il ne pouvait entendre aucune autre voix en dehors de ces chœurs. C'était le recours qu'il lui fallait pour tenir, en attendant de pouvoir retourner dans la rue.

Avec la chaleur qu'il faisait, ses vêtements, par chance, avaient très vite séché. Il avait pu les faire tremper une deuxième et une troisième fois. À la fin, l'eau était passée du rouge écarlate au rose pâle des fleurs printanières, et si, pour retrouver sa blancheur, la chemise aurait besoin d'eau de Javel ou de l'intervention d'un teinturier, le gros des taches était parti. Sur le pantalon et la veste, toutes les traces de sang avaient disparu. Il ne lui restait qu'à prendre un fer à repasser, et il en possédait un car son apparence était importante pour lui. Il n'aimait pas que les gens soient rebutés. Il voulait qu'ils soient tout près, il voulait qu'ils écoutent, et il voulait qu'ils le connaissent tel qu'il était vraiment. Mais cela ne saurait se produire s'il était débraillé, avec des vêtements crasseux traduisant le dénuement et une vie à la dure. Il n'était pas miséreux. Il avait choisi cette existence. Il voulait que les gens le sachent.

… *d'autres choix. Tu en as un devant toi. Le besoin est grand. Le besoin mène à l'action et l'action à l'honneur.*

Il l'avait recherché. L'honneur, rien que l'honneur. Elle avait eu besoin de lui. Il avait entendu l'appel.

Tout avait mal tourné. Elle l'avait regardé et il avait vu dans ses yeux qu'elle le reconnaissait, une expression de surprise, bien sûr, mais aussi de soulagement. Il avait avancé et il avait su ce qu'il devait faire, et il n'y avait aucune voix à cet instant, pas le moindre chœur sonore, et il n'avait rien entendu, pas même la musique dans ses écouteurs.

Il avait échoué. Du sang partout, sur elle et sur lui, et ses mains qu'elle portait à sa gorge.

Il avait fui. Il s'était caché, dans un premier temps, se frottant avec des feuilles mortes pour enlever le sang. Il avait retiré sa chemise, qu'il avait roulée en boule. Il avait renfilé sa veste à l'envers. Le pantalon était taché mais il était noir et le noir masquait le sang cramoisi dont elle l'avait aspergé sur le devant. Il avait dû rentrer chez lui, ce qui voulait dire le bus, ce qui voulait dire plusieurs bus, or il ne savait pas quand descendre pour changer de bus, aussi le voyage avait duré des heures et il avait été vu, dévisagé, on avait chuchoté en le regardant, mais cela n'avait pas d'importance car...

... *un autre signe que tu aurais dû déchiffrer. Il y a des signes autour de toi mais tu choisis de protéger au lieu de lutter...*

... Il se devait de rentrer chez lui et de se nettoyer à fond afin de pouvoir remplir la mission qui lui incombait.

Personne ne ferait le rapprochement. Dans les bus de Londres, il y avait des tas de gens différents et personne ne faisait attention à rien, et quand bien même ils auraient fait attention et remarqué quelque chose, quand bien même ils se seraient étonnés, voire souvenus, de ce qu'ils avaient vu, ça n'avait pas d'importance. Rien n'avait d'importance. Il avait échoué et il devait faire avec.

6

Isabelle Ardery n'était pas ravie que l'adjoint au préfet de police Hillier soit présent à la réunion de son équipe le lendemain matin. Cela sentait fort le flicage, ce qui ne lui plaisait pas, même s'il prétendit qu'il voulait simplement la féliciter pour la conférence de presse qu'elle avait donnée la veille. Elle avait envie de lui dire qu'elle n'était pas idiote : elle comprenait exactement pourquoi il était venu se tenir d'un air important au fond de la salle des opérations, et elle comprenait également que le responsable de l'enquête – en l'occurrence moi, monsieur – était censé écouter les conseils que pouvait lui donner l'officier chargé des relations avec la presse concernant les informations à communiquer aux médias. Elle ne méritait donc pas vraiment d'être applaudie pour avoir fait son boulot. Mais elle accepta le compliment avec un « Merci, monsieur » cérémonieux, et elle attendit avec impatience de le voir tourner les talons. Il avait dit : « Surtout, tenez-moi au courant, d'accord, commissaire intérimaire ? » Et là encore le message avait été reçu cinq sur cinq. « Commissaire intérimaire, » On n'avait pas besoin de lui rappeler qu'elle passait là son audition – faute d'un meilleur mot –, mais l'homme comptait manifestement le lui rappeler à toutes les occasions possibles. Elle déclara que la conférence de presse, avec son appel à témoins, commençait déjà à porter ses fruits, et demanda s'il désirait un compte rendu de tous les coups de téléphone. Il la lorgna d'un air indiquant qu'il cherchait l'ironie sous sa question avant de décliner l'offre, mais elle demeura impassible. Il décida apparemment qu'elle était sincère. Il dit : « On se revoit plus tard », et voilà. Il était reparti, la laissant à la merci du regard inamical de l'inspecteur Stewart, qu'elle ignora allègrement.

L'enquête de voisinage à Stoke Newington continuait, le lent processus de la fouille du cimetière se poursuivait, les appels téléphoniques étaient traités, des schémas et des cartes avaient été dessinés. Ils allaient sûrement tirer quelque chose de la conférence de presse, des sujets diffusés dans les journaux télévisés et des articles parus dans les journaux papier, ainsi que du portrait-robot qu'avaient fourni les deux adolescents qui avaient découvert le corps. Les choses se déroulaient comme elles étaient censées se dérouler. Jusqu'à présent, Isabelle estimait qu'elle s'en sortait plutôt bien.

Elle avait néanmoins quelques doutes concernant l'autopsie. Elle n'avait jamais raffolé des dissections. La vue du sang ne la mettait pas au bord de l'évanouissement, mais la vue d'un torse grand ouvert et la procédure consistant à retirer et à peser ce qui avait si récemment été des organes vivants avaient bel et bien tendance à lui liquéfier les entrailles. C'est pourquoi elle décida de n'emmener personne assister avec elle à l'autopsie cet après-midi-là. Elle sauta également le déjeuner, préférant vider une des trois mignonnettes de vodka qu'elle avait mises dans son sac précisément dans ce but-là.

Elle trouva la morgue sans difficulté. À l'intérieur, le légiste de la police scientifique l'attendait. Il se présenta comme étant le Dr Willeford – « Mais je vous en prie, appelez-moi Blake… Évitons le protocole, vous voulez bien ? » – et il lui demanda si elle aimait mieux une chaise ou un tabouret : « Au cas où l'exploration à venir s'avérerait un peu plus difficile que vous ne pourriez le supporter. » Il débita ce laïus sur un ton assez aimable, mais il y avait quelque chose dans son sourire qui n'inspirait pas confiance à Isabelle. Elle était persuadée que sa réaction à l'autopsie allait être rapportée, les tentacules de Hillier s'étirant jusqu'ici. Elle se jura de rester debout, assura à Willeford qu'elle ne prévoyait pas de problème étant donné que les autopsies ne lui avaient jamais posé de problème auparavant – un mensonge éhonté, mais comment l'aurait-il su ? –, et lorsqu'il gloussa, se caressa le menton, l'observa, puis déclara joyeusement : « Bon, alors, on y va », elle marcha tout droit vers le chariot en inox et fixa son regard sur le corps qui y était étendu dans l'attente de la fameuse incision en Y, la blessure fatale dessinant un éclair sanglant sur le côté gauche du cou.

Willeford commença par les constatations préliminaires, parlant dans le micro qui pendait au-dessus du chariot d'autopsie. Il s'exprimait sur le ton du bavardage, comme s'il voulait amuser la personne qui ferait la transcription.

— Kathy chérie, dit-il dans le micro, nous avons cette fois devant nous un individu de sexe féminin. Elle est en bon état physique, pas de tatouages ni de cicatrices. Elle mesure cinq pieds quatre pouces –

débrouille-toi pour la conversion, trésor, moi je n'ai pas le courage – et elle pèse 7,85 stones. Occupe-toi là aussi de la conversion, veux-tu, Kath ? Et au fait, comment va ta mère, ma chérie ? Vous êtes prête, commissaire Ardery ? Oh, Kath, ce n'est pas pour toi, ma chère. Nous avons une nouvelle ici. Elle s'appelle Isabelle Ardery (clin d'œil à Isabelle), et elle n'a même pas demandé de chaise au cas où. Quoi qu'il en soit…

Il se déplaça pour examiner la blessure au cou.

— Nous avons une carotide transpercée. Très vilaine blessure. Réjouis-toi de ne pas être là. Non pas que tu sois jamais là, trésor. Nous avons également une déchirure dans la blessure, en dents de scie, mesurant… sept pouces de longueur.

À partir du cou de la victime, il progressa le long de son flanc, où il saisit une de ses mains, puis l'autre, s'excusant auprès d'Isabelle en passant devant elle et apprenant à Kathy que la commissaire était toujours debout et qu'elle avait bonne mine, mais qu'ils verraient bien, n'est-ce pas, une fois qu'il aurait ouvert le corps. Il reprit :

— Pas de blessures défensives sur les mains, Kath. Pas d'ongles cassés, pas d'égratignures non plus. Du sang sur les deux, mais ça doit venir de quand elle a essayé d'arrêter l'hémorragie une fois l'arme retirée.

Il poursuivit ce bavardage encore plusieurs minutes, répertoriant tous les détails visibles à l'œil nu. Il estima l'âge de la victime entre vingt et trente ans, puis il se prépara à l'étape suivante.

Isabelle était prête. Il était évident qu'il s'attendait à ce qu'elle tombe dans les pommes. Il était tout aussi évident qu'elle n'en avait absolument pas l'intention. Certes, une autre gorgée de vodka n'aurait pas été du luxe lorsque, après avoir incisé et mis à nu la cage thoracique, il s'empara des cisailles pour découper la poitrine de la victime – c'était le bruit du métal découpant l'os qu'elle trouvait le plus abominable – mais ensuite le reste fut sinon facile, du moins plus supportable.

Quand il eut terminé, Willeford conclut :

— Kath chérie, comme toujours, ça a été un plaisir. Pourrais-tu taper tout cela et le transmettre à la commissaire Ardery, ma chérie ? Et, à propos, elle est toujours à la verticale, alors il semblerait qu'elle ait le cœur bien accroché. Tu te souviens de la fois où, à Berwick-on-Tweed, un inspecteur était tombé la tête la première dans la cavité thoracique ? Seigneur, quel branle-bas ! Ah, « pourquoi sommes-nous sur terre, sinon pour fournir »... quelle que soit la chose que nous fournissons à nos voisins, et « en retour, nous égayer à leurs dépens ». Pas moyen de me rappeler exactement cette citation de Jane Austen. Adieu, chère Kath, jusqu'à la prochaine fois.

Un assistant arriva à grands pas pour faire le ménage et Willeford retira sa blouse de chirurgien en plastique, la lança dans une poubelle à l'angle de la pièce, puis invita Isabelle :

— Entrez donc dans mon salon, dit l'araignée à la mouche. J'ai encore quelques petites choses pour vous là-bas.

Ces petites choses, en l'occurrence, étaient deux cheveux restés coincés dans la main de la victime, et le fait que Willeford était pratiquement sûr que le labo de la police scientifique ne tarderait pas à lui confirmer que des fibres avaient été prélevées en abondance sur ses vêtements.

— Plutôt proche de son assassin, si vous voyez ce que je veux dire, lâcha Willeford avec un clin d'œil.

Isabelle se demanda si ce comportement pouvait être qualifié de harcèlement sexuel. Elle demanda d'un ton neutre :

— Rapport sexuel ? Viol ? Lutte ?

Rien, dit-il. Absolument aucune trace. Elle était, s'il pouvait formuler la chose ainsi, une partenaire consentante dans ce qui avait pu se passer entre elle et le propriétaire des fibres. C'était sans doute pour ça qu'on l'avait retrouvée là où on l'avait retrouvée : aucun signe qu'elle ait été amenée là contre sa volonté. Pas de bleus, pas de chair sous les ongles, rien de ce genre, déclara-t-il.

Avait-il un avis sur la position dans laquelle elle se trouvait quand elle avait été attaquée ? lui demanda Isabelle. Et l'heure de la mort ? Combien de temps pouvait-elle avoir survécu après l'agression ? Dans quel sens avait été faite la blessure ? Le tueur était-il gaucher ou droitier ?

Willeford alla soudain chercher son coupe-vent qu'il avait laissé derrière une porte. Il se rassit, fourragea dans la poche et en extirpa une barre énergétique. Hypoglycémie, avoua-t-il. Problème de métabolisme.

Isabelle voulait bien le croire. Dépouillé de sa blouse chirurgicale, il était maigre comme un clou. Avec ses deux mètres de haut, il avait sûrement besoin de manger à longueur de journée, ce qui ne devait pas être évident dans son métier.

Il lui expliqua que la présence des asticots situait le moment de la mort entre vingt-quatre et trente-six heures avant la découverte du corps, même si, compte tenu de la chaleur, il pencherait plutôt pour vingt-quatre heures. Elle devait être debout lorsqu'elle avait été attaquée, et son agresseur était droitier. L'analyse toxicologique révélerait si elle avait pris de la drogue ou consommé de l'alcool, mais cela prendrait un certain temps, tout comme l'ADN des cheveux, car il y avait « des follicules au bout, si c'est pas mignon ? ».

Isabelle lui demanda si, d'après lui, le tueur se trouvait devant ou derrière la jeune femme.

Sans aucun doute devant elle, déclara le légiste.

Autrement dit, conclut Isabelle, elle connaissait peut-être son assassin.

Isabelle ne se fit pas non plus accompagner pour sa visite suivante ce jour-là. Elle étudia l'itinéraire au préalable et constata avec soulagement qu'il n'était pas trop compliqué de rejoindre Eaton Terrace. L'important était de ne pas se fourvoyer aux environs de Victoria Station. Si elle restait vigilante et ne se laissait pas perturber par la circulation, elle devrait réussir à se repérer dans le dédale des rues sans aboutir à la Tamise ou, dans l'autre sens, au palais de Buckingham.

En fait, elle se trompa une seule fois quand elle arriva à Eaton Terrace, choisissant d'aller à gauche plutôt qu'à droite, mais elle se ravisa lorsqu'elle commença à lire les numéros des maisons sur les imposantes portes d'entrée. Après un demi-tour, les choses furent assez simples, mais elle resta quand même deux minutes entières dans sa voiture une fois à destination, à se demander quelle conduite adopter.

Elle décida finalement que la vérité était la meilleure solution, ce qui, d'ailleurs, était très souvent le cas. Cependant, pour énoncer cette vérité, elle avait besoin de quelque chose pour l'aider, et ce quelque chose se trouvait au fond de son sac. Elle se félicita d'avoir pensé à emporter plusieurs mignonnettes pour sa journée de travail.

Elle vida la vodka. Elle en laissa reposer les ultimes gouttes sur sa langue le temps que l'alcool se réchauffe. Elle avala cette dernière gorgée puis attrapa un Juicy Fruit. Elle le mâcha tout en gagnant à pied le perron de la maison. Sur le damier en marbre du seuil, elle recracha le chewing-gum, se mit un peu de brillant à lèvres et lissa les revers de sa veste. Puis elle sonna.

Elle savait qu'il avait un homme de peine – quelle drôle d'expression –, et ce fut cet individu qui vint répondre. Plutôt jeune, l'air d'un hibou, il était en tenue de tennis, ce qui lui sembla un drôle d'accoutrement pour un maître d'hôtel, un secrétaire particulier, un majordome, ou quel que soit le nom qu'un aristocrate honteux donnait à son employé de maison. Car c'était ainsi qu'Isabelle pensait au commissaire Thomas Lynley, comme à un aristocrate honteux, car elle n'arrivait franchement pas à comprendre pourquoi un homme dans sa position sociale choisissait de passer sa vie dans la peau d'un flic si ce n'était pas une façon pour lui de garder l'incognito et de se protéger des gens de sa caste. Le genre de personnes qu'on voyait en couverture des tabloïds quand elles s'attiraient des ennuis, ou dans les pages de *Hello !, OK !, Tatler* et autres, brandissant des flûtes de champagne en direction du photographe. Elles fréquentaient les boîtes de nuit et y restaient jusqu'à l'aube, elles allaient skier dans les Alpes – françaises, italiennes ou suisses, quelle importance ? – et elles passaient l'été dans des endroits comme Portofino, Santorin ou autres villégiatures de la

Méditerranée, de la mer Ionienne ou de la mer Égée. En tout cas, elles ne bossaient pas comme monsieur Tout-le-Monde, et si elles devaient travailler pour gagner leur vie, elles ne choisissaient sûrement pas le métier de flic.

— Bonjour, madame, dit l'homme en tenue de tennis.

Il s'appelait Charlie Denton. Isabelle avait potassé.

Elle montra sa carte de police et se présenta.

— Mr Denton, j'essaie de mettre la main sur l'inspecteur. Serait-il chez lui par hasard ?

S'il fut surpris qu'elle connaisse son nom, Charlie Denton était trop prudent pour en rien laisser paraître.

— Il se trouve que oui, répondit-il en la faisant entrer.

Il lui indiqua une porte sur la droite, qui menait à un salon décoré dans un ton de vert très agréable.

— Je crois qu'il est dans la bibliothèque.

Il désigna un ensemble de fauteuils tout simples disposés autour d'une cheminée et proposa, si elle le désirait, de lui apporter à boire. Elle envisagea d'accepter son offre et de s'envoyer cul sec une vodka martini, mais elle refusa car il parlait sans doute d'une boisson plus en accord avec le fait qu'elle était encore en service.

Pendant qu'il partait chercher son... – Isabelle se demanda quel était le mot : maître, employeur ? – elle examina la pièce. La maison était un hôtel particulier sans doute dans la famille de Lynley depuis des lustres : à l'intérieur, personne ne s'était mêlé de détruire les éléments de décoration qui y figuraient depuis sa construction au XIXe siècle. Cette pièce possédait encore non seulement ses pâtisseries au plafond mais aussi ses moulures partout ailleurs. Il existait certainement une infinité de termes architecturaux pour décrire toutes ces merveilles ; Isabelle n'en connaissait aucun, mais elle était parfaitement capable d'admirer ce qu'elle voyait.

Elle ne s'assit pas, préférant rejoindre la fenêtre qui donnait sur la rue. Sous son appui était placée une table, qui accueillait plusieurs photos encadrées, dont une du mariage de Lynley et sa femme. Isabelle s'en empara et la contempla. Naturelle et spontanée, l'image montrait les jeunes mariés rayonnants de bonheur au milieu d'une foule d'invités.

C'était une femme très séduisante. Pas la beauté classique des poupées de porcelaine, comme on le disait parfois de certaines mariées. Pas non plus la typique « rose anglaise ». Brune avec des yeux foncés, elle avait un visage ovale et un sourire charmant. Et puis elle était mince, comme de bien entendu.

— Commissaire Ardery ?

Elle se retourna, tenant toujours la photo. Elle s'attendait à un visage gris de chagrin – peut-être une veste d'intérieur, une pipe et des pantoufles –, mais Thomas Lynley avait le teint bronzé, ses cheveux étaient blondis par le soleil, et il portait un jean et un polo.

Elle avait oublié que ses yeux étaient marron. Ils l'observaient sans curiosité particulière. Lynley avait prononcé son nom d'une voix étonnée, mais s'il ressentait autre chose que de la surprise, il n'en montra rien.

— Commissaire intérimaire, rectifia-t-elle. On ne m'a pas attribué le poste à titre permanent. Je suis comme qui dirait en train d'auditionner. Vous êtes passé par là.

Il pénétra dans la pièce. Il faisait partie de ces hommes qui se déplaçaient toujours avec assurance, capables de s'intégrer n'importe où. Un talent sans doute lié à son éducation.

— Il y a une légère différence, dit-il en la rejoignant près de la table. Je n'auditionnais pas, je donnais seulement un coup de main. Je ne voulais pas du poste.

— J'ai appris ça, mais j'ai du mal à le croire.

— Pourquoi ? Prendre du galon ne m'a jamais intéressé.

— Prendre du galon intéresse tout le monde, inspecteur.

— Pas quand on ne veut pas de cette responsabilité, et encore moins quand on a une préférence marquée pour le paysage.

— Le paysage ? Quel paysage ?

— Celui dans lequel on peut se fondre, répondit-il en esquissant un sourire.

Il regarda ses mains, et Isabelle s'aperçut qu'elle tenait toujours la photo du mariage. Elle la reposa sur la table en disant :

— Votre femme était ravissante, Thomas. Je suis vraiment désolée.

— Merci, dit-il.

Puis, avec une franchise absolue qui stupéfia Isabelle tant elle était attendrissante, il ajouta :

— Nous n'allions pas du tout ensemble, et donc, au bout du compte, nous étions parfaitement assortis. J'étais fou d'elle.

— C'est une chance d'aimer à ce point.

— C'est vrai.

Comme Charlie Denton, il lui proposa à boire, et là encore elle refusa. Comme Charlie Denton, il lui indiqua un siège, mais pas devant la cheminée. Il choisit deux fauteuils de chaque côté d'un échiquier où une partie était commencée. Il y jeta un coup d'œil, fronça les sourcils, et déplaça son cavalier blanc pour capturer un des deux fous noirs.

— Charlie fait seulement mine de se montrer clément, commenta Lynley. Il mijote forcément quelque chose. Que puis-je pour vous, commissaire ? J'aimerais croire qu'il s'agit d'une visite de courtoisie, mais je suis presque sûr que ce n'est pas le cas.

— Il y a eu un meurtre dans Abney Park. À Stoke Newington. C'est un cimetière, en fait.

— La jeune femme. Oui. J'en ai entendu parler à la radio. Vous êtes chargée de l'enquête ? Pourquoi pas une équipe locale ?

— Hillier a fait pression. Et puis il y a encore un pataquès avec le SO5. Mais je crois que c'est surtout l'adjoint au préfet. Il veut voir comment je m'en sors par rapport à vous. Et par rapport à John Stewart, pendant qu'on y est.

— Je vois que vous avez déjà cerné le bonhomme.

— Pas très difficile.

— Il ne sait pas trop cacher son jeu, en effet.

Lynley sourit à nouveau, mais Isabelle remarqua que ce sourire était purement formel. Lynley était sur ses gardes : c'était normal, vu la situation. Elle n'avait aucune raison de venir le voir. Il le savait et il attendait qu'elle lui explique le vrai motif de sa visite.

— J'aimerais que vous participiez à l'enquête, Thomas.

— Je suis en congé.

— J'en ai bien conscience. Mais j'espère vous persuader de vous mettre en congé de votre congé. Au moins pour quelques semaines.

— Vous travaillez avec mon ancienne équipe, non ?

— Oui. Stewart, Hale, Nkata…

— Et Barbara Havers ?

— Ah, bien sûr. Le redoutable sergent Havers est dans nos rangs. À part son sens vestimentaire pour le moins déplorable, j'ai comme l'impression que c'est un très bon flic.

— C'en est un.

Il mit ses doigts en triangle. Ses yeux se posèrent sur l'échiquier, comme s'il réfléchissait au coup suivant de Charlie Denton. D'après Isabelle, il essayait plutôt de deviner son coup suivant à elle.

— Donc, de toute évidence, vous n'avez pas besoin de moi. Pas en tant qu'enquêteur, dit-il.

— A-t-on jamais assez d'enquêteurs quand on bosse sur un meurtre ?

À nouveau ce sourire.

— Un peu facile, comme réplique. Parfaite pour la Met. Nettement moins pour…

Il hésita.

— Pour vous amadouer, vous ?

Elle remua dans son fauteuil et se pencha vers lui.

— Très bien. Je vous veux dans l'équipe parce que je veux pouvoir citer votre nom sans qu'un silence révérencieux s'installe dans la salle des opérations, et que c'est le meilleur moyen pour moi d'y arriver. Et aussi parce que je veux nouer des relations à peu près normales avec tout le monde à la Met, pour la bonne raison que je tiens énormément à décrocher ce poste.

— Vous êtes plutôt franche quand vous êtes dos au mur.

— Et je le serai toujours. Avec vous comme avec tout le monde. *Avant* d'avoir le dos au mur.

182

— C'est à double tranchant. C'est bien pour l'équipe que vous dirigez, moins bien pour vos rapports avec Hillier. Il préfère le gant de velours à la main de fer. Mais vous vous en êtes peut-être déjà aperçue ?

— D'après moi, l'essentiel, c'est ma bonne entente avec l'équipe et non pas avec David Hillier. Or l'équipe tient à ce que vous reveniez. Ils vous veulent tous comme commissaire principal... Enfin, tous excepté John Stewart, mais ça n'a rien de personnel...

— Certes non.

Il sourit, sincèrement cette fois.

— Oui. Bon. Ils veulent que vous reveniez, et la seule chose qui pourra les satisfaire, c'est de savoir que vous ne voulez pas du poste qu'ils voudraient vous voir occuper, et que vous êtes d'accord pour qu'une autre personne l'occupe.

— En l'occurrence, vous.

— Je crois que vous et moi nous pouvons travailler ensemble, Thomas. Je crois même que nous pouvons faire du très bon travail ensemble.

Il sembla la scruter, et elle se demanda ce qu'il lisait sur son visage. Un ange passa et elle ne fit rien pour rompre le silence : il régnait un calme absolu dans cette maison et elle se demanda si c'était la même chose du vivant de sa femme. Ils n'avaient pas eu d'enfants, se rappela-t-elle. Ils étaient mariés depuis moins d'un an au moment de sa mort.

— Comment vont vos garçons ? lui demanda brusquement Lynley.

C'était une question désarmante, et qui ne devait rien au hasard. Elle se demanda comment diable il savait qu'elle avait deux fils.

Il reprit comme si elle avait pensé tout haut :

— Vous étiez au téléphone un jour quand nous nous sommes rencontrés dans le Kent. Votre ex-mari… vous aviez une discussion avec lui… Vous avez parlé des garçons.

— Ils habitent près de Maidstone, avec lui, en fait.

— Cet arrangement ne doit pas être drôle pour vous.

— Ni drôle ni triste. Il ne rimait tout bêtement à rien de les faire venir à Londres tant que je n'étais pas sûre d'avoir le poste à titre définitif.

S'apercevant que ses paroles avaient pu paraître un peu froides, elle s'efforça de nuancer :

— Ils me manquent, évidemment. Mais il vaut sans doute mieux qu'ils passent leurs vacances avec leur père à la campagne plutôt qu'avec moi ici à Londres. Ils peuvent se défouler et courir partout là-bas. Ici, ce serait hors de question.

— Et si vous êtes nommée à titre définitif ?

Il avait une manière singulière de vous observer quand il posait une question. Il était sûrement capable de démêler assez vite le vrai du faux, mais il n'avait aucune chance de discerner la cause de son mensonge.

— Dans ce cas, bien sûr, ils me rejoindraient à Londres. Mais je n'aime pas les décisions prématurées. Elles ne m'ont jamais paru judicieuses, et dans ce cas précis ce serait totalement inconsidéré.

— Comme mettre la charrue…

— Exactement, acquiesça-t-elle. C'est donc une raison supplémentaire, inspecteur…

— Nous en étions à Thomas.

— Thomas. Très bien. Je vais vous dire toute la vérité. Je veux que vous participiez à cette enquête parce que je veux augmenter mes chances d'être titularisée. Si vous travaillez avec moi, ça rassurera les esprits et ça mettra fin aux conjectures, tout en démontrant une forme de coopération qui tiendra lieu de…

Elle chercha le terme approprié.

— De soutien de ma part, lui souffla-t-il.

— Oui. Si nous travaillons main dans la main, ça reviendra à ça. Comme je vous l'ai dit, je serai toujours franche avec vous.

— Et il suffirait que je me tienne à vos côtés ? C'est ainsi que vous voyez la chose ?

— Pour l'instant, oui. Cela pourrait changer. On aviserait au fur et à mesure.

Il se taisait, mais elle voyait bien qu'il réfléchissait à sa requête : il la mettait en balance avec sa vie telle qu'il la menait à présent, il évaluait les changements qui interviendraient et se demandait si ces changements allégeraient les problèmes qu'il affrontait.

— Il faut que j'y réfléchisse, dit-il enfin.

— Combien de temps ?

— Vous avez un portable ?

— Bien sûr.

— Alors, donnez-moi le numéro. Je vous préviendrai avant la fin de la journée.

La vraie question pour lui était de savoir ce que cela signifiait, pas s'il allait accepter. Il avait tenté de laisser le métier de policier derrière lui, mais le métier de policier l'avait rattrapé et risquait de le rattraper éternellement, qu'il le veuille ou non.

Après le départ d'Isabelle Ardery, Lynley alla à la fenêtre pour la regarder rejoindre sa voiture d'un pas énergique. Elle était très grande – au moins un mètre quatre-vingt-deux, puisque lui mesurait un mètre quatre-vingt-huit et qu'il la dépassait à peine – et tout chez elle respirait le professionnalisme, depuis ses vêtements impeccables jusqu'à ses chaussures cirées, en passant par ses cheveux ambrés qui lui tombaient juste sous les oreilles et qu'elle coinçait derrière. Elle avait des boucles d'oreilles en or en forme de boutons et un collier avec un pendentif de même forme, mais, en ce qui concernait les bijoux, les fantaisies s'arrêtaient là. Elle portait une montre mais pas de bagues, et ses mains étaient soignées, avec des ongles manucurés coupés ras et une peau qui avait l'air douce. Elle était bien, comme il se devait, un mélange de masculin et de féminin. Pour réussir dans leur milieu, elle était forcément amenée à jouer les hommes tout en restant, au fond, une femme. L'exercice ne devait pas être facile.

Il la regarda ouvrir son sac devant sa portière. Elle laissa échapper ses clés, les ramassa, puis déverrouilla le véhicule. Elle marqua une pause pour fouiller dans son sac, mais elle ne dut pas trouver ce qu'elle cherchait puisqu'elle le jeta à l'intérieur de la voiture. Peu après, elle démarra et s'en alla.

Il resta à contempler la rue un moment. Il ne l'avait pas fait depuis longtemps car c'était dans cette rue que Helen était morte, et il avait eu peur que son imagination ne le ramène à cet instant. Mais en regardant par la fenêtre aujourd'hui, il voyait que la rue n'était qu'une rue comme tant d'autres à Belgravia. De majestueuses bâtisses blanches, des grilles en fer forgé qui brillaient sous le soleil, des jardinières qui débordaient de lierre et de jasmin étoilé, exhalant un doux parfum.

Il se détourna, se dirigea vers l'escalier et monta à l'étage, mais sans regagner la bibliothèque où il était en train de lire le *Financial Times*. Au lieu de cela, il s'avança vers la chambre voisine de celle qu'il avait partagée avec sa femme, et il en ouvrit la porte pour la première fois depuis le mois de février précédent. Et pour la première fois depuis le mois de février précédent, il osa pénétrer dans la pièce.

Elle n'était pas tout à fait terminée. Un berceau attendait d'être assemblé : on s'était contenté de l'extraire de son carton. Six rouleaux de papier étaient appuyés contre les lambris, qui avaient jadis été peints mais avaient indéniablement besoin d'être rafraîchis. Un plafonnier tout neuf était resté dans sa boîte, et une table à langer se dressait sous une des fenêtres, mais toujours dépourvue de sa garniture matelassée. Celle-ci était roulée dans un sac en plastique de chez Peter Jones, au milieu d'autres sacs en plastique qui contenaient des couches, un tire-lait, des biberons... C'était incroyable tout le matériel requis par une créature qui, à sa naissance, devait peser autour de trois kilos.

La pièce sentait le renfermé et il y faisait très chaud. Lynley alla ouvrir les fenêtres. La brise ne suffisait pas à la rendre moins étouffante, et il s'étonna qu'ils n'aient pas réfléchi à ce détail lorsqu'ils l'avaient choisie pour en faire la chambre de leur fils. Bien sûr, à l'époque, c'était la fin de l'automne, l'hiver devait suivre, et ils n'avaient pas du tout pensé à la chaleur de l'été. Ils étaient entièrement accaparés par la grossesse elle-même, et non par ce que ladite grossesse allait entraîner. Il supposait que beaucoup de couples abordaient l'événement de cette façon-là. Passer le cap de la grossesse, puis de la naissance, et se mettre ensuite en mode « parents ». On ne pouvait pas être un parent ou penser comme un parent sans avoir quelqu'un dont être le parent, conclut-il.

— Monsieur le comte.

Lynley se retourna. Charlie Denton se tenait sur le seuil. Il savait que Lynley n'aimait pas qu'il s'adresse à lui par son titre, mais ils n'avaient jamais décidé de ce que Denton devait dire ou faire pour obtenir son attention : il le prononçait donc s'il le fallait en marmonnant, ou encore en toussant.

— Oui ? Qu'y a-t-il, Charlie ? Alors, vous y allez ?

L'homme secoua la tête.

— Non, j'en reviens.

— Et ?

— On ne sait jamais, pour ces choses-là. Je pensais que mon costume emporterait le morceau, mais le metteur en scène n'a pas eu une seule parole d'approbation.

— Pas possible ? Zut alors.

— J'ai bien entendu quelqu'un murmurer : « Il a l'allure qu'il faut », mais c'est tout. Il n'y a plus qu'à attendre.

— Comme toujours, dit Lynley. Combien de temps ?

— Avant une deuxième audition ? Pas longtemps. Dans la publicité, vous savez… Ils sont difficiles, mais pas à ce point-là.

Il avait l'air résigné. Ainsi allait le monde des acteurs, songea Lynley. Faire son chemin dans ce microcosme, c'était comme faire son chemin dans la vie en général. Désir et compromis. Tenter sa chance et y croire, et sentir plus souvent la claque du rejet que l'étreinte du succès. Mais il n'y avait pas de succès si on ne tentait pas sa chance, si on ne prenait pas de risques, si on n'était pas prêt à se jeter à l'eau.

— En attendant, Charlie… Avant qu'on ne vous confie le rôle de Hamlet…

— Oui, monsieur ? fit Denton.

— Nous devons ranger cette chambre. Si vous nous prépariez une carafe de Pimm's et que vous nous l'apportiez ici, nous devrions réussir à terminer avant la fin de la journée.

7

Meredith finit par mettre la main sur Gordon Jossie à Fritham. Elle pensait le trouver à Boldre Gardens, où Gina Dickens l'avait rencontré, mais quand elle arriva au bâtiment en question, il était évident à voir l'état du toit que le couvreur était parti depuis un moment sur un autre chantier. Le chaume avait été posé et Gordon avait signé son ouvrage : sur l'arête se dressait un paon élégant, dont la queue en paille sculptée protégeait l'angle vulnérable du faîtage sur plus d'un mètre de toiture.

Meredith lâcha un juron de déception – assez bas pour que Cammie ne l'entende pas – puis dit à sa fille :

— On va aller à la mare aux canards, tu veux ? Il est censé y avoir par-dessus un joli pont vert où on peut marcher.

Cet intermède dura une heure, mais une heure qui se révéla finalement bien employée. Ensuite, elles s'arrêtèrent au kiosque à boissons, et en achetant un Cornetto pour Cammie et une bouteille d'eau pour elle, Meredith apprit où elle pourrait trouver Gordon Jossie sans être obligée de lui téléphoner, et donc sans lui laisser le temps de se préparer à sa visite.

Il travaillait sur le toit du pub à côté d'Eyeworth Pond. Elle obtint ce renseignement de la fille à la caisse, qui avait lorgné l'apprenti de Gordon pendant toute la durée de leur chantier à Boldre Gardens. Elle avait apparemment réussi à s'immiscer dans ses bonnes grâces, malgré des jambes tellement arquées qu'on aurait dit un bréchet de dinde. Près d'Eyeworth Pond, dit-elle, Meredith pourrait trouver les chaumiers. La jeune fille plissa les yeux en lui demandant lequel des deux elle cherchait. Meredith eut envie de lui dire de garder ses angoisses pour des sujets qui en valaient la peine. Un homme, quel qu'il soit, était bien la dernière chose dont elle ait besoin. Mais elle déclara qu'elle était à la recherche de Gordon Jossie, sur quoi la jeune fille, pleine d'obligeance, lui indiqua où se trouvait exactement Eyeworth Pond, juste à l'est de Fritham. Et, de toute façon, le pub se trouvait plus près de Fritham que de la mare, ajouta-t-elle.

À la perspective d'une autre mare et d'autres canards, Cammie accepta sans mal de quitter les pelouses et les fleurs de Boldre Gardens pour remonter dans la voiture. Ce n'était pourtant pas son endroit préféré : ayant carrément en horreur la prison de son siège-auto et l'absence de climatisation, elle ne s'était jamais privée de faire connaître son mécontentement. Par chance, Fritham se trouvait à seulement un quart d'heure des jardins, juste de l'autre côté de l'A31. Meredith se rendit là-bas toutes vitres ouvertes et, au lieu de son programme de développement personnel, elle mit une des cassettes préférées de Cammie. Sa fille avait, contre toute attente, un penchant pour les ténors, et elle était capable de gazouiller « Nessun dorma » avec un incroyable talent lyrique.

Le pub se révéla assez facile à trouver. Le Royal Oak était un méli-mélo de styles reflétant les différentes époques où il avait été agrandi. Ainsi la bâtisse combinait-elle torchis, colombages et brique, et sa toiture était-elle moitié en chaume, moitié en ardoise. Gordon avait retiré tout le vieux chaume, si bien qu'on voyait les chevrons. Quand Meredith arriva, il descendait de l'échafaudage où, sous le chêne qui donnait son nom au pub, son apprenti s'employait à former des bottes de roseaux. Cammie était aux anges de pouvoir jouer sur une balançoire à l'autre bout du jardin, et Meredith savait qu'elle ne s'ennuierait pas pendant sa discussion avec le maître chaumier.

Gordon ne sembla pas étonné de la voir. Gina Dickens lui avait probablement rapporté sa visite, et on ne pouvait pas le lui reprocher. Meredith se demanda si, ensuite, Gina avait aussi cuisiné Gordon sur la présence d'une voiture qui n'était pas à lui et celle de cartons de vêtements stockés dans son grenier. C'était bien possible. La jeune femme avait paru troublée quand Meredith l'avait éclairée sur la place qu'avait occupée Jemima dans la vie de Gordon.

Une fois Cammie juchée sur sa balançoire, Meredith ne perdit pas de temps en préambules. Elle rejoignit Gordon Jossie à grands pas et l'apostropha :

— Ce que j'aimerais savoir, Gordon, c'est comment elle était censée aller à Londres sans sa voiture.

Puis elle attendit sa réponse en observant l'expression de son visage.

Gordon jeta un coup d'œil à son apprenti.

— On fait une pause, Cliff…

Le jeune homme hocha la tête et disparut à l'intérieur du pub. Toujours silencieux, Gordon ôta sa casquette de base-ball et sortit un mouchoir de son jean pour s'essuyer le visage et le crâne. Il avait des lunettes de soleil mais ne les enleva pas : Meredith aurait plus de mal à déchiffrer ses réactions. Elle avait toujours cru que s'il portait si souvent des lunettes noires c'était pour qu'on ne remarque pas son regard fuyant, mais Jemima s'était récriée : « Alors là, n'importe quoi ! », ne trouvant rien de bizarre à ce qu'un homme garde ses lunettes noires sur le nez qu'il pleuve ou qu'il vente, et parfois même à l'intérieur. Mais c'était justement le problème depuis le début : Meredith jugeait qu'il y avait des tas de choses chez Gordon Jossie qui n'étaient pas normales, alors que Jemima refusait d'en voir une seule. Après tout, Gordon était un Homme, un membre d'une espèce que Jemima n'avait cessé d'explorer depuis des années, rebondissant d'un représentant à l'autre comme une boule de flipper.

Gordon retira ses lunettes noires, mais seulement le temps de les nettoyer avec son mouchoir, après quoi il les chaussa à nouveau, rangea le mouchoir dans sa poche et demanda d'un ton calme :

— Qu'est-ce que vous avez contre moi, Meredith ?

— Vous avez coupé Jemima de ses amis.

Il hocha lentement la tête, comme s'il assimilait l'information.

— De vous, vous voulez dire.

— De tout le monde, Gordon. Vous n'allez quand même pas le nier ?

— À quoi bon nier ce qui est totalement faux ? Et stupide, en plus, si vous me permettez. Vous avez cessé de venir, il me semble, alors si quelqu'un s'est coupé de l'autre, c'est plutôt vous. Vous voulez qu'on en discute ?

— Ce dont je veux qu'on discute, c'est de pourquoi sa voiture se trouve dans votre grange. Je veux savoir pourquoi vous avez raconté à cette… à cette… à cette blonde qui est chez vous que cette voiture était la vôtre. Je veux aussi savoir pourquoi ses vêtements sont dans des cartons, et pourquoi il n'y a plus nulle part le moindre objet qui rappelle vaguement Jemima.

— Pourquoi je devrais vous répondre ?

— Parce que si vous ne le faites pas, ou que vous le faites et que je ne suis pas convaincue…

Elle n'explicita pas sa pensée. Il n'était pas idiot. Il avait compris la menace.

Il demanda pourtant :

— Oui, et alors ?

Il portait un tee-shirt à manches longues et attrapa un paquet de cigarettes dans sa poche de poitrine. Il en sortit une, qu'il alluma avec un briquet en plastique. Il attendait qu'elle réponde. Il tourna brièvement la tête pour regarder derrière elle : de l'autre côté de la rue, en face du pub, une ferme en briques rouges se dressait en bordure de la lande. La lande elle-même se déployait dans le lointain, toute violette de bruyère. Les cimes des arbres semblaient miroiter sous la chaleur estivale.

— Oh, répondez-moi, c'est tout, reprit Meredith. Où est-elle et pourquoi n'a-t-elle pas pris sa voiture ?

Il reporta son regard sur elle.

— Qu'aurait-elle fait d'une voiture à Londres ? Elle ne l'a pas prise parce qu'elle n'en avait pas besoin.

— Alors comment est-elle allée là-bas ?

— Aucune idée.

— C'est absurde. Vous ne pouvez pas espérer que je croie…

— Train, bus, hélicoptère, deltaplane, rollers ! Je ne sais pas, Meredith. Un jour, elle a dit qu'elle partait et, le lendemain, elle était partie. Elle n'était plus là quand je suis rentré du boulot. Elle a sûrement pris un taxi jusqu'à Sway et ensuite le train. Quelle importance ?

— Vous lui avez fait quelque chose.

Meredith n'avait pas eu l'intention de l'accuser, pas comme ça et pas aussi vite. Mais la pensée de cette voiture, les mensonges autour, et le fait que Gina Dickens ait élu domicile là-bas alors que les affaires de Jemima croupissaient dans des cartons au grenier…

— Vous lui avez fait quelque chose, hein ? Rob a essayé de l'appeler et elle ne répond pas et elle ne le rappelle pas non plus et…

— Il vous intéresse, pas vrai ? Enfin bon, il a toujours été libre, et, tout compte fait, ce serait assez judicieux.

Elle eut envie de le frapper. Pas tant pour sa remarque, qui était du dernier ridicule, mais parce que, naturellement, c'était ce qu'il pensait. Il s'imaginait que, comme Jemima, elle passait son temps à chercher un homme, qu'elle était d'une certaine manière incomplète et frustrée et par ailleurs tellement… tellement… tellement aux abois sans un homme qu'elle étirait ses antennes de femelle au cas où, par hasard, un mec libre s'aventurerait à proximité. Cette idée-là – appliquée à Rob Hastings – était d'autant plus grotesque qu'il avait quinze ans de plus qu'elle et qu'elle le connaissait depuis ses huit ans.

— Alors, d'où sort cette dénommée Gina ? demanda-t-elle, impérieuse. Vous la connaissez depuis combien de temps ? Vous l'avez rencontrée avant que Jemima s'en aille, hein, Gordon ? C'est elle qui est à l'origine de tout ça.

Il eut un mouvement de tête exprimant à la fois l'incrédulité et l'écœurement. Il tira profondément sur sa cigarette, une bouffée pleine de colère, d'après Meredith.

Elle reprit :

— Vous avez rencontré cette dénommée Gina...

— Elle s'appelle Gina. Gina Dickens. Arrêtez de l'appeler « cette dénommée Gina ». Ça ne me plaît pas.

— Je suis censée me préoccuper de ce qui vous plaît ? Vous avez rencontré cette Gina et vous avez décidé que vous la préfériez à Jemima, je me trompe ?

— Tout ça, c'est des conneries. Je retourne travailler.

Il lui tourna le dos.

Meredith haussa la voix.

— Vous l'avez chassée. Elle est peut-être à Londres aujourd'hui, mais elle n'avait aucune raison d'y aller. Elle avait sa propre affaire. Elle avait embauché Lexie Streener. Elle s'en sortait bien avec sa Reine du Cup-cake, mais ça ne vous plaisait pas, hein ? Vous lui avez mené la vie dure. Et d'une façon ou d'une autre vous vous êtes servi de ça, ou de sa passion pour son boulot, ou de toutes les heures qu'elle y passait, enfin bref de *quelque chose,* pour lui faire sentir qu'elle devait s'en aller. Et alors vous avez fait venir Gina...

Tout semblait tellement logique aux yeux de Meredith, tellement typique du comportement masculin.

Il répéta :

— Je retourne travailler.

Puis il rejoignit l'échelle qui lui donnait accès à l'échafaudage. Cependant, avant de grimper, il se retourna vers elle.

— Apprenez, Meredith, que Gina n'habite ici, dans la New Forest, que depuis le mois de juin. Elle est descendue de Winchester et…

— Mais c'est de là que vous venez ! Vous êtes allé à l'école à Winchester. Vous l'avez connue là-bas.

Elle savait que sa voix était stridente, mais elle n'y pouvait rien. Pour une raison mystérieuse, elle voulait désormais à tout prix découvrir ce qui se passait, et ce qui s'était passé durant les mois où elle avait été éloignée de Jemima.

Gordon lui fit au revoir de la main.

— Croyez ce que vous voulez. Moi, ce que je veux, c'est savoir pourquoi vous m'avez tout de suite détesté.

— Il n'est pas question de moi.

— Il est uniquement question de vous, et ça vient de vous aussi si vous m'avez détesté d'entrée de jeu. Réfléchissez à ça avant de revenir me voir. Et laissez Gina tranquille pendant que vous y êtes.

— Non, c'est pour Jemima que…

— Jemima, dit-il d'un ton égal, a déjà trouvé quelqu'un d'autre à l'heure qu'il est. Vous le savez aussi bien que moi. Et je suppose que ça vous rend dingue, d'ailleurs.

Le pick-up de Gordon Jossie n'était nulle part en vue lorsque Robbie Hastings dépassa les grandes haies et s'engagea dans l'allée de la ferme. Il ne se laissa pas décourager. Si Gordon était absent, il y avait néanmoins une chance que sa nouvelle copine soit là, et Robbie voulait autant la voir que s'entretenir avec Gordon. Il avait également envie de jeter un coup d'œil aux alentours. Et il voulait voir la voiture de Jemima de ses propres yeux, même si Meredith ne risquait pas de l'avoir confondue avec une autre. C'était une Nissan Figaro, un modèle qui ne courait pas les rues.

Il n'avait aucune idée de ce que tout cela prouverait ou non. Mais il avait encore appelé deux fois le portable de Jemima en vain, et il commençait à paniquer. Jemima était frivole, mais elle n'était pas du genre à snober son frère.

Robbie gagna le paddock où deux poneys étaient en train de paître. C'était une drôle de période pour extraire les animaux de la forêt, et il se demanda ce qui leur arrivait. Ils avaient l'air en pleine forme.

Il regarda par-dessus son épaule en direction du cottage. Toutes les fenêtres étaient ouvertes, comme dans l'espoir d'un courant d'air, mais il n'y avait personne dans les parages. Tant mieux. Meredith avait dit que la voiture de Jemima se trouvait dans la grange ; il y alla. Il avait ouvert la porte en grand lorsqu'il entendit une voix de femme lancer d'un ton aimable :

— Ohé, bonjour ! Je peux vous aider ?

La voix venait d'un deuxième paddock, celui-là du côté est de la grange, après un étroit chemin creusé d'ornières qui partait vers la lande. Une jeune femme époussetait les genoux de son jean couverts de fragments d'herbes folles. On l'aurait crue habillée par une relookeuse d'émission de télé : un chemisier blanc empesé au col relevé, un bandana autour du cou, un chapeau de paille qui lui protégeait le visage du soleil. Elle portait des lunettes noires, mais il voyait bien qu'elle était jolie. Nettement plus jolie que Jemima, grande et dotée de rondeurs à des endroits où les filles de son âge préféraient en général ne pas en avoir. Elle demanda :

— Vous cherchez quelqu'un ?

— Ma sœur, répondit-il.

— Ah.

Tiens, aucune surprise… Bon, c'était normal, Meredith était passée avant lui, et quelle femme ne poserait pas de questions à son homme si le nom d'une autre femme surgissait inopinément, comme celui de Jemima avait sans doute surgi ?

— J'ai appris que sa voiture était dans la grange, expliqua-t-il.

— Il semblerait. Tout comme la mienne. Attendez un instant.

Elle se baissa pour franchir la clôture. C'étaient des barbelés, mais elle portait des gants pour les soulever. Elle avait aussi avec elle une espèce de carte, une carte topographique, à en croire son aspect.

— J'avais fini, de toute manière, lui dit-elle. La voiture est juste là.

En effet. Elle n'était plus bâchée comme l'avait indiqué Meredith, mais elle trônait au fond de la grange : bleu-gris avec un toit couleur crème, elle ressemblait à une voiture de collection. Il y en avait une autre garée derrière, une Mini Cooper d'un modèle récent.

Elle se présenta, même s'il se doutait qu'il s'agissait de Gina Dickens, la remplaçante de Jemima. Elle avoua franchement qu'elle avait été déconcertée d'apprendre que la voiture n'était pas à Gordon mais à son ancienne compagne. Elle avait eu des mots avec lui à ce sujet, expliqua-t-elle. Et au sujet des vêtements de Jemima, dans leurs cartons au grenier.

— Il m'a affirmé qu'elle était partie depuis des mois, qu'il n'avait eu absolument aucune nouvelle entretemps, qu'elle ne reviendrait sans doute pas, qu'ils avaient… eh bien, il n'a pas dit qu'ils s'étaient dis-

putés, juste qu'ils s'étaient séparés. Il a dit qu'il le
sentait venir depuis une éternité et que c'était son idée
à elle, mais que maintenant il voulait passer à autre
chose, alors il avait tout mis dans des cartons, mais
sans rien jeter. Il pense qu'elle finira par vouloir récupérer ses affaires quand elle sera… casée, je suppose.

Elle retira ses lunettes de soleil et le regarda avec
franchise.

— Mais je vous ennuie… Pardon. Tout ça me rend
un peu nerveuse. Je veux dire, l'impression que ça peut
donner : sa voiture ici, ses affaires dans des cartons.

— Vous avez cru ce qu'il vous a dit ?

Robbie promena sa main sur la voiture de Jemima. Il
n'y avait pas de poussière et la carrosserie étincelait. Sa
sœur avait toujours bichonné cette auto. Meredith avait
raison : Pourquoi ne l'avait-elle pas prise avec elle ?
D'accord, c'était difficile d'avoir une voiture à
Londres. Mais Jemima n'aurait pas réfléchi à ce détail.
Quand une lubie la prenait, elle ne réfléchissait à rien.

Gina répondit d'une voix légèrement altérée :

— Eh bien, en fait, je n'avais aucune raison,
Mr Hastings. De ne pas le croire, j'entends. Vous
n'êtes pas d'accord ?

— Robbie, corrigea-t-il. Mon nom, c'est Robbie.

— Je m'appelle Gina.

— Oui. Je sais. Où est Gordon, alors ?

— Il a un chantier près de Fritham.

Elle se frotta les bras comme si, soudain, elle avait
froid.

— Voulez-vous entrer ? Dans la maison, je veux dire.

Il n'y tenait pas particulièrement, mais il la suivit,
espérant apprendre quelque chose qui le rassurerait. Ils
entrèrent par la buanderie et, de là, rejoignirent la cui-

sine. Elle posa sa carte sur la table. C'était bien une carte topographique. Elle y avait entouré la propriété, et avait joint à la carte une feuille de papier ornée d'un dessin au crayon. Ce dessin aussi représentait la propriété, mais en version agrandie. Gina dut surprendre son regard car elle dit :

— Nous sommes…

Elle semblait hésitante, comme si elle rechignait à lâcher l'information.

— Eh bien, nous envisageons de procéder à quelques modifications par ici.

Jemima avait décidément disparu du paysage. Robbie regarda Gina Dickens. Elle avait ôté son chapeau. Ses cheveux étaient d'une blondeur absolue. Ils épousaient son crâne comme un bonnet ajusté, dans un style qui faisait penser aux Années folles. Elle retira ses gants et les jeta sur la table.

— Quel temps incroyable, dit-elle. Voulez-vous de l'eau ? Du cidre ? Un Coca ?

Lorsqu'il refusa de la tête, elle rejoignit la table pour se tenir à côté de lui. Elle s'éclaircit la gorge. Il la sentait mal à l'aise. Elle se trouvait là avec le frère de l'ex-maîtresse de son amant. C'était gênant. Il était mal à l'aise aussi.

— Je me disais que ce serait vraiment merveilleux d'avoir un jardin digne de ce nom, mais je ne savais pas trop où, commença-t-elle. J'essayais de déterminer où s'arrête réellement la propriété, et je pensais que la carte topographique m'aiderait, mais non, en fait. Et puis je me suis dit que peut-être dans le deuxième paddock… étant donné qu'on ne s'en… étant donné qu'il ne s'en sert pas. J'ai pensé que ça ferait un jardin ravissant, un endroit où je pourrais amener mes filles.

— Vous avez des enfants ?

— Oh, non. Je travaille avec des adolescentes. Le genre à s'attirer des ennuis s'il n'y a pas quelqu'un pour s'intéresser à leur cas, vous voyez ? Des jeunes filles en danger. J'espérais avoir un endroit autre qu'un bureau quelque part...

Sa voix s'éteignit. Avec ses dents, elle tira sur l'intérieur de sa lèvre.

Il voulait la trouver antipathique, mais il n'y arrivait pas. Ce n'était pas sa faute si Gordon Jossie avait choisi de passer à autre chose après le départ de Jemima. Si c'était effectivement ce qui s'était passé... Robbie regarda la carte puis le dessin de Gina. Elle avait dressé un plan quadrillé du paddock, et elle avait numéroté les carrés.

— J'essayais de me faire une idée de la taille exacte, expliqua-t-elle. Pour savoir sur quoi on... sur quoi je travaillais. Je ne suis pas sûre que le paddock en soi fasse l'affaire pour ce que j'ai en tête, alors sinon, peut-être un morceau de la lande ? C'est pour ça que j'essaie de définir où se termine la propriété, au cas où je devrais aménager le jardin... où nous devrions aménager le jardin ailleurs.

— Vous devez, dit Robbie.

— Quoi ?

— Ce n'est pas possible dans le paddock.

Elle avait l'air surprise.

— Et pourquoi cela ?

— Gordon et Jemima – Robbie tenait à inclure sa sœur dans la conversation – ont des « droits de propriété » ici, et les paddocks sont faits pour les poneys, quand ils ne sont pas en forme.

Les traits de Gina s'affaissèrent.

— Je ne savais absolument pas…

— Qu'il avait des « droits de propriété » ?

— Je ne sais même pas ce que signifie l'expression, à vrai dire.

Rob expliqua brièvement qu'une partie des terres dans la Perambulation avaient des droits qui leur étaient rattachés – le droit de pâture, le droit de lâcher les cochons dans la forêt pour qu'ils mangent les glands, le droit de couper du bois de chauffage, de prélever de la marne pour amender la terre et de la tourbe pour se chauffer – et que cette propriété en particulier jouissait du droit de pâture. Cela signifiait que Gordon et Jemima s'étaient vu octroyer des poneys qui pouvaient paître librement dans la New Forest, mais à condition que des terrains à proximité de la maison soient laissés à la disposition de ces animaux au cas où, pour une raison ou une autre, ils auraient besoin d'être retirés de la forêt.

— Gordon ne vous a pas expliqué ça ? C'est bizarre qu'il envisage de faire un jardin dans le paddock, alors qu'il sait très bien qu'il ne peut pas.

Elle tripota le bord de la carte.

— Je ne lui ai pas réellement parlé du jardin. Il sait que j'aimerais bien amener mes gamines ici. Pour qu'elles puissent voir les chevaux, se promener dans la forêt ou dans les enclos, pique-niquer près d'une mare ou d'une autre… Mais je n'avais pas vraiment approfondi. Je m'étais dit que je commencerais par faire un plan. Enfin, vous voyez… une sorte d'ébauche ?

Robbie hocha la tête.

— Ce n'est pas une mauvaise idée. Ces filles sont des citadines, alors ? Elles viennent de Winchester, de Southampton ou de villes comme ça ?

— Non, non. Elles sont de Brockenhurst. Je veux dire, elles vont à l'école à Brockenhurst – au collège ou au lycée –, mais elles peuvent venir de n'importe où dans la New Forest.

— Hmmm. Sauf qu'elles doivent venir de fermes exactement comme celle-ci, pour certaines, fit-il remarquer. Alors, au fond, ça ne les changerait pas tellement, si ?

Elle fronça les sourcils.

— Je n'avais pas réfléchi à ça.

Elle se rendit à la fenêtre de la cuisine, qui donnait sur l'allée et, au-delà, sur le paddock ouest. Elle soupira.

— Toute cette terre… Ça me paraissait tellement dommage de ne pas en profiter.

— Ça dépend de ce que vous appelez « profiter ».

Robbie regarda autour de lui. La cuisine avait été débarrassée des objets appartenant à Jemima. Tout avait disparu : ses livres de cuisine, ses tentures aux couleurs vives et, sur l'étagère au-dessus de la table, ses chevaux miniatures, qui faisaient partie de la collection qu'elle avait quand elle était petite, dans la maison familiale devenue sa maison à lui. À leur place étaient exposées une dizaine de cartes postales anciennes, de celles qui avaient précédé les cartes de vœux d'aujourd'hui : une pour Pâques, une pour la Saint-Valentin, deux pour Noël, etc. Elles n'étaient pas à Jemima.

En les voyant, Robbie se dit que Meredith Powell ne se trompait pas : Gordon Jossie avait complètement effacé Jemima de sa vie. C'était défendable. Mais conserver sa voiture et ses vêtements l'était beaucoup moins. Il devait avoir une explication avec Jossie. Cela ne faisait aucun doute.

8

Gordon se réveilla en nage le lendemain matin, et son état n'avait rien à voir avec la canicule, puisqu'il était tôt – à peine plus de six heures – et que la chaleur était encore supportable. Il venait de faire un autre cauchemar.

À chaque fois, il se réveillait en sursaut, un poids écrasant sur la poitrine, puis venaient les sueurs. Celles-ci l'inondaient, son pyjama en hiver, mais aussi les draps. Quand il était trempé, il se mettait à frissonner : ses tremblements réveillaient Gina comme ils avaient réveillé Jemima.

Leurs réactions, cependant, étaient totalement différentes. Jemima voulait toujours des réponses à ses questions. Pourquoi tu fais des cauchemars ? Pourquoi tu n'en parles pas à quelqu'un ? Pourquoi tu n'es pas allé voir un médecin au sujet de ces sueurs nocturnes ? Il y a peut-être quelque chose qui ne va pas, lui disait-elle. Un trouble du sommeil, un problème pulmonaire, une faiblesse cardiaque... Va savoir. Quoi qu'il en soit, il devait faire quelque chose, parce que c'était un truc à le tuer.

Jemima raisonnait toujours comme ça : pour elle, les gens mouraient. C'était sa plus grande peur et personne n'avait besoin d'expliquer à Gordon les causes de cette angoisse. Ses propres peurs étaient différentes mais non moins réelles. C'était la vie. Les gens avaient des angoisses. Ils apprenaient à faire avec. Il avait appris à s'accommoder des siennes et il n'aimait pas en discuter.

Gina n'exigeait pas qu'il en parle. Avec Gina, quand il se réveillait en nage le matin après une nuit passée avec elle – presque toutes les nuits, en fait, c'est pourquoi il ne rimait à rien qu'elle garde son pied-à-terre à Lyndhurst… –, elle se levait et allait chercher un gant de toilette dans la salle de bains, qu'elle humectait avant de revenir lui en tamponner le corps. Elle apportait en même temps un bol d'eau fraîche, et quand le gant devenait trop brûlant au contact de sa peau, elle le plongeait dans l'eau, puis lui épongeait le corps une nouvelle fois. Il dormait sans rien en été, si bien qu'il n'y avait pas de pyjama imbibé de sueur à retirer. Elle passait le gant sur ses bras et ses jambes, sur son visage et son torse, et quand ces caresses commençaient à l'exciter, elle souriait et elle l'enfourchait, ou bien elle faisait d'autres choses tout aussi agréables, et dans ces cas-là, tous les cauchemars qu'il avait faits en dormant ou même éveillé étaient oubliés et pratiquement toutes les pensées qui le hantaient disparaissaient de son esprit.

Excepté une. Jemima.

Gina ne réclamait rien de lui. Elle voulait simplement l'aimer et être avec lui. Jemima, de son côté, demandait tout. Elle avait en fin de compte demandé l'impossible. Et lorsqu'il lui avait expliqué pourquoi il ne pouvait pas lui donner ce qu'elle demandait, cela avait sonné le glas de leur histoire.

Avant Jemima, il s'était tenu à l'écart des femmes. Mais quand il l'avait rencontrée, il avait vu la jeune fille joyeuse qu'elle semblait être aux yeux du monde, la parfaite bonne vivante avec ses dents du bonheur. Il s'était dit : Il me faut quelqu'un comme ça dans ma vie. Mais il s'était trompé. L'heure n'était pas encore venue et elle ne viendrait peut-être jamais. En attendant, il était avec une autre femme, aussi différente de Jemima qu'il était humainement possible de l'être.

Il ne pouvait pas dire qu'il aimait Gina. Il savait qu'il aurait dû : elle était tout à fait digne de l'amour d'un homme. La première fois qu'ils étaient allés boire un verre à l'hôtel à Sway l'après-midi où il l'avait croisée dans les bois, nombreux étaient les types qui l'avaient reluquée avant de le regarder, lui. Il savait très bien ce qu'ils pensaient, car c'étaient les pensées qu'on avait quand on voyait Gina Dickens, on ne pouvait pas s'en empêcher si on était un individu de sexe masculin. La chose ne semblait pas déranger Gina. Elle le regardait franchement, d'une manière qui disait : C'est à toi si ça te tente, dès que tu seras prêt. Et quand il avait décidé qu'il était prêt, parce qu'il ne pouvait plus vivre comme il vivait en l'absence de Jemima, il avait accepté son offre, et maintenant elle était là, et il ne regrettait pas sa décision le moins du monde.

Elle le caressait. Entre autres gâteries. Et s'il la prenait violemment au lieu de se laisser prendre par elle, Gina était d'accord. Elle éclata d'un rire haletant alors qu'il la retournait avec rudesse sur le dos ; elle écarta les jambes et lui enserra les hanches. Il trouva ses lèvres et sa bouche s'ouvrit à lui comme le reste de son corps et il se demanda à quoi il devait une chance pareille pour une fois et à quel prix il paierait finalement sa bonne fortune.

Ils dégoulinaient tous les deux. Ils se séparèrent en riant du bruit de succion produit par leurs peaux moites. Ils prirent une douche ensemble, et quand il fut à nouveau excité, elle s'écria avec un rire essoufflé :

— Mon Dieu, Gordon !

Puis elle s'occupa de lui une nouvelle fois. Il dit :

— Ça suffit.

Mais elle répliqua :

— Ça ne suffit pas.

Et elle le lui prouva. Ses genoux flageolèrent.

Il demanda :

— Où as-tu appris ça ?

Elle demanda :

— Jemima n'aimait donc pas le sexe ?

— Pas comme ça.

Il voulait parler du sexe un peu coquin. Jemima avait seulement besoin d'être rassurée. « Aime-moi, ne me quitte pas… » Mais c'était elle qui l'avait quitté.

Il était presque huit heures quand ils descendirent dans la cuisine pour le petit déjeuner. Gina lui confia son désir d'avoir un jardin. Lui ne voulait pas d'un jardin avec toutes les perturbations inutiles que cela causerait dans sa vie, sans parler des allées à créer, des parterres à aménager, des trous à creuser, des arbustes à planter, des abris, des serres, des remises à construire. Il ne voulait pas de tout ça. Il ne le lui avait pas dit parce qu'il aimait bien sa mine réjouie quand elle décrivait ce qu'un jardin représenterait pour elle, pour eux, pour « ses filles », comme elle les appelait. Mais elle mentionna ensuite Rob Hastings et ce qu'il lui avait expliqué à propos du terrain.

Gordon le lui confirma, mais c'était tout ce qu'il comptait lui dire au sujet de Rob. L'agister était venu le trouver au Royal Oak comme Meredith Powell avant lui, et exactement comme avec Meredith, Gordon avait proposé à Cliff de faire une pause afin que sa conversation avec Rob Hastings se déroule sans témoins. Pour s'assurer que personne ne les entende, ils avaient marché jusqu'à Eyeworth Pond, qui n'était pas tant un étang qu'une retenue d'un ancien ruisseau. Des canards y flottaient placidement et sur ses berges se serraient une multitude de saules dont les branches baignaient dans l'eau. Il y avait un petit parking à deux niveaux non loin de là, d'où partait un sentier derrière qui menait dans le bois, que tapissaient des décennies de feuilles de hêtres et de châtaigniers.

Ils avaient gagné le bord de la mare. Gordon avait allumé une cigarette et attendu. Quoi que Rob Hastings ait à dire, cela concernait forcément Jemima, or il n'avait rien à lui raconter à part ce que Rob savait de toute évidence déjà.

« Elle est partie à cause d'elle, c'est ça ? avait demandé Rob. La nana qui est chez toi. C'est ce qui s'est passé, hein ?

— Je vois que tu as parlé à Meredith. »

Gordon était fatigué de tout ce cirque.

« Mais Jemima ne voulait pas que je sois au courant, avait repris Rob Hastings, suivant le fil de ses pensées. Elle ne voulait pas que je sois au courant pour Gina, parce qu'elle avait honte. »

À son corps défendant et malgré sa répugnance à discuter de Jemima, Gordon trouvait la théorie intéressante, si fausse qu'elle soit.

« Comment tu vois la chose, alors, Rob ?

— Je la vois comme ça. Elle a dû vous voir ensemble. Vous étiez peut-être à Ringwood, ou même Winchester ou Southampton si elle était allée chercher des fournitures pour sa boutique comme ça lui arrivait de temps en temps. Elle a dû voir quelque chose qui lui a appris ce qui se passait entre vous, et elle t'a quitté à cause de ça. Mais elle n'a pas pu se résigner à me le dire parce qu'elle était trop orgueilleuse et qu'elle avait honte.

— Honte de quoi ?

— D'être trompée. Elle a dû avoir honte de ça, vu que je l'avais avertie dès le départ qu'il y avait un truc qui n'allait pas chez toi. »

Gordon avait fait tomber sa cendre de cigarette par terre et l'avait écrasée du bout de sa chaussure.

« Tu m'as jamais aimé, alors… Tu le cachais bien.

— Bien obligé, puisqu'elle s'est quand même mise avec toi… Je voulais qu'elle soit heureuse et si t'étais celui qui la rendait heureuse, de quel droit je lui aurais affirmé que je flairais le coup fourré ?

— Quel coup fourré ?

— À toi de me le dire. »

Gordon avait secoué la tête, comme s'il jugeait inutile d'essayer de s'expliquer puisque de toute façon son interlocuteur ne le croirait pas.

« Quand un type comme toi – ou n'importe quel type, d'ailleurs – n'aime pas quelqu'un, tous les prétextes sont bons, Rob. Tu comprends ce que je veux dire ?

— Non.

— Alors je peux rien pour toi. Jemima m'a quitté, un point c'est tout. Si quelqu'un avait quelqu'un d'autre, ça devait être Jemima, parce que c'était pas moi.

« — Tu as eu qui avant elle, Gor ?

— Personne. Jamais personne, à vrai dire.

— Allons, mec. Tu as… quoi ? (Rob avait paru réfléchir.) Trente et un ans, et tu veux me faire croire que t'avais pas eu de nana avant ma sœur ?

— C'est exactement ce que je veux te faire croire parce que c'est la vérité.

— Que t'étais puceau. Que t'es arrivé à elle comme une page vierge sans aucun nom de gonzesse écrit dessus, c'est ça ?

— C'est ça, Rob. »

Robbie, Gordon le voyait bien, n'en croyait pas un mot.

« Alors, t'es pédé, Gor ? T'es un prêtre défroqué ou un truc du genre ? »

Gordon lui avait lancé un regard.

« T'es sûr de vouloir t'engager sur ce terrain-là, Rob ?

— C'est censé vouloir dire quoi ?

— Oh, je crois que tu le sais. »

Rob s'était empourpré.

« Eh oui, il lui arrivait de se poser des questions sur toi, avait dit Gordon. Enfin quoi, c'est normal, non ? Tout bien pesé, c'est pas très habituel. Un mec de ton âge. Quarante et quelques, c'est ça ?

— Il est pas question de moi.

— Ni de moi », avait dit Gordon.

La conversation tournait en rond, et il y avait mis un terme : ce qu'il avait à dire à Robbie Hastings, celui-ci l'avait sûrement déjà appris par Meredith Powell, sinon par Jemima elle-même. Mais le frère de Jemima ne voulait pas s'en laisser conter.

« Elle est partie parce qu'elle ne voulait plus être avec moi, avait dit Gordon. C'est tout, fin de l'histoire. Elle était pressée parce qu'elle était toujours pressée, et tu le sais pertinemment. Elle s'est décidée en un quart de seconde et puis elle a agi. Si elle avait faim, elle mangeait. Si elle avait soif, elle buvait. Si elle s'était mis dans la tête qu'il lui fallait un autre genre de mec, personne n'aurait pu la dissuader. Et voilà, c'est tout.

— Ça se résume à ça, Gor ?

— Parce que c'est comme ça.

— Il se trouve que je te crois pas, avait dit Rob.

— Il se trouve que j'y peux rien. »

Mais quand Robbie l'avait laissé au Royal Oak, qu'ils avaient regagné dans un silence uniquement rompu par le bruit de leurs pas sur les cailloux du sentier et les cris des alouettes dans la lande, Gordon s'était rendu compte qu'il voulait à tout prix que Robbie le croie, car sinon ça signifiait justement ce qui se passa le lendemain matin, alors que Gina et lui se disaient au revoir pour la journée, dans l'allée à côté du pick-up.

Une Austin se gara juste derrière le vieux Toyota de Gordon. En sortit un type avec des lunettes très épaisses sur lesquelles étaient clippés des verres solaires. Il portait une cravate mais il l'avait desserrée et elle pendait autour de son cou. Il enleva ses verres solaires, comme pour mieux voir Gordon et Gina. Il hocha la tête d'un air entendu et fit :

— Ah.

Gina chuchota un « Gordon ? » interrogateur, et il lui dit :

— Attends ici.

Il avait ouvert la portière du pick-up, mais il la referma et rejoignit l'Austin.

— Salut, Gordon, dit le type. Il va faire une chaleur à crever, on dirait ?

— On dirait, répondit Gordon.

Il n'ajouta rien car il se doutait que la raison de cette mystérieuse visite ne tarderait pas à être tirée au clair.

En effet. L'homme dit d'un ton affable :

— Il faut qu'on bavarde, toi et moi.

Meredith Powell avait appelé son lieu de travail pour dire qu'elle était malade, allant jusqu'à se mettre des tampons dans le nez pour simuler un rhume. Elle n'aimait pas faire ça et aimait encore moins l'exemple qu'elle donnait à sa fille, qui la regardait les yeux écarquillés de curiosité, assise à la table de la cuisine où elle était en train de manger ses Cheerios. Mais il lui semblait qu'il n'y avait pas d'autre solution.

Elle était passée au commissariat la veille dans l'après-midi, et cette démarche ne l'avait menée nulle part. La conversation avait pris un tel tour qu'au bout du compte elle s'était sentie parfaitement ridicule. Qu'avait-elle à signaler qui justifie de si graves soupçons et de si sérieux doutes ? La voiture de son amie Jemima dans une grange sur la propriété où elle avait vécu avec son compagnon pendant à peu près deux ans, les vêtements de Jemima rangés dans des cartons au grenier, Jemima avec un nouveau portable pour empêcher Gordon Jossie de la retrouver, et le magasin la Reine du Cupcake abandonné à Ringwood... Ses allégations comme quoi rien de tout ça ne ressemblait à Jemima n'avaient pas vraiment impressionné le flic à qui elle avait parlé au poste de Brockenhurst, où elle avait demandé à voir quelqu'un « pour une affaire d'extrême urgence ». Elle avait été dirigée vers un sergent dont elle ne se rappelait pas et ne voulait pas se rappeler le nom, qui à la fin de son récit lui avait demandé d'un ton sarcastique s'il n'était pas possible, madame, que ces gens soient simplement en train de vaquer à leur vie quotidienne sans lui rendre compte de leurs allées et venues parce que cela ne la regardait pas ? Bien sûr, elle avait suscité elle-même cette remarque en avouant au sergent que Robbie Hastings avait parlé régulièrement à sa sœur depuis le départ de celle-ci pour Londres. N'empêche, le sergent n'avait aucune raison de la lorgner comme si elle était une chose peu ragoûtante qu'il aurait trouvée sur la semelle de sa chaussure. Elle ne se mêlait pas de ce qui ne la regardait pas. Elle était une citoyenne inquiète. Et une citoyenne inquiète – une contribuable, je vous prie – n'était-elle pas supposée avertir la police quand il y avait quelque chose de bizarre ? Rien ne me semble bizarre, à moi, avait dit le sergent. Une femme s'en va et ce dénommé Jossie en dégote une autre. Qu'est-ce que ça a de louche, hein ? C'est la vie, si vous voulez mon point de vue. Et quand elle s'était exclamée « Enfin, pour l'amour du ciel ! », il lui avait conseillé d'aller exposer ses problèmes au commissariat principal de Lyndhurst si ce qu'il lui disait ne lui plaisait pas.

Elle n'allait quand même pas s'imposer ce voyage. Elle téléphonerait au commissariat principal, mais c'était tout. Ensuite elle prendrait les choses en main elle-même. Elle savait qu'il se passait un truc, et elle avait une idée de l'endroit où elle devait se mettre à creuser pour découvrir de quoi il s'agissait.

Pour cela, elle avait besoin de Lexie Streener. Elle passa un coup de fil à sa société de graphisme, parla d'un rhume qu'elle ne voulait pas refiler aux autres employés, et après quelques faux éternuements pour éviter que Cammie ne soit corrompue par cette brève exposition au mensonge de sa mère, elle entreprit de mettre la main sur Lexie Streener.

Il n'avait pas fallu beaucoup la pousser pour que Lexie prenne sa journée au salon de coiffure. Son père était dans sa caravane en train de vendre café, thé, biscuits et autres trucs du genre sur une aire de stationnement de l'A336, et sa mère glissait des tracts sur la Quatrième Béatitude sous les essuie-glaces des voitures attendant les ferries de l'île de Wight sur la jetée de Lymington où, d'après elle, elle tenait un public captif qui avait besoin qu'on lui explique ce qui constituait la vertu dans le monde actuel. Ni l'un ni l'autre n'auraient le moyen de savoir que leur fille avait séché le boulot – non pas que ça ait une grande importance pour eux de toute façon, maugréa Lexie –, et ce fut pour elle une simple formalité d'appeler le salon de coiffure Jean Michel, de raconter en grommelant qu'elle avait été malade toute la nuit après un mauvais hamburger, puis de raccrocher en disant à Meredith : « Laissez-moi juste me préparer. »

Se « préparer » consistait à se hisser sur des chaussures à semelles compensées et à enfiler des collants en dentelle, une jupe archi-mini – ne surtout pas se pencher, songea Meredith – et un chemisier dont la coupe Empire faisait penser aux héroïnes de Jane Austen ou aux vêtements de maternité. Ce dernier détail était bien vu : Lexie avait percé à jour les intentions de Meredith.

Lesdites intentions étaient retorses mais pas illégales. Lexie devait jouer le rôle d'une adolescente qui avait cruellement besoin d'être guidée, une adolescente dont la sœur aînée – en l'occurrence Meredith – avait entendu parler d'un programme dirigé par une jeune femme très bien récemment arrivée de Winchester. « Je ne peux vraiment rien en faire et j'ai peur qu'elle s'écarte du droit chemin si on ne prend pas des mesures… » C'était la ligne générale. Cette ligne les conduirait d'abord à l'Institut de formation de Brockenhurst, où se rendaient les filles de l'âge de Lexie après le lycée polyvalent dans l'espoir d'apprendre quelque chose qui les mènerait à un emploi plutôt qu'au chômage.

L'institut se trouvait juste après le Snake Catcher, un pub sur la route de Lyndhurst. Le rôle de Lexie exigeait qu'elle fume, qu'elle boude et qu'elle ait l'attitude peu coopérative d'une fille s'exposant à tous les dangers depuis la grossesse jusqu'aux MST en passant par la dépendance à l'héroïne. Meredith ne l'aurait jamais avoué à la jeune fille, mais le fait que son chemisier à manches courtes laisse voir plusieurs marques de scarification sur ses bras donnait de la crédibilité à l'histoire qu'elles étaient en train de concocter.

Elle réussit à trouver un endroit à l'ombre où laisser la voiture et, ensemble, elles traversèrent le bitume brûlant pour rejoindre les locaux administratifs. Là, elles eurent affaire à une secrétaire débordée qui essayait de répondre aux besoins d'un groupe d'étudiants étrangers parlant un anglais limité. Elle demanda à Meredith ce qu'elle voulait.

— Vous devez vous adresser à Monica Patterson-Hughes dans la section puériculture, répondit-elle, ce qui portait à croire qu'elle n'avait pas bien compris ce que sous-entendait Meredith en parlant de « la situation de sa jeune sœur ».

Mais comme Monica Patterson-Hughes était toujours mieux que rien, Lexie et elle partirent à la recherche de cette personne. Elles la trouvèrent en train d'effectuer la démonstration d'un changement de couches devant un parterre d'adolescentes affichant l'expression attentive de futures nounous. Elles se concentraient sur la poupée tout élimée qui servait à la démonstration. Manifestement, des poupons anatomiquement corrects n'entraient pas dans le budget de l'établissement.

— Nous utilisons de vrais nouveau-nés dans la deuxième partie du cours, expliqua Monica Patterson-Hughes à Meredith tandis qu'elle s'effaçait pour lâcher les futures nounous sur la poupée. Par ailleurs, nous encourageons à nouveau l'utilisation de couches en tissu. Il s'agit d'élever bébé dans le respect de l'environnement.

Elle regarda Lexie.

— Tu veux t'inscrire, ma chérie ? C'est un cours très prisé. Nous avons des filles placées dans tout le Hampshire une fois la formation terminée. Il faudrait que tu révises ton aspect physique – tu y vas un petit peu fort avec tes cheveux –, mais avec des conseils en matière d'habillement et de coiffure, tu pourrais aller loin. Si ça t'intéresse, bien sûr.

Lexie prit de sa propre initiative une mine revêche. Meredith entraîna Monica Patterson-Hughes à l'écart. Ce n'est pas ça, expliqua-t-elle. C'est tout autre chose. Lexie est devenue un peu difficile à tenir et c'est moi l'adulte responsable dans son entourage. Or on m'a dit qu'il existait un programme pour les filles comme Lexie, des filles qui ont besoin d'être prises en main par quelqu'un qui leur montre l'exemple, qui s'intéresse à elles, qui leur serve de grande sœur. Ce que, bien sûr, je suis : sa sœur aînée, j'entends. Mais parfois une vraie sœur aînée n'est pas celle qu'une sœur cadette a envie d'écouter, surtout une sœur cadette comme Lexie qui a déjà eu quelques ennuis – « les mauvais garçons, les beuveries, les choses comme ça », murmura Meredith – et qui n'a pas envie d'écouter quelqu'un qu'elle considère comme une « putain de mère la morale ».

— J'ai entendu parler d'un programme, répéta-t-elle, pleine d'espoir. Une jeune femme venue de… je crois que c'était Winchester… qui prend sous son aile des filles à problèmes ?

Monica Patterson-Hughes fronça les sourcils. Puis elle secoua la tête. Il n'y avait aucun programme de ce type dans l'institut. Et elle n'avait pas non plus entendu dire qu'il y en ait un en préparation. Des filles en danger… Eh bien, en général, on s'occupait d'elles quand elles étaient plus jeunes, non ? Ce programme n'était-il pas une chose qui était plus susceptible de venir du conseil régional de la New Forest ?

Lexie, désormais tout à fait dans la peau du personnage, grogna opportunément qu'elle « voulait rien avoir à foutre avec un putain de conseil régional », et elle sortit ses cigarettes comme si elle avait l'intention d'en griller une dans la salle de classe. Monica Patterson-Hughes eut l'air épouvanté attendu. Elle s'écria : « Ma chérie, tu ne peux pas… », à quoi Lexie répondit que, bordel, elle ferait ce qui lui chantait. Meredith se dit qu'elle en rajoutait peut-être un peu, et entraîna sa « sœur cadette » dehors en quatrième vitesse.

Une fois sortie, Lexie s'exclama, triomphante :

— Ça alors, c'était vachement marrant ! On va où, maintenant ? Je parlerai de mon mec là où on va. Qu'est-ce que vous en pensez ?

Meredith fut tentée de lui dire qu'il vaudrait mieux mettre la pédale douce, mais Lexie n'avait pas tellement de distractions dans la vie, et si leur petite virée était à même de lui procurer un peu d'excitation en l'absence de ses culs-bénits de parents, elle était preneuse. Ainsi, dans les bureaux du conseil régional de la New Forest – qu'elles trouvèrent à Lyndhurst dans un ensemble de bâtiments en U appelé Appletree Court –, elles exécutèrent un numéro tellement convaincant qu'elles furent immédiatement introduites auprès d'un travailleur social du nom de Dominic Cheeters, qui leur apporta du café et des biscuits au gingembre et semblait tellement désireux de les aider que Meredith éprouva un sentiment de culpabilité à l'idée de mener cet homme en bateau.

Mais là aussi, dans les bureaux du conseil régional, elles apprirent qu'aucun programme n'était en train d'être mis sur pied pour des jeunes filles en danger, et sûrement pas par une certaine Gina Dickens de Winchester. Dominic, serviable jusqu'au bout des ongles, se donna même la peine de téléphoner à différentes « sources personnelles ». Mais le résultat fut identique. Rien. Il poussa alors plus loin l'exploration, téléphonant à Southampton aux services locaux chargés de l'éducation pour voir s'ils pourraient les renseigner. À ce moment-là, Meredith avait déjà compris qu'ils ne pourraient pas.

En définitive, l'opération avec Lexie Streener occupa la majeure partie de sa journée. Mais ce n'était pas du temps perdu. Meredith avait désormais la preuve irréfutable que Gina Dickens mentait comme une arracheuse de dents à propos de sa vie dans la New Forest. Or Meredith savait par expérience que quand une personne mentait pour une chose, elle mentait pour des dizaines d'autres.

Lorsqu'il fut à nouveau seul, Gordon siffla Tess avec autorité. La chienne arriva en courant. Elle s'était baladée toute la matinée, pour se réfugier finalement dans son coin préféré à l'ombre, sous un hortensia grimpant du côté nord du cottage. Là, elle avait une tanière de terre battue qui restait humide même par les journées les plus torrides.

Il alla chercher la brosse du retriever, et Tess lui sourit de son drôle de sourire en remuant la queue. Elle sauta sur la table aux pieds courts qui servait justement à ça et, rapprochant son tabouret, il commença par les oreilles. La chienne avait besoin d'un bon brossage quotidien.

Il avait envie d'une clope, mais comme il n'en avait pas sur lui, il mit toute son énergie à brosser la chienne. Il se sentait tendu des pieds à la tête, et il voulait se décontracter. Ne sachant pas comment y arriver, il n'en finissait pas de brosser l'animal.

Ils s'étaient éloignés de la voiture en direction de la grange pour finalement y entrer. Gina avait dû se demander pourquoi, mais tant pis, ou tant mieux : Gina était intacte et pure, comme un lys poussant sur un tas de fumier, et il tenait à ce qu'elle le reste. Alors il l'avait laissée debout dans l'allée la mine déconcertée, effrayée, préoccupée, angoissée ou quel que soit le sentiment que peut éprouver une femme quand l'homme à

220

qui elle a ouvert son cœur semble être sous la coupe de quelqu'un qui pourrait lui faire du mal ou leur faire du mal à tous les deux.

Il n'arrêtait pas de brosser la chienne. Il l'entendit gémir. Il était trop violent. Il appuya moins fort.

Ils étaient donc allés dans la grange, et Gordon avait essayé de faire croire que la visite de l'étranger avait un lien avec la terre. Cette comédie avait été jugée amusante. L'homme avait pouffé.

« J'ai cru comprendre que ta dulcinée avait mis les bouts, avait-il dit une fois dans la fraîcheur relative de la grange. Enfin bon, j'ai l'impression que de ce côté – clin d'œil et geste ouvertement sexuel – tu t'en fais pas. Elle est pas mal, celle-là. Mieux que l'autre. De belles cuisses bien fermes, je suis sûr. Elle a l'air balèze, en plus. L'autre était plus menue, non ?

— Qu'est-ce que tu veux ? avait-il demandé. Parce que j'ai du boulot et Gina aussi et tu bloques l'allée.

— Ça complique un peu les choses, hein ? Que je bloque l'allée. Où est passée l'autre ?

— Quelle autre ?

— Tu le sais très bien, mon gars. Je me suis laissé dire qu'une certaine nana s'était énervée contre toi. Où elle est passée ? Allez, lance-toi, Gordon. Je sais que tu peux. »

Il avait été forcé de lui raconter – Jemima, qui avait déguerpi sans sa voiture pour Dieu sait quelle raison, et en laissant en plan presque toutes ses affaires –, parce que s'il ne crachait pas le morceau, il savait pertinemment que l'homme l'apprendrait quand même et le lui ferait payer.

« Elle s'est tirée comme ça, c'est tout ? avait-il demandé.

— C'est tout.

— Pourquoi ? Tu la satisfaisais pas, Gordon ? Un beau mec bien monté comme toi, un mec avec tout ce qu'il faut là où il faut ?

— Je ne sais pas pourquoi elle est partie. »

L'homme l'avait examiné avec attention. Il avait enlevé ses lunettes et les avait essuyées avec un chiffon spécial qu'il avait sorti de sa poche.

« Tu me la feras pas », avait-il dit.

Le ton de sa voix n'était plus jovial mais glacial, comme une lame qu'on appuie contre une peau brûlante.

« Me prends pas pour un con. J'aime pas que ton nom surgisse dans les conversations des gens. Ça me fout les boules. Alors tu soutiens toujours qu'elle t'a juste quitté et que tu sais pas pourquoi ? Je marche pas. »

Gordon redoutait que Gina entre dans la grange pour demander ce qui se passait, qu'elle veuille aider, intervenir ou protéger, car elle était comme ça.

« Elle a dit qu'elle n'y arrivait pas, avait dit Gordon. Ça te va ? Elle a dit qu'elle n'y arrivait pas.

— Elle arrivait pas à quoi ? »

Et là, il avait souri lentement. Aucun humour dans ce sourire, mais c'était normal.

« Elle arrivait pas à quoi, chéri ? avait répété l'homme.

— Bon sang, tu le sais très bien, avait-il grommelé.

— Alors là, fais surtout pas le malin avec moi, mon gars. Faire le malin ? Ça te va pas du tout au teint. »

9

En fin de compte, l'enquête de voisinage à Stoke Newington ne donna rien, pas plus que la fouille du périmètre aux environs de la chapelle ou le quadrillage de l'ensemble de ce fichu cimetière. Ils avaient assez d'hommes pour mener l'opération à bien – des flics du commissariat local ainsi que des agents prêtés par d'autres secteurs – mais, résultat des courses : pas de témoins, pas d'arme, pas de sac, pas de portefeuille, pas de pièces d'identité. Juste un admirable nettoyage du cimetière, débarrassé de ses détritus. D'un autre côté, ils avaient reçu de très nombreux appels, et une description de la victime transmise au SO5 avait bel et bien donné lieu à une piste. En cela, ils étaient aidés par le fait que la victime avait des yeux inhabituels : un vert et un marron. Une fois ce détail entré dans l'ordinateur, le champ des personnes portées disparues se réduisait à une seule.

Elle avait été signalée disparue de son logement à Putney, et c'est à Putney que Barbara Havers fut envoyée deux jours après la découverte du corps. Plus précisément, à Oxford Road, à égale distance de Putney High Street et de Wandsworth Park. Là, elle se gara en infraction sur un emplacement réservé aux riverains, installa bien en vue un macaron de la police, et sonna à la porte d'une maison mitoyenne dont le jardin de devant avait tout l'air d'être le centre de recyclage de la rue, à en juger par ses poubelles et ses bacs en plastique. Elle fut accueillie par une femme d'un certain âge avec une coupe de cheveux militaire et un semblant de moustache tout aussi militaire. Elle portait un jogging et des tennis d'un blanc immaculé, aux lacets roses et violets. Elle dit s'appeler Bella McHaggis et, bon sang, il était grand temps qu'un flic se pointe, et est-ce que c'était à payer ce genre d'incompétence que servaient ses impôts, et ce bon sang de gouvernement qui n'était pas fichu de faire quoi que ce soit correctement, pas vrai, parce que, enfin, regardez l'état des rues, sans parler du métro, et en plus elle avait appelé les flics deux jours plus tôt, et…

Bla-bla-bla… Pendant que Bella McHaggis laissait libre cours à son amertume, Barbara examinait les lieux : parquet non moquetté, portemanteau avec vestes et parapluies, et, accroché au mur, un document encadré annonçant RÈGLEMENT INTÉRIEUR POUR LES OCCUPANTS, avec, au-dessous, un panonceau précisant LOGEUSE À DEMEURE.

— Avec des pensionnaires, on n'enfonce jamais assez le clou, affirma Bella McHaggis. J'en ai mis partout. Des affichettes, j'entends. Ça aide, je trouve, si les gens savent de quoi il retourne.

Elle conduisit Barbara dans une salle à manger, lui fit traverser une grande cuisine, pour arriver dans une salle de séjour à l'arrière de la maison. Là, elle déclara que sa pensionnaire – qui s'appelait Jemima Hastings – avait disparu, et que si le corps qui avait été retrouvé à Abney

Park avait un œil marron et un œil vert... Bella se tut. Elle s'efforçait de déchiffrer l'expression de Barbara.

— Avez-vous une photo de la jeune femme ? demanda Havers.

— Oui, oui, absolument, dit Bella.

Elle lui demanda de venir avec elle, et elle entraîna Barbara par une porte au fond du séjour. Celle-ci menait à un étroit couloir qui repartait vers le devant de la maison. Dans ce couloir, sur le côté, montait l'envers d'un escalier, et dessous, en face d'elles, se trouvait une porte qu'on ne pouvait pas voir en entrant dans la maison. Sur cette porte figurait une affiche. Malgré le peu de lumière, Barbara parvint à discerner une photo noir et blanc d'une jeune femme, des cheveux clairs voletant sur son visage. Elle partageait l'image avec une tête de lion, un peu floue derrière elle. C'était un lion et pas une lionne, en marbre, légèrement marqué par les intempéries, et endormi. L'affiche proprement dite était une publicité pour le Portrait photographique Cadbury de l'année. Apparemment, c'était une espèce de concours, dont les lauréats étaient actuellement exposés à la National Portrait Gallery à Trafalgar Square.

— Alors, est-ce que c'est Jemima ? demanda Bella McHaggis. Ça ne lui ressemble pas de partir sans prévenir personne. Quand j'ai vu l'article dans l'*Evening Standard*, j'ai pensé que si la fille avait des yeux comme ça, de deux couleurs différentes...

Elle laissa sa phrase en suspens alors que Barbara se tournait vers elle.

— J'aimerais voir sa chambre.

Bella McHaggis émit un petit son, entre le soupir et le cri. C'était une brave femme, et Barbara lui dit, rassurante :

225

— Je ne suis pas absolument sûre, Mrs McHaggis.

— C'est juste qu'ils deviennent un peu comme des membres de la famille, expliqua Bella. La plupart de mes pensionnaires...

— Donc, vous en avez d'autres ? Il faudra que je leur parle.

— Ils ne sont pas là pour l'instant. Partis travailler, vous comprenez. Il n'y en a que deux, en plus de Jemima, j'entends. Des jeunes gens. Des jeunes gens tout à fait charmants.

— Est-il possible qu'elle ait eu une liaison avec l'un des deux ?

Bella secoua la tête.

— Contraire au règlement. C'est une calamité quand des pensionnaires s'avisent de frayer ensemble. Je n'avais pas de règle là-dessus au début, quand Mr McHaggis est mort et que j'ai commencé à louer des chambres. Mais j'ai constaté...

Elle regarda l'affiche sur la porte.

— J'ai constaté que les choses deviennent inutilement compliquées quand les pensionnaires... « fraternisent », dirons-nous. Les tensions larvées, le risque de rupture, la jalousie, les larmes. Les disputes à la table du petit déjeuner. Du coup, j'ai établi cette règle.

— Et comment savez-vous si les pensionnaires la respectent ?

— Croyez-moi, je le sais.

Barbara se demanda si cela signifiait qu'elle inspectait les draps.

— Mais Jemima connaissait les pensionnaires masculins, je présume ?

— Bien sûr. Surtout Paolo, je crois. C'est lui qui l'a amenée. Paolo di Fazio. Né en Italie, mais on ne s'en douterait pas. Pas d'accent du tout. Et pas de… enfin, pas de manies italiennes bizarres, si vous voyez ce que je veux dire.

Barbara ne voyait pas, mais elle hocha obligeamment la tête. Elle se demandait ce que pouvaient être des manies italiennes bizarres. Ajouter de la sauce tomate dans ses Weetabix ?

— … la chambre la plus près de la sienne, continuait Bella. Elle travaillait dans une boutique quelque part à Covent Garden, et Paolo tient un stand dans Jubilee Market Hall. J'avais une chambre libre et je cherchais un pensionnaire. Je voulais une femme et il savait qu'elle cherchait un logement.

— Et l'autre pensionnaire ?

— Frazer Chaplin. Il occupe l'appartement en sous-sol.

Elle indiqua la porte où était placardée l'affiche.

— Alors elle est à lui ? L'affiche ?

— Non. C'est juste l'entrée de son appartement. L'affiche, Jemima me l'avait apportée à moi. Je suppose qu'elle n'était pas ravie que je l'aie mise là, où elle est un peu planquée. Mais bon, que voulez-vous… Il n'y avait pas vraiment d'autre endroit.

Barbara était sceptique. Ce n'était pas la place qui manquait, même avec tous les panonceaux décrivant le règlement intérieur. Elle lança à l'affiche un dernier coup d'œil avant de redemander à voir la chambre de Jemima Hastings. Cette dernière ressemblait à la jeune femme dont Barbara avait vu les photos d'autopsie le matin même dans la salle des opérations. Mais c'était, comme toujours, incroyable de constater la différence qui existait entre une personne en vie et son cadavre.

Elle suivit Bella à l'étage supérieur, où Jemima avait une chambre sur le devant. La chambre de Paolo était juste un peu plus loin sur l'arrière, dit Bella, alors que sa propre chambre était encore un étage au-dessus.

Elle ouvrit la porte de la chambre de Jemima. Elle n'était pas fermée, et il n'y avait pas de clé dans la serrure à l'intérieur. Cela ne voulait pas dire qu'il n'y avait pas de clé quelque part dans la chambre, mais mettre la main dessus était un défi digne d'Hercule dans les écuries d'Augias.

— Elle avait tendance à accumuler, expliqua Bella.

Oui, et Noé, lui, « avait tendance » à construire des canots à rames...

Barbara n'avait jamais vu une pagaille pareille. La pièce avait une belle taille, mais il y avait des tas d'affaires partout. Des vêtements éparpillés sur le lit défait et sur le sol, mais aussi débordant des tiroirs de la commode ; des revues, des tabloïds, des cartes routières, des brochures, des tracts distribués dans la rue ; des paquets de cartes à jouer se mêlant à des cartes de visite et à des cartes postales ; des piles de photos attachées par des élastiques...

— Elle habitait ici depuis longtemps ? demanda Barbara.

Il était inconcevable qu'une seule personne puisse amasser autant de bazar en moins de cinq années.

— Presque sept mois, répondit Bella. Je lui ai bien touché un mot de ce problème. Elle m'a dit qu'elle finirait par ranger, mais je crois...

Barbara regarda la femme. Bella tirait d'un air pensif sur sa lèvre inférieure.

— Quoi ? fit Barbara.

— Je crois que ce bric-à-brac la rassurait. Tout compte fait, elle était sans doute incapable de s'en séparer.

— Ouais. Enfin bon...

Barbara soupira.

— Il va falloir passer tout ça en revue.

Elle attrapa son portable.

— Je vais devoir appeler des renforts, dit-elle à Bella.

Lynley utilisa la voiture comme prétexte parce que c'était la raison la plus facile à invoquer pour lui-même comme pour Charlie Denton. Non pas qu'il ait l'habitude de rendre des comptes à Denton, mais il savait que le jeune homme continuait à se tracasser pour son moral. Il fit donc un saut dans la cuisine, où Denton était en train d'appliquer ses talents culinaires à la préparation d'une marinade pour une darne de poisson.

— Je sors un moment, Charlie. Je vais à Chelsea, je serai parti environ une heure, annonça-t-il.

Il ne manqua pas de remarquer l'expression ravie qui para un instant les traits du jeune homme. Chelsea pouvait signifier une centaine de destinations différentes, mais, selon Denton, il ne pouvait y en avoir qu'une pour faire sortir Lynley de Belgravia.

— Je vais parader un peu avec ma nouvelle auto, précisa Lynley.

— Soyez prudent, alors. N'allez pas abîmer cette magnifique peinture, lui recommanda Denton.

Lynley promit qu'il ferait le nécessaire pour éviter une telle tragédie, et il rejoignit la ruelle où il gardait la voiture qu'il avait achetée pour remplacer sa Bentley, réduite à un malheureux tas de ferraille cinq mois plus tôt entre les mains de Barbara Havers. Il déverrouilla le garage et éprouva bel et bien un frisson de fierté en contemplant ce bijou couleur cuivre dont il était propriétaire. Ce n'était qu'un moyen de locomotion, mais il y avait moyen de locomotion et Moyen de locomotion, et cette auto appartenait sans conteste à la deuxième catégorie.

Lorsqu'il conduisait la Healey Elliott, il avait d'autres sujets de préoccupation que ceux qui le rongeaient d'habitude. C'était une des raisons pour lesquelles il l'avait achetée. Il fallait réfléchir à des problèmes comme le lieu où la garer et l'itinéraire à emprunter pour aller du point A au point B sans se faire rentrer dedans par des cyclistes, des taxis, des bus ou des piétons qui tiraient leurs valises à roulettes sans regarder où ils allaient. Et puis il y avait le souci crucial de ne pas se la faire taguer, de la mettre bien en vue quand on la garait dans un quartier pas cent pour cent recommandable, de veiller à la pureté de son huile, à la quasi-stérilisation de ses bougies, au bon équilibre de ses roues et au gonflement approprié de ses pneus. C'était une voiture anglaise de collection et, comme telle, elle réclamait une vigilance et un entretien constants. En résumé, elle était pile ce qu'il lui fallait à ce tournant de sa vie.

La distance de Belgravia à Chelsea était tellement dérisoire qu'il aurait pu la parcourir à pied, malgré la chaleur et la foule qui grouillait dans King's Road. Moins de dix minutes après avoir refermé la porte d'entrée de sa maison, il remontait Cheyne Row au ralenti dans l'espoir de trouver une place non loin de

Lordship Place. Coup de chance, une camionnette de livraison libéra une place devant le King's Head and Eight Bells au moment où il approchait du pub. Il se dirigeait enfin vers la grande maison en brique qui faisait le coin de Lordship Place et de Cheyne Row lorsqu'il entendit une voix de femme crier son nom :

— Tommy ! Coucou !

La voix venait des alentours du pub : ses amis débouchaient tout juste de Cheyne Walk, qui menait à l'Embankment. Ils avaient dû aller se promener le long du fleuve, car Simon Saint James tenait leur chienne dans ses bras – un teckel à poil long qui détestait autant la chaleur que les promenades –, et sa femme, Deborah, marchait à ses côtés, une main passée sous le bras de son mari et une paire de sandales dans l'autre.

— Le trottoir ne te brûle pas les pieds ? lança-t-il.

— Absolument horrible ! admit-elle d'un ton joyeux. Je voulais que Simon me porte, mais entre Peach et moi, ce misérable a choisi Peach.

— Une seule issue : le divorce, décréta Lynley.

Ils le rejoignirent, et Peach, le reconnaissant, se contorsionna pour qu'on la pose par terre, histoire de se remettre à sauter pour qu'on l'attrape à nouveau. Elle aboya, remua la queue et fit encore plusieurs bonds tandis que Lynley serrait la main de Saint James et se soumettait à l'étreinte farouche de Deborah.

— Bonjour, Deb, dit-il dans sa chevelure.

— Oh, Tommy...

Puis, reculant et ramassant le teckel qui continuait à se trémousser, à aboyer et à tout faire pour attirer l'attention, elle ajouta :

— Tu es superbe. C'est tellement bon de te voir. Simon, tu ne trouves pas que Tommy est superbe ?

— Presque aussi superbe que la voiture.

Saint James était allé inspecter la Healey Elliott. Il émit un sifflement admiratif.

— Tu l'as prise pour nous épater ? Ma foi, c'est une vraie splendeur. Elle date de 1948, non ?

Saint James avait toujours adoré les voitures anciennes et conduisait lui-même une vieille MG, modifiée pour accueillir la prothèse qu'il avait à la jambe gauche. C'était une TD classique, des environs de 1955, mais l'âge de la Healey Elliott ainsi que sa forme en faisaient une voiture d'exception et un régal pour les yeux. Saint James secoua la tête. Comme toujours, ses cheveux bruns étaient trop longs, et Deborah le harcelait sûrement pour qu'il se les fasse couper… Il poussa un long soupir.

— Où l'as-tu dénichée ?

— Exeter. J'ai vu une annonce. Le pauvre type a passé des années de sa vie à la restaurer, mais sa femme y voyait une rivale…

— Tu m'étonnes, lâcha Deborah, ironique.

— … et elle n'a pas arrêté de le harceler jusqu'à ce qu'il la vende.

— De la pure démence, murmura Saint James.

— Oui. Enfin. Toujours est-il que j'étais là avec l'argent et une Healey Elliott devant moi…

— Tu sais, on était aux jardins du Ranelagh, à discuter de nouvelles possibilités d'adoption… C'est de là qu'on arrive. Mais tu veux la vérité ? Au diable les enfants ! J'aimerais mieux adopter cette voiture, en fait.

Lynley éclata de rire.

— Simon ! protesta Deborah.

— Que veux-tu, ma chérie, les hommes sont les hommes...

Puis, à Lynley :

— Tu es rentré quand, Tommy ? Entre. Nous parlions justement de prendre un Pimm's dans le jardin. Tu te joins à nous ?

— À quoi bon l'été, sinon ?

Il les suivit dans la maison. Deborah posa à terre Peach, qui se dirigea vers la cuisine pour aller retrouver sa gamelle.

— Quinze jours, dit Lynley à Saint James.

— Quinze jours ? s'écria Deborah. Et tu n'as pas téléphoné ? Tommy, est-ce que quelqu'un d'autre sait que tu es revenu ?

— Denton n'a pas tué le veau gras pour les voisins, si c'est ta question, répondit Lynley, pince-sans-rire. Mais c'est à ma demande. Il aurait loué un avion pour traîner des banderoles si je l'avais laissé faire.

— Il doit être content que tu sois rentré. *Nous* sommes contents que tu sois rentré. Ta place est ici.

Deborah lui empoigna brièvement la main puis appela son père. Elle jeta ses sandales au pied d'un portemanteau et lança par-dessus son épaule :

— Je vais demander à papa de nous préparer ce Pimm's, d'accord ?

Puis elle partit dans la même direction que la chienne, vers la cuisine en sous-sol au fond de la maison.

Lynley la regarda s'éloigner, s'apercevant qu'il avait oublié ce que c'était de côtoyer une femme qu'il connaissait bien. Deborah Saint James ne ressemblait pas du tout à Helen, mais elle avait la même énergie et la même vivacité. Ce constat lui causa une souffrance

233

subite. L'espace d'un instant, la douleur lui coupa le souffle.

— Allons dehors, tu veux ? proposa Saint James.

Son vieil ami le connaissait tellement bien…

— Merci, dit Lynley.

Ils trouvèrent une place sous le cerisier ornemental, où des fauteuils en osier fatigués étaient disposés autour d'une table. Deborah les rejoignit. Elle portait un plateau sur lequel elle avait placé une carafe de Pimm's, un seau de glaçons, et des verres affublés des rondelles de concombre de rigueur. Peach la suivait, et dans son sillage arriva Alaska, le gros chat gris des Saint James, qui se mit aussitôt à fureter dans la bordure de plantes herbacées à la poursuite de rongeurs plus ou moins imaginaires.

Autour d'eux résonnaient les bruits de Chelsea en été : des voitures qui vrombissaient au loin le long de la Tamise, des moineaux qui pépiaient dans les arbres, des gens qui appelaient dans le jardin voisin. Dans l'air s'élevait un parfum de barbecue, et le soleil continuait à chauffer.

— J'ai reçu une visite inattendue, dit Lynley. La commissaire intérimaire Isabelle Ardery.

Il leur raconta, en substance, la requête de la jeune femme et sa propre indécision.

— Qu'est-ce que tu vas faire ? demanda Saint James. Tu sais, Tommy, il est peut-être temps.

Lynley regarda derrière ses amis les fleurs de la plate-bande au pied du vieux mur de brique qui délimitait le jardin. Quelqu'un – sans doute Deborah – leur avait apporté énormément de soin. Elles étaient plus belles cette année que les années précédentes, éclatantes de vie et de couleur.

— J'ai réussi à débarrasser la chambre d'enfant à Howenstow et les vêtements de campagne de Helen. Une partie de la chambre d'enfant ici aussi. Mais les placards de Helen à Londres, je n'y suis pas arrivé. Je croyais être prêt quand je suis revenu il y a quinze jours, mais apparemment non.

Il but une gorgée de son Pimm's et contempla le mur du jardin sur lequel grimpait une clématite chargée d'une profusion de fleurs bleu lavande.

— Tout est toujours là, dans l'armoire et dans la commode. Dans la salle de bains aussi : les produits de beauté, ses flacons de parfum. La brosse à cheveux a encore des mèches de ses cheveux… Ils étaient tellement bruns, vous savez, avec des reflets auburn.

— Oui, dit Saint James.

Lynley l'entendit dans la voix de Simon : ce terrible chagrin que son ami n'exprimerait jamais, tant il était convaincu que, de façon bien légitime, celui de Lynley était infiniment plus grand. Et ce en dépit du fait que Saint James, lui aussi, avait profondément aimé Helen et avait eu jadis l'intention de l'épouser. Il dit :

— Mon Dieu, Simon…

Mais Saint James l'interrompit.

— Tu vas devoir te laisser du temps.

— C'est vrai, dit Deborah, qui les regarda l'un après l'autre.

À ce regard, Lynley comprit qu'elle aussi savait. Il songea aux différentes manières dont un acte de violence gratuit avait affecté tellement de gens. Trois d'entre eux étaient assis là dans ce jardin d'été, chacun renâclant à prononcer le prénom de Helen.

La porte de la cuisine en sous-sol s'ouvrit, et ils se retournèrent, se demandant qui allait en sortir. Ce fut le père de Deborah, qui dirigeait depuis longtemps la maisonnée et aidait Saint James depuis tout aussi longtemps. Lynley crut d'abord qu'il comptait se joindre à eux, mais au lieu de cela Joseph Cotter annonça à sa fille :

— Encore de la visite, ma chérie. Je me demandais... ?

Il inclina très légèrement la tête vers Lynley.

— Surtout, ne chassez personne à cause de moi, Joseph.

— Très bien, dit le père de Deborah.

Puis, à sa fille :

— Sauf que je me disais que monsieur le comte ne voudrait peut-être pas...

— Pourquoi ? Qui est-ce ? demanda-t-elle.

— Le sergent Havers. Je ne sais pas trop ce qu'elle veut, ma chérie, mais elle demande à te voir.

La dernière personne que Barbara s'attendait à trouver dans le jardin des Saint James était son équipier d'antan. Mais il était là et elle ne mit qu'une seconde à faire la déduction suivante : l'extraordinaire voiture dehors dans la rue était forcément la sienne. C'était la logique même. Lynley cadrait avec cette voiture, et cette voiture cadrait avec lui.

Lynley avait l'air beaucoup mieux que la dernière fois qu'elle l'avait vu, deux mois plus tôt, en Cornouailles. À l'époque, on aurait dit un grand blessé en état de marcher. Aujourd'hui, il ressemblait plus à un contemplatif en état de marcher.

— Monsieur. Vous êtes vraiment, vraiment de retour ou seulement de retour ?

Lynley sourit.

— Pour l'heure, je suis simplement de retour.

— Ah.

Elle était déçue et elle savait que son visage reflétait sa déception.

— Enfin bon. Une étape à la fois. Vous avez fini votre randonnée en Cornouailles ?

— Oui. Et sans autre incident.

Deborah proposa un Pimm's à Barbara, que Barbara aurait adoré siffler d'un trait. Soit ça, soit le renverser sur sa tête, car elle bouillait à l'intérieur de ses vêtements, et elle maudit une fois de plus la commissaire Ardery de lui avoir ordonné de modifier son style. C'était exactement le type de temps qui nécessitait un pantalon en lin muni d'un cordon à la taille et un tee-shirt immense, et non une jupe, un collant et un chemisier. Le chemisier était le fruit d'une autre série d'achats en compagnie de Hadiyyah, moins laborieuse car Hadiyyah était persévérante et Barbara était sinon sensible à la persévérance de Hadiyyah, du moins usée par la persévérance de Hadiyyah. Il y avait une petite faveur pour laquelle Barbara bénissait le ciel : sa jeune amie avait choisi un chemisier sans gros nœud au col.

— Merci, mais je suis en service, répondit-elle. C'est une visite de police, en fait.

— Ah bon ?

Deborah regarda son mari, puis Barbara.

— Vous voulez parler à Simon, alors ?

— À vous, en fait.

Il y avait un quatrième fauteuil près de la table, et Barbara s'y assit. Elle avait pleinement conscience du regard de Lynley, et elle savait ce qu'il pensait, car elle le connaissait. Elle s'adressa à lui :

— J'ai reçu des ordres, dirons-nous… Enfin, plutôt des conseils très appuyés. Vous vous doutez que sinon…

— Je me disais aussi… Les ordres de qui ?

— La nouvelle candidate à l'ancien poste de Webberly. Elle n'appréciait pas vraiment ma dégaine. Pas professionnelle, paraît-il. Elle m'a conseillé un sérieux relooking.

— Je vois.

— Elle vient de Maidstone. Isabelle Ardery. C'était elle qui…

— L'inspecteur des incendies criminels.

— Vous vous souvenez. Bravo. Enfin bon, c'était son idée à elle de me faire ressembler à… peu importe. Vous voyez le résultat.

— En effet. Pardonnez ma question, Barbara, mais portez-vous du… ?

Il était bien trop poli pour continuer.

— Du maquillage ? Il a dégouliné ? Avec cette chaleur, plus le fait que je ne sais absolument pas comment appliquer ces machins-là…

— Vous êtes ravissante, Barbara.

Barbara savait que Deborah ne faisait que se montrer charitable, car elle-même ne portait rien du tout hormis ses taches de rousseur naturelles. Et ses cheveux, contrairement à ceux de Barbara, consistaient en une profusion de boucles rousses extrêmement seyante, même dans leur désordre coutumier.

— C'est gentil, dit Barbara. Mais j'ai l'air d'un clown et la mascarade n'est pas finie. Enfin, passons.

Elle hissa son sac sur ses genoux et souffla en l'air pour se rafraîchir le visage. Roulée sous son bras, elle portait une affiche de l'exposition du Portrait photographique Cadbury de l'année. Celle-ci était punaisée au dos de la porte de Jemima Hastings : Barbara l'avait remarquée en refermant la porte pour mieux inspecter la chambre. La lumière ambiante lui avait permis d'étudier à la fois le portrait et les informations inscrites dessous. C'étaient ces informations qui avaient conduit Barbara à Chelsea.

— J'ai quelque chose avec moi que j'aimerais que vous regardiez.

Elle déroula l'affiche pour la montrer à Deborah.

Deborah sourit en voyant de quoi il s'agissait.

— Vous êtes allée à la Portrait Gallery voir l'expo, alors ?

Elle expliqua à Lynley ce qu'il avait manqué durant son absence, à savoir un concours photographique où la photo qu'elle avait soumise avait été retenue pour être une des six destinées à promouvoir l'exposition consécutive au concours.

— Elle est encore exposée, dit Deborah. Je n'ai pas gagné. La compétition était terrible. Mais c'était formidable de compter parmi la soixantaine d'élus, et en plus la fille – elle désigna le modèle sur la photo – a été sélectionnée pour figurer sur des affiches et des cartes postales vendues dans la boutique de cadeaux. J'étais vraiment aux anges, n'est-ce pas, Simon ?

— Deborah a reçu plusieurs coups de fil, insista Saint James. Des gens qui veulent voir son travail.

Deborah s'esclaffa.

— Il exagère. Il y a eu *un* coup de fil d'un type me demandant si ça m'intéressait de faire des photos de plats cuisinés pour un livre de recettes que sa femme est en train d'écrire.

— Ça me paraît très bien, déclara Barbara. Mais bon, dès qu'il s'agit de cuisine, vous comprenez…

— Félicitations, Deborah.

Lynley se pencha en avant et contempla l'affiche.

— Qui est le modèle ?

— Elle s'appelle Jemima Hastings, répondit Barbara avant de demander à Deborah : Vous l'avez rencontrée comment ?

— Sidney… la sœur de Simon. Je cherchais un modèle pour le concours et je m'étais dit au départ que Sidney serait parfaite, avec son expérience de mannequin. J'ai fait des essais avec elle mais le résultat avait un côté trop professionnel. La façon qu'a Sidney d'apprivoiser l'objectif, de faire valoir les vêtements au lieu d'être elle-même le sujet… Quoi qu'il en soit, je n'étais pas satisfaite, et je continuais à chercher d'autres modèles, quand Sidney est arrivée avec Jemima dans son sillage.

Deborah fronça les sourcils, subitement inquiète. Elle demanda d'une voix prudente :

— Qu'est-ce qui se passe, Barbara ?

— Le modèle a été assassiné, j'en ai peur. Cette affiche se trouvait dans sa chambre.

— Assassinée ? répéta Deborah.

Lynley et Saint James s'agitèrent dans leurs fauteuils.

— Assassinée, Barbara ? Quand ? Où ?

Barbara expliqua. Le trio échangea des regards.

— Quoi ? Vous savez quelque chose ? dit-elle.

— Abney Park… se chargea de répondre Deborah. C'est là que j'ai pris la photo. C'est là que se trouve cette chose-là.

Elle indiquait le lion en marbre érodé dont la tête emplissait le cadre à gauche du modèle.

— Ce lion est une des statues funéraires du cimetière. Jemima n'était jamais allée là-bas avant cette photo. Elle nous l'avait dit.

— Nous ?

— Sidney était venue aussi. Elle voulait assister à la séance.

— Ah, OK. Eh bien, elle y est retournée. Je veux dire, Jemima.

Barbara leur donna quelques détails supplémentaires, juste assez pour qu'ils ne soient pas largués. Elle demanda à Simon :

— Où est-elle en ce moment ? Nous allons devoir lui parler.

— Sidney ? Elle habite Bethnal Green, près de Columbia Road.

— Le marché aux fleurs, ajouta Deborah obligeamment.

— Avec son dernier petit ami en date, précisa Simon, laconique. Ma mère – sans parler de Sid – espère que ce sera le bon, mais franchement, ça n'en prend pas le chemin.

— Ta sœur a un fâcheux penchant pour les beaux ténébreux, fit remarquer Deborah.

— À cause de tous les romans à l'eau de rose qu'elle a ingurgités dans son adolescence… Oui. Je sais.

— Il va me falloir son adresse, dit Barbara.

— J'espère que vous ne pensez pas que Sid…

— Vous connaissez la procédure. Ne négliger aucune piste, bla-bla-bla…

Elle roula à nouveau l'affiche puis les regarda tous les trois. Aucun doute, il se passait quelque chose.

241

— Après l'avoir rencontrée avec Sidney puis avoir pris la photo, vous l'avez revue ?

— Elle est venue au vernissage à la Portrait Gallery. Tous les sujets – tous les « modèles » – étaient invités.

— Un incident quelconque là-bas ?

Deborah regarda son mari comme pour avoir confirmation. Il secoua la tête et haussa les épaules. Elle répondit :

— Non. Pas que je... Enfin, je crois qu'elle avait bu un peu trop de champagne, mais elle était avec un homme qui s'est chargé de la raccompagner. C'est vraiment tout...

— Un homme ? Vous connaissez son nom ?

— J'ai oublié, en fait. Je ne pensais pas que j'aurais à... Simon, tu te souviens, toi ?

— Seulement qu'il était brun. Et si je m'en souviens, c'est surtout...

Il hésita, rechignant de toute évidence à terminer sa phrase.

Barbara le fit à sa place.

— À cause de Sidney ? Vous avez bien dit qu'elle aimait les beaux ténébreux ?

Bella McHaggis ne s'était jamais trouvée en situation de devoir identifier un corps. Elle avait déjà vu des cadavres, bien sûr. Dans le cas de feu son mari, pour protéger la réputation du pauvre homme, elle avait même falsifié les circonstances du décès avant d'appeler les secours. Mais elle n'avait jamais été introduite dans une salle où était étendue, recouverte d'un drap, une victime de mort violente. Après une telle expérience, elle ne demandait qu'à se livrer à n'importe quelle activité susceptible d'effacer cette vision de son esprit.

Jemima Hastings – il ne faisait aucun doute que c'était elle – avait été allongée sur un chariot, le cou enveloppé d'épaisses bandes de gaze à la manière d'une écharpe, comme si elle avait besoin d'être protégée du froid qui régnait dans la pièce. Bella en avait déduit que la jeune femme s'était fait trancher la gorge et elle avait posé la question, mais on lui avait répondu par une autre question : « Reconnaissez-vous... ? » Oui, oui, avait-elle dit sèchement. Bien sûr que c'est Jemima. Elle en avait eu la certitude dès que cette policière était venue chez elle et avait observé l'affiche. La policière – Bella n'arrivait plus à se rappeler son nom – n'avait pas réussi à rester impassible, et Bella avait compris que la jeune fille du cimetière était bel et bien sa pensionnaire qui avait disparu sans prévenir.

Alors, pour chasser tout cela, Bella décida de s'activer. Elle aurait pu aller à une séance de yoga bikram, mais, d'après elle, elle avait plus intérêt à s'activer. En s'affairant, elle oublierait un peu la vision du corps de cette pauvre Jemima sur le chariot en acier glacial, et maintenant que les flics avaient emporté toutes les affaires de la morte, elle pourrait préparer la chambre pour une nouvelle pensionnaire. Car il fallait à Bella une nouvelle pensionnaire, et vite, même si elle devait bien avouer qu'elle n'avait pas eu beaucoup de chance avec les pensionnaires femmes. Malgré tout, elle voulait une femme. Elle aimait la sensation d'équilibre qu'une deuxième femme apportait à la maisonnée, même si les femmes étaient beaucoup plus compliquées que les hommes, et même si elle se demandait justement si un autre homme ne simplifierait pas les choses en empêchant ceux déjà en place de trop se pavaner. Se pavaner et plastronner, voilà ce qu'ils faisaient. Ils le faisaient inconsciemment, comme des coqs, comme des paons, comme pratiquement tous les mâles de toutes les espèces sur la terre. Leur parade nuptiale était quelque chose que Bella trouvait en général assez amusant, mais n'empêche : il serait peut-être plus facile pour tout le monde de supprimer purement et simplement la cause de ces simagrées.

De retour chez elle après la séance d'identification, elle avait accroché son panonceau CHAMBRE À LOUER à la fenêtre de la salle à manger, et elle avait téléphoné au journal *Loot* pour passer sa petite annonce. Puis elle était montée dans la chambre de Jemima, où elle avait entrepris un grand ménage. Maintenant que les tonnes de cartons contenant ses affaires avaient été emportées, la tâche ne prit pas longtemps. Passer l'aspirateur, faire la poussière, changer les draps, astiquer les meubles, laver les carreaux à fond – Bella tirait une fierté particulière de la propreté de ses carreaux –, changer dans la commode les revêtements de tiroir parfumés, enlever les rideaux pour les nettoyer, écarter chaque meuble du mur pour que l'aspirateur y ait accès... Personne, songea Bella, ne faisait le ménage aussi méticuleusement qu'elle.

Elle passa à la salle de bains. En règle générale, elle n'y touchait pas, mais si elle devait accueillir bientôt un nouveau pensionnaire, il allait naturellement lui falloir débarrasser les tiroirs et les étagères de Jemima de tout ce que les policiers avaient laissé. Ils n'avaient pas emporté la totalité des articles puisqu'ils n'étaient pas tous à Jemima. En nettoyant la pièce, Bella s'appliqua à y mettre de l'ordre, et c'est ainsi qu'elle trouva – pas dans le tiroir de Jemima mais dans celui du haut indiqué pour *l'autre* pensionnaire – un curieux objet qui n'y avait absolument pas sa place.

Il s'agissait d'un test de grossesse. Ça, Bella le comprit à la seconde même où elle posa le regard dessus. Ce qu'elle ignorait, c'était si le résultat était positif ou négatif. Étant donné son âge, évidemment, elle n'avait jamais utilisé ce genre de test. Ses propres enfants – exilés depuis des lustres à Detroit et à Buenos Aires – s'étaient annoncés à l'ancienne, ravageant son corps de nausées matinales presque tout de suite après la fécondation, fécondation qui s'était elle-même effectuée à l'ancienne, merci beaucoup, Mr McHaggis. Ayant récupéré dans le tiroir le morceau de plastique compromettant, Bella n'était pas sûre de ce que signifiait l'indicateur. Une ligne bleue. Était-ce négatif ? Positif ? Elle allait devoir le découvrir. Elle allait aussi devoir découvrir ce que l'objet fabriquait dans le tiroir de son autre pensionnaire, car, naturellement, ce n'était pas lui qui l'avait rapporté d'un dîner de réjouissance avec la future mère. Si une femme qu'il se tapait était tombée enceinte et lui en avait présenté la preuve, pourquoi l'aurait-il conservée ? En souvenir ? Le futur enfant suffirait certainement, comme souvenir… Non, il tombait sous le sens que le test de grossesse était à Jemima. Et s'il ne se trouvait pas dans les affaires de Jemima, il y avait une raison. Parmi les possibilités, il y en avait une que Bella refusait d'envisager : celle qu'une fois encore deux de ses pensionnaires l'aient dupée en lui cachant ce qui se passait entre eux.

Enfin quoi, merde ! Elle avait des règles. Elles étaient inscrites partout. Acceptées et ratifiées, elles étaient bien spécifiées dans le contrat qu'elle faisait lire et signer à chaque pensionnaire. Les jeunes gens étaient-ils si portés sur la chose qu'ils ne pouvaient pas s'empêcher de se sauter dessus à la première occasion, malgré ses règles très claires concernant les rapprochements entre membres de sa maisonnée ? Apparemment, oui. Apparemment, non, ils ne pouvaient pas se retenir. Quelqu'un allait se faire remonter les bretelles.

Bella se préparait mentalement à cette mise au point quand la sonnerie de la porte d'entrée retentit. Elle rassembla ses ustensiles de ménage, enleva ses gants en caoutchouc et descendit l'escalier. La sonnerie retentit à nouveau et elle cria « J'arrive ». En ouvrant, elle vit sur son perron une jeune fille, un sac à dos à ses pieds, une expression pleine d'espoir sur ses traits. Elle n'avait pas l'air anglaise, et lorsqu'elle parla, son accent laissait penser qu'elle venait d'un quelconque pays de l'Est, Bella ne savait pas lequel, car elle n'arrivait pas à suivre, et n'essayait plus.

— Vous avez chambre ? demanda la jeune fille avec espoir, désignant la fenêtre de la salle à manger avec son panonceau. J'ai vu votre écriteau, là…

Bella s'apprêtait à lui dire oui, elle avait une chambre à louer, et êtes-vous douée pour obéir aux règles, ma petite demoiselle ? Mais son attention fut attirée par un mouvement sur le trottoir : quelqu'un venait de disparaître derrière le malheureux massif qui avait réussi à pousser dans son jardin au milieu de la ribambelle de bacs de recyclage. C'était une femme et elle se planquait. Une femme en tailleur de laine, malgré la chaleur, avec un foulard fantaisie aux couleurs vives – sa foutue marque de fabrique –, roulé en bandeau pour retenir une profusion de cheveux orange.

— Vous ! lui cria Bella. J'appelle les flics, ça oui. Bon sang, je vous ai déjà dit de ne pas approcher de cette maison, et cette fois c'en est trop !

Que le détour prenne du temps ou non – et Barbara Havers ne se leurrait pas sur sa durée –, il n'était pas question pour elle de braver la sœur de Simon Saint James dans son accoutrement actuel, et avec un visage dégoulinant de maquillage et luisant de transpiration. C'est pourquoi, au lieu d'aller directement de Chelsea à Bethnal Green, elle repassa d'abord par Chalk Farm. Elle se frictionna la figure, poussa un soupir de soulagement, et opta pour un compromis en appliquant sur ses joues une infime touche de blush. Elle décida ensuite de changer de tenue – vive les pantalons à cordon et les tee-shirts ! – et, ayant ainsi retrouvé son négligé habituel, elle fut prête à faire face à Sidney Saint James.

Son entretien avec elle n'eut pas lieu tout de suite. En quittant son minuscule pavillon, Barbara entendit Hadiyyah crier son nom au-dessus de sa tête : « Ohé, ohé, Barbara ! », comme si la fillette ne l'avait pas vue depuis une éternité. Elle poursuivit d'un ton enthousiaste :

— Aujourd'hui Mrs Silver m'apprend à polir l'argenterie !

En levant la tête, Barbara découvrit Hadiyyah penchée à une fenêtre du deuxième étage de la Grande Maison.

— On se sert de bicarbonate de soufre, Barbara, annonça-t-elle avant de se retourner vers quelqu'un qui lui parlait, puis de rectifier. Oh non ! Du bicarbonate de *soude*, Barbara. Bien sûr, Mrs Silver a pas vraiment de couverts en argent, alors on prend ses couverts normaux, mais c'est fou ce que ça les fait briller. C'est génial, non ? Barbara, pourquoi tu portes pas ta nouvelle jupe ?

— Fin de la journée, ma puce. L'heure de se remettre en civil.

— Et est-ce que tu… ?

L'attention de Hadiyyah fut attirée par quelqu'un derrière elle. Elle s'écria :

— Papa ! Coucou ! Papa ! Coucou ! Je peux rentrer à la maison maintenant ?

Elle semblait encore plus enthousiaste à cette perspective qu'elle ne l'avait été en voyant Barbara. Cela donnait une idée du plaisir que prenait la fillette à acquérir ces fameux « talents de ménagère », comme disait Mrs Silver… À ce stade de l'été, elles avaient déjà amidonné, repassé, épousseté, aspiré, fait partir le calcaire des cuvettes de W-C et révisé les innombrables usages du vinaigre blanc, toutes tâches domestiques que Hadiyyah avait docilement maîtrisées puis consciencieusement rapportées à Barbara, avant d'en faire la démonstration pour elle ou pour son père. Mais ces activités ménagères avaient bientôt perdu de leur attrait – comment pouvait-il en être autrement ? –, et si Hadiyyah était beaucoup trop polie pour se plaindre à la vieille dame, on ne pouvait pas lui reprocher d'accueillir la perspective d'y échapper avec une joie plus grande de jour en jour.

En provenance de la rue, Barbara entendit, étouffée, la réponse de Taymullah Azhar. La main de Hadiyyah s'agita pour lui dire au revoir, la fillette disparut à l'intérieur de l'appartement, et Barbara continua à

248

avancer sur le sentier longeant la maison. Émergeant de sous une tonnelle qui embaumait le jasmin étoilé, elle vit le père de Hadiyyah franchir le portail avec, d'un côté, plusieurs sacs de courses et, de l'autre, sa serviette en cuir usé.

— L'argenterie... lui dit Barbara en guise de salut. J'ignorais que le bicarbonate de soude faisait briller l'argenterie. Et vous ?

Azhar gloussa.

— Les connaissances ménagères de cette brave femme sont manifestement infinies. Si je voulais que Hadiyyah passe sa vie à tenir une maison, je n'aurais pas pu lui trouver meilleur professeur. Elle est plutôt douée pour les scones, au fait. Je vous en ai parlé ?

Il fit un geste avec la main qui tenait les sacs de courses.

— Voulez-vous vous joindre à nous pour le dîner, Barbara ? Poulet jalfrezi et riz pilaf. Et si je me rappelle bien (il sourit, dévoilant des dents blanches qui encouragèrent Barbara à se promettre d'aller chez le dentiste dans un proche avenir), ils sont parmi vos plats préférés.

Barbara répondit à son voisin qu'elle était cruellement tentée, mais que le devoir l'appelait.

— J'y allais, justement...

Tous deux se retournèrent alors que la porte d'entrée de la vieille maison s'ouvrait et que Hadiyyah descendait l'escalier avec fracas. Elle était suivie de Mrs Silver. Grande et anguleuse, celle-ci était revêtue d'un tablier. De la bouche de Hadiyyah, Barbara avait appris que Sheila Silver possédait une garde-robe entière de tabliers. Elle en avait non seulement de saison, mais aussi de fête. Elle avait des tabliers de Noël, des tabliers de Pâques, des tabliers de Halloween, des tabliers de Nouvel An, des tabliers d'anniversaire, et des tabliers commémorant tous les événements possibles, de la nuit de Guy Fawkes au mariage infortuné de Charles et Diana. Chacun de ces tabliers était complété par un turban assorti. Selon Barbara, les turbans avaient été fabriqués au moyen de torchons par celle qui les arborait, et quand toute la liste des devoirs ménagers serait maîtrisée par Hadiyyah, l'art de confectionner les turbans en ferait certainement partie.

Tandis que Hadiyyah se ruait vers son père, Barbara leur fit au revoir de la main. Dans la dernière vision qu'elle eut d'eux, Hadiyyah avait les bras autour de la taille mince d'Azhar, et Mrs Silver la poursuivait de sa silhouette dégingandée, comme si la fuite de la fillette avait été prématurée et que d'autres informations concernant le bicarbonate de soude devaient lui être communiquées.

Dans sa voiture, Barbara réfléchit à l'heure qu'il était et en conclut qu'il lui faudrait faire preuve de créativité dans le choix de son itinéraire pour arriver chez Sidney avant la tombée de la nuit. Elle évita le plus possible la City, aboutissant finalement à Bethnal Green en passant par Old Street. C'était un quartier qui avait beaucoup changé au fil des années : de jeunes cadres incapables de faire face au prix des logements dans le centre de Londres emménageaient en cercles concentriques de plus en plus larges dans des parties de la ville longtemps considérées comme peu séduisantes. Bethnal Green offrait ainsi un drôle de mélange de neuf et d'ancien, où des boutiques de saris côtoyaient des magasins d'informatique, et des établissements ethniques jouxtaient des agences immobilières proposant leurs « produits » aux familles qui avaient besoin d'espace.

Sidney habitait Quilter Street, une rue de maisons attenantes à un étage et aux façades toutes simples construites en brique de Londres. Elles constituaient le côté sud d'un triangle au centre duquel se trouvait un jardin public du nom de Jesus Green. Contrairement à tant de squares de la ville, il n'était fermé ni à clé ni par des barreaux. Il avait une grille en fer forgé, typique des squares de Londres, mais elle n'arrivait qu'à mi-corps et son portillon restait ouvert pour laisser entrer tous ceux qui voulaient accéder à sa vaste pelouse et à l'ombre prodiguée par les arbres touffus qui le dominaient. Des enfants jouaient bruyamment sur la pelouse près de l'emplacement où Barbara gara sa vieille Mini. Dans un angle, une famille pique-niquait tandis que, dans un autre, un guitariste faisait la sérénade à une jeune femme en adoration. C'était l'endroit idéal pour se soustraire à la chaleur.

Sidney vint lui ouvrir quand elle frappa à la porte, et Barbara essaya de ne pas se sentir trop mal dans sa peau en présence de la jeune sœur de Saint James, dont elle était l'effrayante antithèse. Sidney était très grande, elle était mince, et elle possédait naturellement le genre de pommettes pour lesquelles certaines femmes se soumettaient sans hésiter au bistouri. Elle avait les mêmes cheveux noir charbon que son frère, et les mêmes yeux tantôt bleus, tantôt gris. Elle portait un pantalon corsaire mettant en valeur des jambes interminables, et un débardeur court qui dévoilait ses bras, aussi scandaleusement bronzés que le reste de son corps. De grandes créoles pendaient à ses oreilles, et elle était en train de les enlever tout en disant :

— Barbara... Il y avait plein d'embouteillages, je suis sûre ?

Elle la fit entrer.

La maison était petite. Toutes les fenêtres étaient ouvertes, mais il ne faisait pas tellement moins chaud à l'intérieur. Sidney était, semble-t-il, une de ces femmes détestables qui ne transpiraient pas. Barbara ne comptait pas parmi elles, et elle sentit la sueur perler sur son visage dès que la porte d'entrée se referma derrière elle. Sidney déclara d'un ton compatissant :

— Affreux, n'est-ce pas ? On n'arrête pas de pester contre la pluie, et ensuite on a droit à cette canicule. Il devrait exister un moyen terme, mais non. Je suis juste par là, si vous voulez bien.

« Juste par là » s'avéra être un escalier. Celui-ci montait vers l'arrière de la petite maison, où une porte était ouverte sur un jardinet retentissant de coups de marteau. Sidney rejoignit la porte, lançant à Barbara par-dessus son épaule :

— Ce n'est que Matt.

Puis elle cria vers le jardin :

— Matt, mon chéri, viens faire la connaissance de Barbara Havers.

Barbara aperçut un homme – baraqué, torse nu et en nage – qui, marteau de forgeron à la main, s'employait à réduire en miettes une feuille de contre-plaqué. Le but de la démarche n'était pas évident, à moins qu'il n'ait cherché par là un moyen assez inefficace de créer un paillis pour l'unique parterre de fleurs desséchées par le soleil. Il n'interrompit pas sa besogne. En réponse à l'appel de Sidney, il jeta un coup d'œil par-dessus son épaule et hocha à peine la tête. Il portait des lunettes noires et des piercings aux oreilles. Il avait le crâne

252

rasé, un crâne qui, comme le reste de sa personne, était luisant de sueur.

— Il est magnifique, non ? murmura Sidney.

Ce n'était pas le mot qu'aurait choisi Barbara.

— Qu'est-ce qu'il fabrique exactement ? demanda-t-elle.

— Il évacue.

— Quoi ?

— Hmmm ?

Sidney contempla l'homme avec un plaisir non dissimulé. Il n'était pas particulièrement beau, mais son corps était tout en muscles : un torse impressionnant, des hanches étroites, des dorsaux fabuleux, et un cul que tout le monde sur terre aurait rêvé de pincer.

— Oh… Son agressivité. Il évacue son agressivité. Il a horreur de ne pas travailler.

— Il est au chômage ?

— Seigneur, non ! Il fait… disons, des trucs pour le gouvernement. Venez, on monte, Barbara. Ça ne vous fait rien si on discute dans la salle de bains ? Je voulais me faire un nettoyage de peau. Ça ne vous dérange pas si je continue ?

Aucun problème. Elle n'avait jamais vu faire un nettoyage de peau et maintenant qu'elle était décidée à s'améliorer physiquement, allez savoir quels tuyaux elle pourrait prendre chez une femme qui était mannequin professionnel depuis ses dix-sept ans… Tandis qu'elle suivait Sidney dans l'escalier, elle demanda :

— Quel genre de trucs ?

— Matt ? fit Sidney. C'est complètement top secret, paraît-il. Il est sans doute espion ou quelque chose comme ça. Il refuse de le dire. Mais il s'en va pendant des jours ou des semaines et, quand il revient, il va chercher le contre-plaqué et il le massacre. Il est entre deux jobs en ce moment.

Elle regarda derrière elle en direction du jardin et des coups de marteau, concluant avec désinvolture :

— Matthew Jones, homme plein de mystère.

— Jones, reprit Barbara. Intéressant, comme nom.

— Sûrement son… son nom de couverture, hein ? Ça rend les choses assez excitantes, vous ne trouvez pas ?

Ce que Barbara trouvait, c'était que partager son logement et son lit avec quelqu'un qui tapait sur du bois avec un marteau de forgeron, possédait un emploi louche et portait un nom qui, si ça se trouve, n'était pas le sien s'apparentait à jouer à la roulette russe, mais elle garda ces réflexions pour elle. Chacun ses goûts, et si ce mec émoustillait Sidney, de quel droit lui aurait-elle fait remarquer que les hommes pleins de mystère l'étaient souvent pour des raisons qui n'avaient rien à voir avec James Bond ? Sidney avait trois frères qui s'étaient sûrement déjà chargés d'éclairer leur sœur sur ce point.

Elle suivit la jeune femme dans la salle de bains, où les attendait une extraordinaire collection de bocaux et de flacons. Sidney commença par le démaquillage, commentant le processus d'un ton badin :

— J'aime bien tonifier d'abord, avant d'exfolier. Vous exfoliez souvent, Barbara ?

Barbara murmurait les réponses attendues, mais tonifier évoquait pour elle un exercice de salle de gym, et exfolier avait sûrement un lien avec le jardinage, non ? Quand Sidney eut enfin étalé le masque sur son visage – « Ma zone T est une vraie abomination », avoua-t-elle –, Barbara lui confia la raison de sa visite.

— Deborah m'a dit que c'était vous qui lui aviez présenté Jemima Hastings.

Elle acquiesça. Puis elle ajouta :

— À cause de ses yeux. J'avais posé pour Deborah – le concours de la Portrait Gallery, vous savez ? –, mais comme les photos n'étaient pas ce qu'elle recherchait, j'ai pensé à Jemima. À cause de ses yeux.

Barbara lui demanda comment elle avait fait la connaissance de la jeune femme.

— Les cigares... Matt aime les havanes – Seigneur, ce qu'ils peuvent empester ! –, et j'étais allée là-bas lui en acheter un. Je me suis souvenue d'elle à cause de ses yeux, et j'ai pensé qu'elle ferait un visage intéressant pour le portrait de Deborah. Je suis retournée là-bas, je lui ai posé la question, puis je l'ai emmenée rencontrer Deborah.

— « Là-bas », c'est-à-dire ?

— Oh. Pardon. À Covent Garden. Il y a un marchand de tabac dans une des cours. Après Jubilee Market Hall. Ils vendent des cigares, du tabac pour les pipes, du tabac à priser, des pipes, des fume-cigarettes, tous les accessoires pour fumeurs. Matt et moi, on s'y était arrêtés un après-midi, c'est pour ça que je savais où se trouvait la boutique et quels cigares il prenait. Maintenant, chaque fois qu'il doit rentrer d'une de ses mystérieuses virées, j'y fais un saut et je lui achète un havane pour fêter son retour.

Beurk. Barbara avait beau fumer – elle avait toujours l'intention d'arrêter mais ladite intention n'était jamais tout à fait assez ferme –, elle se refusait à fumer quoi que ce soit dont le parfum lui faisait penser à une crotte de chien en train de brûler.

— En tout cas, continuait Sidney, Deborah a bien aimé son physique quand je les ai présentées, alors elle lui a demandé de poser. Pourquoi ? Vous la cherchez ?

— Elle est morte. Elle a été assassinée dans le cimetière d'Abney Park.

Les yeux de Sidney s'obscurcirent. Exactement comme ceux de son frère, songea Barbara.

— Oh, Seigneur. C'est la femme du journal, c'est ça ? J'ai vu le *Daily Mail*…

Barbara le lui confirma, et Sidney poursuivit. C'était une bavarde compulsive – pas du tout comme Simon, dont la réserve était parfois déroutante –, et elle lui livra force détails plus ou moins pertinents concernant Jemima Hastings et la photo qu'avait faite d'elle Deborah Saint James.

Sidney n'arrivait pas à comprendre pourquoi Deborah avait choisi le cimetière d'Abney Park : il n'était pas des plus faciles d'accès, mais bon, vous connaissez Deborah. Quand elle avait une idée dans la tête… Elle avait apparemment effectué des repérages pendant des semaines avant la séance de photos. Elle avait lu des articles sur le cimetière – « une histoire de sauvegarde des lieux ? » – et, lors d'une mission de reconnaissance, elle était tombée sur la statue du lion endormi et avait décidé que c'était exactement ce qu'il lui fallait comme arrière-plan. En fait, Sidney avait accompagné Deborah et Jemima à la séance – « J'avoue que j'étais un petit peu contrariée que ma photo n'ait pas fait l'affaire, vous comprenez ? » –, et elle y avait assisté en se demandant pourquoi, comme sujet de portrait, Jemima allait sans doute mieux réussir qu'elle.

— En tant que professionnelle, vous comprenez, on a besoin de savoir… Si je perds le tour de main, si je dois me ressaisir… ?

Absolument, acquiesça Barbara. Elle lui demanda si elle avait remarqué quoi que ce soit ce jour-là dans le cimetière. Se souvenait-elle de quelque chose d'inhabituel ? Quelqu'un avait-il assisté à la séance, par exemple ?

Eh bien, oui, évidemment, il y avait toujours des gens… Et beaucoup d'hommes, à vrai dire. Seulement voilà, Sidney ne se souvenait d'aucun de ces hommes, parce que c'était il y a une éternité, et qu'elle ne s'était certes pas imaginé qu'il lui faudrait se souvenir, et Seigneur, c'était horrible que la photo de Deborah ait peut-être servi à… Je veux dire, n'était-il pas possible que quelqu'un soit arrivé à retrouver Jemima à partir de cette photo, puis l'ait suivie dans ce cimetière… Sauf que… qu'est-ce qu'elle fabriquait là ? À moins que quelqu'un ne l'ait kidnappée, pour ensuite l'emmener là-bas ? Et d'ailleurs comment était-elle morte ?

— Qui ça ?

C'était Matt. Il était monté sans faire de bruit : Barbara se demanda à quel moment les coups de marteau s'étaient tus et depuis combien de temps il écoutait. Sa silhouette en sueur s'encadrait dans la porte, remplissant celle-ci d'une manière que Barbara aurait qualifiée de menaçante si elle n'était également fureteuse. Il faisait penser à Mr Rochester dans *Jane Eyre*, un Mr Rochester qui, au lieu d'une épouse démente, aurait détenu des armes lourdes dans son grenier…

— Cette fille de la boutique de cigares, mon chéri, dit Sidney. Jemima… Quel était son nom de famille, Barbara ?

— Hastings. Elle s'appelait Jemima Hastings.

— Oui, et alors ? demanda Matt Jones.

Il croisa les bras sous de prodigieux pectoraux bronzés, imberbes, et décorés d'un tatouage « MAMAN » entouré d'une couronne d'épines. Sa poitrine présentait par ailleurs trois cicatrices, dont la chair froncée avait l'aspect un peu louche des blessures par balle qui avaient guéri. Qui était donc ce type ?

— Elle est morte, annonça Sidney à son amant. Mon chéri, Jemima Hastings a été assassinée.

Il demeura muet, puis poussa un grognement. Il s'écarta de la porte et se massa la nuque.

— Quand est-ce qu'on dîne ? lança-t-il.

Les bandes vidéo de la West Town Road Arcade du jour en question ne sont pas assez nettes pour permettre l'identification formelle des garçons qui avaient emmené John Dresser, au cas où ladite identification aurait dû reposer sur ces seules bandes. En fait, sans l'immense anorak moutarde de Michael Spargo, les ravisseurs du petit John auraient peut-être échappé à la justice. Mais les gens qui avaient vu les trois garçons et avaient bien voulu se présenter pour les identifier étaient suffisamment nombreux pour que les images saisies par les caméras ne servent qu'à confirmer leur identité.

Les films montrent John Dresser s'en allant sans rechigner avec les garçons, comme s'il les connaissait. Alors qu'ils approchent de la sortie de la galerie, Ian Barker s'empare de l'autre main de John, et Reggie et lui se mettent à balancer l'enfant entre eux, peut-être pour lui donner l'espoir d'autres jeux à venir. Tandis qu'ils avancent, Michael les rattrape dans un sautillement enfantin, et offre apparemment au garçonnet quelques-unes des frites qu'il était en train de manger. C'est sans doute cette offre de nourriture à un enfant impatient de déjeuner qui a fait que John Dresser a accepté de suivre le trio, du moins au début.

Il est intéressant de noter que quand les garçons quittent les Barriers, ils ne le font pas par la sortie qui les mènerait aux Gallows, c'est-à-dire celle qu'ils connaissent le mieux. À la place, ils choisissent une des sorties moins fréquentées, comme s'ils avaient d'ores et déjà prévu de s'en prendre au garçonnet et souhaitaient passer le plus inaperçus possible en s'en allant avec lui.

Lors de son troisième entretien avec la police, Ian Barker prétend qu'ils avaient juste l'intention de « s'amuser un peu » avec John Dresser, alors que Michael Spargo déclare qu'il ne savait pas « ce que les deux autres voulaient à ce bébé », expression (« le bébé ») qu'il emploie systématiquement pour parler de John Dresser. Reggie Arnold, quant à lui, fuit toute allusion à l'enfant jusqu'à son quatrième entretien. À la place, il tourne autour du pot, évoquant à maintes reprises Ian Barker et « ce qu'il aurait voulu faire à ce chaton », s'efforçant d'orienter la conversation sur ses frère et sœur, ou jurant à sa mère - présente à tous les interrogatoires - qu'il n'a « rien piqué du tout, ah ça maman jamais de la vie ».

Michael Spargo affirme qu'il avait voulu ramener le petit dans le centre commercial dès qu'ils en étaient sortis avec lui. « Je leur ai dit qu'on pouvait le redéposer à l'intérieur, laisser simplement le bébé près de la porte ou quelque chose comme ça, mais c'est eux qui ont pas voulu. J'ai dit qu'à tous les coups on aurait des ennuis de l'avoir piqué [notez l'usage objectivant du verbe « piquer », comme si John Dresser était un objet qu'ils avaient chapardé dans une boutique] mais ils m'ont traité de connard en me demandant si je comptais les dénoncer. »

Que cette scène se soit réellement produite demeure sujet à caution, car aucun des deux autres ne mentionne que Michael aurait eu des remords. Et par la suite presque tous les témoins - ultérieurement rassemblés sous la dénomination « les Vingt-Cinq » - confirment que quand ils ont aperçu les garçons ceux-ci étaient chaque fois tous les trois avec John Dresser, et que tous les trois semblaient s'intéresser tout aussi activement au garçonnet.

Compte tenu de son passé, il semble raisonnable de conclure que c'est Ian Barker qui avait suggéré de voir ce qui se passerait s'ils balançaient John Dresser comme ils le faisaient depuis un moment, mais en le lâchant au lieu de le laisser atterrir tranquillement sur ses pieds. Une suggestion suivie d'effets : ils avaient lâché ses mains au plus haut du mouvement de balançoire, le projetant devant eux à une vitesse non négligeable, avec la conséquence prévisible de provoquer ses pleurs lorsqu'il avait heurté le trottoir. Cette chute avait occasionné le premier des bleus observés sur les fesses de John, et constitué, peut-être, le premier des dommages considérables causés à ses vêtements.

Avec un petit enfant manifestement en détresse sur les bras, les garçons tentèrent une première manœuvre d'apaisement en lui proposant le roulé à la confiture que Michael Spargo avait emporté ce matin-là. Que John l'ait accepté est évident non seulement d'après le rapport circonstancié établi par le Dr Miles Neff du Home Office, mais aussi d'après la déclaration d'un témoin, car c'est à ce moment-là que les garçons ont croisé pour la première fois une personne qui non seulement les a vus avec John Dresser, mais qui en plus s'est arrêtée pour les interroger à son sujet.

D'après les transcriptions du procès, lorsque le témoin A (pour leur propre protection, les noms des témoins ne seront pas divulgués dans ce document), une femme âgée de soixante-dix ans, a rencontré les garçons, John était suffisamment bouleversé pour l'avoir inquiétée :

« Je leur ai demandé quel était le problème avec ce petit, déclare-t-elle, et l'un d'eux - je crois que c'était le gros [autrement dit, Reggie Arnold] – m'a expliqué qu'il était tombé sur les fesses et qu'il s'était fait mal. Enfin quoi, les enfants tombent, pas vrai ? Je n'ai pas pensé... Je leur ai quand même proposé mon aide. Je leur ai proposé mon mouchoir pour lui essuyer la figure parce qu'il pleurait comme un veau. Mais là le plus grand [à savoir, Ian Barker] a dit que c'était son petit frère et qu'ils le ramenaient à la maison. Je leur ai demandé si c'était loin et ils ont dit non. Juste là, à Tideburn, ils ont dit. Enfin bon, quand le petit s'est mis à manger un roulé à la confiture qu'ils lui ont donné, j'ai pensé que tout irait bien et qu'il n'y aurait plus de problèmes. »

Elle aurait ensuite demandé aux garçons pourquoi ils n'étaient pas en classe, et ils lui auraient répondu que les cours étaient finis pour la journée. Cette précision a apparemment tranquillisé le témoin A, qui leur a conseillé de « ramener le petit à la maison, alors », parce qu'il avait « de toute évidence besoin de sa maman ».

Elle avait sans doute été tout aussi tranquillisée par leur mention inspirée de Tideburn comme leur lieu d'habitation.

Tideburn était à l'époque, et est encore, un paisible quartier bourgeois. S'ils avaient dit qu'ils vivaient aux Gallows – avec tout ce que ce nom recouvrait –, elle se serait peut-être un peu plus inquiétée.

On a beaucoup glosé sur le fait que les trois garçons auraient pu remettre John Dresser au témoin A à ce moment-là, en prétendant qu'ils l'avaient trouvé errant aux alentours des Barriers. On a d'ailleurs beaucoup glosé sur le fait que les garçons ont eu à de multiples reprises l'occasion de remettre John Dresser à un adulte, et de passer leur chemin. Qu'ils n'en aient rien fait laisse supposer qu'au moins un d'entre eux s'était mis en tête un projet plus vaste. Soit ça, soit un projet plus vaste avait été débattu entre eux à l'avance. Cette hypothèse d'une entente préalable, aucun des trois garçons n'a jamais voulu la certifier.

La police a été appelée une fois les bandes de vidéosurveillance visionnées par le chef de la sécurité des Barriers. Cependant, lorsque les policiers arrivèrent pour regarder eux-mêmes les bandes et organiser des recherches, John Dresser se trouvait à peu près à un kilomètre et demi. En compagnie de Ian Barker, Michael Spargo et Reggie Arnold, il avait traversé deux artères à grande circulation et il était à la fois fatigué et affamé. Il était tombé plusieurs fois, apparemment, et s'était coupé la joue sur une aspérité du trottoir.

Il avait beau devenir encombrant, les garçons n'ont pas pour autant remis John Dresser à quelqu'un. D'après le quatrième interrogatoire de Michael Spargo, c'est Ian Barker qui a commencé à donner des coups de pied au garçonnet quand il est tombé, et c'est Reggie Arnold qui l'a relevé et s'est mis à le traîner. John Dresser était apparemment en larmes à ce stade-là, mais il semble que ses pleurs aient poussé les passants à croire d'autant plus fermement au récit des garçons comme quoi ils essayaient de ramener le « petit frère » à la maison. De qui John Dresser était le petit frère était un détail fluctuant en fonction des interlocuteurs (témoins B, C et D), et si Michael Spargo nie dans chaque entretien avoir jamais prétendu que John Dresser était son frère, cette affirmation est contredite par le témoin E, un employé de la poste qui a croisé les garçons à mi-chemin du chantier de construction Dawkins.

D'après sa déposition, le témoin E aurait demandé aux garçons ce qu'avait le petit, pourquoi il pleurait comme ça, et qu'est-ce qui était arrivé à sa figure ?

« Il a dit — celui à l'anorak jaune, j'entends — que c'était son frère et que leur mère était en train de faire crac-crac avec son petit ami dans la maison et qu'ils étaient censés occuper le petit jusqu'à ce qu'elle ait fini. Ils ont dit qu'ils s'étaient un peu trop éloignés et est-ce que je pourrais les ramener chez eux dans ma camionnette ? »

C'était, pour le moins, une requête inspirée. Les garçons savaient que le témoin E ne serait pas en mesure de les prendre. Il était en tournée de livraisons, et quand bien même, il n'y avait sans doute pas suffisamment de place dans son véhicule. Mais le fait que cette requête ait été formulée conférait de la légitimité à leur histoire. Le témoin E leur aurait « ordonné de ramener tout de suite le môme à la maison, alors, parce qu'il chialait, du jamais vu, et j'en ai trois à moi », et les garçons lui auraient assuré qu'ils allaient le faire.

Il semble possible que leurs intentions à l'égard de John Dresser, bien que mal définies au moment où ils l'avaient kidnappé, aient commencé à se préciser avec l'enfilade de mensonges convaincants qu'ils avaient pu débiter sur son compte, comme si la crédulité des témoins avait stimulé l'appétit de violence des garçons. Contentons-nous de dire qu'ils poursuivirent leur route, réussissant à faire marcher le petit sur plus de trois kilomètres malgré ses protestations et ses cris de « Maman » et « Pa », qui furent entendus, et ignorés, par plusieurs personnes.

À en croire Michael Spargo, pendant cette période, il aurait demandé à maintes reprises ce qu'ils allaient faire de John Dresser. « Je leur ai dit qu'on ne pouvait pas le ramener à la maison avec nous. Je leur ai dit. C'est vrai », déclare-t-il dans la transcription de son cinquième interrogatoire. Il déclare également que c'est à ce moment-là qu'il a évoqué l'idée de laisser John à un commissariat. « J'ai dit qu'on pourrait le laisser sur les marches ou quelque chose comme ça. On pourrait le laisser juste à l'entrée. J'ai dit que ses parents allaient s'inquiéter. Ils allaient penser que quelque chose lui était arrivé. »

Ian Barker, selon Michael, aurait rétorqué que quelque chose était bel et bien arrivé au gamin. « Il a dit : "Espèce de crétin, bien sûr qu'il lui est arrivé quelque chose." Et il a demandé à Reg si d'après lui le bébé ferait un gros ploc en touchant l'eau. »

Ian pensait-il déjà au canal ? Peut-être. Mais le fait est que les garçons ne se trouvaient pas du tout à proximité du Canal des Midlands et ils ne pourraient jamais emmener là-bas un John Dresser épuisé à moins de le porter, ce qu'apparemment ils n'avaient pas envie de faire. Mais si Ian avait caressé le projet d'infliger de quelconques blessures à John Dresser aux

alentours du canal, ses plans étaient maintenant contrecarrés, et par John lui-même.

La compagnie de John Dresser devenant de
plus en plus pénible, les garçons prirent
la décision de « perdre le bébé quelque part
dans un supermarché », d'après Michael
Spargo, car toute cette histoire était
devenue « chiante comme la pluie, voyez ».
Il n'y avait pas de supermarché dans les
environs immédiats, et les garçons entre-
prirent d'en trouver un. C'est en chemin
que Ian, comme le rapportent séparément
Michael et Reggie, aurait souligné que dans
un magasin ils pourraient être vus et même
filmés par les caméras de surveillance. Il
aurait indiqué qu'il connaissait une destination beaucoup plus sûre. Il les aurait
conduits au chantier de construction
Dawkins.
Le chantier était une idée ambitieuse qui
avait mal tourné par manque de financement.
Devant au départ comporter trois immeubles
de bureaux élégamment modernes au sein d'un
« ravissant décor d'arbres, de jardins et
de sentiers ressemblant à un parc et doté
d'une abondance de bancs en plein air »,
ce projet était censé injecter de l'argent
dans le voisinage, afin de soutenir une éco-
nomie chancelante. Mais une mauvaise
gestion de la part du promoteur s'était

soldée par l'arrêt du projet avant l'achèvement de la première tour.

Le jour où Ian Barker entraîna ses compagnons là-bas, cela faisait dix-neuf mois que le chantier languissait sans que rien ne s'y passe. Les lieux étaient entourés d'un grillage, mais pas inaccessibles. Malgré des panneaux sur la clôture avertissant que le chantier était « sous surveillance 24 heures sur 24 » et que « les intrus et les vandales » seraient « poursuivis en justice », les incursions régulières d'enfants et d'adolescents démontraient qu'il n'en était rien.

C'était une zone tentante aussi bien pour jouer que pour les rendez-vous clandestins. Il y avait des dizaines de cachettes ; des buttes de terre offraient des rampes de lancement aux amateurs de VTT ; des planches abandonnées ainsi que des tubes et des tuyaux pouvaient faire office d'armes dans des jeux de guerre ; de petits blocs de béton remplaçaient parfaitement les grenades à main et les bombes. Endroit discutable où « perdre le bébé » si les garçons escomptaient qu'un passant tombe sur lui et l'emmène au commissariat le plus proche, c'était par contre le lieu idéal où perpétrer la suite des horreurs de cette journée.

10

Quand Thomas Lynley s'arrêta devant la guérite de
New Scotland Yard le lendemain matin, il commença à
se blinder. L'agent de faction, ne reconnaissant pas la
voiture, fit un pas en avant. Lorsqu'il vit Lynley à
l'intérieur, il hésita avant de se pencher vers la vitre
baissée et de dire d'une voix rauque :

— Inspecteur. Monsieur. Quel plaisir de vous voir
de retour.

Lynley eut envie de répondre qu'il n'était pas de
retour, mais il se borna à hocher la tête. Il comprit à ce
moment-là ce dont il aurait dû se douter : les gens
allaient réagir à sa réapparition au Yard, et il allait
devoir réagir à leur réaction. Se préparant à la rencontre suivante, il se gara et rejoignit un ensemble de
bureaux dans Victoria Block, qu'il connaissait aussi
bien que sa propre maison.

C'est Dorothea Harriman qui l'aperçut la première.
Cela faisait cinq mois qu'il n'avait pas vu la secrétaire
du service, mais ni le temps ni les circonstances
n'auraient su la changer. Elle était, comme toujours,
habillée à la perfection, portant ce jour-là une jupe
droite de couleur rouge avec un chemisier chamarré,

une large ceinture sanglant une taille qui aurait fait se pâmer un gentilhomme victorien. Elle se tenait dos à lui devant un meuble-classeur, et quand elle se retourna et le vit, ses yeux se remplirent de larmes et, après avoir posé un dossier sur son bureau, elle s'étreignit la gorge des deux mains.

— Oh, inspecteur Lynley. Oh mon Dieu, mais c'est merveilleux. Quel plaisir de vous voir.

Lynley ne pensait pas pouvoir supporter un autre accueil de ce genre, aussi lança-t-il, comme s'il n'était jamais parti :

— Dee… Vous avez l'air en forme aujourd'hui. Est-ce qu'ils sont… ?

Il indiquait du menton le bureau de la commissaire.

Elle lui répondit qu'ils étaient tous dans la salle des opérations. Est-ce qu'il désirait un café ? Du thé ? Un croissant ? Un toast ? Ils proposaient depuis quelque temps des muffins à la cantine et elle pouvait sans problème…

Il n'avait besoin de rien, lui assura-t-il. Il avait pris un petit déjeuner. Qu'elle ne se tracasse pas. Il réussit à sourire et se dirigea vers la salle des opérations, mais il la sentait qui l'observait et il savait qu'il allait devoir s'habituer à ce que les gens le jaugent, réfléchissent à ce qu'ils pouvaient dire ou non, hésitent même à citer le nom de Helen. L'attitude classique des gens quand ils naviguent dans les eaux du malheur d'autrui.

Dans la salle des opérations, ce fut à peu près la même chose. Lorsqu'il ouvrit la porte et pénétra dans la pièce, le silence stupéfait qui s'abattit sur le groupe lui indiqua que la commissaire intérimaire Ardery n'avait pas prévenu qu'il allait se joindre à eux. Elle se tenait à côté de plusieurs tableaux sur lesquels étaient collées des photos et où étaient répertoriées les tâches des différents agents. Isabelle l'aperçut et lança, désinvolte :

— Ah, Thomas. Bonjour.

Puis, aux autres :

— J'ai demandé à l'inspecteur Lynley de revenir à bord et j'espère que son retour sera définitif. En attendant, il a gentiment accepté de m'apprendre un peu les ficelles. Je suis sûre que personne n'y voit d'inconvénient ?

Son discours faisait passer distinctement le message : Lynley serait son subordonné et si quelqu'un y voyait un inconvénient, ce quelqu'un pouvait demander à être mis sur une autre mission.

Lynley embrassa tout ce petit monde du regard, ses collègues de longue date, ses amis de longue date. Ils l'accueillirent chacun à leur manière : Winston Nkata avec une chaleur radieuse sur ses traits foncés, Philip Hale avec un clin d'œil et un sourire, John Stewart avec la circonspection de celui qui sait que les choses sont moins simples qu'elles n'en ont l'air, et Barbara Havers avec perplexité. Son visage reflétait la question qu'elle brûlait de lui poser : Pourquoi ne me l'avez-vous pas dit hier ? Il ne savait pas comment le lui expliquer. De tous ses collègues du Yard, c'était elle qui était le plus proche de lui et, de ce fait, c'était à elle qu'il avait le plus de mal à parler. Elle ne comprendrait pas, et il ne possédait pas encore les mots pour l'expliquer.

Isabelle Ardery poursuivit la réunion déjà entamée. Lynley sortit ses lunettes de lecture et se rapprocha du tableau d'affichage sur lequel étaient exposées les photos de la victime, vivante et morte, ainsi que de macabres clichés d'autopsie. Un portrait-robot d'une personne recherchée pour son témoignage était placé près des photos du lieu du crime, et, à côté, figurait un gros plan de ce qui avait l'air d'une sorte de pierre taillée. Un agrandissement : la pierre était rougeâtre et carrée, et elle ressemblait à une amulette.

— … dans la poche de la victime, disait Ardery, parlant apparemment de cette photo-là. On dirait la pierre d'une chevalière d'homme, vu sa taille et sa forme, et elle semble avoir été gravée, bien que l'inscription soit très usée. Elle est entre les mains des techniciens du labo en ce moment même. Quant à l'arme, d'après le SO7, la blessure indique un objet capable de percer à une profondeur de vingt bons centimètres. C'est tout ce qu'ils savent. Ah, et aussi, il y avait des traces de rouille dans la blessure.

— C'était pas la ferraille qui manquait, fit remarquer Nkata. Une vieille chapelle, condamnée par des barres de fer… Il doit y avoir des tas de saloperies aux alentours qui peuvent servir d'armes.

— Ce qui appuierait l'hypothèse d'un crime non prémédité, déclara Ardery.

— Pas de sac à main, intervint Philip Hale. Pas de papiers sur elle. Pourtant, elle n'a pas dû aller sans rien à Stoke Newington. Elle avait forcément de l'argent, une carte de transport, quelque chose. Ça a peut-être commencé par un vol à l'arraché.

— Très juste… Il faut donc mettre la main sur ce fameux sac, si elle en avait un, dit Ardery. En attendant, nous tenons deux excellentes pistes grâce à la revue porno laissée près du corps.

Intitulé *Girlicious*, c'était le type de magazine à être livré emballé dans du plastique noir opaque, vu la nature sensible – ici Ardery roula des yeux – de son contenu. Ce plastique servait à empêcher des enfants innocents de feuilleter la revue pour reluquer les diverses parties intimes qui y étaient exposées. Il servait aussi, mais c'était moins flagrant, à empêcher les empreintes de quiconque en dehors de l'acheteur d'y figurer. Ils disposaient d'un très bon lot d'empreintes pour l'enquête, mais, encore mieux, ils avaient un ticket de caisse coincé entre les feuilles du magazine, en guise de marque-page. Si le ticket de caisse correspondait bien au lieu d'achat de la revue – ce qui était probable –, il y avait de fortes chances pour qu'ils soient sur la trace du pauvre couillon qui l'avait achetée.

— Il se peut qu'il soit ou non notre tueur. Il se peut qu'il soit ou non cet individu… fit-elle en désignant le portrait-robot. Mais la revue était toute neuve. Elle n'était pas là depuis longtemps. Et il nous faut parler à celui, quel qu'il soit, qui a pu l'apporter dans l'annexe de la chapelle. Alors…

Elle attribua les différentes missions. Ils connaissaient la musique : l'entourage en premier. Les relations de Jemima Hastings devaient être interrogées : à Covent Garden, là où elle travaillait, à Putney, là où elle logeait, dans tous les lieux qu'elle pouvait fréquenter, à la Portrait Gallery où elle était allée au vernissage de l'exposition dans laquelle figurait sa photo. Toutes ces personnes allaient devoir fournir des alibis qu'il faudrait ensuite vérifier. Il fallait aussi passer au crible ses effets personnels, et il y en avait des cartons et des cartons, en provenance de sa chambre chez l'habitant. Une fouille de plus en plus large du périmètre autour du cimetière devait être effectuée pour tenter de retrouver le sac, l'arme, ou tout objet ayant un lien avec son périple jusqu'à Stoke Newington.

Ardery termina l'attribution des missions. Elle conclut en précisant que le sergent Havers serait chargée de retrouver une femme surnommée Yolanda la Spirite.

— Yolanda la quoi ? fit Havers.

Ardery s'abstint de répéter. Ils avaient reçu un coup de fil de Bella McHaggis, dit-elle, la logeuse de Jemima Hastings à Putney. Il fallait se pencher sur une certaine Yolanda la Spirite. Apparemment, elle traquait Jemima – « c'est Bella qui le dit, pas moi » –, c'est pourquoi ils devaient la trouver et la cuisiner.

— Je suis sûre que cela ne vous pose pas de problème, sergent ?

Havers haussa les épaules. Elle jeta un coup d'œil à Lynley. Il savait ce qu'elle espérait. Isabelle Ardery aussi, semble-t-il, car elle annonça à la cantonade :

— L'inspecteur Lynley va travailler avec moi pour l'instant. Sergent Nkata, vous serez l'équipier de Barbara.

Isabelle Ardery tendit à Lynley les clés de sa voiture. Elle lui expliqua où celle-ci était garée, précisa qu'elle le retrouverait en bas après avoir fait un saut aux toilettes. Elle se soulagea tout en sifflant sa mignonnette de vodka, mais l'alcool descendit un peu trop vite à son goût, et elle se félicita d'avoir emporté un deuxième flacon. Elle l'avala tout en tirant la chasse d'eau. Elle remit les deux petites bouteilles au fond de son sac, s'assurant qu'elles ne se touchaient pas, chacune bien enveloppée dans un mouchoir en papier : ce serait embêtant de se mettre à cliqueter en marchant.

Elle avait dit à Lynley : « Vous et moi, on va à Covent Garden », et ni lui ni personne n'y avait rien trouvé à redire. Elle comptait rester au plus près de toutes les opérations si elle obtenait le poste de commissaire, et, officiellement, Lynley était là pour lui apprendre les ficelles. Qu'il l'accompagne partout soulignerait bien qu'elle avait son soutien. Par ailleurs, elle avait envie de mieux connaître l'homme. Qu'il en soit conscient ou non, il était son rival à plus d'un titre, et elle avait l'intention de le désarmer à plus d'un titre.

Elle fit halte devant la rangée de lavabos pour se laver les mains, et elle en profita pour se lisser les cheveux et les placer sagement derrière ses oreilles, pour sortir ses lunettes de soleil de son sac et pour se remettre du rouge à lèvres. Elle suça deux pastilles de menthe, puis s'appliqua une bandelette de Listerine sur la langue pour faire bonne mesure. Elle descendit au parking où elle trouva Lynley à côté de sa Toyota.

Toujours gentleman – l'homme avait dû apprendre les bonnes manières dès le berceau –, il lui ouvrit la portière passager. Elle lui ordonna sèchement de ne pas recommencer – « Nous n'avons pas un rendez-vous galant, inspecteur » –, et ils s'en allèrent. Il conduisait très bien. De Victoria Street aux abords de Covent Garden, Lynley ne regarda rien d'autre que la chaussée devant lui, les trottoirs, ou les rétroviseurs de la Toyota, et il ne prit pas la peine de faire la conversation. Elle ne s'en offusqua pas. Les trajets en voiture avec son ex-mari avaient toujours été un supplice pour Isabelle, car Bob avait tendance à croire qu'il pouvait mener plusieurs tâches de front, et les tâches qu'il endossait au volant consistaient à gronder les enfants, à se disputer avec elle, à conduire et à discuter au téléphone. Ils avaient grillé plus de feux rouges, brûlé plus de passages pour piétons et pris plus de sens interdits qu'Isabelle n'aimait s'en souvenir. Une partie du plaisir de son divorce tenait au sentiment de sécurité inédit qu'elle éprouvait à prendre le volant elle-même.

Covent Garden ne se trouvait pas très loin de New Scotland Yard, mais leur itinéraire les obligea à affronter les embouteillages de Parliament Square, qui étaient toujours plus denses durant les mois d'été. Ce jour-là, il y avait une forte présence policière dans le secteur, étant donné qu'une foule de manifestants s'étaient réunis près de l'église St. Margaret, et que des constables affublés de coupe-vent jaune vif s'efforçaient de les canaliser dans la direction des Victoria Tower Gardens.

Les choses ne s'améliorèrent pas vraiment à Whitehall, où la circulation était bloquée près de Downing Street. Ce bouchon, en l'occurrence, n'était pas dû à une autre manifestation mais plutôt à une multitude de badauds agglutinés autour du portail en fer à attendre Dieu savait quoi. Ainsi, il s'écoula plus d'une demi-heure entre le moment où Lynley tourna de Broadway dans Victoria Street et celui où il réussit à se garer dans Long Acre, installant un macaron de la police derrière le pare-brise.

Covent Garden n'était plus depuis longtemps le pittoresque marché aux fleurs rendu célèbre par Eliza Doolittle. Il incarnait désormais le cauchemar de la mondialisation dans ses pires excès mercantiles : largement consacré à tout ce que les touristes pouvaient être disposés à acheter, il était évité par toutes les personnes sensées vivant dans les parages. Les gens qui travaillaient aux alentours fréquentaient bien sûr ses pubs, ses restaurants et ses snacks, mais le seuil de ses myriades de boutiques n'était jamais franchi par aucun citoyen de Londres, sauf pour acheter un article qu'on ne pouvait vraiment pas trouver ailleurs.

Tel était le cas de la boutique de tabac où, d'après le rapport de Barbara Havers, Sidney Saint James était tombée pour la première fois sur Jemima Hastings. Ils découvrirent cette officine à l'extrémité sud des Courtyard Shops, et ils la rejoignirent en se frayant un chemin à travers une armada de bateleurs en tout genre : depuis les mimes prenant des poses de statues dans Long Acre jusqu'aux magiciens, en passant par des jongleurs juchés sur des monocycles, deux hommes-orchestres, sans oublier un joueur d'air guitar débordant d'énergie. Tous ces artistes faisaient la manche sur le moindre mètre carré qui n'était pas occupé ici par un kiosque, là par une table et des chaises, et partout ailleurs par des promeneurs qui déambulaient en mangeant des esquimaux, des pommes de terre au four et des falafels. Exactement le genre de foire que les garçons auraient adorée, songea Isabelle. Et qui lui donnait envie de courir se réfugier dans le lieu calme le plus proche, soit sans doute l'église située à l'extrémité sud-ouest de la place que formait Covent Garden.

La situation s'arrangea un peu dans les Courtyard Shops, où la plupart des boutiques étaient relativement haut de gamme, si bien que les bandes d'ados et de touristes en jogging omniprésentes ailleurs étaient ici inexistantes. La qualité des artistes était également plus élevée. Dans une cour à un étage inférieur accueillant un restaurant doté d'une terrasse, un violoniste entre deux âges jouait au son d'un ghetto-blaster qui lui procurait l'accompagnement d'orchestre.

Une enseigne où on lisait SEGAR AND SNUFF PARLOUR était accrochée au-dessus de la vitrine de la boutique de tabac, et près de la porte se dressait la traditionnelle silhouette en bois du highlander en grand apparat, avec sa tabatière à la main. Sur des ardoises appuyées contre la porte et sous la vitrine, on vantait des tabacs d'exception ainsi que la spécialité du jour, le Por Larrañaga Petit Corona.

Cinq personnes n'auraient pu tenir sans se serrer dans la boutique, tant elle était minuscule. Elle sentait bon le tabac et on y trouvait un unique présentoir en vieux chêne contenant les accessoires pour le fumeur de pipe et de cigare, des vitrines à cigares en chêne fermées à clé, et une petite arrière-boutique renfermant des dizaines de bocaux remplis de tabac aux parfums et arômes divers. Le présentoir à accessoires servait également de comptoir principal, avec, posées dessus, une balance électronique, une caisse enregistreuse et une autre vitrine à cigares plus petite. Derrière ce comptoir, l'employé de la boutique terminait avec une cliente qui achetait des cigarillos. D'une voix chantante qui faisait penser à un dandy du XIXe, il lança :

— Je suis à vous tout de suite, très chers.

La voix était en complet désaccord avec l'âge et l'apparence du vendeur. Il ne semblait pas avoir plus de vingt et un ans, et même s'il était habillé avec soin d'un costume léger, il avait aux oreilles des piercings, qu'il devait porter depuis assez longtemps pour qu'ils aient étiré ses lobes à un point effrayant. Durant la conversation qu'il eut avec Isabelle et Lynley, il n'arrêta pas d'introduire son petit doigt dans les trous.

Isabelle trouvait ce tic tellement répugnant qu'elle était au bord de l'évanouissement.

— Bon. Eh bien, eh bien, eh bien ? entonna-t-il joyeusement une fois sa cliente ressortie avec ses cigarillos. Que puis-je pour vous ? Cigares ? Cigarillos ? Tabac ? Tabac à priser ? Qu'est-ce que ce sera ?

— Une conversation, répondit Isabelle. Police, ajouta-t-elle en lui montrant sa carte.

Lynley fit de même.

— Je suis tout en émoi ! s'exclama le jeune homme.

Il déclara s'appeler J-a-y-s-o-n Druther. Son père était le propriétaire de la boutique. Comme l'avaient été son grand-père et le père de son grand-père avant lui.

— Ce que nous ne savons pas sur le tabac ne vaut pas la peine d'être su.

Lui-même commençait tout juste dans le métier, ayant tenu à passer un diplôme de marketing avant de « rejoindre les rangs des travailleurs ». Il souhaitait développer l'entreprise, mais son père n'était pas d'accord.

— « Dieu nous garde d'investir dans quelque chose qui ne soit pas absolument garanti », ajouta-t-il avec un frisson. Bon...

Étendant ses mains – elles étaient blanches et lisses, remarqua Isabelle, probablement l'objet de manucures hebdomadaires –, il indiqua qu'il était prêt à répondre à tout ce qu'ils pouvaient avoir à lui demander. Lynley se tenait légèrement derrière elle, ce qui permit à la jeune femme d'ouvrir le bal. Elle apprécia ce détail.

— Jemima Hastings, commença-t-elle. Je suppose que vous la connaissez, non ?

— Et comment !

J-a-y-s-o-n avait un ton pincé, et il ajouta que, d'ailleurs, il aimerait bien dire un mot à cette chère Jemima : c'était à cause d'elle qu'il était obligé de travailler « comme un forcené ».

— Et où est-elle, à propos, cette fichue coquine ?

Cette fichue coquine était morte, lui dit Isabelle.

Sa mâchoire se décrocha. Sa mâchoire se referma.

— Juste ciel ! s'écria-t-il. Pas un accident de la route ? Elle ne s'est pas fait renverser par une voiture ? Seigneur, il n'y a pas eu une autre attaque terroriste, au moins ?

— Elle a été assassinée, Mr Druther, déclara Lynley avec douceur.

Jayson ravala son accent snobinard pour se tripoter le lobe de l'oreille.

— Dans le cimetière d'Abney Park, précisa Isabelle. Les journaux ont parlé d'un meurtre là-bas. Vous ne lisez pas les journaux, Mr Druther ?

— Mon Dieu, non. Ni tabloïds ni quotidiens d'information, et surtout ni télévision ni radio. Je préfère largement vivre sur mon petit nuage. Tout le reste me fait tellement déprimer que je n'arrive pas à me lever le matin, et l'unique chose qui me remonte le moral, ce sont les biscuits au gingembre de maman. Mais si je les mange, j'ai tendance à prendre du poids, mes vêtements ne me vont plus, je dois en racheter et… Enfin bon, vous voyez le topo. Le cimetière d'Abney Park ? Où est le cimetière d'Abney Park ?

— Au nord de Londres.

— Au nord de Londres ?

On aurait cru qu'il s'agissait de Pluton.

— Mon Dieu. Mais que faisait-elle si loin ? Elle a été agressée ? Kidnappée ? Elle n'a pas été… Elle n'a pas subi d'outrages, dites-moi ?

Isabelle se dit que se faire trancher la jugulaire était un outrage suffisant, même si elle savait que Jayson ne parlait pas de ce genre d'outrages.

— Nous nous en tiendrons à « assassinée » pour l'instant. Est-ce que vous connaissiez bien Jemima ?

Pas si bien que cela. Apparemment, Jayson avait parlé à Jemima au téléphone mais ne l'avait vue en chair et en os que deux fois, car ils n'avaient pas les mêmes horaires de travail et, à vrai dire, pas grand-chose en commun non plus. Il la connaissait plus par « ces machins-là » qu'en personne, dit-il. Il s'avéra que « ces machins-là » étaient une petite pile de cartes postales. Jayson les sortit d'une niche située près de la caisse : il y en avait peut-être huit en tout. Il s'agissait de la photo que Deborah Saint James avait prise de Jemima Hastings, appartenant sans doute à la collection proposée par la boutique de souvenirs de la National Portrait Gallery. Quelqu'un avait inscrit « Avez-vous vu cette femme » au feutre noir sur le recto de chaque carte. Sur le verso figurait un numéro de téléphone avec « Prière d'appeler » griffonné au-dessus.

Paolo les avait rapportées pour Jemima, leur apprit Jayson. Il le savait parce que, les jours où il travaillait et pas Jemima, Paolo di Fazio passait quand même à la boutique s'il avait trouvé d'autres cartes. Ce lot particulier, Paolo l'avait déposé plusieurs jours avant, alors que Jemima n'était pas là. D'après Jayson, elle les détruisait au fur et à mesure de leur arrivée, vu qu'il en avait trouvé plus d'une fois les morceaux déchirés dans la poubelle les jours où lui-même travaillait.

— À mon avis, c'était une sorte de rituel pour elle.

Paolo di Fazio. Un des pensionnaires. Isabelle se rappelait avoir lu ce nom dans le rapport de Barbara Havers sur son entretien avec la logeuse.

— Mr di Fazio travaille près d'ici ?

— Oui. C'est l'homme aux masques.

— Il est masqué ? s'étonna Isabelle. Qu'est-ce que…

— Non, non. Il ne porte pas de masque. L'homme aux masques, au pluriel. Il crée des masques. Il a un stand dans Jubilee Market Hall. Il est très doué. Il en a fait un de moi, je dois l'avouer. Ils sont un peu un souvenir de… eh bien, plus qu'un souvenir, au fond. Je pense qu'il a un petit faible pour Jemima, si vous voulez savoir. Sinon, pourquoi ferait-il toutes ces allées et venues pour lui apporter les cartes postales qu'il récupère ?

— D'autres personnes sont venues, qui la cherchaient ? Les jours où elle ne travaillait pas et où vous étiez là, j'entends, demanda Isabelle.

Il secoua la tête.

— Pas une âme. Seulement Paolo.

— Et des gens qu'elle fréquentait, ici au marché ?

— Oh, ma foi, s'il y en a, je ne les connais pas. Il y en a peut-être, bien sûr, mais comme je vous l'ai dit, nous ne travaillions pas les mêmes jours, alors…

Il haussa les épaules.

— Paolo pourrait vous répondre. S'il veut bien, évidemment.

— Pourquoi refuserait-il ? Y a-t-il quelque chose au sujet de Paolo que nous devrions savoir avant de lui parler ?

— Dieu du ciel, non. Je ne voulais pas sous-entendre… Enfin, j'ai bien eu l'impression qu'il la

283

surveillait de très près, si vous voyez ce que je veux dire. C'est vrai, il enquêtait sur elle, un peu comme vous. Est-ce que quelqu'un était passé à la boutique demander après elle ? Y avait-il quelqu'un qui se renseignait sur elle, qui venait la retrouver, qui l'attendait, ce genre de choses ?

— Comment a-t-elle atterri ici ? demanda Lynley, interrompant son examen des cigares cubains dans leur grande vitrine.

— L'agence pour l'emploi, dit Jayson. Et je ne peux pas vous dire laquelle parce que tout est informatisé aujourd'hui, n'est-ce pas : elle aurait très bien pu venir de Blackpool. Nous avions déposé une annonce à l'agence et elle a débarqué. Papa lui a fait passer l'entretien et il l'a embauchée sur-le-champ.

— Nous aurons besoin de lui parler.

— À papa ? Pourquoi ? Seigneur, vous ne pensez pas...

Jayson rit, fit *oups !,* puis se couvrit la bouche. Il adopta la mine lugubre qui convenait.

— Pardon. Je m'imaginais juste papa en assassin. Je suppose que c'est pour cette raison que vous voulez lui parler, non ? Pour avoir son alibi ? C'est bien cela que vous faites ?

— En effet. Il nous faudra également le vôtre.

— Mon alibi ?

Il pressa une main contre sa poitrine.

— Je ne sais absolument pas où se trouve Ashley Park. Et de toute manière, si Jemima était là-bas et que c'est pendant les heures d'ouverture qu'elle a été tuée, alors j'étais forcément ici.

— Abney Park, rectifia Isabelle. Au nord de Londres. Stoke Newington, pour être exacte, Mr Druther.

— Peu importe. J'étais sûrement ici. De neuf heures et demie du matin à six heures et demie du soir. Jusqu'à huit heures si c'était un mercredi. C'était un mercredi ? Parce que, comme je vous l'ai dit au début, je ne lis pas les journaux et je n'ai aucune idée…

— Vous avez tort, dit Isabelle d'un ton péremptoire.

— Quoi ?

— Les journaux. Vous avez tort de ne pas lire les journaux, Mr Druther. Vous seriez sidéré de ce qu'on peut y apprendre. Maintenant redites-nous où nous pouvons trouver Paolo di Fazio.

Il se demanda si c'étaient des séraphins. Il y avait quelque chose en eux qui les rendait différents. Ils n'étaient pas mortels. Ça, il le voyait bien. Dans ce cas, il s'agissait de savoir de quel type ils étaient. Des chérubins, des trônes, des dominations, des principautés ? Des bons, des mauvais, des guerriers, des gardiens ? Des archanges, même, comme Raphaël, Michel ou Gabriel ? Des archanges dont les érudits et les théologiens ne savaient encore rien ? Des anges de l'ordre le plus élevé, peut-être, venus faire la guerre à des forces du mal que seule une épée tenue par une créature de lumière serait à même de vaincre ?

Il ne savait pas. Il n'aurait su dire.

Il s'était imaginé en ange gardien, mais il s'était trompé. En fait, il était censé être un ange guerrier, mais lorsqu'il l'avait compris, il était bien trop tard.

Mais veiller sur autrui est capital…

Veiller sur autrui n'est rien. Veiller sur autrui c'est regarder le mal, et le mal détruit.

La destruction détruit. La destruction engendre davantage de destruction. Le but, c'est apprendre. Protéger veut dire apprendre.

Protéger veut dire peur.

Peur veut dire haine. Peur veut dire colère. Protéger veut dire amour.

Protéger veut dire se cacher.

Se cacher veut dire faire le guet qui veut dire protéger qui veut dire amour. Je suis censé protéger.

Tu es censé tuer. Les guerriers vainquent. Tu dois combattre. Je t'appelle au combat. Des légions innombrables t'y appellent.

J'ai protégé. Je protège.

Tu as tué.

Il aurait voulu pouvoir faire taire les voix en se tapant sur la tête. Les voix étaient plus fortes aujourd'hui qu'elles ne l'avaient jamais été, plus fortes que les cris, plus fortes que la musique. Il pouvait entendre les voix mais également les voir, et elles remplissaient à tel point sa vision qu'il finit par discerner les ailes. C'étaient des anges déguisés mais leurs ailes les trahissaient, et ils le surveillaient depuis les cieux. Ils s'alignaient les uns à côté des autres avec leurs bouches qui s'ouvraient et qui se refermaient, et de ces bouches auraient dû jaillir des chants célestes, mais à la place il n'en sortait que du vent. Après le mugissement du vent vinrent les voix qu'il connaissait mais refusait d'écouter, et il s'abandonna aux anges guerriers et aux anges gardiens, et à leur détermination à le gagner à des causes qui ne lui ressemblaient absolument pas.

Il ferma les yeux de toutes ses forces mais il les voyait et les entendait quand même, or il persista malgré tout, si bien que la transpiration lui mouillait les joues. Sur quoi il s'aperçut que ce n'était pas de la transpiration mais des larmes, puis l'écho d'un *bravo* lui parvint de quelque part mais pas des anges, cette fois, car ils étaient partis et bientôt lui aussi. Il courait, il trébuchait, il grimpait, il se dirigeait vers le cimetière, puis vers le silence qui n'était pas silencieux du tout car il n'existait pas de silence, pas pour lui.

Le rôle qu'il jouait dans l'enquête ne dérangeait pas Lynley, quelque chose entre chauffeur et homme à tout faire au service d'Isabelle Ardery. Cette position lui permettait de reprendre en douceur le travail de policier, et s'il devait retravailler dans la police, il fallait impérativement que la démarche soit progressive.

— Un peu con, celui-là, commenta Isabelle Ardery une fois sortie de la boutique.

Lynley ne pouvait qu'acquiescer. Il lui expliqua l'itinéraire qu'ils devaient emprunter pour rejoindre à pied Jubilee Market Hall depuis Covent Garden.

Dans la halle, le vacarme était assourdissant, mêlant cris de colporteurs, musiques d'animation, conversations à tue-tête et marchandages pour obtenir les articles les plus divers, des œuvres d'art aux tee-shirts-souvenirs. Ils trouvèrent le stand du créateur de masques après avoir joué des coudes le long de trois allées. Il était placé près d'une porte, ce qui faisait de lui le premier stand sur lequel on tombait, ou en tout cas un stand qu'on ne pouvait pas manquer, car il se trouvait à un angle sans rien de part et d'autre. En outre, il était grand, plus grand que la plupart, sans doute parce que la confection proprement dite se déroulait sur place. Un tabouret destiné au sujet était placé sous un lampadaire, à côté duquel se trouvait une table avec des sacs de plâtre et différents récipients. Sur l'épais plastique qui formait la cloison du fond figuraient des photos de masques fabriqués par l'artiste avec, à côté, les sujets correspondants. Malheureusement, une chose manquait sur le stand, et c'était l'artiste lui-même.

Un écriteau posé sur un comptoir de fortune indiquait l'heure de son retour. Ardery y jeta un coup d'œil puis consulta sa montre, avant de dire à Lynley :

— Allons prendre un rafraîchissement.

Ils rebroussèrent chemin en quête dudit rafraîchissement, redescendant dans la cour au-dessous de la boutique de tabac. Le violoniste de tout à l'heure avait disparu, et c'était tant mieux, car Ardery avait envie de bavarder tout en sirotant sa boisson. Celle-ci s'avéra être un verre de vin, et Lynley dressa un sourcil.

Elle s'en rendit compte.

— Je n'ai rien contre un verre de vin pendant le service, inspecteur Lynley. On l'a bien mérité après J-a-y-s-o-n. Je vous en prie, accompagnez-moi. J'ai horreur de passer pour une poivrote.

— Je vais m'abstenir, dit-il. J'ai un peu forcé sur l'alcool après la mort de Helen.

— Ah. Oui. Je comprends.

Lynley commanda une eau minérale, et ce fut le tour d'Ardery de dresser le sourcil.

— Pas même un soda ? Êtes-vous toujours aussi vertueux, Thomas ?

— Seulement quand je veux faire bonne impression.

— Et c'est le cas ?

— Comme tout le monde, non ? Si vous devez être le chef, mieux vaut essayer de se placer, non ?

— Je doute fort que vous ayez jamais essayé de vous placer.

— Contrairement à vous ? Vous avez bien manœuvré, on dirait.

— J'ai de l'ambition, en effet.

Elle balaya du regard la cour où ils étaient installés. Elle grouillait moins que l'étage au-dessus, n'offrant que ce restaurant-bar à vins au pied d'un large escalier. Mais il y avait quand même pas mal de monde. Toutes les tables étaient occupées. Ils avaient eu de la chance de pouvoir s'asseoir.

— Mon Dieu, quelle foule, c'est dingue ! D'après vous, pourquoi les gens viennent-ils dans des endroits comme ça ?

— Le pouvoir d'évocation, dit-il.

Elle se tourna à nouveau vers lui. Il jouait avec un sucrier en faïence, le faisant pivoter entre ses doigts.

— L'histoire, l'art, la littérature. L'occasion de rêver. De revenir sur un lieu de son enfance, peut-être. Toutes sortes de raisons.

— Mais pas pour acheter des tee-shirts avec l'inscription « Mind the gap[1] » ?

— Un fâcheux sous-produit du capitalisme triomphant.

Elle sourit.

— Vous pouvez être assez amusant.

— On me le dit parfois, mais en général avec l'accent sur l'adverbe.

---

1. Formule destinée à avertir les passagers du métro londonien de faire attention à l'écart entre la voiture et le quai.

Leurs boissons arrivèrent. Il remarqua qu'elle s'emparait de la sienne avec une certaine avidité. Elle remarqua qu'il remarquait.

— J'essaie de noyer le souvenir de Jayson. C'était affreux, ses lobes d'oreilles.

— Choix stylistique intéressant, concéda-t-il. On se demande quelle sera la prochaine lubie, maintenant que la mutilation est à la mode.

— Les marques au fer rouge, j'imagine. Qu'est-ce que vous avez pensé de lui ?

— À part ses lobes d'oreilles ? Je dirais que son alibi sera assez simple à confirmer. Les doubles des tickets de caisse auront l'heure imprimée dessus…

— Il aurait pu se faire remplacer, Thomas.

— … et il y aura sûrement un habitué ou deux, sans parler des commerçants voisins, qui pourront confirmer sa présence. Je ne le vois pas vraiment trancher une jugulaire. Et vous ?

— Je dois avouer que non. Paolo di Fazio ?

— Ou la personne à l'origine des cartes postales. Elle y a bien inscrit un numéro de portable.

Isabelle attrapa son sac à main et en sortit les cartes postales. Jayson les lui avait remises avec un « Ravi de m'en débarrasser, très chère » lorsqu'elle les lui avait demandées.

— Elles rendent les choses intéressantes, dit-elle à Lynley.

Puis, l'observant, elle ajouta :

— Ce qui nous conduit au sergent Havers.

— À propos de choses intéressantes, répliqua-t-il, persifleur.

— Ça vous plaisait de travailler avec elle ?

— Oui, beaucoup.

— Malgré sa...

Ardery semblait chercher le mot.

Il lui en souffla plusieurs.

— Son côté tête de mule ? Son refus obstiné de marcher au pas ? Son manque de raffinement ? Ses manies un peu surprenantes ?

Portant son verre à ses lèvres, Ardery l'examina tout en buvant.

— Vous faites une drôle de paire. Inattendue. Je crois que vous comprenez ce que je veux dire. Je sais qu'elle a eu des ennuis professionnels. J'ai lu son dossier.

— Seulement le sien ?

— Bien sûr que non. Ceux de tout de monde. Le vôtre aussi. Je tiens à décrocher ce poste, Thomas. Je tiens à avoir une équipe qui fonctionne comme une machine bien huilée. Si le sergent Havers risque d'enrayer le mécanisme, je n'hésiterai pas à me débarrasser d'elle.

— D'où les changements que vous lui conseillez ?

— Quels changements ? fit Ardery en fronçant les sourcils.

— Son habillement. Son maquillage. Je m'attends à la voir avec des dents de star et une coiffure dernier cri la prochaine fois.

— Une femme a tout intérêt à se mettre en valeur. Si un homme de mon équipe osait venir au boulot aussi débraillé que Barbara Havers, je lui conseillerais de faire quelque chose. En l'occurrence, elle est la seule à venir bosser avec une dégaine pareille. Personne ne lui a jamais parlé de ce problème ? Le commissaire Webberly ? Vous ?

— Elle est comme elle est, dit Lynley. Un esprit bien fait et un cœur généreux.

— Vous l'aimez bien.

— Je ne peux pas travailler avec des gens que je n'aime pas, chef.

— Dans les conversations privées, c'est Isabelle.

Lynley croisa son regard. Il remarqua qu'elle avait les yeux marron, comme les siens, mais pas d'un marron uniforme. Ils étaient fortement mouchetés de brun noisette, et il se dit qu'avec d'autres couleurs que celles qu'elle portait actuellement – un chemisier crème sous une veste feuille-morte – ils pourraient même avoir l'air verts. Il contempla la foule alentour.

— Nous ne sommes pas vraiment en privé, si ?

— Vous comprenez très bien ce que je veux dire.

Elle regarda sa montre. Son verre était encore à moitié plein et, avant de se lever, elle l'avala d'un trait.

— Allons voir Paolo di Fazio, lança-t-elle. Il devrait être revenu.

En effet. Il essayait de persuader un couple de touristes quinquagénaires de se faire fabriquer des masques. Ils étaient à Londres pour leurs noces d'argent, et ils pourraient les garder en souvenir. Il avait sorti ses outils et les avait disposés sur le comptoir, où il avait également installé une collection d'échantillons. Les masques étaient montés sur des tiges elles-mêmes fixées sur de petits socles de bois. En plâtre de Paris, les masques étaient étonnamment réalistes, semblables à ces masques mortuaires qu'on moulait jadis sur le visage des grands personnages.

— La manière idéale pour vous de vous souvenir de cette visite à Londres, disait di Fazio au couple. Nettement plus riche de sens qu'un mug avec la trombine d'un membre de la famille royale, non ?

Le couple hésitait. Ils se consultèrent :

— Tu crois… ?

Di Fazio attendit leur décision. Son expression était polie, et elle ne changea pas lorsqu'ils annoncèrent qu'ils devaient réfléchir.

Quand ils s'en allèrent, di Fazio porta son attention sur Lynley et Ardery.

— Encore un beau couple, dit-il. Deux visages littéralement faits pour la sculpture. Vos enfants sont, j'en suis sûr, aussi splendides que vous.

Lynley entendit Ardery pouffer. Elle montra sa carte de police :

— Commissaire Isabelle Ardery. New Scotland Yard. Voici l'inspecteur Lynley.

Contrairement à Jayson Druther, di Fazio comprit tout de suite pourquoi ils étaient là. Il retira les lunettes à monture d'acier qu'il portait, entreprit de les essuyer sur le devant de sa chemise et dit :

— Jemima ?

— Vous êtes au courant de ce qui lui est arrivé, alors.

Il remit les lunettes sur son nez et passa une main sur ses cheveux bruns assez longs. Il était plutôt beau gosse, constata Lynley. Petit et trapu mais avec des épaules et un torse qui laissaient penser qu'il faisait de la musculation. Di Fazio dit brusquement :

— Bien sûr que je suis au courant de ce qui est arrivé à Jemima. Tout le monde le sait.

293

— Tout le monde ? Jayson Druther n'en avait aucune idée.

— Pas étonnant. C'est un débile.

— Jemima pensait la même chose ?

— Jemima était gentille. Elle ne l'aurait jamais reconnu.

— Comment avez-vous appris sa mort ? demanda Lynley.

— Par Bella.

Il ajouta ce qui était indiqué dans le rapport de Barbara : qu'il était un des pensionnaires de Bella McHaggis à Putney. En fait, c'était à cause de lui que Jemima avait élu domicile chez Mrs McHaggis. Il lui avait dit peu après l'avoir rencontrée que la maison avait une chambre libre.

— Quand était-ce ? demanda Lynley.

— Une semaine ou deux après son arrivée à Londres. En novembre dernier.

— Et comment aviez-vous fait sa connaissance ? lui demanda Isabelle.

— À la boutique.

Il poursuivit en disant qu'il roulait ses cigarettes, et qu'il achetait son tabac et son papier à la boutique de cigares.

— En général à ce crétin de Jayson, ajouta-t-il. *Pazzo uomo.* Mais un jour Jemima était là à sa place.

— Italien, n'est-ce pas, Mr di Fazio ? demanda Lynley.

Di Fazio sortit une cigarette roulée de sa poche de chemise – il portait une chemise blanche impeccable et un jean très propre – et il la plaça derrière son oreille.

— Avec un nom comme di Fazio, excellente déduction.

— Je pense que l'inspecteur voulait dire natif d'Italie, précisa Isabelle. Votre anglais est parfait.

— Je vis ici depuis l'âge de dix ans.

— Vous êtes né… ?

— À Palerme. Pourquoi ? Quel rapport avec Jemima ? Je suis venu ici légalement, si c'est ce qui vous intéresse, non que ça ait une grande importance ces temps-ci avec cette gabegie de l'Union européenne et ces gens qui franchissent les frontières quand ça leur chante.

Lynley devina qu'Ardery allait changer de sujet car elle souleva légèrement les doigts du comptoir.

— Nous avons cru comprendre que vous récupériez des cartes postales de la National Portrait Gallery pour Jemima. Elle vous avait demandé de le faire ou bien c'était une idée à vous ?

— Pourquoi ça aurait été une idée à moi ?

— Vous pouvez peut-être nous le dire.

— Ce n'était pas mon idée. Je suis tombé sur une de ces cartes à Leicester Square. Je l'ai reconnue de l'expo à la Portrait Gallery – il y a une banderole sur le devant et la photo de Jemima est dessus, si vous ne l'avez pas vue – et je l'ai ramassée.

— Cette carte postale, où était-elle ?

— Je ne me souviens pas… Près du kiosque-théâtre ? Peut-être près de l'Odeon ? Elle était collée avec de la pâte adhésive et il y avait ce message dessus, alors je l'ai prise et je l'ai donnée à Jemima.

— Avez-vous appelé le numéro au verso ?

Il secoua la tête.

— Aucune idée de qui c'était ni de ce qu'il pouvait vouloir.

— « Il », souligna Lynley. Donc vous saviez que c'était un homme qui distribuait ces cartes.

Di Fazio s'était trahi et, loin d'être un imbécile, il l'avait compris. Il mit quelques secondes à répondre.

— Elle m'a expliqué que c'était sûrement son mec. Son ancien mec. Un type du Hampshire. Elle le savait d'après le numéro au dos de la carte. Elle a dit qu'elle l'avait quitté, mais qu'il ne l'avait pas bien pris et que, manifestement, il essayait de la retrouver. Elle ne voulait pas qu'on la retrouve. Elle voulait retirer les cartes avant que quelqu'un qui savait où elle était en voie une et téléphone au mec. Alors elle les ramassait et moi aussi. Toutes celles qu'on trouvait, systématiquement.

— Vous aviez une liaison avec elle ? demanda Lynley.

— Nous étions amis.

— À part l'amitié. Aviez-vous une liaison avec elle ou espériez-vous simplement que ça se produise un jour ?

Là encore, di Fazio ne répondit pas tout de suite. Il n'était pas idiot, et il savait que sa réponse pouvait lui retomber dessus. Oui, non, peut-être, ou quelle importance, entre les hommes et les femmes, il y avait toujours l'élément sexuel à prendre en compte, et ce à quoi pouvait conduire l'élément sexuel en matière de mobile de meurtre.

— Mr di Fazio ? dit Ardery. Y a-t-il quelque chose dans la question que vous ne comprenez pas ?

Il répondit d'un ton brusque :

— On a été amants.

— Ah, fit Ardery.

L'homme avait l'air irrité.

— C'était avant qu'elle vienne habiter chez Bella. Elle avait une chambre minable dans Charing Cross Road, au-dessus de Kiera News. Elle la payait trop cher.

— Mais c'était là que vous et elle… ?

Ardery le laissa compléter tout seul.

— Vous la connaissiez depuis combien de temps quand vous êtes devenus amants ?

Il se hérissa.

— Je ne vois pas le rapport.

Ardery ne répondit rien et Lynley non plus. Di Fazio finit par lâcher :

— Une semaine. Quelques jours. Je ne sais plus.

— Vous ne savez plus ? demanda Ardery. Mr di Fazio, j'ai le sentiment que…

— Je suis entré acheter du tabac. Elle était sympa, aguicheuse, vous voyez le style. Je lui ai demandé si elle voulait boire un verre après le boulot. On est allés dans ce bar sur Long Acre… le pub… je ne sais plus comment il s'appelle. Il était bondé, alors on a bu un verre sur le trottoir avec tout le monde et puis on est partis. On est allés dans sa chambre.

— Vous êtes donc devenus amants le jour de votre rencontre, dit clairement Ardery.

— Ce sont des choses qui arrivent.

— Et puis vous avez commencé à habiter ensemble à Putney, précisa Lynley. Chez Bella McHaggis. Dans sa maison.

— Non.

— Non ?

— Non.

Di Fazio attrapa sa cigarette derrière son oreille. Il déclara que s'ils devaient continuer cette discussion –

et ça lui coûtait un tas de clients, à propos –, alors ils allaient le faire dehors où au moins il pourrait se taper une clope en même temps.

Ardery ne voyait absolument aucun inconvénient à aller dehors, et il rassembla ses outils pour les fourrer sous le comptoir avec les échantillons de masques sur leurs socles en bois. Lynley remarqua les outils – tranchants et parfaitement adaptés à des activités autres que la sculpture. Il savait qu'Ardery les avait remarqués aussi. Ils échangèrent un coup d'œil et suivirent di Fazio à l'extérieur de la halle.

Là, il alluma sa cigarette roulée et il leur raconta le reste. Il croyait que leur liaison continuerait, mais il n'avait pas envisagé que Jemima tiendrait à respecter le règlement.

— Pas de sexe, dit-il. Bella ne le permet pas.

— Opposée à la sexualité en général ? demanda Lynley.

La sexualité entre pensionnaires, leur expliqua di Fazio. Il avait essayé de convaincre Jemima de continuer comme avant, mais en douce : Bella dormait comme un sonneur à l'étage au-dessus, et comme Frazer Chaplin – c'était le troisième pensionnaire – habitait l'appartement en sous-sol deux étages plus bas, il ne saurait pas non plus ce qui se passait. Quant à eux – Jemima et di Fazio –, ils occupaient les deux seules chambres à coucher au premier étage de la maison. Enfin, bon sang, il n'y avait aucun risque que Bella le découvre.

— Jemima ne voulait rien entendre, expliqua di Fazio. Quand elle était venue voir la chambre, Bella lui avait tout de suite précisé qu'elle avait renvoyé la dernière pensionnaire parce qu'elle fricotait avec

Frazer. Elle l'avait surprise à sortir de la chambre de Frazer un matin de bonne heure, et ç'avait été terminé. Jemima ne voulait pas que ça lui arrive – un logement correct, ça ne se trouve pas sous le sabot d'un cheval –, alors elle a dit : plus de sexe. Au début, c'était pas de sexe chez Bella, et puis ça a été plus de sexe du tout. C'était devenu trop compliqué, paraît-il.

— Trop compliqué ? répéta Ardery. Où est-ce que vous vous retrouviez ?

— Pas en public. Et pas dans le cimetière d'Abney Park, si c'est là que vous voulez en venir. À mon atelier.

Il partageait un espace avec trois autres artistes, sous une arche de chemin de fer près de Clapham Junction. Au début ils allaient là-bas – lui et Jemima –, mais au bout de quelques semaines, elle en avait eu assez.

— Elle a dit qu'elle n'aimait pas l'hypocrisie.

— Et vous l'avez crue ?

— Je n'avais pas vraiment le choix. Elle a dit que c'était fini. Elle a fait le nécessaire pour ça.

— Un peu comme avec le type de la carte postale ? D'après ce qu'elle vous avait raconté ?

— Un peu, oui, acquiesça-t-il.

Autrement dit, songea Lynley, ils avaient tous les deux une raison de la tuer.

11

Yolanda la Spirite avait un cabinet pas loin d'un marché juste derrière Queensway à Bayswater. Barbara Havers et Winston Nkata la trouvèrent sans trop de problèmes après avoir déniché le marché lui-même, auquel ils accédèrent par une entrée non signalée entre un minuscule marchand de journaux et un de ces innombrables magasins de bagages bas de gamme qui semblaient surgir à chaque coin de rue de Londres. Le marché était le genre d'endroit à côté duquel on pouvait facilement passer sans rien remarquer : un dédale de couloirs au plafond bas abritant des boutiques ethniques destinées uniquement à la population locale, où les cafés russes rivalisaient avec les boulangeries indiennes, et où les échoppes vendant des narguilés côtoyaient des kiosques diffusant de la musique africaine à plein volume.

Une question posée dans le café russe leur permit d'apprendre qu'il y avait aux abords du marché une rue du nom de Psychic Mews. C'était là qu'exerçait Yolanda la Spirite et, compte tenu de l'heure, elle devait s'y trouver.

Ils ne tardèrent pas à tomber sur la ruelle. Bien que sûrement bidon, Psychic Mews ressemblait à un authentique ensemble d'anciennes écuries avec rue pavée et bâtiments séculaires, pareil à tous les mews de Londres. Mais, contrairement aux autres mews, les lieux étaient protégés par un toit, comme le reste du marché. Ce détail conférait à Psychic Mews une atmosphère de mélancolie, de mystère, et même de danger. On s'attendait à tout moment à voir surgir Jack l'Éventreur, songea Barbara.

Le cabinet de Yolanda était un des trois temples de la voyance que comptaient les lieux. Son unique fenêtre – aux rideaux tirés pour préserver l'intimité des clients – présentait sur son rebord tout l'attirail correspondant à l'activité de la spirite : une main en porcelaine, paume ouverte, sur laquelle étaient identifiées les différentes lignes, une tête elle aussi en porcelaine avec diverses parties du crâne indiquées, une carte du ciel, un jeu de tarots. Ne manquait que la boule de cristal.

— Tu crois à ces conneries ? demanda Barbara à Nkata. Tu lis ton horoscope, ou des trucs comme ça ?

Winston compara sa paume à la main en porcelaine derrière la fenêtre.

— D'après ce machin-là, j'aurais dû mourir la semaine dernière, déclara-t-il avant de pousser la porte avec l'épaule.

Il dut se baisser pour entrer, et Barbara le suivit dans un vestibule où brûlait de l'encens et où résonnait un air de sitar. Contre un mur trônait une reproduction en plâtre du dieu éléphant et, de l'autre côté, un crucifix était suspendu au-dessus de ce qui ressemblait à une poupée kachina, tandis que, par terre, un énorme bouddha paraissait servir de butoir de porte. Yolanda devait être une voyante qui couvrait toutes les formes de spiritualité, conclut Barbara.

— Y a quelqu'un ? appela-t-elle.

En réponse, une femme apparut derrière un rideau de perles. Elle n'était pas habillée comme l'avait prévu Barbara. Pour une raison ou une autre, on s'imaginait les voyantes accoutrées en gitanes : des tas de foulards, des jupons colorés, et plein de colliers en or avec d'immenses anneaux accrochés aux oreilles. Au lieu de cela, Yolanda la Spirite portait un tailleur de ville qu'Isabelle Ardery aurait approuvé de tout cœur. Sa coupe convenait au léger embonpoint de la voyante et, même aux yeux peu avertis de Barbara, son chic semblait proclamer haut et fort : créateur français. La seule concession au stéréotype était le foulard, et encore, la femme le portait simplement en bandeau pour retenir ses cheveux. Au lieu d'être noirs, ceux-ci étaient orange, teinte assez déconcertante qui évoquait une rencontre fâcheuse avec un flacon d'eau oxygénée.

— Vous êtes Yolanda ? demanda Barbara.

Soudain, la femme porta les mains à ses oreilles et ferma les yeux.

— Oui, oui, d'accord !

Elle avait une voix grave comme celle d'un homme.

— Je vous entends très bien, ça va !

— Désolée, dit Barbara.

De son point de vue, elle n'avait pas parlé fort du tout. Les médiums, se dit-elle, devaient être sensibles au bruit.

— Je ne voulais pas…

— Je lui dirai ! Mais vous devez arrêter de hurler. Je ne suis pas sourde, vous savez.

— Je n'avais pas l'impression de parler fort.

Barbara sortit sa carte.

— Scotland Yard, annonça-t-elle.

Yolanda rouvrit les yeux. Elle ne jeta même pas un coup d'œil en direction de la carte de police. Au contraire, elle dit :

— C'est fou ce qu'il peut crier.

— Qui ?

— Il prétend être votre père. Il prétend que vous devez…

— Il est mort, la coupa Barbara.

— Bien sûr que oui. Je ne l'entendrais pas, sans ça. J'entends des morts.

— Comme dans : « Je vois des morts » ?

— Ne faites pas la maligne. Très bien ! Très bien ! Pas si fort. Votre père…

— Il ne criait pas. Jamais.

— Maintenant, si, trésor. Il dit que vous devez passer voir votre mère. Elle a besoin de vous.

Barbara en doutait. La dernière fois qu'elle avait vu sa mère à Greenford, la pauvre femme s'était crue en présence de leur voisine de longue date, Mrs Gustafson. Durant ses dernières années à domicile, sa mère était terrorisée par Mrs Gustafson, comme si cette pauvre vieille dame s'était métamorphosée en Lucifer… Rien de ce que Barbara avait tenté n'avait pu apaiser la panique de sa mère, ni les papiers d'identité qu'elle lui avait montrés, ni son recours aux autres résidents de la maison de santé. Barbara n'y était pas encore retournée. Un repli qui lui avait semblé la sagesse même.

— Que dois-je lui dire ? demanda Yolanda.

Puis, les mains à nouveau sur les oreilles :

— Quoi ? Oh, bien sûr que je vous crois !

Puis, à Barbara :

— James, c'est ça ? Mais on ne l'appelait pas comme ça, si ?

— Jimmy.

Barbara se dandina, mal à l'aise. Elle regarda Winston, qui paraissait redouter un message gênant de l'au-delà.

— Dites-lui que j'irai. Demain. Peu importe.

— On ne doit pas mentir au monde des esprits.

— La semaine prochaine, alors.

Yolanda ferma les yeux.

— Elle a dit la semaine prochaine, James.

Puis, à Barbara :

— Vous ne pouvez vraiment pas y aller plus tôt ? Il insiste beaucoup.

— Dites-lui que je travaille sur une affaire. Il comprendra.

Apparemment, il comprit, car après avoir communiqué cette nouvelle au monde des esprits, Yolanda poussa un soupir de soulagement et reporta son attention sur Winston. Il avait une aura magnifique, lui dit-elle. Très développée, insolite, brillante et sophistiquée. Fan-tas-tique.

Nkata dit poliment :

— Merci. Peut-on vous dire un mot, Miss…

— Juste Yolanda.

— Pas de nom de famille ? lui demanda Barbara.

Pour le procès-verbal. Étant donné que c'était une affaire de police… Yolanda comprendrait certainement, pas vrai ?

— Une affaire de police ? Je suis en règle. J'ai ma licence. Tout ce qu'il faut.

— J'en suis sûre. Nous ne sommes pas là pour vérifier votre situation juridique. Donc, votre nom complet
est… ?

Il s'avéra – ô surprise – que Yolanda était un pseu-
donyme, Sharon Price n'ayant pas tout à fait le même
cachet en matière de voyance.

— Mademoiselle ou madame ? demanda Nkata, qui
avait sorti son calepin et son portemine.

Madame, confirma-t-elle. Monsieur conduisait un
des taxis noirs de Londres, et les enfants de monsieur
et madame étaient grands tous les deux et avaient
quitté le nid familial.

— Vous êtes ici à cause d'elle, n'est-ce pas ? fit
Yolanda, perspicace.

— Vous connaissiez Jemima Hastings, alors, hein ?
dit Nkata.

Yolanda ne releva pas le temps du verbe.

— Oh, je connais Jemima, oui. Mais je ne parlais
pas de Jemima. Je parlais d'elle, cette peau de vache là-
bas à Putney. Elle vous a appelés, finalement ? Quel
culot.

Ils étaient toujours dans le vestibule, et Barbara
demanda s'il n'y avait pas un endroit où ils pourraient
s'asseoir pour avoir une conversation digne de ce
nom… Yolanda leur fit signe de franchir le rideau de
perles, derrière lequel elle avait aménagé une pièce qui
hésitait entre le cabinet de psy, avec un divan le long
d'un mur, et le cabinet de voyante, avec une table
ronde au milieu et un fauteuil genre trône à midi, manifestement réservé à la spirite. Yolanda se dirigea vers
ce siège, indiquant à Havers et Nkata qu'ils devaient
s'asseoir respectivement à trois heures et à sept heures.

Sans doute à cause de l'aura de Nkata, et du manque d'aura de Barbara.

— Je m'inquiète un peu pour vous, à vrai dire, lui confia Yolanda.

— S'il n'y avait que vous...

Barbara jeta un coup d'œil à Nkata. Il lui lança un regard de commisération aussi profonde que totalement feinte.

— On s'expliquera plus tard, grommela-t-elle.

Nkata réprima un sourire.

— Ah, je vois que vous êtes deux sceptiques, déclara Yolanda de son étrange voix d'homme.

Elle passa la main sous la table, et Barbara s'attendit à voir le meuble se soulever tout seul. Mais non, le médium en retira l'indéniable responsable de la ruine de ses cordes vocales : un paquet de Dunhill. Elle en alluma une puis poussa les cigarettes vers Barbara, convaincue de la solidarité du sergent dans ce domaine.

— Vous en mourez d'envie, allez-y, lui dit-elle.

Puis, à Winston :

— Désolée, trésor. Mais ne vous en faites pas... Le tabagisme passif ne sera pas la cause de votre mort. Enfin bon, si vous voulez en savoir plus, il faudra me payer cinq livres.

— Je préfère garder la surprise.

— Comme vous voudrez, mon chou.

Elle inhala avec un plaisir intense, puis se carra dans son trône et déclara :

— Ça ne me plaît pas qu'elle habite à Putney. Enfin, pas tant à Putney qu'avec cette femme et près de cette femme ; je suppose que j'entends par là sous le toit de cette femme.

— Ça ne vous plaisait pas que Jemima habite chez Mrs McHaggis ? s'enquit Barbara.

— Exact.

Yolanda fit tomber sa cendre par terre. Le sol était recouvert d'un tapis persan, mais la chose ne semblait pas la déranger.

— Les maisons où il y a eu un mort ont besoin d'être décontaminées. Il faut faire brûler de la sauge dans toutes les pièces et, croyez-moi, il ne suffit pas de se promener dans la maison en agitant son petit bouquet. Et puis il n'est pas question de la sauge qu'on peut trouver au marché. Il ne s'agit pas non plus d'acheter un sachet chez Sainsbury au rayon des herbes déshydratées, d'en mettre une cuillère à café dans un cendrier, on allume et voilà. Ah ça non, loin s'en faut. On se procure la sauge qu'il faut, présentée en fagot comme il se doit et faite pour être brûlée. On l'allume et on prononce les prières adéquates. Les esprits qui ont besoin d'être libérés sont alors libérés, les lieux sont purifiés, et c'est uniquement à ce moment-là que la maison se trouve suffisamment assainie pour que l'habitant reprenne son existence entre ses murs.

Barbara vit que Winston prenait tout ça en note comme s'il avait l'intention de s'arrêter quelque part pour acheter ces fameux produits de décontamination.

— Excusez-moi, Mrs Price, mais…

— Yolanda, pour l'amour du ciel.

— Soit. Yolanda. Vous êtes bien en train de parler de ce qui est arrivé à Jemima Hastings ?

Yolanda eut l'air déroutée.

— Je suis en train de parler du fait qu'elle habite dans la Maison de la Mort. Mc*Haggis*… autrement dit, « Hachis »… Femme a-t-elle jamais porté un nom plus

éloquent, je vous le demande ? McHaggis est veuve.
Son mari est mort dans la maison.

— Circonstances suspectes ?

Yolanda grogna.

— Ça, vous n'aurez qu'à le demander à McHaggis.
Moi je vois la contagion qui suinte par toutes les
fenêtres chaque fois que je passe devant cette baraque.
J'ai dit à Jemima qu'elle devait vider les lieux. Et bon,
d'accord, je l'avoue, je me suis peut-être montrée un
peu insistante.

— D'où le coup de fil aux flics ? suggéra Barbara.
Qui leur a téléphoné ? Je vous pose la question parce
qu'on sait que vous avez reçu l'ordre, à un moment
donné, d'arrêter de traquer Jemima. Est-ce que nos
informations...

— Ça, c'est une interprétation, non ? fit Yolanda.
J'ai exprimé mon inquiétude. Elle a grandi, alors je l'ai
exprimée à nouveau. Peut-être que j'ai été un peu...
Oh, peut-être que j'ai poussé les choses à l'extrême,
peut-être que j'ai un peu rôdé autour de la maison, mais
qu'est-ce que je suis censée faire ? La laisser simplement dépérir ? Chaque fois que je la vois, je la trouve
plus rapetissée. Est-ce que je suis censée rester là les
bras ballants ? Sans rien dire ?

— « Je la trouve rapetissée », répéta Barbara. Là,
vous ne parlez pas de Jemima ?

— Son aura, voyons ! intervint obligeamment Nkata,
qui maîtrisait très bien la situation.

— En effet, confirma Yolanda. Quand j'ai fait la
connaissance de Jemima, elle rayonnait. Bon, pas
comme vous, trésor, mais quand même de façon plus
visible que la plupart des gens.

— Vous avez fait sa connaissance comment, alors ?
demanda Barbara.

Elle en avait sa claque des auras, d'autant que
Winston commençait à ne plus se sentir avec la sienne.

— À la patinoire. Enfin, pas sur la patinoire elle-
même, naturellement. Plutôt *par* la patinoire. Abbott
nous a présentées. On prend parfois un café ensemble,
Abbott et moi. Et il m'arrive aussi de tomber sur lui en
faisant les courses. Il a lui-même une aura assez
plaisante…

— C'est sûr, murmura Barbara.

— … et comme il en bave des ronds de chapeau
avec ses femmes – enfin, ses ex-femmes, plutôt –,
j'aime bien lui dire de pas trop se faire de bile. Il se
décarcasse assez, pas vrai ? Et s'il arrive pas à payer
toutes leurs pensions alimentaires, il doit pas se mettre
la rate au court-bouillon pour ça. Il fait ce qu'il peut. Il
donne des cours, non ? Il promène des chiens dans le
parc. Il est répétiteur pour des enfants. Qu'est-ce que
ces trois pétasses peuvent lui réclamer de plus ?

— Quoi de plus, en effet, acquiesça Barbara.

— Et ce type, alors, qui est-ce ? demanda Winston.

Abbott Langer. Il était moniteur au Queen's Ice and
Bowl, juste au bout de la rue.

Il s'avéra que Jemima Hastings prenait des leçons de
patinage avec Abbott Langer et que Yolanda était
tombée sur eux alors qu'ils prenaient un café après le
cours dans le troquet russe. Abbott les avait présentées.
Comme Yolanda admirait l'aura de Jemima…

— La bonne blague, marmonna Barbara.

… elle avait posé quelques questions à la jeune
femme, les questions avaient relancé la conversation, et

309

la conversation avait poussé Yolanda à remettre à Jemima sa carte professionnelle. Et voilà.

— Elle est venue me consulter trois ou quatre fois.

— À quel sujet ?

Yolanda réussit à tirer sur sa cigarette et à prendre en même temps une mine épouvantée.

— Je ne parle pas de mes clients. C'est confidentiel, ce qui se passe ici.

— Une idée générale, peut-être ?

— Tiens donc...

Elle recracha un mince jet de fumée.

— En gros elle est comme tout le monde, se lança-t-elle. Elle veut parler d'un mec. Banal, non ? C'est toujours à cause d'un mec, pas vrai ? Est-ce qu'il voudra bien ? Est-ce qu'il voudra pas ? Est-ce qu'ils voudront bien ? Est-ce qu'ils voudront pas ? Est-ce qu'elle devrait faire ci ? Est-ce qu'elle devrait pas ? Moi ce qui me préoccupe, pourtant, c'est cette maison dans laquelle elle habite. Mais vous croyez qu'elle veut en entendre parler ? Vous croyez qu'elle veut entendre parler de l'endroit où elle devrait habiter ?

— Et il serait où, cet endroit ? demanda Barbara.

— Pas là-bas, en tout cas. Je vois du danger là-bas. Je lui ai même proposé d'habiter chez ma sœur et moi, et pour pas cher. On a deux chambres d'amis qui ont été toutes les deux purifiées, mais elle refuse de partir de chez McHaggis. Je reconnais que j'ai peut-être un peu forcé la note. Il est possible que je sois passée en discuter avec elle de loin en loin. Mais seulement parce qu'il faut absolument qu'elle déguerpisse de cet endroit. Allons, qu'est-ce que je suis censée faire ? Me taire ? M'en laver les mains ? Attendre qu'il se passe ce qui va se passer ?

De toute évidence, Yolanda n'avait toujours pas compris que Jemima était morte. C'était assez curieux étant donné qu'elle se prétendait médium et que les flics étaient là à lui poser des questions sur une de ses clientes. Certes, la famille de Jemima n'étant pas encore localisée, son nom n'avait pas été divulgué. Mais, d'un autre côté, si Yolanda arrivait à entendre le propre père de Barbara, l'esprit de Jemima devait carrément lui crever les tympans, non ?

Barbara décocha un regard à Nkata à la pensée de son père. Le misérable avait-il contacté Yolanda à l'avance pour lui communiquer certains détails sur la vie de sa collègue ? Il en aurait bien été capable. Il avait le sens de la rigolade.

— Yolanda, dit-elle. Avant de continuer, je crois qu'il faut mettre une chose au clair : Jemima Hastings est morte. Elle a été assassinée il y a quatre jours dans le cimetière d'Abney Park à Stoke Newington.

Silence. Soudain, comme si ses fesses avaient pris feu, Yolanda bondit de son trône, qui se renversa. Elle jeta sa cigarette sur le tapis et l'écrasa – du moins Barbara l'espérait, ne rêvant pas vraiment d'un incendie –, puis elle leva les bras. Elle s'écria comme à l'article de la mort :

— Je le savais ! Je le savais ! Oh, pardonnez-moi, Immortels !

Puis elle tomba en travers de la table, les bras toujours déployés, une main tendue vers Nkata et l'autre vers Barbara. Comme ils ne réagissaient pas, elle frappa le dessus de la table avec ses paumes avant de tourner ses mains vers eux. Ils étaient censés les lui attraper.

— Elle est ici parmi nous ! cria Yolanda. Oh, dis-moi, ma bien-aimée. Qui ? *Qui ?*

Elle se mit à gémir.

Barbara regarda Winston, atterrée. Devaient-ils appeler les secours ? Lui balancer un seau d'eau ? Y avait-il de la sauge quelque part ?

— Brun comme la nuit, chuchota Yolanda, la voix plus rauque qu'avant. Il est brun comme la nuit.

Eh bien, sans doute, songea Barbara, ne serait-ce que parce qu'ils l'étaient chaque fois.

— Assisté de son complice le soleil, il l'attaque. Ensemble ils agissent. Il n'était pas seul. Lui, je le vois. Je le vois. Oh ma bien-aimée !

Là-dessus, elle hurla. Puis elle s'évanouit. Ou sembla s'évanouir.

— Oh putain...

Nkata avait chuchoté. Il regarda vers Barbara, dans l'attente d'un conseil.

Elle fut tentée de lui dire que c'était lui qui jouissait d'une aura exceptionnelle, alors merde il devait bien savoir ce qu'il fallait faire... Au lieu de ça, elle se leva et il l'imita. Ensemble, ils redressèrent le trône de Yolanda, l'y installèrent et lui placèrent la tête entre les genoux.

Lorsqu'elle revint à elle, avec une alacrité qui laissait penser qu'elle ne s'était pas réellement évanouie, elle se mit à geindre en parlant de McHaggis, de la maison, de Jemima, des questions de Jemima sur lui et est-ce qu'il m'aime, Yolanda, est-ce que c'est le bon, Yolanda, est-ce que je dois céder et faire ce qu'il demande, Yolanda ? Mais à part répéter en gémissant « brun comme la nuit qui me recouvre », formule qui, d'après Barbara, sentait fort la citation de poème,

312

Yolanda fut incapable de leur révéler autre chose. Elle leur dit toutefois qu'Abbott Langer en saurait peut-être davantage, puisque Jemima s'était montrée très assidue à ses cours de patinage, et que le moniteur avait été impressionné par sa passion pour ce sport.

— C'est cette maison, reprit Yolanda. J'avais pourtant essayé de l'avertir au sujet de cette maison.

Trouver Abbott Langer fut assez simple. Le Queen's Ice and Bowl était juste au bout de la rue, comme l'avait dit la voyante. Conformément à leur nom, les lieux combinaient les plaisirs du bowling et de la patinoire. Ils offraient également une salle de jeux vidéo, un snack-bar et un niveau sonore garantissant des migraines à tous les individus qui n'en souffraient pas ordinairement. Ce vacarme provenait de toutes les directions pour composer une vaste cacophonie : de la musique rock dans la partie bowling ; des cris, des bips, des claquements, des bourdonnements et des sonneries dans la salle de jeux vidéo ; de la dance music sur la patinoire ; sans oublier les cris et les hurlements des patineurs. En cette période de vacances, l'endroit grouillait d'enfants accompagnés de leurs parents, mais aussi d'adolescents en quête d'un refuge où traîner, envoyer des SMS et, le reste du temps, avoir l'air cool. De plus, à cause de la glace, il régnait une fraîcheur agréable dans le bâtiment, et cette fraîcheur attirait encore plus de gens.

Il y avait peut-être une cinquantaine de personnes sur la glace, la plupart cramponnées à la balustrade. La musique – ce qu'on en percevait par-dessus le brouhaha – semblait conçue pour encourager un patinage régulier, mais la stratégie n'était pas très probante. Barbara remarqua que personne, hormis les moniteurs, n'évoluait en rythme. Ces derniers étaient trois, repérables aux gilets jaunes qu'ils portaient et au fait qu'ils étaient les seuls à paraître capables de glisser à reculons, exploit admirable aux yeux de Barbara.

Debout contre la rambarde, ils observèrent le spectacle un moment. Plusieurs enfants parmi les patineurs prenaient apparemment des cours dans une zone qui leur était réservée au milieu de la piste. Ils suivaient les conseils d'un homme assez grand doté d'un casque de cheveux qui le faisait ressembler à un sosie d'Elvis. Bien plus costaud que l'image qu'on avait des patineurs sur glace, il mesurait un bon mètre quatre-vingts et était bâti comme un congélateur : pas gros, mais compact. On était obligé de le remarquer à cause non seulement de ses cheveux, mais aussi – malgré sa carrure – de son incroyable légèreté sur la glace. Il s'avéra être Abbott Langer, et il les rejoignit un bref instant en bord de piste à la demande d'un autre moniteur.

Il devait terminer son cours, leur expliqua-t-il. Ils pouvaient l'attendre ici – « Regardez cette petite en rose : elle décrochera bientôt l'or... » – ou bien au snack.

Ils choisirent le snack. Comme l'heure du thé était passée et qu'elle n'avait pas déjeuné, Barbara commanda un sandwich jambon-salade, des chips au vinaigre, une crêpe et un KitKat, sans oublier un Coca pour faire descendre le tout. Winston – évidemment – choisit un jus d'orange.

Elle le rabroua.

— Personne ne t'a jamais rien dit sur tes abominables habitudes alimentaires ? demanda-t-elle.

— Seulement sur mon aura, répondit-il en secouant la tête. C'est ton dîner, Barb ?

— Tu délires ? J'ai pas encore déjeuné.

Abbott Langer vint les retrouver alors que Barbara terminait son repas. Il avait mis des protections sur les lames de ses patins. Il donnait une autre leçon dans une demi-heure, annonça-t-il. Que pouvait-il pour eux ?

— Nous venons de chez Yolanda, dit Barbara.

— Elle est parfaitement en règle, déclara-t-il aussitôt. Vous voulez des références ? Vous comptez recourir à ses services ? Comme à la télé ?

— Euh… non, pas vraiment.

— Elle nous envoie pour que nous ayons une petite conversation à propos de Jemima Hastings, expliqua Winston. Elle est morte, Mr Langer.

— *Morte ?* Que s'est-il passé ? Quand est-elle morte ?

— Il y a quelques jours. Dans le cim…

Ses yeux s'écarquillèrent.

— C'est la femme du cimetière ? J'ai vu ça dans les journaux, mais ils ne citaient pas son nom.

— Ils ne le citeront pas tant qu'on n'aura pas trouvé la famille.

— Eh bien, de ce côté-là, je ne peux pas vous aider. Je ne connais pas ses proches.

Il détourna les yeux, regardant vers la patinoire où s'était produit un carambolage. Des moniteurs volaient à la rescousse des maladroits.

— Seigneur, mais c'est affreux, non ?

Il les regarda à nouveau.

— Assassinée dans un cimetière.

— En effet, acquiesça Barbara.

315

— Vous pouvez me dire comment… ?

Désolés. Ils ne pouvaient pas. Le règlement, l'enquête, la procédure… Ils étaient venus recueillir des informations sur Jemima. Depuis combien de temps la connaissait-il ? La connaissait-il bien ? Comment s'étaient-ils rencontrés ?

Abbott réfléchit.

— Le jour de la Saint-Valentin. Je m'en souviens parce qu'elle avait apporté des ballons pour Frazer.

Il regarda Nkata écrire dans son carnet et ajouta :

— C'est le type qui est chargé de louer les patins. Là-bas, près des casiers. Frazer Chaplin. Je l'avais d'abord prise pour une livreuse. Vous voyez ? Je croyais qu'elle livrait des ballons de la Saint-Valentin à Frazer de la part de sa petite amie… Mais, en l'occurrence, c'était elle la petite amie – la nouvelle, du moins elle essayait –, et elle était passée pour lui faire la surprise. On a été présentés et on a taillé une bavette. Elle mourait d'envie d'apprendre à patiner, alors on a pris rendez-vous. Il fallait jouer avec ses horaires de boulot, mais ça, c'était pas difficile. Je pouvais me débrouiller sans problème. J'ai trois ex-femmes et quatre enfants, alors je vais pas refuser la clientèle.

— Vous l'auriez fait, sinon ? demanda Barbara.

— Refusé de la prendre ? Non, non. Je veux dire, je l'aurais peut-être fait au bout du compte si ma situation personnelle, côté femmes et côté mômes, avait été différente, mais vu qu'elle se pointait régulièrement et pile à l'heure, et qu'elle payait rubis sur l'ongle, je ne pouvais pas vraiment ergoter si elle semblait avoir l'esprit à autre chose quand elle venait, pas vrai ?

— À quel genre de chose ? Vous le savez ?

Il avait l'air d'un homme sur le point de répondre qu'il n'aimait pas dire du mal des morts, mais il s'abstint pour déclarer :

— Je suppose que ça avait un lien avec Frazer. À mon avis, les cours étaient plutôt une excuse pour se rapprocher de lui, et c'est pour ça qu'elle n'arrivait pas à se concentrer. Vous comprenez, Frazer a un truc qui attire les nanas, et quand elles sont attirées, il les repousse pas vraiment, si vous voyez ce que je veux dire.

— En fait, non, on ne voit pas, répondit Barbara.

C'était faux, bien sûr, mais, à ce stade de l'enquête, ils avaient besoin d'autant de détails qu'ils pouvaient en amasser.

— Disons qu'il sait profiter des occasions, expliqua Abbott avec délicatesse. De temps en temps. N'allez pas vous méprendre, il fait toujours attention à l'âge des nanas : jamais de mineures. Elles lui rendent leurs patins, elles lui disent un petit mot, elles lui glissent une carte, un message ou quelque chose, et… enfin bon, vous voyez. Il part faire un tour avec l'une ou l'autre. Parfois il prévient son boulot du soir qu'il arrivera en retard – il est barman dans un grand hôtel –, et il passe quelques heures avec la nana. Ce n'est pas un mauvais bougre, notez bien. Il est comme ça, c'est tout.

— Et Jemima se doutait de ce qui se passait ?

— Elle avait des soupçons. Les femmes ne sont pas stupides. Mais le problème pour Jemima, c'est que Frazer bossait ici le matin et qu'elle ne pouvait venir que le soir, ou bien les jours où elle ne travaillait pas. Du coup, Frazer était plus ou moins disponible pour les nanas qui avaient envie de flirter ou davantage.

— Quels étaient vos propres rapports avec Jemima ? demanda Barbara, se rendant compte que les marmonnements de Yolanda – même si elle rechignait à leur accorder du crédit – pouvaient fort bien s'appliquer à cet homme « brun comme la nuit », avec son casque de cheveux noirs.

— Moi, mes rapports ? répéta-t-il, posant ses doigts contre sa poitrine. Oh, je n'ai jamais de liaisons avec mes élèves. Ce ne serait pas éthique. Et de toute façon, j'ai trois ex-femmes et…

— Quatre mômes, on sait. Mais un petit coup par-ci par-là, ça ne fait pas de mal, tout de même ? Si l'occasion se présente et que ça n'engage à rien.

Le patineur rougit.

— Je ne dirai pas que je n'avais pas remarqué qu'elle était séduisante. Elle *était* séduisante. Pas conventionnelle, voyez-vous, avec ces yeux qu'elle avait. Un peu petite, pas bien épaisse. Mais elle avait un côté vraiment chaleureux, pas du tout comme la Londonienne typique. Je suppose qu'un mec pouvait l'interpréter de travers.

— Mais pas vous ?

— Je me suis planté trois fois, alors pas question de remettre ça une quatrième. Je n'ai pas eu de bol avec le mariage. J'ai découvert que le célibat me protégeait de toute forme d'engagement.

— Mais une fois le terrain bien préparé, vous auriez pu vous la faire, j'imagine, souligna Barbara. Après tout, tirer un coup ne mène pas forcément au mariage, de nos jours.

— Terrain préparé ou non, je ne m'y serais pas risqué. Tirer un coup ne conduit peut-être plus systématiquement au mariage, mais j'avais la sensation qu'il en allait autrement pour Jemima.

— Êtes-vous en train de dire qu'elle espérait le mariage avec ce dénommé Frazer ?

— Je dis qu'elle voulait se marier, point. Ça aurait pu être Frazer, mais ça aurait aussi bien pu être n'importe qui d'autre.

Étant donné l'heure, Frazer Chaplin avait déserté le Queen's Ice and Bowl, mais ce n'était pas un problème. Ce nom était insolite et, d'après Barbara, il ne devait pas y avoir des dizaines de Frazer Chaplin à se balader en ville. C'était forcément le même que celui qui logeait chez Bella McHaggis. Il fallait qu'ils aient une conversation avec lui.

Tandis qu'ils traversaient la ville, Barbara mit Nkata au courant des règles de Bella McHaggis concernant la fraternisation entre ses pensionnaires. Si Jemima Hastings et Frazer Chaplin avaient effectivement une liaison, soit leur logeuse l'ignorait, soit elle avait fermé les yeux pour des raisons qui lui étaient propres, ce dont Barbara doutait fort.

À Putney, ils trouvèrent Bella McHaggis qui rentrait justement chez elle avec un chariot à moitié rempli de journaux. Alors que Nkata garait la voiture, Mrs McHaggis commença à décharger le chariot dans un des grands bacs en plastique de son jardin de devant. Elle agissait pour l'environnement, leur expliqua-t-elle lorsqu'ils franchirent le portail. Ces maudits voisins ne recycleraient jamais rien si elle ne les harcelait pas à ce sujet.

Barbara émit le murmure de compassion qui s'imposait puis demanda si Frazer Chaplin était là.

— Voici le sergent Nkata, ajouta-t-elle en guise de présentation.

— Qu'est-ce que vous voulez à Frazer ? C'est à Paolo que vous devriez parler. Ce que j'ai trouvé, je l'ai trouvé dans son placard à lui, pas dans celui de Frazer.

— Je vous demande pardon ? fit Barbara. Dites, pourrions-nous entrer, Mrs McHaggis ?

— Quand j'aurai terminé ici, dit Bella. Certaines choses sont importantes pour certaines personnes, mademoiselle.

Barbara fut tentée de lui répondre que le meurtre figurait incontestablement parmi ces choses importantes, mais elle se contenta de rouler des yeux en regardant Nkata tandis que Mrs McHaggis se remettait à décharger son chariot de journaux. Une fois sa tâche accomplie, elle leur demanda de la suivre à l'intérieur, et ils avaient à peine dépassé l'entrée – avec sa liste de règles et ses écriteaux signalant la présence sur place de la logeuse – que Bella leur rebattait les oreilles de sa pièce à conviction et exigeait de savoir pourquoi ils n'avaient pas dépêché quelqu'un sur-le-champ pour la récupérer.

— J'ai téléphoné à ce fameux numéro. Celui dans le *Daily Mail* pour apporter des renseignements. Eh bien, j'ai des renseignements, moi, et on aurait pu croire qu'ils seraient venus au galop me poser une ou deux de ces questions dont ils ont le secret.

Elle les conduisit dans la salle à manger, où le nombre de quotidiens et de tabloïds qu'elle avait déployés sur la table laissait supposer qu'elle suivait de près les progrès de l'enquête. Elle leur dit de s'asseoir le temps qu'elle aille chercher ce qu'ils voulaient, et quand Barbara fit remarquer que ce qu'ils voulaient c'était une conversation avec Frazer Chaplin s'il était rentré, elle s'écria :

— Oh, ne soyez pas gourde. C'est un homme, mais il n'est pas idiot, sergent. Au fait, est-ce que vous vous êtes occupée de cette voyante ? J'ai également appelé la police à son sujet. Elle traînait encore autour de chez moi. Elle était là, comme je vous vois.

— Nous avons eu une conversation avec Yolanda, confirma Barbara.

— Ah, c'est déjà ça.

Bella semblait sur le point de se laisser fléchir à propos de Frazer Chaplin, mais soudain ses traits s'altérèrent tandis qu'elle faisait le lien entre ce que Barbara venait de dire et ce que Barbara et Winston Nkata voulaient, à savoir une conversation avec Frazer.

— Ma parole, cette foutue cinglée ! Elle a dit quelque chose sur Frazer, c'est ça ? Elle vous a dit quelque chose qui vous a fait rappliquer ici au galop et vous avez l'intention de l'arrêter. Eh bien, pas question. Pas avec Paolo et ses cinq fiançailles et le fait qu'il ait amené Jemima pour qu'elle habite ici et cette dispute qu'ils ont eue. Juste une amie, à ce qu'il prétend, et elle qui acquiesce, et puis regardez ce qui se passe.

— Laissez-moi mettre une chose au clair, intervint Barbara. Yolanda n'a rien dit sur Frazer Chaplin. Nous sommes arrivés à lui par un autre biais. Alors si vous vouliez bien aller le chercher… ? Parce que s'il n'est pas ici…

— Quel autre biais ? Il n'y a pas d'autre biais. Bon, ne bougez pas d'ici, je vais vous le prouver.

Elle sortit de la salle à manger d'un pas furieux. Ils l'entendirent monter l'escalier. Quand elle eut disparu, Winston regarda Barbara.

— J'aurais peut-être dû faire le salut militaire ou quelque chose du genre...

— Un sacré phénomène, reconnut Barbara. T'entends pas l'eau couler ? Frazer ne serait pas sous la douche, par hasard ? Sa chambre est en dessous. L'appartement en sous-sol. On dirait bien qu'elle ne veut pas qu'on le voie...

— Elle le protège ? Tu crois qu'elle a un penchant pour lui ?

— Ça colle avec ce qu'Abbott Langer a dit de Frazer et des nanas, non ?

Bella reparut, une enveloppe blanche à la main. Affichant la mine triomphante de celle qui s'est montrée plus perspicace que les meilleurs détectives, elle leur conseilla de jeter un œil à *ça*. « Ça » s'avéra être une fine spatule en plastique de forme allongée avec une bandelette de papier qui dépassait à une extrémité et une zone striée à l'autre. Au milieu, il y avait deux petites fenêtres, une ronde et une carrée. Le centre de chacune de ces fenêtres était coloré d'un mince trait bleu, un horizontal et un vertical. Barbara n'en avait jamais vu avant – elle s'était rarement trouvée en situation de recourir à de tels ustensiles –, mais elle savait de quoi il s'agissait et, apparemment, Winston aussi.

— Un test de grossesse, annonça Bella. Et il n'était pas dans les affaires de Jemima. Il était dans le bazar de Paolo. Celui de *Paolo*. Enfin quoi, je suppose que ce n'est pas Paolo qui a fait le test, si ?

— Sans doute que non, concéda Barbara. Mais comment en déduisez-vous que ce test est à Jemima ? Car c'est bien ce que vous pensez, n'est-ce pas ?

— C'est évident. Ils partageaient la salle de bains, et les toilettes sont dans la salle de bains. Soit elle lui a donné ça – bref mouvement de tête vers la spatule en plastique –, soit, plus vraisemblablement, il a vu le test dans la poubelle et il l'a récupéré, et cela explique leur dispute. Oh, *lui* a affirmé que leur prise de bec découlait d'un malentendu sur le fait qu'elle fasse sécher ses dessous dans la salle de bains, et *elle* a prétendu qu'ils s'étaient accrochés pour une banale histoire d'abattant de cuvette resté relevé, mais avec ces deux-là, dès le début, j'ai senti qu'il y avait anguille sous roche. Ah ça, on leur aurait donné le bon Dieu sans confession : de simples « amis » rencontrés au boulot à Covent Garden… Il se trouvait que j'avais une chambre libre et lui connaissait quelqu'un qui en cherchait une. « Est-ce que je peux l'amener, Mrs McHaggis ? » Elle a l'air d'une chic fille, prétend-il. Et moi, prête à croire ces deux lascars alors que tout du long ils mènent leur petit manège à l'étage en dessous, qu'ils forniquent comme des perdus dans mon dos. Eh bien, laissez-moi vous le dire tout de suite, si elle n'était pas morte, elle aurait dégagé. Éjectée. Virée. Sur le carreau. À la rue.

Exactement là où Yolanda voulait qu'elle soit, conclut Barbara. Plutôt bien goupillé, mais Yolanda aurait quand même eu du mal à se faufiler dans la maison pour planquer un test de grossesse dans la salle de bains dans l'espoir peu probable que Bella McHaggis tombe dessus, en tire les conclusions nécessaires et flanque justement à la porte la pensionnaire sur laquelle Yolanda voulait mettre le grappin… À moins que ?

— Nous prendrons cela en compte, déclara Barbara.

— Vous avez intérêt, répliqua Bella. Enfin quoi, c'est criant, comme mobile. Énorme. Ça saute aux yeux.

Elle se pencha en travers de la table, la main à plat sur le *Daily Express*.

— Il a quand même été fiancé cinq fois. Cinq fois, ça veut bien dire quelque chose, non ? Moi je vais vous dire ce que ça veut dire. Ça veut dire désespéré. Et désespéré, ça veut dire prêt à tout et capable de tout.

— Vous parlez de… ?

— Paolo di Fazio. Qui d'autre ?

N'importe qui d'autre, songeait Barbara, et elle voyait que Winston pensait la même chose. Bon, d'accord, dit-elle à Bella, ils auraient une petite conversation avec Paolo di Fazio.

— J'espère bien. Il a un atelier quelque part, un endroit où il fait sa sculpture. Si vous voulez mon avis, il a traîné cette pauvre fille là-bas, il a commis son forfait et il a balancé son corps…

Oui, oui, très bien. On vérifierait tout ça, lui assura Barbara, désignant Winston du menton pour indiquer qu'il avait pris scrupuleusement des notes. Ils auraient une conversation avec tous les pensionnaires, y compris Paolo di Fazio. Maintenant, en ce qui concernait Frazer Chaplin…

— Pourquoi en revenir à Frazer ? demanda Bella, impérieuse.

Justement parce que tu refuses, pensa Barbara.

— Il s'agit de faire le tour des possibilités, dit-elle. C'est le processus classique.

Ça faisait partie intégrante du boulot. Localiser les proches, parler avec eux et éliminer les pistes.

Pendant le discours de Barbara, la porte menant à l'appartement en sous-sol s'ouvrit puis se referma, et une voix masculine agréable lança :

— Bon, je file, Mrs McH…

Winston se leva et se rendit dans le couloir qui menait à l'arrière de la maison.

— Mr Chaplin ? Sergent Nkata. Nous aimerions vous dire un mot, s'il vous plaît.

Un instant de silence. Puis :

— Je dois appeler le Duke's pour prévenir ? Je suis censé bosser dans une demi-heure.

— Ce ne sera pas long, lui dit Nkata.

Frazer suivit Winston dans la pièce, ce qui permit à Barbara d'étudier l'homme de près pour la première fois. « Brun comme la nuit. » Encore un, se dit-elle. Non qu'elle veuille ajouter foi aux délires de Yolanda. N'empêche… Il constituait une piste et il fallait la suivre.

Il semblait avoir dans les trente ans. Sa peau mate était grêlée, mais ce n'était pas gênant. Alors que, s'il l'avait laissée pousser, sa barbe naissante aurait pu recouvrir ses cicatrices, il avait eu la sagesse de n'en rien faire. Cela lui donnait un côté pirate et un air un peu dangereux, ce qui, Barbara le savait, pouvait attirer certaines femmes.

Il la fixa du regard puis hocha la tête. Il avait à la main une paire de chaussures, et il s'assit pour les enfiler et les lacer, refusant le thé que lui proposait Bella McHaggis. Elle se garda de faire la même offre aux deux autres. Les attentions qu'elle avait pour cet homme – elle l'appelait « trésor » –, ajoutées à ce qu'Abbott Langer leur avait confié de l'effet qu'il produisait sur les femmes, donnèrent envie à Barbara de le soupçonner sur-le-champ. Ce n'était pas vraiment déontologique, mais elle éprouvait une aversion automatique pour les hommes qui, comme lui, avaient sur le visage une de ces expressions insupportables qui disaient : « Je sais ce que tu veux et je l'ai là dans mon falzar. » Malgré leur différence d'âge, il se tapait Bella en douce. Pas étonnant qu'elle soit entichée de lui.

Et elle l'était. Ça, c'était clair, bien au-delà du « trésor » et du « mon chéri ». Bella couvait Frazer des yeux avec une tendresse que Barbara aurait peut-être jugée maternelle si, au cours de ses années dans la police, elle n'avait pas été confrontée à toutes les permutations imaginables des relations humaines.

— Mrs McH m'a raconté pour Jemima, dit Frazer. Que c'était la fille du cimetière. Vous voulez sans doute savoir ce que je sais, et je vous le dirai volontiers. Je suppose que ce sera pareil pour Paolo, comme pour tous ceux qui la connaissaient. C'est une fille adorable.

— C'était, rectifia Barbara. Elle est morte.

— Désolé. C'était.

Son attitude hésitait entre l'affable et le solennel, et Barbara se demanda si le fait qu'une pensionnaire de la maison ait été assassinée le bouleversait un tant soit peu. D'une certaine manière, elle en doutait.

— Nous avons cru comprendre qu'elle avait un petit faible pour vous, reprit Barbara.

Maniant toujours calepin et crayon, Winston n'en scrutait pas moins chaque réaction de Frazer.

— Ballons à la Saint-Valentin et tout ce qui s'ensuit ?

— Et il s'ensuivrait quoi ? Parce que, moi, en tout cas, je ne vois pas ce qu'il y a de mal à offrir innocemment une dizaine de ballons…

Les yeux de Bella McHaggis se plissèrent à cette mention des ballons. Son regard quitta les policiers pour se poser sur son pensionnaire.

— Ne vous en faites pas, Mrs McH. J'ai dit que je ne commettrais pas la même erreur deux fois, et vous avez ma parole que je n'ai pas recommencé.

— Et quelle était cette erreur ? demanda Barbara.

Il changea de position pour être plus à l'aise. Ses jambes restaient écartées quand il était assis : un de ces hommes qui aiment faire valoir leurs bijoux de famille...

— J'ai eu une petite aventure avec une fille qui habitait ici, dit-il. J'ai eu tort, je le sais, et j'ai fait pénitence. Mrs McH ne m'a pas flanqué à la porte comme elle l'aurait pu, et je lui en suis reconnaissant. Je ne risquais pas de jouer à nouveau les fils rebelles.

Étant donné ce qu'ils avaient appris par Abbott Langer – si le moniteur avait dit la vérité –, Barbara nourrissait certains doutes quant à la sincérité de Frazer dans ce domaine. Elle lui dit :

— J'ai cru comprendre que vous aviez plusieurs emplois, Mr Chaplin. Pourriez-vous me dire où vous travaillez, en plus de la patinoire ?

— Pourquoi ?

C'était Bella McHaggis qui avait posé la question.

— Quel rapport avec...

— C'est juste la procédure, lui expliqua Barbara.

— Mais quelle procédure ?

— Ce n'est rien, Mrs McH, la calma Frazer. Ils ne font que leur boulot.

Frazer déclara qu'il travaillait en fin d'après-midi et en soirée au Duke's Hotel à St. James's. Il était barman là-bas depuis trois ans.

— Bosseur, fit remarquer Barbara. Deux emplois.

— Je mets de l'argent de côté. Ce n'est pas un crime, que je sache.

— De l'argent de côté pour quoi ?

— En quoi est-ce important ? demanda Bella. Enfin voyons…

— Tout est important tant qu'on n'a pas la preuve que ça ne l'est pas. Mr Chaplin ?

— Je veux émigrer.

— Où ça ?

— À Auckland.

— Pourquoi ?

— J'espère ouvrir un petit hôtel. Un joli petit hôtel-boutique.

— Quelqu'un vous aide dans ce projet ?

Il fronça les sourcils.

— Que voulez-vous dire ?

— Une jeune demoiselle, peut-être, qui contribue au capital, qui tire des plans sur la comète, qui imagine qu'elle fera partie de l'entreprise ?

— Vous parlez de Jemima, je suppose.

— Et pourquoi elle ?

— Parce que, sinon, vous n'en auriez rien à faire.

Il sourit et ajouta :

— À moins que vous ne vouliez vous-même mettre la main à la poche ?

— Non merci.

— Hélas. Vous rejoignez les dizaines de femmes qui me laissent économiser tout seul. Parmi lesquelles Jemima.

Il se tapa sur les cuisses pour mettre un terme à l'entretien, puis se leva de sa chaise.

— Vous aviez dit que cela ne prendrait qu'un instant, et je dois partir travailler…

— Allez, filez, trésor, lui ordonna Bella McHaggis, avant d'ajouter d'un ton lourd de sens : S'il y a quoi que ce soit d'autre à régler, je m'en occupe.

— Merci, Mrs McH, dit Frazer en lui pressant l'épaule.

Bella parut se délecter de cette caresse. Sans doute l'effet Frazer, songea Barbara. Elle leur dit à tous deux :

— Surtout ne quittez pas la ville. J'ai le sentiment que nous serons amenés à nous revoir.

Quand ils regagnèrent Victoria Street, le débriefing de l'après-midi avait déjà commencé. Barbara se surprit à chercher Lynley des yeux en entrant dans la salle, puis se surprit à s'agacer de ce réflexe. Elle avait à peine pensé à son ancien équipier pendant la journée, et c'était très bien comme ça. Elle l'aperçut à l'autre bout de la pièce.

Lynley la salua de la tête et un petit sourire souleva les commissures de ses lèvres. Il la regarda par-dessus ses lunettes de lecture avant de reposer les yeux sur une liasse de papiers qu'il avait à la main.

Debout devant le tableau blanc, Isabelle Ardery écoutait le rapport de John Stewart. Stewart et les constables qui travaillaient avec lui s'étaient vu confier la tâche peu enviable de passer en revue les tonnes d'objets récupérés dans la chambre de Jemima Hastings. L'inspecteur était en train de parler de Rome. Ardery avait l'air impatiente, comme si elle attendait que surgisse un élément important.

Ça ne semblait pas sur le point d'arriver. Stewart était en train de dire :

— Le dénominateur commun est l'invasion. Elle possédait des plans à la fois du British Museum et du Museum of London, et les salles entourées ont trait aux Romains, à l'invasion, à l'occupation, aux forteresses, et à tout ce qu'ils ont pu laisser derrière eux. Et puis elle avait acheté des tas de cartes postales dans les deux musées ainsi qu'un livre intitulé *L'Angleterre romaine*.

— Mais vous avez dit qu'elle avait aussi un plan de la National Gallery et de la Portrait Gallery, souligna Philip Hale.

Il avait pris des notes, et il s'y reportait.

— Et aussi du Geffrye, de la Tate Modern et de la Wallace Collection. J'ai plutôt l'impression qu'elle effectuait une reconnaissance de la ville, John. Du tourisme.

Là encore, il consulta ses notes :

— La maison de sir John Soane, la maison de Charles Dickens, la maison de Thomas Carlyle, l'abbaye de Westminster, la Tour de Londres... Elle avait des brochures de tous ces endroits, pas vrai ?

— Exact, mais si on veut trouver un lien...

— Le lien, c'est qu'elle jouait les touristes, John.

Isabelle poursuivit en leur disant que le SO7 avait envoyé un compte rendu, et qu'il y avait de bonnes nouvelles sur ce front-là : les fibres sur les vêtements de la victime avaient été identifiées. Un mélange de coton et de rayonne, de couleur jaune. Elles ne correspondaient à rien de ce que portait la fille, il y avait donc de fortes chances qu'ils tiennent là un lien supplémentaire avec son assassin.

— Jaune ? répéta Barbara. Abbott Langer. Le type de la patinoire. Il porte un gilet jaune. Comme tous les moniteurs.

Elle leur parla des leçons de patinage que prenait Jemima.

— Il se pourrait bien qu'elle ait rapporté ces fibres d'un de ses cours.

— On va avoir besoin de ce gilet, alors, déclara Ardery. Le sien ou celui d'un autre. Envoyez quelqu'un en récupérer un pour analyser le tissu. On a aussi enregistré une description par téléphone. Il semblerait qu'un homme dans un état assez répugnant soit sorti du cimetière d'Abney Park dans le créneau horaire du meurtre de Jemima Hastings. Il a été vu par une femme âgée qui attendait le bus juste à l'entrée du cimetière dans Stoke Newington Church Street. Elle s'est souvenue de lui parce que, a-t-elle dit – et je lui ai parlé en personne –, il avait l'air de s'être roulé dans les feuilles, il avait des cheveux assez longs, et il était soit japonais, soit chinois, soit vietnamien, en tout cas – selon sa formulation – il avait « le type oriental ». Il portait un pantalon noir, il avait à la main une espèce de mallette, mais elle n'a pas pu me la décrire précisément – d'après elle, c'était un attaché-case –, et il trimballait le reste de ses vêtements en ballot sous son bras à l'exception de sa veste, qu'il avait sur lui, mais à l'envers. Nous avons quelqu'un avec elle pour essayer d'établir un portrait-robot, qui, avec un peu de chance, portera ses fruits une fois publié. Sergent Havers et sergent Nkata… ?

Nkata fit signe à Barbara : à elle l'honneur. Un mec bien, se dit-elle, et elle se demanda comment Winston pouvait être doué d'une telle prescience et en même temps si totalement dépourvu de vanité.

Elle se chargea du compte rendu : Yolanda la Spirite, Abbott Langer, les cours de patinage et le motif de ces cours, les ballons, le test de grossesse – « au demeurant, négatif » –, Frazer Chaplin et Paolo di Fazio. À cela, elle ajouta la dispute entendue entre Paolo di Fazio et la victime, l'atelier où Paolo sculptait, le succès de Frazer auprès des femmes, l'intérêt sans doute assez peu maternel que Bella McHaggis vouait à Frazer, le deuxième emploi de Frazer au Duke's Hotel et ses projets d'émigration.

— Vérification des antécédents de tout ce petit monde, déclara Isabelle au terme de l'exposé de Barbara.

— On s'y met illico, répondit Barbara.

Mais Ardery protesta :

— Non. Je veux que tous les deux – vous et le sergent Nkata – vous alliez dans le Hampshire. Philip, vous et votre équipe, vous vous occupez de vérifier les antécédents.

— Dans le Hampshire ? s'étonna Barbara. Qu'est-ce que le Hampshire…

Ardery les mit au courant, leur résumant ce qu'ils avaient manqué durant la première partie du débriefing. Elle et l'inspecteur Lynley, dit-elle, étaient tombés sur ces trucs-là : « Vous allez devoir en emporter une dans le Hampshire. » Elle leur tendit une carte postale. Barbara constata que c'était la version réduite de l'affiche de la National Portrait Gallery représentant Jemima Hastings. Au recto, la question « Avez-vous vu cette femme ? » était inscrite au feutre noir, assortie d'une flèche qui indiquait qu'il fallait retourner la carte. Au verso figurait un numéro de téléphone portable.

Le numéro, leur expliqua Ardery, appartenait à un type du Hampshire du nom de Gordon Jossie. Barbara et le sergent Nkata devaient aller là-bas vérifier ce que Mr Jossie avait à dire.

— Emportez de quoi vous changer : cette mission risque de prendre plus d'une journée...

La phrase déclencha les huées habituelles, des remarques du genre : « Oohh, des vacances à deux ! », ou « Vous prendrez bien des chambres séparées, hein, Winnie ? » Ardery lança sèchement : « Ça suffit », alors que Dorothea entrait dans la pièce, un papier à la main. Un message téléphonique. Elle le tendit à Ardery. La commissaire le lut. Elle releva la tête, la mine plutôt satisfaite.

— Nous avons un nom à associer au premier portrait-robot, annonça-t-elle, indiquant le tableau où était affiché le portrait-robot produit par les deux adolescents qui avaient découvert le cadavre dans le cimetière. D'après un des volontaires qui veillent sur le cimetière, il s'agirait d'un garçon du nom de Marlon Kay. L'inspecteur Lynley et moi allons nous occuper de l'interroger. Quant à vous... Vous savez quelles tâches vous sont assignées. Des questions ? Non ? Très bien, dans ce cas.

Ils reprendraient le lendemain matin, leur dit-elle. Échanges de regards étonnés... Une soirée libre ? Quelle mouche la piquait ?

Toutefois, personne ne se récria, ce genre de don du ciel étant bien trop rare au milieu d'une enquête. L'équipe commençait à plier bagage quand Ardery dit à Lynley :

— Thomas… Un mot dans mon bureau ?

Lynley hocha la tête. Ardery quitta la salle des opérations, mais il ne la suivit pas immédiatement. Il se rendit au tableau d'affichage pour regarder les photos qui y étaient assemblées, et Barbara en profita pour l'aborder. Il avait remis ses lunettes de lecture et contemplait les clichés aériens, les comparant au schéma du lieu du crime.

Elle dit, s'adressant à son dos :

— J'ai pas eu l'occasion avant…

Il se retourna.

— Barbara, fit-il en guise de bonjour.

Elle le scruta attentivement car elle espérait déchiffrer son expression, et, derrière son expression, les tenants et les aboutissants de tout ça.

— Contente de vous revoir, monsieur. J'ai pas eu l'occasion de vous le dire.

— Merci.

Il n'ajouta pas qu'il était heureux d'être là, comme un autre l'aurait fait. Il n'était sûrement pas heureux d'être là. Il s'efforçait juste de tenir le coup.

— Dites, je me demandais… Comment elle s'y est prise ?

Ce que Barbara voulait savoir, c'était ce que signifiait réellement le retour de Lynley à la Met : ce que cela signifiait sur son compte à lui, sur son compte à elle, sur le compte d'Isabelle Ardery, et sur le compte de ceux qui avaient du pouvoir et de l'influence et de ceux qui n'en avaient absolument pas.

— C'est l'évidence même, dit-il. Elle veut le poste.

— Et vous êtes revenu pour l'aider à le décrocher ?

— C'est tombé au moment propice. Elle est venue me voir chez moi.

— Bon. Très bien.

Barbara hissa son sac à bandoulière sur son épaule. Elle avait envie de l'interroger davantage, mais elle n'y arrivait pas.

— C'est pas pareil, c'est tout, se borna-t-elle à dire. Bon, j'y vais. Comme j'ai dit, ça fait plaisir de vous rev...

— Barbara.

Sa voix était grave. Et si douce. Il devinait ce qu'elle pensait et ce qu'elle ressentait, il en avait toujours été ainsi, et s'il y avait quelque chose qu'elle détestait chez lui, c'était bien ça.

— Ça n'a pas d'importance, dit-il.

— Quoi ?

— Ça. Ça n'a pas d'importance, au fond.

Ils se fixèrent mutuellement. Il était doué pour lire entre les lignes, pour anticiper, pour comprendre... pour toutes ces putains de relations entre les gens qui faisaient qu'Untel était un bon flic et tel autre le légendaire éléphant déambulant au milieu de la précieuse porcelaine de maman.

— D'accord, dit-elle, très bien. Merci.

Ils se regardèrent à nouveau puis quelqu'un lança :

— Tommy, vous voulez bien jeter un œil... ?

Lynley se détourna. Philip Hale approchait et c'était tant mieux. Barbara en profita pour décamper. Pourtant, dans sa voiture, sur le chemin du retour, elle se demanda s'il avait dit la vérité en affirmant que ces choses n'avaient pas d'importance. Elle rechignait à approfondir, mais, en fait, ça ne lui plaisait pas que son équipier travaille avec Isabelle Ardery.

12

Le lendemain matin, c'est en grande partie à cause de ce qu'elle rechignait à approfondir que Barbara prépara son sac de voyage en s'assurant bien qu'aucun des articles qu'elle y rangeait n'aurait recueilli l'approbation d'Isabelle Ardery. Cette tâche prit peu de temps et encore moins de réflexion, et elle était juste en train de terminer quand un coup frappé à la porte lui indiqua que Winston Nkata était arrivé. En homme sage, il avait suggéré qu'ils prennent sa voiture à lui car celle de Barbara était connue pour son manque de fiabilité, et puis, caser sa grande carcasse dans une Mini antédiluvienne pendant des kilomètres aurait constitué un véritable supplice.

Elle cria « C'est ouvert ! » et elle alluma une cigarette. Elle savait qu'elle allait devoir faire le plein de nicotine, car il n'était pas question pour son collègue de la laisser polluer l'intérieur de sa Vauxhall parfaitement entretenue avec la fumée de sa clope et encore moins – horreur ! – la plus infime particule de cendre.

— Barbara, tu *sais* que tu dois arrêter de fumer, la gronda Hadiyyah.

Barbara, qui se trouvait près de la banquette-lit où elle avait placé son sac de voyage, pivota brusquement. Elle vit non seulement sa petite voisine mais aussi le père de celle-ci, postés tous deux à l'entrée de son pavillon. Les bras bronzés de Hadiyyah étaient croisés sur sa poitrine et elle avait une jambe en avant, comme si elle s'apprêtait à taper du pied à la manière d'une institutrice contrariée face à une élève récalcitrante. Azhar se tenait derrière elle, trois récipients en plastique remplis de nourriture empilés dans les mains. Il fit un geste avec, expliquant en souriant :

— D'hier soir, Barbara… Nous avons conclu que le poulet jalfrezi était une de mes plus belles réussites, et étant donné que c'est Hadiyyah elle-même qui a fait les chapatis… Peut-être pour votre dîner de ce soir ?

— Génial, fit Barbara. Adieu le bocal de haché bolognaise avec toast au cheddar, qui était le menu que j'avais prévu.

— Barbara…

La voix de Hadiyyah était d'une patience infinie, même pour énoncer des reproches diététiques.

— Sauf que…

Barbara demanda si ces merveilles se garderaient au frigo car elle s'en allait pour un jour ou deux. Soudain, Hadiyyah poussa un cri horrifié et se précipita à travers la pièce. Se penchant derrière le poste de télévision, elle ramassa ce que Barbara avait lancé là avec insouciance.

— Qu'est-ce que tu as fait à ta jolie jupe trapèze ? demanda-t-elle. Barbara, pourquoi tu ne la portes pas ? Tu es bien censée la porter, non ? Pourquoi elle est derrière la télé ? Oh, regarde ! Elle est couverte de moutons.

Barbara tressaillit. Elle essaya de gagner du temps en prenant les récipients en plastique des mains d'Azhar et en les rangeant dans le réfrigérateur sans le laisser en apercevoir l'intérieur, qui évoquait une expérience visant à créer une nouvelle forme de vie. Tout en manœuvrant, elle tirait sur la cigarette qu'elle tenait serrée entre ses lèvres. Par mégarde, elle laissa tomber de la cendre sur son tee-shirt, qui demandait, indigné : « Combien de crapauds une fille doit-elle embrasser ? » Elle l'épousseta et y fit une tache noire, jura dans sa barbe, puis se rendit à l'évidence : elle allait devoir répondre au moins à une des questions de Hadiyyah.

— Il faut que je la fasse retoucher, expliqua-t-elle à la petite fille. Elle est un peu trop longue, tu te rappelles, c'est ce qu'on avait dit quand je l'ai essayée. Elle devait tomber au milieu du genou, et ce n'est pas du tout le cas. Elle me pendouille autour des jambes d'une manière tout ce qu'il y a de moche, je t'assure.

— Mais pourquoi elle est derrière la télé ? demanda Hadiyyah non sans logique. Parce que, si tu comptes la faire retoucher…

— Oh. Ça…

Après une petite gymnastique mentale, Barbara se justifia :

— J'aurais oublié de le faire si je l'avais mise dans l'armoire. Mais là, derrière la télé… ? J'allume le poste et qu'est-ce que je vois ? Cette jupe qui me rappelle que je dois la faire raccourcir !

Hadiyyah n'avait pas l'air convaincue.

— Et le maquillage ? Là, tu ne portes pas non plus ton maquillage, hein, Barbara ? Je peux t'aider pour ça, tu sais. Je regardais toujours faire maman. Elle porte du

338

maquillage. Maman porte tout plein de maquillage, hein, papa ? Barbara, tu sais que maman…

— Ça ira, *khushi*, dit Azhar à sa fille.

— Mais j'allais seulement dire…

— Barbara est occupée, comme tu peux le voir. Et toi et moi, nous devons aller à un cours d'ourdou, tu te souviens ?

À Barbara :

— Comme je n'ai qu'un seul cours à l'université aujourd'hui, nous allions vous inviter à nous accompagner après la leçon de Hadiyyah. Promenade sur le canal jusqu'à Regent's Park pour aller manger une glace. Mais il semblerait…

Il indiqua le sac de Barbara, toujours ouvert sur le lit.

— Hampshire, dit-elle.

Apercevant alors Winston Nkata qui approchait du pavillon, elle ajouta :

— Et voilà mon rancard.

Nkata dut se baisser pour pénétrer dans le pavillon et, une fois à l'intérieur, il sembla emplir l'espace. Comme elle, il portait des vêtements plus confortables que sa tenue habituelle. Contrairement à elle, il parvenait quand même à avoir l'air professionnel. Mais bon, son mentor pour l'habillement était Thomas Lynley, et Barbara ne pouvait pas imaginer Lynley autrement qu'élégant. Nkata portait un pantalon sport et une chemise vert pâle. Le pantalon avait des plis qui auraient fait pleurer de joie un militaire, et allez savoir comment, il avait réussi à traverser Londres sans froisser sa chemise. Comment un tel miracle était-il possible ? se demanda Barbara.

En le voyant, les yeux de Hadiyyah s'arrondirent et ses traits devinrent solennels. Nkata salua Azhar de la tête et dit à la fillette :

— Je suppose que tu es Hadiyyah, hein ?

— Qu'est-ce qui t'est arrivé à la figure ? Tu as une cicatrice.

— *Khushi !* s'écria Azhar, consterné. Les demoiselles bien élevées ne…

— Bagarre au couteau, répondit le sergent à la fillette sans se formaliser.

Puis, à Azhar :

— C'est pas grave, mon vieux. Ça m'arrive tout le temps. Difficile de pas remarquer, pas vrai, petite ?

Il s'accroupit pour lui permettre de mieux regarder.

— L'un de nous avait un couteau, tu vois, et l'autre un rasoir. Maintenant, voilà : le rasoir, c'est rapide et ça fait des dégâts. Mais le couteau ? C'est toujours lui qui gagne à la fin.

— Important à savoir, comme détail, précisa Barbara. Très utile dans les bagarres de gangs, Hadiyyah.

— T'es dans un *gang* ? demanda Hadiyyah alors que Nkata se redressait.

Elle leva les yeux sur lui, intimidée.

— J'étais. C'est là que j'ai récolté ça. Prête, Barb ? Tu veux que j'attende dans la voiture ?

Barbara se demanda pourquoi il posait la question et ce que, dans son esprit, sa disparition immédiate était censée favoriser : de tendres adieux entre son voisin et elle ? Ridicule ! Où Winston était-il allé chercher ça ? Elle remarqua alors l'expression d'Azhar, qui reflétait un malaise qu'elle ne se rappelait pas lui avoir jamais vu.

Elle passa en revue les diverses possibilités suggé-
rées par trois récipients en plastique renfermant des
restes de dîner, la leçon d'ourdou de Hadiyyah, une
balade sur le canal et l'apparition de Winston Nkata à
sa porte, et elle aboutit à une conclusion trop stupide
pour être envisagée en plein jour. Elle s'empressa de la
rejeter, puis se rendit compte qu'elle avait accueilli
Winston en l'appelant son « rancard ». Ce détail,
combiné au fait qu'elle était en train de préparer un sac,
avait dû laisser croire à Azhar – aussi prude qu'un
gentilhomme de la Régence – qu'elle partait passer
quelques jours avec ce beau gosse immense, bien
foutu, athlétique, et sans doute en tous points délicieux
comme amant. Cette simple idée lui donna envie de
s'esclaffer. Winston et elle, des dîners aux chandelles,
du vin, des roses, du romantisme, et plusieurs nuits de
galipettes dans un hôtel à la façade recouverte de gly-
cine... Elle pouffa et camoufla son rire sous une toux.

Elle fit rapidement les présentations :

— Sergent Nkata. Nous avons une affaire dans le
Hampshire...

Elle se tourna vers la banquette avant qu'Azhar ait le
temps de réagir, et Hadiyyah s'exclama :

— T'es policier aussi ? Comme Barbara, tu veux
dire ?

— Exactement, confirma Nkata.

Barbara hissa son sac de voyage sur son épaule
tandis que Hadiyyah demandait à son père :

— Il peut venir aussi sur le bateau, papa ?

— Barbara vient de dire qu'ils allaient dans le
Hampshire, *khushi*.

Ils sortirent du bungalow tous ensemble et se dirigèrent vers la Grande Maison. Barbara et Winston

marchaient derrière, mais Barbara entendit Hadiyyah
dire à son père :

— J'avais oublié. Pour le Hampshire, je veux dire.
Mais sinon ? S'ils n'y allaient pas, papa ? Il pourrait
venir aussi ?

Barbara n'entendit pas la réponse d'Azhar.

Lynley prit à nouveau le volant de la voiture d'Isabelle. Et à nouveau l'arrangement ne sembla pas le
déranger. Il ne tenta pas de lui ouvrir la portière – il
n'avait pas recommencé depuis qu'elle le lui avait
interdit – et cette fois encore il se concentra entièrement sur la route. Elle avait renoncé à se repérer dans
la ville juste après Clerkenwell, et quand son portable
sonna alors qu'ils longeaient un parc anonyme, elle prit
l'appel.

— Sandra demande si tu veux venir.

C'était Bob, attaquant comme toujours sans préambule. Isabelle se maudit de ne pas avoir vérifié le
numéro affiché, même si, connaissant Bob, il appelait
sûrement d'un téléphone qu'elle ne pouvait pas identifier. C'était bien son genre. La sournoiserie était son
arme favorite.

Avec un coup d'œil à Lynley, qui ne prêtait pas
attention à elle, elle dit :

— Tu penses à quoi ?

— Déjeuner du dimanche. Tu pourrais venir dans le
Kent. Les garçons seront contents de…

— Avec eux, tu veux dire ? Seule avec eux ? Dans
un restau d'hôtel ou quelque chose comme ça ?

— Bien sûr que non. J'allais dire : les garçons seront
contents que tu te joignes à nous. Sandra fera un rosbif.

342

En fait, Ginny et Kate doivent aller à un anniversaire dimanche, alors…

— Alors on serait tous les cinq, c'est ça ?

— Eh bien, oui. Je ne peux quand même pas demander à Sandra de quitter sa propre maison !

— Un hôtel, ce serait mieux. Un restaurant. Un pub. Les garçons pourraient…

— Pas question. Déjeuner du dimanche avec nous… c'est ma meilleure offre.

Elle ne dit rien. Elle observa le décor d'un Londres inconnu qui défilait : détritus sur les trottoirs ; vitrines sinistres avec enseignes en plastique crasseuses ; femmes vêtues de draps noirs avec des fentes pour les yeux ; tristes étals de fruits et légumes ; vidéoclubs ; officines de paris William Hill… Où diable étaient-ils ?

— Isabelle ? Tu es là ? demanda Bob. Est-ce que je t'ai perdue ? Est-ce que la communication…

Oui, songea-t-elle. C'est exactement ça. La communication est rompue. Elle referma son portable. Lorsqu'il resonna un instant plus tard, elle ne décrocha pas et laissa sa messagerie prendre l'appel. Déjeuner du dimanche… Elle voyait ça d'ici : Bob présidant au découpage du rosbif, Sandra minaudant quelque part pas loin – en fait, Sandra ne minaudait pas, elle était même plus que sympa, ce dont Isabelle lui était franchement reconnaissante, au fond –, les jumeaux tout pimpants et peut-être juste un peu déroutés par ce schéma moderne de la famille qui leur était imposé, avec maman, papa et belle-maman réunis autour d'une table de salle à manger comme si cela se produisait tous les jours de la semaine. Rosbif, Yorkshire pudding et choux de Bruxelles passant de main en main et chacun attendant que les autres soient servis et que le bénédicité soit dit... Non, décidément, il était absolument hors de question qu'elle s'inflige un déjeuner du dimanche dans la maison de son ex-mari, car il n'était pas animé de bonnes intentions, il était résolu à la punir ou encore à la faire chanter, et elle n'avait pas le courage d'affronter ça ni d'affronter les garçons.

Tu ne peux pas vouloir me menacer. Tu ne peux pas vouloir aller au tribunal, Isabelle...

Elle demanda soudain à Lynley :

— Bon sang, où est-ce qu'on est, Thomas ? Vous avez mis combien de temps à vous y retrouver dans cette ville de malheur ?

Simple coup d'œil. Il était trop bien élevé pour parler de l'appel téléphonique.

— Vous vous repérerez plus vite que vous ne le pensez. Contentez-vous d'éviter le métro.

— Je fais partie de la populace, Thomas.

— Je ne l'entendais pas dans ce sens, dit-il sans malaise. Je voulais dire que le métro – le plan du métro, en fait – n'a aucun rapport avec l'agencement réel de la ville. Il situe les choses au nord, au sud, à l'est ou à l'ouest les unes des autres quand il n'en va pas forcément ainsi. Prenez plutôt le bus. Marchez. Déplacez-vous en voiture. Ce n'est pas aussi impossible que cela en a l'air. Vous ne mettrez pas bien longtemps à vous y retrouver.

Elle en doutait. Ce n'était pas que chaque quartier ressemblait trait pour trait au suivant. Au contraire, chacun se distinguait en général très nettement du suivant. La difficulté consistait à cerner en quoi tel quartier était rattaché à tel autre : pourquoi des rues bordées de bâtiments georgiens très dignes se méta-

344

morphosaient soudain en zones de HLM. Ça n'avait tout simplement aucun sens.

Lorsqu'ils arrivèrent à Stoke Newington, elle n'y était pas préparée. Elle reconnut les lieux grâce à une boutique de fleuriste, au pied d'un immeuble où, peint sur les briques entre le premier étage et le deuxième, on pouvait lire WALKER FRÈRES SPÉCIALISTES DU STYLO PLUME. Il s'agissait de Stoke Newington Church Street, le cimetière se trouvait donc un peu plus loin. Elle était fière de se souvenir au moins de cela.

— L'entrée principale est sur la grand-rue, à gauche, au coin, dit-elle.

Lynley se gara à proximité, et ils entrèrent dans le bureau d'informations installé juste avant le portail. Là, ils expliquèrent le motif de leur présence à une volontaire ratatinée, et Isabelle sortit le portrait-robot qui avait suscité le coup de fil à New Scotland Yard. Ce n'était pas elle qui avait téléphoné – « C'était sans doute Mr Fluendy, moi je suis Mrs Littlejohn » –, mais elle reconnut quand même le portrait-robot.

— C'est le garçon qui abîme les troncs, il me semble bien. J'espère que vous êtes là pour l'arrêter parce que, je vous assure, ça fait des lustres qu'on relance les flics du coin pour ces inscriptions dans les arbres : ma grand-mère était encore qu'une petite fille… Venez par là, je vais vous montrer.

Elle les chassa prestement du bureau, accrocha un panonceau sur la porte indiquant aux hordes de promeneurs imaginaires qu'elle revenait tout de suite, et pénétra à pas hésitants dans le cimetière. Ils suivirent le mouvement. Elle les emmena voir un des arbres qu'Isabelle avait remarqués lors de sa première visite. Sur son tronc était gravé un dessin minutieux représentant un quartier de lune et des étoiles que masquaient en partie des nuages. Le bas-relief recouvrait presque tout le tronc, le dépouillant entièrement de son écorce. Pas le genre d'œuvre d'art qu'on pouvait exécuter à la va-vite. Le dessin sculpté faisait au minimum un mètre vingt de haut et occupait bien soixante centimètres de la circonférence. Si on oubliait la mutilation causée à l'arbre, le résultat était plutôt beau.

— Il a fait ça partout, déclara la femme. On s'escrime pourtant à le coincer, mais voilà, il habite Listria Park, et ça donne sur le cimetière. Il a qu'à enjamber le mur. Simple comme bonjour quand on est jeune…

Listria Park n'était pas un parc, contrairement à ce qu'Isabelle avait supposé. C'était en fait une rue composée de bâtisses disposées en courbe qui avaient jadis été des maisons individuelles, reconverties aujourd'hui en appartements. Comme l'avait dit Mrs Littlejohn, leurs jardins donnaient sur le cimetière d'Abney Park. Ils peinèrent à trouver où habitait Marlon Kay mais, une fois la maison localisée, ils eurent de la chance car le garçon était là. Son père aussi : c'était apparemment cet individu dont la voix désincarnée leur répondit lorsqu'ils sonnèrent à l'interphone à côté du nom D. W. Kay.

— Ouais ? C'est pour quoi ? aboya l'homme.

Isabelle fit signe à Lynley, qui se chargea de les annoncer :

— Police métropolitaine. Nous recherchons…

Malgré la friture qui parasitait la communication entre la rue et l'appartement, ils entendirent le branle-bas que provoquèrent les paroles de Lynley : un fracas de meubles, un martèlement de pieds, un « Putain, qu'est-ce que… Où est-ce que… Qu'est-ce que t'as

346

foutu ? ». Puis la porte fut déverrouillée, et ils la poussèrent pour entrer.

Ils se dirigeaient vers l'escalier lorsqu'un ado plutôt costaud le descendit en trombe. Il se précipita lourdement vers eux, le regard affolé et le visage en sueur, pour rejoindre la porte sur la rue. Lynley n'eut aucun mal à l'intercepter. Un seul bras suffit. L'autre servit à bloquer le gamin.

— Lâchez-moi ! hurla-t-il. Il va me tuer, je rigole pas !

Pendant ce temps, à l'étage, un homme rugissait :

— Remonte ton cul ici tout de suite, espèce de petit salopard.

« Petit » n'était pas vraiment l'adjectif approprié. Si le garçon n'était pas obèse, il était toutefois la parfaite incarnation du penchant de la jeunesse actuelle pour les victuailles frites dans l'huile en deux temps, trois mouvements et bourrées de graisses et de sucres en tout genre.

— Marlon Kay ? demanda Isabelle au jeune homme qui se débattait sous l'étreinte de Lynley.

— Lâchez-moi ! beugla-t-il. Il va me fiche une raclée. Vous comprenez donc pas !

À ce moment-là, D. W. Kay dévala l'escalier, une batte de cricket dans les mains. Il la faisait tournoyer avec fureur en hurlant :

— Putain, qu'est-ce que t'as encore foutu ? Putain, t'as intérêt à me le dire avant que ces flics s'en chargent, sinon, compte sur moi, je te fais valser la tête d'ici jusqu'au pays de Galles !

Isabelle se planta en travers de son chemin.

— Ça ira, Mr Kay. Posez cette batte avant que je vous coffre pour voies de fait.

Peut-être fut-ce le ton de sa voix. En tout cas, l'homme s'arrêta net. Il se tenait devant elle, soufflant comme un cheval – mais avec une haleine qui puait les dents cariées jusqu'à la cervelle. Il cligna des yeux en la regardant.

— Je présume que vous êtes bien Mr Kay. Et ce jeune homme est Marlon ? Nous voulons lui dire un mot.

Marlon geignit. Il recula pour s'éloigner de son père.

— Il va me tabasser, je vous jure.

— Il n'en fera rien, assura Isabelle au garçon. Mr Kay, conduisez-nous à votre appartement. Je n'ai aucunement l'intention de discuter dans le couloir.

D. W. la toisa – typiquement le genre d'homme à avoir ce que les psychologues de bazar appelaient « un problème avec les femmes » –, puis regarda Lynley. À voir son expression, ce bourrin estimait sûrement que Lynley portait des culottes en dentelle pour laisser une femme donner des ordres en sa présence. Isabelle aurait bien fait valser sa tête à lui jusqu'au pays de Galles. Non mais, dans quel siècle croyait-il vivre ?

— Est-ce que je dois répéter ? demanda-t-elle.

Mr Kay grogna, mais obtempéra. Il remonta l'escalier et les autres suivirent, Marlon toujours agrippé par Lynley. Une femme d'âge moyen en tenue de cycliste se tenait sur le palier du premier étage. Avec une moue qui mêlait dégoût et détestation, elle lança à Mr Kay :

— Il est grand temps, si vous voulez mon avis.

Il la repoussa sans ménagement et elle s'exclama à l'adresse de Lynley, ignorant totalement Isabelle :

— Vous avez vu ? Non mais, vous avez vu ? Est-ce que vous allez enfin faire quelque chose ?

Ils l'entendaient encore crier lorsqu'ils refermèrent la porte derrière eux.

À l'intérieur, les fenêtres étaient grandes ouvertes, mais comme il n'était pas possible de faire des courants d'air, la chaleur demeurait accablante. L'appartement lui-même, chose étonnante, n'était pas la porcherie à laquelle s'attendait Isabelle. Il y avait un dépôt blanc de nature douteuse presque sur chaque objet, mais il s'avéra que c'était de la poussière de plâtre. En effet, D. W. Kay était plâtrier de métier, et il était en pleine besogne lorsqu'ils avaient sonné à l'interphone.

Isabelle lui expliqua qu'ils avaient besoin de parler à son fils, et demanda à Marlon quel âge il avait. Marlon répondit seize ans, puis il frémit, comme s'il craignait que son âge ne justifie des châtiments corporels. Isabelle soupira. Non, ce que justifiait son âge, c'était la présence d'un adulte qui ne soit pas de la police, de préférence un parent. Autrement dit, ils allaient devoir interroger le garçon en présence soit de son caractériel de père, soit d'une assistante sociale.

Elle regarda Lynley. Comme de juste, son expression indiquait que c'était à elle de décider, puisqu'elle était sa supérieure.

— Nous allons devoir interroger Marlon à propos du cimetière. Je suppose que vous savez qu'un meurtre y a été commis, Mr Kay ? dit-elle.

Le visage de l'homme s'empourpra. Ses yeux sortirent de leurs orbites. Un accident cérébral en puissance, se dit Isabelle, qui enchaîna :

— Nous pouvons l'interroger ici ou bien l'emmener au poste. Si ça se passe ici, nous vous demanderons non seulement de ne pas moufter, mais de ne plus jamais, je dis bien plus jamais, porter la main sur ce garçon. Si vous n'obéissez pas, vous serez arrêté sur-le-champ. Un coup de fil de lui, d'un voisin, de n'importe qui, et vous allez direct en taule. Une semaine, un mois, un an, dix ans. Je ne peux pas vous dire à quelle peine le juge vous condamnera, mais je peux vous dire qu'après la scène à laquelle je viens d'assister au rez-de-chaussée je viendrai témoigner. Et je suis sûre que vos voisins seront heureux d'en faire autant. Me suis-je bien fait comprendre ou avez-vous besoin d'autres éclaircissements ?

L'homme hocha la tête. Puis il la secoua. Isabelle supposa qu'il répondait aux deux questions l'une après l'autre.

— Très bien. Alors asseyez-vous et tenez-vous tranquille.

Il rejoignit timidement un canapé gris, qui faisait partie d'un triste salon trois-pièces comme Isabelle n'en avait pas vu depuis des années, du style avec frange à pompons. Il s'assit. Autour de lui, la poussière de plâtre s'éleva en nuage. Lynley largua Marlon dans un des deux fauteuils et lui-même se rendit à la fenêtre, où il resta debout, appuyé contre le rebord.

Tout dans la pièce était placé face à un gigantesque téléviseur à écran plat, où passait une émission de cuisine dont le son était coupé. Une télécommande était posée dessous et Isabelle l'attrapa pour éteindre le poste, ce qui, pour une raison quelconque, suscita chez Marlon de nouveaux gémissements, comme si une ligne de vie avait été coupée. Son père eut une grimace pleine de hargne. Isabelle lui décocha un regard. Les traits de l'homme se figèrent. Un bref hochement de tête, puis elle alla s'asseoir dans l'autre fauteuil, poussiéreux comme tout le reste.

Elle exposa les faits au garçon : il avait été vu en train de sortir de l'abri jouxtant la chapelle en ruine au cœur du cimetière. À l'intérieur de cet abri, le cadavre d'une jeune femme avait été retrouvé. Une revue présentant les empreintes digitales d'un seul et unique individu avait été abandonnée à proximité du cadavre. Un portrait-robot avait été établi grâce aux personnes qui l'avaient vu sortir de cet abri, et si une séance d'identification devait s'avérer nécessaire, il faisait peu de doute qu'il serait désigné, même si, en raison de son âge, ils auraient sûrement recours à des photographies, et ne l'obligeraient pas à se tenir dans une rangée avec d'autres. Voulait-il bien discuter de tout cela ?

Le garçon se mit à larmoyer. Son père roula des yeux mais garda le silence.

— Marlon ? insista Isabelle.

Il renifla.

— C'est seulement que je déteste l'école. Je suis leur tête de Turc. Tout ça parce que j'ai un cul comme… Eh ben, il est gros, et ils se fichent de moi et ça a toujours été comme ça et j'en ai ras le bol. Alors j'y vais plus. Mais comme je peux pas rester ici, bien sûr, alors je vais là-bas.

— Au cimetière plutôt qu'à l'école ?

— Eh ben oui.

— Ce sont les grandes vacances, fit remarquer Lynley.

— Eh ben, je parle de quand y a école, dit Marlon. En ce moment je vais au cimetière parce que voilà. Y a rien d'autre à faire dans le coin et comme j'ai pas d'amis…

— Alors tu vas dans le cimetière et tu fais des sculptures dans les troncs d'arbre ? demanda Isabelle.

Marlon remua sur son postérieur géant.

— J'ai pas dit…

— Est-ce que tu as des outils pour sculpter le bois ? intervint Lynley.

— Je lui ai rien fait, à cette pétasse ! Quand je suis arrivé, elle était déjà morte.

— Donc tu es bien allé dans l'abri à côté de la chapelle ? reprit Isabelle. Tu reconnais que tu es bien la personne que nos témoins ont vue sortir de l'abri il y a quatre jours ?

Le garçon ne confirma pas, mais ne nia pas non plus.

— Qu'est-ce que tu fabriquais là-bas ?

— Je sculpte les arbres. Y a pas de mal à ça. Ça les rend jolis, c'est tout.

— Je ne voulais pas dire : qu'est-ce que tu fabriquais dans le cimetière, expliqua Isabelle. Je voulais dire dans l'abri. Pourquoi es-tu allé dans l'abri ?

Le garçon déglutit. On atteignait, semble-t-il, le fond du problème. Il regarda son père. Le père détourna les yeux.

Marlon chuchota :

— La revue. C'était... Vous comprenez, je l'avais achetée et je voulais jeter un coup d'œil et...

Il lui lança un regard de désespoir, ainsi qu'à Lynley.

— C'était juste que quand j'ai vu ces photos, dans le magazine... ces femmes... Enfin, vous savez bien.

— Marlon, essaies-tu de me dire que tu es allé dans l'abri pour te masturber sur des photos de femmes nues ? demanda crûment Isabelle.

Il se mit à pleurer pour de bon. Son père dit :

— Sale petit *connard*.

Isabelle le foudroya du regard.

— Ça ira, Mr Kay, fit Lynley.

Le visage caché dans les mains, Marlon expliqua en se pétrissant les joues :

— Je voulais juste… Alors je suis allé dedans pour… vous savez bien… mais elle était là et j'ai pris peur et je me suis enfui. J'ai bien vu qu'elle était morte. Y avait des bestioles et tout ça, et puis ses yeux étaient ouverts avec des mouches qui grouillaient partout… Je sais que j'aurais dû faire quelque chose mais j'ai pas pu parce que… parce que je… Les flics auraient demandé ce que je fabriquais, comme vous faites maintenant, et j'aurais été obligé de répondre comme je fais maintenant, et déjà qu'il me hait, quand il l'apprendrait… Je veux pas aller à l'école. Je veux pas y aller. Pas question. Mais elle était morte quand je suis arrivé. Elle était morte. C'est vrai.

Il disait sans doute la vérité. Isabelle ne pouvait pas imaginer qu'il ait le cran de commettre un acte de violence. Il avait l'air de l'être le moins agressif qu'elle ait rencontré de sa vie. Mais même un gamin comme Marlon pouvait péter un câble, et, d'une façon ou d'une autre, il fallait l'éliminer de la liste des suspects.

— D'accord, Marlon, dit-elle. J'ai tendance à penser que tu dis peut-être la vérité.

— Je dis la vérité !

— Mais je vais te poser d'autres questions, et il va falloir que tu sois plus calme. Tu pourras y arriver ?

Son père soupira bruyamment. Il aurait aussi bien pu dire : Ça, ça risque pas…

Marlon lança un regard craintif à son père puis hocha la tête, les yeux débordant de larmes. Il s'essuya les joues – il réussit à en faire un geste héroïque – et il se redressa.

Isabelle posa alors ses questions une à une. Avait-il touché le corps ? Non, il ne l'avait pas touché. Avait-il pris quoi que ce soit sur les lieux ? Non, il n'avait rien pris. S'était-il beaucoup approché du corps ? Il ne savait pas. Un mètre ? Un mètre cinquante ? Il avait fait un pas ou deux dans l'abri mais c'était tout parce qu'il l'avait vue et…

Très bien, très bien, dit Isabelle, espérant éviter une autre crise d'hystérie. Qu'est-ce qui s'était passé ensuite ? Il avait lâché le magazine et il était parti en courant. Il n'avait pas fait exprès de le lâcher. Il ne savait même pas qu'il l'avait lâché. Mais quand il avait vu qu'il ne l'avait plus avec lui, il avait eu trop peur pour retourner sur ses pas parce qu'il n'avait « jamais vu quelqu'un de mort. Pas comme ça ». Il ajouta qu'elle était toute pleine de sang sur le devant du corps. Avait-il vu une arme ? demanda Isabelle. Il n'avait même pas vu où on l'avait tailladée, répondit-il. Pour autant qu'il sache, elle aurait pu être tailladée de partout parce qu'il y avait vraiment beaucoup de sang. Il fallait avoir été tailladée de partout, non, pour avoir autant de sang sur soi ?

Isabelle le ramena aux alentours de l'abri. D'accord, Marlon était tombé sur le corps au moins une journée après le meurtre lui-même, mais toutes les personnes qu'il avait pu remarquer dans les parages, tous les détails qu'il avait pu remarquer dans les parages, tout ça pouvait être important pour l'enquête.

Mais il n'avait rien remarqué. Et pour ce qui était du sac à main de Jemima Hastings ou quoi que ce soit d'autre qu'elle ait pu posséder, le garçon jura qu'il n'avait absolument rien emporté. Si elle avait un sac avec elle, il n'avait pas fait attention. Le sac était peut-être là juste à côté d'elle, si ça se trouve, mais dans ce cas il n'aurait même pas remarqué qu'il était là parce que tout ce qu'il avait vu c'était elle, dit-il. Et tout ce sang.

— Mais tu n'as rien signalé à la police, dit Isabelle. La seule déposition qu'on ait eue était celle de ce jeune couple qui t'a vu toi, Marlon. Pourquoi n'as-tu pas signalé le meurtre ?

— Ce que j'ai fait aux arbres... Et puis le magazine.

— Ah.

C'était donc pour ça. Parce qu'il avait dégradé le bien public, acheté des revues pornos, s'était masturbé dans un parc, ou du moins avait projeté de le faire... Et sans doute aussi parce qu'il avait craint la colère de son père, et la façon qu'avait son père d'exprimer cette colère au moyen d'une batte de cricket...

— Je vois. Eh bien, il va falloir que tu nous aides encore un peu. Tu es d'accord pour coopérer ?

Il hocha la tête avec vigueur. Coopérer ? Pas de problème. Tout ce qu'ils voulaient.

Ils allaient avoir besoin d'un échantillon de son ADN, ce qu'un prélèvement dans sa bouche fournirait aisément. Ils allaient par ailleurs avoir besoin de ses chaussures, et de ses empreintes digitales, ce qui serait assez facile à obtenir. Quant aux outils dont il se servait pour sculpter, ils devraient leur être remis afin que les techniciens de la police scientifique les inspectent.

— Je suppose, dit Isabelle, que tu as un certain nombre d'objets tranchants parmi eux ? Oui ? Eh bien, il nous faut tous les analyser, Marlon.

Larmes aux yeux, geignements, souffle de taureau du père.

— Tout ça, c'est juste pour prouver que tu dis la vérité, assura-t-elle au garçon. C'est bien vrai, Marlon ? Tu dis la vérité ?

355

— Juré, dit-il. Juré, juré, juré.

Isabelle fut tentée de lui expliquer que jurer une seule fois suffisait, mais elle aurait perdu son temps.

Alors qu'ils retournaient à la voiture, la commissaire demanda à Lynley ce qu'il pensait.

— Il n'est pas impératif que vous vous taisiez dans ce genre de situation, vous savez.

Il lui lança un regard. Malgré la chaleur et leur rencontre avec les Kay, elle réussissait à avoir l'air incroyablement sereine, impassible, professionnelle, fringante, même, sous le soleil implacable. De façon judicieuse, elle portait non pas un tailleur d'été mais une robe sans manches, et Lynley comprit que cette tenue remplissait plusieurs fonctions : elle devait s'y sentir plus à l'aise, et en même temps elle était moins intimidante quand elle interrogeait les gens. Les gens comme Marlon, se dit-il, un adolescent dont il lui fallait gagner la confiance.

— Je ne pensais pas que vous aviez besoin de…

— De votre aide ? le coupa-t-elle sèchement. Ce n'était pas ce que je sous-entendais, Thomas.

Lynley la regarda à nouveau.

— En fait, j'allais dire de ma participation.

— Ah bon. Désolée.

— Vous êtes susceptible, on dirait.

— Pas du tout.

Elle chercha dans son sac et en sortit une paire de lunettes noires. Puis elle soupira.

— Enfin bon, ce n'est pas vrai. Je suis susceptible. Mais il faut l'être, dans notre métier. Ce n'est pas facile pour une femme.

— Qu'est-ce qui n'est pas facile ? Enquêter ? Monter en grade ? Naviguer dans les allées du pouvoir de Victoria Street, si tortueuses soient-elles ?

— Ah, vous avez beau jeu de persifler. Mais je ne crois pas qu'un homme ait à affronter aucun des obstacles qu'une femme doit surmonter. Surtout un homme…

Elle sembla hésiter.

Il termina à sa place.

— Un homme comme moi ?

— Enfin quoi, c'est vrai, Thomas. Vous ne pouvez pas prétendre qu'une vie de privilèges – les demeures familiales en Cornouailles, à Eton, à Oxford… n'oubliez pas que j'en sais pas mal sur vous – vous a handicapé pour réussir dans ce métier. Et pourquoi êtes-vous dans ce métier, d'ailleurs ? Vous n'avez quand même pas besoin d'être policier. En général, les hommes de votre milieu font des choses moins…

Elle sembla chercher le terme exact.

— Des choses qui permettent d'éviter le bas peuple.

— Par exemple ?

— Je ne sais pas. Siéger aux conseils d'administration d'hôpitaux ou d'universités ? Élever des pur-sang ? Gérer des propriétés – les leurs, naturellement – et recueillir les loyers de fermiers portant casquettes et bottes en caoutchouc ?

— Vous parlez des gens qui se présentent à la porte de service et qui gardent les yeux baissés ? Qui s'empressent d'ôter ces fameuses casquettes en ma présence ? Qui tirent sur leurs accroche-cœurs et ainsi de suite ?

— Des accroche-cœurs… Grands dieux, mais qu'est-ce que c'est ? Je me le suis toujours demandé. Il

357

est clair qu'il s'agit de cheveux et que la mèche est en forme de crochet, mais pourquoi y accrocherait-on les cœurs et pourquoi irait-on tirer dessus ?

— Cela fait partie du rituel obligé, dit-il, solennel. Toutes ces courbettes du paysan face au maître, tel est le triste lot des hommes de mon milieu…

Elle le scruta.

— Bon sang, vous vous fichez de moi. Vous avez carrément les yeux qui pétillent !

— Désolé, dit-il en souriant.

— Il fait une de ces chaleurs… Dites, j'ai besoin de boire un truc frais, Thomas. Nous pourrions en profiter pour discuter. Il y a forcément un pub quelque part.

Sans doute, mais il tenait aussi à voir l'endroit où avait été découvert le corps. Ils avaient rejoint la voiture d'Isabelle à l'entrée du cimetière et il formula sa requête : voulait-elle bien l'emmener à la chapelle où avait été découvert le corps de Jemima Hastings ? En prononçant ces mots, il avait bien conscience de franchir une étape. Cela faisait cinq mois que sa femme avait été assassinée sur le perron de leur maison. En février, en aucun cas il n'aurait pu envisager de se rendre sur les lieux d'un meurtre.

Bien entendu, la commissaire lui demanda pourquoi il voulait aller là-bas. Son ton était soupçonneux, comme si elle pensait qu'il voulait vérifier son travail. Elle fit remarquer que le périmètre avait été passé au peigne fin puis rouvert au public, et il lui répondit que c'était de la curiosité, rien de plus. Il avait vu les photos ; il voulait voir les lieux.

Elle accepta. Il la suivit à l'intérieur du cimetière et le long des sentiers qui serpentaient sous les arbres. Il faisait plus frais ici, avec le feuillage qui les abritait du soleil et pas de trottoirs en béton pour renvoyer la chaleur par bouffées implacables. Tandis qu'elle avançait à grands pas devant lui, il constata qu'elle était ce qu'on aurait jadis appelé « un beau brin de femme ». Elle marchait comme elle semblait faire toute chose : avec assurance.

Une fois à la chapelle, elle l'entraîna sur le côté. Derrière la remise s'étendait une clairière d'herbe roussie. En bordure de cette clairière se trouvait un banc en pierre. Son jumeau était installé à l'opposé, devant des tombes envahies de mauvaises herbes et un mausolée à demi effondré.

— Fouille minutieuse avec bouclage du périmètre et quadrillage systématique, expliqua Ardery. Aucun résultat à part les déchets prévisibles dans un endroit comme ça.

— C'est-à-dire ?

— Canettes de soda et détritus en tout genre : stylos, crayons, plans du parc, paquets de chips, emballages de barres chocolatées, cartes d'abonnement de métro – oui, on est en train de les vérifier... –, et puis assez de préservatifs usagés pour espérer que les MST soient un jour un fléau oublié. Oh. Pardon. C'était déplacé, comme remarque.

Debout à l'entrée de l'abri, dans l'encadrement de la porte, il se retourna pour voir Isabelle devenir écarlate.

— Cette boutade sur les préservatifs... Si j'étais un homme, ça pourrait être interprété comme du harcèlement sexuel. Veuillez m'excuser pour ce commentaire.

— Ah, fit-il. Eh bien, il n'y a pas de mal. Mais à l'avenir je serai sur mes gardes, alors, attention, chef.

— Isabelle, rectifia-t-elle. Vous pouvez m'appeler Isabelle.

— Je suis en service. Que pensez-vous du graffiti ?

Il indiqua le mur de l'abri où les mots « Dieu voit tout » et l'œil dans le triangle étaient peints en noir.

— Vieux. Il date de bien avant sa mort. Et il sent fort la franc-maçonnerie. Votre avis à vous ?

— Pareil.

— Bien, dit-elle.

Quand il se retourna vers elle, il vit que la rougeur de son visage s'estompait peu à peu. Elle reprit :

— Si vous en avez vu assez, j'aimerais bien aller boire ce verre. Il y a des bistrots dans Stoke Newington Church Street, et je suppose qu'on peut aussi trouver un pub.

Ils quittèrent le cimetière par un itinéraire différent et passèrent à côté d'un monument que Lynley reconnut. C'était celui qui avait servi d'arrière-plan à Deborah pour sa photo de Jemima. Il trônait à l'embranchement de deux sentiers : un lion en marbre grandeur nature posé sur un socle. Lynley s'arrêta pour lire l'inscription proclamant qu'ils « se retrouveraient tous un jour par un joyeux matin de Pâques ». Si seulement c'était vrai, songea-t-il.

La commissaire l'observait, mais elle se borna à dire :

— C'est par ici, Thomas.

Puis elle le guida vers la rue.

Ils trouvèrent tout de suite non seulement un bistrot mais un pub. Ardery choisit le pub. Une fois à l'intérieur, elle s'éclipsa aux toilettes, lui demandant de lui commander un cidre. Quand il parut s'étonner de son choix, compte tenu du fait qu'ils étaient en service, elle ajouta :

— Grands dieux, Thomas, ce n'est pas une boisson forte.

Elle lui expliqua alors qu'il n'était pas question pour elle de faire la police dans son équipe sur le choix des boissons. Si quelqu'un avait envie d'une bière en pleine journée, ça ne la gênait pas. C'est le boulot qui compte, affirma-t-elle, et la qualité dudit boulot. Là-dessus, elle rejoignit les toilettes. Il se chargea donc de lui commander un cidre – « Et un grand, surtout », avait-elle précisé –, tandis que, de son côté, il prenait une eau minérale. Il emporta ces boissons à une table tranquille dans un coin de la salle, puis il se ravisa et en choisit une autre, plus adaptée, selon lui, à deux collègues de travail.

La commissaire s'avéra typiquement féminine, du moins pour ce qui était des séjours aux toilettes. Elle disparut au moins cinq minutes et, lorsqu'elle revint, elle s'était recoiffée. Ses cheveux étaient à présent derrière ses oreilles, qui se révélèrent ornées de boucles. Celles-ci étaient bleu marine avec une bordure en or. Le bleu marine était assorti à la couleur de sa robe. Ces petites coquetteries féminines le surprendraient toujours. Helen ne s'était jamais contentée de s'habiller le matin : elle s'appliquait à assembler de véritables compositions.

Pour l'amour du ciel, Helen, tu vas seulement chercher de l'essence, non ?

Enfin voyons, Tommy chéri, je pourrais croiser quelqu'un !

Il cligna des yeux, se versa de l'eau. Il y avait un morceau de citron vert, et il le pressa à fond.

Ardery le remercia.

— Ils n'avaient qu'une seule marque… dit-il.

— Je ne parlais pas du cidre. Je voulais dire : merci de ne pas vous être levé. J'imagine que d'habitude vous le faites.

— Ah… Ça. En effet, de tels réflexes vous sont inculqués dès le berceau, mais j'ai pensé que vous voudriez que je m'en abstienne dans le cadre professionnel.

— Avez-vous déjà eu une supérieure femme ?

Il fit non de la tête et elle ajouta :

— Vous vous en tirez plutôt bien.

— Je m'y efforce.

— De vous en tirer ?

— Oui.

Cette remarque pouvait conduire à une discussion qu'il préférait éviter, aussi enchaîna-t-il :

— Et vous, commissaire Ardery ?

— Vous ne voulez pas m'appeler Isabelle, on dirait.

— Non.

— Pourquoi ? C'est une conversation privée, Thomas. Nous sommes collègues, vous et moi.

— En service.

— Vous me répondrez ça à chaque fois ?

Il réfléchit. En effet, c'était commode, comme solution…

— Oui. Je suppose que oui.

— Et je dois me vexer ?

— Pas du tout. Chef.

Il la regarda et elle soutint son regard. La chose devint ambiguë. C'était toujours le risque entre hommes et femmes. Avec Barbara Havers, l'hypothèse avait toujours été tellement aberrante qu'elle en était presque risible. Avec Isabelle Ardery, il n'en allait pas de même. Il détourna le regard.

— Je l'ai cru, ce garçon, dit-elle d'un ton léger. Et vous ? D'accord, il aurait pu revenir sur les lieux du crime, histoire de vérifier si on avait trouvé le cadavre,

362

mais je suis plutôt sceptique. Il n'a pas l'air assez intelligent pour avoir monté tout ça.

— Vous voulez dire, prendre la revue avec lui pour qu'on croie qu'il avait une raison d'entrer dans la remise ?

— Exactement.

Lynley était d'accord avec elle. Marlon Kay n'avait pas un profil de tueur. Mais la commissaire avait fait preuve de sagesse dans sa façon de traiter la situation. Avant de quitter le garçon et son père, elle avait pris des dispositions pour qu'on prélève ses empreintes ainsi qu'un échantillon de salive, et elle avait jeté un coup d'œil dans son armoire. Pas de jaune parmi ses vêtements. Quant aux tennis qu'il avait portées ce jour-là dans le cimetière, elles étaient visiblement dépourvues de traces de sang mais seraient quand même envoyées aux techniciens du labo. Dans toutes ces démarches, Marlon s'était montré très coopératif. Il semblait presque aussi désireux de leur faire plaisir que de leur prouver qu'il n'avait rien à voir avec la mort de Jemima Hastings.

— Il ne nous reste que cet Asiatique qui aurait été aperçu. Espérons qu'il en sortira quelque chose, dit Ardery.

— Ou qu'il sortira quelque chose de ce type dans le Hampshire...

— Ah, c'est vrai, j'oubliais. D'après vous, Thomas, le sergent Havers va se débrouiller comment de ce côté-là ?

— À sa manière habituelle.

13

— Merde, c'est vraiment incroyable. J'ai jamais vu un truc pareil.

Telle était la réaction de Barbara Havers devant la New Forest et les troupeaux de poneys qui s'y ébattaient. Il y en avait des centaines – des milliers peut-être – et ils paissaient librement. Sur les vastes étendues de prairie, ils broutaient à belles dents avec leurs poulains à proximité. Sous des chênes et des hêtres primitifs, parmi des bouleaux et des sorbiers des oiseleurs, ils se nourrissaient tranquillement des broussailles, laissant dans leur sillage un sous-bois tacheté de soleil au sol spongieux, débarrassé de ses buissons, de ses ronces et de ses mauvaises herbes.

Il était presque impossible de ne pas être enchanté par un pays où les poneys lapaient l'eau des flaques et des étangs, et où les chaumières en torchis blanchi à la chaux donnaient l'impression d'être récurées quotidiennement. D'immenses panoramas de collines présentaient un patchwork bigarré où le vert des fougères avait commencé à brunir et où le jaune des ajoncs cédait la place au violet de plus en plus intense de la bruyère.

— Ça me donnerait presque envie de plaquer Londres, déclara Barbara.

Le grand atlas routier était ouvert sur ses genoux, car elle avait joué les copilotes pendant le trajet. Ils s'étaient arrêtés une fois pour déjeuner et une autre fois pour prendre un café, et à présent ils s'acheminaient depuis l'A31 vers Lyndhurst, où ils se feraient connaître auprès des flics du cru dont ils envahissaient le territoire.

— Pas mal, ouais, acquiesça Nkata à propos du paysage. Mais ça serait un peu trop pépère pour moi. Sans parler de…

Il lui jeta un coup d'œil.

— Sans parler du côté « raisin sec dans le gâteau de riz ».

— Ah. Oui. Sûrement, admit Barbara.

Ce n'était pas une région où ils risquaient de trouver beaucoup de minorités dans la population, et certainement pas une minorité ayant les antécédents de Nkata, qui venait de Brixton via l'Afrique de l'Ouest et les Caraïbes, avec un petit détour par les gangs des cités.

— Bien pour les vacances, n'empêche. Faudra faire gaffe en ville. Système de sens uniques.

Ils naviguèrent sans trop de problèmes et trouvèrent le commissariat de Lyndhurst juste à la sortie de la ville, sur Romsey Road. Bâtiment en brique banal des années 1960, situé au sommet d'un petit tertre, il arborait une couronne de barbelés et un collier de caméras de surveillance signalant la zone comme peu recommandée à quiconque ne souhaitait pas que le moindre de ses mouvements soit enregistré. Devant le bâtiment, quelques arbres et des parterres de fleurs s'efforçaient d'adoucir l'aspect lugubre des lieux, mais il n'y avait pas moyen d'en camoufler la fonction quasi pénitentiaire.

Ils montrèrent leurs cartes de police au constable chargé de l'accueil, un jeune homme qui sortit des profondeurs des locaux une fois qu'ils eurent appuyé sur la sonnette placée à cet effet sur le comptoir. Il parut intrigué mais pas bouleversé par la venue de New Scotland Yard. Ils lui expliquèrent qu'ils avaient besoin de parler au commissaire divisionnaire et il examina avec insistance leurs photos d'identité, les comparant plusieurs fois à leurs visages comme s'il les soupçonnait de nourrir de mauvaises intentions. Il leur dit d'attendre et disparut avec leurs papiers dans les entrailles du commissariat. Il s'écoula presque dix minutes avant qu'il réapparaisse, leur rende leurs cartes de police et leur demande de le suivre.

Le commissaire divisionnaire, dit-il, avait pour nom Zachary Whiting. Il était en réunion mais allait y couper court.

— Nous ne le retiendrons pas longtemps, dit Barbara. Simple visite de politesse, si vous voyez ce que je veux dire. Histoire de le mettre au courant pour qu'il n'y ait pas de malentendu par la suite.

Lyndhurst était le PC opérationnel pour tous les commissariats de la New Forest. Il était dirigé par un commissaire divisionnaire, lui-même sous l'autorité de la gendarmerie de Winchester. Un flic ne s'aventurait pas dans le secteur d'un autre flic sans le caresser dans le sens du poil, et c'était pour ça que Barbara et Winston étaient là. S'il se passait quelque chose actuellement qui ait un lien avec leur enquête, tant mieux. Barbara n'y croyait pas, mais allez savoir, ce genre de courtoisie professionnelle pouvait payer.

Le commissaire divisionnaire Zachary Whiting les attendait debout à son bureau. Derrière des lunettes, ses yeux les observaient d'un air vaguement interrogateur, ce qui n'avait rien d'anormal face à une visite de New Scotland Yard. Quand la Met débarquait, c'était souvent synonyme de problèmes du genre enquête interne.

D'un signe de tête, Winston donna le feu vert à Barbara. Ce fut donc elle qui se lança. Elle fit les présentations, puis raconta dans les grandes lignes l'homicide londonien. Elle indiqua que la victime s'appelait Jemima Hastings. Elle termina par la cause de leur incursion sur son territoire.

— Il y avait un numéro de mobile sur une carte postale liée à la victime, expliqua Barbara. Nous avons établi que ce numéro appartenait à un certain Gordon Jossie, ici dans le Hampshire. Donc...

Elle laissa sa phrase en suspens. Le commissaire divisionnaire connaissait la musique.

— Gordon Jossie ? répéta Whiting, songeur.

— Vous le connaissez ? demanda Nkata.

Whiting se pencha sur son bureau et parcourut divers papiers. Barbara et Winston échangèrent des regards.

— Il a eu des ennuis ? s'enquit Barbara.

Whiting ne répondit pas tout de suite. Il répéta le nom de famille, puis dit :

— Non, pas des ennuis.

Mais il marqua une hésitation avant le mot final comme si Gordon Jossie avait eu sinon des ennuis, du moins un problème.

— Mais vous connaissez le bonhomme ? répéta Nkata.

— C'est juste ce nom...

Le commissaire divisionnaire finit par dénicher ce qu'il cherchait dans son tas de paperasse. En l'occurrence, un message téléphonique.

— Nous avons eu un coup de fil à son sujet. Un appel d'excentrique, si vous voulez mon avis, mais elle a dû insister, et le message est remonté jusqu'à moi.

— C'est la procédure normale ? interrogea Barbara, étonnée qu'un commissaire divisionnaire souhaite être informé des appels, fantaisistes ou non.

Il répondit que ce n'était pas du tout la procédure normale, mais la jeune femme, paraît-il, ne voulait rien entendre. Elle exigeait qu'on fasse quelque chose à propos d'un type nommé Gordon Jossie. On lui avait demandé si elle désirait déposer une plainte officielle contre l'individu, mais non, il ne s'agissait pas de ça.

— Elle aurait dit qu'elle le trouvait louche, expliqua Whiting.

— Un peu bizarre qu'on vous ait prévenu, fit remarquer Barbara.

— On ne m'aurait pas prévenu, normalement. Mais une deuxième jeune femme a téléphoné pour dire à peu près la même chose, et cette fois on m'a rapporté l'info. Ça vous paraît bizarre, je comprends, mais ici on n'est pas à Londres. C'est un tout petit pays et j'aime autant savoir ce qui s'y passe.

— Vous pensez que ce fameux Jossie mijote quelque chose ? demanda Nkata.

— Rien ne le laisse supposer. Mais ce truc-là, en tout cas, ça le met sur l'écran radar, répondit Whiting en désignant le message téléphonique.

Il dit ensuite aux agents de Scotland Yard qu'il leur laissait toute latitude pour faire ce qu'ils avaient à faire sur son secteur, et lorsqu'ils lui firent part de l'adresse de Jossie, il leur indiqua comment trouver la maison du bonhomme, près du village de Sway. S'ils avaient besoin de son aide ou de celle d'un de ses hommes… Il y avait quelque chose dans sa façon de proposer ses services qui donna l'impression à Barbara qu'il ne cherchait pas uniquement à être accommodant.

Sway se situait à l'écart des itinéraires fréquentés de la New Forest, au sommet d'un triangle dont les deux autres pointes étaient Lymington et New Milton. Ils se rendirent là-bas par des chemins qui devenaient de plus en plus étroits, et ils se retrouvèrent sur une route appelée Paul's Lane, où les maisons avaient des noms mais pas de numéros, et étaient presque toutes dissimulées derrière de grandes haies.

Il y avait un certain nombre de cottages le long de la route, mais seulement deux propriétés imposantes, dont celle de Jossie.

Ils se garèrent sur le bas-côté près d'une grande haie d'aubépine. Ils remontèrent à pied l'allée pleine de bosses, et ils le trouvèrent à l'intérieur d'un paddock à l'ouest d'une jolie chaumière en torchis. Il était en train d'inspecter les sabots arrière de deux poneys ombrageux. Sous le soleil brûlant, il portait des lunettes noires ainsi qu'une casquette de base-ball, et il était protégé encore davantage par des manches longues, des gants, un pantalon et des bottes.

Ce n'était pas le cas de la jeune femme qui l'observait depuis l'extérieur du paddock. Elle portait une robe rayée qui laissait nus ses bras et ses jambes. Malgré la chaleur, elle était fraîche comme une rose, et sa tête était couverte d'un chapeau de paille orné d'un ruban assorti à sa robe. Hadiyyah, songea Barbara, aurait approuvé.

— Ils sont prêts à être relâchés, tu crois ? demanda la femme.

— C'est vraiment idiot d'avoir peur des poneys, répondit Gordon Jossie.

— J'essaie de devenir amie avec eux. Franchement.

Elle tourna la tête et aperçut Barbara et Winston. Son regard les embrassait tous les deux mais revint s'attarder sur Winston. Elle était très séduisante, constata Barbara. Malgré son expérience limitée, elle voyait bien que la jeune femme était maquillée comme une pro. Là encore, Hadiyyah aurait approuvé.

— Bonjour, leur lança-t-elle. Vous êtes perdus ?

Gordon Jossie leva les yeux. Il les regarda remonter l'allée et rejoindre la clôture. Celle-ci était faite de barbelés tendus entre des piquets en bois, et sa compagne se tenait près de l'un d'eux, les mains refermées sur le haut du pieu.

Jossie avait le genre de corps maigre et nerveux qui faisait penser à un footballeur. Quand il retira sa casquette et s'essuya le front avec son bras, Barbara vit qu'il perdait ses cheveux, mais que leur couleur rousse lui allait bien.

Barbara et Winston sortirent leurs cartes de police. Cette fois, ce fut Winston qui se chargea des présentations. Après quoi il demanda à l'homme dans le paddock :

— Vous êtes bien Gordon Jossie ?

Jossie acquiesça. Il marcha vers la clôture. Son visage ne trahissait pas grand-chose. Ses yeux, bien sûr, étaient indéchiffrables. Les verres de ses lunettes étaient pratiquement noirs.

La jeune femme déclara s'appeler Gina Dickens.

— Scotland Yard ? fit-elle, avec un sourire. Comme l'inspecteur Lestrade ?

Puis, pour taquiner Jossie :

— Gordon, tu as fait des bêtises ?

Il y avait une barrière en bois à proximité, mais Jossie, au lieu d'aller l'ouvrir, se dirigea vers un tuyau d'arrosage qui était enroulé autour d'un piquet de clôture à l'aspect neuf et relié à un robinet sur pied à l'extérieur du paddock. Attrapant le tuyau, il le dévida en direction d'un abreuvoir en pierre. Absolument nickel, l'abreuvoir, remarqua Barbara. Soit il était neuf comme le poteau de clôture, soit l'homme était un tantinet maniaque. Cette dernière hypothèse ne semblait guère probable étant donné qu'une partie de l'enclos était envahie d'herbes folles et en très mauvais état, comme si l'homme en avait abandonné la réfection en cours de route. Il entreprit de remettre de l'eau dans l'abreuvoir. Par-dessus son épaule, il lança :

— Quel est le problème, alors ?

Question intéressante, songea Barbara. Au problème, direct... Mais qui lui aurait jeté la pierre ? Une visite personnelle de la police métropolitaine, ça n'avait rien de courant.

— Pourrions-nous vous dire un mot, Mr Jossie ? demanda-t-elle.

— On dirait que vous avez commencé.

— Gordon, je crois que ce qu'ils veulent dire...

Gina hésita, puis, indiquant le cottage, elle suggéra à Winston :

— Nous avons une table et des chaises sous l'arbre dans le jardin. Voulez-vous qu'on vous retrouve là-bas ?

371

— Ça marche, dit Nkata, avant d'ajouter, offrant à Gina Dickens son sourire 100 000 watts : Quelle chaleur aujourd'hui, hein ?

— Je vais chercher des boissons fraîches, annonçat-elle en se dirigeant vers le cottage, non sans avoir jeté un regard perplexe en direction de Jossie.

Barbara et Nkata attendirent Jossie, histoire de s'assurer qu'il irait directement de l'enclos au jardin devant la maison sans faire de détour. Lorsqu'il eut rempli l'abreuvoir pour les poneys, il alla replacer le tuyau sur le piquet, puis il passa par la barrière en bois, en retirant ses gants.

— C'est par là, leur dit-il comme s'ils n'étaient pas capables de trouver le jardin sans son aide.

Il les y conduisit. Si le carré de pelouse était desséché à cette époque de l'année, il contenait des parterres de fleurs en pleine santé. Jossie vit Barbara qui les regardait et précisa :

— Gina utilise l'eau de vaisselle. Nous faisons la vaisselle avec un détergent spécial.

Comme pour expliquer pourquoi les fleurs n'étaient pas mortes malgré l'interdiction d'arroser et la sécheresse qui sévissait.

— Jolies, approuva Barbara. Moi, je tue quasiment toutes les plantes, sans même me servir d'un produit spécial.

Ils prirent place à la table. Celle-ci faisait partie d'un coin-dîner aménagé en plein air, avec des bougies, une nappe à fleurs et des coussins pour garnir les chaises. Quelqu'un ici avait un don pour la décoration. Barbara sortit la photo de Jemima Hastings de son sac. Elle la posa sur la table devant Gordon Jossie.

— Pouvez-vous nous dire quelque chose au sujet de cette femme, Mr Jossie ?

— Pourquoi ?

— Parce que votre numéro de portable, dit-elle en retournant la carte, figure au verso. Et d'après ce « Avez-vous vu cette femme ? » au recto, il semble que vous la connaissiez.

Remettant la carte à l'endroit, Barbara la fit glisser tout près de la main de Jossie. Il ne la toucha pas.

Gina apparut au coin du cottage, avec un plateau sur lequel il y avait une préparation rose dans une carafe un peu trapue. Des tiges de menthe et quelques morceaux de glace flottaient dans le breuvage. Elle plaça le plateau sur la table et son regard se posa sur la carte postale. Elle regarda Jossie.

— Gordon ? Est-ce que quelque chose… ?

— C'est Jemima, dit brusquement Jossie, indiquant la photo de la carte d'un petit geste des doigts.

Gina s'assit lentement. Elle avait l'air déconcertée.

— Sur la carte ?

Jossie ne répondit pas. Barbara ne voulait pas interpréter trop vite sa réticence. Elle se disait, entre autres, que son absence de réaction pouvait très bien être due à la gêne. De toute évidence, cette Gina Dickens était liée à Jossie, et elle devait se demander pourquoi on lui mettait sous le nez une carte postale représentant une autre femme, que, manifestement, il connaissait.

Barbara attendit la réponse de Jossie à la question de Gina. Nkata et elle échangèrent un regard. Ils étaient du même avis : laissons-le se dépatouiller.

Gina demanda :

— Je peux ?

Quand Barbara hocha la tête, elle s'empara de la carte postale. Elle ne fit aucun commentaire sur la photo elle-même, mais son œil enregistra la question qui figurait au bas de la carte. Elle la retourna et vit le numéro imprimé au verso. Elle ne dit rien. Au lieu de cela, elle reposa délicatement la carte sur la table puis servit à chacun un verre de la boisson qu'elle avait concoctée.

La chaleur sembla devenir plus oppressante dans le silence. Gina se résigna à le rompre :

— Je n'avais aucune idée...

Ses doigts touchèrent son cou. Barbara voyait son pouls qui battait sur sa gorge. Elle repensa à la façon dont Jemima Hastings était morte.

— Tu la cherches depuis combien de temps, Gordon ?

Jossie riva ses yeux sur la carte postale. Il répondit enfin :

— Elle date d'il y a des mois, cette carte. J'en ai tout un tas... Je ne sais pas... autour du mois d'avril, je dirais. Je ne te connaissais pas à l'époque.

— Vous voulez bien nous expliquer ? lui demanda Barbara.

Nkata ouvrit son joli calepin en cuir.

— Il se passe quelque chose ? s'inquiéta Gina.

Ne tenant pas à lâcher plus d'informations que nécessaire à ce stade, Barbara ne dit rien. Winston non plus. Il se contenta de murmurer :

— Alors... Mr Jossie ?

Gordon Jossie remua nerveusement sur sa chaise. L'histoire qu'il raconta était brève mais sincère. Jemima Hastings était sa maîtresse précédente ; elle l'avait quitté après plus de deux ans passés ensemble ;

il avait voulu la retrouver. Par le plus grand des hasards, il avait vu une publicité pour l'expo de portraits dans le *Mail on Sunday,* et l'image sur la carte postale était celle qui avait servi à la publicité en question. Il était donc allé à Londres. Personne à la galerie n'avait pu lui dire où habitait le modèle, et il n'avait aucune idée de la façon dont il pouvait contacter le photographe. Du coup, il avait acheté toutes les cartes postales – quarante, cinquante ou soixante, il n'arrivait pas à se rappeler, mais ils avaient dû aller en chercher dans leur réserve –, et il les avait collées dans des cabines téléphoniques, sur des vitrines, partout où il pensait qu'on les remarquerait. Il avait procédé par cercles concentriques autour de la galerie jusqu'à épuisement de son stock. Puis il avait attendu.

— Et alors ? demanda Barbara.

— Personne ne m'a jamais appelé.

Il répéta à Gina :

— C'était avant de te connaître. Ça n'a rien à voir avec toi et moi. Autant que je sache, il n'y a jamais eu personne qui ait vu ces cartes, qui l'ait vue elle, et qui ait fait le rapprochement. Une perte de temps et d'argent, voilà ce que c'était. Mais il me semblait qu'il fallait que j'essaie.

— De la retrouver, tu veux dire, précisa Gina d'un ton calme.

— C'était tout ce temps qu'on avait passé ensemble… lui expliqua-t-il. Plus de deux ans. Je voulais simplement savoir. Ça ne va pas plus loin, dit Jossie en se tournant vers Barbara. Où est-ce que vous l'avez trouvée, cette carte ? Qu'est-ce qui se passe ?

— Vous voulez bien nous raconter pourquoi Jemima vous a quitté ? demanda Barbara, répondant à sa question par une autre question.

— Bon sang, je n'en ai pas la moindre idée. Un jour elle a décidé que c'était terminé, et elle est partie.

— Comme ça ?

— Je me suis dit qu'elle projetait ça depuis des semaines. Je lui ai téléphoné au début, après son départ. Je voulais savoir ce qui se passait. C'est normal, non, après deux ans ensemble, quand quelqu'un vous dit que c'est fini et se contente de disparaître alors que vous n'avez rien vu venir ? Mais elle n'a jamais pris mes appels et elle n'a jamais rappelé, et ensuite le numéro de portable a changé, ou bien elle a acheté un nouvel appareil, parce que mes appels n'ont plus abouti. J'ai interrogé son frère là-dessus…

— Son frère ?

Nkata leva les yeux de son carnet, et quand Gordon Jossie déclara que le frère s'appelait Robbie Hastings, il griffonna le nom.

— Il a prétendu ne pas être au courant de ce qu'elle devenait. Je ne l'ai pas cru – il ne m'a jamais aimé et je suis sûr qu'il a jubilé quand Jemima m'a plaqué –, mais impossible d'obtenir de lui le moindre renseignement. J'ai fini par laisser tomber. Et puis, ajouta-t-il avec un regard reconnaissant vers Gina Dickens, j'ai rencontré Gina le mois dernier.

— Quand avez-vous vu Jemima Hastings pour la dernière fois, alors ? demanda Barbara.

— Le matin du jour où elle m'a quitté.

— À savoir ?

— Le lendemain de Guy Fawkes. Donc le 6 novembre. L'année dernière.

Il avala une gorgée puis s'essuya la bouche sur son bras.

— Bon, maintenant, est-ce que vous allez me dire à quoi rime tout cela ?

— Je vais vous demander si vous avez fait des voyages en dehors du Hampshire au cours de la semaine écoulée.

— Pourquoi ?

— Voulez-vous bien répondre à la question, s'il vous plaît ?

Les traits de Jossie s'empourprèrent.

— Je ne répondrai pas. Enfin merde, qu'est-ce qui se passe ? Où avez-vous eu cette carte postale ? Je n'ai pas violé de loi. On voit des cartes postales dans les cabines téléphoniques partout dans Londres, et avec des photos autrement suggestives que celle-là.

— Elle se trouvait parmi les affaires de Jemima dans sa chambre chez l'habitant, lui expliqua Barbara. J'ai le regret de vous annoncer qu'elle est morte. Elle a été assassinée à Londres il y a environ six jours. Alors, encore une fois, je vais vous demander si vous avez effectué des voyages en dehors du Hampshire.

Barbara n'avait encore jamais vu quelqu'un blêmir aussi rapidement. C'était sans doute à cause de son teint : Gordon Jossie rougissait très vite, et perdait semble-t-il ses couleurs à la même cadence.

— Oh, mon Dieu, murmura Gina Dickens.

Elle lui attrapa la main. Il tressaillit.

— Que voulez-vous dire, assassinée ? demanda-t-il à Barbara.

— Le terme « assassinée » aurait-il plusieurs sens ? Avez-vous quitté le Hampshire, Mr Jossie ?

— Où est-elle morte ? s'enquit-il en guise de réponse.

Comme Barbara restait muette, il s'adressa à Nkata : Où était-ce arrivé ? Comment ? Qui ?

— Elle a été assassinée dans le cimetière d'Abney Park, lui apprit Barbara. Alors, encore une fois, Mr Jossie, je vais devoir vous demander…

— Ici, dit-il, l'air hébété. Je ne suis pas parti. Je suis resté ici. J'étais ici.

— Ici chez vous ?

— Non. Bien sûr que non. Je travaillais. J'étais…

Il semblait assommé. Soit assommé, soit en train de se livrer à des contorsions mentales pour mettre au point un alibi qu'il ne s'attendait pas à devoir fournir. Il expliqua qu'il était chaumier et qu'il travaillait sur un chantier, comme tous les jours excepté le week-end et certains vendredis après-midi. Quand on lui demanda si quelqu'un pourrait le confirmer, il répondit oui, bien sûr, pour l'amour de Dieu, il avait un apprenti. Il leur donna son nom – Cliff Coward – ainsi que son numéro de téléphone. Puis il redemanda :

— Comment… ?

Il se lécha les lèvres.

— Comment est-elle… morte ?

— Elle a été poignardée, Mr Jossie, répondit Barbara. Elle a perdu tout son sang.

À ce moment-là, Gina empoigna fermement la main de Jossie, mais sans rien dire. En effet, qu'aurait-elle pu dire, dans sa situation ?

Justement, Barbara réfléchit à la situation de la jeune femme.

— Et vous, Ms Dickens ? demanda-t-elle. Avez-vous quitté le Hampshire ?

— Non, bien sûr que non.

— Et il y a six jours ?

— Je ne sais plus trop. Six jours ? Je suis seulement allée à Lymington. J'ai fait les courses… à Lymington.

— Quelqu'un peut le confirmer ?

Elle garda le silence. C'était le moment où les gens étaient censés se récrier : « Enfin quoi, vous n'êtes quand même pas en train de laisser entendre que j'ai quelque chose à voir avec ça ? », mais ils ne bronchèrent ni l'un ni l'autre. Au lieu de cela ils échangèrent un regard, puis Gina déclara :

— Je ne crois pas que quelqu'un puisse le confirmer à part Gordon. Mais pourquoi une confirmation ?

— Vous avez gardé vos tickets de caisse, j'imagine ?

— Je ne sais pas, je ne pense pas. Je n'en fais pas collection. Je peux vérifier, mais je ne pensais sûrement pas…

Elle avait l'air effrayée.

— J'essaierai de les trouver. Mais si je ne peux pas…

— C'est idiot.

Jossie avait adressé cette remarque non pas à Gina mais à Barbara et Winston.

— Qu'est-ce qu'elle est censée avoir fait ? Éliminé la concurrence ? Il n'y a pas de concurrence. C'était fini entre Jemima et moi.

— Très bien, dit Barbara.

Elle fit un signe de tête à Nkata, qui referma son calepin avec cérémonie.

— Enfin bon, maintenant, pour ça oui, c'est fini, entre Jemima et vous… Pas de doute, fini est bien le mot.

Il alla dans la grange. Il pensait brosser Tess – c'était d'habitude ce qu'il faisait dans les moments de tension –, mais la chienne refusait de venir malgré ses sifflements et ses appels. Il se tenait là tout bête à sa table à brosser, la bouche desséchée, à crier « Tess ! Tess ! Viens ici, mon chien ! » sans aucun résultat, car, évidemment, les animaux avaient de l'intuition et Tess savait très bien que quelque chose n'allait pas.

Gina le rejoignit. Elle demanda avec douceur :

— Gordon, pourquoi tu ne leur as pas dit la vérité ?

Elle avait un ton apeuré et il se reprocha cette peur qu'il sentait dans sa voix.

Il était normal qu'elle l'interroge, bien sûr. C'était, après tout, la question du moment. Il voulait la remercier de n'avoir rien dit aux flics de Scotland Yard : elle devait trouver plus que louche qu'il leur ait menti.

— Tu es bien allé en Hollande, n'est-ce pas ? reprit-elle. Tu y es allé, n'est-ce pas ? Ce nouveau fournisseur de roseaux ? Cet endroit où ils les cultivent ? Parce que les roseaux de Turquie deviennent merdiques… C'est là que tu étais, n'est-ce pas ? Pourquoi tu ne leur as pas dit ?

Il ne voulait pas la regarder. Il entendait suffisamment la peur dans sa voix, et, bon sang, non, il ne voulait pas la voir sur ses traits. Pourtant, il devait la regarder dans les yeux pour la simple raison qu'elle était Gina, et pas n'importe qui.

Alors il la regarda. Il ne vit pas de la peur mais plutôt de l'inquiétude. De l'inquiétude pour lui, il le savait, et le savoir le rendait faible et désespéré. Il dit :

— Oui.

— Tu es allé en Hollande ?

— Oui.

— Alors pourquoi tu ne leur as pas dit, tout simplement ? Pourquoi tu as dit… ? Tu n'étais pas sur le chantier, Gordon.

— Cliff dira que si.

— Il mentira pour toi ?

— Si je lui demande, oui. Il n'aime pas les flics.

— Mais pourquoi lui demander de faire ça ? Pourquoi ne pas juste leur dire la vérité ? Gordon, est-ce que quelque chose… Est-ce qu'il s'est passé quelque chose ?

Il voulait qu'elle s'approche de lui comme elle l'avait fait ce matin de bonne heure, au lit et ensuite dans la douche, parce que même si c'était du sexe et seulement du sexe, ça signifiait bien autre chose que du sexe, et c'était ce qu'il lui fallait. Bizarrement, à cet instant, il comprenait enfin ce que Jemima avait voulu de lui et de l'acte sexuel. Se trouver soulevée et emportée et que s'achève ce qui jamais ne pourrait prendre fin, car cette chose était emprisonnée en elle et aucune union des corps ne saurait l'en libérer.

Il reposa la brosse. Manifestement, la chienne n'allait pas obéir – même pour se faire brosser – et il se sentait ridicule de l'attendre.

— Geen, fit-il.

Et Gina répondit :

— Dis-moi la vérité.

— Si je leur disais que j'étais en Hollande, ils ne s'en tiendraient pas là.

— Que veux-tu dire ?

— Ils voudraient que je le prouve.

— Et tu ne peux pas ? Pourquoi tu n'arriverais pas à le prouver ? Tu n'es pas allé en Hollande, Gordon ?

— Bien sûr que j'y suis allé. Mais j'ai jeté les billets.

— Enfin, il y a des traces. Toutes sortes de traces. Et puis il y a l'hôtel. Et les gens que tu as pu voir... le fermier... je ne sais pas... Celui qui cultive les roseaux ? Il pourra bien dire... Tu n'as qu'à téléphoner à la police et leur dire la vérité...

— C'est plus facile comme ça.

— Voyons, comment ça peut être plus facile de demander à Cliff de mentir ? Enfin quoi, s'il ment et qu'ils découvrent qu'il a menti ?

Maintenant elle paraissait bel et bien effrayée, mais la frayeur était une chose qu'il pouvait supporter. La frayeur était une chose qu'il comprenait. Il s'approcha d'elle comme il s'approchait des poneys dans le paddock, une main tendue et l'autre bien en vue : pas de surprises ici, Gina, rien à craindre.

— Est-ce que tu peux me faire confiance là-dessus ? Est-ce que tu me fais confiance ?

— Bien sûr que je te fais confiance. Pourquoi je ne te ferais pas confiance ? Mais je ne comprends pas...

Il toucha son épaule nue.

— Tu es ici avec moi. Tu me fréquentes depuis... quoi ? Un mois ? Plus longtemps ? Tu crois que j'aurais fait du mal à Jemima ? Que je serais allé à Londres ? Que je me serais débrouillé pour la retrouver et que je l'aurais tuée à coups de couteau ? C'est comme ça que tu me vois ? Un mec capable de ça ? Qui va à Londres, assassine une femme sortie de sa vie depuis longtemps, puis rentre à la maison et fait l'amour à cette femme ici présente, le centre de tout son foutu univers ? Pourquoi ? *Pourquoi ?*

— Laisse-moi regarder tes yeux.

Elle leva la main et lui ôta ses lunettes noires, qu'il n'avait pas retirées en entrant dans la grange. Elle les plaça sur la table de brossage puis lui posa une main sur la joue. Il croisa son regard. Elle le regarda et il ne cilla pas, et l'expression de Gina s'adoucit. Elle l'embrassa sur la joue puis sur ses paupières fermées. Puis elle l'embrassa sur la bouche et ses mains descendirent jusqu'aux fesses de Gordon et elle l'attira contre elle.

Haletante, elle murmura :

— Prends-moi ici, dans cette grange.

Et il obéit.

Ils trouvèrent Robbie Hastings entre Vinney Ridge et Anderwood, deux aires de détente sur la route de Lyndhurst entre Burley et l'A35. Ils l'avaient joint sur son portable, grâce à un numéro que Gordon leur avait donné. « Il vous dira sans doute les pires choses sur moi », avait dit Jossie.

Il ne fut pas évident de mettre la main sur le frère de Jemima Hastings : beaucoup de routes dans la New Forest n'avaient pas de panneau pour les signaler. Ils finirent par tomber sur lui par hasard. À un endroit où la route faisait un coude, ils s'arrêtèrent à un cottage, dont le propriétaire leur assura qu'ils tomberaient sur Rob Hastings sur un chemin conduisant à Dames Slough Inclosure. Rob Hastings était agister, leur apprit-on, et il avait été appelé pour accomplir « le sale boulot habituel ».

Ce sale boulot consistait à abattre un poney de la New Forest qui avait été heurté par une voiture sur l'A35. Le pauvre animal avait apparemment réussi à tituber sur des kilomètres de bruyère avant de s'écrouler. Quand Barbara et Nkata trouvèrent l'agister, il avait abattu le poney d'une seule balle de calibre 32, et il avait amené le corps de l'animal en bordure du chemin. Il parlait dans son portable et, attentif à côté de lui, était assis un braque de Weimar à l'allure majestueuse, tellement bien dressé qu'il ignorait non seulement les intrus mais aussi le cadavre du poney gisant non loin du Land Rover de son maître.

Nkata s'arrêta au bord de la route en se serrant le plus possible. Hastings hocha la tête quand ils approchèrent. Ils l'avaient simplement prévenu qu'ils désiraient lui parler tout de suite, et sa mine était grave. Il ne devait pas recevoir tellement d'appels de la police métropolitaine dans cette contrée reculée.

— Reste là, Frank, ordonna-t-il au chien avant de les rejoindre. Mieux vaut que vous ne voyiez pas le poney. Ce n'est pas ce qu'il y a de plus joyeux, comme spectacle.

Il dit qu'il attendait les New Forest Hounds puis ajouta « Ah, le voilà » à la vue d'un camion à plateau qui roulait vers eux en bringuebalant. Il tirait une remorque basse avec des ridelles pas très hautes : c'était dans cette remorque que le cadavre de l'animal allait être chargé. Sa viande servirait à nourrir les chiens, leur expliqua Robbie Hastings alors que le camion se mettait en place. Au moins un truc positif qui sortirait de l'imprudence de ces imbéciles de chauffards qui prenaient la forêt pour une cour de récré…

Barbara et Nkata avaient décidé qu'il n'était pas question pour eux d'informer Robbie Hastings de la mort de sa sœur sur le bas-côté d'une route de campagne. Mais ils se doutaient que leur présence même risquait de mettre l'homme à cran, et ce fut le cas. Une fois que le poney eut été chargé et que le camion des New Forest Hounds eut négocié un demi-tour délicat pour regagner la route principale, Hastings pivota vers eux.

— Que s'est-il passé ? C'est grave. Vous ne seriez pas ici, sinon.

— Y a-t-il un endroit où nous pourrions avoir une conversation avec vous, Mr Hastings ? demanda Barbara.

Hastings caressa la tête lisse de son chien.

— Vous pouvez me le dire ici. Il n'y a pas d'endroit aux environs à part Burley, et je ne vous le recommande pas à cette époque de l'année.

— Vous n'habitez pas dans le coin ?

— Après Burley.

Il enleva sa casquette de base-ball, dévoilant un crâne quasi rasé : ses cheveux archicourts étaient grisonnants et ils auraient été épais s'ils avaient été plus longs. Il utilisa un foulard qu'il avait autour du cou pour se frictionner le visage. Celui-ci était singulièrement dénué de charme, avec de grandes dents en avant et presque pas de menton. Ses yeux, cependant, étaient profondément humains, et ils s'emplirent de larmes alors qu'il les regardait.

— Elle est morte, c'est ça ?

Et quand l'expression de Barbara lui révéla que oui, il poussa un cri terrible en se détournant.

Barbara échangea un regard avec Nkata. Au début, ils ne bougèrent ni l'un ni l'autre. Puis Nkata posa sa main sur l'épaule de Hastings :

— On est vraiment désolés, mon vieux. C'est affreux quand quelqu'un s'en va comme ça.

Lui-même était bouleversé. Barbara le savait à son accent, qui avait perdu son côté sud-londonien pour devenir plus caribéen.

— Je vous ramène, fit-il. Le sergent Havers suivra avec ma voiture. Vous m'indiquez par où aller, on vous reconduit. Pas question que vous preniez le volant. Vous voulez me dire comment on va chez vous ?

— Je peux conduire, dit Hastings.

— Pas question, mon vieux.

Nkata eut un mouvement de tête à l'intention de Barbara, qui se hâta d'ouvrir la portière passager du Land Rover. Sur le siège, il y avait un fusil et le pistolet dont l'homme s'était servi pour abattre le poney. Elle les rangea sous le siège, puis Nkata et elle installèrent Hastings dans la voiture. D'un bond gracieux, Frank se cala contre son maître, lui offrant ce réconfort silencieux dont les chiens ont le secret.

Ils quittèrent les lieux en un triste convoi à travers des bois de chênes et de châtaigniers, dont les feuilles formaient une voûte verdoyante au-dessus de leurs têtes. Lorsqu'ils retrouvèrent la route de Lyndhurst, une grande prairie s'étendait d'un côté, qui cédait la place à une lande broussailleuse de l'autre. Des troupeaux de poneys y broutaient en toute liberté, et traversaient la route quand ils en avaient envie.

Une fois à Burley, ils comprirent pourquoi Hastings ne leur recommandait pas ce village pour discuter tranquillement. Les touristes étaient partout, et à les voir déambuler, on aurait pu croire qu'ils imitaient les poneys et les vaches. Ils allaient de-ci de-là au gré de leur fantaisie, le soleil éclatant tombant sur leurs épaules.

Hastings habitait après le village, au bout d'une petite route appelée Honey Lane, qui, une fois n'est pas coutume, était signalée par un panneau. Lorsqu'ils entrèrent enfin dans la propriété, Barbara constata que l'endroit s'apparentait à une ferme, avec plusieurs dépendances et des enclos, dont l'un contenait deux chevaux.

La porte qu'ils empruntèrent donnait directement sur la cuisine de la maison, où Barbara alla prendre une bouilloire électrique qui était posée à l'envers sur un égouttoir. Elle la remplit d'eau, la brancha, puis chercha des mugs et des sachets de PG Tips. Préparer cette boisson nationale était parfois la seule manière d'exprimer sa compassion.

Nkata fit asseoir Hastings à une vieille table en formica, où l'agister enleva sa casquette et se moucha dans son foulard. Il le mit en boule puis le repoussa un peu plus loin.

— Désolé, dit-il, ses yeux s'emplissant de larmes. J'aurais dû le savoir quand elle n'a pas répondu à mes appels le jour de son anniversaire. Et qu'elle n'a pas rappelé le lendemain. Elle rappelait toujours. Dans l'heure, en général. Quand elle ne l'a pas fait, j'ai préféré me dire qu'elle était simplement occupée. Prise par d'autres choses.

— Êtes-vous marié, Mr Hastings ?

Barbara posa les mugs sur la table, ainsi qu'une boîte de sucre en fer-blanc cabossée qu'elle avait trouvée sur une étagère à côté de vieilles boîtes de farine et de café assorties. C'était une cuisine à l'ancienne avec un contenu à l'ancienne, depuis les appareils électroménagers jusqu'aux objets sur les étagères et dans les placards. Elle avait l'air d'une pièce qui avait été tendrement préservée, et non habilement restaurée pour présenter l'aspect d'une époque antérieure.

— Y a peu de chances, non ? dit-il pour répondre à la question.

Allusion aussi lugubre que résignée à son physique peu avantageux… C'était triste, se dit Barbara. Une autoprophétie réalisée.

— Ah, fit-elle. Eh bien, nous allons devoir parler à tous les gens de la région qui connaissaient Jemima. Nous espérons que vous pourrez nous aider.

— Pourquoi ? demanda-t-il.

— À cause de la manière dont elle est morte, Mr Hastings.

À ce moment-là, Hastings sembla comprendre quelque chose à quoi il n'avait pas encore pensé malgré la présence auprès de lui d'agents de la police métropolitaine.

— Sa mort… La mort de Jemima…

— Je suis vraiment désolée de vous apprendre qu'elle a été assassinée il y a six jours.

Barbara raconta le reste : pas la façon dont Jemima était morte, mais l'endroit où cela s'était produit. Et même là elle resta évasive, parlant du cimetière, mais sans préciser où il se situait ni où le corps s'y trouvait. Elle termina par :

— Alors tous ceux qui la connaissaient devront être interrogés.

— Jossie.

Hastings paraissait hébété.

— Elle l'a quitté. Ça ne lui a pas plu. Elle a dit qu'il n'arrivait pas à l'accepter. Il lui téléphonait sans arrêt, il n'arrêtait pas.

Sur quoi, il porta les poings à ses yeux, et pleura comme un enfant.

La bouilloire électrique s'éteignit, et Barbara alla la chercher. Elle versa de l'eau dans les mugs, et elle trouva du lait dans le réfrigérateur. Une ou deux gorgées de whisky auraient été plus efficaces pour le pauvre homme, mais elle ne se voyait pas fouiller dans ses placards : le thé allait devoir faire l'affaire, malgré la chaleur. Au moins l'intérieur du cottage était frais et le restait grâce à ses murs en torchis épais, qui étaient bruts et blanchis à la chaux à l'extérieur et peints en jaune pâle dans la cuisine.

Ce fut l'affection du braque de Weimar qui sembla enfin apaiser Robbie Hastings. Le chien avait placé sa tête sur la cuisse de son maître, et la longue plainte sourde émise par l'animal sortit l'homme de sa torpeur. Robbie Hastings s'essuya les yeux et se moucha.

— Hé, Frank, dit-il en posant sa main sur la tête soyeuse du chien.

Il baissa la sienne et appliqua ses lèvres sur le crâne de l'animal. Lorsqu'il se redressa, il ne regarda ni Barbara ni Nkata mais fixa le mug de thé.

Sachant peut-être quelles allaient être leurs questions, il commença à parler, lentement d'abord, puis avec plus d'assurance. À côté de lui, Nkata sortit son calepin.

À Longslade Bottom, raconta Hastings, il y avait une vaste pelouse où les gens aimaient aller faire courir leurs chiens sans laisse. Un jour, il y a plusieurs années, il y avait emmené son chien et Jemima l'avait accompagné. C'était là qu'elle avait rencontré Gordon Jossie. Ça devait faire trois ans.

— Il était nouveau dans le coin, expliqua Hastings. Séparé d'un maître chaumier des environs d'Itchen Abbas – un type du nom de Heath –, il était venu dans la New Forest monter sa propre affaire. Pas très causant, mais Jemima s'est tout de suite entichée de lui. Enfin bon, rien d'étonnant, hein, puisqu'elle était sanzome à ce moment-là.

Barbara fronça les sourcils, ne comprenant pas l'adjectif. Il devait s'agir d'un terme propre au Hampshire.

— « Sanzome ? »

— Sans homme, répéta-t-il, dissociant les syllabes. Jemima, elle a toujours eu besoin d'un jules. Depuis qu'elle a… je sais pas… douze ou treize ans ?… Il lui fallait des petits amis. J'ai toujours pensé que c'était à cause de la mort de nos parents. Tués dans un accident de voiture, tous les deux en même temps. Du coup, dans sa tête, à mon avis, il lui fallait quelqu'un qui soit à elle pour de bon et pour toujours.

— Quelqu'un en plus de vous, précisa Nkata.

— Jemima devait estimer qu'il lui fallait quelqu'un de moins banal. Moi j'étais son frère, vous comprenez. Ça ne voulait rien dire si son frère l'aimait : c'était normal.

Hastings attira le mug vers lui. Un peu de thé déborda sur la table. Il l'étala du plat de la main.

— Elle avait beaucoup d'aventures ? demanda Barbara.

L'agister la regarda brusquement et elle ajouta :

— Désolée, mais je dois vous poser la question. Et ça n'a pas d'importance, Mr Hastings. Seulement dans la mesure où ça pourrait avoir un lien avec sa mort.

Il secoua la tête.

— Pour elle, il s'agissait surtout d'être amoureuse. D'accord, elle s'est bien maquée avec un ou deux en fin de compte – si vous voyez ce que je veux dire –, mais seulement si elle les croyait amoureux. « Fous amoureux », elle disait toujours. « On est fous amoureux, Rob. » La jeune fille type, si vous voulez mon avis. Enfin… presque.

— Presque ? répétèrent à l'unisson Barbara et Nkata.

Hastings prit l'air songeur, comme s'il examinait sa sœur sous un jour nouveau. Il déclara lentement :

— Elle s'accrochait beaucoup. Et possible que, du coup, elle ait eu du mal à retenir les garçons. Pareil avec les hommes. Elle attendait un peu trop d'eux, d'après moi, et du coup… enfin bon, à la longue ils se lassaient. J'étais pas très calé, mais j'essayais de lui expliquer que les mecs n'aiment pas qu'on se cramponne comme ça. Mais j'imagine qu'elle se sentait seule à cause de nos parents, même si elle n'était pas seule, elle ne l'a jamais été, pas de la façon qu'on penserait. Mais c'était ce qu'elle ressentait, alors elle devait essayer d'empêcher ce… cette impression de solitude. Elle voulait…

Il fronça les sourcils et parut réfléchir à la façon de formuler la suite.

— C'était un peu comme si elle voulait entrer dans leur peau, devenir eux, comme qui dirait.

— Elle les étouffait ? demanda Barbara.

— Elle ne le faisait pas exprès, pas du tout. Mais, oui, je suppose que c'était ça. Et quand un type voulait prendre un peu de champ, Jemima ne supportait pas. Elle s'accrochait d'autant plus. Il devait avoir la sensation de manquer d'air, alors il la quittait. Elle pleurait un moment, et puis elle décrétait qu'il n'était pas ce qu'elle recherchait réellement, et elle passait à un autre.

— Mais elle n'a pas fait ça avec Gordon Jossie ?

— Si elle l'a étouffé ?

Il secoua la tête.

— Avec lui, c'était la fusion qu'elle voulait. Elle ne le lâchait pas et ça semblait lui plaire.

— Vous pensiez quoi de lui ? demanda Barbara. Et du fait qu'elle ait une liaison avec lui ?

— Je voulais l'apprécier, parce qu'il la rendait heureuse, aussi heureuse qu'on peut rendre quelqu'un heureux, vous voyez. Mais il y avait quelque chose chez lui qui m'a toujours fait tiquer. Il ne ressemblait pas aux mecs de par ici. Je voulais qu'elle trouve quelqu'un, qu'elle se range, qu'elle fonde une famille, puisque c'était ce qu'elle voulait, mais je ne pensais pas qu'elle pourrait le faire avec lui. Notez bien que je ne l'avais pas dit à ma sœur. Ça n'aurait rien changé.

— Pourquoi ça ? demanda Nkata.

Barbara remarqua qu'il n'avait pas touché à son thé. Mais bon, Winston n'avait jamais été très « thé ». Il aimait mieux la bière, mais sans en abuser. Winston avait presque la frugalité d'un moine : il buvait à peine, ne fumait pas, son corps était un temple.

— Oh, quand elle était « folle amoureuse », l'affaire était réglée. C'était même pas la peine. Enfin bon, je me disais qu'il n'y avait pas à s'inquiéter parce que ça ne tiendrait sûrement pas plus qu'avec les autres. Deux, trois mois et ce serait terminé, et elle serait à nouveau en quête d'un homme. Mais non, tout compte fait. Très vite, elle a passé la nuit chez lui. Puis ils ont trouvé cette ferme dans Paul's Lane, ils ont sauté dessus, ils ont emménagé, et voilà. C'était pas le moment de dire quelque chose. J'espérais juste que tout irait bien. Apparemment ça a été le cas pendant un temps. Jemima avait l'air plutôt heureuse. Elle a monté son affaire de cupcakes, là-bas, à Ringwood. Et lui s'occupait de son entreprise de couvreur. Ils avaient l'air de se faire du bien mutuellement.

— Une affaire de cupcakes ? s'étonna Nkata. C'est-à-dire ?

— La Reine du Cupcake. Ça fait cucul, hein ? Mais elle était vraiment douée en cuisine, elle avait un don pour la pâtisserie, Jemima. Elle avait plein de clients qui lui commandaient des cupcakes, avec décorations fantaisie et ainsi de suite, pour des occasions spéciales, genre vacances, anniversaires, fêtes, réunions… Elle a bossé dur pour ouvrir son commerce à Ringwood, et ça marchait bien. Mais tout ça pour rien, au bout du compte, parce qu'elle a quitté Jossie et quitté la région.

Tandis que Nkata prenait des notes, Barbara déclara :

— Gordon Jossie nous a dit qu'il ne savait absolument pas pourquoi Jemima l'avait quitté.

Hastings pouffa.

— À moi il a dit qu'il pensait qu'elle avait quelqu'un et qu'elle l'avait quitté pour lui.

— Et Jemima, qu'est-ce qu'elle vous a raconté ?

— Qu'elle s'en allait pour réfléchir.

— C'est tout ?

— Rien d'autre. C'est ce qu'elle a dit. Elle avait besoin de temps pour réfléchir.

Hastings se frotta la figure.

— En fait, je trouvais pas ça plus mal, vous comprenez ? Qu'elle veuille s'en aller. Je me suis dit que somme toute elle ne voulait pas précipiter les choses, qu'elle voulait savoir où elle en était avant de se caser pour de bon avec quelqu'un. Je trouvais que ce n'était pas une mauvaise idée.

— Mais elle ne vous a pas donné plus d'indications que ça ?

— Rien d'autre sinon qu'elle s'en allait pour réfléchir. On était en contact régulier. Elle s'était acheté un nouveau portable parce que Gordon n'arrêtait pas de l'appeler. Mais j'ai pas réfléchi au sens que ça pouvait avoir, vous comprenez. Juste qu'il voulait la récupérer. Mais bon, moi aussi.

— Ah oui ?

— Oui, et pas qu'un peu. Elle est… Elle est tout ce qui me reste comme famille. Je voulais qu'elle rentre à la maison.

— Ici, vous voulez dire ? demanda Barbara.

— Juste *à la maison*. Où elle aurait voulu, peu importe. Du moment que c'était dans le Hampshire.

Barbara hocha la tête et lui demanda une liste la plus complète possible des amis et connaissances de Jemima dans la région. Elle lui précisa aussi que, malheureusement, ils auraient besoin de savoir où il se trouvait le jour de la mort de sa sœur. Pour finir, ils l'interrogèrent sur les activités de Jemima à Londres et il leur répondit qu'il ne savait pas grand-chose sinon qu'elle avait quelqu'un là-bas, « un nouveau mec dont elle était folle amoureuse ». Comme d'habitude.

— Elle vous a donné son nom ?

— Pas moyen de lui faire cracher. C'était tout récent, paraît-il, et elle ne voulait pas tout fiche en l'air.

La seule chose qu'elle a bien voulu dire, c'est qu'elle marchait sur les nuages. Ça, et « cette fois c'est le bon ». Remarquez, elle avait déjà dit ça avant, pas vrai ? Elle disait toujours ça. Alors j'ai pas vraiment fait attention.

— C'est tout ce que vous savez ? Rien du tout sur cet homme ?

Hastings sembla se creuser les méninges. À côté de lui, Frank poussa un gros soupir. Il avait fini par se coucher par terre, mais quand Hastings s'agita sur sa chaise, le chien se releva aussitôt, aux petits soins pour son maître. Hastings sourit à l'animal et tira doucement sur une de ses oreilles.

— Elle avait commencé le patin à glace. Dieu sait pourquoi, mais ça, c'était Jemima. Il y a une patinoire qui porte le nom de la reine ou d'un autre personnage royal, peut-être le prince de Galles, et... Je suppose que c'était son moniteur. Ce serait bien d'elle. Un homme qui la fait patiner sur la piste avec un bras autour de sa taille ? Elle tomberait dans le panneau. Elle croirait que ça veut dire quelque chose, alors que tout ce que ça veut dire, c'est qu'il veut l'empêcher de se casser la figure.

— Elle était comme ça ? demanda Nkata. À se monter le bourrichon ?

— Elle voyait toujours de l'amour dans des choses qui n'étaient pas du tout des signes d'amour, dit Hastings.

Une fois seul, Robbie Hastings monta à l'étage. Il voulait prendre une douche pour se débarrasser de l'odeur de poney mort. Il voulait aussi un endroit pour pleurer.

Il se rendit compte que la police lui avait dit très peu de chose : elle était morte dans un cimetière quelque part dans Londres et voilà. Il se rendit compte aussi qu'il leur avait posé très peu de questions. Il ne leur avait pas demandé comment elle était morte, ni où elle était morte à l'intérieur du cimetière, ni même quand, exactement. Ni qui l'avait trouvée. Ni ce qu'ils avaient appris jusqu'ici. En s'apercevant de son ignorance, il ressentit une profonde honte. Il pleura autant pour cela que pour la perte incommensurable de sa petite sœur. Il lui vint à l'esprit que tant qu'il avait eu Jemima, où qu'elle ait été, il n'avait jamais été complètement seul. Mais à présent sa vie paraissait terminée. Il ne voyait pas comment il allait s'en sortir.

Mais c'était tout l'abandon qu'il s'autoriserait. Il y avait des choses à faire. Il sortit de la douche, mit des vêtements propres et alla rejoindre le Land Rover. Frank sauta à l'intérieur à côté de lui et, ensemble, lui et le chien se dirigèrent vers l'ouest, vers Ringwood. C'étaient des routes de campagne et ils roulaient lentement : Robbie eut le temps de réfléchir. Il pensa à Jemima et à ce qu'elle lui avait raconté lors de leurs nombreuses conversations après son départ pour Londres. Il essaya de se rappeler les plus petits détails qui auraient pu indiquer qu'elle faisait route vers sa mort.

Il aurait pu s'agir d'un meurtre de rôdeur, mais il n'y croyait pas. Non seulement il se refusait à admettre que sa sœur ait pu être la victime de hasard d'un de ces meurtres gratuits si banals de nos jours, mais il y avait en plus la question de l'endroit où elle se trouvait. La

Jemima qu'il connaissait n'allait pas dans les cimetières. Elle détestait tout ce qui évoquait la mort. Elle
ne lisait jamais les rubriques nécrologiques, elle n'allait
pas voir les films si elle savait qu'un des personnages
allait mourir, elle évitait les livres qui finissaient mal,
et elle retournait les journaux dont la une parlait de
mort. Si elle était entrée d'elle-même dans un cimetière, elle avait forcément une bonne raison. Et, en
réfléchissant à la vie de sa sœur, malheureusement, il
ne pouvait y en avoir qu'une.

Un rendez-vous galant. Le dernier mec dont elle
était folle était sans doute marié. Ce petit détail n'aurait
pas arrêté Jemima. Mariés ou célibataires, en couple ou
non... c'étaient des distinguos un peu trop subtils pour
elle. Dans sa conception de l'amour, le tout était d'établir un lien avec un homme. Quelle que soit la nature
de la relation, elle l'aurait définie comme de l'amour et
elle se serait attendue à ce qu'elle illustre l'idée qu'elle
en avait : deux personnes se comblant l'une l'autre
telles des âmes sœurs – encore une de ses expressions
un peu naïves... – et puis, s'étant miraculeusement
trouvées, marchant main dans la main pour être heu-
reuses ensemble à tout jamais. Quand les choses ne se
passaient pas comme ça, elle se cramponnait et réclamait. Et après ? Et après, Jemima ?

Il voulait accuser Gordon Jossie de ce qui était arrivé
à sa sœur. Il savait que Jossie avait essayé de la
retrouver. Jemima le lui avait dit sans lui préciser
comment elle l'avait appris, si bien que, sur le moment,
il avait pensé qu'il s'agissait peut-être encore d'un de
ses fantasmes. Mais si Gordon Jossie avait effectivement essayé de la retrouver et qu'il y était arrivé, il
aurait pu aller à Londres...

Le problème était *pourquoi*. Jossie avait quelqu'un d'autre dans sa vie à présent. Jemima aussi, à l'en croire. Alors à quoi bon ? Juste par mesquinerie ? Ça s'était déjà vu. Un type se fait rejeter, dégote une autre femme, mais ne réussit pas pour autant à se sortir la première de la tête. Il décide que la seule façon d'éliminer les souvenirs associés à cette femme, c'est de la supprimer, histoire de pouvoir passer à autre chose avec la remplaçante. Du propre aveu de Jossie et malgré l'âge qu'il avait, Jemima avait été sa première nana. Or ce premier rejet est toujours le pire, non ?

Le regard de Jossie derrière ses lunettes noires… Le fait qu'il ait si peu de choses à raconter. Il bossait dur, d'accord, mais ça voulait dire quoi ? Cette idée fixe – construire son affaire – pouvait aussi bien se transformer en une autre obsession.

Robbie retourna tout ça dans sa tête durant son trajet vers Ringwood. Il aurait une explication avec Jossie, mais ce n'était pas le moment. Il voulait le voir sans la remplaçante de Jemima à ses côtés.

Ringwood n'était pas facile d'accès. Robbie y entra par Hightown Hill. Cela l'obligea à passer devant la Reine du Cupcake abandonnée, une vue qui lui était insupportable. Il gara le Land Rover non loin de l'église paroissiale de St. Peter and Paul dominant la place du marché depuis une butte où elle se dressait au milieu de très vieilles tombes. Du parking, Robbie entendait le grondement ininterrompu des camions sur la rocade et il pouvait même sentir leurs gaz d'échappement. Depuis la place du marché, il apercevait les fleurs aux couleurs vives dans le cimetière de l'église et les façades lessivées à la main des bâtiments georgiens le long de la grand-rue. C'était dans la grand-rue que Gerber & Hudson Graphisme avait ses bureaux, au-dessus d'une boutique baptisée À Boire et À Manger. Il ordonna à Frank de rester à l'entrée, et il monta l'escalier.

Robbie trouva Meredith Powell devant son ordinateur ; elle était en train de créer une affiche pour un atelier local de danse pour enfants. Il savait que ce n'était pas le boulot dont elle rêvait. Mais, contrairement à Jemima, Meredith avait depuis longtemps le sens des réalités, et en mère célibataire obligée de cohabiter avec ses parents pour faire des économies, elle savait que son rêve de concevoir des tissus n'était pas immédiatement à sa portée.

En voyant Robbie, Meredith se leva. Elle portait un caftan dans des teintes estivales : du vert tilleul éclatant entremêlé de violet. Même lui se rendait compte que ces couleurs ne lui allaient pas du tout. Meredith était godiche et empotée, comme lui. Il ressentit pour elle un élan de tendresse un peu honteux.

— Je peux te dire un mot, Merry ?

Meredith sembla lire quelque chose sur son visage. Elle se leva et, passant la tête par la porte d'un bureau, elle s'adressa brièvement à quelqu'un. Puis elle le rejoignit. Il la précéda dans l'escalier et, une fois de retour dans la grand-rue, il se dit que l'église ou le cimetière était le meilleur endroit pour lui annoncer la nouvelle.

Elle salua Frank d'un « Bonjour, Frank-le-Chien », et le braque de Weimar remua la queue et leur emboîta le pas. Elle dévisagea Robbie :

— Tu as l'air… Il est arrivé quelque chose, Rob ? Tu as eu de ses nouvelles ?

Il répondit que oui. En fait, c'était vrai, d'une certaine façon. Il avait bien eu de ses nouvelles, par personne interposée. Le résultat était le même.

Ils gravirent les marches et entrèrent dans le cimetière, mais il jugea qu'il y faisait trop chaud, avec le soleil qui tapait et pas un souffle d'air. Alors il trouva un coin à l'ombre pour Frank sous un banc et entraîna Meredith à l'intérieur de l'église. Là elle lui demanda :

— Qu'est-ce qu'il y a ? C'est grave. Je le vois bien. Qu'est-ce qui s'est passé ?

Elle ne pleura pas quand il lui annonça. Elle gagna un des vieux bancs en bois. Au lieu de prendre un coussin de cuir rouge pour s'y agenouiller, elle préféra s'asseoir. Elle joignit les mains sur ses cuisses et, quand il vint s'asseoir à côté d'elle, elle le regarda.

Elle murmura :

— Je suis affreusement désolée, Rob. Ça doit vraiment être terrible pour toi. Je sais combien elle compte pour toi. Je sais qu'elle était… Elle est tout.

Il secoua la tête parce qu'il ne pouvait pas répondre. Malgré la fraîcheur qui régnait dans l'église, il mourait de chaud. Il n'en revint pas quand, près de lui, Meredith frissonna.

— Pourquoi est-elle partie ?

La voix de Meredith était pleine de souffrance. Il voyait bien, pourtant, qu'il ne s'agissait que d'un de ces « pourquoi » universels. Pourquoi faut-il que des choses terribles arrivent ? Pourquoi les gens prennent-ils des décisions incompréhensibles ? Pourquoi le mal existe-t-il ?

— Bon Dieu, Rob. Pourquoi elle est partie ? Elle adorait la New Forest. Ce n'était pas une citadine. Elle

400

avait même eu du mal à Winchester, du temps de la fac.

— Elle a dit…

— Je sais ce qu'elle a dit. Tu m'as répété ce qu'elle a dit. Et lui aussi.

Elle resta silencieuse un moment, à réfléchir.

— C'est à cause de lui, n'est-ce pas ? reprit-elle. C'est à cause de Gordon. Oh, peut-être pas le meurtre lui-même, mais une partie. Une petite partie. Une partie qu'on ne voit pas et qu'on ne comprend pas encore. D'une façon ou d'une autre. Une partie.

Et là elle se mit enfin à pleurer. Elle prit un des age-nouilloirs dans son support et tomba à genoux dessus. Il pensait qu'elle voulait prier, mais au lieu de cela elle parla : elle s'adressait à lui mais son visage était tourné vers l'autel et son retable d'anges sculptés brandissant leurs écus quatre-feuilles. Ils représentaient les instru-ments de la Passion. Intéressant, songea-t-il, impuissant. Ils n'avaient rien à voir avec des armes défensives.

Meredith lui raconta qu'elle avait fait des recherches sur la nouvelle copine de Gordon, Gina Dickens. Elle avait vérifié ses dires concernant ses activités dans la région. Il n'existait apparemment aucun programme pour les filles en danger, expliqua Meredith d'une voix mordante. Aucun programme à l'institut de Brocken-hurst, aucun programme émanant du conseil régional, absolument aucun programme nulle part.

— Elle ment, conclut Meredith. Elle a connu Gordon quelque part il y a longtemps, j'en suis sûre. Ils vou-laient être ensemble. Ça ne leur suffisait pas de le faire dans un hôtel ou autre sans que personne le sache, ajouta-t-elle avec l'amertume de celle qui connaissait le sujet. Elle voulait plus. Elle voulait tout. Mais comme tout ça, elle ne pouvait pas l'obtenir avec Jemima dans les parages, elle l'a persuadé de chasser Jemima. Rob, elle n'est pas celle qu'elle prétend être.

Robbie ne savait pas comment réagir tant cette idée lui semblait tirée par les cheveux. En réalité, il se demandait quel était le véritable objectif de Meredith en effectuant des recherches sur Gina Dickens et sur ce que celle-ci faisait ou non dans le Hampshire. Meredith avait toujours eu tendance à désapprouver les gens qu'elle n'arrivait pas à comprendre, et plus d'une fois au fil de leurs années d'amitié Jemima s'était trouvée en désaccord avec elle à cause de ça, à cause de l'incapacité de Meredith à comprendre pourquoi Jemima ne pouvait pas se passer d'un homme, à l'inverse de Meredith qui y arrivait parfaitement. Meredith n'était pas une chasseuse compulsive ; par conséquent, selon elle, Jemima ne devait pas en être une.

Mais il y avait encore autre chose et Robbie pensait savoir quoi : si Gina avait voulu Gordon et s'était arrangée pour qu'il chasse Jemima de sa vie afin de l'avoir pour elle toute seule, alors Gordon avait fait pour Gina ce que l'ancien amant londonien de Meredith n'avait pas fait pour elle, malgré l'impératif plus pressant que constituait sa grossesse. Gordon avait chassé Jemima, ouvrant la porte à Gina pour qu'elle puisse pénétrer complètement dans sa vie, non pas comme une maîtresse clandestine mais comme une compagne officielle. Cela devait rester en travers de la gorge de Meredith, qui n'était pas de pierre.

— La police est allée parler à Gordon, lui expliqua Robbie. Je suppose qu'ils lui ont parlé aussi. À Gina.

Ils m'ont demandé où j'étais quand Jemima… quand c'est arrivé et…

Meredith pivota soudain.

— Ils n'ont pas osé !

— Bien sûr que si. Ils sont obligés. Donc ils lui ont demandé aussi. Et à elle, sans doute. Et s'ils ne l'ont pas fait, ils ne vont pas tarder. Ils viendront te parler à toi aussi.

— À moi ? Pourquoi ?

— Parce que tu étais son amie. J'étais supposé leur donner les noms de toutes les personnes susceptibles de leur apprendre quelque chose. C'est pour ça qu'ils sont ici.

— Quoi ? Pour nous accuser ? Toi ? Moi ?

— Non. Non. Juste pour s'assurer qu'ils savent bien tout ce qu'il y a à savoir sur elle. Autrement dit…

Il hésita.

Elle dressa la tête. Ses cheveux frôlaient son épaule. Il remarqua, aux endroits où sa peau était nue, qu'elle était tachée de son, comme sa figure. Il les revit, elle et sa sœur, totalement affolées devant les taches de rousseur apparues sur leurs jeunes visages d'adolescentes, essayant tel ou tel produit, se tartinant de maquillage et se comportant tout bêtement comme deux jeunes filles en train de grandir. La violence du souvenir lui étreignit le cœur.

— Ah, Merry… fit-il sans pouvoir continuer.

Il ne voulait pas pleurer devant elle. C'était faible et inutile. Stupidement, égoïstement, il prit soudain conscience de sa laideur, du fait que pleurer allait le faire paraître encore plus laid aux yeux de l'amie de Jemima. Et alors que ça n'avait jamais compté avant, là ça comptait, parce qu'il avait besoin de réconfort. Or il se dit qu'il n'y avait pas de réconfort, qu'il n'y en avait jamais eu et qu'il n'y en aurait jamais pour des hommes aussi laids que lui.

— J'aurais dû rester en contact avec elle, cette dernière année, Rob. Si je l'avais fait, elle ne serait peut-être pas partie.

— Tu ne dois pas te dire ça. Tu n'y es pour rien. Tu étais son amie et c'était juste un passage à vide entre vous deux. Ça arrive.

— C'était plus qu'un passage à vide. C'était… Je voulais qu'elle écoute, Rob, qu'elle entende, pour une fois. Mais il y avait des choses sur lesquelles elle n'aurait jamais changé d'avis, et Gordon en faisait partie. Parce que leur relation était devenue sexuelle à ce moment-là, et que chaque fois qu'elle avait une relation sexuelle avec un type…

Il lui agrippa le bras pour la faire taire. Il sentait un cri qui montait en lui, mais il ne voulait pas et il ne pouvait pas le laisser s'échapper. Incapable de regarder Meredith, il contempla les vitraux autour de l'autel et il se dit qu'ils devaient dater de l'époque victorienne parce que l'église avait été reconstruite, il lui semblait bien, et il y avait Jésus qui disait : « C'est moi, n'aie pas peur », et il y avait saint Pierre, et il y avait le bon Pasteur, et il y avait, oh oui, il y avait Jésus avec les enfants et Jésus demandait aux petits enfants de venir à lui et c'était là le problème, pas vrai, que les petits enfants avec tous leurs soucis n'aient pas pu venir à lui ? C'était bien là le vrai problème, non ?

Meredith était silencieuse. Il avait toujours sa main sur le bras de la jeune femme et il se rendit compte qu'il l'agrippait très fort et qu'il devait lui faire mal. Il sentit les doigts de Meredith bouger contre les siens qui

404

étaient comme des serres sur sa peau nue, et il s'aperçut qu'elle n'essayait pas de lui faire relâcher son étreinte mais qu'elle lui caressait les doigts, puis la main, décrivant avec lenteur de petits cercles pour lui dire qu'elle comprenait son chagrin, même si en réalité elle ne pouvait pas comprendre, personne ne pouvait comprendre ce que c'était que de se voir privé de tous ses êtres chers, et de n'avoir aucun espoir de combler ce vide.

14

— Bien sûr qu'il était là, déclara Cliff Coward, confirmant l'alibi de Gordon Jossie. Où il aurait été sinon, hein ?

Petit gars insolent portant un jean cradingue et un bandeau taché de sueur, il était appuyé au comptoir de son bar habituel dans le village de Winstead, une pinte posée devant lui et un paquet de chips vide froissé en boule à côté de son poing avec lequel il jouait tout en parlant. Il donna peu de détails. Ils travaillaient sur un toit de pub près de Frith, et il imaginait qu'il le saurait si Gordon Jossie s'était absenté il y a six jours, vu qu'ils n'étaient rien que tous les deux et que quelqu'un était bel et bien là-haut sur cet échafaudage pour attraper les fagots de roseaux quand il les hissait.

— J'imagine que c'était Gordon, fit-il avec un grand sourire. Pourquoi ? Il est censé avoir fait quoi ? Agressé une vieille dame sur la place du marché de Ringwood ?

— Il serait plutôt question de meurtre, répliqua Barbara.

Les traits de Cliff changèrent, mais pas sa version des faits. Gordon Jossie était avec lui, et Gordon Jossie n'était pas un assassin.

— Merde, je pense que je le saurais. Ça fait plus d'un an que je bosse pour lui. Qui il aurait zigouillé ?

— Jemima Hastings.

— *Jemima ?* Sûrement pas.

De Winstead, ils se rendirent à Itchen Abbas, contournant Winchester par l'autoroute. Sur une petite propriété entre Itchen Abbas et le hameau d'Abbotstone, ils trouvèrent le maître chaumier auprès de qui Gordon Jossie avait travaillé des années plus tôt pour apprendre le métier. Il s'appelait Ringo Heath.

— Sans commentaire, dit l'homme avec aigreur. Ça aurait pu être John, Paul ou George, mais, bordel, j'ai pas eu cette chance…

Lorsqu'ils arrivèrent, il était assis sur un banc cabossé, à l'ombre d'une maison en brique, apparemment en train de tailler quelque chose. Dans une main, il tenait un couteau à l'air méchant dont la lame tranchante se recourbait en crochet. Il l'appliquait contre une fine baguette, qu'il commençait par fendre avant d'en aiguiser les deux extrémités comme des pointes de flèches. À ses pieds s'entassaient un monceau de baguettes encore intactes. Celles qu'il venait de tailler, il les rangeait dans une caisse en bois à côté de lui sur le banc. Aux yeux de Barbara, ces bâtons ressemblaient à des cure-dents pour géants : chacun faisait au moins un mètre de long. Ils ressemblaient aussi à des armes potentielles, tout comme le couteau lui-même.

Heath attrapa une de ces baguettes, la tenant bien droite entre ses paumes. Il la plia presque en deux puis la relâcha. Elle redevint rectiligne.

— Flexible, leur dit-il. Du noisetier. À la rigueur, on peut utiliser du saule, mais le noisetier c'est le mieux.

Piquée en partie dans la paille, leur expliqua-t-il, elle servirait à maintenir le chaume en place une fois celui-ci posé sur le toit.

— Enfoui dans la paille, le lien finit par pourrir, mais c'est pas grave. Les roseaux sont complètement comprimés à ce moment-là, et c'est ce qu'on recherche : la compression. Les meilleurs toits qui existent, les toits de chaume. Les chaumières, c'est pas que des décos pour boîtes de chocolat avec coquet petit jardin devant, vous êtes pas d'accord ?

— Je suppose que si, acquiesça Barbara, conciliante. T'en penses quoi, Winnie ?

— Ça m'a l'air pas mal, un toit comme ça, dit Nkata. Un peu embêtant en cas d'incendie, peut-être.

— Bah, n'importe quoi ! répliqua Heath. Des contes de bonnes femmes.

Barbara n'en était pas si sûre. Mais ils n'étaient pas là pour discuter du caractère inflammable des roseaux sur les toits. Elle exposa l'objet de leur visite : l'apprentissage de Gordon Jossie. Ils lui avaient téléphoné au préalable pour savoir où le trouver. Ringo Heath s'était écrié : « Scotland Yard ? Qu'est-ce que Scotland Yard fabrique dans le coin ? » Mais il s'était montré coopératif.

Que pouvait-il leur raconter sur Gordon Jossie ? demanda Barbara. Se souvenait-il de lui ?

— Oh. Oui. Aucune raison d'oublier Gordon.

Heath poursuivit son ouvrage tout en évoquant sa collaboration avec Jossie. Il était un peu plus vieux que les apprentis habituels. Il avait vingt et un ans. D'habitude les apprentis avaient seize ans.

— Ce qui est mieux pour la formation vu qu'ils connaissent rien à rien, pas vrai, et qu'ils sont encore au stade où ils veulent même bien croire qu'ils connaissent rien à rien, voyez ? Mais vingt et un ans, c'est un peu vieux parce qu'on n'a pas besoin d'un mec qui soit pas malléable. Ça m'emballait pas vraiment de le prendre.

Mais bon, il l'avait pris, et les choses s'étaient bien passées. Un bosseur, Jossie. Un type qui parlait très peu, qui écoutait beaucoup.

— Il se baladait pas avec ces foutus écouteurs et la musique à fond dans les oreilles comme les mômes de maintenant. La moitié du temps on n'arrive même pas à capter leur attention, hein ? On est là sur l'échafaudage à leur crier des ordres et ils sont là en dessous à écouter Dieu sait qui et à balancer la tête en cadence.

Il prononça ce dernier mot d'un ton de mépris : il était évident qu'il ne partageait pas la passion d'un autre Ringo pour la musique.

Jossie, pour sa part, n'avait pas été l'apprenti typique. En plus, il était prêt à faire tout ce qu'on pouvait lui demander, sans prétendre que telle besogne était « trop nulle » ou indigne de lui. Quand il s'était vu confier de vraies tâches de chaumier – ce qui n'était survenu qu'après neuf mois d'apprentissage –, il n'avait jamais rechigné à poser des questions. Et ses questions étaient pertinentes, et jamais du genre « Combien je peux espérer me faire, Ringo ? », comme s'il s'imaginait qu'il pourrait s'acheter une Maserati avec un salaire de chaumier.

— On gagne bien sa vie, je lui explique, mais pas si bien que ça. Si tu comptes impressionner les nanas avec des boutons de manchette en or, tu frappes pas à

409

la bonne porte. Ce que je lui explique, c'est qu'on a toujours besoin de chaumiers parce qu'il existe un truc qui s'appelle les monuments classés, pas vrai ? Et des monuments classés, y en a partout dans le Sud, et là-haut dans le Gloucestershire, et plus loin, et il faut que leurs toits restent des toits en chaume. Pas question de les remplacer par des tuiles ou quoi que ce soit. Alors si t'es bon – et il voulait être bon, croyez-moi –, t'as du boulot à longueur d'année et des commandes par-dessus la tête.

Gordon Jossie avait apparemment été un apprenti modèle. Sans récriminer, il avait commencé par les basses besognes consistant à aller chercher les bottes de roseaux, à les transporter, à les hisser, à ranger le matériel ou à faire brûler les déchets.

— Il faisait tout ça très sérieusement, je vous assure. Il tirait pas au flanc. J'ai su qu'il serait bon quand je l'ai fait monter sur l'échafaudage. C'est un boulot minutieux que le nôtre. Oh, on croit qu'il suffit de flanquer des roseaux sur des chevrons, mais c'est très méticuleux, et un toit digne de ce nom – un grand toit, disons –, on met des mois à le monter parce que c'est pas comme poser des tuiles ou installer des bardeaux. C'est travailler avec un produit naturel, mais oui, et y a pas deux roseaux qui fassent le même diamètre, et leur longueur est jamais exacte. C'est un truc qui demande de la patience et de l'habileté, et il faut des années pour que le métier rentre et savoir faire un toit dans les règles de l'art.

Gordon Jossie avait travaillé pour lui pendant presque quatre ans, et à la longue il avait largement dépassé le statut d'apprenti pour devenir une sorte d'associé. En fait, Ringo Heath lui avait bel et bien

410

proposé de s'associer avec lui, mais Gordon voulait avoir sa propre affaire. Il était donc parti avec la bénédiction de Heath, et avait commencé comme ils commençaient tous : comme sous-traitant pour de plus grosses boîtes en attendant de pouvoir lancer son entreprise à lui.

— Depuis, je récolte des couillons plus paresseux les uns que les autres, conclut Heath, et croyez-moi, s'il s'en présentait un, je reprendrais illico un apprenti plus âgé, comme Gordon Jossie.

Pendant qu'ils discutaient, il avait continué à affûter ses baguettes. La caisse en bois était pleine, et il la ramassa pour l'apporter jusqu'à un camion à plateau. Là, il la glissa aux côtés de divers cageots posés au milieu d'une collection d'instruments étranges, que Heath se fit un plaisir d'identifier pour eux. Le sujet le passionnait. Ils avaient des serpettes pour égaliser le chaume...

— Elles enlèvent à peu près un millimètre, eh oui, affûtées comme tout, et vaut mieux être prudent pour pas se trancher la main.

... des battes qui servaient à tasser le chaume et qui, aux yeux de Barbara, avaient l'air d'un simple gril en alu muni d'une poignée, un ustensile qu'on aurait pu utiliser pour faire frire du bacon ; la taloche hollandaise, dont on se servait pour tasser le chaume à la place de la batte quand le toit était arrondi...

Barbara opinait avec componction et Nkata griffonnait fébrilement dans son carnet, comme s'il craignait une interro à venir. Elle avait du mal à ne pas perdre le fil et elle se demandait comment elle allait détourner l'homme de l'art de son exposé à n'en plus finir pour

411

le faire parler à nouveau de Gordon Jossie, quand
Heath déclara :

— ... et y en a pas deux pareilles.

Elle dressa l'oreille.

— ... des ustensiles qu'on se procure chez le forgeron, comme les crochets et les aiguilles.

Semblables à des bâtons de berger miniatures, les
crochets se recourbaient autour des roseaux et s'enfonçaient dans les chevrons pour les maintenir en place.
Les aiguilles, qui ressemblaient à de longs clous avec
un chas à un bout et une pointe acérée à l'autre, mainte-
naient les roseaux en place pendant que le chaumier
officiait. Elles étaient fabriquées par le forgeron, et ce
qu'il y avait d'intéressant, c'était que chaque forgeron
les confectionnait à sa guise, surtout en ce qui concernait la pointe.

— Forgées sur quatre côtés, forgées sur deux côtés,
taillées en biseau, aiguisées sur une meule... Au gré du
forgeron. Moi c'est les hollandaises que je préfère.
J'aime les outils bien forgés, que voulez-vous.

Il prononça cette dernière remarque comme si les
objets bien forgés se faisaient de plus en plus rares en
Angleterre.

Mais c'était la notion même du métier de forgeron
qui intéressait Barbara, et la façon dont il pouvait se
rattacher à la fabrication d'une arme. Les outils de
chaumier eux-mêmes ressemblaient à des armes. Barbara en ramassa un – une aiguille – et constata que sa
pointe était bien aiguisée et idéale pour commettre un
meurtre. Elle le tendit à Nkata et comprit à son expression qu'ils étaient du même avis.

— Pourquoi avait-il vingt et un ans quand il vous a
rejoint, Mr Heath ? Vous le savez ?

412

Heath hésita, sans doute pour s'adapter au brusque changement de sujet puisqu'il était occupé à disserter sur le fait que les Hollandais tiraient plus de fierté de leur travail que les Anglais, laisser-aller qui semblait avoir un lien avec l'Union européenne et l'immigration massive d'Albanais et d'autres Européens de l'Est au Royaume-Uni. Il cligna des yeux :

— Hein ? Qui ?

— Vingt et un ans, c'était âgé pour un apprenti, vous avez dit. Gordon Jossie avait fait quoi avant de vous rejoindre ?

Une école, leur apprit Ringo Heath. Il était dans une école à Winchester, à étudier un autre métier, Heath ne se rappelait pas lequel. Mais il avait deux lettres avec lui. Des lettres de recommandation d'un prof qui l'avait eu comme élève. Ce n'était pas très classique comme manière de se présenter pour un apprenti qui cherchait une place, et ça l'avait pas mal impressionné. Voulaient-ils voir les lettres ? Il devait toujours les avoir.

Quand Barbara lui dit qu'en effet ils désiraient les voir, Heath se tourna vers sa maison et beugla :

— Chaton ! On a besoin de toi.

Aussitôt, une femme qui n'avait rien d'un chaton apparut. Elle portait un rouleau à pâtisserie sous le bras et elle avait un physique à en faire volontiers usage : immense, querelleuse et musclée.

— Vraiment, mon chou, pourquoi faut-il que tu brailles ? Je suis juste là, dans la cuisine, répondit Chaton d'une voix étonnamment distinguée, en complète contradiction avec son aspect.

Elle s'exprimait comme une aristocrate raffinée dans une dramatique en costume, mais son physique était

413

celui d'une servante chargée de laver les marmites dans une arrière-cuisine.

Heath expliqua en minaudant :

— Ma chérie. Je connais pas la puissance de ma voix, c'est vrai. Pardon. Est-ce qu'on a encore ces lettres que Gordon Jossie avait apportées la première fois ? Tu sais desquelles je parle. Celles de son école. Tu te souviens ?

Puis, à Barbara et Winston :

— Elle tient la comptabilité et tous ces trucs-là, mon Chaton. Elle a une mémoire des faits et des chiffres à vous donner le tournis. J'arrête pas de lui dire d'aller à la télé. Un de ces jeux-concours, les émissions comme ça, vous voyez ce que je veux dire. Je suis sûr qu'elle pourrait gagner des millions, c'est vrai, si elle s'inscrivait à un de ces jeux télévisés.

— Allons, arrête de radoter, Ringo, dit Chaton. J'ai préparé la tourte au poulet et aux poireaux que tu aimes tant.

— Tu es adorable.

— Tu es bête.

— Tu perds rien pour attendre.

— Oh, pour parler, tu parles, Ring.

— Euh… Et ces lettres ? intervint Barbara.

Elle jeta un coup d'œil à Winston, qui observait l'échange entre l'homme et la femme comme le spectateur d'un match de ping-pong amoureux.

Chaton annonça qu'elle allait les chercher : d'après elle, elles étaient dans les dossiers de Ringo. Elle en avait pour un instant, dit-elle, car elle aimait rester organisée, or :

— Si on laissait faire Ringo, croyez-moi, on vivrait sous des montagnes de paperasse.

— Ça, t'as pas tort, ma chérie.

— Mon joli…

— Merci, Mrs Heath, dit Barbara.

Chaton lança des baisers sonores à son mari, lequel fit un geste semblant indiquer qu'il aurait bien aimé lui donner une tape sur les fesses, sur quoi elle gloussa et disparut dans la maison. Au bout de deux minutes, elle était de retour avec une chemise en papier kraft d'où elle sortit les lettres susmentionnées.

Il s'agissait de lettres de recommandation dépeignant le caractère de Gordon Jossie, sa conscience professionnelle, son attitude agréable, son désir d'apprendre, etc. Elles étaient rédigées sur le papier à en-tête du Collège technique de Winchester II, et l'une venait d'un certain Jonas Bligh, alors que l'autre avait été écrite par un dénommé Keating Crawford. Tous deux précisaient connaître Gordon Jossie à l'intérieur de la salle de classe comme à l'extérieur. Un brave jeune homme, assuraient-ils, digne de confiance, bon cœur, et méritant largement d'apprendre un métier comme celui de chaumier. On ne se tromperait pas en l'embauchant. Il était bien parti pour réussir.

Barbara demanda si elle pouvait garder ces lettres. Elle les rendrait aux Heath, bien sûr, mais pour l'instant, si ça ne les gênait pas…

Ça ne les gênait pas. À ce moment-là, néanmoins, Ringo Heath s'enquit de ce que Scotland Yard voulait à Gordon Jossie.

— Il est censé avoir fait quoi ? leur demanda-t-il.

— Nous enquêtons sur un meurtre qui a eu lieu à Londres, leur expliqua Barbara. Une jeune femme du nom de Jemima Hastings. Vous la connaissez ?

Non. Mais ce qu'ils savaient et ce qu'ils étaient prêts à affirmer, c'était que Gordon Jossie n'était certainement pas un tueur. Alors qu'ils allaient prendre congé, Chaton, toutefois, ajouta un détail surprenant au CV de Jossie.

Il ne savait pas lire, leur apprit-elle, et elle s'était toujours demandé comment il avait pu terminer son cursus au lycée technique. Bien sûr, il y avait des cours qui n'exigeaient pas impérativement qu'on sache lire, mais elle avait toujours trouvé un peu bizarre qu'il ait réussi aussi brillamment à Winchester. Elle dit à son mari :

— Tu sais, mon chéri, ça laisse quand même penser qu'il y avait un truc pas tout à fait net chez Gordon, non ? Je veux dire, s'il a pu aller au bout de ses cours tout en cachant le fait qu'il ne savait pas lire… Ça suggère quand même une certaine capacité à cacher des choses, tu ne crois pas ?

— Comment ça, il savait pas lire ? s'écria Ringo. C'est des foutaises, tout ça. Bah.

— Non, mon trésor. C'est la vérité. J'ai pu le constater. Il ne savait absolument pas lire.

— Vous voulez dire qu'il avait des problèmes avec la lecture ? demanda Nkata. Ou qu'il ne savait pas lire du tout ?

Il ne savait pas lire, répéta-t-elle. Il connaissait l'alphabet, mais il était obligé de le débiter dans l'ordre pour ne pas se tromper. C'était la chose la plus singulière qu'elle ait jamais vue. Compte tenu de ce handicap, elle s'était demandé plus d'une fois comment il s'était débrouillé à l'école.

— Il a dû convaincre les professeurs par des moyens pas tout à fait académiques, si vous voyez ce que je veux dire…

Durant tout le reste de la journée, Meredith Powell sentit un feu couver en elle. Ce feu était accompagné d'un martèlement dans sa tête : il n'était pas lié à une douleur mais aux mots *elle est morte*. La mort de Jemima était quelque chose d'insupportable : elle plongeait Meredith dans un état d'incrédulité et de chagrin, et ce chagrin se révélait plus profond que ce qu'elle aurait cru pouvoir éprouver pour quelqu'un d'extérieur à sa famille immédiate. Mais, au-delà de sa mort, Jemima avait été emportée avant que Meredith ait pu arranger les choses entre elles, et ce remords rongeait sa conscience et son cœur. Elle n'arrivait même plus à se rappeler ce qui avait réellement porté atteinte à leur longue amitié. Leur affection mutuelle s'était-elle lentement effritée, ou bien avait-elle subi un coup fatal ? Elle n'arrivait pas à s'en souvenir, ce qui prouvait à quel point la cause de leur brouille devait être dérisoire.

« Je ne suis pas comme toi, Meredith, répétait bien souvent Jemima. Pourquoi tu ne peux pas l'accepter ?

— Parce que ce n'est pas d'avoir un homme qui va t'empêcher d'avoir peur », lui répondait-elle.

Dans cette réponse, Jemima ne voyait que le signe de la jalousie de son amie. Sauf que Meredith n'était pas jalouse. Elle était juste inquiète. Elle avait regardé Jemima papillonner d'un garçon à l'autre puis d'un homme à l'autre pendant des années, dans sa recherche effrénée d'une chose qu'aucun d'eux ne pourrait jamais lui donner. C'était ça qu'elle avait espéré que son amie comprenne et qu'elle avait tenté sans relâche de lui faire admettre avant de finir par dire stop – ou Jemima, elle n'arrivait plus à se souvenir –, et leur amitié en était restée là.

Mais il y avait eu une question plus capitale qui jusqu'ici avait échappé à Meredith : pourquoi avait-il été tellement important pour elle que Jemima Hastings voie les choses à la manière de Meredith Powell ? À cette interrogation, Meredith n'avait pas de réponse. Mais elle était bien décidée à en trouver une.

Elle téléphona chez Gordon Jossie avant de quitter le bureau en fin de journée. Gina Dickens décrocha, et tant mieux, car c'était elle que Meredith souhaitait voir.

— J'ai besoin de vous parler. Vous voulez bien venir me retrouver ? Je suis à Ringwood pour l'instant, mais je peux aller où vous voulez. Mais pas chez... pas chez Gordon, s'il vous plaît.

Elle ne voulait pas revoir la maison. Elle n'en avait pas le courage, pas avec une autre femme sur place, menant une vie heureuse avec Gordon Jossie pendant que Jemima gisait morte, froide, assassinée là-bas à Londres.

— La police est venue, déclara Gina. Ils ont dit que Jemima...

Meredith ferma les yeux de toutes ses forces, et le combiné lui parut froid et glissant dans sa main.

— J'ai besoin de parler avec vous.

— Pourquoi ?

— Je vous rejoins. Dites-moi où.

— Pourquoi ? Vous me faites peur, Meredith.

— Ce n'est pas le but. S'il vous plaît. Je vous retrouve où vous voulez. Mais pas chez Gordon.

Il y eut un silence. Puis Gina proposa Hinchelsea Wood. Meredith ne voulait pas se risquer dans un bois, un bois solitaire avec tout ce que cette solitude supposait de danger, même si Gina Dickens avait prétendu avoir peur d'elle, avec tout ce que cette crainte était censée impliquer. Meredith suggéra plutôt une lande. Pourquoi pas Langsdale Heath ? Il y avait un parking et elles pourraient…

— Pas une lande, répliqua Gina.

— Pourquoi ça ?

— Les serpents.

— Quels serpents ?

— Les vipères. Il y a des vipères sur la lande. Vous devez bien le savoir. Je l'ai lu quelque part, et je ne veux pas…

— Hatchet Pond, alors, la coupa Meredith. C'est tout près de Beaulieu.

Gina accepta.

Il y avait du monde à Hatchet Pond quand Meredith arriva. Il y avait aussi des poneys et des poulains. Les gens flânaient au bord de l'eau, ils promenaient leurs chiens, ils lisaient dans des voitures, ils pêchaient, ils bavardaient sur des bancs. Les poneys s'abreuvaient et broutaient.

L'étang lui-même s'étendait sur une bonne distance, avec à l'autre extrémité une langue de terre qui avançait dans l'eau, plantée de hêtres et de châtaigniers, et d'un unique saule plein de grâce. C'était un point de ralliement idéal pour les jeunes la nuit, en retrait de la route si bien qu'on ne pouvait pas voir les voitures garées, mais situé de façon commode à une intersection : Beaulieu se trouvait tout de suite à l'est, East Boldre au sud et Brockenhurst à l'ouest. Toutes sortes de problèmes entre adolescents survoltés pouvaient survenir ici. Meredith l'avait appris par Jemima.

Elle attendit une vingtaine de minutes que Gina arrive à son tour. Elle-même était venue à fond de train depuis Ringwood, poussée par la détermination. C'était

419

une chose de nourrir des soupçons sur Gordon Jossie, Gina Dickens et le fait que la plupart des affaires de Jemima étaient rangées dans des cartons au grenier, c'en était une autre d'apprendre que Jemima avait été assassinée. Pendant tout le trajet depuis Ringwood, Meredith s'était entretenue mentalement avec Gina sur ces sujets-là, entre autres. Quand Gina arriva enfin dans sa petite décapotable rouge avec ses énormes lunettes de star qui lui couvraient la moitié du visage et un foulard qui lui maintenait les cheveux – ma parole, elle se prenait pour Audrey Hepburn, ou quoi ? –, Meredith était prête à l'affronter.

Gina sortit de voiture. Elle lança un regard à un des poneys à côté, tandis que Meredith traversait le parking pour la rejoindre.

— Marchons, proposa Meredith.

Gina, hésitante, déclara :

— Je suis un peu méfiante avec les chevaux.

Meredith répliqua :

— Oh, pour l'amour du ciel, ils ne vous feront pas de mal. Ce ne sont que des poneys. Ne soyez pas idiote.

Elle lui attrapa le bras. Gina se déroba.

— Je peux marcher toute seule, fit-elle avec raideur. Mais pas près des chevaux.

— Bien.

Meredith s'engagea sur un sentier qui contournait l'étang. Elle choisit obligeamment une direction à l'écart des poneys, vers un pêcheur solitaire lançant sa ligne à proximité d'un héron qui guettait, immobile, une anguille sans méfiance.

— De quoi s'agit-il ? demanda Gina.

— À votre avis ? Gordon a sa voiture. Il a ses vêtements. Et voilà qu'elle est retrouvée morte à Londres.

Gina cessa de marcher, et Meredith se tourna vers
elle. Gina protesta :

— Si vous laissez entendre ou si vous essayez simplement de me faire croire que Gordon...

— Est-ce qu'elle n'aurait pas récupéré ses vêtements ? À la longue ?

— Elle n'aurait pas eu besoin de ses vêtements de
campagne à Londres. Qu'est-ce qu'elle en aurait fait
là-bas ? Même chose pour sa voiture. Elle n'avait pas
besoin de voiture. Où est-ce qu'elle l'aurait mise ? Elle
n'avait pas de raison de la prendre.

Meredith triturait les petites peaux autour de ses
ongles. La vérité se cachait quelque part. Elle comptait
bien la découvrir.

— Je sais tout sur vous, Gina. Il n'y a aucun programme aux alentours pour des jeunes filles en danger.
Pas au lycée technique de Brockenhurst ni au lycée polyvalent. Les services sociaux n'ont même pas entendu
parler d'un programme et encore moins de *vous*. Je le
sais parce que j'ai vérifié, d'accord ? Alors pourquoi ne
pas me dire ce que vous faites ici, réellement ? Pourquoi
ne pas me dire la vérité sur vous et Gordon ? Sur quand
vous vous êtes réellement rencontrés, et comment, et sur
ce que ça signifiait pour lui et Jemima.

Les lèvres de Gina s'entrouvrirent puis se pincèrent.

— C'est vrai, vous avez fait des vérifications sur
moi ? Qu'est-ce qui ne va pas chez vous, Meredith ?
Pourquoi êtes-vous tellement...

— N'allez pas retourner l'argument contre moi.
C'est malin de votre part, mais pas question de me
laisser entraîner sur cette voie.

— Oh, ne soyez pas ridicule. Personne ne vous entraîne nulle part.

Elle doubla Meredith sur l'étroit sentier au bord de l'eau.

— Si on doit marcher, alors bon sang marchons.

Gina s'éloigna d'un pas résolu. Peu après, par-dessus son épaule, elle lança, sarcastique :

— Réfléchissez un peu, si vous en êtes capable. Je vous ai dit que je « mettais sur pied » un programme. Je ne vous ai pas dit qu'il existait. Et la première étape pour mettre sur pied un programme consiste à évaluer le besoin, pour l'amour du ciel ! C'est ce que je suis en train de faire. C'est ce que j'étais en train de faire quand j'ai rencontré Gordon. Et puis oui, d'accord, je l'admets : je n'ai pas été aussi zélée que j'aurais pu l'être sur ce projet, je n'ai pas été aussi… aussi empressée qu'au début, quand je suis arrivée dans la New Forest. Et puis oui, d'accord, la raison de ce détachement, c'est que je me suis mise à fréquenter Gordon. Et puis, oui, ça ne m'a pas déplu d'être la compagne de Gordon et que Gordon subvienne à mes besoins. Mais autant que je sache, rien de tout cela n'est un crime, Meredith. Alors ce que je veux savoir – si cela ne vous fait rien –, c'est pourquoi vous détestez Gordon à ce point ? Pourquoi vous ne supportez pas l'idée que je sois avec lui – ou que qui que ce soit d'autre, en fait, soit avec lui ? Parce qu'il ne s'agit pas de moi, au fond, n'est-ce pas ? Il s'agit de Gordon.

— Comment l'avez-vous connu ? Comment l'avez-vous vraiment rencontré ?

— Je vous l'ai dit ! Je vous ai dit l'entière vérité depuis le début. Je l'ai rencontré le mois dernier, dans

Boldre Gardens. Je l'ai revu plus tard ce jour-là et nous sommes allés boire un verre. Il m'a invitée à boire un verre, il avait l'air suffisamment inoffensif et c'était un lieu public et… Oh, pourquoi est-ce que je m'échine à me justifier ? Pourquoi vous ne le dites pas franchement ? Pourquoi vous ne me dites pas de quoi vous me soupçonnez ? D'avoir tué Jemima ? D'avoir encouragé l'homme que j'aime à la tuer ? Ou est-ce simplement le fait que je l'aime qui vous embête, et dans ce cas pourquoi ?

— Aimer ou non, ce n'est pas ça le problème.

— Ah, vraiment ? Alors peut-être que vous m'accusez d'avoir envoyé Gordon assassiner Jemima pour une raison mystérieuse. Peut-être que vous me voyez debout sur le seuil en train d'agiter mon mouchoir alors qu'il s'en va remplir sa supposée mission. Mais pourquoi je ferais ça ? Elle avait disparu de sa vie.

— Peut-être qu'elle a repris contact avec lui. Peut-être qu'elle voulait revenir. Peut-être qu'ils se sont donné rendez-vous et qu'elle a dit qu'elle voulait le récupérer et que vous ne l'avez pas supporté parce que, dans ce cas, vous auriez dû…

— Alors c'est moi qui l'ai tuée ? Plus Gordon, mais moi cette fois ? Vous savez à quel point vous êtes ridicule ? Et vous n'avez pas peur de vous retrouver ici dans ce coin perdu avec une meurtrière ?

Elle posa les mains sur ses hanches comme si elle réfléchissait à la réponse à sa propre question. Elle sourit et ajouta, amère :

— Ah. Oui. Je vois pourquoi vous ne vouliez pas aller à Hinchelsea Wood. Que je suis bête ! J'aurais pu vous tuer, là-bas. Je n'ai aucune idée de la façon dont je m'y serais prise, mais c'est ce que vous pensez. Que je suis une meurtrière. Ou Gordon. Ou que nous sommes tous les deux des meurtriers, de mèche pour éliminer Jemima pour des raisons d'ailleurs totalement obscures…

Elle se détourna. Il y avait un banc usé, pas loin : elle le rejoignit et s'écroula dessus. Elle enleva brusquement son foulard et secoua ses cheveux. Elle retira ses lunettes noires, en replia les branches, et les tint serrées dans sa main.

Meredith se planta devant elle, bras croisés sur la poitrine. Elle prit subitement et intensément conscience des différences qui les séparaient : Gina, bronzée, voluptueuse, de toute évidence attirante pour n'importe quel homme, et elle, malheureuse grande gigue à taches de rousseur, seule et sans doute vouée à le rester. Sauf que la question n'était pas là.

Pourtant, comme si elle avait lu dans ses pensées, Gina déclara sur un ton qui n'était plus amer du tout mais résigné :

— Je me demande si c'est ce que vous faites à toutes les femmes qui s'entendent bien avec un homme. Je sais que vous n'étiez pas d'accord pour Gordon et Jemima. Il m'a dit que vous ne vouliez pas qu'il soit avec elle. Mais je n'arrivais pas à comprendre pourquoi, ce que ça pouvait vous faire si Gordon et elle étaient ensemble. Est-ce parce que vous-même vous n'avez personne ? Parce que vous essayez et que ça rate à chaque fois alors qu'autour de vous des hommes et des femmes se mettent en couple sans aucun problème ? Je veux dire, je sais ce qui vous est arrivé. Gordon m'a raconté. Jemima lui avait raconté. Évidemment, il cherchait à comprendre pourquoi vous le

424

détestiez tant. Elle lui aurait expliqué que ça avait un rapport avec Londres, avec l'époque où vous habitiez là-bas, où vous sortiez avec cet homme marié, sans savoir qu'il était marié, et où vous êtes tombée enceinte...

Meredith sentit sa gorge se serrer. Elle voulait interrompre ce flot de paroles, cet inventaire de ses échecs personnels, mais elle ne pouvait pas. Elle se sentait flageolante et prise de vertige tandis que Gina poursuivait son laïus, parlant de trahison, puis d'abandon, et puis *espèce de petite idiote, ne prétends pas que tu ignorais que j'étais marié parce que tu n'es quand même pas stupide à ce point et je n'ai jamais menti, je n'ai pas menti une seule fois, et enfin quoi tu aurais pu prendre tes précautions, merde, à moins que tu aies voulu me piéger est-ce que c'est ce que tu as fait est-ce que tu voulais me piéger eh bien je ne me laisserai pas piéger par une fille comme toi ni par qui que ce soit d'autre, en fait, et oui, oui, bon Dieu, tu peux absolument en tirer les conclusions qui s'imposent, ma chère.*

— Oh, je suis désolée. Je suis *désolée.* Tenez. Je vous en prie, asseyez-vous.

Gina se leva et exhorta Meredith à s'asseoir sur le banc à côté d'elle. Elle garda le silence pendant plusieurs minutes alors que sur la surface placide de l'étang des libellules voltigeaient, leurs ailes fragiles aux reflets verts et violets scintillant sous le soleil.

— Écoutez, reprit doucement Gina, est-ce qu'il serait possible que nous soyons amies toutes les deux ? Ou sinon des amies, du moins des connaissances courtoises ? Ou peut-être des connaissances courtoises au début, et puis ensuite des amies ?

— Je ne sais pas, déclara Meredith d'un ton morne, se demandant si beaucoup de monde avait eu vent de son déshonneur.

Tout le monde, sans doute. C'était bien fait pour elle. Car pour avoir été stupide, ça oui, elle avait été d'une stupidité impardonnable.

Quand le corps de John Dresser fut retrouvé deux jours après sa disparition, l'affaire faisait les gros titres partout dans le pays. Ce que le public savait à ce moment-là, c'était ce qu'on voyait sur les films de vidéosurveillance des Barriers, autrement dit un jeune enfant s'éloignant gaiement main dans la main avec trois petits garçons. Les photos transmises par la police montraient ainsi des images pouvant être interprétées de deux façons différentes : des enfants ayant trouvé le garçonnet en train d'errer et s'apprêtant à le ramener à un adulte qui au bout du compte lui avait fait du mal, ou bien des enfants occupés à enlever un enfant plus petit dans l'intention de le terroriser. Ces images ont paru en première page de tous les tabloïds nationaux, de tous les quotidiens d'information, du journal local et à la télévision.

Michael Spargo étant vêtu de cet immense anorak moutarde très reconnaissable, son identité ne tarda pas à être établie par sa propre mère. Sue Spargo emmena son fils tout droit au commissariat. Qu'il se soit pris auparavant une raclée était évident d'après les contusions qui marbraient son visage, même s'il n'est consigné nulle part que quelqu'un ait questionné Sue Spargo au sujet de cette correction.

Conformément à la loi, Michael Spargo fut interrogé en présence de sa mère et d'une assistante sociale. L'inspecteur en charge de l'interrogatoire était depuis vingt-neuf ans dans la police. Sur ses vingt-neuf ans de carrière, Ryan Farrier, trois enfants et deux petits-enfants, en avait passé dix-neuf à travailler sur des enquêtes criminelles, mais jamais il n'était tombé sur un meurtre qui l'avait autant affecté que celui de John Dresser. En fait, l'homme s'est trouvé si profondément perturbé par ce qu'il a vu et entendu au cours de l'enquête qu'il a depuis pris sa retraite de la police et continue à être suivi par un psychiatre. Il est intéressant de noter, également, que la police a mis en place une aide psychologique et psychiatrique pour tous les individus qui ont travaillé sur le crime après la découverte du corps de John Dresser.

Comme on pouvait s'y attendre, Michael Spargo a commencé par nier tous les faits, prétendant qu'il était à l'école ce jour-là et maintenant cette affirmation jusqu'à ce qu'on lui montre non seulement le film de télésurveillance mais aussi la preuve fournie par son professeur de son absence en classe. « D'accord, j'étais avec Reg et Ian », se borne-t-il à déclarer sur la bande d'enregistrement à ce moment-là. Quand on lui demande les noms de famille des deux autres, il répond à la police : « C'était leur idée à eux, je vous jure. Moi j'ai jamais voulu embarquer ce gosse. »

Ce mensonge met en rage Sue Spargo, dont la violence verbale et les tentatives de violence physique sont aussitôt jugulées par les autres adultes présents dans la pièce. Ses cris de « Tu leur dis la bon Dieu de vérité ou putain je vais te tuer, crois-moi » sont les dernières paroles qu'elle adressera à Michael pendant le déroulement de l'enquête et jusqu'aux instants qu'elle partagera avec lui après sa condamnation. Cet abandon de son fils à un moment crucial de sa vie est caractéristique de son comportement parental et explique peut-être mieux que toute autre chose l'origine des troubles psychologiques de Michael.

L'arrestation de Reggie Arnold et de Ian Barker suivit rapidement la mention de leurs noms par Michael Spargo, et la seule chose qu'on savait au moment de leur arrestation, c'était que John Dresser avait été vu avec eux et avait disparu. Quand ils furent amenés au poste de police (chacun

429

fut emmené dans un commissariat différent, et les trois garçons ne se revirent pas avant le début de leur procès), Reggie était accompagné par sa mère, Laura, et fut bientôt rejoint par son père, Rudy, tandis que Ian était seul, même si sa grand-mère arriva avant son interrogatoire. L'endroit où se trouvait Tricia, la mère de Ian, au moment de l'arrestation de son fils n'est jamais spécifié dans le dossier, et elle n'assista pas à son procès.

Au début, personne n'imaginait que John Dresser était mort. Les transcriptions et les enregistrements des premiers interrogatoires indiquent que les policiers, initialement, croyaient que les garçons avaient emmené John par espièglerie, qu'ils en avaient eu assez de sa compagnie et l'avaient laissé quelque part. Même si chacun des garçons était déjà connu de la police, aucun ne l'était pour des faits plus graves que de l'absentéisme scolaire, des actes de petit vandalisme et des vols mineurs. (On se demande néanmoins comment il est possible que Ian Barker, avec toutes ces tortures pratiquées sur les animaux, ait réussi à passer inaperçu pendant si longtemps.) C'est seulement lorsque de nombreux témoins ont commencé à défiler durant les trente-six premières heures suivant la disparition de John – décrivant l'état de désarroi de l'enfant – que la police semble avoir pris conscience qu'elle avait affaire à bien plus grave qu'une farce inoffensive.

Les recherches pour retrouver le petit garçon avaient déjà débuté, et alors que la zone autour des Barriers était passée au crible par les policiers et par des citoyens inquiets procédant en cercles concentriques de plus en plus larges, le chantier de construction Dawkins ne tarda pas à être minutieusement inspecté.

Le constable Martin Neild, vingt-quatre ans au moment des faits et père depuis peu de temps, fut l'homme qui découvrit le corps de John Dresser, alerté de la possibilité de sa présence à proximité par la vue de la combinaison de ski bleue de l'enfant : froissée et ensanglantée, elle gisait sur le sol près d'un W-C de chantier désaffecté. À l'intérieur de la cabine, Neild découvrit le corps du petit, sadiquement enfoncé dans la cuvette des toilettes chimiques. Neild, d'après son récit, avait voulu croire que c'était « une poupée ou quelque chose comme ça », mais il savait bien que non.

15

— Alors, tu as décidé quoi, Isabelle, pour le déjeuner de dimanche ? J'en ai parlé aux garçons, au fait. Ils sont impatients.

Isabelle Ardery appuya ses doigts contre son front. Elle avait pris deux comprimés de paracétamol, mais ils n'avaient pas du tout soulagé son mal de tête. Ils n'avaient pas non plus arrangé son ventre. Elle savait qu'elle aurait dû manger quelque chose avant de les gober, mais ingurgiter de la nourriture alors que ses intestins étaient déjà perturbés était au-dessus de ses forces.

— Laisse-moi leur parler, Bob. Ils sont là ?

— Tu n'as pas une très bonne voix. Tu ne vas pas bien, Isabelle ?

Ce n'était pas ce qu'il demandait, en réalité. « Pas bien » était pour le moins un euphémisme. « Pas bien » représentait toutes les questions qu'il n'avait pas l'intention de poser mais avait clairement l'intention de laisser entendre.

— Je me suis couchée tard. Je bosse sur une enquête. Tu as peut-être lu des articles. Une femme assassinée dans un cimetière au nord de Londres ?

De toute évidence, il ne s'intéressait pas à cette partie de sa vie, seulement à l'autre. Il dit :

— Tu forces un peu trop, c'est ça ?

— Il arrive souvent qu'on travaille tard quand on enquête sur un homicide, répondit-elle, faisant mine de ne pas comprendre qu'il parlait de la boisson. Tu le sais bien, Bob. Bon, est-ce que je peux parler aux garçons ? Où sont-ils ? Ils ne sont quand même pas déjà sortis si tôt le matin.

— Ils dorment encore. Je ne veux pas les réveiller.

— Ils pourront très bien se rendormir si je leur dis juste bonjour.

— Tu sais comment ils sont. Et ils ont besoin de se reposer.

— Ils ont besoin de leur mère.

— Ils ont une mère, dans l'état actuel des choses. Sandra est tout à fait…

— Sandra a deux enfants de son côté.

— Tu n'es pas en train de sous-entendre qu'elle les traite différemment, j'espère. Parce que, franchement, je ne tiens pas à écouter ça. Parce que, et là encore, franchement, elle les traite foutrement mieux que leur mère naturelle. Elle, au moins, quand elle est avec eux, elle n'est pas à moitié dans les vapes et elle est en possession de toutes ses facultés. Tu veux vraiment avoir ce genre de conversation, Isabelle ? Bon, alors, tu viens déjeuner dimanche ou non ?

— J'enverrai un mot aux garçons, dit-elle d'un ton calme, ravalant sa rage naissante. Puis-je présumer, Bob, que toi et Sandra, vous ne m'interdisez pas de leur envoyer un mot ?

— On ne t'interdit rien du tout.

— Oh pitié. Ne jouons pas la comédie.

Elle raccrocha sans dire au revoir. Elle savait qu'elle le paierait par la suite – « Tu m'as vraiment raccroché au nez, Isabelle ? Non, on a dû être coupés, n'est-ce pas ? –, mais sur le moment elle ne put rien faire d'autre. Rester en ligne signifiait s'exposer à des démonstrations prolongées d'inquiétude paternelle, et elle n'était pas d'attaque pour ça. En fait, elle n'était pas d'attaque pour grand-chose ce matin-là, et elle allait devoir remédier à cette mollesse avant de partir travailler.

Quatre tasses de café noir – d'accord, de l'irish coffee, mais on pouvait le lui pardonner : elle n'avait mis qu'une larme d'alcool –, un toast et une douche plus tard, elle se sentait en forme. Elle était en plein briefing du matin quand elle ressentit à nouveau le besoin de boire. Mais il lui fut facile de résister car elle ne pouvait guère disparaître aux toilettes pour assouvir ce manque. Ce qu'elle pouvait faire à la place, c'était se concentrer sur son travail et se jurer de passer différemment la soirée et la nuit à venir. Une promesse qu'elle n'aurait aucun mal à tenir.

Les sergents Havers et Nkata avaient fait leur rapport à la première heure depuis la New Forest. Ils logeaient dans un hôtel à Sway – le Forest Heath Hotel, avait dit Havers –, et cette information fut accueillie par de gros éclats de rire et des remarques du genre « Espérons que Winnie a pu avoir une chambre perso », auxquelles Isabelle coupa court d'un bref : « Ça ira », tandis qu'ils analysaient les informations obtenues jusqu'ici par les deux agents. Havers était apparemment en train de s'emballer sur le fait que Gordon Jossie était maître chaumier et que les outils de chaumier étaient non seulement meurtriers mais fabriqués à la main. De son côté, Nkata semblait s'intéresser davantage au fait qu'une autre femme était présente dans la vie de Gordon Jossie. Havers avait aussi évoqué des lettres de recommandation émises par une école de Winchester pour Gordon Jossie, avant de mentionner un chaumier du nom de Ringo Heath. Elle avait conclu en énumérant les noms des individus auxquels ils devaient encore parler.

« On peut vous demander de vérifier des antécédents ? avait demandé Havers. Hastings, Jossie, Heath, Dickens... » Ils étaient allés voir les flics du cru, mais il n'y avait pas de quoi se frotter les mains. New Scotland Yard était libre de fouiner dans le secteur, avait dit le commissaire divisionnaire de Lyndhurst, mais comme le meurtre avait eu lieu à Londres, ça ne concernait pas la police locale.

Ardery avait assuré au sergent qu'ils effectueraient les recherches demandées, elle-même souhaitant savoir tout ce qu'il y avait à savoir sur les moindres personnes reliées même de loin à Jemima Hastings.

— Je veux connaître tous les détails possibles, jusqu'à l'état de leur transit intestinal, lança-t-elle à l'équipe.

Elle demanda à Philip Hale de s'occuper des noms du Hampshire et récapitula les autres noms londoniens au cas où il les aurait oubliés : Sharon Price, alias Yolanda la Spirite ; Jayson Druther ; Abbott Langer ; Paolo di Fazio ; Frazer Chaplin ; Bella McHaggis.

— Alibis de tout le monde, avec confirmation, de deux sources différentes. John, vous vous chargez de ça. Et aussi de la coordination avec le SO7. Secouez-les bien. On a besoin d'informations solides.

435

Stewart ne paraissant pas l'avoir entendue, Isabelle demanda :

— Vous avez compris, John ?

L'homme sourit d'un air sardonique puis tapota un index contre sa tempe.

— Tout est là… chef. Autre chose ?

Comme s'il estimait que c'était plutôt elle qui avait besoin qu'on la secoue.

Elle plissa les yeux. Elle s'apprêtait à réagir quand Lynley intervint. Debout au fond de la pièce, il demeurait poliment en retrait, mais elle n'arrivait pas à décider si c'était pour la mettre en valeur ou simplement pour rappeler à tout le monde l'immense contraste qui existait sans doute entre leurs deux styles.

— Peut-être Matt Jones ? dit-il. Le compagnon de Sidney Saint James ? Ce n'est sûrement rien, mais s'il est allé à la boutique de cigares comme Barbara l'a indiqué…

— Matt Jones aussi, confirma Isabelle. Philip, est-ce que quelqu'un dans votre équipe… ?

— D'accord, dit Hale.

Elle leur ordonna de s'y mettre, puis elle demanda :

— Thomas ? Vous voulez bien venir avec moi ?

Ils allaient visiter l'atelier de Paolo di Fazio. Entre leur entretien avec le sculpteur et la conversation qu'avait eue Barbara avec Bella McHaggis sur Paolo et le test de grossesse s'étendait un océan qui exigeait d'être exploré.

Lynley hocha la tête, apparemment disposé à faire tout ce qu'on lui demandait. Elle le retrouverait à sa voiture à elle. Elle avait besoin de cinq minutes pour aller aux toilettes. Il répondit : « Certainement », sur le ton poli qui lui était coutumier, et elle le sentit qui l'observait alors qu'elle s'éloignait. Elle fit escale dans son bureau pour attraper son sac à main, qu'elle emporta avec elle aux toilettes. Personne ne trouverait à redire à ça.

Comme la fois précédente, il attendait patiemment près de la voiture, mais cette fois du côté passager. Elle dressa un sourcil, et il expliqua :

— Je suppose que vous avez besoin de vous entraîner, chef. La circulation à Londres et tout le reste… ?

Elle essaya de déchiffrer son visage, mais Lynley avait l'art de rester impassible.

— Très bien. Et c'est Isabelle, Thomas.

— Sauf votre respect, chef…

Elle soupira, agacée.

— Oh, pour l'amour de Dieu, Thomas. Votre dernier commissaire, comment vous l'appeliez en coulisse ?

— « Monsieur », la plupart du temps. À d'autres moments, « chef ».

— Parfait. Merveilleux. Enfin bon, je vous ordonne de m'appeler Isabelle quand nous sommes seuls tous les deux. Vous y voyez un inconvénient ?

Il sembla réfléchir à cette idée d'inconvénient. Il examina la poignée de la portière sur laquelle il avait déjà placé sa main. Quand il releva la tête, ses yeux marron se posèrent avec candeur sur le visage d'Isabelle, et l'expression soudain très ouverte qu'il afficha était déconcertante.

— À mon avis, « chef » établit une distance qui est sans doute préférable. Tout bien considéré.

— Tout quoi ? demanda-t-elle.

— Tout.

Le regard franc qu'ils échangèrent la poussa à s'interroger sur lui.

— Vous ne montrez pas vos cartes comme ça, hein, Thomas ?

— Je n'ai pas la moindre carte.

Sur quoi elle pouffa et monta dans la voiture.

L'atelier de Paolo di Fazio se situait près de Clapham Junction. C'était au sud du fleuve, lui dit-il, pas très loin de Putney. Le mieux était de longer l'Embankment. Voulait-elle qu'il la guide ?

— Je pense réussir à trouver le chemin jusqu'au fleuve.

Paolo di Fazio lui-même leur avait indiqué où le trouver. Quand ils l'avaient contacté, il avait déclaré qu'il leur avait donné toutes les informations qu'il y avait à donner sur Jemima Hastings et lui, mais s'ils voulaient l'entendre radoter, qu'à cela ne tienne. Il serait où il était presque tous les matins, à l'atelier.

L'atelier était installé sous une des nombreuses arches des viaducs sortant de la gare de Clapham. Les tunnels avaient été reconvertis depuis longtemps, et la plupart des arches accueillaient désormais des caves à vins, des boutiques de vêtements, des ateliers de réparation automobile et même, pour l'une d'entre elles, une épicerie fine vendant des olives, des viandes et des fromages d'importation. Le studio où travaillait Paolo di Fazio s'insérait entre une boutique d'encadreur et un magasin de cycles. La porte d'entrée était ouverte et les plafonniers éclairaient vivement l'espace. Ledit espace était blanchi à la chaux et séparé en deux parties. L'une était consacrée à la phase initiale, quand l'artiste commençait à transformer une sculpture d'argile en sculpture de bronze : il y avait de la cire, du latex, de la fibre de verre et des sacs de plâtre dans tous les coins, sans parler du sable et de la poussière que pouvait produire le recours à de tels matériaux. L'autre partie hébergeait les postes de travail de quatre artistes, dont les œuvres, recouvertes de bâches en plastique, étaient en cours de réalisation. Les sculptures en bronze terminées s'alignaient au centre de l'atelier, leur style allant du réaliste au fantastique.

Celle de Paolo di Fazio avait un style figuratif, mais privilégiait les coudes bulbeux, les membres interminables et les têtes minuscules. Lynley murmura :

— On dirait du Giacometti.

Puis il s'arrêta devant. Isabelle le regarda pour sonder son expression. Elle n'avait aucune idée de ce dont il parlait, et elle avait une sainte horreur des frimeurs. Mais elle vit qu'il sortait ses lunettes pour examiner la sculpture de plus près : il ne s'était même pas aperçu qu'il avait parlé tout haut. Elle se demanda pourquoi il faisait ainsi tout doucement le tour de la statue, l'air pensif. Décidément, il était impénétrable, et elle se demanda si elle allait réussir à travailler avec quelqu'un d'aussi habile à garder ses pensées pour lui.

Paolo di Fazio n'était pas dans l'atelier. Ni personne d'autre. Mais il entra au moment où ils jetaient un coup d'œil à sa zone de travail, reconnaissable aux masques, pareils à ceux de Jubilee Market Hall, qui se dressaient sur leurs socles en bois poussiéreux, au fond, sur des étagères. Plus précisément, ils étaient en train de regarder ses outils, et d'évaluer leur éventuelle dangerosité.

— S'il vous plaît, ne touchez à rien, lança di Fazio en s'approchant d'eux.

Il tenait à la main un café à emporter ainsi qu'un sac, d'où il sortit deux bananes et une pomme. Il plaça les fruits avec soin sur une des étagères, comme s'il les disposait pour une nature morte. Il était habillé de la même manière que la dernière fois, d'un jean, d'un tee-shirt et de chaussures de ville, et cette tenue semblait là encore un drôle d'accoutrement pour quelqu'un qui manipulait l'argile, en particulier les chaussures habillées, qu'il arrivait on ne sait trop comment à garder impeccables. Elles n'auraient rien eu à craindre d'une inspection militaire.

— Là, je bosse, comme vous pouvez voir…

Il indiqua avec son café une statue bâchée.

— À propos, nous pourrions regarder votre travail ?

Il hésita un instant avant de hausser les épaules et de retirer l'enveloppe de plastique et de tissu qui emmaillotait la sculpture. C'était une autre silhouette au corps tout en longueur et aux membres noueux, apparemment masculine et apparemment au supplice, à en juger par son expression. Une bouche grande ouverte, les bras étirés, le cou courbé en arrière et les épaules voûtées. Aux pieds de la sculpture gisait une sorte de gril : on aurait cru que le personnage était au désespoir au-dessus d'un barbecue cassé… Isabelle se doutait que l'ensemble avait un sens profond et elle s'apprêtait déjà à entendre Lynley formuler une remarque formidablement éclairante sur l'œuvre d'art. Mais il ne dit rien, et di Fazio lui-même ne rendit pas les choses plus lumineuses en se contentant d'indiquer que la sculpture représentait saint Laurent. Il poursuivit en expliquant qu'il était en train de réaliser une série de martyrs chrétiens pour un monastère de Sicile, d'où Isabelle conclut que ce pauvre saint Laurent avait bel et bien dû mourir sur un barbecue. Cette image l'amena à se demander pour quelle croyance, le cas échéant, elle serait disposée à mourir, et si le trépas de certains martyrs était lié à la propre fin de Jemima Hastings, et de quelle façon.

— J'ai fait Sébastien, Lucie et Cécile pour eux, continuait di Fazio. Celle-ci est la quatrième d'une série de dix. Elles seront placées dans des niches dans la chapelle du monastère.

— Vous êtes bien connu en Italie, alors, commenta Lynley.

— Non. Mon oncle est bien connu dans le monastère.

— Votre oncle est moine ?

Di Fazio éclata d'un rire sardonique.

— Mon oncle est un criminel. Il pense pouvoir acheter sa place au paradis s'il fait suffisamment de dons aux moines. Argent, nourriture, vin, œuvres d'art de mon cru. Pour lui, tout ça, c'est du pareil au même. Mais comme il me paie pour le boulot, je ne mets pas en doute la...

Il parut réfléchir, comme s'il cherchait le mot.

— ... L'efficacité de ses actes.

À l'entrée de l'atelier côté rue, une silhouette apparut dans l'encadrement de la porte, se profilant sur la lumière extérieure. C'était une femme, qui cria : « Ciao, baby », avant de rejoindre à grands pas un des autres postes de travail. Elle était petite et plutôt grassouillette, avec une énorme poitrine et des cheveux bouclés couleur expresso. Elle arracha prestement la bâche qui protégeait sa sculpture et se mit à l'ouvrage sans un autre regard dans leur direction. Néanmoins, sa présence sembla mettre di Fazio mal à l'aise, car il suggéra qu'ils aillent poursuivre la conversation ailleurs.

— Dominique ne connaissait pas Jemima, dit-il en désignant la femme. Elle n'aurait rien à ajouter.

Mais di Fazio, lui, elle devait le connaître, et son témoignage pourrait se révéler utile. Isabelle le rassura :

— Nous ne parlerons pas fort, si c'est ce qui vous inquiète, Mr di Fazio.

— Elle a besoin de rester concentrée sur son travail.

— Je suis sûre que nous ne la gênerons pas.

Derrière leurs lunettes à monture dorée, les yeux du sculpteur se plissèrent. Un mouvement infime, mais Isabelle le remarqua.

— Cela ne prendra pas longtemps, en fait, reprit-elle. C'est à propos de votre dispute avec Jemima. Et aussi d'un test de grossesse.

Di Fazio n'eut aucune réaction. Son regard passa brièvement d'Isabelle à Lynley, comme s'il évaluait la nature de leur relation.

— Autant que je me rappelle, je n'ai pas eu de dispute avec Jemima.

— Quelqu'un vous a entendus. La dispute aurait eu lieu là où vous logez à Putney, et il y a de fortes chances qu'elle ait concerné ce test de grossesse, qui, à propos, a été retrouvé parmi vos affaires.

— Vous n'avez pas de mandat…

— En l'occurrence, ce n'est pas nous qui l'avons trouvé.

— Alors ce n'est pas une preuve, je me trompe ? Je sais comment ça marche. Il y a une procédure à respecter. Or elle n'a pas été respectée, donc ce test de grossesse ou je ne sais quoi ne peut pas être utilisé comme preuve contre moi.

— J'applaudis votre connaissance de la loi.

— J'ai lu assez d'histoires d'injustice dans ce pays, madame. J'ai lu des histoires sur la façon dont travaille la police britannique. Il y a des gens qui ont été injustement accusés et injustement condamnés. Les hommes de Birmingham. Le groupe de Guildford.

— C'est bien possible, intervint Lynley.

Isabelle remarqua qu'il n'avait pas pris la peine de baisser la voix pour éviter que Dominique n'entende.

— Par conséquent, vous devez également savoir que dans la construction d'un dossier sur un suspect lors d'une enquête pour homicide, certaines choses sont considérées comme des renseignements et d'autres comme des preuves. Le fait que vous vous soyez disputé avec une femme qui a fini assassinée n'a peut-être aucune importance, mais si cela n'a en effet aucune importance, il paraîtrait plus judicieux d'éclaircir les choses à ce sujet.

— Ce qui est une autre façon de dire que vous avez certaines explications à nous fournir, renchérit Isabelle. Vous avez indiqué qu'après s'être installée chez Mrs McHaggis Jemima avait mis un terme à votre relation.

— C'est la vérité.

Di Fazio lança un regard dans la direction de Dominique. Isabelle se demanda si celle-ci avait remplacé Jemima.

— Était-elle tombée enceinte pendant la période où vous étiez encore amants ?

— Pas du tout.

Autre regard en direction de Dominique.

— On ne pourrait pas avoir cette conversation ailleurs ? reprit-il. Dominique et moi… Nous comptons nous marier cet hiver. Elle n'a pas besoin d'entendre…

— Ah, vraiment ? Alors ce sont vos sixièmes fiançailles, non ?

Son visage s'assombrit, mais il parvint à se dominer.

— Dominique n'a pas besoin d'entendre parler de Jemima. Jemima est une affaire réglée.

— Intéressant, comme formulation, souligna Lynley.

— Je n'ai pas fait de mal à Jemima. Je n'ai pas touché à Jemima. Je n'étais pas là.

— Donc vous ne verrez pas d'objection à nous raconter tout ce que vous avez jusqu'ici omis de nous raconter à son propos, dit Isabelle. Vous ne verrez pas non plus d'objection à nous présenter un alibi pour le jour de sa mort.

— Pas ici. S'il vous plaît.

— Très bien. Alors au poste du quartier.

Le visage de di Fazio se figea totalement.

— À moins que vous ne me mettiez en état d'arrestation, je ne suis pas obligé de faire un seul pas en dehors de cet atelier en votre compagnie. Ça, je le sais. Croyez-moi, je le sais. Je connais mes droits.

— Dans ce cas, dit Isabelle, vous saurez également que plus tôt vous aurez éclairci cette affaire de Jemima, de test de grossesse, de dispute entre vous et d'alibi, mieux ça vaudra pour vous.

Di Fazio lança un autre regard en direction de Dominique. Elle semblait absorbée par son travail, mais allez savoir. Ils se trouvaient dans une impasse lorsque Lynley eut une idée qui dénoua la situation. Il

rejoignit le secteur de Dominique pour examiner son
œuvre :

— Je peux jeter un coup d'œil ? J'ai toujours trouvé
que le moulage à cire perdue…

Il continua à discourir et, bientôt, Dominique
n'écoutait plus que lui.

— Alors ? demanda Isabelle à di Fazio.

Il tourna le dos à Lynley et Dominique, sans doute
pour que sa fiancée ne puisse pas lire sur ses lèvres.

— C'était avant Dominique. C'était bien le test de
Jemima, dans la poubelle des toilettes. Elle m'avait
affirmé qu'il n'y avait personne d'autre dans sa vie.
Elle avait prétendu qu'elle voulait faire une pause, côté
hommes. Mais quand j'ai vu le test, j'ai compris
qu'elle avait menti. Il y avait un autre homme. Alors
j'ai parlé avec elle. Et ça a été chaud, comme conversation, ça oui. Parce qu'elle refusait d'être avec moi,
alors que je savais qu'elle acceptait d'être avec lui.

— Qui ?

— D'après vous ? Frazer. Elle ne voulait pas prendre
le risque avec moi. Mais si elle perdait sa chambre à
cause de Frazer, ce n'était pas grave.

— Elle vous a dit que c'était Frazer Chaplin ?

Il s'impatienta.

— Elle n'a pas eu besoin. C'est du Frazer tout
craché. Vous avez vu le bonhomme ? Vous lui avez
parlé ? Il n'y a pas une femme qu'il n'essaierait pas de
séduire. Qui d'autre ça pourrait être ?

— Il n'était pas le seul homme dans sa vie.

— Elle allait à la patinoire. Prendre des cours,
paraît-il, mais on ne me la fait pas. Et parfois, aussi,
elle allait au Duke's Hotel. Elle voulait voir ce qu'il
fabriquait. Et ce qu'il fabriquait, c'était draguer.

445

— Peut-être. Mais il y avait d'autres hommes dans l'entourage de Jemima. Sur son lieu de travail, à la patinoire…

— Quoi ? Vous imaginez quoi ? Qu'elle était avec Abbott Langer ? Avec Jayson Druther ? Elle allait travailler, elle allait à la patinoire, elle allait au Duke's Hotel, elle rentrait. Faites-moi confiance. Elle ne faisait rien d'autre.

— Si tel est le cas, dit Isabelle, vous comprenez bien que ça vous donne un mobile, n'est-ce pas ?

Il s'empourpra et, saisissant un de ses outils, se mit à gesticuler avec.

— Moi ? Si quelqu'un pouvait vouloir sa mort, c'est Frazer. Il devait vouloir qu'elle le lâche un peu. Parce qu'elle ne lui laissait pas la liberté nécessaire pour faire ce qu'il faisait d'habitude.

— À savoir ?

— Se taper des nanas. Toutes les nanas. Et elles en redemandent. Et il fait en sorte qu'elles soient accros. Et quand elles sont accros, elles lui courent après. C'est ce qu'elle faisait.

— Vous avez l'air d'en connaître un rayon sur ce type.

— Je l'ai vu à l'œuvre. J'ai observé son manège. Frazer et les femmes.

— Certains diraient simplement qu'il a plus de chance que vous avec les femmes, Mr di Fazio. Vous ne croyez pas ?

— Je sais ce que vous essayez de dire. Ne me prenez pas pour un idiot. Je suis en train de vous expliquer comment il fonctionne. Alors je vous pose la question : si Frazer Chaplin n'était pas le nouvel amant, alors qui était-ce ?

446

C'était une question intéressante, admit Isabelle. Mais il y avait bien plus intéressant : di Fazio semblait avoir été au courant des moindres faits et gestes de Jemima.

Il y en avait deux qui rôdaient. Leur forme était différente. L'un s'éleva d'un cendrier sur une table, un nuage de gris qui devint un nuage de lumière dont il fut obligé de détourner la tête alors même qu'il entendait le cri retentissant *Le huitième chœur se tient devant Dieu.*

Il tenta de repousser les mots.

Ils sont les messagers entre l'homme et la Divinité.

Les cris étaient puissants, plus puissants qu'ils ne l'avaient jamais été, et alors même qu'il emplissait ses oreilles de musique, un autre cri survint d'une autre direction, disant *Les combattants de ceux qui eux-mêmes sont nés du porteur de lumière. Dénature le projet de Dieu et sois précipité dans les mâchoires de l'enfer.*

Il avait beau s'efforcer de ne pas rechercher la source de ce second hurlement, il la trouva quand même car une chaise apparut dans les airs devant lui et la chose commença à prendre forme et elle commença à s'approcher de lui. Il recula.

Il savait qu'ils se présentaient sous des dehors trompeurs. C'étaient des voyageurs, c'étaient des guérisseurs, c'étaient des habitants de la piscine probatique au bord de laquelle les malades, couchés, attendaient le mouvement de l'eau. C'étaient les constructeurs, les maîtres esclaves des démons.

Celui qui guérissait était présent aussi. Il parla depuis l'intérieur du nuage de gris et il devint une flamme, et la flamme brûla d'une lueur émeraude. Il exigea non pas une juste colère mais que jaillisse en signe de louange un déluge de musique.

Mais l'autre le combattit. Celui qui était la destruction, connu de Sodome, baptisé Héros de Dieu. Mais il était également la Miséricorde, et il prétendait s'asseoir à la gauche de Dieu, contrairement à l'autre. L'incarnation, la conception, la naissance, les rêves. Telles étaient ses offrandes. *Viens avec moi.* Mais il y aurait un prix à payer.

Je suis Raphaël et c'est toi qui es appelé.

Je suis Gabriel et c'est toi qui es choisi.

Puis il y en eut tout un chœur, un véritable déferlement de voix, et ils furent partout. Il lutta pour ne pas se faire emporter dans leur flot. Il lutta sans relâche, tant et si bien que la sueur se déversait de son corps, mais ils continuaient quand même à affluer. Ils continuèrent à descendre jusqu'à ce que s'impose au-dessus de tous un seul être puissant, qui approcha. Rien ne saurait le contrer. Il triompherait. À cette force, nulle résistance ne pouvait s'opposer, il devait donc s'échapper il devait s'enfuir il devait trouver un refuge.

À son tour il cria contre la multitude dont il savait maintenant avec certitude qu'elle était le Huitième Chœur. Un escalier surgissait de la lumière et il se dirigea vers lui, vers l'endroit, quel qu'il soit, où pouvaient mener ces marches. Vers la lumière, vers Dieu, vers une autre Divinité, cela n'avait pas d'importance. Il commença à grimper. Il commença à courir.

— Yukio ! entendit-il crier derrière lui.

— J'ai bien l'impression que ces fiançailles n'existent que dans sa tête, dit Lynley. Dominique a écarquillé les yeux quand je lui ai présenté mes félicitations.

— Voilà qui est intéressant, fit Isabelle Ardery. Je me disais aussi… fiancé six fois, c'est pousser le bouchon un peu loin. Enfin quoi, marié six fois, à la rigueur… Bon, peut-être seulement chez les stars de cinéma américaines à l'époque où elles se mariaient bel et bien. Mais c'est quand même assez bizarre qu'avec ces fiançailles à répétition il ne soit jamais allé jusqu'au bout. Ça oblige à s'interroger. La part de vrai et la part d'imaginaire.

— Il y est peut-être allé.

— Quoi ?

Ardery se tourna vers lui. Ils s'étaient arrêtés à l'épicerie fine, qui occupait une des arches de chemin de fer. Elle voulait acheter des olives et de la charcuterie. Elle avait déjà acheté une bouteille de vin à la cave à vins.

Ces bricoles lui tiendraient sûrement lieu de dîner. Lynley connaissait les signes, ayant travaillé de nombreuses années avec Barbara Havers et s'étant ainsi accoutumé aux habitudes alimentaires de la flic célibataire. Il envisagea de l'inviter chez lui à Eaton Terrace. Il rejeta l'idée : il n'arrivait toujours pas à s'imaginer partageant sa table avec quiconque.

— Il est peut-être allé jusqu'au bout, dit-il. Il s'est peut-être marié. Philip Hale pourra nous le dire. Ou peut-être John Stewart. Il commence à y avoir pas mal d'antécédents à vérifier. John pourrait s'y mettre aussi.

— Oh, je suis sûre qu'il adorerait ça.

La commissaire prit son sac de provisions, remercia la vendeuse et se dirigea vers sa voiture. Il commençait à faire très chaud. Uniquement fait de brique, de béton et de macadam, le quartier aux alentours du viaduc possédait tous les charmes que pouvaient offrir des poubelles qui débordent et des rues jonchées de détritus.

Ils montèrent dans la voiture. Isabelle baissa sa vitre, pesta contre l'absence de climatisation, s'excusa d'avoir pesté, puis demanda enfin :

— Qu'est-ce que vous pensez de lui, alors ?

— Il n'y a pas une chanson là-dessus ? Quand on cherche l'amour là où il ne faut pas ?

Il baissa également sa vitre. Ils démarrèrent. Son portable sonna. Il regarda le numéro et éprouva un instant d'effroi. C'était l'adjoint au préfet Hillier, ou du moins son bureau.

Où était l'inspecteur et pouvait-il venir au bureau de l'adjoint au préfet ? demandait la secrétaire. Et bon retour à New Scotland Yard, inspecteur. C'est un rendez-vous officieux, au fait. Inutile d'en parler autour de vous.

Un code pour dire : N'en parlez pas à Isabelle Ardery, et pourquoi, à propos, ne pas avoir prévenu l'adjoint au préfet que vous retourniez travailler ? Lynley n'aimait pas trop ce que tout cela sous-entendait. Il répondit que pour l'instant il n'était pas dans les murs mais qu'il viendrait voir l'adjoint au préfet dès qu'il pourrait. Il prononça les mots « adjoint au préfet » aussi lentement que volontairement, et sentit le coup d'œil d'Ardery.

— Hillier, précisa-t-il après avoir raccroché. Il veut me dire un mot.

Elle continua à rouler, le regard braqué sur la route.

— Merci, Thomas. Vous êtes toujours aussi correct ?

— Quasiment jamais.

Elle sourit.

— Je parlais de John Stewart, au fait.

— Pardon ?

— Quand j'ai demandé ce que vous pensiez de lui.

— Ah. D'accord. Bon. Au fil des années, Barbara et lui ont failli en venir aux mains plusieurs fois, si ça peut vous aider.

— Les femmes en général, alors ? Ou les femmes flics ?

— C'est une chose que je ne suis jamais arrivé à élucider. Il a été marié. Ça s'est mal terminé.

— Ah. On devine qui a voulu divorcer…

Isabelle demeura silencieuse jusqu'à ce qu'ils aient retraversé le fleuve. Puis :

— Je vais avoir besoin d'un mandat, Thomas.

— Hum. Oui. Je suppose que c'est la seule solution. Il connaît un peu trop bien ses droits, on dirait. Hillier appellerait cela un malheureux signe des temps.

Lynley s'aperçut en parlant qu'il avait suivi tout naturellement les pensées d'Ardery. Ils étaient passés en douceur de John Stewart à Paolo di Fazio sans avoir besoin d'expliciter et sans qu'Ardery ait besoin d'expliquer pourquoi un mandat de perquisition était nécessaire : ils allaient devoir récupérer les outils de sculpteur de l'artiste. En fait, ils allaient avoir besoin des outils de tous les artistes avec qui Paolo di Fazio partageait son atelier. Il allait falloir procéder à des analyses sur chaque objet.

451

— Paolo ne va plus avoir la cote auprès de ses compagnons, dit Lynley.

— Sans parler de ses « fiançailles » avec Dominique… Elle lui a fourni un alibi, à propos ?

— Non. Sauf pour dire qu'il se trouvait sans doute à Covent Garden : « S'il s'agit de l'après-midi, c'est là qu'il est d'habitude, et quelqu'un là-bas l'aura forcément vu. » Elle savait aussi pourquoi je posais la question. Et, contrairement à ce qu'a prétendu di Fazio, elle connaissait Jemima, au moins de vue. Elle l'a appelée « l'ex de Paolo ».

— Pas de jalousie ? Pas d'inquiétude ?

— Rien de notable. Elle semblait savoir, ou du moins croire, que c'était fini entre eux. Entre Jemima et Paolo, j'entends.

Ils roulèrent le reste du trajet en silence, et ils avaient atteint le parking souterrain de New Scotland Yard quand Isabelle reprit la parole, rassemblant les achats qu'elle avait effectués dans les boutiques du viaduc.

— Que pensez-vous de la déclaration de Paolo comme quoi Frazer Chaplin avait une liaison avec Jemima ?

— Tout est possible à ce stade.

— Oui. Mais ça conforte aussi ce que le sergent Havers a dit du bonhomme.

Elle claqua la portière et la verrouilla, ajoutant :

— Et ça, franchement, c'est quand même un soulagement. Je me faisais un peu de souci au sujet de Barbara Havers et de son rapport aux hommes.

— Ah bon ?

Lynley marchait à ses côtés. Il n'avait pas l'habitude des femmes aussi grandes. Barbara Havers lui arrivait à peine aux épaules et si Helen était plus grande que la moyenne, elle était loin d'avoir la taille d'Isabelle Ardery. La commissaire intérimaire était aussi grande que lui.

— Barbara a une très bonne intuition sur les gens. En général, on peut se fier à son avis.

— Ah. Et vous, alors ?

— Mon avis, j'espère, est...

— Je voulais parler de votre intuition, Thomas. Vous en avez ?

Elle le regarda. Sans ciller.

Il ne savait pas trop que penser de sa question. Il ne savait pas trop non plus ce qu'il ressentait.

— Quand le vent est au sud, je peux distinguer un faucon d'un héron, choisit-il de répondre, citant Hamlet.

Dans la salle des opérations, les informations arrivaient petit à petit : Jayson Druther se trouvait effectivement à la boutique de cigares quand Jemima Hastings avait été tuée à Stoke Newington, et il avait cité les noms de trois clients pouvant confirmer sa présence. À toutes fins utiles, il leur avait également fourni l'alibi de son père.

— Bureau de paris, dans Edgware Road, rapporta John Stewart.

Abbott Langer avait terminé ses cours de l'après-midi à la patinoire, promené des chiens dans Hyde Park, puis était retourné à la patinoire pour ses clients du soir. Il n'empêche que la promenade des chiens lui laissait un bon créneau pour se rendre à Stoke Newington : aucun propriétaire d'animal ne pouvait jurer que le toutou de la famille avait été promené. En toute logique, on recourait à un promeneur de chiens quand il n'y avait personne à la maison...

Côté vérifications d'antécédents, les choses avaient avancé aussi. Bien que Yolanda la Spirite se soit vu interdire de traquer Jemima Hastings, ce n'était pas Jemima Hastings qui avait signalé le harcèlement. C'était Bella McHaggis.

— Le mari de McHaggis est mort chez lui, mais il n'y a rien de suspect autour, rapporta Philip Hale. Son cœur a lâché alors qu'il trônait sur les toilettes. La fille de Yolanda est morte. À force de s'affamer pour maigrir. Même âge que Jemima.

— Intéressant, dit Ardery. Autre chose ?

Frazer Chaplin, né à Dublin, six frères et sœurs, pas de casier, pas de plaintes. Rapplique à l'heure au boulot.

— Il en a deux, des boulots, précisa Isabelle.

Rapplique à l'heure à ses deux boulots. Apparemment un peu âpre au gain, mais bon, qui ne l'est pas ? Une plaisanterie circule au Duke's Hotel : il chercherait quelqu'un de riche pour l'entretenir. D'Amérique, du Brésil, du Canada, de Russie, du Japon, de Chine, peu importe l'origine. Homme ou femme. Ça lui est égal. Un type ambitieux, d'après le directeur de l'hôtel, mais personne n'a rien à lui reprocher et tout le monde l'aime bien.

— Un mec du genre populaire, résuma Hale.

— Et sur Paolo di Fazio ? demanda Isabelle.

Il s'avéra que celui-ci avait un passé intéressant : né à Palerme, d'où sa famille était partie pour fuir la Mafia. Sa sœur y avait été mariée à un petit mafioso qui l'avait battue à mort. Quant au mari lui-même, il avait été retrouvé pendu dans sa cellule alors qu'il attendait son procès, et personne ne croyait à la théorie du suicide.

Et pour le reste ?

Très peu de chose. Jayson Druther était sous le coup d'un ASBO, apparemment en rapport avec une relation qui avait tourné au vinaigre. Avec un homme, la relation, pas une femme, si cette précision avait un quelconque intérêt. Abbott Langer, pour sa part, était plus mystérieux. S'il était en effet un ancien patineur olympique devenu moniteur et promeneur de chiens, il n'avait jamais été marié, et n'avait pas d'enfants. Il paraissait très proche de Yolanda la Spirite, mais cette relation n'avait rien d'ambigu, Yolanda la Spirite mettant semble-t-il autant de zèle à se chercher des enfants de substitution – adultes ou non – qu'à lire les lignes de la main ou à entrer en contact avec le monde des esprits.

— Il faudra creuser cette histoire de mariage, déclara Ardery. Il mérite décidément notre attention, alors.

Lynley s'esquiva tandis que la commissaire donnait à ses agents des instructions supplémentaires concernant la confirmation des alibis et l'heure de la mort, qui se situait entre deux et cinq heures de l'après-midi. Cela devrait être plus facile, dit-elle. La plupart de ces gens ont un travail. Quelqu'un a forcément vu quelque chose d'anormal.

Lynley gagna Tower Block et rejoignit le bureau de l'adjoint au préfet. La secrétaire de Hillier – geste qui ne lui ressemblait pas – se leva de sa chaise et vint à sa rencontre, main tendue. D'ordinaire la discrétion même pour tout ce qui touchait à son patron, Judi MacIntosh murmura :

— Fabuleux de vous voir, inspecteur. Ne vous y trompez pas. Il est absolument ravi de tout cela.

« Tout cela » représentait apparemment le retour de Lynley et « il », bien entendu, représentait sir David Hillier. L'adjoint au préfet de police, toutefois, n'évoqua le retour de Lynley que par un simple « Vous avez l'air en forme, c'est bien » lorsque celui-ci entra dans son bureau. Puis il passa aux choses sérieuses. Comme l'avait prévu Lynley, il s'agissait de l'attribution à titre définitif du poste de commissaire principal, lequel était vacant depuis presque neuf mois.

Hillier aborda le sujet à sa manière habituelle, c'est-à-dire détournée.

— Comment trouvez-vous le boulot ? demanda-t-il.

Lynley pouvait bien sûr recevoir la question dans le sens qu'il voulait, et Hillier allait bien sûr exploiter la réponse dans le sens qu'il souhaitait.

— Ni tout à fait le même ni tout à fait un autre, répliqua Lynley. Tout est comme grisé, avec de drôles de couleurs, monsieur.

— Elle a l'esprit bien fait, c'est sûr. Sinon, elle n'aurait pas grimpé aussi vite, pas vrai ?

— En réalité…

C'était de son retour dans la police qu'avait parlé Lynley. Un retour dans la police alors que le monde tel qu'il l'avait connu avait été totalement transformé en un instant, là, dans la rue, à cause d'un enfant avec une arme. Il envisagea de lever le malentendu, mais il se ravisa.

— Elle est intelligente et vive, répondit-il.

Un commentaire assez sage, selon lui, poli mais sobre.

— Comment l'équipe réagit-elle ?

— Ce sont des professionnels.

— John Stewart ?

— Quel que soit le titulaire, il y aura une période d'adaptation. John a sa personnalité, mais c'est un brave homme.

— On me harcèle pour nommer un remplaçant définitif à Malcolm Webberly, dit Hillier. Je suis enclin à penser qu'Isabelle Ardery est un très bon choix.

Lynley se borna à hocher la tête. Il voyait où Hillier voulait en venir, et il était mal à l'aise.

— Sa nomination va faire beaucoup de bruit.

— Ce n'est pas forcément un mal, dit Lynley. Au contraire. Promouvoir une femme, et en plus un agent extérieur à la Met, cela ne peut être interprété que comme une mesure positive : la Met aura forcément bonne presse.

Il se garda d'ajouter que ce ne serait pas du luxe. Ces dernières années, la police de Londres avait été accusée de toutes sortes de maux, du racisme endémique à l'incompétence crasse. Un commissaire qui n'avait pas de squelettes planqués dans ses placards serait assurément le bienvenu.

— Si c'est effectivement une mesure positive, souligna Hillier. J'en viens à ce qui me préoccupe.

— Ah.

Hillier lui décocha un regard. Il décida de ne pas relever.

— Elle est douée sur le papier, et elle est douée d'après tout ce qui se dit à son sujet. Mais vous et moi savons qu'il ne suffit pas de quelques bla-bla élogieux pour être à même de bien faire ce boulot.

— Oui. Mais les points faibles finissent toujours par apparaître. Tôt ou tard.

— En effet. Seulement voilà, on me demande d'accélérer le processus, si vous voyez ce que je veux dire. Je dois peut-être faire vite, mais j'aimerais autant faire ça bien.

— Certes, reconnut Lynley.

— Apparemment, elle vous a demandé de travailler avec elle.

Lynley ne s'étonna pas que Hillier soit au courant. En général, Hillier était au courant de tout ce qui se passait. Il n'était pas parvenu à son poste actuel sans avoir mis au point un impressionnant système d'espionnage.

— Je ne suis pas sûr que j'appellerais cela « travailler avec elle », déclara-t-il prudemment. Elle m'a demandé de revenir et de la tuyauter un peu, histoire de prendre le pli plus vite. Elle a du pain sur la planche : non seulement nouvelle à Londres mais nouvelle à la Met, et pour hériter en plus d'une affaire d'homicide. Si je peux l'aider à s'adapter, je le fais volontiers.

— Donc, vous apprenez à la connaître. Mieux que les autres, sans doute. Voilà où je veux en venir. Je ne peux pas formuler ça avec délicatesse, alors je ne vais pas essayer : si vous tombez sur quoi que ce soit qui vous fasse tiquer, je tiens à le savoir. Et je dis bien quoi que ce soit.

— À vrai dire, monsieur, je ne pense pas être très bien placé pour...

— Vous êtes idéalement placé. Vous avez occupé le poste, vous n'en voulez pas, vous travaillez avec elle, et vous avez un excellent jugement sur les gens. Vous et moi, nous n'avons pas toujours été d'accord au fil des années...

C'était le moins qu'on puisse dire...

— ... mais je ne peux pas le nier, vous vous êtes rarement trompé sur quelqu'un. Vous tenez beaucoup,

458

comme nous tous, à ce que ce poste revienne à quelqu'un de bien, au meilleur candidat possible, et vous n'allez pas tarder à savoir si elle correspond aux critères requis. Ce que je vous demande, c'est de me le dire. Et puis, pour tout vous avouer, il va me falloir des détails, car la dernière chose dont nous ayons besoin, c'est d'être accusés de sexisme si elle ne décroche pas le poste.

— Que voulez-vous que je fasse exactement, monsieur ?

S'il était censé espionner Isabelle Ardery, alors l'adjoint au préfet de police allait devoir le lui dire carrément.

— Des rapports écrits ? Un briefing régulier ? Des rendez-vous comme celui-ci ?

— Je pense que vous le savez.

— En l'occurrence, je…

Son portable sonna. Il regarda le numéro.

— Laissez sonner.

— C'est Ardery…

Il attendit néanmoins que Hillier, d'un bref hochement de tête, lui fasse signe de prendre l'appel.

— Nous avons un nom pour le deuxième portrait-robot, annonça Ardery. C'est un violoniste, Thomas. Son frère l'a identifié.

16

Barbara Havers se chargea des coups de téléphone et Winston Nkata établit leur itinéraire routier. Sans grande difficulté, elle parvint à localiser Jonas Bligh et Keating Crawford, les deux professeurs du Collège technique de Winchester II – personne ne put l'éclairer et lui dire s'il existait vraiment un Collège technique de Winchester I –, qui acceptèrent l'un et l'autre de parler aux inspecteurs de Scotland Yard. Ils demandèrent l'un et l'autre ce qui motivait cette visite. Lorsqu'elle expliqua que cette visite concernait un ancien élève du nom de Gordon Jossie pour qui une lettre de recommandation avait été écrite, elle eut droit à un « Qui ça ? » identique de la part de l'un et de l'autre.

Barbara répéta le nom. Cela devait être il y a onze ans, leur précisa-t-elle.

Là aussi leurs réactions furent pratiquement similaires. Onze ans ? On ne pouvait quand même pas espérer qu'un prof se souvienne d'un élève si longtemps après, sergent... Mais chacun de son côté lui assura qu'il attendrait la visite des inspecteurs.

Pendant ce temps, Nkata étudiait la carte pour rallier Winchester, la ville même et les environs du collège. Il l'avait de plus en plus mauvaise d'être dans le Hampshire, et Barbara ne pouvait pas lui jeter la pierre. Il était le seul Noir qu'elle ait vu depuis leur arrivée dans la New Forest, et à en juger par l'attitude de tous les gens qu'ils avaient croisés à l'hôtel à Sway, il devait être le premier Noir qu'ils aient jamais vu ailleurs qu'à la télé.

« D'abord, c'est le fait que les gens nous prennent pour un couple, Winnie... », avait-elle dit tout bas au dîner la veille au soir, pour excuser la curiosité évidente du serveur.

Elle l'avait senti qui se hérissait.

« Ah ouais ? Et quand bien même ? T'as un problème avec les couples mixtes ? T'as un problème avec ça ?

— Bien sûr que non, s'empressa de répliquer Barbara. Bordel, Winnie. J'aurais vraiment du bol. C'est pour ça qu'ils nous dévisagent. Lui et *elle*, ils se disent. Comment elle a fait pour dégoter un type pareil ? Sûrement pas grâce à son physique, bon Dieu. Regardenous, tous les deux – toi et moi –, en train de dîner dans un hôtel... Les chandelles, les fleurs sur la table, la musique...

— C'est un CD, Barb.

— Un peu de patience, d'accord ? Les gens voient un truc et ils tirent des conclusions hâtives. Tu peux me croire. J'y ai droit sans arrêt quand je suis avec l'inspecteur Lynley. »

Il avait semblé réfléchir à cette hypothèse. Le décor de la salle de restaurant dénotait il est vrai un certain effort, même si la musique provenait d'un lecteur diffusant de vieilles chansons de Neil Diamond, et que les fleurs sur la table étaient en plastique. Il n'en demeurait

461

pas moins que l'hôtel était le seul établissement de Sway où l'on pouvait passer ce qui s'apparentait un tant soit peu à une soirée romantique.

« Et ensuite ? » avait pourtant demandé Nkata.

À quoi Barbara avait répondu :

« Hein ?

— Tu as dit "d'abord". Qu'est-ce qui vient ensuite ?

— Ah. Ensuite, c'est juste que tu es grand et que tu as cette cicatrice sur la figure. Ça te donne un genre. Et puis il y a la façon dont tu t'habilles par rapport à la façon dont moi je m'habille. Ils pourraient aussi s'imaginer que tu es "quelqu'un" et que je suis ta secrétaire, ton assistante ou que sais-je. Sans doute un footballeur. Ils doivent essayer de se rappeler où ils t'ont vu la dernière fois : dans *Big Brother*, dans un jeu télévisé, peut-être dans *Inspecteur Morse* alors que t'étais encore en couches-culottes. »

Il l'avait dévisagée, légèrement amusé.

« Tu fais la même chose avec Lynley, Barb ?

— Quoi donc ?

— T'inquiéter comme ça. T'inquiéter pour lui, je veux dire. Comme tu le fais avec moi. »

Elle s'était sentie rougir.

« Ah bon ? Je fais ça ? Désolée. C'est juste que...

— C'est gentil de ta part. Mais on m'a déjà regardé plus méchamment qu'ici, crois-moi.

— Ah... Bien.

— Et puis tu t'habilles pas si mal que ça, Barb ! »

Là, elle s'était esclaffée.

« Absolument. Et puis Jésus n'est pas mort sur la croix ! Mais peu importe. La commissaire principale Ardery veille au grain. Bientôt, crois-moi, je serai la réplique policière de... Tu comprends, c'est ça le pro-

462

blème. Je ne sais même pas qui est la dernière icône de mode. Je suis déconnectée à ce point. Enfin bon, tant pis. On n'y peut rien. N'empêche, je t'assure, la vie était plus facile quand il suffisait d'imiter les choix vestimentaires de la reine. »

Non pas qu'elle s'y soit jamais essayée... Barbara s'était tout à coup demandé si des gants, des chaussures pratiques et un sac à main enfilé sur l'avant-bras pourraient satisfaire la commissaire principale Ardery.

Winchester étant une ville plutôt qu'un village, le sergent Nkata n'y attira pas spécialement les regards. De même, il passa à peu près inaperçu sur le campus du Collège technique de Winchester II, qu'ils trouvèrent facilement grâce à ses repérages préliminaires. Jonas Bligh et Keating Crawford furent plus difficiles à localiser. Croyant tomber sur eux dans un département plus ou moins en rapport avec le métier de couvreur, Barbara avait omis de leur demander quelles matières ils enseignaient. En fait, Bligh était spécialisé dans une branche obscure de l'informatique, et Crawford dans les télécommunications.

Bligh était paraît-il « en consultation », et son bureau était installé sous un escalier que, durant leur conversation initiale avec lui, des troupeaux d'étudiants n'arrêtèrent pas de monter et descendre. Barbara avait du mal à imaginer qu'on puisse arriver à quoi que ce soit dans un environnement aussi bruyant, mais lorsqu'ils se présentèrent à Bligh, les bouchons qu'il retira de ses oreilles leur expliquèrent comment il réussissait à s'accommoder du vacarme ambiant. Il leur proposa d'aller ailleurs : prendre un café, faire un tour, ce qu'ils voulaient. Barbara proposa plutôt qu'ils mettent la main sur Crawford : elle espérait ainsi gagner un peu de temps.

Ils le joignirent sur son portable et retrouvèrent le prof de télécommunications sur le parking. Là, une caravane vendait des glaces et des jus de fruits avec un franc succès et Crawford faisait partie des amateurs agglutinés autour. Le qualifier de fort était un doux euphémisme. Il n'avait certes pas besoin du Cornetto qu'il était en train d'attaquer. Aussitôt terminé, il en acheta un autre.

— Vous n'en voulez pas ? lança-t-il par-dessus son épaule à l'intention de son collègue et des deux inspecteurs.

Assez lucide pour voir se profiler son avenir d'obèse, Barbara refusa. Winston fit de même. Ainsi que Bligh, qui marmonna :

— Il passera pas la cinquantaine, vous verrez.

Mais il dit gentiment à Crawford à propos de son deuxième Cornetto :

— Je comprends ça. Un été rudement chaud, hein ?

Ils eurent en préambule la brève discussion typiquement anglaise sur la météo. Ils rejoignirent un carré de pelouse roussie à l'ombre d'un sycomore imposant. Il n'y avait là ni bancs ni chaises, mais cela faisait du bien de s'abriter du soleil.

Barbara tendit à chacun des hommes la lettre de recommandation qu'il avait écrite pour Gordon Jossie. Bligh chaussa une paire de lunettes ; Crawford fit tomber une lichette de glace à la vanille sur la feuille. Il l'essuya sur sa jambe de pantalon – « Désolé, les risques du métier… » – et commença à lire. Peu après, il fronça les sourcils :

— Merde, qu'est-ce que… ?

Au même moment, Bligh secouait la tête. Ils parlèrent quasiment en chœur.

— Cette lettre est un faux, dit Bligh alors même que Crawford déclarait : Je n'ai pas écrit ça.

Barbara et Winston échangèrent un regard.

— Vous êtes sûrs ? demanda-t-elle aux professeurs. Vous avez peut-être oublié ? Je veux dire, on doit vous demander souvent d'écrire des lettres à la fin des cursus, non ?

— Naturellement, acquiesça Bligh d'un ton ironique. Mais on me demande en général d'écrire des lettres qui relèvent de mon propre domaine, sergent. C'est bien l'en-tête du collège, je vous l'accorde, mais la lettre commente les hauts faits de Gordon Jossie en comptabilité et finance, qui sont des matières que je n'enseigne pas. Et ce n'est pas ma signature.

— Et vous ? demanda Barbara à Crawford. Je suppose que… ?

Il hocha la tête.

— Réparation de gros électroménager, dit-il, indiquant le contenu de la lettre tout en la lui rendant. Pas mon rayon. À mille lieues, même.

— Et la signature ?

— Pareil, j'en ai peur. Quelqu'un a dû piquer du papier à en-tête dans un bureau – ou bien le reproduire sur ordinateur, pourquoi pas, avec un exemplaire sous les yeux –, et ensuite rédiger ses propres lettres de recommandation. Ça arrive quelquefois, mais le type aurait quand même pu vérifier qui enseignait quoi. J'ai comme l'impression qu'il a brièvement parcouru une liste des enseignants et qu'il a choisi nos noms au hasard.

— Absolument, renchérit Bligh.

465

Barbara regarda Winston.

— Ça explique comment quelqu'un qui ne sait ni lire ni écrire a réussi à « terminer » son cursus, non ?

Winston opina de la tête.

— Mais pas comment quelqu'un qui ne sait ni lire ni écrire a rédigé ces lettres.

— En effet.

Autrement dit, quelqu'un les avait rédigées à sa place, quelqu'un qui connaissait Gordon Jossie depuis longtemps, quelqu'un à qui ils n'avaient sans doute pas encore parlé.

Robbie Hastings savait que s'il voulait découvrir ce qui était vraiment arrivé à sa sœur et pourquoi, et s'il voulait pouvoir continuer à vivre – si tristement que ce soit –, il lui fallait commencer par regarder en face quelques vérités élémentaires. Meredith avait tenté de lui en dire au moins une dans l'église de Ringwood. Il l'avait fait taire parce qu'il était, tout simplement, un lâche. Mais il savait qu'il ne pouvait pas continuer comme ça. Il finit par décrocher le téléphone.

— Comment tu vas ? demanda-t-elle en entendant sa voix. Je veux dire, tu tiens le coup, Rob ? Tu t'en sors ? Je n'arrive pas à dormir ni à manger. Tu peux, toi ? Je veux juste faire…

— Merry.

Il s'éclaircit la gorge. Une partie de lui hurlait *Mieux vaut ne pas savoir, mieux vaut ne jamais savoir,* et une partie essayait d'ignorer ces cris.

— Qu'est-ce que tu… Dans l'église quand toi et moi on parlait d'elle… Qu'est-ce que tu voulais dire ?

— Quand ça ?

— Tu as dit « chaque fois ». C'est l'expression que tu as employée.

— Ah bon ? Rob, je ne sais pas…

— Avec un type, tu as dit. Chaque fois qu'elle était avec un type.

Mon Dieu, songea-t-il, ne m'oblige pas à développer.

— Oh, fit Meredith d'une petite voix. Jemima et le sexe, tu veux dire.

— Oui, chuchota-t-il.

— Oh, Rob, je n'aurais jamais dû dire ça.

— Mais tu l'as dit. Alors il faut que tu me racontes. Si tu sais quelque chose qui a un lien avec sa mort…

— Ce n'est rien. J'en suis sûre. Ce n'est pas ça.

Il se tut, pensant que s'il gardait le silence, elle serait bien obligée de continuer. En effet.

— Elle était plus jeune, à ce moment-là. C'était il y a des années. Et elle avait sûrement changé, Rob. Les gens changent.

Il voulait tellement la croire. C'était tellement simple de dire « Ah. Très bien. Alors, merci », puis de raccrocher. En arrière-fond, il percevait le murmure d'une conversation. Il avait téléphoné à Meredith au bureau, et il aurait pu saisir ce prétexte pour abréger la discussion. Elle aussi, d'ailleurs. Mais non. Il ne choisit pas cette voie. Il ne pouvait pas faire ça aujourd'hui et vivre en sachant qu'il avait fui une fois encore.

— J'ai l'impression qu'il est temps pour moi de tout savoir, Merry. Ce n'est pas une trahison de ta part. Vois-tu, il n'y a rien que tu puisses dire qui pourrait changer quoi que ce soit maintenant.

Lorsqu'elle parla enfin, il lui sembla qu'elle tenait un tuyau devant sa bouche : le son était creux, mais il

467

se pouvait bien que ce soit son propre cœur qui était creux. Elle finit par dire :

— Onze, alors, Rob.

— Onze quoi ?

Des amants ? songea-t-il. Jemima en avait déjà eu tant que ça ? Entre quand et quand ? Est-ce qu'elle avait bel et bien tenu le compte ?

— Onze ans, déclara Meredith. C'est l'âge qu'elle avait.

Comme il ne disait rien, elle s'empressa d'enchaîner :

— Oh, Rob. Tu n'as pas besoin de savoir. C'était pas une mauvaise fille. Elle était juste… Tu comprends, elle mettait tout sur le même plan. Bien sûr, je ne le savais pas à l'époque, pourquoi elle faisait ça, j'entends. Je savais seulement qu'elle risquait de se retrouver enceinte, mais elle disait que non parce qu'elle prenait des précautions. Elle connaissait même le mot : précautions… Je ne sais pas ce qu'elle utilisait comme contraceptifs ni où elle se les procurait : elle refusait de le dire. Juste que ce n'était pas à moi de lui expliquer ce qui était bien ou mal, parce que si j'étais son amie, je devais pas la juger. Ensuite c'est devenu parce que j'avais pas de petits amis. « T'es seulement jalouse, Merry. » Mais ce n'était pas ça, Rob. Elle était mon amie. Je voulais simplement qu'il ne lui arrive rien. Et les gens disaient tellement de mal d'elle. Surtout à l'école.

Robbie n'était pas sûr de pouvoir articuler. Debout dans la cuisine, il chercha à tâtons derrière lui une chaise sur laquelle il pourrait s'asseoir tout doucement.

— Des garçons de l'école ? Des garçons de l'école se tapaient Jemima quand elle avait onze ans ? Qui ça ? Combien ?

468

Parce qu'il les retrouverait, se dit-il. Il les retrouverait pour leur régler leur compte, même maintenant, tant d'années après.

— Je ne sais pas combien, répondit Meredith. Je veux dire, elle avait toujours des petits amis, mais je ne pense pas… Quand même, pas tous, Rob.

Mais il savait qu'elle mentait pour le protéger, ou peut-être parce qu'elle estimait avoir suffisamment trahi Jemima, même si c'était lui qui avait trahi sa sœur en ne voyant pas ce qui se passait sous son nez.

— Raconte-moi le reste, dit-il. Il y a autre chose, n'est-ce pas ?

La voix de Meredith s'altéra et il comprit qu'elle pleurait.

— Non, non. En fait il n'y a rien d'autre.

— Enfin merde, Merry…

— C'est vrai.

— Raconte-moi.

— Rob, s'il te plaît, ne me demande pas ça.

— Quoi d'autre ?

La voix soudain brisée, il ajouta :

— Je t'en prie.

Peut-être cette supplique la poussa-t-elle à continuer.

— S'il y avait un garçon avec qui elle le faisait et qu'un autre garçon la voulait… Elle ne comprenait pas. Elle ne savait pas être fidèle. Elle n'y voyait rien de mal. C'était juste qu'elle ne se rendait pas compte de l'impression que ça donnait. Je veux dire, ce que les gens pensaient d'elle, ce qu'ils pouvaient lui faire ou ce qu'ils pouvaient exiger d'elle. J'ai bien essayé de lui expliquer, mais il y avait toujours ce garçon-ci ou ce garçon-là, cet homme-ci ou cet homme-là, et il n'y avait pas moyen qu'elle voie qu'en réalité ça n'avait rien à voir avec de l'amour – ce qu'ils voulaient –, et quand j'ai essayé de lui expliquer, elle a pensé que j'étais…

— Oui, dit-il. D'accord. Oui.

Elle se tut à nouveau mais il perçut comme un bruissement contre le combiné. Un mouchoir en papier, sans doute. Elle n'avait pas arrêté de pleurer durant tout son récit. Elle reprit :

— On se disputait. Tu te souviens ? On discutait pendant des heures dans sa chambre. Tu te souviens ?

— Oui. Oui. Ça, je m'en souviens.

— Alors tu vois bien… j'ai essayé… j'aurais dû en parler à quelqu'un, mais je ne savais pas à qui.

— Et à moi, tu n'as pas pensé à m'en parler ?

— Si, j'y ai pensé. Mais bon, parfois je me disais… Tous les hommes et peut-être même toi…

— Oh, Seigneur, Merry.

— Je suis désolée. Vraiment désolée.

— Pourquoi tu as cru ça… ? Est-ce qu'elle a dit… ?

— Jamais. Rien. Pas du tout.

— Mais tu as quand même cru…

Il sentit un rire monter en lui, un rire de pur désespoir devant une idée aussi scandaleuse, une idée tellement éloignée de sa nature et de sa conception de la vie.

Au moins, songea-t-il, avec Gordon Jossie, un changement était survenu chez sa sœur. D'une façon ou d'une autre, elle avait trouvé ce qu'elle recherchait car, c'était sûr, elle lui avait été fidèle. Elle l'avait forcément été.

— Elle est restée avec Jossie, pourtant, dit-il. Elle lui a été fidèle. Je t'ai raconté qu'il voulait l'épouser, et il

470

n'aurait pas voulu s'il avait eu le moindre soupçon ou la moindre preuve que...

— Tu es sûr ?

Quelque chose dans le ton de Meredith le coupa dans son élan.

— Je suis sûr de quoi ?

— Qu'il voulait l'épouser. Pour de bon.

— Bien sûr. Elle est partie parce qu'elle avait besoin de temps pour réfléchir, et je suppose qu'il a eu peur que ce soit fini entre eux parce qu'il n'a pas arrêté de lui téléphoner et qu'elle s'est acheté un nouveau portable. Donc, tu vois, elle avait bien fini par... Je t'ai déjà raconté tout ça, Merry.

Il déblatérait. Il en était conscient et il le faisait à dessein parce qu'il pensait que l'amie de sa sœur allait lui révéler autre chose.

En effet. Meredith dit :

— Mais Rob, avant notre... comment appeler ça ? Notre rupture ? Notre dispute ? La fin de notre amitié ? Avant notre brouille, elle m'avait dit que Gordon ne voulait pas se marier. Ce n'était pas lié à elle, paraît-il. Il ne voulait pas se marier, point. Il avait peur du mariage. Il avait peur de devenir trop proche de quelqu'un.

— Les mecs disent toujours ça, Merry. Au début.

— Non. Écoute. Elle m'a dit qu'elle avait eu un mal fou à le convaincre de vivre en concubinage, et avant ça elle avait eu un mal fou à le convaincre de la laisser passer la nuit avec lui, et avant ça elle avait eu un mal fou à l'amener à faire l'amour. Alors imaginer qu'il veuille à tout prix l'épouser... Qu'est-ce qui l'aurait fait changer ?

471

— Habiter avec elle. S'habituer à la vie commune. Constater qu'il n'y avait rien de si terrible à être avec quelqu'un. Apprendre que…

— Quoi ? Apprendre quoi ? En fait, Rob, s'il y avait quelque chose à apprendre… quelque chose à découvrir… tu ne penses pas qu'il a découvert que Jemima…

— Non.

Il s'insurgea non parce qu'il y croyait mais parce qu'il voulait y croire : il voulait croire que Jemima avait été pour Gordon Jossie ce qu'elle n'avait pas été pour son propre frère. Quelqu'un qui n'avait pas de secrets pour lui. C'était bien ce que les personnes en couple étaient censées être l'une pour l'autre, non ? Mais il n'en savait rien. Comment l'aurait-il pu quand la notion de couple n'était pour lui qu'un fantasme ?

— J'aurais préféré que tu ne demandes pas. J'aurais préféré ne rien te dire. Quelle importance, au fond, maintenant ? Tout compte fait, elle voulait simplement quelqu'un qui l'aime. Je ne le comprenais pas, à l'époque, quand on était jeunes. Et quand finalement j'ai compris, après avoir vieilli, on avait pris des voies si différentes que quand j'essayais d'aborder le sujet on aurait cru que c'était moi qui avais un problème, pas Jemima.

— C'est ça qui l'a tuée, dit-il. C'est ce qui s'est passé, pas vrai ?

— Sûrement pas. Parce que si elle avait changé comme tu as dit qu'elle avait changé, si elle était fidèle à Gordon… Et elle est restée avec lui plus longtemps qu'avec n'importe qui d'autre, n'est-ce pas ? Plus de deux ans ? Trois ?

— Elle est partie brusquement. Il n'arrêtait pas de l'appeler.

— Tu vois ? Ça veut dire qu'il voulait qu'elle revienne, et il ne l'aurait pas voulu si elle avait été infidèle. Je pense qu'elle avait franchi un cap, Rob. Vraiment, je le crois.

Mais Robbie sentait bien, à l'ardeur du ton de Meredith, que tout ce qu'elle dirait à partir de là, elle le dirait pour l'apaiser. Il se sentait complètement tourneboulé, et il avait le vertige. Parmi toutes les nouvelles informations qu'il avait rassemblées, il y avait forcément une vérité essentielle à propos de sa sœur. Il y avait forcément un moyen d'expliquer à la fois sa vie et sa mort. Et il lui fallait trouver cette vérité, car il savait que cette vérité serait le seul moyen pour lui de se pardonner de ne pas avoir été là pour Jemima quand elle avait le plus besoin de lui.

Barbara Havers et Winston Nkata regagnèrent le Centre de commandement opérationnel, où ils remirent les fausses lettres du Collège technique de Winchester II au commissaire divisionnaire. Whiting les lut. Il était du genre à former les mots avec ses lèvres tout en déchiffrant les phrases. Il prit son temps.

— Nous avons parlé à ces deux types, monsieur, expliqua Barbara. Ils n'ont pas écrit les lettres. Ils ne connaissent pas Gordon Jossie.

— Voilà qui est problématique, dit Whiting en relevant la tête.

Bon résumé, songea Barbara, même si le problème en question ne semblait pas follement intéresser le policier.

— Quand nous sommes venus la dernière fois, vous avez dit que deux femmes avaient téléphoné à son sujet.

Whiting parut songeur.

— Ah bon. Oui, il y a eu deux coups de téléphone, je crois. Deux femmes qui laissaient entendre qu'il fallait se pencher sur le cas de Jossie.

— Et ? demanda Barbara.

— Et ? répéta Whiting.

Barbara échangea un coup d'œil avec Winston.

— Maintenant nous avons ces lettres, voyez-vous. Nous avons une fille morte, là-bas à Londres, qui est liée à ce type. Il est allé là-bas pour la rechercher il y a quelque temps de ça, ce qu'il ne nie pas, et il a affiché des cartes postales avec la photo de la fille, en demandant qu'on lui téléphone au cas où quelqu'un la verrait. Et vous avez reçu deux coups de fil en rapport avec lui.

— Ces appels ne parlaient pas d'une carte postale trouvée à Londres, dit Whiting. Et ils ne parlaient pas non plus de la morte.

— Ce qui compte, c'est les coups de fil en eux-mêmes et tous les détails qui s'accumulent contre Jossie.

— Oui. Tout ça peut paraître louche. Je m'en rends bien compte.

Les chemins détournés n'étaient décidément pas ceux à emprunter avec le commissaire divisionnaire. Barbara demanda carrément :

— Monsieur, que savez-vous sur Gordon Jossie que vous ne nous dites pas ?

Whiting lui rendit les lettres.

— Enfin, rien du tout !

— Vous vous êtes renseigné sur lui après ces coups de téléphone ?

— Sergents... Havers, c'est ça ? Et Nkata ?

474

Whiting attendit qu'ils hochent la tête, même si Barbara était persuadée qu'il connaissait très bien leurs noms.

— Je ne suis pas très chaud pour employer des effectifs à enquêter sur quelqu'un suite au coup de téléphone d'une femme qui, si ça se trouve, est simplement contrariée de s'être fait poser un lapin.

— Vous avez dit deux femmes, fit remarquer Nkata.

— Une femme, deux femmes. Le fait est qu'elles n'avaient pas de plaintes à déposer, seulement des soupçons, et leurs soupçons se résumaient à être soupçonneuses, si vous voyez ce que je veux dire.

— À savoir ? demanda Barbara.

— À savoir qu'elles n'avaient aucun motif à leurs soupçons. Il n'espionnait personne par les fenêtres. Il ne traînait pas autour des écoles primaires. Il n'arrachait pas leurs sacs à main à des vieilles dames. Il ne faisait pas de trimballages suspects entre chez lui et l'extérieur ou vice versa. Il n'invitait pas une certaine catégorie de femmes à monter dans son véhicule pour une partie de vous savez quoi. D'après le témoignage de ces correspondantes téléphoniques – qui, à propos, n'ont pas voulu laisser leurs noms –, il avait juste quelque chose de louche. Ces lettres que vous avez apportées n'ajoutent rien à l'affaire. Il me semble que l'important, ce n'est pas qu'il ait écrit des fausses lettres…

— Ce n'est pas lui, le coupa Barbara. Il ne sait ni lire ni écrire.

— D'accord. Quelqu'un d'autre. Un copain à lui. Une petite amie. Allez savoir. Vous vous rendez bien compte qu'il n'aurait pas été embauché comme apprenti à son âge s'il n'avait pas eu un document pour

soutenir sa candidature. À mon avis, c'était la seule uti-
lité de ces lettres.

— Très juste, acquiesça Barbara. Il n'en demeure
pas moins...

— Il n'en demeure pas moins que l'important est de
savoir s'il a bossé correctement une fois embauché. Or
c'est bien le cas, non ? Il a fait un excellent apprentissage à Itchen Abbas. Et puis il a monté sa propre
affaire. Il a fait prospérer cette affaire et, autant que je
sache, il s'est tenu à carreau.

— Monsieur...

— De mon point de vue, ça s'arrête là, on est
d'accord ?

En l'occurrence, non, mais Barbara ne dit rien.
Nkata non plus. Elle évita de regarder son collègue, et
celui-ci évita de la regarder. Le commissaire divisionnaire s'était trahi. Ils n'avaient absolument pas précisé
que Gordon Jossie avait fait son apprentissage auprès
de Ringo Heath ou de qui que ce soit d'autre, et le fait
que Whiting soit au courant laissait penser une fois
encore que Gordon Jossie et sa vie dans la New Forest
présentaient bel et bien un mystère. Or pour Barbara,
ça ne faisait aucun doute : le commissaire divisionnaire
Zachary Whiting savait pertinemment quel était ce
mystère.

Meredith décida que d'autres mesures s'imposaient
après le coup de fil de Rob Hastings. Elle avait bien
conscience que le pauvre homme était non seulement
accablé de douleur mais aussi dévoré de culpabilité, et
comme cette détresse était en partie due au fait qu'elle
n'avait pas pu tenir sa langue, elle entreprit de rectifier

le tir. Elle avait vu assez de séries policières à la télé pour savoir quoi faire en se rendant à Lyndhurst. Gina Dickens semblant bien résolue à s'établir à demeure chez Gordon Jossie, Meredith était pratiquement sûre de ne pas tomber sur elle dans son meublé au-dessus du salon de thé du Chapelier Fou. Meredith était convaincue que la jeune femme n'y avait pas remis les pieds depuis des jours. Si par hasard elle s'y trouvait, elle avait une excuse toute prête : je suis venue vous demander pardon de m'être montrée tellement casse-pieds. Je suis juste bouleversée. Ce n'était pas complètement faux, mais il n'y avait pas que ça.

Elle avait demandé à son patron de lui accorder le reste de la journée. Un mal de tête atroce, la chaleur, et puis ses petits ennuis mensuels… S'ils voulaient bien, elle allait rentrer travailler chez elle. Là-bas, elle pourrait se mettre une compresse glacée sur le front. Elle avait presque terminé, de toute façon. Encore une heure, et l'affiche serait prête.

Le patron avait accepté et elle avait filé. En arrivant à Lyndhurst, elle se gara à côté du musée de la New Forest et parcourut à pied la courte distance jusqu'au salon de thé de la grand-rue. C'était la pleine saison, et Lyndhurst grouillait de touristes. La ville se situait au cœur de la Perambulation, et elle constituait en général la première escale pour les visiteurs souhaitant se familiariser avec cette partie du Hampshire.

On accédait au logement de Gina au-dessus du Chapelier Fou par une porte distincte de celle du salon de thé, qui, à cette heure de la journée, fleurait bon les pâtisseries en train de cuire. Il n'y avait que deux garnis, et comme, dans l'un, elle entendait beugler de la musique hip-hop, Meredith choisit l'autre. C'est sur cette porte-là qu'elle employa les connaissances qu'elle avait acquises en regardant des séries policières. Elle se servit d'une carte de crédit pour repousser le pêne. Elle s'y reprit à cinq fois et, la nervosité s'ajoutant à la chaleur, elle n'était pas entrée qu'elle était déjà inondée de sueur. Mais quand la serrure se débloqua, elle sut qu'elle avait pris la bonne décision. Sur la table de chevet, un portable était en train de sonner, et cette sonnerie, cela ne faisait aucun doute, hurlait le mot « indice ».

Elle se précipita pour décrocher. Elle dit « Oui ? » avec autant d'autorité qu'elle put en rassembler et sur un ton aussi essoufflé que possible, histoire de déguiser sa voix. Elle regarda autour d'elle. La pièce était meublée très simplement : un lit, une commode, une table de nuit, un bureau, une armoire. Il y avait un lavabo avec une glace au-dessus, mais pas de salle de bains attenante. La fenêtre était fermée, et il faisait une chaleur atroce.

Il y eut un silence à l'autre bout du fil. Croyant ne pas avoir décroché à temps, elle pesta contre elle-même. Une voix d'homme dit soudain : « Poupée, Scotland Yard s'est pointé. Ça va être encore long, putain ? » Un frisson envahit subitement tout son corps, comme si une bourrasque glacée s'était engouffrée dans la pièce.

Elle s'écria :

— Qui est à l'appareil ? Dites-moi qui vous êtes !

Silence. Puis le mot « Putain… », grommelé. Puis plus rien.

— Allô ? Allô ? Qui est à l'appareil ?

Mais Meredith savait que le correspondant, quel qu'il soit, avait déjà coupé. Elle appuya sur la touche *appeler*, tout en se doutant que l'homme à l'autre bout ne répondrait sûrement pas. Mais elle n'avait pas besoin qu'il décroche : il lui suffirait de voir le numéro s'afficher. NUMÉRO PRIVÉ, lut-elle dans la petite fenêtre. Et merde... Quelle que soit l'identité du correspondant, il appelait d'un numéro masqué. La sonnerie retentit à plusieurs reprises, comme elle s'y attendait. Pas de boîte vocale, pas de message. C'était quelqu'un qui était de mèche avec Gina Dickens.

Meredith ressentit une bouffée de triomphe. Elle avait raison depuis le début. Elle *savait* que Gina Dickens n'était pas nette. Il ne lui restait plus qu'à découvrir le véritable objet de sa présence dans la New Forest, car malgré toutes les déclarations de Gina au sujet de son programme destiné à aider les jeunes filles en danger, Meredith n'y croyait pas. De son point de vue, la seule jeune fille en danger avait été Jemima.

À travers les cloisons de la chambre, la musique hip-hop continuait à résonner. Montant du rez-de-chaussée, elle entendait les bruits du salon de thé. Le vacarme de la rue se répercutait à travers les carreaux : des camions qui passaient par la grand-rue et qui rétrogradaient en abordant la pente douce, des voitures qui se dirigeaient vers Southampton ou Beaulieu, des autocars de la taille de petits cottages qui transportaient leurs passagers vers le sud, vers Brockenhurst ou même vers la ville portuaire de Lymington pour une excursion jusqu'à l'île de Wight. Meredith se souvint de la façon dont Gina avait décrit la cacophonie de la rue sous sa fenêtre. Pour cela, au moins, elle n'avait pas menti. Mais pour le reste... Eh bien, c'était ce que Meredith était venue découvrir.

Elle devait faire vite. Les sueurs la reprirent, mais elle ne pouvait pas courir le risque d'ouvrir une fenêtre et d'attirer l'attention sur la chambre. Il régnait une chaleur étouffante et elle devenait claustrophobe.

Elle s'attaqua d'abord à la table de chevet. Le radio-réveil était réglé sur Radio Five, ce qui n'indiquait rien de spécial, et à l'intérieur de l'unique tiroir il n'y avait qu'une boîte de mouchoirs en papier et un vieux sachet de pâte adhésive auquel il manquait un petit morceau. Sur l'étagère de la table s'empilaient quelques magazines, trop anciens, d'après Meredith, pour avoir appartenu à Gina Dickens.

Dans l'armoire il y avait des vêtements, mais pas autant qu'en aurait contenu un domicile permanent. Ils étaient de bonne qualité, conformes à ceux que Meredith l'avait déjà vue porter. Gina avait des goûts de luxe. Aucun article bon marché. Mais les vêtements ne révélaient rien d'autre sur leur propriétaire. Meredith se demanda juste comment Gina espérait entretenir sa garde-robe avec ce que Gordon Jossie gagnait comme couvreur.

Le bureau lui fournit encore moins de renseignements. Sur le dessus il présentait quelques brochures touristiques dans un support en bois, et son tiroir central renfermait du papier à lettres très ordinaire ainsi que deux cartes postales du salon de thé du Chapelier Fou. Un pauvre stylo reposait dans une petite rainure à l'intérieur du tiroir, et c'était tout. Meredith le referma, s'assit dans le fauteuil du bureau et réfléchit à ce qu'elle avait vu.

Pratiquement rien d'exploitable. Gina avait de beaux vêtements, elle aimait les jolis dessous et elle possédait un téléphone portable. Elle ne gardait pas l'appareil avec elle : cela constituait un point intéressant. L'avait-elle oublié ? Voulait-elle que Gordon Jossie ignore qu'elle l'avait ? Craignait-elle que la possession de ce portable ne révèle quelque chose qu'elle voulait qu'il ignore ? Évitait-elle un correspondant à qui elle ne souhaitait pas parler ? Était-elle en cavale ? La seule façon d'obtenir une réponse à ces questions était de les lui poser directement, mais comme Meredith ne pouvait guère l'interroger sans avouer être entrée par effraction dans sa chambre, cette solution était exclue.

Elle balaya la pièce du regard. Faute d'une autre idée, elle regarda sous le lit mais ne fut pas étonnée de n'y trouver qu'une valise, vide au demeurant. Elle alla jusqu'à y chercher un double fond – se sentant passablement ridicule –, mais elle fit chou blanc. Elle se redressa et remarqua une fois encore combien on suffoquait dans cette chambre. Elle envisagea de s'asperger le visage et se dit qu'elle pouvait se permettre de se servir du lavabo pour se rafraîchir. Mais l'eau était tiède et il aurait fallu la laisser couler plusieurs minutes pour qu'elle refroidisse.

Elle se tamponna le visage avec la serviette à main, la raccrocha soigneusement au porte-serviette, puis observa le lavabo de plus près. Il était fixé au mur et d'apparence assez moderne. Il était également féminin, avec des fleurs et des feuilles de vigne peintes sur la porcelaine. Meredith passa la main dessus, puis dessous. Ses doigts rencontrèrent un obstacle anormal. Elle s'accroupit pour mieux voir.

Là, sous la vasque, quelque chose avait été collé avec de la pâte adhésive. Un petit sachet en papier replié maintenu par du scotch. Meredith le détacha et l'apporta au bureau. Avec délicatesse, pour pouvoir s'en resservir après, elle retira à la fois le scotch et la pâte adhésive.

Déplié, le sachet s'avéra être un morceau du papier à lettres de la chambre. On lui avait donné la forme d'une bourse, et cette bourse renfermait apparemment un petit médaillon. Meredith aurait largement préféré un message, sibyllin ou non. Elle aurait aimé lire « J'ai demandé à Gordon Jossie de tuer Jemima Hastings pour pouvoir l'avoir entièrement à moi », mais elle n'aurait pas dit non à « Je crois que Gordon Jossie est un assassin même si je n'ai pour ma part rien à voir là-dedans ». Au lieu de cela, elle avait dans la main un objet en métal vaguement rond, qui aurait pu avoir été confectionné en cours de travaux manuels. Manifeste-ment, l'objet était censé être un cercle parfait, mais le résultat n'était pas probant. Le métal en question res-semblait à de l'or sale, mais il aurait pu s'agir de n'importe quel métal un tant soit peu assimilable à l'or : Meredith se doutait qu'il ne devait pas y avoir beaucoup de cours permettant aux élèves de se livrer à des expériences sur un matériau aussi coûteux.

La notion de cours lui fit repenser à Winchester, d'où avait débarqué Gina Dickens. Il pouvait être fruc-tueux d'approfondir de ce côté-là. Meredith ne savait pas si l'objet appartenait réellement à Gina – pas plus qu'elle n'avait la moindre idée de la raison pour laquelle Gina ou quelqu'un d'autre l'aurait placé sous le lavabo –, mais le sachet de pâte adhésive entamé dans la table de nuit laissait supposer qu'il était à elle. Et du moment qu'il était possible que Gina en soit proprié-taire, Meredith n'était pas dans une impasse concernant son enquête.

La question était de savoir si elle devait emporter le petit médaillon avec elle ou essayer de se rappeler à quoi il ressemblait pour pouvoir le décrire plus tard. Elle décida de le dessiner et elle prit place au bureau, où elle attrapa une feuille du papier à lettres dans l'intention d'en faire un croquis. Mais la gravure était estompée, et si l'objet présentait de toute évidence un motif en relief, elle n'arrivait pas à bien le distinguer. Il ne lui restait plus qu'à commettre un larcin… C'était pour une bonne cause, après tout.

Quand Gordon Jossie rentra à la ferme, il trouva Gina au dernier endroit où il se serait attendu à la voir : dans le paddock ouest. Elle était à l'autre bout, et il ne l'aurait sans doute même pas remarquée si un des poneys n'avait pas henni, attirant son attention sur les animaux. Le blond des cheveux de Gina se détachait sur le fond vert foncé des bois au loin. D'abord, il crut qu'elle marchait de l'autre côté de la clôture, revenant peut-être d'une promenade sous les arbres. Mais quand il descendit du pick-up, Tess sur les talons, et qu'il se rapprocha, il constata que Gina était en réalité à l'intérieur de l'enclos proprement dit.

Il sentit ses poils se hérisser. Dès le début, Gina avait fait toute une histoire de sa peur des poneys. La trouver dans le paddock avec eux réveilla en lui une méfiance assoupie.

Elle ne l'avait pas vu arriver. Elle marchait à pas mesurés le long des barbelés, et elle semblait résolue à ignorer les poneys ainsi qu'à éviter leur crottin ; en tout cas, elle regardait bien où elle posait les pieds car elle avait les yeux rivés au sol.

Il l'appela. Elle sursauta, une main allant agripper le col de sa chemise. Dans l'autre, elle semblait tenir une carte.

Elle portait ses bottes en caoutchouc. Quoi qu'elle soit en train de faire, là encore, elle s'inquiétait des vipères. Un instant, il envisagea de lui expliquer qu'il était peu probable qu'il y ait des vipères dans le paddock, que le paddock n'était pas la lande. Mais si des explications s'imposaient, c'était plutôt à elle de les donner. Que fabriquait-elle dans l'enclos, et qui plus est une carte à la main ? Elle sourit, agita la carte, puis la replia.

— Tu m'as flanqué une sacrée frousse, dit-elle en riant.

— Qu'est-ce que tu fabriques ?

C'était plus fort que lui : sa voix était cassante. Il fit un effort pour l'adoucir, mais ne réussit pas tout à fait à prendre un ton normal.

— Je croyais que les poneys te faisaient peur.

Elle jeta un regard vers les animaux. Ils flânaient dans l'enclos en direction de l'abreuvoir. Gordon alla vérifier le niveau d'eau, suivi par Tess. Comme celui-ci était bas, il repartit chercher le tuyau, qu'il dévida jusqu'au paddock. Il y entra, ordonnant à la chienne de l'attendre. Elle n'apprécia pas beaucoup et se mit à trottiner de long en large pour montrer son mécontentement. Il entreprit de remplir l'abreuvoir.

Gina le rejoignit, mais pas directement à travers le pré comme quelqu'un d'autre aurait pu le faire. Elle avança en prenant soin de ne pas s'éloigner de la clôture. Continuant de ce pas précautionneux, elle ne lui répondit qu'une fois dans la partie est du paddock.

— Tu m'as percée à jour. Moi qui tenais tant à te faire la surprise !

Elle jeta un coup d'œil prudent vers les poneys. En se rapprochant de Gordon, elle se rapprochait également d'eux.

— Quelle surprise ? C'est une carte que tu tiens ? Qu'est-ce que tu fais avec une carte ? Qu'est-ce qu'une carte a à voir avec une surprise ?

Elle rit.

— S'il te plaît. Une chose à la fois.

— Qu'est-ce que tu fais à l'intérieur du paddock, Gina ?

Elle l'observa un instant avant de répondre. Puis elle dit avec circonspection :

— Quelque chose ne va pas ? Ça te gêne que je sois là ?

— Tu as dit que les poneys de la New Forest... Tu as dit que les chevaux en général...

— Je sais ce que j'ai dit sur les chevaux. Mais ça ne veut pas dire que cette peur, je n'ai pas envie de la surmonter...

— Mais de quoi tu parles ?

Gina attendit d'être à ses côtés pour répondre. Elle passa la main dans ses cheveux brillants. Malgré son agitation, il aima la voir faire ce geste. Il aimait voir ses cheveux retomber impeccablement en place quelle que soit la façon dont elle, ou lui, pouvait les ébouriffer.

— Surmonter une peur irrationnelle, lui expliqua-t-elle. Ça s'appelle la désensibilisation. Tu n'as jamais entendu parler de gens qui surmontent leurs peurs justement en s'y exposant ?

— Des conneries... Les gens ne surmontent pas leurs peurs.

Elle souriait, mais son sourire vacilla devant le ton de sa voix.

— C'est absurde, Gordon. Bien sûr que les peurs se surmontent, il suffit de le vouloir. On s'y expose petit à petit jusqu'à ce qu'elles disparaissent. Comme surmonter son vertige en se forçant à monter tout doucement à des hauteurs de plus en plus élevées. Ou surmonter sa peur de l'avion en s'habituant d'abord à la passerelle, puis en atteignant l'entrée de l'appareil, puis en franchissant la porte, et enfin en allant jusqu'aux sièges. Tu n'as jamais entendu parler de ça ?

— Quel rapport avec le fait que tu sois dans le paddock ? Et avec une carte ? Bon sang, qu'est-ce que tu fous avec une carte ?

Gina se renfrogna pour de bon. Hanche en avant, elle fit porter son poids sur une seule jambe, dans une posture typiquement féminine.

— Gordon, est-ce que tu m'accuses de quelque chose ?

— Réponds à ma question.

Elle parut presque aussi surprise que quand il l'avait appelée. Seulement, cette fois, il le savait, c'était à cause de sa rudesse.

Elle répondit avec calme :

— Je viens de te l'expliquer. J'essaie de m'habituer à eux en restant dans le paddock. Pas trop près d'eux, mais pas non plus de l'autre côté de la clôture. Je comptais rester là jusqu'à ce qu'ils me fassent un peu moins peur. Ensuite, je comptais me rapprocher d'un ou deux pas. C'est tout.

— La carte, dit-il. Je veux que tu m'expliques pour la carte.

— Grands dieux ! Je l'ai prise dans ma voiture, Gordon. C'est pour les chasser au cas où, les effaroucher s'ils se rapprochent trop.

Il ne répondit rien. Elle le scruta si intensément qu'il tourna la tête pour l'empêcher de déchiffrer son expression. Il sentait le sang qui battait dans ses tempes, et il devait avoir un visage tout rouge qui trahissait sa contrariété.

Elle déclara sur un ton extrêmement prudent :

— Tu te rends compte que tu te conduis comme si tu me soupçonnais de quelque chose ?

Là encore, il ne répondit pas. Il voulait sortir de l'enclos. Il voulait qu'elle sorte de l'enclos elle aussi. Il gagna la barrière et elle le suivit.

— Qu'est-ce qui ne va pas, Gordon ? Il s'est passé quelque chose ?

— Qu'est-ce que tu veux dire ? s'exclama-t-il en pivotant vers elle. Qu'est-ce qui aurait pu se passer ?

— Enfin, juste ciel, je ne sais pas. Mais d'abord il y a eu cet inconnu qui est venu te parler. Et puis ces inspecteurs de Scotland Yard qui t'ont annoncé que Jemima...

— Il n'est pas question de Jemima ! cria-t-il.

Elle le regarda, interloquée.

— Très bien. Il n'est pas question de Jemima. Mais il est clair que tu es bouleversé et je n'arrive pas à croire que ce soit simplement parce que je suis entrée dans le paddock pour m'habituer aux chevaux. Parce que ça ne tient pas debout.

Il s'obligea à parler parce qu'il fallait bien dire quelque chose.

— Ils ont parlé à Ringo. Il m'a téléphoné pour me prévenir.

— Ringo ?

Elle paraissait déconcertée.

— Il leur a donné des lettres, or ces lettres sont fausses. Lui ne le savait pas, mais eux ils vont vite le piger. Et alors ils vont rappliquer au pas de course. Cliff a menti comme je le lui ai demandé, mais il va craquer s'ils lui mettent la pression. Ils vont le bousculer et il ne va pas tenir.

— C'est si important, tout ça ?

— Bien sûr que c'est important !

Il ouvrit brusquement la barrière. Il avait oublié que la chienne était là. Tess se précipita à l'intérieur et salua Gina par des bonds extatiques. Gordon se dit alors que c'était forcément un signe que Tess aime bien Gina. Tess savait cerner les gens, et si elle appréciait Gina, pourquoi se mettre martel en tête ?

Gina s'agenouilla pour frictionner la tête de la chienne. Tess remua la queue et se frotta contre elle pour réclamer plus de caresses. Gina leva les yeux vers lui et dit :

— Mais tu es allé en Hollande. Ça ne va pas plus loin. S'il le faut, tu pourras dire à la police que tu as menti parce que tu n'as pas gardé les preuves de ton voyage. Mais quelle importance de toute façon si tu n'as pas ton billet ? Tu es allé en Hollande, et tu pourras le prouver d'une manière ou d'une autre. Registres d'hôtel. Recherches Internet. La personne à qui tu t'es adressé pour les roseaux. C'est vrai, ça ne doit quand même pas être si difficile ?

Puis, comme il ne répondait pas :

— Gordon, c'est bien ce qui s'est passé ? Tu es bien allé en Hollande, n'est-ce pas ?

— En quoi ça t'intéresse ? explosa-t-il.

488

Il ne voulait pas exploser comme ça, mais il n'était pas question pour lui de se laisser harceler.

Elle s'était relevée, et elle recula d'un pas. Son regard se perdit derrière lui et il fit volte-face pour vérifier qui était là, mais elle regardait simplement sa voiture. Gordon comprit qu'elle pensait à s'en aller. D'une manière ou d'une autre, elle parvint à réprimer ce désir : une fois encore, elle s'exprima sur un ton assez calme, même s'il voyait bien à sa façon de former les mots qu'elle était sur le qui-vive et prête à détaler. Il se demanda comment ils en étaient arrivés là, mais il savait au fond de son cœur qu'il y aurait toujours pour lui une limite avec les femmes. Comme une malédiction gravée dans la pierre.

— Mon chéri, qu'est-ce qui se passe ? Qui est Ringo ? De quelles lettres parles-tu ? Est-ce que ces policiers sont revenus te voir aujourd'hui ? Ou, au fond, est-ce que c'est seulement à cause de moi ? Parce que, si c'est le cas, je n'avais absolument aucune idée… Je ne pensais pas à mal. Il me semblait simplement que si on devait rester ensemble – j'entends, de manière définitive –, alors il fallait que je m'habitue aux animaux de la New Forest. Tu ne crois pas ? Les chevaux font partie de ta vie. Ils font partie de la ferme. Je ne peux pas les éviter éternellement.

C'était sinon un rameau d'olivier qu'il pouvait saisir, du moins un embranchement qui se présentait sur sa route. Il réfléchit aux choix qui s'offraient à lui avant de dire enfin :

— Si tu voulais t'habituer à eux, je t'aurais aidée.

— Je le sais. Mais alors ça n'aurait pas été une surprise. Or je voulais que ce soit une surprise.

Une infime tension sembla se relâcher en elle.

— Je suis désolée si j'ai dépassé les bornes. Je ne pensais pas que ça pouvait poser un problème. Écoute. Tu veux bien regarder ?

Elle déplia la carte.

— Tu veux bien que je te montre, Gordon ?

Elle attendit qu'il acquiesce. Lorsqu'il hocha la tête, elle s'écarta de lui. Elle s'approcha lentement de l'abreuvoir, la carte le long de sa cuisse. Les poneys buvaient mais ils dressèrent la tête avec méfiance. Ils étaient sauvages, après tout, et censés le rester.

À côté de lui, Tess poussa un geignement et il attrapa son collier. Près de l'abreuvoir, Gina leva la carte en l'air. Elle l'agita vers les poneys en s'écriant :

— Allez, psssht, le cheval !

Tess aboya alors que les poneys virevoltaient puis gagnaient en trottant l'autre bout du paddock.

Gina se tourna vers Gordon. Elle ne dit rien. Lui non plus. Un autre choix se présentait à lui, mais il y en avait tellement à présent, tellement de choix et tellement de chemins, et chaque jour il semblait y en avoir davantage. Il suffisait d'un faux pas, il en était pleinement conscient.

Elle revint vers lui. Lorsqu'elle ressortit de l'enclos, il lâcha le collier de Tess et la chienne s'élança vers Gina. Le temps d'une autre caresse, le retriever repartait en direction de la grange, à la recherche d'un coin à l'ombre et de son écuelle d'eau.

Gina se planta devant Gordon. Comme à son habitude, il portait ses lunettes noires, et elle tendit la main pour les lui enlever :

— Laisse-moi voir tes yeux.

— La lumière, dit-il, même si ce n'était pas tout à fait la vérité.

Il expliqua :

— Je n'aime pas être sans.

Ça, c'était la vérité.

— Gordon, tu ne peux pas te détendre un peu ? Tu ne voudrais pas que je t'aide à te laisser enfin aller ?

Il se sentait tendu de la tête aux pieds, prisonnier d'un étau qu'il avait lui-même créé.

— Je ne peux pas.

— Mais si, tu peux. Laisse-moi faire, mon chéri.

Et le miracle de Gina, c'était qu'elle lui avait déjà pardonné son attitude précédente, et que seul le présent comptait. Elle était le présent incarné. Le passé était le passé.

Elle fit glisser une main sur son torse et passa son bras autour de son cou. Elle l'attira contre elle tandis que son autre main descendait de plus en plus bas.

— Laisse-moi t'aider à te laisser aller, répéta-t-elle, tout près, cette fois, et contre sa bouche. Laisse-moi, mon chéri.

Il grogna, désarmé, et soudain il choisit. Il combla l'espace qui les séparait encore.

17

— Il s'appelle Yukio Matsumoto, lança Isabelle Ardery à Lynley quand il entra dans son bureau. Son frère a vu le portrait-robot et il a téléphoné.

Elle chercha parmi les papiers sur son bureau.

— Hiro Matsumoto ? fit Lynley.

Elle leva la tête.

— Ça, c'est le frère. Vous le connaissez ?

— J'ai entendu parler de lui. C'est un violoncelliste.

— Dans un orchestre de Londres ?

— Non. Il est soliste.

— Connu ?

— Si on s'intéresse à la musique classique.

— Ce qui est votre cas, dois-je comprendre ?

Elle paraissait légèrement vexée, comme s'il avait cherché à faire la démonstration d'un savoir qu'elle jugeait non seulement ésotérique mais insultant. Elle semblait par ailleurs à bout de nerfs. Lynley se demanda si c'était lié au rendez-vous qu'il avait eu avec l'adjoint au préfet. Il avait envie de lui dire de ne pas s'inquiéter pour ça. Si Hillier et lui s'étaient un peu rapprochés sur le plan personnel après la mort de Helen, il avait le sentiment que cela ne durerait pas et qu'ils ne tarderaient pas à retrouver leurs rapports précédents, qui étaient on ne peut plus antagoniques.

— Je l'ai entendu jouer. Si, en effet, c'est bien le Hiro Matsumoto qui vous a téléphoné.

— J'ai du mal à croire qu'il existe deux individus de ce nom-là et, de toute manière, il n'a pas voulu venir au Yard. Il a dit qu'il nous parlerait au cabinet de son avocat. Après quelques tergiversations, on est tombés d'accord sur le bar du Milestone Hotel. Pas loin de l'Albert Hall. Vous savez où c'est ?

— Ça ne doit pas être difficile à trouver. Mais pourquoi pas au cabinet de son avocat ?

— Je n'aime pas être dans la position du demandeur.

Elle consulta sa montre.

— Dix minutes. Je vous rejoins à la voiture.

Elle lui lança ses clés.

En fait, elle ne le rejoignit qu'un quart d'heure plus tard. Dans l'espace confiné de l'habitacle, elle sentait la pastille de menthe.

— Bien, dit-elle alors qu'ils se dirigeaient vers la rampe de sortie. Racontez-moi, Thomas.

Il lui jeta un coup d'œil.

— Quoi ?

— Ne faites pas le timide. Est-ce que Hillier vous a ordonné de me surveiller et de lui faire des rapports ?

Lynley sourit en lui-même.

— Pas aussi franchement.

— Mais c'était bien à mon sujet, n'est-ce pas, ce rendez-vous avec sir David ?

En débouchant dans la rue, il freina puis il la regarda.

— Vous savez, dans certaines situations, cette conclusion sentirait fort le narcissisme. La réponse adéquate serait : « Le monde ne tourne pas autour de votre nombril, chef. »

— Isabelle, dit-elle.

— Chef, répéta-t-il.

— Oh, la barbe, Thomas ! Je n'ai pas l'intention de laisser tomber. Pour Isabelle... Pour le reste, vous allez me raconter ou bien devrai-je me contenter de supposer ? Je tiens à être entourée de gens loyaux professionnellement. Vous allez devoir choisir votre camp.

— Et si je n'en ai pas envie ?

— Vous risquez de vous en repentir. Vous allez vous retrouver à la circulation.

— Je n'ai jamais été à la circulation, chef.

— Isabelle. Et vous savez pertinemment ce que je veux dire.

Il s'engagea dans Broadway et réfléchit à leur itinéraire. Il décida de passer par Birdcage Walk, puis de se faufiler jusqu'à Kensington.

Le Milestone Hotel était un des nombreux hôtels-boutiques qui avaient poussé comme des champignons ces dernières années. Installé dans une des élégantes demeures en briques rouges situées face aux jardins de Kensington et au palais, l'hôtel, équipé de meubles en chêne, était paisible et discret, véritable oasis de tranquillité à deux pas de l'effervescence de High Street Kensington. L'établissement était également doté de l'air conditionné, une vraie bénédiction.

Le personnel de l'hôtel portait de coûteux uniformes et s'exprimait à voix basse comme à un service religieux. Dès que Lynley et Isabelle Ardery pénétrèrent dans le hall, ils furent abordés par un aimable concierge qui leur demanda s'il pouvait les aider.

Ils cherchaient le bar, lui répondit Ardery d'un ton brusque et officiel. Où se trouvait-il ?

Dans l'instant d'hésitation que marqua l'homme, Lynley reconnut un signe de réprobation tacite. Après tout, elle pouvait fort bien être une inspectrice d'hôtel ou une rédactrice s'apprêtant à écrire une notice sur le Milestone dans un des innombrables guides de Londres. Il serait dans l'intérêt de tout le monde qu'il coopère aussi platement que possible en évitant de s'offusquer trop ouvertement de ses manières.

— Bien sûr, madame, dit-il avant de les emmener personnellement jusqu'au bar, qui constituait un cadre intime pour une conversation.

Avant qu'il ne les quitte, Isabelle lui demanda d'aller chercher le barman, et quand celui-ci arriva elle commanda une vodka tonic. Lynley demeura soigneusement inexpressif.

— Vous allez me raconter pour sir David ou non ?

Lynley fut surpris car il pensait qu'elle allait faire une remarque sur le contenu de son verre.

— Il n'y a pas grand-chose à raconter. Il tient à pourvoir le poste assez vite. Cela fait trop longtemps que la place de Webberly n'a pas de titulaire. Vous êtes plutôt bien placée autant que…

— Tant que je me tiens à carreau, que je porte des collants et que je marche droit. Ce qui interdit sans doute de boire des vodkas tonics pendant le travail, quelle que soit la chaleur qu'il fait.

— J'allais seulement dire « autant que je sache »…

Lui-même s'était commandé une eau minérale.

Elle plissa les yeux en le regardant puis lorgna la bouteille de San Pellegrino d'un air renfrogné.

— Vous me désapprouvez, n'est-ce pas ? Vous le répéterez à sir David ?

— Que je vous désapprouve ? Ce n'est pas le cas, en fait.

— Pas même que je boive un verre de temps en temps pendant le service ? Je ne suis pas alcoolo, Thomas.

— Chef, vous n'avez pas à vous justifier auprès de moi. Quant au reste, je ne tiens pas à jouer les indics pour Hillier. Il le sait.

— Mais votre opinion compte pour lui.

— Je ne comprends vraiment pas pourquoi. Si elle compte aujourd'hui, cela n'a jamais été le cas avant.

L'écho discret d'une conversation leur parvint, et l'instant d'après deux personnes entrèrent dans le bar. Lynley reconnut aussitôt le violoncelliste. Il était accompagné d'une séduisante Indo-Pakistanaise vêtue d'un tailleur élégant et chaussée de talons aiguilles qui claquaient comme des coups de fouet sur le sol.

Elle jeta un coup d'œil à Lynley mais s'adressa à Ardery.

— Commissaire principale ? fit-elle.

Ardery acquiesça et la femme se présenta : Zaynab Bourne.

— Et voici Mr Matsumoto.

Hiro Matsumoto s'inclina imperceptiblement tout en tendant la main. Sa poignée de main ferme fut accompagnée d'un « Enchanté » conventionnel. Il avait, de l'avis de Lynley, un visage très agréable. Derrière ses lunettes à monture d'acier, ses yeux avaient l'air doux. Pour une célébrité internationale dans l'univers de la musique classique, il semblait en outre d'une modestie infinie. Il demanda avec politesse une tasse de thé. Du thé vert, s'ils en avaient. Sinon, un thé nature ferait l'affaire. Il parlait sans accent discernable. Lynley se souvint qu'il était né à Kyoto, mais qu'il avait fait ses études à l'étranger et jouait de par le monde depuis de nombreuses années.

Il se produisait en ce moment à l'Albert Hall, dit-il. Il était à Londres pour une petite quinzaine de jours, donnant également une master class à la fac de musique. C'était tout à fait par hasard qu'il avait vu le portrait-robot de son frère dans le journal – il l'appelait le « dessin d'artiste » – et aux informations télévisées.

— S'il vous plaît, croyez-moi, dit doucement Hiro Matsumoto, quand je vous assure que Yukio n'a pas tué cette femme dont parlent les journaux. Il n'aurait jamais fait ça.

— Pourquoi ? fit Ardery. Il était à proximité – nous avons un témoin qui l'a vu –, et apparemment il s'enfuyait du lieu du crime.

Matsumoto sembla peiné.

— Il y a forcément une explication. Quoi qu'il puisse être d'autre, quoi qu'il puisse faire d'autre, mon frère Yukio n'est pas un assassin.

Zaynab Bourne ajouta, en guise d'éclaircissement :

— Le jeune frère de Mr Matsumoto souffre de schizophrénie paranoïde, commissaire. Malheureusement, il refuse de prendre son traitement. Mais il n'a jamais eu d'ennuis avec la police depuis son arrivée à Londres – si vous vérifiez vos fichiers, vous constaterez que c'est la vérité –, et il mène dans l'ensemble une vie paisible. Mon client, poursuivit-elle, lui effleurant brièvement le bras d'un geste de propriétaire, mon client a accepté de l'identifier pour que vous puissiez, comme de juste, concentrer vos efforts ailleurs.

— C'est peut-être vrai qu'il est schizophrène, déclara Ardery, mais étant donné qu'il a été vu en train de s'enfuir du lieu d'un meurtre, et étant donné que certains de ses vêtements avaient apparemment été retirés et roulés en boule…

— Il a fait très très chaud, intervint l'avocate.

— … il va devoir être interrogé. Alors si vous savez où il se trouve, Mr Matsumoto, il faut absolument nous le dire.

Le violoncelliste hésita. Il sortit un mouchoir de sa poche et essuya ses lunettes avec. Sans la protection qu'elles offraient, son visage paraissait étonnamment jeune. Lynley savait qu'il avait presque cinquante ans, mais il en faisait quinze de moins.

— D'abord, je dois vous expliquer, dit-il.

À voir le visage d'Ardery, elle n'avait envie d'aucune explication, mais Lynley, lui, était curieux. En tant que subalterne, il n'était pas censé réagir mais il lâcha néanmoins :

— Oui ?

Son frère était un musicien très doué, raconta Hiro Matsumoto. Ils étaient une famille de musiciens, et tous les trois – il y avait aussi une sœur, qui était flûtiste à Philadelphie – s'étaient vu offrir des instruments dès leur petite enfance. Ils étaient censés apprendre, s'exercer assidûment, bien jouer, et surtout exceller. À cette fin, ils avaient reçu une instruction musicale qui avait coûté très cher à leurs parents en efforts financiers, et très cher à la fratrie en sacrifices personnels.

— Évidemment, on ne connaît pas une enfance normale quand on a ce genre… d'idée fixe.

Il choisit cette dernière formule avec soin.

— En fin de compte, je suis allé à Juilliard, Miyoshi a étudié à Paris et Yukio est venu à Londres. Au début, il allait bien. C'est seulement plus tard que la maladie est apparue. C'est d'ailleurs pour cette raison – parce qu'elle est survenue au milieu de ses études – que notre père a cru qu'il simulait. Il était dépassé, peut-être, et incapable de l'admettre et de s'accrocher. Il ne s'agissait pas de cela, bien sûr. Il était gravement atteint. Mais dans notre culture et dans notre famille…

Durant son récit, Matsumoto avait continué à astiquer ses lunettes, mais soudain il s'interrompit, les chaussa à nouveau et les ajusta avec soin sur son nez.

— Notre père n'est pas un mauvais homme. Mais il a des idées très arrêtées, et il n'y a pas eu moyen de le convaincre que Yukio avait besoin d'autre chose que d'une bonne engueulade. Il est venu ici de Kyoto. Il a fait connaître sa volonté à Yukio. Il lui a donné des instructions, et il s'attendait à ce qu'elles soient respectées. Ses instructions ayant toujours été observées, il s'imaginait en avoir fait assez. Au début, du reste, on aurait pu le croire. Yukio ne se ménageait pas, mais la maladie… Ce n'est pas quelque chose qu'on peut éliminer à force de volonté ou de travail. Yukio s'est effondré, il a quitté le conservatoire, et il a tout bonnement disparu. Pendant dix ans, plus aucune nouvelle. Quand nous avons retrouvé sa trace, nous avons voulu l'aider, mais il n'a pas accepté. Ses peurs sont trop grandes. Il se méfie des médicaments. Il est terrifié par les hôpitaux. Il arrive à survivre grâce à sa musique, et ma sœur et moi faisons ce que nous pouvons pour veiller sur lui quand nous venons à Londres.

— Savez-vous où il est à l'heure actuelle ? Où il est exactement ?

Matsumoto regarda son avocate. Zaynab Bourne prit le relais. .

— J'espère que Mr Matsumoto vous a bien fait comprendre que son frère est malade. Il veut l'assurance que rien ne sera fait qui risque de l'effrayer. Il a conscience que Yukio devra être interrogé, mais il insiste pour que vous l'abordiez avec précaution et que les entretiens aient lieu en ma présence ainsi que celle d'un psychiatre. Il insiste également pour avoir votre assurance formelle que, son frère ayant été diagnostiqué comme souffrant d'une schizophrénie paranoïde non soignée, ses paroles – quelles qu'elles puissent être quand vous le questionnerez – ne pourront en aucun cas être utilisées contre lui.

Lynley jeta un coup d'œil à Ardery. Ses mains serraient sa vodka tonic, et ses doigts tapotaient la paroi embuée du verre. Elle l'avait bue presque entièrement au cours de la discussion, et elle vida le fond d'un trait.

— Je vous donne l'assurance que nous ferons attention, dit-elle. Vous serez là. Un spécialiste sera là. Le pape, le ministre de l'Intérieur et le Premier ministre seront là si vous voulez. Vous aurez autant de témoins que vous le désirez, mais s'il reconnaît le meurtre, il sera inculpé.

— Il est gravement malade, déclara l'avocate.

— Et nous avons un système judiciaire qui le déterminera.

Il y eut un petit silence tandis que le violoncelliste et son avocate réfléchissaient. Ardery se carra dans son fauteuil. Lynley attendait qu'elle leur rappelle qu'ils s'appliquaient à protéger quelqu'un qui pouvait être le

500

témoin d'un crime ou, pire, l'assassin en personne. Mais elle ne joua pas cette carte-là. Elle semblait savoir qu'elle n'en avait pas besoin.

Elle choisit de déclarer :

— Il y a une réalité simple que vous devez regarder en face, Mr Matsumoto. Si vous ne nous livrez pas votre frère, quelqu'un finira par s'en charger à votre place.

Un autre silence, puis Hiro Matsumoto reprit la parole. Il paraissait tellement affligé que Lynley ressentit une puissante compassion pour lui, une compassion tellement violente qu'il se demanda s'il était sage de sa part d'exercer le métier de policier à ce moment de sa vie. Car il consistait avant tout à acculer les gens. Ardery était parfaitement disposée à accomplir ce type de manœuvre, il le voyait bien, mais lui-même n'avait peut-être plus le cran de s'adonner à cet exercice-là.

— Il est à Covent Garden, dit doucement Matsumoto. Il joue du violon là-bas. Il est musicien de rue, pour gagner de l'argent.

Il baissa la tête, comme si cet aveu était humiliant.

Ardery se leva.

— Merci. Je n'ai aucune intention de l'effrayer.

Puis, à l'adresse de l'avocate :

— Quand nous l'aurons en garde à vue, je vous appellerai pour vous dire où il est. Nous attendrons votre arrivée pour lui parler. Contactez le psy que vous voudrez et amenez-le avec vous.

— Je tiens à le voir, déclara Hiro Matsumoto.

— Bien sûr. Nous arrangerons cela aussi.

Elle le salua de la tête et indiqua à Lynley qu'ils devaient repartir.

501

Lynley dit au violoncelliste :

— Vous avez fait ce qu'il fallait, Mr Matsumoto. Je sais que ce n'était pas facile.

Il avait envie de continuer, d'établir une connivence avec cet homme, car son propre frère, dans le passé, avait été profondément perturbé. Mais les problèmes de Peter Lynley aussi bien avec l'alcool qu'avec la drogue étaient négligeables comparés à cela, et il n'ajouta rien.

Isabelle appela dès qu'ils furent sur le trottoir devant l'hôtel. Ils tenaient leur homme, annonça-t-elle à l'inspecteur Hale avec rudesse. Allez tout de suite à Covent Garden et emmenez une équipe avec vous. Cinq gars, ça devrait suffire. Une fois là-bas, déployez-vous, cherchez un Japonais d'âge moyen qui grattouille un violon, puis cernez-le. Ne vous approchez pas de lui. Il est complètement cinglé et archidangereux. Rappelez-moi pour me dire où il se trouve exactement. J'arrive.

Elle raccrocha sèchement et se tourna vers Lynley.

— Allons cueillir ce fumier.

Il parut surpris, ou décontenancé, ou autre chose qu'elle n'arrivait pas à définir.

— Ce type est très certainement un tueur, Thomas.

— Tout à fait, chef.

Il s'exprimait poliment.

— Quoi ? Je vais leur accorder leur bon Dieu d'expert en psychiatrie, et je ne lui dirai pas un mot tant que madame Talons Aiguilles ne sera pas assise sur ses genoux, si c'est nécessaire. Mais pas question de le laisser s'échapper maintenant qu'on le tient enfin.

— Vous n'entendrez aucune objection de ma part.

Mais elle savait que quelque chose le chiffonnait et elle insista.

— Vous avez sans doute une meilleure tactique ?

— Pas du tout.

— Enfin merde, Thomas, si on doit travailler ensemble, vous allez être franc avec moi, même si je dois vous tirer les vers du nez.

Ils étaient devant la voiture et il hésita avant de déverrouiller sa portière. Au moins, songea-t-elle, elle l'avait apparemment guéri de sa manie de lui ouvrir la sienne.

— Vous êtes bien sûre ? demanda-t-il.

— Évidemment que je suis sûre. Sinon, pourquoi je dirais ça ? Je veux savoir ce que vous pensez, et je veux le savoir au moment où vous le pensez.

— Dans ce cas, avez-vous un problème d'alcool ?

Ce n'était pas ce qu'elle avait prévu, mais elle aurait dû y être préparée. Le fait d'être prise de court la fit exploser.

— Je me suis tapé une bon Dieu de vodka tonic. Vous trouvez que j'ai l'air saoule à rouler sous la table ?

— Et avant la vodka tonic ? Chef, je ne suis pas idiot. Je suppose que vous la cachez dans votre sac. Sans doute de la vodka, parce que la plupart des gens s'imaginent que la vodka ne sent rien. Vous avez aussi des pastilles de menthe, ou du chewing-gum, enfin bon, ce qui peut vous servir à camoufler l'odeur d'alcool.

Elle répondit machinalement, soudain glacée jusqu'au bout des doigts.

— Vous dépassez les bornes, inspecteur Lynley. Bon Dieu, vous dépassez tellement les bornes que je devrais vous expédier faire des rondes à pied dans les quartiers sud de Londres.

— Je comprends votre réaction.

Elle avait envie de le frapper. Elle se rendit compte que les menaces professionnelles qu'on pouvait brandir contre lui n'avaient pas d'importance à ses yeux et n'en avaient sans doute jamais eu. Il n'était pas comme les autres parce qu'il n'avait pas besoin de ce boulot, et si on l'en privait, si on menaçait de l'en priver ou si on avait une attitude qui suscitait son déplaisir patricien, il pouvait claquer la porte et s'occuper comme pouvaient s'occuper les aristos de ce bon Dieu de royaume quand ils n'avaient pas par ailleurs d'emploi rémunéré. C'était une liberté exaspérante. Cela faisait de lui un franc-tireur, sans obligation de loyauté envers personne.

— Montez, lui ordonna-t-elle. On va à Covent Garden. Tout de suite.

Ils roulèrent dans un silence absolu, longeant la rive sud des jardins de Kensington, puis Hyde Park. Elle avait besoin d'un verre. Sa vodka tonic avait été le type même des vodkas tonics servies dans les bars d'hôtel : un malheureux doigt et demi de vodka au fond du verre et la bouteille de tonic à côté, histoire de doser le cocktail à sa convenance. Comme Lynley était là, elle avait ajouté tout le tonic, et à présent elle le regrettait. Bordel de merde, qu'est-ce qu'elle le regrettait… Dans sa tête, elle récapitula fiévreusement ses mouvements. Elle avait été d'une prudence parfaite. Il la testait et il guettait les représailles.

— Je vais oublier que nous avons eu cet échange sur le trottoir, Thomas.

— Chef, dit-il alors sur un ton qui signifiait « comme vous voudrez ».

Elle ne voulait pas lâcher prise. Elle voulait savoir ce qu'il était susceptible de répéter à Hillier. Mais remettre le sujet sur le tapis, c'était quand même jouer avec le feu.

Ils étaient bloqués sur Piccadilly Circus quand son portable sonna.

— Ardery ! aboya-t-elle dans le combiné.

C'était Philip Hale. Ils avaient trouvé le Japonais au violon.

— En bas d'un escalier dans une cour juste après...

— La boutique de cigares, compléta Isabelle.

Elle se rappelait avoir aperçu avec Lynley ce fichu musicien ambulant. Il jouait accompagné d'un ghetto-blaster. Les cheveux longs poivre et sel, il portait un smoking et était posté dans la cour inférieure devant un bar à vins. Pourquoi ne s'était-elle pas souvenue de lui ?

C'était bien lui, confirma Philip Hale après sa description.

— Vos avez des agents en tenue avec vous ?

Non. Tout le monde était en civil. Deux gars étaient assis à des tables dans la cour et les autres étaient...

Hale s'interrompit.

— Merde, chef, il remballe. Il a éteint sa machine et il est en train de ranger son violon... Vous voulez qu'on l'agrafe ?

— Non. *Non.* Ne vous approchez pas de lui. Suivez-le, mais tenez tout le monde à distance. Et restez bien en retrait. Il ne doit pas voir qu'il est suivi, d'accord ?

— D'accord.

— Très bien, Philip. Nous serons là d'une minute à l'autre.

À Lynley :

— Il plie bagage… Activez, pour l'amour du ciel.

Elle avait les nerfs à vif. Lynley, au contraire, était parfaitement calme. Après Piccadilly Circus, ils tombèrent sur un embouteillage de taxis qui paraissait interminable.

Elle pesta.

— Bordel, Thomas. Sortez-nous de là.

Il ne répondit pas. Mais en Londonien aguerri, en toute décontraction, il commença à enfiler des petites rues, comme s'il détenait le savoir universel. Il était en train de se garer quand le portable d'Isabelle sonna une nouvelle fois.

— Il y a une église au sud-ouest de la place, dit la voix de Philip Hale.

— Il y est entré ?

Non, répondit Hale. Devant l'église il y avait un jardin, et l'homme avait entrepris de jouer là, au milieu de l'allée centrale. Des bancs bordaient cette allée et des gens écoutaient.

— Chef, y a pas mal de monde attroupé.

— On arrive, dit Isabelle.

À Lynley :

— Une église ?

— Ce doit être St. Paul's Covent Garden.

Tandis qu'ils approchaient de l'ancien marché aux fleurs, il lui attrapa un instant le bras pour l'entraîner dans cette direction. Elle aperçut l'édifice qui dominait la foule, un bâtiment en brique classique avec des angles de mur en pierres pâles. Elle mit le cap vers l'église, mais elle dut slalomer. Il y avait des artistes ambulants partout et des centaines de badauds qui les applaudissaient : des magiciens, des vendeurs de ballons, des danseurs de claquettes, même un groupe de femmes aux cheveux gris qui jouaient du marimba.

Isabelle était en train de se dire que c'était le cadre idéal pour un événement atroce – de l'attentat terroriste à la voiture folle – quand un brusque remue-ménage du côté de l'église attira son attention. À cet instant précis, son portable sonna. Une clameur s'éleva.

— Qu'est-ce qui se passe ? cria-t-elle dans l'appareil.

Il était évident qu'il se passait quelque chose et que ce n'était pas ce qu'elle aurait souhaité. Alors même qu'elle se disait cela, elle vit Yukio Matsumoto fendre la foule à toute allure, son violon dans une main et une expression de panique absolue sur les traits.

Au téléphone, Philip Hale expliqua :

— Il nous a repérés, chef. Je ne sais pas comment. On a…

— Je le vois ! Lancez-vous à ses trousses. Si on le perd ici, on le perd pour de bon.

À Lynley, alors que le violoniste fonçait dans le tas :

— Merde. *Merde !*

Aux protestations des badauds succédèrent les cris de « Police ! Arrêtez ! Arrêtez cet homme ! », après quoi se déchaîna une sorte de folie. En effet, une des dernières fois que la police métropolitaine avait poursuivi quelqu'un, la chasse s'était terminée par la mort par balles d'un civil innocent et sans arme dans une rame de métro, et personne n'avait envie de se trouver dans la ligne de feu. Peu importait que ces flics en civil ne soient pas armés, la foule n'en savait rien. Les gens se mirent à courir dans tous les sens ; les mères empoignaient leurs enfants, les maris empoignaient leurs femmes, et tous les individus qui avaient des comptes à régler avec la police s'arrangèrent pour gêner la progression des agents.

— Il est parti par où ? demanda Isabelle, impérieuse, à Lynley.

— Par là ! fit-il, indiquant grosso modo le nord.

Elle suivit son geste et aperçut la tête de l'homme, puis le noir de sa veste de smoking. Elle s'élança derrière lui, criant dans son téléphone :

— Philip, il va vers le nord par… Quelle rue ? demanda-t-elle à Lynley.

— James Street. En direction de Long Acre.

— James Street, répéta-t-elle. En direction… d'où ? Putain, merde. Prenez-le, vous…

Elle tendit son portable à Lynley et se mit à courir, bousculant la foule aux cris de « Police ! Police ! Dégagez ! ».

Matsumoto avait atteint la rue, fonçant aveuglément sans tenir compte des gens ou des objets qui lui barraient la route. Il laissait dans son sillage des enfants à terre, des poubelles renversées, des cabas piétinés, mais elle avait beau hurler « Arrêtez-le ! », personne n'intervenait.

Dans cette course-poursuite, Lynley et Ardery avaient l'avantage sur Philip Hale et ses hommes. Mais Matsumoto était rapide. Il était aiguillonné par la peur et par les démons qu'il avait dans la tête. Devant elle, Isabelle le vit se précipiter tout droit dans Long Acre, où un grand coup de klaxon lui signala qu'il avait failli se faire percuter. Elle redoubla de vitesse : il enfilait une autre rue ventre à terre. Il courait comme si sa vie dépendait du succès de sa fuite, son violon serré contre sa poitrine, son archet semé depuis longtemps. Isabelle cria à Lynley :

— Où débouche-t-elle, cette rue ? Où est-ce qu'il va ?

— Shaftesbury Avenue.

Puis, dans le téléphone :

— Philip, vous pouvez l'intercepter ? Il s'apprête à traverser Shelton Street. Il avance au hasard et il ne fait pas attention à ce qu'il y a autour de lui. S'il rejoint Shaftesbury… Oui. Oui. D'accord.

À Isabelle :

— Il va y avoir des policiers en tenue. Il a demandé l'aide de la Met.

— Bon Dieu, pas d'uniformes, Thomas.

— On n'a pas le choix.

Ils se jetèrent à sa poursuite. Matsumoto renversait les piétons à droite et à gauche. Il trébucha contre une pancarte de l'*Evening Standard*. Elle crut qu'ils le tenaient car le vendeur bondit en avant et réussit à lui agripper le bras, en beuglant : « Non mais, attends un peu, toi ! » Avec une force incroyable, le Japonais repoussa le vendeur courroucé contre la devanture d'un magasin. La vitrine se fissura, puis elle éclata et les débris de verre dégringolèrent sur le trottoir.

Il atteignit Shaftesbury Avenue, obliqua à droite. Isabelle espérait entrevoir un constable en tenue : en effet, quand Lynley et elle tournèrent au coin de la rue, elle mesura le danger et pressentit ce qui risquait de se passer s'ils ne l'arrêtaient pas sur-le-champ.

Mais c'était impossible. Littéralement impossible.

— C'est quoi, cet endroit ? cria-t-elle à Lynley.

Il l'avait distancée et courait en avant, mais elle restait sur ses talons.

— High Holborn, Endell, New Oxford… dit-il en haletant. On ne peut pas le laisser traverser.

Elle en était bien consciente. Des voitures, des taxis, des camions et des bus convergeaient en masse à cet endroit précis de toutes les directions.

Or il avait la ferme intention de traverser et il tenta de le faire, sans le moïndre coup d'œil vers la droite ou la gauche, comme s'il courait dans un parc et non sur une chaussée grouillante de circulation.

Le taxi qui le percuta n'eut pas la possibilité de s'arrêter. Il arrivait du nord-est, et comme la plupart des véhicules dans cette vaste confluence de rues qui déversait des engins par dizaines dans toutes les directions, il débarqua à grande vitesse. Matsumoto s'élança depuis le trottoir, résolu à traverser, et le taxi le heurta de plein fouet, propulsant son corps dans les airs en un terrifiant arc de cercle.

— Dieu du ciel ! s'écria Lynley.

Puis, dans son portable :

— Philip ! Philip ! Il s'est fait renverser. Appelez tout de suite une ambulance. En haut de Shaftesbury Avenue, près de St. Giles High Street.

Partout autour d'eux résonnaient les grincements de freins et les coups de klaxon. Le chauffeur de taxi surgit de sa voiture et, portant les mains à sa tête, se rua vers le corps recroquevillé de Yukio Matsumoto tandis qu'un chauffeur de bus le rejoignait, puis trois autres personnes, et bientôt le violoniste disparut de leur vue, tandis que Lynley criait :

— Police ! Reculez ! Surtout ne le déplacez pas !

Quant à Isabelle, elle se rendait compte qu'elle avait pris la mauvaise décision – la pire décision qui soit – en demandant à une équipe de poursuivre cet homme.

Lorsqu'il avait accepté de faire partie de la brigade d'Isabelle Ardery pour cette enquête criminelle, le dernier endroit où Lynley aurait imaginé avoir à se rendre était les urgences du St. Thomas' Hospital, ces mêmes chambres et ces mêmes couloirs où il avait dû prendre la décision de renoncer à Helen et à leur enfant. Mais c'était là que l'ambulance avait emmené Yukio Matsumoto, et quand Lynley franchit les portes pour pénétrer dans le silence oppressant du pavillon des urgences, il eut la sensation que le drame arrivé à sa femme était survenu la veille. Les odeurs étaient les mêmes : antiseptiques et détergents. Le décor n'avait pas changé : les chaises en plastique bleues attachées entre elles et placées le long des murs, les affiches sur le sida, les autres maladies sexuellement transmissibles et l'importance de se laver les mains. Les sons demeuraient universels : l'arrivée des ambulances, les pas précipités, les ordres pressants aboyés alors que les chariots amenaient les blessés dans les zones d'examen. Voyant et entendant tout cela, Lynley fut subitement ramené au moment où il était entré dans cet hôpital pour apprendre que sa femme s'était fait tirer dessus sur le perron de leur maison, que les secours n'étaient arrivés qu'au bout de vingt minutes, et que durant cet intervalle Helen avait manqué d'oxygène, tandis que, dans sa poitrine, son cœur continuait en pure perte à propulser le sang. Tout lui revint avec une telle réalité qu'il en eut le souffle coupé. Il s'immobilisa brusquement, et ne retrouva ses esprits que quand Isabelle prononça son nom.

Le ton de sa supérieure lui éclaircit les idées.

— … des policiers en tenue ici, vingt-quatre heures sur vingt-quatre, où qu'il soit, où qu'ils le déménagent. Bon sang, quel fiasco. Merde, je lui avais pourtant bien précisé de ne pas approcher.

Il remarqua qu'elle se tordait les mains et il songea bêtement qu'il n'avait jamais vu personne faire ce geste, bien qu'il ait rencontré maintes fois l'expression dans les livres pour signifier l'angoisse. Aucun doute, de l'angoisse, elle devait en ressentir. La police métropolitaine aux trousses de quelqu'un qui atterrit à l'hôpital ? Peu importait qu'ils se soient identifiés avant. Cela ne serait pas présenté ainsi dans les journaux, et elle devait le savoir. Elle devait également savoir que la première tête qui tomberait – s'il en fallait une – serait la sienne.

Les portes s'ouvrirent. Philip Hale entra, l'air affolé. La sueur dessinait des rigoles sur ses tempes et perlait sur son front. Il avait retiré sa veste. Sa chemise collait à son torse.

Ardery s'élança. Elle l'attrapa par le bras puis le plaqua contre le mur, et elle tenait son visage à quelques centimètres du sien avant même qu'il ait remarqué qu'elle se trouvait dans la pièce. Elle dit d'un ton sifflant :

— Enfin merde, est-ce qu'il vous arrive d'écouter ? Je vous avais dit de ne pas vous approcher de lui.

— Chef, je ne…

— Si on le perd, Philip, c'est vous qui en assumerez la responsabilité. J'y veillerai personnellement.

— Mais, chef…

— À l'inspection, au banc des accusés, sur la sellette. Tout ce qu'il faudra pour obtenir votre attention. Quand je dis de ne pas s'approcher d'un suspect, bordel, je ne veux pas dire autre chose, alors vous avez intérêt à m'expliquer – putain, vous avez vraiment intérêt à m'expliquer, Philip – quelle partie de cette phrase vous n'avez pas comprise, parce que nous avons là un homme qui s'est fait renverser par une bagnole et qui risque de mourir, et si vous vous imaginez qu'on va fermer les yeux et faire comme si rien n'était arrivé, alors vous vous mettez le doigt dans l'œil, et jusqu'au coude.

L'inspecteur coula un regard vers Lynley. Celui-ci savait qu'il n'existait pas de meilleur flic ni d'homme plus respectable que Philip Hale. Quand on lui donnait un ordre, il le suivait à la lettre : c'était ce qu'il avait fait et ils le savaient tous.

— Quelque chose lui a fait peur, chef, expliqua Hale. À un moment il jouait du violon, et le moment d'après il prenait la fuite. Je ne sais pas pourquoi. Je jure devant Dieu...

— Ah, vous jurez devant Dieu ?

Elle lui secoua le bras. Lynley voyait la tension dans ses doigts, et son étreinte devait être violente parce que leur extrémité était rouge et la peau sous ses ongles cramoisie.

— Oh, voilà qui est très mignon, Philip. Mais mouillez-vous un peu. Assumez, bon sang. Je n'ai pas besoin d'hommes qui pleurnichent comme...

— Chef, intervint doucement Lynley. Ça ira.

Les yeux d'Ardery s'écarquillèrent. Elle n'avait plus de rouge à lèvres et la seule couleur qui rehaussait son visage, c'était deux ronds de fureur écarlate sur ses pommettes. Avant qu'elle puisse répliquer, il ajouta d'un ton pressant :

— Nous devons contacter son frère pour lui apprendre ce qui s'est passé.

Elle allait riposter mais il poursuivit :

— Nous ne voulons pas qu'il l'apprenne par la presse. Nous ne voulons pas que qui que ce soit d'important l'apprenne par ce biais.

Il parlait de Hillier et elle le savait forcément, même si elle était animée par des démons qu'il reconnaissait bien sans pour autant les comprendre.

Elle lâcha le bras de Hale.

— Retournez au Yard, lui dit-elle.

Puis, à Lynley :

— Ça fait deux fois. Vous voilà prévenu.

— Compris.

— Mais ça ne change rien du tout, pas vrai ?

Elle pivota à nouveau vers Philip Hale :

— Vous êtes stupide ou quoi, Hale ? Vous ne m'avez pas entendue ? Retournez au Yard !

Philip Hale regarda Ardery puis Lynley, puis à nouveau Ardery. Il dit « Chef » avec un salut, puis il s'éclipsa. Lynley le vit qui secouait la tête en s'en allant.

— Contactez le frère, alors, lança Ardery à Lynley avant de se mettre à faire les cent pas.

Tout en passant ses coups de fil, Lynley observait la commissaire : il se demandait à quel moment elle ferait un autre passage aux toilettes, car il était convaincu qu'elle avait cruellement besoin d'un verre.

Pourtant, durant les quarante minutes où ils attendirent que l'avocate de Hiro Matsumoto joigne le violoncelliste et l'amène au St. Thomas' Hospital, la commissaire principale intérimaire demeura dans la salle d'attente et, devant une telle maîtrise, Lynley, à contrecœur, fut

514

obligé de lui tirer son chapeau. Elle passa au Yard les appels de rigueur, mettant au courant le service de presse et transmettant également les dernières nouvelles au bureau de l'adjoint au préfet Hillier. Hillier, d'après Lynley, allait sacrément lui remonter les bretelles. Il n'y avait rien que l'adjoint au préfet de police détestât davantage que les critiques de la presse. La moitié de Londres aurait pu zigouiller l'autre moitié dans la rue, Hillier n'aurait pas été aussi affecté que par un titre de tabloïd proclamant LA MET : NOUVEAUX ACTES DE BRUTALITÉ.

Quand ils arrivèrent enfin, Hiro Matsumoto était bien plus calme que son avocate, qui, chose prévisible, crachait le feu et menaçait d'intenter des poursuites. Elle ne s'interrompit que lorsqu'ils furent rejoints par le médecin qui s'était occupé des blessures du violoniste. Il avait l'air d'un gnome avec des oreilles immenses et bizarrement translucides, et portait un badge où on lisait le nom de HOGG. Il s'adressa directement à Hiro Matsumoto, le reconnaissant de toute évidence comme l'individu sans doute le plus étroitement lié au blessé. Il ignora les autres.

Une épaule et une hanche cassées, tel était le constat initial, ce qui semblait encourageant car les choses auraient pu être bien plus graves. Mais ensuite Mr Hogg ajouta une fracture du crâne et un important hématome sous-dural, et le fait que la taille de la lésion allait causer un dangereux accroissement de la pression intracrânienne, qui à son tour allait porter atteinte à de délicats tissus cérébraux si on ne faisait pas quelque chose sur-le-champ. Ce quelque chose était une décompression, laquelle ne pouvait s'effectuer que chirurgicalement, et on était en train de préparer Yukio Matsumoto pour la salle d'opération en ce moment même.

— Cet homme est suspect dans une affaire de meurtre, expliqua Isabelle Ardery au médecin. Nous allons devoir lui parler avant qu'on lui fasse quoi que ce soit qui le rende incapable de communiquer.

— Il n'est pas en état de... commença le médecin, interrompu en même temps par le frère et l'avocate.

L'un dit :

— Mon frère n'a pas tué cette femme.

L'autre déclara :

— Vous ne parlez à personne d'autre que moi, madame, et assurons-nous que cela soit très clair. Si vous vous approchez un tant soit peu de Yukio Matsumoto sans m'en avertir...

— Ne vous avisez pas de me menacer, la coupa Isabelle Ardery.

— Ce que je vais faire – ce que j'ai l'intention de faire –, c'est découvrir exactement ce qui a conduit à ce rebondissement incroyable et quand je l'aurai découvert, vos agissements seront soumis à un examen juridique comme vous n'en avez jamais vu. J'espère m'être bien fait comprendre.

Le médecin s'agaça :

— Ce qui m'intéresse, c'est le blessé et non la dispute qui peut vous opposer toutes les deux. Il entre en chirurgie, un point c'est tout.

— S'il vous plaît, fit doucement Hiro Matsumoto, les yeux noyés de larmes. Mon frère. Est-ce qu'il vivra ?

L'expression du médecin s'adoucit.

— C'est une blessure traumatique, Mr Matsumoto. Nous ferons tout ce que nous pourrons.

Lorsqu'il se retira, Isabelle Ardery dit à Lynley :

— On doit récupérer ses vêtements pour le labo.

— J'ai mon mot à dire, protesta Zaynab Bourne.

— Il s'agit du principal suspect dans une affaire d'homicide, riposta Ardery. Nous allons obtenir les autorisations adéquates et nous allons récupérer les vêtements, et si ça vous pose un problème, vous pourrez vous plaindre par les voies officielles.

Elle ajouta, à l'intention de Lynley :

— J'aurai aussi besoin qu'on poste quelqu'un ici, quelqu'un qui ne se laisse pas dépasser en cas de fait nouveau. Dès qu'il sera en mesure de parler, nous mettrons un agent dans la chambre avec lui.

Elle se tourna vers Hiro Matsumoto et lui demanda s'il pouvait leur indiquer où logeait son frère.

L'avocate s'apprêtait à récriminer, mais Matsumoto déclara :

— Non, s'il vous plaît, Mrs Bourne. Je crois qu'il est dans l'intérêt de Yukio d'éclaircir cette affaire.

— Hiro, vous ne pouvez pas…

Mrs Bourne l'entraîna à l'écart. Elle lui parla d'un ton pressant à l'oreille et il écouta d'un air grave. Mais le résultat fut identique. Il secoua la tête. Ils échangèrent encore quelques paroles, puis Zaynab Bourne se dirigea vers la sortie, s'empressant d'ouvrir son portable. Lynley ne doutait pas qu'elle disposait de ressources auxquelles elle était en train de recourir pour secouer les puces à la Met.

Hiro Matsumoto rejoignit les policiers.

— Venez. Je vous emmène là-bas.

Isabelle reçut un appel de Hillier alors qu'ils franchissaient le fleuve, remontant Victoria Embankment pour éviter Parliament Square. Auparavant, elle n'avait parlé qu'à la secrétaire, soulagée de roder ainsi l'annonce d'une nouvelle qui n'allait pas manquer de mettre l'adjoint au préfet sur orbite.

— Allez-y, lança-t-il en guise de bonjour.

Consciente de la présence de Hiro Matsumoto sur la banquette arrière, Isabelle lui donna aussi peu d'éléments que possible. Elle conclut par :

— Il est en salle d'opération et son frère est avec nous. On se dirige vers son studio.

— Est-ce qu'on a notre homme ?

— C'est fort possible.

— Compte tenu de la situation, « possible » ne me suffit pas. Il me faut un « sans doute ». Il me faut un « oui ».

— On devrait le savoir très vite.

— Dieu sait qu'il vaudrait mieux. Rappliquez dans mon bureau quand vous aurez fini là-bas. Réunion avec Deacon.

Elle n'avait aucune idée de la fonction de ce Deacon, mais il était exclu qu'elle demande à Hillier de la lui expliquer. Elle répondit qu'elle arriverait aussitôt que possible et, dès qu'elle eut raccroché, elle posa la question à Lynley.

— Le chef du service de presse. Hillier met en place la cavalerie.

— Comment je me prépare ?

Il secoua la tête.

— Je n'ai jamais su.

— Philip a déconné, Thomas.

— C'est ce que vous croyez.

En énonçant ces mots comme un constat et non comme une question, il exprimait, d'après elle, sa propre opinion, si ce n'est une critique. Il énonçait peut-être aussi où allait sa loyauté.

Ils ne dirent plus rien, se bornant à rouler dans un silence tendu jusqu'à Charing Cross Road, où Hiro Matsumoto les guida vers l'intersection avec Denmark Street. Là, un bâtiment en briques rouges de huit étages appelé Shaldon Mansions abritait des logements, alors que le rez-de-chaussée accueillait une rangée de boutiques. Celles-ci avaient un rapport avec la musique, thème qu'on retrouvait dans tout Denmark Street. La rue ne comptait apparemment que des magasins de guitares, de percussions et de trompettes en tout genre, sans oublier des marchands de journaux, des boutiques de bagages, des petits restaurants et des librairies. L'entrée de l'immeuble consistait en une trouée entre Kiera News et Mucci Bags, et tandis qu'ils marchaient vers la porte, Isabelle sentit que Lynley ralentissait le pas. En se retournant, elle le surprit qui contemplait intensément la façade.

— Quoi ? fit-elle.

— Paolo di Fazio, répondit-il.

— Quoi, Paolo di Fazio ?

— C'est là que Jemima Hastings l'a amené, dit-il en désignant l'entrée de l'immeuble. Le soir où ils se sont rencontrés. Il a dit qu'elle l'avait emmené dans un appartement au-dessus de Kiera News.

Isabelle sourit.

— Bravo, Thomas. Du coup, on sait comment Yukio a pu la rencontrer.

Hiro Matsumoto objecta :

— Savoir qu'ils se sont peut-être croisés ne veut pas dire…

— Bien sûr que non, répliqua farouchement Isabelle.

Tout pour qu'il continue à avancer... Tout pour qu'il les emmène à l'appartement, car il ne semblait pas y avoir de gardien.

Malheureusement, le violoncelliste n'avait pas de clé. Au bout du compte, après avoir appuyé sur quelques sonnettes, frappé à quelques portes et posé quelques questions ici et là, ils atterrirent chez Kiera News, où la carte de police d'Isabelle fit apparaître un passe-partout pouvant ouvrir tous les appartements de Shaldon Mansions. Le marchand de journaux réceptionnait les colis et servait de contact d'urgence, au cas où un grave problème surviendrait dans l'immeuble.

Ils avaient sans conteste un problème urgent, lui expliqua Isabelle. L'homme leur remit la clé et ils s'apprêtaient à ressortir de sa boutique quand Lynley pensa à l'interroger sur Jemima Hastings. Est-ce qu'il la connaissait ? Est-ce qu'il se souvenait d'elle ? Des yeux pas banals, un vert et un marron ?

Les yeux l'avaient frappé. Elle avait en effet habité Shaldon Mansions, dans une chambre meublée très similaire à celle dans laquelle ils désiraient entrer.

Voilà qui confirmait l'existence d'un lien supplémentaire entre Yukio Matsumoto et Jemima Hastings. Cette découverte procura un immense plaisir à Isabelle. Les relier par le biais de Covent Garden était une chose, mais les relier par le biais de leurs domiciles en était une autre. L'horizon s'éclaircissait.

Le meublé de Yukio se trouvait au cinquième étage du bâtiment, où le caractère spacieux des niveaux inférieurs cédait la place à des pignons à échelons et à des mansardes. On avait casé là le plus de logements possible, et ces chambres donnaient sur un étroit couloir où l'air était si lourd qu'il semblait n'être jamais renouvelé.

À l'intérieur du meublé, l'atmosphère était étouffante et, détail inquiétant, les murs étaient décorés du sol au plafond de silhouettes dessinées au marqueur. Il y en avait partout, des dizaines et des dizaines. En les examinant de près, on voyait qu'elles représentaient des anges.

— Bon Dieu, qu'est-ce que… ? murmura Isabelle alors qu'à côté d'elle Lynley chaussait ses lunettes de lecture pour observer de près les silhouettes gribouillées.

Derrière elle, elle entendit le soupir tremblant que poussa Hiro Matsumoto. Elle jeta un coup d'œil vers lui. Il avait l'air infiniment triste.

— Qu'est-ce que c'est ? demanda-t-elle.

Le violoncelliste contempla plusieurs dessins l'un après l'autre.

— Il s'imagine qu'ils lui parlent. L'armée céleste.

— La quoi ?

— Les différentes sortes d'anges, expliqua Lynley.

— Il y en a plusieurs sortes ?

— Il y en a neuf différentes.

Et il pouvait à coup sûr les énumérer, songea sombrement Isabelle. Enfin bon, elle n'avait pas envie, ni besoin, de connaître les différentes catégories de ces bidules célestes. Ce qui l'intéressait, c'était plutôt le rapport qu'ils avaient avec la mort de Jemima Hastings. D'après elle, ils n'en avaient aucun. Mais le frère déclara :

— Ils se battent pour lui. Dans sa tête, bien sûr, mais il les entend et il s'imagine parfois qu'il les voit. Ce qu'il voit, ce sont des gens, mais les anges ont déjà pris des dehors humains dans le passé. Et, bien sûr, ils sont toujours représentés sous forme humaine dans l'art et dans les livres, et c'est pour cette raison qu'il se prend pour l'un d'eux. Il croit qu'ils attendent qu'il déclare ses intentions. C'est le cœur même de sa maladie. Ça prouve bien, n'est-ce pas, qu'il n'a fait de mal à personne ?

Isabelle embrassa les dessins du regard tandis que Lynley les examinait lentement. Il y avait des anges qui descendaient sur des étendues d'eau près desquelles des humains gisaient recroquevillés, tendant des bras suppliants ; des anges qui chassaient des démons devant eux pour les faire travailler à l'édification d'un temple, au loin ; il y avait des anges avec des trompettes, des anges tenant des livres, des anges portant des armes, et une immense créature aux ailes déployées qui conduisait une armée, tandis que, tout près, une autre répandait la destruction sur une ville à l'allure biblique. Et puis un pan entier de mur semblait être consacré à la lutte entre deux types d'anges : l'un était armé, l'autre avait de grandes ailes sous lesquelles il protégeait des humains apeurés.

— Il croit qu'il doit choisir, dit Hiro Matsumoto.

— Choisir quoi ? demanda Isabelle.

Lynley s'était rapproché de l'étroit lit à une place. Sur la table de chevet il y avait une lampe, un livre et un verre d'eau. Il s'empara du livre et l'ouvrit. Une carte en tomba et il se pencha pour la ramasser alors que Matsumoto répondait à Isabelle.

— Entre l'ange gardien et l'ange guerrier. Protéger ou…

Il hésita.

— Ou punir, termina Isabelle à sa place. Eh bien, on dirait qu'il a fait son choix, non ?

— Je vous en prie, il n'a pas…

— Chef.

Lynley regardait la carte. Elle le rejoignit. Il s'agissait encore d'une des cartes postales de la National Portrait Gallery ornée de la photo de Jemima Hastings. Elle portait également l'inscription « Avez-vous vu cette femme ? », mais par-dessus l'image du lion endormi un ange pareil à ceux qui décoraient la chambre avait été griffonné. Ses ailes étaient déployées pour créer un abri, et il ne tenait aucune arme dans ses mains.

— On dirait qu'il était plus enclin à protéger qu'à punir, commenta Lynley.

Isabelle allait répliquer qu'il n'en était rien quand le frère de Yukio poussa un cri. Elle fit volte-face. Il avait gagné le lavabo et il observait quelque chose sur le bord de la vasque. S'écriant « Écartez-vous ! », elle traversa la chambre à grandes enjambées pour vérifier ce qu'il avait trouvé.

Quel que soit l'objet, il était enrobé d'une croûte de sang. En fait, la croûte de sang qui l'entourait était tellement épaisse que l'objet était indéfinissable.

— Ah, tiens, tiens… fit Isabelle. Surtout, n'y touchez pas, Mr Matsumoto.

Vu l'heure qu'il était, Lynley avait peu de chances de réussir à se garer dans Chelsea. Il dut se résigner à faire le trajet à pied depuis Carlyle Square. Il traversa King's Road et se dirigea vers le fleuve en passant par Old Church Street. Tout en marchant, il réfléchissait aux diverses manières dont il pourrait éviter l'adjoint au préfet au cours des prochains jours, ainsi qu'aux diverses autres manières dont il pourrait enjoliver les choses au cas où il se verrait contraint malgré tout de discuter avec lui.

Il voulait laisser à Ardery une marge de manœuvre. Nouvelle au poste de commissaire, elle tenait à prouver sa valeur. Mais il voulait également que la bonne personne soit arrêtée le moment venu, or il n'était pas convaincu que Yukio Matsumoto soit coupable de meurtre. Coupable de quelque chose, c'était probable. Mais de meurtre, Lynley n'y croyait pas.

« C'est à cause du frère, lui avait dit Isabelle avec brusquerie alors qu'ils rentraient au Yard. Il vous impressionne, alors vous avez envie de croire tout ce qu'il raconte. Pas moi. »

Pour leur ultime réunion de la journée, il régnait un silence anormal dans la salle des opérations. Les autres agents savaient ce qui était arrivé à Yukio Matsumoto sur la voie publique, et c'était peut-être un des motifs de leur réserve. Peut-être aussi percevaient-ils le conflit qui avait opposé Isabelle Ardery et Philip Hale au St. Thomas' Hospital. Il s'agissait clairement d'un cas de télépathie policière. Même si Hale n'avait rien dit aux autres, ses collègues devinaient, rien qu'à son attitude, qu'il se passait quelque chose.

En fin d'après-midi, l'hôpital n'avait toujours pas donné de nouvelles concernant l'état de santé de Yukio Matsumoto. Pas de nouvelles, bonnes nouvelles… Les techniciens de la police scientifique avaient exploré à fond l'appartement du violoniste, et l'objet ensanglanté trouvé sur son lavabo avait été expédié au laboratoire médico-légal pour une analyse complète. Tous les indices étaient vérifiés puis éliminés un à un : les outils de gravure sur bois de Marlon Kay étaient clean, ainsi que tous les outils de sculpteur prélevés dans l'atelier près de Clapham Junction. L'alibi de Frazer Chaplin pour la journée du meurtre avait été confirmé par ses collègues de la patinoire, par ses collègues du Duke's Hotel et par Bella McHaggis. L'alibi de Bella McHaggis avait été confirmé par sa classe de yoga et par ses voisins. Restait encore à déterminer si Abbott Langer avait bel et bien promené les chiens comme il le prétendait, et si oui, à quel endroit. Quant à la présence de Paolo di Fazio au Jubilee Market Hall, elle aurait pu concerner n'importe quel jour, vu que personne n'y faisait réellement attention. Mais il y était très certainement, et cela suffisait à la commissaire principale Ardery. Elle avait bon espoir d'inculper Yukio Matsumoto dès que les autres comptes rendus de légistes arriveraient.

Lynley avait quelques doutes là-dessus, mais il n'en souffla mot. Après la réunion, il s'était approché des tableaux où étaient affichés les éléments de l'enquête et avait passé plusieurs minutes à les étudier. Il avait examiné une des photos en particulier, et en quittant Victoria Street il en avait emporté une copie avec lui. C'était pour cette raison, ou du moins en partie, qu'il se rendait à Chelsea au lieu de rentrer directement chez lui.

Saint James était absent. Mais Deborah était là, et elle fit entrer Lynley dans la salle à manger. Elle y avait installé un plateau de thé, mais pas du tout pour le boire. Elle essayait de décider si elle était tentée ou non par la photographie culinaire. Au départ, quand on lui avait suggéré cette possibilité, elle avait trouvé que c'était une insulte à ses hautes aspirations artistiques.

— Mais étant donné que mes hautes aspirations artistiques ne rapportent pas vraiment des sommes astronomiques et que je déteste l'idée que ce pauvre Simon entretienne sa bohème de femme jusqu'à la fin des temps, j'ai pensé que la photographie culinaire pourrait être l'idéal en attendant que le monde découvre que je suis la nouvelle Annie Leibovitz.

La réussite dans ce domaine, lui expliqua-t-elle, tenait avant tout à la lumière, aux accessoires, aux couleurs et aux formes. En outre, il fallait veiller à ne pas surcharger les photos, à faire croire au spectateur qu'il était lui-même intégré dans le tableau, et à se concentrer sur le plat lui-même sans négliger l'importance de l'atmosphère générale.

— Je tourne un peu en rond. Toi et moi, on devrait pouvoir consommer ce goûter quand j'aurai fini, mais je ne le recommanderais pas, vu que j'ai fait les scones moi-même.

Elle avait créé un superbe décor, en fait, une composition digne du Ritz, avec petits sandwichs sur plateau en argent et jatte remplie à ras bord de crème fraîche. Il y avait même un seau à glace avec une bouteille de champagne, et tandis que Deborah lui donnait toutes sortes de détails allant de l'angle de la prise de vue à la technique utilisée pour créer ce qui ressemblait à des gouttes d'eau sur les fraises, Lynley s'aperçut que son amie s'efforçait de redonner à leur relation une certaine normalité.

— Je vais très bien, Deb, la rassura-t-il. C'est difficile, tu t'en doutes, mais je m'en sors.

Deborah détourna le regard. Une rose dans un vase avait besoin d'être redressée, et elle procéda à ce rajustement avant de répondre avec douceur :

— Elle nous manque terriblement. Surtout à Simon. Il ne veut pas le reconnaître. Je pense qu'il s'imagine que ça aggraverait les choses. Pour moi, mais aussi pour lui. Ce n'est pas vrai, bien sûr. Il n'y a pas de raison. Mais tout est si confus.

— Nous avons toujours été très imbriqués, tous les quatre, n'est-ce pas ?

Elle releva les yeux mais ne répondit pas.

— Ça finira par s'apaiser, dit-il.

Il avait envie de lui expliquer que l'amour était une drôle de chose, qu'il comblait les fossés, qu'il s'estompait et qu'il ressurgissait. Mais il savait qu'elle l'avait déjà compris parce qu'elle vivait le phénomène exactement comme lui. Alors, à la place, il demanda :

— Simon n'est pas là ? J'ai quelque chose à lui montrer.

— Il va arriver. Il était à une réunion à Gray's Inn. Qu'est-ce que tu as pour lui ?

— Une photo.

En disant cela, il se rendit compte qu'il existait peut-être d'autres photos qui pourraient l'aider.

— Deb, est-ce que tu as des photos de ton vernissage à la Portrait Gallery ?

— Tu veux dire des photos que j'aurais prises ? Je n'avais pas mon appareil.

Non. Il voulait dire des photos publicitaires. Y avait-il quelqu'un à la National Portrait Gallery ce soir-là qui prenait des photos du vernissage de l'expo Cadbury ? Peut-être pour une brochure, ou encore pour un magazine ou un journal ?

527

— Ah, tu parles de photos de vedettes ou d'aspirantes vedettes ? Ces beautiful people qui brandissent des flûtes de champagne en faisant valoir leur bronzage à la lampe et leur dentition toute neuve ? Je ne peux pas dire que ces gens-là soient venus en masse, Tommy. Mais oui, quelques photos ont bien été prises. Viens avec moi.

Elle l'emmena dans le bureau de Simon, sur le devant de la maison. Là, dans un porte-revues ancien à côté de la table de travail, elle récupéra un exemplaire de *Hello !*. Elle précisa avec une grimace :

— Il ne se passait pas grand-chose ce jour-là, côté événements glamour…

Il constata que *Hello !* avait fait son boulot habituel avec les invités pouvant passer pour des célébrités. Ces gens-là avaient obligeamment posé, donnant lieu à une double page des plus agréables.

Il était venu beaucoup de monde à ce vernissage. Lynley reconnut quelques personnalités de la jet set, en plus des noceurs qui rêvaient d'en faire partie. Au milieu de ces photos posées, il y avait également des clichés pris sur le vif, parmi lesquels il repéra Deborah et Simon discutant avec Jemima Hastings et un homme ténébreux à la mine peu recommandable. S'attendant à apprendre que l'homme était une des fréquentations de la victime, il fut surpris de découvrir qu'il s'agissait de Matt Jones, le nouveau compagnon de Sidney Saint James, la jeune sœur de Simon.

— Sidney est complètement folle de lui, dit Deborah. D'après Simon, par contre, sa sœur est folle tout court. Il est assez mystérieux… Je parle de Matt, bien sûr, pas de Simon. Il disparaît pendant des semaines d'affilée en prétendant qu'il part travailler pour le gouvernement. D'après Sidney, c'est un espion. D'après Simon, c'est un tueur à gages.

— Et d'après toi ?

— Je n'arrive jamais à lui extorquer plus d'une dizaine de mots, Tommy. Pour être honnête, il me met un peu mal à l'aise.

Lynley tomba alors sur une photo de Sidney : grande, mince, une flûte de champagne à la main et la tête rejetée en arrière. Le cliché était censé être pris sur le vif – elle bavardait avec un type au teint mat en train de s'en jeter un derrière la cravate… –, mais ce n'était pas pour rien que Sidney était mannequin professionnel. Malgré la foule alentour, elle savait très bien quand un objectif était braqué sur elle.

Il y avait d'autres photos, posées ou sur le vif. Elles méritaient d'être examinées de plus près. En fait, la rédaction du magazine avait sans doute des tas de photos dans ses dossiers qui n'avaient pas été publiées et qui pouvaient se révéler très précieuses. Il demanda à Deborah s'il pouvait garder le magazine. Bien sûr, mais croyait-il que l'assassin de Jemima était venu à l'expo ?

Il répondit que tout était possible. C'est pourquoi il fallait explorer toutes les pistes.

Saint James arriva à ce moment-là. La porte d'entrée s'ouvrit, et ils entendirent son pas inégal dans le vestibule. Deborah gagna la porte du bureau.

— Tommy est là, Simon. Il veut te voir.

Saint James les rejoignit. Il y eut un moment de gêne durant lequel le vieil ami de Lynley sembla évaluer son état, et Lynley se demanda quand ces moments de gêne entre amis appartiendraient enfin au passé. Puis Saint James dit :

— Tommy… Il me faut un whisky. Tu en veux un ?

Lynley n'en avait pas envie, mais répondit quand même :

— Je ne dis pas non.

— Un Lagavulin, alors ?

— Je suis si exceptionnel que ça ?

Saint James sourit. Il se rendit au chariot de boissons sous la fenêtre et leur servit deux whiskys, ainsi qu'un sherry pour Deborah. Il distribua les verres puis demanda à Lynley :

— Tu m'as apporté quelque chose ?

— Tu me connais trop bien.

Lynley lui tendit la copie de la photo affichée dans la salle des opérations. Il lui raconta en bref les événements de la journée. Yukio Matsumoto, la poursuite dans les rues, l'accident de Shaftesbury Avenue… Puis il lui parla de l'objet qu'ils avaient trouvé dans la chambre du violoniste, un objet qui avait poussé Ardery à conclure qu'ils tenaient leur homme.

— Plutôt logique, somme toute, commenta Saint James. Mais toi tu hésites ?

— J'ai du mal avec le mobile.

— Amour obsessionnel ? Dieu sait que c'est assez fréquent.

— Si obsession il y a, il est plutôt obsédé par les anges. Il y en a partout sur les murs de sa chambre.

— Ah bon ? Ça, c'est curieux.

Saint James se concentra sur la photo.

Deborah le rejoignit.

— Qu'est-ce que c'est, Tommy ?

— On l'a trouvé dans la poche de Jemima. Au dire du SO7, c'est de la cornaline, mais on n'en sait pas plus. J'espérais que tu pourrais m'éclairer là-dessus. Ou à défaut…

— Que je connaisse quelqu'un qui puisse t'en dire plus ? Laisse-moi regarder de plus près.

Saint James emporta la photo à sa table de travail, où il s'empara d'une loupe.

— Elle est pas mal usée, non ? D'après la taille, ça pourrait être une pierre pour une chevalière d'homme, ou peut-être un pendentif de femme. Ou encore une broche.

— Un bijou, en tout cas, acquiesça Lynley. Qu'est-ce que tu penses de la gravure ?

Saint James se pencha sur le cliché.

— En tout cas, c'est païen, dit-il au bout d'un moment. Ça, ça paraît évident, non ?

— C'est bien ce que je me disais. Mais ça n'a pas l'air celte.

— Non, non. Ce n'est pas celte.

— Comment le savez-vous ? demanda Deborah.

Saint James lui tendit la loupe.

— Cupidon, dit-il. Un des personnages gravés. Il est à genoux devant l'autre. Et elle, c'est… Minerve, Tommy ?

— Ou Vénus.

— Mais l'armure ?

— Elle appartient à Mars ?

Deborah leva les yeux.

— Du coup, ce bijou… Quel âge a-t-il, alors, Simon ? Un millier d'années ?

— Un peu plus, d'après moi. Il doit dater du IIIe ou du IVe siècle.

— Mais comment l'a-t-elle dégoté ? demanda Deborah à Lynley.

— Là est la question !

— Ça pourrait être la cause de sa mort ? On pourrait l'avoir tuée pour un bout de pierre taillée ? Ça doit avoir de la valeur, alors.

— Ça en a, confirma Lynley. Mais si son assassin voulait cette pierre, il ne l'aurait pas laissée sur son cadavre.

— Peut-être qu'il ignorait qu'elle l'avait sur elle, déclara Deborah.

— Ou qu'il a été interrompu avant de pouvoir la fouiller, ajouta Saint James.

— À ce sujet...

Lynley leur donna d'autres éléments concernant l'arme du crime, ou du moins ce qu'ils imaginaient être l'arme du crime. L'objet était couvert de sang.

— Et c'est quoi, comme arme ? demanda Saint James.

— On n'est pas entièrement sûrs, dit Lynley. La seule certitude qu'on ait pour l'instant, c'est la forme.

— À savoir... ?

— Très pointue à un bout, dans les vingt, vingt-deux centimètres de long, manche recourbé. Ça ressemble beaucoup à une pique bizarrement fichue.

— Et qui servirait à quoi ?

— Aucune idée.

Avec la présence des véhicules de police, des fourgonnettes techniques et des dizaines d'agents des forces de l'ordre aux alentours du chantier de construction Dawkins, ce ne fut qu'une question de minutes avant que la presse ne débarque et que la communauté dans son ensemble n'apprenne qu'un cadavre avait été découvert. Si les efforts de la police locale pour endiguer le flot des informations étaient admirables, la nature du crime était difficile à dissimuler. Ainsi l'état du cadavre de John Dresser et l'endroit exact où il avait été découvert constituaient-ils des détails qui furent non seulement largement rapportés mais largement connus au bout de quatre heures. Un autre fait se trouva tout aussi largement connu et rapporté : l'arrestation de trois garçons (dont les noms ne furent pas divulgués pour des raisons évidentes) « qui aidaient la police dans ses investigations », l'euphémisme classiquement employé pour désigner des « suspects dans l'affaire ».

L'anorak moutarde de Michael Spargo l'avait rendu reconnaissable non seulement aux yeux des personnes présentes dans le centre commercial qui, l'ayant aperçu ce jour-là, identifièrent aussi bien l'anorak que le garçon lui-même sur le film de vidéo-surveillance, non seulement aux yeux des témoins qui s'étaient présentés avec des descriptions du garçon, mais aussi et sur-tout aux yeux des habitants de son quartier. Peu de temps après, l'indignation conduisit une foule menaçante devant la porte d'entrée des Spargo. Résultat, en moins de trente-six heures, la famille tout entière fut carrément évacuée des Gallows et ins-tallée dans un autre secteur de la ville (puis, après le procès, dans une autre région du pays) sous un nom d'emprunt. Lorsque la police vint chercher Reggie Arnold et Ian Barker, les conséquences furent à peu près identiques, et leurs familles furent également déplacées. Parmi eux tous, Tricia Barker est la seule à avoir accepté de parler à la presse au fil des années, ayant résolument refusé de changer de nom. Certains ont supposé que sa coopé-ration visait à lui faire de la publicité en vue d'une participation espérée à une émission de téléréalité.

On peut parfaitement dire que les heures d'entretiens avec les trois garçons au cours des jours suivants révèlent bien des choses quant à leur psychopathologie et au dysfonctionnement de leurs familles. Des trois, il semblerait que Reggie Arnold était celui qui connaissait la situation familiale la plus solide, car lors de chacun de ses interrogatoires Rudy et Laura Arnold étaient présents tous les deux aux côtés de l'inspecteur qui posait les questions et d'une assistante sociale. Mais des trois garçons, Reggie – il faut s'en souvenir – était celui qui, à en croire ses professeurs, manifestait les symptômes de trouble intérieur les plus flagrants, et les explosions de colère, les crises d'hystérie et les gestes autodestructeurs qui caractérisaient son comportement d'écolier devinrent plus prononcés à mesure que les journées d'interrogatoires se poursuivaient et qu'il devenait plus évident pour lui que les manipulations auxquelles il avait eu recours dans le passé pour se dépêtrer de ses ennuis n'allaient pas fonctionner dans ces circonstances-là.

Sur la bande, sa voix est d'abord enjôleuse. Puis geignarde. Son père lui ordonne de se redresser sur sa chaise et d'être « un homme, pas une lopette », et sa mère pleure à cause de ce que « Reggie nous fait à tous ». Ils restent constamment concentrés sur leur cas personnel, sur la façon dont la situation de Reggie les affecte à titre individuel. Ils semblent inconscients non seulement de la nature du crime pour lequel leur fils est interrogé et de ce qu'indique la nature de ce crime sur son état mental, mais aussi des périls qu'il encourt. À un moment donné, Laura lui dit qu'elle ne peut pas rester là toute la journée à l'écouter pleurnicher, parce qu'il lui faut penser à son frère et à sa sœur. « Tu comprends ça, quand même ? D'après toi, qui s'occupe d'eux pendant que je suis là avec toi ? Pendant que ton père est là avec toi ? » Plus troublant encore, aucun des deux parents ne semble inquiet lorsque les questions adressées à Reggie commencent à porter sur le chantier Dawkins, sur le corps de John Dresser, et sur ce qui, d'après les éléments de preuve découverts sur place, a dû arriver là-bas au garçonnet. La nervosité de Reggie s'intensifie – même les interruptions et les interventions répétées de l'assistante sociale ne l'apaisent pas –, et même s'il est clair qu'il a très certainement été impliqué dans un événement horrible, ses parents ne prêtent pas attention à ce détail, continuant à s'efforcer de faire cadrer la conduite de leur fils avec quelque chose qu'eux-mêmes sont susceptibles d'approuver. Dans cette attitude on voit l'essence même du parent narcissique, et dans la personne de Reggie on voit à quels extrêmes une éducation de ce type peut mener un enfant.

Ian Barker se trouve confronté à une situation analogue, mais lui, pour sa part, demeure stoïque tout du long. C'est seulement par des dessins ultérieurs réalisés lors de séances avec un pédopsychiatre que l'étendue de sa participation au crime sera révélée. Pendant les interrogatoires, il maintient sa version comme quoi il ne sait « rien sur aucun bébé », même quand on lui montre le film de vidéosurveillance et qu'on lui lit les déclarations des témoins qui l'ont vu en compagnie des autres garçons et de John Dresser. Durant tout ce temps, sa grand-mère ne cesse de pleurer. On l'entend sur la bande : ses gémissements s'élèvent périodiquement et les murmures de l'assistante sociale répétant « Je vous en prie, Mrs Barker » ne parviennent pas à la calmer. Ses seules remarques sont : « J'ai un devoir à remplir », mais rien n'indique qu'elle considère que la communication avec son petit-fils participe de ce devoir. S'il est compréhensible qu'elle ait éprouvé un terrible sentiment de culpabilité pour avoir abandonné Ian aux soins inadéquats et souvent violents de sa mère, elle ne semble pas effectuer la relation entre cet acte d'abandon, et les violences affectives et psychologiques qui ont suivi, et ce qui est arrivé à John Dresser. De son côté, Ian ne réclame jamais sa mère. Comme s'il savait d'avance qu'il serait livré à lui-même durant toute l'enquête, avec pour principal soutien une assistante sociale qu'il ne connaissait même pas avant le crime.

Quant à Michael Spargo, nous avons déjà vu que son abandon par Sue Spargo était survenu presque tout de suite, durant le premier entretien de son fils avec la police. Ce détail s'accordait au reste de sa vie : la désertion du père avait dû profondément affecter tous les fils Spargo ; l'alcoolisme et les autres carences de la mère avaient forcément exacerbé le sentiment d'abandon de Michael. Sue Spargo s'était déjà montrée incapable de mettre un terme aux violences en chaîne qui sévissaient entre ses neuf fils. Michael n'avait sans doute aucun espoir que sa mère soit à même d'empêcher toute autre catastrophe qui puisse lui arriver.

Après leur arrestation, Michael, Reggie et Ian furent interrogés à de nombreuses reprises, jusqu'à sept fois en une seule journée. Comme on peut l'imaginer, compte tenu de l'énormité et de l'horreur du crime commis, chacun accusa les deux autres. Il y avait certains événements dont aucun des garçons n'acceptait de discuter – en particulier ceux qui avaient trait à la brosse à cheveux volée au Tout à une livre –, mais nous pouvons cependant affirmer que Michael Spargo et Reggie Arnold étaient tous deux conscients de la malignité de leurs actes. Malgré leurs protestations d'innocence initiales, les innombrables références aux « trucs faits à ce bébé » combinées à leur désarroi grandissant lorsque venaient sur le tapis certains sujets (et, dans le cas de Reggie Arnold, les supplications hystériques répétées à l'adresse de ses parents pour qu'ils ne le haïssent pas) nous indiquent qu'ils avaient pleinement conscience de toutes les limites qui avaient été franchies en matière de décence et d'humanité pendant qu'ils se trouvaient avec John Dresser. Jusqu'au bout, Ian Barker, quant à lui, était demeuré impassible, stoïque, comme si les circonstances de sa vie l'avaient vidé non seulement de toute conscience morale mais aussi du moindre sentiment d'empathie qu'il aurait pu éprouver envers autrui.

« Est-ce que tu comprends ce que sont des preuves médico-légales, mon garçon ? » Tels furent les mots qui entrouvrirent la porte des aveux, car c'étaient bien des aveux que la police voulait obtenir des garçons, de la même manière que c'étaient des aveux qu'elle voulait obtenir de tous les criminels. Lors de leurs arrestations, les uniformes scolaires des garçons, leurs chaussures et leurs vêtements chauds avaient tous été rassemblés pour être examinés, et les traces prélevées sur ces articles les situaient non seulement sur le chantier Dawkins mais également en compa-

gnie de John Dresser durant les terribles
derniers instants de sa vie. Les chaussures
des trois garçons étaient aspergées du sang
du petit ; des fibres de leurs vêtements
étaient présentes non seulement sur la
combinaison de ski de John mais aussi dans
ses cheveux et sur son corps ; leurs
empreintes se trouvaient sur le dos de la
brosse à cheveux, sur des tuyaux en cuivre
provenant du chantier, sur la porte des W-C
chimiques, sur le siège des toilettes à
l'intérieur de la cabine, et sur les petites
tennis blanches de John Dresser. Les éléments contre eux étaient inattaquables mais,
lors des premiers entretiens, la police,
bien sûr, ne pouvait pas le savoir, les
preuves n'ayant pas encore été analysées.

Au bout du compte, du point de vue de la
police ainsi que des travailleurs sociaux,
les aveux des garçons allaient être utiles
à plusieurs titres : ils allaient donner
naissance à la loi d'outrage à la cour
récemment votée, mettant un terme non seulement aux conjectures de plus en plus
hystériques de la presse sur l'affaire mais
aussi à la possibilité que des fuites sur-
viennent et que des détails préjudiciables
au procès soient livrés au public ; ils
allaient permettre à la police de se concentrer sur l'élaboration d'un dossier solide
à l'encontre des garçons à présenter à la
Couronne ; ils allaient donner aux psychologues les matériaux nécessaires à une

évaluation des garçons. Dans l'ensemble, les policiers n'envisageaient pas les aveux comme se rattachant au processus de guérison des garçons. Qu'il y ait eu « des problèmes non négligeables dans toutes les familles concernées » (selon les dires du commissaire Mark Bernstein dans une interview donnée deux ans après le procès) était évident pour tout le monde, mais les policiers n'estimaient pas de leur devoir de citer comme circonstances atténuantes les dégâts psychologiques et affectifs subis par Michael Spargo, Ian Barker et Reggie Arnold dans leurs propres familles. On ne peut assurément pas le leur reprocher, même si la nature frénétique du crime reflète en définitive chez chacun des enfants une psychopathologie très profonde. Car la mission de la police consistait à amener devant la justice les responsables du meurtre de John Dresser et, par ce biais, à apporter un soulagement, si maigre soit-il, aux souffrances de ses parents.

Chose prévisible, les garçons commencent par s'accuser mutuellement quand on leur annonce que le corps de John Dresser a été retrouvé et que, aux alentours des W-C chimiques, toutes sortes d'indices, aussi bien des empreintes de pieds que des matières fécales, ont été prélevés et vont être analysés par des criminologues, et reliés, à coup sûr, aux ravisseurs de l'enfant. « C'est Ian qui a eu l'idée d'embarquer le môme », déclare Reggie Arnold, s'adressant non pas au policier qui l'interroge mais plutôt à sa mère, à qui il affirme : « Maman. Je te promets. J'ai jamais enlevé ce môme. » Michael Spargo accuse Reggie, et Ian Barker ne dit rien jusqu'à ce qu'on lui apprenne l'accusation de Reggie, sur quoi il déclare : « Je voulais ce chaton, c'est tout. » Tous commencent par des protestations comme quoi ils n'ont « pas fait de mal au bébé », et Michael est le premier à reconnaître qu'ils l'ont « peut-être embarqué pour aller faire un tour ». « Mais c'était parce qu'on savait pas d'où il venait. »

Les trois garçons sont encouragés tout du long à dire la vérité. « La vérité vaut mieux que le mensonge, fiston », ne cesse de répéter à Michael Spargo le policier qui l'interroge. « Il faut que tu parles. S'il te plaît, mon chou, il faut que tu parles », serine sa grand-mère à Ian Barker. Quant à Reggie, il s'entend conseiller par ses parents : « Crache le morceau, maintenant, comme un truc pas bon dans ton ventre que tu dois évacuer. » Mais la vérité pleine et entière est de toute évidence une abomination telle que les garçons redoutent de l'aborder, et leurs réactions aux injonctions susmentionnées illustrent les divers moyens de défense auxquels ils ont recours pour éviter de dire cette vérité.

18

L'homme refit son apparition à la ferme pendant que Gordon donnait de l'eau aux poneys. Dix minutes de plus et Gordon aurait été parti pour la journée, à travailler sur le toit du pub du Royal Oak. Là, il était coincé. Il se tenait à l'intérieur du paddock, un tuyau d'arrosage à la main et Gina qui l'observait depuis la clôture. Cette fois elle n'avait pas voulu entrer dans l'enclos. Les poneys, ce matin, avaient l'air ombrageux : elle n'avait pas le cran pour l'instant.

À cause du bruit de l'eau coulant dans l'abreuvoir, Gordon n'entendit pas le moteur de la voiture alors que celle-ci s'engageait avec fracas dans l'allée. Gina, quant à elle, le remarqua, et elle appela timidement Gordon au moment où le claquement de portière attirait son attention.

Il vit les lunettes de soleil. Elles attrapaient la lumière du matin comme des ailes de chauve-souris. L'homme se dirigea vers la clôture, et le mouvement de ses lèvres indiqua à Gordon qu'il était bien décidé à se délecter.

L'homme dit à Gina sur un ton soigneusement calculé pour exprimer une totale absence de sympathie :

543

— Journée magnifique, ma chère, vous ne trouvez pas ? Encore un peu chaud, mais on ne va pas se plaindre. Le beau temps est une denrée trop rare dans ce pays, n'est-ce pas ?

Gina jeta un coup d'œil à Gordon, un bref regard chargé de questions qu'elle ne poserait pas. Elle répondit :

— Je ne dirais pas non à un peu d'air frais, c'est vrai.

— Ah, vraiment ? Et notre Gordon, il vous évente donc pas après l'effort, quand vous êtes tous les deux complètement en nage ?

Il sourit, un dévoilement de dents aussi fourbe que tout le reste de sa personne.

— Qu'est-ce que tu veux ?

Gordon lança le tuyau sur le côté. L'eau continuait à s'en échapper en gazouillant. Les poneys, surpris par la brusquerie de son geste, s'éloignèrent en trottant vers l'autre bout du paddock. Gordon se dit que Gina allait peut-être entrer dans l'enclos, maintenant que les poneys avaient pris le large. Mais elle resta près de la clôture, les mains agrippant un des poteaux neufs. Pour la énième fois, il maudit ce bout de bois vertical et tous ses frères. Il aurait mieux fait de laisser pourrir tout ça, songea-t-il.

— Pas très sympa, comme accueil. Ce que je veux, c'est une petite conversation. On peut l'avoir ici ou bien on peut aller faire un tour en voiture.

— J'ai du travail.

— Ce sera pas long.

L'homme ajusta son pantalon. Gordon détourna le regard. L'autre dit :

— Qu'est-ce qui te ferait plaisir, trésor ?

544

— Je dois aller bosser.

— Ça, je sais bien. Bon alors… un petit tour en voiture ? Je l'emmène pas loin. Il sera déjà rentré qu'il aura même pas eu le temps de vous manquer, ajouta-t-il pour Gina.

Le regard de Gina navigua de Gordon à l'homme pour revenir se poser sur Gordon. Il voyait bien qu'elle était effrayée, et il éprouva une bouffée de rage impuissante. C'était le but recherché, bien sûr. Il devait à tout prix se débrouiller pour que ce salopard vide les lieux.

Il rejoignit le robinet et ferma l'eau. Il s'écria :

— Allons-y !

Puis il chuchota à Gina en la dépassant :

— Tout va bien. Je reviens.

— Mais pourquoi tu dois…

— Je reviens.

Il monta dans la voiture. Derrière lui, il entendit ricaner : « C'est-y pas mignon », et peu après ils faisaient marche arrière dans l'allée pour rejoindre le chemin. Alors qu'ils roulaient en direction de Sway, l'homme déclara :

— T'es une foutue petite ordure, quand même. Elle mouillerait pas comme ça pour toi si elle savait de quoi il retourne…

Gordon ne dit rien mais il sentit son cœur se soulever. Au bout du chemin, ils tournèrent à gauche et mirent le cap sur Sway. Gordon crut d'abord que leur destination était le village lui-même, mais ils dépassèrent l'hôtel, franchirent en cahotant les voies ferrées puis prirent vers le nord-ouest après un lotissement. Ils roulaient en direction du cimetière, avec ses tombes bien alignées qu'entouraient des bouquets d'aulnes, de hêtres et de bouleaux. C'était sûrement là que Jemima serait enterrée. Les vieux cimetières des environs étaient pleins, et il doutait qu'il existe une concession familiale quelque part, car elle n'avait jamais rien mentionné de tel, et ses parents avaient été incinérés. Elle n'avait jamais parlé de la mort, hormis pour lui raconter l'histoire de ses parents, et il lui en avait été reconnaissant, même s'il ne s'en rendait compte que maintenant.

Ils dépassèrent le cimetière. Gordon était sur le point de demander où ils allaient quand, après avoir tourné à gauche sur un sentier creusé d'ornières, ils aboutirent à une aire de stationnement pleine de bosses. Il s'agissait de Set Thorns Inclosure, une zone boisée comme il y en avait tant dans la Perambulation, protégée par une clôture en attendant que la végétation ait atteint une taille suffisante pour ne plus risquer d'être abîmée par les animaux en liberté.

Des sentiers pédestres serpentaient à travers cette vaste étendue de forêt, mais il n'y avait qu'une autre voiture garée, vide. Ils avaient donc les bois pratiquement pour eux seuls, exactement comme le désirait l'homme.

— Allez, viens, chéri, dit-il à Gordon. On va se dégourdir un peu les jambes, d'accord ?

Gordon savait qu'il était inutile d'essayer de gagner du temps. Il devait se faire une raison. Il y avait certaines situations qu'il maîtrisait. Mais celle-ci n'en faisait pas partie.

Il sortit dans l'air matinal. Il régnait une odeur fraîche et pure. Il y avait une barrière un peu plus loin. Il la rejoignit, l'ouvrit, pénétra dans l'enclos et attendit les instructions. Elles ne tardèrent pas à venir. Les sentiers partaient dans trois directions, s'enfonçant dans la

546

forêt ou suivant à droite et à gauche la lisière des bois. Il se moquait pas mal du sentier choisi : l'issue serait probablement identique.

Un examen du terrain suffit à lui indiquer par où ils passeraient. Des empreintes de pattes et de pieds qui paraissaient récentes menaient au cœur des bois : ils allaient donc prendre un autre itinéraire. Longeant la réserve par le sud-est, celui-ci plongeait ensuite dans un vallon, puis remontait sous des châtaigniers avant de traverser d'épais massifs de houx. Les forestiers de la Perambulation avaient profité de certaines zones dégarnies pour entasser du bois qu'ils avaient coupé ou que des tempêtes avaient fait tomber. Ici les fougères étaient touffues et luxuriantes : leur croissance était stimulée par la lumière qui filtrait à travers les arbres, mais le bord de leurs frondes commençait déjà à brunir. À la fin de l'été et quand viendrait l'automne, elles formeraient sur le sol, là où le soleil pénétrait le plus ardemment, un tapis de dentelle brune.

Ils poursuivirent leur chemin, Gordon attendant la suite. Ils ne virent personne, même s'ils entendirent un chien qui aboyait au loin. Le seul bruit était celui des oiseaux : les cris stridents des corvidés et les chants intermittents des pinsons bien cachés dans les frondaisons. C'était un endroit riche en vie sauvage, où les écureuils se nourrissaient des innombrables fruits tombés des châtaigniers, et où un reflet auburn dans le sous-bois trahissait indéniablement la présence de renards.

L'ombre était reposante, et l'air embaumait. En marchant ainsi sous les arbres, Gordon oubliait presque qu'il était suivi par un être résolu à lui nuire.

— Ça va, on est assez loin, dit l'homme.

547

Il se plaça derrière Gordon et lui posa une main sur l'épaule.

— Maintenant je vais te raconter une histoire, mon chéri.

Ils étaient à quelques centimètres. Gordon sentait l'haleine brûlante et avide de l'homme sur sa nuque. Le sentier s'élargissait, formant une petite clairière, et devant eux il semblait y avoir une sorte d'embranchement et ensuite une barrière. Plus loin les bois prenaient fin, et il distingua une étendue de pelouse. Des poneys y broutaient placidement en toute sécurité, à l'écart des routes et des voitures.

— Mon mignon, il va falloir que tu te retournes et que tu me regardes. Voilà, comme ça. Parfait, mon trésor.

Nez à nez avec l'homme, Gordon distinguait beaucoup plus de détails qu'il ne l'aurait voulu – les pores dilatés, les points noirs, les poils qui avaient échappé au rasage matinal – et percevait dans sa sueur les relents de son impatience. Il se demanda quel effet cela faisait de posséder une telle suprématie sur quelqu'un, mais il eut la sagesse de ne pas poser la question. Il avait tout intérêt à la jouer fine, et s'il y avait une chose qu'il savait depuis longtemps, c'était qu'il lui fallait subir pour continuer à tenir.

— Alors on a été découverts.

— Qu'est-ce que tu veux dire ?

— Oh, je crois que tu sais. Tu as eu une visite des flics, non ? Ils sont sur ta trace. Qu'est-ce que tu dis de ça ?

— Les flics ne savent rien si tu ne leur dis rien, déclara Gordon.

— Tu crois ça, hein ? N'empêche, ils sont remontés jusqu'à Winchester, mon cœur. Où tu crois qu'ils vont aller maintenant qu'ils savent que c'est du bidon ? Quelqu'un a sûrement compris.

— Eh bien, non, tu te trompes. Et je ne vois pas ce que ça peut faire. J'avais pas besoin de ces foutues lettres de toute façon.

— Ah oui, c'est ce que tu crois ?

Il se rapprocha d'un pas. Ils étaient poitrine contre poitrine à présent et Gordon avait envie de reculer, tant il se sentait violé dans son intimité. Mais il savait comment ce recul serait interprété. L'autre voulait que la peur le submerge.

— J'ai appris le métier. J'ai exercé le métier. J'ai monté mon affaire. Qu'est-ce que tu veux d'autre ?

— Moi ?

Sa voix respirait l'innocence et la surprise.

— Qu'est-ce que *moi* je veux ? Mon petit chéri, il ne s'agit pas de moi.

Gordon ne répondit pas. Sa salive avait un goût aigre lorsqu'il déglutit. Il entendit un chien japper avec excitation quelque part. Son maître l'appela pour le calmer.

L'homme leva la main et Gordon sentit la chaleur de la paume lui entourer la nuque. Puis les doigts se serrèrent juste derrière ses oreilles, le pouce et l'index augmentant lentement leur pression jusqu'à ce que leur étau devienne insupportable. Il refusa de réagir, de cligner des yeux, de gémir. Il déglutit à nouveau. Sa salive était amère comme de la bile.

— Mais si quelqu'un veut quelque chose, on sait tous les deux qui c'est, pas vrai ? Et ce quelque chose, on sait tous les deux ce que c'est. Tu sais ce que *moi* je pense qu'il faudrait faire, pas vrai ?

Gordon ne répondit pas. La pression s'accentua.

— Tu le sais, chéri ? Réponds-moi. Tu sais ce que je pense qu'il faudrait faire, hein ?

— Je m'en doute.

— Quelques petits mots de ma part. Cinq ou six mots. Ça ne peut pas être ce que tu veux, quand même ?

Il secoua légèrement la tête de Gordon, un geste qui aurait pu paraître tendre sans la pression douloureuse derrière ses oreilles. La gorge de Gordon lui faisait mal ; la tête lui tournait.

— Tu es ligoté.

L'espace d'un instant, rien. Puis l'autre chuchota :

— Je. Suis. Quoi ?

— Ligoté. Tu le sais. Le jeu que tu joues…

— Bordel, je vais t'en montrer un, moi, de jeu…

Et ce sourire, ce dévoilement des dents comme un animal. Sauf que voir cet homme comme un animal, c'était faire insulte aux animaux.

— À terre, dit-il, parlant entre ses dents. Allez, à terre. C'est ça. À genoux.

Il souligna son ordre par une pression renforcée de la main. Gordon ne pouvait qu'obéir.

Il n'était qu'à quelques centimètres du bas-ventre de l'autre, et il vit les doigts poilus trouver adroitement la fermeture Éclair. Ils la baissèrent en douceur, comme si elle avait été graissée en prévision de ce moment. La main se glissa à l'intérieur.

Le chien interrompit la scène. Un setter irlandais qui surgit d'un bond sur le sentier. Il arriva en trottinant depuis l'embranchement puis aboya. Quelqu'un appela :

— Jackson ! Viens là, mon chien. Viens là.

Gordon se retrouva soudain debout. Le setter le rejoignit et renifla autour de ses pieds.

— Jackson ! Jackson ! Où tu es ? Viens ici !

— Il est ici ! cria Gordon. Il est par ici.

L'autre sourit, sans montrer ses dents cette fois-ci, une expression qui disait que les choses étaient simplement retardées, pas annulées. Il chuchota :

— Un seul mot de moi et tu sais qui rapplique. Un seul mot de moi et pfft... plus rien. Tu garderas ça en tête, d'accord ?

— Va te faire foutre, dit Gordon.

— Ah, mais pas sans toi, mon cher. C'est justement ça qui fait tout le sel de la situation.

Meredith Powell trouva sans trop de difficultés les locaux qu'elle cherchait. Ils se situaient dans Christchurch Road près de la caserne des pompiers, et elle s'y rendit à pied depuis Gerber & Hudson Graphisme pendant sa pause du matin.

Elle ne savait pas à quoi s'attendre de la part d'un détective privé. Elle en avait vu à la télé, et on semblait toujours mettre l'accent sur leur excentricité. Or ce n'était pas d'excentricité qu'elle avait besoin, mais d'efficacité. Elle n'avait pas des fortunes à mettre là-dedans, mais elle devait absolument tenter le coup.

Cet appel sur le portable de Gina l'avait convaincue, tout comme le fait que le portable n'était pas entre les mains de Gina. Certes, Gina aurait pu avoir simplement oublié de le prendre avec elle avant de s'en aller ce jour-là, mais comme elle semblait avoir plus ou moins élu domicile chez Gordon, pourquoi, dans ce cas, n'était-elle pas retournée le chercher quand elle s'était rendu compte qu'il n'était pas dans ses affaires ? Meredith avait l'impression qu'il n'y avait qu'une réponse possible : Gina n'était pas retournée le chercher parce qu'elle ne voulait pas l'avoir, avec elle, elle ne voulait pas qu'il sonne, qu'il vibre, qu'il prenne des messages, qu'il reçoive des SMS ou qu'il fasse quoi que ce soit en présence de Gordon Jossie. Gina était décidément quelqu'un de louche. Meredith allait donc s'adresser au cabinet de détective Daugherty.

À la grande surprise de Meredith, le Daugherty en question s'avéra être une femme d'un certain âge. Aucun imper froissé, aucune plante en pot poussiéreuse, aucun bureau en acier cabossé dans son agence. Au lieu de cela, la femme portait un tailleur d'été de couleur verte et des chaussures confortables, et son mobilier professionnel était impeccablement ciré. Il n'y avait pas de plantes du tout, poussiéreuses ou non. Seulement des gravures aux murs, représentant la faune et la flore de la New Forest.

Il y avait des photos sur son bureau, des clichés apaisants d'enfants et de petits-enfants. Elle avait un ordinateur portable ouvert devant elle ainsi qu'une pile de papiers bien rangés à côté, mais elle referma le portable et accorda toute son attention à Meredith durant les quelques minutes de leur entretien.

Meredith l'appela Mrs Daugherty. Elle s'entendit répondre que Michele ferait l'affaire. Elle prononçait son prénom avec l'accent sur la première syllabe. Elle expliqua :

— Un prénom pas banal pour ma génération, mais mes parents étaient des précurseurs.

Meredith ne savait pas trop ce que cela signifiait. Elle se trompa une fois dans l'accentuation mais rectifia aussitôt, ce qui sembla faire plaisir à la détective : Michele Daugherty lui fit en effet un clin d'œil, la mine rayonnante.

Meredith alla droit au but : elle désirait toutes les informations susceptibles d'être découvertes sur une certaine Gina Dickens. La moindre petite chose, précisa-t-elle. Elle ne savait pas ce que la détective réussirait à découvrir, mais elle espérait obtenir autant d'éléments que possible.

— Rivalité ?

Le ton de la détective suggérait que ce n'était pas la première fois qu'une femme venait réclamer des renseignements sur une autre femme.

— On peut dire ça, acquiesça Meredith. Mais c'est pour une amie.

— Comme toujours.

Elles discutèrent quelques instants des honoraires, et Meredith sortit son carnet de chèques, car, à la télé, le client versait toujours un acompte. Mais Michele Daugherty lui fit signe de ranger son chéquier. Meredith la paierait une fois les services rendus.

Et voilà. Une opération expédiée. Meredith repartit chez Gerber & Hudson, persuadée d'avoir pris là une mesure nécessaire.

Elle se mit pourtant presque aussitôt à en douter. Gina Dickens l'attendait. Elle était assise sur une chaise dans le petit carré qui tenait lieu d'accueil, les pieds à plat sur le sol et son sac sur les genoux. Quand Meredith entra, elle se leva et approcha.

— Je ne savais pas vers qui d'autre me tourner, chuchota-t-elle, pleine d'inquiétude. Vous êtes la seule personne que je connaisse dans la New Forest. On m'a dit que vous étiez sortie un instant mais que je pouvais vous attendre.

Meredith se demanda si par hasard Gina n'avait pas fait de fâcheuses découvertes. Appris, par exemple, qu'elle était allée dans sa chambre au-dessus du salon de thé du Chapelier Fou, qu'elle avait répondu quand le portable avait sonné, qu'elle avait regardé ce qui était caché sous le lavabo, qu'elle venait à l'instant de recruter une détective privée pour fouiller dans la vie de Gina. Elle éprouva de la mauvaise conscience, qu'elle s'empressa de refouler. Malgré l'expression de Gina, qui semblait mêler supplication et peur, ce n'était pas le moment de se laisser envahir par les scrupules. De toute façon, ce qui était fait était fait. Jemima était morte et il y avait trop de questions réclamant des réponses.

Meredith regarda en direction de la petite niche qui lui servait de bureau. Ce coup d'œil était censé faire comprendre à Gina qu'elle était pressée, mais, apparemment, Gina n'avait pas l'intention de comprendre quoi que ce soit. Elle expliqua :

— J'ai trouvé… Meredith, ce que j'ai trouvé… Je ne sais pas quoi en penser mais je crois que je sais, or je n'ai pas envie de savoir et j'ai besoin de parler à quelqu'un…

Gina avait donc trouvé quelque chose… La curiosité de Meredith fut aussitôt en éveil.

— Qu'est-ce que c'est ?

Gina tressaillit, comme si Meredith avait parlé trop fort. Elle balaya la pièce du regard.

— On peut discuter dehors ?

— J'ai fini ma pause. Il faut que je…

— S'il vous plaît. Cinq minutes. Moins, même. Je…
J'ai téléphoné à Robbie Hastings pour savoir où vous
étiez. Il ne voulait pas me le dire. Mais je lui ai
expliqué que vous et moi nous avions parlé et que
j'avais besoin de me confier à une femme, et étant
donné que je n'ai pas encore d'amies dans le coin…
Oh, c'est stupide de s'attacher à un homme. Je le savais
mais je l'ai fait quand même avec Gordon, parce qu'il
avait l'air tellement différent des hommes que j'ai
connus…

Ses yeux s'emplirent de larmes et son regard mouillé
devint d'autant plus lumineux. C'était ridicule, comme
réflexion, mais Meredith se demanda comment elle s'y
prenait. Comment une femme arrivait-elle à rester
séduisante en étant comme ça sur le point de pleurer ?
Elle-même devenait toute rouge à chaque fois.

Meredith indiqua la porte. Elles se retrouvèrent sur
le palier. Gina comptait descendre pour sortir dans High
Street, mais Meredith l'arrêta :

— Il faut que je reste là.

Quand Gina se retourna, interloquée par sa brusquerie, elle ajouta :

— Désolée.

— Oui, bien sûr.

Gina eut un sourire tremblant.

— Merci. Je vous suis reconnaissante. Vous
comprenez, je ne savais plus à qui…

Elle se mit à fourrager dans son sac en paille, d'où
elle sortit une simple enveloppe. Elle baissa la voix.

— Des policiers de Londres sont venus nous voir.
Scotland Yard. Ils sont venus au sujet de Jemima et ils
ont demandé à Gordon – ils nous ont demandé à tous
les deux – où on était le jour où elle a été tuée.

Meredith ressentit un élancement de plaisir. Scotland Yard ! Un hourra triomphant retentit dans sa tête.

— Et ? demanda-t-elle.

Gina regarda autour d'elle comme pour vérifier que personne n'écoutait.

— Gordon y est allé.

Meredith lui empoigna le bras.

— Quoi ? À Londres ? Le jour où elle a été assassinée ?

— La police est venue parce qu'ils ont trouvé une carte postale. Il y avait une photo dessus. Meredith... il en a collé dans tout Londres. Du moins dans le quartier où il pensait qu'elle était. Il l'a admis quand les policiers la lui ont montrée.

— Une carte postale ? Avec sa photo ? Enfin, bon Dieu, qu'est-ce que... ?

Gina expliqua laborieusement. Meredith avait du mal à suivre : la National Portrait Gallery, une photo, une espèce de concours, une publicité, enfin bon... Gordon était tombé sur la photo, il était allé à Londres il y avait plusieurs mois, il avait acheté Dieu sait combien de cartes postales et il les avait collées partout comme des avis de recherche.

— Il a mis son numéro de portable au dos, dit Gina.

Meredith sentit un froid glacial sur ses bras.

— Quelqu'un lui a téléphoné après avoir vu la carte, chuchota-t-elle. Il l'a retrouvée, c'est ça ?

— Je ne sais pas. Il a prétendu que non. Il m'a raconté qu'il était en Hollande.

— Quand ?

— Ce fameux jour. Quand Jemima... Vous savez bien. Mais ce n'est pas ce qu'il a dit à la police, Meredith. Non, il leur a dit qu'il travaillait. Je lui ai demandé pourquoi il leur avait raconté ça et il a dit que Cliff pourrait lui procurer un alibi.

— Pourquoi il ne leur a pas dit tout simplement qu'il était en Hollande ?

— C'est ce que je lui ai demandé. Il m'a répondu qu'il ne pouvait pas le prouver, qu'il avait jeté tous les justificatifs. J'ai objecté qu'ils pourraient téléphoner à l'hôtel où il avait séjourné et au fermier avec qui il avait discuté mais… Meredith, ce n'était pas la question, en fait.

— Que voulez-vous dire ? Pourquoi ce n'était pas la question ?

— Parce que…

Sa langue pointa et elle se lécha les lèvres, dont le rose qui les rehaussait rappelait une des couleurs de sa robe bain de soleil.

— Je savais déjà, vous comprenez.

— Quoi ?

Meredith sentit la tête lui tourner.

— Il était bel et bien à Londres ? Le jour où elle est morte ? Alors pourquoi vous n'avez pas…

— Parce qu'il ne savait pas – il ne sait toujours pas – que j'ai découvert son mensonge. Il évite certains sujets depuis des lustres, et chaque fois que j'aborde une question dont il ne veut pas discuter, il esquive. Deux fois, même, il s'est un peu énervé, et la dernière fois que ça lui est arrivé, il… il m'a fait peur. Et maintenant que j'y pense, si c'était lui ? S'il… ? Je déteste me dire que ça peut être vrai mais… J'ai peur, et je ne sais pas quoi faire. Regardez, dit-elle en fourrant l'enveloppe dans les mains de Meredith.

Celle-ci glissa son doigt sous le rabat, qui n'était pas collé mais simplement glissé à l'intérieur. L'enveloppe ne contenait que trois choses : deux billets de train aller et retour pour Londres, et une note d'hôtel pour une nuit. La facture d'hôtel avait été réglée par carte de crédit et Meredith conclut que la date du séjour correspondait à celle de la mort de Jemima.

— Je les ai trouvés le lendemain de son retour, reprit Gina. Je sortais les poubelles et ils étaient tout au fond. Je ne les aurais pas vus si je n'avais pas fait tomber une boucle d'oreille dans la corbeille à papier. J'ai plongé la main dedans, j'ai aperçu la couleur du billet de train et j'ai compris ce que c'était. En voyant le billet, je me suis dit qu'il était allé là-bas à cause de Jemima. J'ai d'abord pensé que ce n'était pas fini entre eux, contrairement à ce qu'il m'avait dit, ou qu'ils avaient encore certaines choses à régler. J'aurais dû lui en parler tout de suite, mais je ne l'ai pas fait. J'étais… Vous savez comment c'est quand on a peur d'entendre la vérité ?

— Quelle vérité ? Seigneur, vous pensiez qu'il avait fait quelque chose à Jemima ?

— Non, non ! Je ne savais pas qu'elle était morte ! Je croyais juste que ce n'était pas fini entre eux. Je croyais qu'il l'aimait toujours et que si je le mettais au pied du mur c'est ce qu'il me répondrait. Alors ce serait terminé entre nous et elle reviendrait, or je ne pouvais pas supporter l'idée qu'elle revienne.

Meredith plissa les yeux. Elle pigeait le raisonnement, en effet : Jemima et Gordon s'étaient peut-être bel et bien rabibochés. Jemima comptait peut-être bel et bien revenir. Mais, si tel était le cas, qu'est-ce qui aurait empêché Gina de faire elle-même le voyage jusqu'à Londres, de se débarrasser de Jemima, puis de garder le billet de train et la facture de l'hôtel pour

coller le crime sur le dos de Gordon ? Jolie petite ven-
geance pour une femme bafouée…

Pourtant, Meredith sentait qu'il y avait quelque
chose qui clochait dans tout ça. Ces différents scéna-
rios lui donnaient le tournis.

— J'ai peur, dit Gina. Il y a un truc vraiment tordu,
Meredith.

Celle-ci lui rendit l'enveloppe.

— Il faut que vous remettiez ça à la police.

— Mais alors ils reviendront le voir. Il saura que
c'est moi qui l'ai dénoncé, et si c'est vrai qu'il a fait du
mal à Jemima…

— Jemima est morte. On ne lui a pas simplement
« fait du mal ». Elle a été assassinée. Et la personne qui
a commis ce meurtre doit être retrouvée.

— Oui. Bien sûr. Mais si c'est Gordon… Ça ne peut
pas être Gordon. Je refuse de croire… Il doit y avoir
une explication.

— Enfin quoi, il va bien falloir que vous lui demandiez, non ?

— Non ! Je suis en danger s'il… Meredith, vous ne
comprenez donc pas ? Je vous en prie. Si vous ne
m'aidez pas… Je ne peux pas faire ça toute seule.

— Il le faut.

— Vous ne voulez pas… ?

— Non. C'est vous qui connaissez l'histoire. Qui
êtes au courant des mensonges. Il n'y aurait qu'un seul
résultat si j'allais voir la police.

Gina garda le silence. Ses lèvres tremblaient. Quand
ses épaules s'affaissèrent, Meredith sut que Gina avait
compris ce qu'elle voulait dire. Si Meredith apportait
les billets de train et la facture d'hôtel à la police locale
ou aux flics de Scotland Yard, elle ne ferait que répéter

ce que quelqu'un d'autre lui avait raconté. La police irait aussitôt voir ce quelqu'un d'autre, et Gordon Jossie serait probablement sur place quand les inspecteurs débarqueraient.

Les larmes de Gina se mirent à couler, mais elle les essuya.

— Vous viendrez avec moi ? J'irai voir la police, mais je n'ai pas le courage toute seule. C'est une grosse trahison. Tout ça ne veut peut-être rien dire, et, dans ce cas, vous vous rendez compte de ce que je suis en train de faire ?

— Ça ne veut pas rien dire, protesta Meredith. Nous le savons toutes les deux.

Gina baissa les yeux.

— Oui. D'accord. Mais imaginez que j'aille au commissariat et que je flanche au moment d'entrer dans le bâtiment et de tout déballer… Qu'est-ce que je ferai quand ils viendront chercher Gordon ? Parce qu'ils viendront forcément. Ils verront qu'il a menti, ils viendront et il saura. Oh mon Dieu. Oh mon Dieu. Comment est-ce que j'en suis arrivée là ?

La porte de Gerber & Hudson s'ouvrit, et la tête de Randall Hudson apparut. Il n'avait pas l'air content et il s'en expliqua clairement :

— Vous comptez revenir travailler à un moment ou un autre, Meredith ?

Meredith sentit le feu lui monter aux joues. Elle n'avait jamais été rabrouée par son patron jusqu'alors. Elle dit à voix basse à Gina Dickens :

— Très bien. Je viendrai avec vous. Passez me prendre ici à cinq heures et demie. Pardon, désolée, Mr Hudson. Juste une petite urgence. C'est réglé maintenant.

Ce n'était pas tout à fait vrai. Mais cela le serait d'ici à quelques heures.

Barbara Havers avait téléphoné à Lynley en l'absence de Winston Nkata. Ce n'était pas tant qu'elle voulait cacher à Winston qu'elle téléphonait à son ancien équipier, c'était une question d'horaire. Elle avait voulu contacter l'inspecteur avant qu'il n'arrive au Yard ce jour-là. D'où cet appel matinal, qu'elle avait passé depuis sa chambre d'hôtel à Sway.

Elle avait joint Lynley alors qu'il prenait son petit déjeuner. Il l'avait mise au courant des événements de Londres. Comme il ne s'était pas étendu sur les performances d'Isabelle Ardery, Barbara se demanda ce qu'il pouvait lui cacher au sujet de la commissaire principale. Elle reconnut dans sa réticence cette forme singulière de loyauté qui était la sienne et dont elle bénéficiait elle-même depuis longtemps ; elle éprouva un pincement de quelque chose qu'elle refusait de nommer.

— Si elle croit tenir son homme, pourquoi elle ne nous a pas fait revenir à Londres, dans ce cas ? lui demanda-t-elle.

— Les choses sont allées vite. Je suppose que vous aurez de ses nouvelles aujourd'hui.

— Et d'après votre analyse, qu'est-ce qu'il en est ?

En fond sonore, elle entendait le cliquetis des couverts contre la porcelaine. Elle se représentait Lynley dans la salle à manger de son hôtel particulier, le *Times* et le *Guardian* à proximité sur la table et une cafetière en argent à portée de main. Il était du genre à servir le café sans en renverser une goutte, et à réussir à ne faire aucun bruit en tournant sa cuillère dans sa tasse. Comment ces gens-là se débrouillaient-ils ?

— Elle ne tire pas de conclusions hâtives, lâcha-t-il enfin. Matsumoto avait dans sa chambre ce qui ressemblait à l'arme. On a envoyé l'objet au labo. Il avait aussi une des cartes postales, glissée dans un livre. Son frère ne croit pas qu'il lui ait fait du mal, mais il n'y a pas grand monde qui abonde dans son sens.

Barbara remarqua qu'il avait éludé sa question.

— Et vous, monsieur ? insista-t-elle.

Elle l'entendit soupirer.

— Barbara, je n'en sais rien. J'ai montré à Simon la photo de cette pierre qu'on a trouvée dans la poche de la victime. Elle est bizarre. Je ne sais pas ce que ça veut dire.

— Quelqu'un l'aurait tuée pour mettre la main dessus ?

— Encore une fois, je ne sais pas. Mais il y a plus de questions que de réponses pour le moment. Ça me dérange un peu.

Barbara attendit. Enfin, il ajouta :

— Je peux comprendre le désir de boucler l'affaire rapidement. Mais si l'enquête est mal gérée ou carrément bâclée parce qu'on s'est trop précipités, cela ne fera pas bon effet.

— Pour elle, vous voulez dire. Pour Ardery.

Et à cause de ce que cela signifiait pour elle et pour son propre avenir à Scotland Yard, elle fut obligée d'insister :

— Et ça vous embête, monsieur ?

— Elle m'a l'air de quelqu'un de bien.

Barbara se demanda ce que ça voulait dire, mais elle ne posa pas la question. Ce n'étaient pas ses affaires, se dit-elle, alors même qu'elle était convaincue du contraire.

Elle en vint à la raison de son appel : le commissaire divisionnaire Zachary Whiting, les fausses lettres du Collège technique de Winchester II, et le fait que Whiting était au courant de l'apprentissage de Gordon Jossie auprès de Ringo Heath à Itchen Abbas.

— On n'a pas du tout parlé d'apprentissage, et encore moins de l'endroit où il aurait eu lieu, alors pourquoi il était au courant ? Est-ce qu'il tâte le pouls du moindre habitant de toute cette bon Dieu de New Forest ? J'ai comme l'impression qu'il y a quelque chose entre Whiting et ce dénommé Jossie, monsieur : Whiting en sait plus qu'il ne veut bien nous en dire.

— Vous pensez à quoi ?

— Un truc illégal. Des pots-de-vin que toucherait Whiting pour fermer les yeux sur des magouilles éventuelles de Jossie. Il répare des toits de chaume chez des particuliers, ce Jossie. Il voit ce qu'il y a dans les maisons, et certaines doivent contenir des objets précieux. Nous ne sommes pas exactement dans une zone sinistrée, monsieur.

— Des cambriolages orchestrés par Jossie et couverts par Whiting ? Empocher des biens mal acquis au lieu de procéder à une arrestation ?

— À moins qu'ils soient complices.

— Et que Jemima l'ait découvert ?

— C'est une possibilité à envisager. Alors je me demandais… Vous pourriez faire des vérifications sur lui ? Farfouiller un peu. Antécédents et ainsi de suite. Qui est ce fameux Zachary Whiting ? Où a-t-il fait sa formation de policier ? Où travaillait-il avant d'atterrir ici ?

— Je verrai ce que je peux dénicher, déclara Lynley.

Si toutes les routes ne menaient pas directement à Gordon Jossie, se dit Barbara, elles tournaient sans conteste autour de lui. Il était temps de savoir ce que le reste de l'équipe, à Londres, avait trouvé sur lui et sur tous les autres noms qu'elle leur avait soumis. Après le petit déjeuner, alors que Winston et elle effectuaient leurs préparatifs pour la journée, elle sortit son portable pour appeler.

Il sonna avant qu'elle ait pu composer le numéro. C'était Isabelle Ardery. Son discours fut bref, du genre remballez-tout-et-rentrez. Ils avaient un suspect solide, ils avaient ce qui était à coup sûr l'arme du crime ; ils avaient les chaussures et les vêtements du suspect, sur lesquels ils allaient trouver le sang de Jemima ; ils avaient la preuve de l'existence d'un lien entre eux.

— Et il est cinglé, conclut Ardery. Un schizophrène qui ne prend pas ses médicaments.

— Il ne peut pas être jugé, alors, remarqua Barbara.

— Le juger n'est pas vraiment la question, sergent. Il s'agit de l'empêcher de nuire.

— Compris. Mais, chef, il y a pas mal d'individus un peu louches par ici, expliqua Barbara. Rien que Jossie, par exemple. Vous voulez peut-être qu'on reste fouiner un peu, le temps de…

— Ce que je veux, c'est que vous reveniez à Londres.

— Je peux vous demander où on en est des vérifications d'antécédents ?

— Jusqu'ici, rien de douteux sur personne, dit Ardery. Encore moins là-bas, dans la New Forest. Fini les vacances. Vous rentrez à Londres. Aujourd'hui.

— Bien.

Barbara raccrocha en adressant une grimace à l'appareil. Elle savait reconnaître un ordre quand elle en entendait un. Elle n'était pas convaincue, toutefois, que cet ordre tenait debout.

— Alors ? demanda Winston.

— Question à l'ordre du jour, décidément…

19

Bella McHaggis avait beau se plaire à penser que ses pensionnaires veillaient scrupuleusement au tri de leurs déchets, elle avait appris avec le temps qu'ils étaient aussi susceptibles de tout balancer à la poubelle sans faire le détail. Aussi, chaque semaine, effectuait-elle des rondes sous son toit. Elle trouvait des journaux et des tabloïds entassés par-ci par-là, de vieux magazines qui traînaient sous les lits, des canettes de Coca écrasées dans des corbeilles à papier, et toutes sortes d'articles par ailleurs précieux dans tous les coins ou presque.

C'est pour cette raison qu'elle sortit de sa maison chargée d'un panier à linge dont elle comptait déposer le contenu dans les divers récipients qu'elle avait placés depuis longtemps à cet effet dans son jardin de devant. Sur le perron, toutefois, son panier dans les bras, Bella se figea soudain. Après leur dernière rencontre, s'il y avait une personne qu'elle ne s'attendait pas à voir franchir son portail, c'était bien Yolanda la Spirite. Or la voyante était occupée à agiter dans les airs ce qui ressemblait à un grand cigare vert. Une volute de fumée s'en échappait et, tout en agitant cet ustensile, Yolanda psalmodiait de sa voix masculine à la fois rauque et sonore.

Cette fois, bon Dieu, c'en était trop. Bella lâcha son panier et glapit :

— *Vous* ! Nom d'un chien, comment il faut vous le dire ? Foutez le camp tout de suite de chez moi.

Les yeux de Yolanda étaient fermés, mais ils s'ouvrirent d'un coup. Elle parut sortir d'une transe. C'était sans doute un de ses numéros complètement bidon, se dit Bella. Cette nana était un charlatan de première catégorie.

Bella écarta du pied le panier à linge et rejoignit à grands pas la voyante, qui ne bougeait pas d'un pouce.

— Vous m'avez entendue ? Quittez immédiatement cette propriété, sinon j'appelle la police. Et arrêtez de brandir ce… ce machin sous mon nez.

À présent qu'elle s'était rapprochée, Bella s'aperçut que le machin était un assemblage de feuilles pâles, roulées très serré et attachées avec de la ficelle. L'odeur qui s'en dégageait, en réalité, n'était pas mauvaise, évoquant plus l'encens que le tabac. Mais là n'était pas la question.

— Brun comme la nuit, répondit Yolanda.

Ses yeux étaient bizarres et Bella se demanda si elle n'avait pas pris de la drogue.

— Brun comme la nuit et le soleil, le soleil.

Yolanda brandit son espèce de bâton fumant sous le nez de Bella.

— Suinte par les fenêtres ! Suinte par les portes ! La purification est indispensable, sans quoi le mal à l'intérieur…

567

— Oh, pour l'amour du ciel, la coupa Bella. Ne prétendez pas que vous êtes là pour autre chose que causer des problèmes.

Yolanda continua à agiter l'objet fumant comme une prêtresse accomplissant un rite mystérieux. Bella lui empoigna le bras et tenta de l'immobiliser. Elle eut la surprise de découvrir que la voyante résistait avec force, et l'espace d'un instant elles restèrent plantées là comme deux catcheuses vieillissantes, chacune essayant de jeter l'autre au tapis. Bella finit par triompher, ce dont elle se félicita car elle avait plaisir à constater que les heures de yoga et d'athlétisme étaient utiles à autre chose qu'à prolonger la durée de son séjour sur cette malheureuse planète. Elle bloqua le bras de Yolanda, l'abaissa et envoya valser le cigare vert que la voyante tenait à la main. Elle le piétina pour l'éteindre pendant que Yolanda gémissait, grommelait et murmurait des litanies où revenaient les mots « Dieu », « pureté », « mal », « noir », « nuit » et « soleil ».

— Oh, arrêtez ces bêtises !

Serrant toujours le bras de Yolanda, Bella commença à l'entraîner de force vers le portail.

Mais Yolanda avait autre chose en tête. Elle freina des quatre fers. Les jambes raidies, elle se campa fermement sur ses pieds et refusa de bouger.

— Cet endroit est maléfique, lança-t-elle d'un ton sifflant. Si vous ne voulez pas le purifier, alors vous devez partir. Ce qui est arrivé à Jemima se reproduira. Vous êtes tous en danger.

Bella écarquilla les yeux.

— Écoutez-moi ! cria Yolanda. Il est mort dans cette maison, et lorsque la mort survient dans un domicile…

— Oh, n'importe quoi ! Vous n'êtes là que pour espionner et causer des problèmes. Ne prétendez pas le contraire. C'est ce que vous faites depuis le début, n'allez pas le nier. Qu'est-ce que vous voulez maintenant ? Qui est-ce que vous voulez ? Vous voulez dissuader quelqu'un d'autre de vivre dans cette maison ? Eh bien, il n'y a encore personne. Satisfaite ? Maintenant, fichez le camp... Disparaissez avant que je téléphone à la police.

La menace policière parut enfin produire son effet. Yolanda cessa instantanément de résister et se laissa pousser vers le portail, tout en continuant à divaguer sur la mort et la nécessité d'un rituel de purification. Bella parvint à déduire des radotages de Yolanda que toute cette comédie était due au trépas prématuré de Mr McHaggis. Le fait que la voyante ait l'air au courant des circonstances de la mort de McHaggis fit bel et bien hésiter Bella. Mais son hésitation fut de courte durée : Bella l'ayant elle-même évoquée plus d'une fois, Jemima pouvait tout à fait avoir raconté la mort de McHaggis à Yolanda... Sans plus de tergiversations, elle chassa Yolanda de son jardin.

Sur le trottoir, celle-ci déclara :

— Tenez compte de mon avertissement.

— Et vous, bon Dieu, tenez compte du mien. Que je ne vous revoie pas dans le coin, sinon vous vous expliquerez avec les flics. Compris ? Maintenant foutez le camp.

Yolanda allait protester. Bella avança vers elle, menaçante. La manœuvre porta ses fruits car la voyante détala en direction du fleuve. Bella attendit qu'elle ait disparu au coin de la rue dans Putney Bridge Road. Elle revint alors à ses moutons. Attrapant le panier à linge, elle s'approcha de la rangée de conteneurs ornés de leurs étiquettes bien lisibles.

Ce fut dans le bac Oxfam[1] qu'elle tomba dessus. Par la suite, elle se dirait que cela tenait du miracle qu'elle ait ouvert ce conteneur-là. C'était en effet celui qu'elle vidait le moins souvent, car il n'était pas très fréquent qu'elle-même, ses pensionnaires ou les gens des environs y déposent des articles. En l'occurrence, elle n'avait rien à y mettre ce jour-là. Elle avait simplement soulevé son couvercle pour vérifier quand il faudrait le vider. Le conteneur à journaux était pour sa part presque plein, et celui des plastiques aussi. Les conteneurs de verre, ça allait : séparer les bouteilles transparentes, marron et vertes évitait que ces bacs ne se remplissent trop vite. Comme elle avait regardé où en était chacun des bacs, elle avait tout naturellement vérifié le bac Oxfam.

Le sac à main était enfoui sous un tas de vêtements. Bella les avait sortis en pestant contre l'incorrigible paresse des gens qui ne prenaient pas la peine de plier ce qu'ils souhaitaient donner aux bonnes œuvres, et elle s'apprêtait à plier tout cela elle-même, article par article, lorsqu'elle aperçut le sac à main et le reconnut.

C'était celui de Jemima. Il n'y avait aucun doute làdessus. Bella le récupéra et l'ouvrit. À l'intérieur, elle découvrit le porte-monnaie de Jemima, son permis de conduire, son carnet d'adresses et son téléphone portable. Elle découvrit également d'autres bricoles, mais

---

1. Les magasins à l'enseigne de l'association caritative Oxfam vendent des vêtements d'occasion et des objets artisanaux fabriqués dans les ateliers et coopératives des pays du tiers-monde.

qui ne comptaient pas vraiment. Ce qui comptait, c'était que Jemima soit morte à Stoke Newington, où elle avait à coup sûr son sac à main avec elle, et que ce sac à main se retrouve ici à Putney.

Bella ne s'interrogea pas un instant sur ce qu'elle devait faire. Elle se dirigeait vers sa porte d'entrée en agrippant sa trouvaille lorsque le portail s'ouvrit derrière elle et qu'elle se retourna, s'attendant à voir à nouveau cette tête de mule de Yolanda. Mais c'était Paolo di Fazio, et quand ses yeux se posèrent sur le sac à main, elle vit à son expression que, comme elle, il savait exactement de quel sac il s'agissait.

En passant au St. Thomas' Hospital la plus grande partie de la soirée précédente pour attendre des nouvelles de Yukio Matsumoto, Isabelle avait réussi à repousser son rendez-vous avec Hillier. Ayant reçu l'ordre de se rendre au bureau de l'adjoint au préfet dès son retour au Yard, elle avait tout bonnement décidé de ne pas revenir au Yard tant que l'adjoint au préfet n'aurait pas quitté Tower Block pour la nuit. Cela lui laisserait un délai pour réfléchir à ce qui s'était passé afin de pouvoir en parler de façon claire.

Son plan avait fonctionné. En outre, grâce à ce plan, elle avait pu être la première à savoir comment allait le violoniste. C'était assez simple : il était resté dans le coma toute la nuit. Il n'était pas hors de danger, mais le coma était artificiel, provoqué pour permettre au cerveau de se rétablir. Si on lui avait laissé les coudées franches dans cette affaire, Yukio Matsumoto aurait été ranimé puis interrogé à fond à la sortie de la salle d'opération. En l'occurrence, tout ce qu'elle eut le pouvoir de faire, ce fut de poster un garde à proximité des soins intensifs, histoire de s'assurer que l'homme ne reprenait pas spontanément connaissance et ne mettait pas les bouts en constatant dans quel pétrin il était. Le risque, elle le savait, était infime. L'homme n'était pas en état d'aller où que ce soit. Mais elle suivait la procédure appropriée.

Elle était convaincue de n'avoir fait que ça depuis le début. Yukio Matsumoto était un suspect ; son frère l'avait identifié d'après un portrait-robot publié dans le journal. Elle n'était quand même pas responsable si l'homme avait paniqué et essayé de semer la police... En plus de ça, il était en possession de ce qui était forcément l'arme du crime, et quand ses chaussures et ses vêtements auraient été analysés, ainsi que l'arme, il aurait beau s'être escrimé à les nettoyer, on y découvrirait fatalement des traces de sang, si minuscules soient-elles, et ce sang appartiendrait à Jemima Hastings.

Le seul problème était que cette information ne pouvait pas être révélée à la presse. Elle ne pourrait être divulguée qu'au moment du procès. Et c'était un problème, car dès que le bruit s'était répandu qu'un citoyen étranger résidant à Londres avait été renversé par un véhicule alors qu'il fuyait la police, la presse s'était aussitôt rassemblée en meute, alléchée par une histoire qui sentait fort l'incompétence policière. Les loups étaient assoiffés de sang, et le boulot de la police métropolitaine consistait à choisir une position pour affronter la meute quand celle-ci resserrerait le cercle pour la curée.

Déterminer la position de la Met était naturellement une des deux raisons pour lesquelles Hillier voulait la voir. Quant à l'autre, elle visait à évaluer si Isabelle avait foiré, ou plutôt à quel point. S'il décidait de lui faire porter le chapeau, elle était finie ; elle pouvait dire adieu à sa promotion.

Les quotidiens grand format, ce matin-là, se montraient attentistes, rapportant les faits à l'état brut. Les tabloïds, quant à eux, ne dérogeaient pas à leur réputation. Alors qu'elle se préparait pour la journée, Isabelle avait regardé BBC1 : les présentateurs de la matinale y faisaient leur show habituel avec les journaux sérieux comme avec les tabloïds, brandissant leurs unes devant les caméras et commentant les articles qu'ils contenaient. C'est ainsi qu'avant de se rendre au Yard Isabelle savait déjà que des pages et des pages imprimées étaient consacrées au « fiasco de la poursuite policière ». Elle put se mettre en condition. Ce qu'elle allait raconter à Hillier avait intérêt à être convaincant. Car une fois que les journaux auraient fait le lien entre la victime et son virtuose de frère – ce qui ne tarderait guère, compte tenu des menaces de Zaynab Bourne la veille –, ils se lécheraient encore plus les babines. Ils ne manqueraient pas de remettre le couvert, jour après jour. Les choses auraient peut-être pu être pires, mais Isabelle ne voyait pas trop comment.

Avant de partir travailler, elle s'accorda un irish coffee. La caféine neutraliserait les effets du whisky, et de toute façon, après avoir veillé la majeure partie de la nuit, elle l'avait bien mérité. Elle l'avala à toute vitesse et fourra quatre mignonnettes de vodka dans son sac. Elle n'en aurait sûrement pas besoin, mais, de toute façon, les malheureuses ne pourraient pas faire grand-chose de plus que l'aider à s'éclaircir les idées si elle ressentait une baisse de régime durant la journée.

Elle fit un crochet par la salle des opérations, où elle ordonna à Philip Hale d'aller relever l'agent de faction au St Thomas' Hospital et de rester là-bas. Sa mine sidérée sembla lui rétorquer qu'en tant qu'inspecteur il n'aurait pas dû se voir confier des besognes qu'un constable en tenue pouvait facilement accomplir, car c'était du gaspillage de main-d'œuvre. Elle attendit qu'il ose protester, mais il se borna à acquiescer en répondant poliment « Chef ». Ce fut John Stewart qui monta au créneau à sa place, déclarant, laconique :

— Sauf votre respect, chef…

Consciente du caractère purement fictif de ce respect, Isabelle répliqua : « Oui, quoi ? », et Stewart fit remarquer qu'employer un inspecteur comme simple cerbère à l'hôpital alors qu'il aurait pu s'occuper des missions dont on l'avait précédemment chargé – toutes ces vérifications d'antécédents qui, à propos, s'accumulaient – n'était pas une façon judicieuse d'utiliser les capacités de Philip. Elle lui déclara qu'elle n'avait pas besoin de ses conseils.

— Contactez le labo et ne les lâchez pas. Pourquoi l'analyse de ces poils trouvés sur le corps prend-elle si longtemps ? Et, bon Dieu, où est donc l'inspecteur Lynley ?

Il avait été convoqué dans le bureau de Hillier, lui apprit Stewart, buvant manifestement du petit-lait.

Elle aurait peut-être pu couper à son rendez-vous avec Hillier, mais comme Lynley était allé le voir – sans doute pour lui donner sa propre version des événements de la veille –, elle n'avait d'autre choix que de se rendre dans le bureau de l'adjoint au préfet. Elle renonça à prendre des forces avant. La question impertinente de Lynley sur son rapport à l'alcool la tourmentait encore.

Elle le croisa dans le couloir non loin de chez Hillier.

— On dirait que vous n'avez pas beaucoup dormi, fit-il.

Elle lui expliqua qu'elle était retournée à l'hôpital et qu'elle y était restée jusque tard dans la nuit.

— Comment prend-il les choses ? demanda-t-elle en conclusion avec un mouvement de tête vers le bureau de l'adjoint au préfet.

— Comme on pouvait le prévoir. Ça aurait pu mieux se passer avec Matsumoto hier. Il veut savoir pourquoi l'opération a raté.

— Il considère que c'est votre rôle, Thomas ?

— Comment cela ?

— D'effectuer ce genre d'évaluation. De lui faire des rapports sur ma gestion des choses. D'être son indic officiel.

Lynley la dévisagea d'une manière qu'elle trouva déconcertante. Pas du tout sexuelle. Ça l'aurait moins gênée. Non, son regard était d'une douceur insupportable. Il dit avec gentillesse :

— Je suis dans votre camp, Isabelle.

— Ah bon ?

— Oui. Il vous a jetée la tête la première dans cette enquête parce qu'il subit des pressions d'en haut pour pourvoir le poste de Malcolm Webberly, et il veut savoir comment vous vous en tirez. Mais ce qui se passe avec lui ne relève de vous qu'en partie. Le reste est politique. La politique implique le préfet, le ministère de l'Intérieur et la presse. Quand ça chauffe pour vous, ça chauffe pour lui aussi.

— Je n'ai pas commis d'erreur, la situation d'hier n'a pas été mal gérée.

— Je ne lui ai pas dit le contraire. L'homme a paniqué. Personne ne sait pourquoi.

— C'est ce que vous lui avez dit ?

— C'est ce que je lui ai dit.

— Si Philip Hale n'avait pas…

— Ne vous cachez pas derrière Philip. Ce genre de chose reviendra vous hanter. Le meilleur parti à adopter consiste à dire que ce n'est la faute de personne. C'est l'attitude qui vous servira le mieux à long terme.

Elle réfléchit à cette stratégie. Elle demanda :

— Il est seul ?

— Quand je suis entré, il l'était. Mais il a demandé à Stephenson Deacon de le rejoindre dans son bureau. Un briefing est prévu et la Direction des affaires publiques veut qu'il ait lieu le plus vite possible. À savoir aujourd'hui.

Isabelle regretta un instant de ne pas avoir sifflé au moins une des mignonnettes de vodka. Impossible de dire combien de temps allait durer la réunion. Enfin bon, elle serait à la hauteur. Il ne s'agissait pas d'elle, comme l'avait dit Lynley. Elle n'était là que pour répondre à des questions.

— Merci, Thomas, dit-elle à Lynley.

Ce ne fut qu'en s'approchant du bureau de la secrétaire de Hillier qu'elle se rendit compte que Lynley l'avait appelée par son prénom. Elle se retourna pour lui faire une remarque, mais il était déjà parti.

Judi MacIntosh passa la tête dans le saint des saints. Elle commença :

— La commissaire principale Ardery…

Mais elle fut interrompue. Elle écouta un moment puis dit :

— Très bien, monsieur.

Elle annonça à Isabelle qu'elle devait patienter. Il y en aurait pour quelques minutes. La commissaire principale désirait-elle une tasse de café ?

Isabelle refusa. Elle était censée s'asseoir, et elle le fit, mais elle eut du mal. Pendant qu'elle attendait, son portable sonna. Son ex-mari. Pas question de lui parler maintenant.

Un homme d'âge moyen arriva, une grande bouteille d'eau gazeuse calée sous son bras.

— Je vous en prie, entrez, Mr Deacon, dit Judi MacIntosh.

Isabelle comprit qu'elle avait sous les yeux le chef du service de presse, envoyé par la Direction des affaires publiques pour tenter de résoudre la situation. Bizarrement, Stephenson Deacon avait une bedaine en ballon de football alors que le reste de sa personne était aussi mince qu'une serviette de toilette dans un hôtel de troisième ordre. On ne pouvait s'empêcher de penser à une femme enceinte décidée à tout prix à surveiller son poids.

Deacon disparut dans le bureau de Hillier, et Isabelle passa un quart d'heure épouvantable à attendre. Judi MacIntosh finit par recevoir l'ordre de faire entrer Isabelle, mais la façon dont elle reçut cet ordre demeura un mystère car rien n'avait semblé perturber sa concentration tandis qu'elle tapait frénétiquement sur son clavier. Elle leva la tête et lança soudain :

— Vous pouvez entrer, commissaire principale Ardery.

Isabelle obtempéra. Elle fut présentée à Stephenson Deacon et invitée à les rejoindre à la table de conférence. Là, elle fut soumise à un interrogatoire serré des deux hommes concernant ce qui s'était passé, quand, où, pourquoi, qui avait fait quoi et à qui, quel genre de poursuite, combien de témoins, quelles avaient été les alternatives à la poursuite, le suspect parlait-il anglais, les policiers avaient-ils montré leur carte, certains étaient-ils en tenue, etc., etc.

Isabelle leur expliqua que le suspect en question avait pris la fuite de façon totalement inattendue. Ils étaient en train de le surveiller quand quelque chose, apparemment, lui avait fait peur.

Une idée de ce qui avait pu l'effrayer et comment ? s'enquit Hillier.

Absolument aucune. Elle avait envoyé des hommes là-bas avec la consigne de ne pas s'approcher, de ne pas avoir d'agents en tenue avec eux, de ne pas causer d'incidents…

Foutrement réussi, commenta Stephenson Deacon.

Mais, allez savoir pourquoi, il a pris peur quand même. Il semble qu'il ait pu prendre les policiers pour des anges guerriers.

Des anges ? Bon sang, qu'est-ce que…

L'homme est un peu bizarre, en fait, monsieur. Si on avait été prévenus, si on s'était doutés qu'il était susceptible de mal interpréter le fait que quelqu'un s'approche de lui, si on avait seulement imaginé que la vue de quelqu'un à proximité signifiait pour lui qu'il était en danger…

Des anges guerriers ? *Des anges guerriers ?* Bordel, qu'est-ce que des anges ont à voir avec ce qui s'est passé ?

Isabelle leur dépeignit le meublé de Yukio Matsumoto. Elle leur décrivit les croquis sur les murs. Elle leur répéta le sens que donnait Hiro Matsumoto aux dessins d'anges de son frère, et elle conclut par le lien qui existait entre le violoniste et Jemima Hastings, ainsi que ce qu'ils avaient découvert dans la chambre.

La fin de son récit fut accueillie par un silence, qui rasséréna un peu Isabelle. Elle tenait ses mains étroitement jointes sur ses genoux car elle s'était aperçue qu'elles tremblaient. Quand ses mains tremblaient, c'était toujours le signe que la réflexion n'allait pas tarder à devenir difficile pour elle. Elle aurait dû prendre un petit déjeuner... Une simple question de sucre dans le sang.

En fin de compte, Stephenson Deacon prit la parole. L'avocate de Hiro Matsumoto, lui apprit-il avec un coup d'œil sur ce qui semblait être un message téléphonique, organisait une conférence de presse dans moins de trois heures. Le violoncelliste serait avec elle, mais il ne parlerait pas. Zaynab Bourne allait faire peser l'entière responsabilité de la bavure de Shaftesbury Avenue sur les épaules de la Met.

Isabelle s'apprêtait à protester, mais Deacon leva une main pour la faire taire.

Ils allaient eux-mêmes se préparer à une contre-conférence de presse – une « frappe préventive », selon son expression –, qu'ils tiendraient dans exactement une heure trente.

Isabelle sentit une brusque sécheresse lui envahir la gorge.

— Je suppose que vous voulez que j'y sois ?

Deacon répondit que non.

— En aucun cas, déclara-t-il.

579

Il se chargerait de livrer à la presse les informations pertinentes qu'il venait de recueillir auprès de la commissaire principale. Si on avait encore besoin d'elle, on le lui ferait savoir.

Ainsi fut-elle congédiée. En quittant la pièce, elle vit les deux hommes se pencher l'un vers l'autre dans le genre de conciliabule qui indiquait la mise au point d'un jugement. Un peu déstabilisant.

— Que faites-vous ici ? demanda Bella McHaggis, impérieuse.

Elle n'aimait pas les surprises en général, et celle-ci en particulier la troublait. Paolo di Fazio était censé être à son boulot. Il n'était pas censé franchir le portail de son jardin à cette heure de la journée. La présence de Paolo à Putney ajoutée à sa récente découverte du sac à main de Jemima fit que Bella sentit un frisson d'appréhension lui parcourir le corps.

Paolo ne répondit pas à la question. Ses yeux étaient braqués – littéralement paralysés, songea Bella – sur le sac à main.

— Ce sac est à Jemima, dit-il.

— Intéressant que vous l'ayez reconnu, répliqua Bella. Moi, j'ai dû regarder à l'intérieur.

Elle répéta sa question :

— Que faites-vous ici ?

Le « J'habite ici » qu'il lui renvoya ne l'amusa pas. Il ajouta, comme s'il ne l'avait pas entendue le préciser :

— Vous avez regardé à l'intérieur ?

— Je viens de vous le dire.

— Et ?

580

— Et quoi ?

— Y a-t-il... Y avait-il quelque chose ?

— C'est quoi, ces questions ? fit-elle. Et d'abord, pourquoi vous n'êtes pas au travail, comme vous devriez ?

— Où l'avez-vous trouvé ? Qu'est-ce que vous allez en faire ?

C'était le comble. Elle allait s'écrier : « Je n'ai pas l'intention... », mais il la coupa :

— Qui d'autre est au courant ? Vous avez appelé la police ? Pourquoi vous le tenez de cette façon ?

— De quelle façon ? Comment je suis censée le tenir ?

Il plongea la main dans sa poche et en sortit un mouchoir.

— Allez. Vous devez me le donner.

Cette fois, les sirènes d'alarme se mirent littéralement à hurler. Mille détails tournèrent soudain dans la tête de Bella, et notamment ce fameux test de grossesse. Cet élément de preuve flottait sous son crâne avec d'autres tout aussi accablants : les fiançailles à répétition de Paolo di Fazio, cette dispute que Bella avait entendue entre Jemima et lui, le fait que ce soit Paolo qui lui ait présenté Jemima... Elle trouverait certainement d'autres indices si elle parvenait à rassembler ses esprits et à ne pas se laisser déconcentrer par ce qu'elle lisait sur son visage. Elle ne lui avait jamais vu une expression d'une telle intensité.

— C'est vous qui l'avez mis là, hein ? Avec toutes les affaires pour Oxfam. Vous jouez les innocents maintenant avec toutes ces questions, mais je ne suis pas dupe, Paolo.

— Moi ? fit-il. Vous êtes folle ou quoi ? Pourquoi j'irais mettre le sac de Jemima dans le conteneur pour Oxfam ?

— Nous connaissons tous les deux la réponse. C'est la cachette idéale. Ici même, dans l'enceinte de cette maison.

Elle voyait en effet comment le plan aurait pu fonctionner. Personne n'aurait cherché le sac si loin de l'endroit où Jemima avait été tuée, et si par hasard quelqu'un tombait dessus – comme elle venait de le faire –, l'explication coulait de source : Jemima elle-même s'en était débarrassée, et merde, tant pis s'il contenait des articles personnels essentiels ! Mais si personne ne le découvrait avant qu'il aille atterrir à Oxfam, c'était parfait. Le bac serait sans doute vidé des mois après sa mort. Le contenu serait embarqué et peut-être le sac serait-il ouvert dans un quelconque entrepôt où les objets étaient triés avant d'être distribués aux différentes boutiques. À ce moment-là, personne ne saurait plus d'où provenait le sac, et personne ne se souviendrait même de ce meurtre à Stoke Newington. Personne ne penserait que le sac avait quoi que ce soit à voir avec un homicide. Oh, c'était très malin de sa part...

— Vous croyez que j'ai fait du mal à Jemima ? demanda Paolo. Vous croyez que je l'ai tuée ?

Il se passa la main sur la tête dans un geste censé traduire l'agitation.

— *Pazza donna !* Pourquoi j'irais faire du mal à Jemima ?

Elle plissa les yeux. On ne faisait pas plus convaincant, hein ? Forcément, lui et ses cinq, ses quinze, ses cinquante fiancées qui finissaient toujours par le plaquer. Pourquoi, pourquoi, pourquoi ? Voyons, qu'est-ce qui clochait chez Mr di Fazio ? Qu'est-ce qu'il leur faisait ? Qu'est-ce qu'il attendait d'elles ? Ou, mieux, qu'est-ce qu'elles finissaient par apprendre sur son compte ?

Il fit un pas vers elle.

— Mrs McHaggis, au moins laissez-moi…

— Non ! cria-t-elle en reculant. Restez où vous êtes ! Ne bougez pas d'un centimètre ou je hurle. Je vous connais, vous autres.

— Nous autres ? Qui ça, nous autres ?

— Ne jouez pas les innocents avec moi.

Il soupira.

— Alors nous avons un problème.

— Comment ça ? Pourquoi ? Oh, n'essayez surtout pas de faire le mariole.

— Il faut que j'entre dans la maison, dit-il. Et ça, je ne peux pas le faire si vous ne me laissez pas m'approcher de vous pour vous dépasser.

Il rangea son mouchoir dans sa poche. Il l'avait gardé à la main car il voulait s'en servir pour essuyer les empreintes sur le sac, mais de toute évidence il avait compris qu'elle savait ce qu'il comptait faire et il y avait renoncé.

— J'ai laissé dans ma chambre un mandat postal que je souhaite envoyer en Sicile. Je dois aller le chercher, Mrs McHaggis.

— Je ne vous crois pas. Vous auriez pu l'envoyer dans la foulée, au moment où vous l'avez établi.

— Oui. J'aurais pu. Mais je voulais y joindre une carte. Vous désirez la voir ? Mrs McHaggis, votre conduite est ridicule.

— Votre stratagème ne marche pas avec moi, jeune homme.

— S'il vous plaît, réfléchissez un peu, parce que vos conclusions ne tiennent pas debout. Si le tueur de Jemima habite dans cette maison, comme vous semblez le penser, il existe des endroits nettement plus judicieux où bazarder ce sac que votre jardin de devant. Vous n'êtes pas d'accord ?

Bella ne souffla mot. Il essayait de l'embobiner. C'était ce que faisaient toujours les tueurs quand ils étaient acculés.

— À vrai dire, reprit-il, je croyais Frazer responsable de ce qui s'est passé, mais ce sac m'indique…

— Je vous interdis d'accuser Frazer !

Parce que, ça aussi, c'était ce que faisaient les tueurs. Ils essayaient d'accuser les autres, ils essayaient de détourner les soupçons. Oh, il était malin, ça oui.

— … que ça ne tient pas debout non plus de le croire coupable. Car pourquoi Frazer, après l'avoir tuée, rapporterait-il son sac ici et le mettrait-il aux ordures juste devant la maison où il habite ?

— Ce ne sont pas des ordures, rectifia-t-elle. Ce sont des déchets à recycler. Je ne vous laisserai pas qualifier d'ordures les déchets à recycler. C'est parce que les gens raisonnent de cette manière qu'ils ne prennent pas la peine de trier leurs déchets. Or si les gens le faisaient, on arriverait peut-être à sauver la planète. Vous comprenez ça, non ?

Il leva les yeux au ciel. Fugitivement, Bella lui trouva une parfaite ressemblance avec certains tableaux représentant des martyrs. C'était dû au fait qu'il avait la peau mate parce qu'il était italien, et que la plupart des martyrs étaient italiens. Ils étaient bien italiens, non ? Au fond, Paolo était-il vraiment italien ? Peut-être qu'il faisait seulement semblant de l'être. Seigneur, qu'arrivait-il à son raisonnement ? Était-ce l'effet que produisait la terreur sur les gens ? Sauf qu'elle n'était pas aussi terrifiée que tout à l'heure, ou qu'elle aurait dû l'être.

— Mrs McHaggis, dit doucement Paolo, je vous en prie, envisagez une minute que quelqu'un d'autre ait pu mettre le sac de Jemima dans cette poubelle.

— Ridicule. Pourquoi quelqu'un d'autre… ?

— Et si c'est effectivement quelqu'un d'autre, de qui pourrait-il s'agir ? Quelqu'un qui veut que l'un de nous ait l'air coupable ?

— Il n'y a qu'une seule personne qui ait l'air coupable, mon garçon, et cette personne c'est vous.

— Pas du tout. Vous ne voyez donc pas ? La présence de ce sac vous rend suspecte aussi… Tout comme elle me rend suspect, du moins à vos yeux, et tout comme elle rend Frazer suspect.

— Vous vous défaussez ! Je vous ai dit d'arrêter. Je vous ai dit…

Et tout à coup cela fit tilt : les marmonnements de Yolanda. Ses histoires de brun, de nuit, de soleil et de maléfice. Ses incantations et son cigare vert tout fumant.

— Oh, Seigneur Dieu, murmura Bella.

Elle se détourna de Paolo et se précipita vers la porte pour s'engouffrer dans la maison. S'il la suivait à l'intérieur à présent, cela n'avait plus aucune importance.

20

— Je crois que le mieux est de demander à quelqu'un de chez Christie's d'y jeter un coup d'œil, déclara Saint James. Ou, à défaut, à quelqu'un du British Museum. Le responsable des scellés te laissera le sortir, non ?

— Je ne suis pas vraiment en mesure de prendre cette décision, dit Lynley.

— Ah. La nouvelle commissaire principale. Comment ça se passe ?

— Quelques cahots, j'en ai peur.

Lynley regarda autour de lui. Saint James et lui parlaient au téléphone. Par la force des choses, les références à Isabelle Ardery devaient être prudentes. En outre, il compatissait aux malheurs de la commissaire principale intérimaire. Il ne l'enviait pas d'avoir à affronter Stephenson Deacon et la Direction des affaires publiques si vite après son arrivée au Yard. Dès que la presse était sur le coup dans le cadre d'une enquête, la pression pour obtenir des résultats augmentait. Avec un suspect à l'hôpital, Ardery allait ressentir cette pression de toutes parts.

— Je vois, dit Saint James. Enfin bon, sinon la pierre elle-même, du moins la photo que tu m'as montrée ?

Elle est très bonne et on se rend compte des dimensions. C'est peut-être suffisant.

— Pour le British Museum, possible. Mais certainement pas pour Christie's.

Saint James garda le silence un moment.

— J'aimerais pouvoir t'aider davantage, Tommy. Mais je ne voudrais surtout pas t'orienter dans la mauvaise direction.

— Tu n'as pas à t'excuser, dit Lynley à son ami. Ça ne veut peut-être rien dire, de toute façon.

— Mais tu ne le penses pas.

— Non. D'un autre côté, il se peut que je me raccroche à une simple brindille.

Il semblait bien, d'ailleurs, car soit les éléments embrouillaient complètement la situation, soit ils se révélaient sans importance. Il n'y avait pas de moyen terme.

Les vérifications d'antécédents effectuées jusqu'ici démontraient la chose suivante : tous les individus de Londres impliqués dans l'affaire, indirectement ou plus directement, s'avéraient être exactement ce qu'ils paraissaient être, sans aucune ombre au tableau. Restait encore à tirer au clair la question des supposés mariages d'Abbott Langer, tandis que Matt Jones – l'amant de la sœur de Saint James – demeurait un point d'interrogation. Il y avait plus de quatre cents Matt Jones à travers le pays, et les localiser tous pour ensuite faire le tri parmi eux n'était pas évident. Pour couronner le tout, aucun n'avait même jamais attrapé de P-V. Ce n'était pas pour arranger les affaires de Yukio Matsumoto, même si son frère ne cessait d'affirmer que le violoniste était inoffensif. Tout le monde s'avérant irréprochable et personne d'autre à Londres n'ayant apparemment de mobile pour assassiner Jemima Hastings, soit le meurtre avait été commis comme un acte de folie facile à associer à Yukio Matsumoto et ses anges, soit il était dû à quelque chose ou à quelqu'un en rapport avec le Hampshire.

Dans le Hampshire, deux éléments curieux avaient été mis au jour, dont un seul paraissait susceptible de mener quelque part. Le premier était qu'on n'avait trouvé jusqu'ici aucune trace de Gina Dickens dans le Hampshire, même si on continuait à essayer toutes les variantes de son prénom : Regina, Jean, Virginia, etc. Le deuxième – plus intéressant, celui-là – concernait Robert Hastings, lequel avait suivi une formation de forgeron avant de remplacer son père comme agister. Et encore, ce détail aurait très bien pu être évacué comme insignifiant lui aussi si les techniciens du labo n'avaient pas livré leurs déductions préliminaires au sujet de l'arme du crime. D'après l'examen au microscope, l'objet avait été façonné à la main, et le sang dont il était couvert appartenait à Jemima Hastings. Étant donné que Yukio Matsumoto détenait l'arme chez lui, qu'un témoin avait déclaré avoir vu un Asiatique s'enfuir du cimetière d'Abney Park, que la déposition de ce témoin avait donné lieu au portrait-robot, et que ce qui était sans doute des traces de sang maculait les vêtements et les chaussures du violoniste, il était difficile de s'opposer à la conclusion d'Isabelle Ardery selon laquelle ils tenaient leur homme.

Mais Lynley aimait que tous les éléments aient une explication. C'est pourquoi il en revenait à la pierre dans la poche de Jemima Hastings. Non pas qu'elle ait de la valeur et qu'elle soit, peut-être, la cause de sa mort. Mais elle demeurait un mystère qu'il tenait à élucider.

Il était une fois de plus en train d'étudier la photo de la pierre quand il reçut un appel téléphonique de Barbara Havers. On lui avait ordonné de rentrer à Londres mais, avant de s'exécuter, elle voulait savoir s'il avait découvert quelque chose au sujet du commissaire divisionnaire Zachary Whiting. Ou, d'ailleurs, de Ringo Heath, car il se pouvait qu'il existe entre ces deux individus un lien qui méritait d'être exploré.

Il n'avait pas découvert grand-chose, lui dit Lynley. Pour sa formation de policier, Whiting avait suivi la filière classique : il avait fait ses classes dans un centre Centrex, peaufiné son instruction dans plusieurs groupes d'entraînement régionaux, et assisté à un nombre admirable de cours à Bramshill. Il avait vingt-trois années de service à son actif, toutes passées dans le Hampshire. S'il trempait dans quoi que ce soit de répréhensible, Lynley n'avait pas démêlé ce que c'était. « Il peut vous malmener un peu de temps en temps » avait été le commentaire le plus méchant à son sujet, même si « Il a parfois montré un trop grand enthousiasme dans sa mission » pouvait être interprété de plusieurs manières.

Quant à Ringo Heath, il n'y avait rien sur lui. Il n'y avait surtout aucun lien officiel entre Heath et le commissaire divisionnaire Whiting. Et si un lien existait entre Whiting et Gordon Jossie, il faudrait le chercher dans les antécédents de Jossie car il n'apparaissait pas dans ceux de Whiting.

— Alors, c'est tout ce qu'on a à se mettre sous la dent ? soupira Havers en apprenant la nouvelle. Je suppose qu'elle n'a pas tort de me faire rentrer au bercail.

— Vous êtes déjà en route, n'est-ce pas ? lui demanda Lynley.

— Avec Winston au volant ? À votre avis ?

En d'autres termes, Nkata, qui, contrairement à Havers, avait coutume de prendre les ordres au sérieux, était en train de les ramener à Londres. Si on l'avait laissée faire, Barbara aurait sans doute lanterné jusqu'à ce qu'elle ait été convaincue par tout ce qu'elle avait été à même de recueillir au sujet de la moindre personne du Hampshire ayant un rapport, même lointain, avec la mort de Jemima Hastings.

Il raccrocha quand Isabelle Ardery revint de son rendez-vous avec Hillier et Stephenson Deacon. Elle n'avait pas l'air plus soucieuse que d'habitude. Il en conclut donc que le rendez-vous ne s'était pas trop mal déroulé. Puis John Stewart prit un appel du SO7 qui, du point de vue de la commissaire, mit un terme à l'affaire. Ils avaient l'analyse des deux cheveux trouvés sur le corps de Jemima Hastings, leur dit-il.

— Eh bien, Dieu soit loué, déclara Ardery. Et qu'est-ce qu'on a ?

— Asiatique.

— Alléluia.

Ils auraient pu boucler le dossier à ce moment-là, et Lynley voyait qu'Ardery était tentée de le faire. Mais Dorothea Harriman pénétra dans la pièce, et les paroles qu'elle prononça remirent tout en cause.

Une certaine Bella McHaggis était en bas à l'accueil, et elle désirait parler à Barbara Havers.

— On lui a dit que le sergent était dans le Hampshire, alors elle a demandé à voir la personne responsable de l'enquête, expliqua Harriman. Elle détient une preuve, paraît-il, et elle ne veut pas la remettre à n'importe qui.

Bella ne soupçonnait plus Paolo di Fazio. Elle avait compris son erreur de jugement. Elle ne regrettait pas de l'avoir signalé à la police : elle regardait assez de séries policières pour savoir qu'il fallait éliminer tous les suspects afin de trouver le vrai coupable – or, que ça lui plaise ou non, il était un suspect. Elle aussi, sans doute. En tout cas, il faudrait qu'il se remette de l'affront qu'avaient pu représenter ses soupçons, sinon il n'aurait plus qu'à se dégoter un autre logement. Quoi qu'il en soit, le sac de Jemima devait être remis aux policiers en charge de l'enquête.

Comme elle ne comptait pas rester chez elle à attendre qu'ils daignent arriver, elle n'avait pas pris la peine de téléphoner. Au lieu de cela, elle avait fourré le sac de Jemima dans le cabas en toile qui lui servait pour faire ses courses, et elle l'avait emporté à New Scotland Yard, car c'était de là qu'était venu le sergent Havers.

En apprenant que le sergent n'était pas là, elle avait exigé quelqu'un d'autre. Le directeur, le chef, enfin quoi, la personne responsable, avait-elle lancé à l'agent en tenue à l'accueil. Elle ne partirait pas tant qu'elle n'aurait pas parlé à cet individu. Et en personne, au fait. Pas par téléphone. Elle s'installa sur un siège, bien résolue à ne pas en bouger.

Elle dut attendre exactement quarante-trois minutes avant qu'un responsable finisse par arriver. Elle ne crut pas un instant avoir affaire au responsable. Un homme grand et plutôt beau approcha et, lorsqu'il parla sous son casque de cheveux blonds impeccablement coiffés, il ne s'exprimait pas du tout comme les policiers qu'elle avait toujours entendus aboyer dans *The Bill*. Il était l'inspecteur Lynley, déclara-t-il de ce ton snob qui trahissait une éducation dans des écoles privées. Détenait-elle quelque chose en rapport avec leur enquête ?

— Vous êtes la personne responsable ? demanda-t-elle.

Lorsqu'il avoua que non, elle lui ordonna d'aller chercher le responsable. Ce serait comme ça et pas autrement. Elle avait besoin de protection policière à cause de l'assassin de Jemima Hastings, et elle avait comme l'impression qu'il ne serait pas en mesure de la lui fournir sans en référer à un supérieur.

— Je sais qui est l'assassin, lui dit-elle en soulevant le cabas contre sa poitrine, et ce que j'ai ici le prouve.

— Ah, fit-il poliment. Et qu'avez-vous là-dedans ?

— Je ne suis pas une cinglée, lui dit-elle d'un ton sec parce qu'elle voyait bien qu'il la prenait pour une folle. Allez donc chercher la personne qu'il faut, mon brave.

Il alla passer un coup de téléphone. Il la contemplait de l'autre bout du hall tout en parlant à son correspondant. Ce qu'il put raconter porta ses fruits. Trois minutes plus tard, une femme sortit de l'ascenseur et franchit le portillon qui empêchait le public d'accéder aux rouages mystérieux de New Scotland Yard. Elle les rejoignit à grandes enjambées. Il s'agissait, annonça Lynley à Bella, de la commissaire principale Ardery.

— Et c'est bien vous la personne responsable ? demanda Bella.

— En effet, répondit la commissaire, dont l'expression du visage ajouta : Et ça a intérêt à valoir le coup, madame.

Un peu, que ça valait le coup, songea Bella.

Le sac à main avait été tellement tripoté qu'ils n'avaient aucune chance d'en tirer quoi que ce soit en matière d'indices. Isabelle aurait volontiers giflé cette bonne femme. Le fait qu'elle se retienne, décida-t-elle, témoignait de sa maîtrise de soi.

— Il est à Jemima, annonça Bella McHaggis en le sortant du cabas avec un geste théâtral.

Geste qui ne fit qu'ajouter de nouvelles empreintes aux dizaines qu'elle avait déjà dû laisser, rendant inexploitables celles des autres et, en particulier, celles de l'assassin.

— Je l'ai trouvé au milieu des affaires pour Oxfam.

— Un sac qu'elle n'utilisait pas ou un sac qu'elle prenait tous les jours ? demanda Lynley.

— Son sac habituel. Et elle ne l'a pas mis au rebut, parce qu'il y a toutes ses affaires dedans.

— Vous l'avez fouillé ?

Isabelle serra les dents en prévision de la réponse inévitable : cette femme avait bousillé tous les indices.

— Enfin, bien sûr que je l'ai fouillé ! s'exclama Bella. Comment j'aurais su que c'était celui de Jemima, sinon ?

— Comment, en effet ? acquiesça Isabelle.

Bella McHaggis la regarda en plissant les yeux et Isabelle comprit qu'on était en train de la jauger. La femme sembla aboutir à la conclusion que le ton d'Isabelle n'était pas sarcastique et, avant qu'on ait pu l'arrêter, elle ouvrit le sac à main, s'écria : « Tenez, voyez », puis en vida le contenu sur le siège où elle les avait attendus.

— S'il vous plaît, non… commença Isabelle.

— Tout cela doit aller au… fit Lynley.

Mais Bella attrapa un téléphone portable qu'elle leur brandit sous le nez en déclarant :

— Il est à elle. Et ceci est son porte-monnaie, et ça son portefeuille…

Et ainsi de suite, au fur et à mesure qu'elle tripotait chaque objet. Ils n'eurent d'autre choix que de lui empoigner les mains, dans l'espoir illusoire qu'un article ait pu échapper aux grosses pattes de Bella la première fois qu'elle avait fouillé le sac.

— Oui, oui. Merci, dit Isabelle.

Elle fit signe à Lynley de remettre en place le contenu du sac et de ranger le sac dans le cabas. Une fois l'opération accomplie, Isabelle demanda à la femme de lui raconter toutes les étapes qui l'avaient menée à la découverte du sac à main. Bella McHaggis fut enchantée de le faire. Elle se lança dans un grand laïus sur le tri des déchets et le sauvetage de la planète, et Isabelle déduisit de ce discours que le sac avait été trouvé dans un conteneur qui était non seulement situé devant la maison de Bella McHaggis mais également accessible à quiconque pouvait passer par là et l'apercevoir. C'était apparemment un point sur lequel Bella elle-même souhaitait insister, car la conclusion de son envolée lyrique renfermait un fait qui, selon elle, était « le plus important de tous ».

— À savoir ? demanda Isabelle.

— Yolanda.

Il semblait que la voyante avait recommencé à rôder autour du jardin de Bella, et cette fois la spirite avait été dans les parages juste avant que Bella ne découvre le sac de Jemima. Elle menait soi-disant « une espèce

d'expérience de spiritisme », persifla Bella, caractérisée par des marmonnements, des gémissements, des
prières, et le balancement d'un bâton fait d'un machin
qui brûlait censé avoir un effet magique ou « des
conneries comme ça ». Bella lui avait dit ses quatre
vérités, et la spirite avait détalé. Quelques instants plus
tard, en vérifiant le conteneur Oxfam, Bella était
tombée sur le sac à main.

— Pourquoi avez-vous vérifié le conteneur ? demanda
Lynley.

— Pour voir quand il faudrait le vider, ça va de soi !
répliqua-t-elle, cinglante.

Les autres bacs de recyclage se remplissaient beaucoup plus vite. S'ils étaient vidés deux fois par mois, ce
n'était pas le cas du conteneur Oxfam.

— Mais elle ne pouvait pas le savoir, précisa
Bella.

— Nous allons devoir examiner ce bac, déclara Isabelle. Vous n'avez pas touché à son contenu, n'est-ce
pas ?

Elle n'y avait pas touché, ce dont Isabelle remercia
le ciel. Elle dit à la femme que quelqu'un viendrait
chercher le conteneur et qu'entre-temps elle ne devait
pas le rouvrir ni même s'en approcher.

— C'est important, n'est-ce pas ?

Bella avait l'air très contente d'elle.

— Je savais que c'était important, voyez-vous.

Cela ne faisait aucun doute, même si Isabelle se
trouvait en désaccord avec Lynley sur le degré
d'importance à accorder au sac. Dans l'ascenseur pour
rejoindre la salle des opérations, elle lui dit :

— Il savait forcément où elle habitait, Thomas.

— Qui ça ? fit Lynley sur un ton qui indiqua à Isabelle qu'ils n'étaient pas du tout sur la même longueur d'onde.

— Matsumoto… C'était un jeu d'enfant pour lui de mettre le sac dans ce conteneur.

— Tout en gardant l'arme du crime ? demanda Lynley. Ce serait un drôle de raisonnement, non ?

— Il est fou à lier. Il ne raisonnait pas. Ou s'il raisonnait, c'était en obéissant à ce que les anges lui ordonnaient. Débarrasse-toi de ça, garde ça, fous le camp, planque-toi, suis-la, que sais-je… ?

Elle le regarda soudain. Il fixait le plancher de l'ascenseur, le front creusé et l'index replié contre ses lèvres comme s'il méditait ses propos mais aussi tout le reste.

— Eh bien ? fit-elle.

— On a Paolo di Fazio dans cette maison. On y a aussi Frazer Chaplin. Et puis il y a le problème de Yolanda.

— Vous n'insinuez quand même pas qu'une femme a tué Jemima Hastings ? En lui enfonçant une pointe dans la carotide ? Bon Dieu, Thomas, la méthode n'a absolument rien de féminin, et je suis sûre que vous le savez.

— Je vous concède que c'est peu probable. Mais je ne veux pas négliger le fait que Yolanda protège peut-être quelqu'un qui lui aurait remis le sac en lui demandant de s'en débarrasser. Il faut qu'on lui parle.

— Oh, merde, pour l'amour du ciel…

Puis elle remarqua son expression. Il était en train de la jauger, et elle devina son opinion. Elle ressentit une bouffée de colère à l'idée qu'un homme, quel qu'il soit, se permette de la juger dans une situation où il n'irait certainement pas juger un autre homme.

— Je veux regarder de près le contenu de ce sac avant de le remettre au labo. Et, bon sang, ne me dites pas que c'est contraire à la procédure, Thomas. On n'a pas le temps d'attendre que ces fichus techniciens nous confirment que toutes les empreintes sont inexploitables. Il nous faut un résultat.

— C'est vous qui…

— On portera des gants, d'accord ? Et je ne quitterai pas le sac des yeux et vous non plus. Est-ce que ça vous va, ou est-ce qu'il vous faut d'autres garanties ?

— J'allais dire que c'était vous qui décidiez. Vous qui donniez les ordres. J'allais dire que cette enquête était la vôtre.

Elle n'en était pas persuadée. Lynley avait les traits aussi lisses qu'un glaçage de gâteau.

— En effet, dit-elle alors qu'ils sortaient de l'ascenseur ensemble. Surtout, ne l'oubliez pas.

L'objet le plus important à l'intérieur du sac de Jemima Hastings était le téléphone portable, et Isabelle le confia à John Stewart en lui ordonnant de s'en occuper, d'écouter les messages, d'identifier les appels entrants, de lire et de prendre en note tous les SMS, et de mettre la main sur l'historique des appels.

— On va devoir utiliser aussi les antennes-relais, ajouta-t-elle.

Quant aux autres objets, elle se chargea avec Lynley de les passer en revue, mais la plupart étaient tout ce qu'il y a de banal : un petit plan de Londres, un roman en édition de poche reflétant une prédilection pour les énigmes historiques, un portefeuille renfermant trente-cinq livres ainsi que deux cartes de crédit ; trois stylos,

597

un crayon cassé, une paire de lunettes de soleil dans leur étui, une brosse à cheveux, un peigne, quatre tubes de rouge à lèvres et un miroir. Il y avait aussi une liste de produits de la boutique de cigares, une publicité pour le Queen's Ice and Bowl – « Excellent traiteur ! Anniversaires ! Réceptions d'entreprises ! » –, une offre d'abonnement à un club de gym de Putney et des cartes de visite de Yolanda la Spirite, du Centre de patinage de Londres, d'Abbott Langer, moniteur professionnel de patin à glace, et de Sheldon Pockworth Numismate.

Cette dernière déconcerta Isabelle car elle ne savait plus ce qu'était un numismate. Un spécialiste des timbres, non ? Des médailles et monnaies, rectifia Lynley.

Elle lui demanda de vérifier.

— Et Yolanda aussi ? Je continue à penser que…

— Très bien. Yolanda aussi. Mais je suis convaincue qu'elle n'a rien à voir avec ça, Thomas. Ce n'est pas une femme qui a commis ce crime.

À Queensway, Lynley trouva le lieu de travail de Yolanda la Spirite sans trop de difficultés, même s'il dut attendre à l'extérieur du cabinet où elle exerçait, car un écriteau sur la porte proclamait : EN SÉANCE ! DÉFENSE D'ENTRER ! Lynley en déduisit que Yolanda était occupée à faire ce que les voyantes étaient supposées faire pour leurs clients : lire les feuilles de thé, tirer les tarots, interpréter les lignes de la main, ou des trucs de ce genre. Il alla prendre un café à emporter dans un petit bistrot russe installé à la jonction de deux couloirs du marché couvert, puis retourna aux Psychic

Mews son gobelet à la main. L'écriteau avait été retiré de la porte ; il se dépêcha de terminer son café et entra.

— C'est toi, trésor ? demanda Yolanda depuis l'autre pièce, séparée de l'accueil par un rideau de perles. Un peu en avance, non ?

— Non, dit Lynley pour répondre à la première question. Inspecteur Lynley. New Scotland Yard.

Elle franchit le rideau. Il remarqua ses incroyables cheveux orange et son tailleur ajusté dans lequel il reconnut – merci, Helen – soit un authentique Chanel, soit une copie de Chanel. Il ne l'avait pas imaginée comme ça.

Elle s'immobilisa en le voyant.

— Elle palpite, dit-elle.

Il cligna des yeux.

— Pardon ?

— Votre aura… Elle a reçu un coup terrible. Elle cherche à retrouver ses forces mais quelque chose l'en empêche.

Elle leva la main avant qu'il puisse répliquer. Elle inclina la tête comme si elle tendait l'oreille.

— Hmm. Oui, dit-elle. Ce n'est pas pour rien, vous savez. Elle a l'intention de revenir. En attendant, vous devez vous préparer à l'accueillir. C'est un double message.

— De l'au-delà ?

Il posa la question d'un ton léger mais, bien sûr, il avait tout de suite pensé à Helen, malgré ce qu'il y avait d'irrationnel à appliquer l'idée du retour à une personne si définitivement disparue.

Yolanda reprit :

— Vous seriez inspiré de ne pas prendre ces choses-là à la légère. Ceux qui badinent s'en repentent, en général. Comment avez-vous dit que vous vous appelez ?

— Inspecteur Lynley. C'est ce qui est arrivé à Jemima Hastings ? Elle a badiné ?

Yolanda passa derrière un paravent. Lynley entendit une allumette qu'on grattait. Il pensa qu'elle allumait de l'encens ou une bougie – les deux étaient plausibles, et il y avait déjà un cône d'encens qui brûlait entre les jambes d'un bouddha assis en tailleur –, mais elle ressortit avec une cigarette. Elle lui dit :

— C'est bien que vous ayez arrêté. Je ne voudrais pas que vous mouriez d'une maladie des poumons.

Il refusait catégoriquement de se laisser distraire. Il demanda :

— Et pour Jemima ?

— Elle ne fumait pas.

— Ça ne l'a pas beaucoup aidée en fin de compte, si ?

Yolanda tira une grosse bouffée de sa cigarette.

— J'ai déjà parlé aux flics. Cet homme noir. L'aura la plus puissante que j'aie vue depuis des années. Peut-être la plus puissante que j'aie jamais vue, en fait. Mais cette femme avec lui ? Celle avec les dents pas possibles ? Je dirais qu'elle a des problèmes irrésolus qui entravent son développement, et ce ne sont pas exactement des problèmes dentaires. Qu'en dites-vous ?

— Puis-je vous appeler Mrs Price ? demanda Lynley. J'ai cru comprendre que c'était votre vrai nom.

— Non, vous ne pouvez pas. Pas dans mon cabinet. Ici, je suis Yolanda.

— Très bien. Yolanda. Vous êtes allée à Oxford Road dans la journée. Nous devons discuter de ça, et aussi de Jemima Hastings. Préférez-vous le faire ici, ou bien ailleurs ?

— « Ailleurs » étant ?

— Ils ont forcément une salle d'interrogatoire au commissariat de Ladbroke Grove. Nous pouvons aller là-bas si vous aimez mieux.

Elle gloussa.

— Sacrés flics. Vous avez intérêt à faire attention à votre façon d'agir, sinon elle disparaîtra complètement. Le karma, ça existe, Mr Lynley. C'est bien le nom que vous avez dit, n'est-ce pas ?

— C'est bien ce que j'ai dit.

Elle l'examina.

— Vous n'avez pas l'air d'un flic. Vous ne parlez pas comme un flic. Vous n'êtes pas à votre place chez les flics.

Très juste, pensa-t-il. Mais cette déduction de Yolanda n'avait rien d'extraordinaire.

— Où voulez-vous qu'on discute, Yolanda ?

Elle retraversa le rideau de perles. Il la suivit.

Il y avait une table au centre de la pièce, mais ce n'est pas là qu'elle prit place. Elle gagna un canapé victorien fané qui faisait face à un fauteuil rembourré. Elle s'allongea sur le canapé et ferma les yeux, tout en continuant à fumer sa cigarette. Il s'assit dans le fauteuil.

— Parlez-moi d'abord d'Oxford Road. Nous en viendrons à Jemima ensuite.

Il n'y avait pas grand-chose à raconter, d'après Yolanda la Spirite. Elle était allée à Oxford Road à cause du mal inhérent à cette maison. Elle n'avait pas réussi à sauver Jemima de ce mal malgré ses exhortations à déménager, et, Jemima ayant été victime de la dépravation des lieux, elle se sentait obligée d'essayer d'en sauver les autres occupants. Manifestement, ils n'étaient pas décidés à partir, aussi avait-elle tenté de purifier la maison depuis l'extérieur : elle avait fait brûler de la sauge.

— Cette foutue bonne femme ne se rend pas compte des efforts que je déploie pour elle.

— Quelle sorte de mal ? demanda Lynley.

Yolanda rouvrit les yeux.

— Il n'y en a pas trente-six. Il y a le mal, point. Le mal. Jusqu'ici il a emporté deux habitants de cette maison, et il n'est pas rassasié. Son mari est mort là-bas, vous savez.

— Le mari de Mrs McHaggis ?

— Elle aurait quand même pu purifier les lieux, vous ne croyez pas ? Mais non. Elle est trop bête pour comprendre que c'est important. Maintenant Jemima est morte à son tour, et il y aura bientôt une autre victime. Attendez un peu, vous verrez.

— Et vous n'êtes allée là-bas que pour accomplir un…

Lynley chercha le terme le plus approprié au fait de brûler de la sauge dans un jardin et opta pour :

— Une espèce de rite ?

— Pas « une espèce de ». Oh, je sais ce que les gens comme vous pensent des gens comme moi. Vous ne croyez à rien jusqu'à ce que la vie vous mette à genoux, et à ce moment-là vous accourez, pas vrai ?

— C'est ce qui est arrivé à Jemima ? Pourquoi est-elle venue vous voir ? Au départ, je veux dire.

— Je ne discute pas de mes clients.

— Je sais que c'est ce que vous avez allégué aux autres policiers, mais nous avons un problème, voyez-

602

vous, car vous n'êtes ni psychiatre, ni psychologue, ni avocate, n'est-ce pas ? Vous ne pouvez pas invoquer le secret professionnel, que je sache…

— Ce qui veut dire quoi, exactement ?

— Ce qui veut dire que votre refus de révéler des informations peut être interprété comme de l'obstruction dans le cadre d'une enquête policière.

Elle garda le silence, digérant la nouvelle. Elle tira sur sa cigarette et recracha la fumée vers les cieux, la mine songeuse.

Lynley poursuivit.

— Alors je vous suggère de me dire tout ce qui peut s'avérer utile. Pourquoi est-elle venue vous voir ?

Le silence de Yolanda se prolongea un moment. Elle gagnait du temps, se demandant si elle devait parler ou non. Elle déclara enfin :

— Je l'ai déjà dit aux autres : l'amour. C'est pour ça qu'on vient me voir, le plus souvent.

— L'amour pour qui ?

Là encore elle hésita, puis répondit :

— L'Irlandais. Celui qui travaille à la patinoire.

— Frazer Chaplin ?

— Elle voulait savoir ce que les clients veulent toujours savoir.

Yolanda attrapa un cendrier sous le canapé et écrasa sa cigarette.

— Ça aussi, je l'ai déjà dit aux autres, plus ou moins. À l'homme noir et à la femme aux dents pas possibles. Je ne vois pas en quoi revenir sur tout ça avec vous va changer quoi que ce soit.

Lynley songea un instant avec amusement à la réaction de Barbara si elle s'entendait qualifier de « femme aux dents pas possibles ». Il répondit :

— Appelons ça une nouvelle perspective : la mienne. Que lui avez-vous dit, exactement ?

— L'amour, c'est risqué, soupira-t-elle.

C'est peu de le dire, pensa Lynley.

— J'entends, comme sujet de discussion, reprit-elle. On ne peut pas faire de prédictions dessus. Il y a trop de variables, toujours des trucs inattendus, surtout quand on n'a pas l'autre personne sous la main pour... enfin bon, pour bien l'examiner, vous comprenez. Alors on reste vague, comme qui dirait. C'est ce que j'ai fait.

— Pour que la cliente continue à venir, j'imagine.

Elle lui jeta un coup d'œil, pour voir s'il plaisantait. Ses traits demeurèrent impassibles.

— C'est un business, dit-elle. Je ne le nie pas. Mais c'est aussi un service que je fournis et, croyez-moi, les gens en ont besoin. En plus, toutes sortes de choses peuvent surgir quand je travaille avec un client. Ils viennent me voir pour une raison, mais ils en découvrent d'autres. C'est pas moi qui les oblige à revenir, je vous assure. C'est les choses que je sais et que je leur dis.

— Et Jemima ?

— Quoi, Jemima ?

— Elle avait d'autres raisons, à part ses questions sur l'amour ?

— Oui.

— Et quelles étaient-elles ?

Yolanda se redressa. Elle fit pivoter ses jambes. Celles-ci étaient épaisses, dépourvues de chevilles, de vrais poteaux. Elle abattit lourdement ses mains de chaque côté de ses cuisses, et bien qu'elle tînt son corps bien droit, sa tête était penchée. Elle la secoua.

Lynley crut qu'elle refusait de répondre. Terminé, les infos, mon cher... Mais elle dit :

— Quelque chose s'interpose entre moi et les autres. Tout est devenu silencieux. Mais je ne pensais pas à mal. Je ne savais pas.

Lynley n'avait aucune envie de jouer le jeu.

— Mrs Price, si vous savez quelque chose, j'insiste pour...

— Yolanda ! s'écria-t-elle, relevant brusquement la tête. C'est Yolanda, ici. J'ai déjà assez de problèmes avec le monde des esprits, je n'ai pas besoin que quelqu'un dans cette pièce aille leur rappeler que j'ai une autre vie à l'extérieur, d'accord ? Depuis qu'elle est morte – depuis que j'ai appris qu'elle était morte –, tout est devenu silencieux et noir. Je fais tout ce qu'il faut, ça fait des jours que je fais tout ce qu'il faut, et je ne sais vraiment pas ce qui m'échappe.

Sur ce, elle se leva. La pièce était sombre et sinistre, sans doute en accord avec sa spécialité, et elle gagna le rideau de l'entrée pour allumer un plafonnier. Le brusque éclairage fit ressortir de façon implacable la tristesse du décor : la poussière sur les meubles, les moutons dans les coins, les bibelots d'occasion, ébréchés ou fendillés. Yolanda se mit à arpenter la petite pièce. Lynley attendit, même si sa patience commençait à s'épuiser.

Elle déclara enfin :

— Ils viennent chercher des conseils. J'essaie de ne pas en donner directement. Ce n'est pas comme ça que ça marche. Mais dans son cas à elle, j'ai ressenti autre chose, et j'avais besoin de savoir de quoi il s'agissait pour pouvoir travailler avec elle. Elle avait des informations qui auraient pu m'aider, mais elle ne voulait pas me les communiquer.

— Des informations sur qui ? Sur quoi ?

— Allez savoir… Elle a refusé de préciser. Mais elle a demandé à quel endroit elle pouvait donner rendez-vous à quelqu'un si certaines vérités difficiles devaient être dites et qu'elle redoutait de les dire.

— Un homme ?

— Elle n'a pas voulu préciser. J'ai répondu une évidence, ce qu'aurait répondu n'importe qui : elle devait choisir un lieu public pour son rendez-vous.

— Avez-vous parlé de…

— Je ne lui ai absolument pas cité ce cimetière.

Elle cessa de déambuler. Elle le regarda depuis l'autre côté de la table, comme si elle avait besoin d'être rassurée par cette distance entre eux.

— Pourquoi je serais allée lui citer ce cimetière-là ?

— Vous ne lui avez pas recommandé non plus le Starbucks près de chez elle, observa Lynley.

— Je lui ai dit de choisir un endroit où la paix prédominerait, et où elle pourrait ressentir cette paix. Je ne sais pas pourquoi elle a choisi un cimetière. Je ne sais pas comment elle connaissait même son existence.

Elle se remit à faire les cent pas. Elle tourna une fois, deux fois autour de la table, avant de déclarer :

— J'aurais dû lui dire autre chose. J'aurais dû voir. Ou sentir. Mais je ne lui ai pas dit d'éviter cet endroit parce que je n'ai pas vu le danger.

Elle pivota vers lui.

— Vous savez ce que ça signifie que je n'aie pas vu le danger, Mr Lynley ? Vous comprenez dans quelle situation ça me met ? Je n'ai jamais douté un seul instant du don que je possède, mais maintenant je doute. Je ne sais plus distinguer la vérité des mensonges. Je n'arrive plus à *voir*. Et si je n'ai pas réussi à la protéger du danger, je ne peux protéger personne.

Elle semblait si malheureuse que Lynley se surprit à éprouver de la compassion, bien qu'il ne crût pas du tout à la parapsychologie. L'idée de protection, cependant, lui fit repenser à la pierre que Jemima avait sur elle. Un talisman, un porte-bonheur ?

— Avez-vous essayé de la protéger ? demanda-t-il.

— Bien sûr.

— Lui avez-vous donné quelque chose pour la préserver du danger avant ce rendez-vous qu'elle projetait d'avoir ?

Mais non. Elle n'avait cherché à protéger Jemima Hastings que par des conseils, qui n'avaient servi à rien.

Au moins, ils savaient désormais ce que Jemima fabriquait au cimetière d'Abney Park. D'un autre côté, ils n'avaient que la parole de Yolanda pour témoigner de ce qu'elle-même fabriquait dans Oxford Road ce jour-là. Il l'interrogea là-dessus ; il l'interrogea aussi sur ce qu'elle était en train de faire au moment de la mort de Jemima. À cette dernière question elle répondit qu'elle était en train de faire ce qu'elle faisait tout le temps : recevoir des clients. Elle avait son carnet de rendez-vous pour le prouver, et s'il voulait leur téléphoner, qu'il ne se prive pas. Quant à la question précédente, elle l'avait déjà expliqué : elle essayait de purifier cette maudite maison avant que quelqu'un d'autre ne trouve subitement la mort.

— McHaggis, Frazer ou l'Italien, dit-elle.

Elle les connaissait tous ? lui demanda Lynley.

Au moins de vue. Elle avait parlé à McHaggis et à Frazer. À l'Italien, non.

Et avait-elle eu l'occasion d'ouvrir un des bacs de tri dans le jardin ? s'enquit-il.

Elle le dévisagea comme s'il perdait la boule. Enfin, pourquoi donc irait-elle ouvrir ces poubelles ? Les poubelles n'avaient pas besoin d'être purifiées.

Il ne voulait pas repartir pour un tour. Il avait sans doute tiré tout ce qu'il y avait à tirer de Yolanda la Spirite. En attendant que le monde des esprits fasse d'autres confidences à la voyante, il n'avait plus rien à espérer d'elle.

21

Lorsqu'il s'engagea dans l'allée de Gordon Jossie, Robbie Hastings ne savait pas trop ce qu'il comptait faire. Jossie lui avait menti non seulement sur son désir de rester avec Jemima, mais aussi, en fait, sur le jour où il l'avait vue pour la dernière fois. Rob tenait cette dernière information de Meredith Powell, dont le coup de téléphone l'avait poussé à venir chez Jossie. Elle était allée voir la police à Lyndhurst ; elle leur avait donné la preuve formelle que Gordon s'était rendu à Londres le matin de la mort de Jemima. Il avait même passé la nuit dans un hôtel, avait-elle confié à Rob, et elle avait également informé la police de ce détail.

« Mais, Rob, avait-elle dit d'une voix où il percevait l'angoisse, je crois qu'on a fait une erreur.

— "On" ? » La moitié de ce « on » était Gina Dickens, en compagnie de qui Meredith avait été introduite auprès du commissaire divisionnaire Whiting – « parce qu'on a dit qu'on ne parlerait qu'au plus haut responsable » –, à qui elles avaient demandé où étaient passés les deux inspecteurs de New Scotland Yard. Elles avaient quelque chose d'une importance capitale à remettre à ces inspecteurs, lui avaient-elles expliqué, et bien sûr il avait demandé de quoi il s'agissait. Après avoir vu les preuves en question, il les avait rangées dans un classeur en demandant d'où elles provenaient.

« Gina ne voulait pas le lui dire, Rob. Elle semblait avoir peur de lui. Après, elle m'a raconté qu'il était venu à la ferme parler à Gordon, et que quand il était venu parler à Gordon, elle ignorait qu'il était de la police. Il ne l'avait pas précisé, et Gordon non plus. Elle a dit qu'elle avait eu des sueurs froides quand on est entrées dans son bureau et qu'elle l'a reconnu, parce que, d'après elle, Gordon devait savoir qui il était depuis le début. Du coup, maintenant, elle est dans tous ses états, parce que si ce mec rapplique à la ferme et qu'il apporte les preuves avec lui, alors Gordon saura par qui il les a eues. »

Tandis que les informations s'accumulaient, Robbie avait du mal à tout enregistrer. Des billets de train, une facture d'hôtel, Gina Dickens qui détenait ces documents, Gordon Jossie, le commissaire divisionnaire Whiting, New Scotland Yard... Et puis il y avait le détail non négligeable du mensonge éhonté de Gordon concernant le départ de Jemima : comme quoi elle avait quelqu'un à Londres ou ailleurs, que Gordon tenait à rester avec elle mais que c'était elle qui l'avait quitté, et non pas ce qui était probablement la vérité, à savoir qu'il l'avait chassée.

Meredith avait poursuivi en disant que le commissaire divisionnaire Whiting avait gardé sous le coude les billets de train et la facture d'hôtel, mais que dès que Gina et elle étaient sorties et que Gina lui avait révélé le lien de cet homme avec Gordon Jossie, elle avait eu la conviction qu'il ne transmettrait pas l'information à New Scotland Yard, même si elle n'aurait su dire pourquoi.

« Et ces inspecteurs, Rob, on ne savait pas où les trouver, gémit Meredith. Je ne leur ai même pas encore parlé de toute façon, alors je ne sais pas qui ils sont, et je ne les reconnaîtrais pas si je les croisais dans la rue. Pourquoi est-ce qu'ils ne sont pas venus me parler ? J'étais son amie, Rob, sa meilleure amie. »

Pour Rob, seul un détail comptait réellement. Ce n'était pas que le commissaire divisionnaire Whiting ait entre ses mains une preuve potentielle, et ce n'était pas l'endroit où se trouvaient les inspecteurs de Scotland Yard ni pour quelle raison ils n'avaient pas encore parlé à Meredith Powell. Ce qui comptait, c'était que Gordon soit allé à Londres.

Rob avait pris la communication de Meredith juste à la fin d'une réunion des administrateurs de la New Forest, qui s'était tenue, comme d'habitude, dans la Queen's House. Et la Queen's House avait beau ne pas être loin du commissariat où travaillait Whiting, Rob n'avait même pas envisagé de s'y rendre pour interroger le commissaire divisionnaire sur ce qu'il se proposait de faire des éléments apportés par Meredith et Gina Dickens. Il n'avait qu'une seule destination en tête et il avait mis le cap dessus en faisant grincer les vitesses de son Land Rover, Frank tanguant sur le siège à côté de lui.

Quand il constata à l'absence de véhicules que personne n'était là, Rob fit le tour du cottage d'un air absorbé, comme si des preuves de la culpabilité de Jossie allaient jaillir des parterres de fleurs. Il regarda par les fenêtres et essaya les portes, et le fait que celles-ci soient fermées à clé dans une région où quasiment personne ne verrouillait ses portes lui parut de très mauvais augure.

Il gagna ensuite la grange, dont il ouvrit les portes en grand. Il rejoignit la voiture de sa sœur, vit que la clé était sur le contact de la vieille Figaro et s'efforça d'en déduire quelque chose, mais la seule idée qui lui vint à l'esprit n'avait ni queue ni tête : que Jemima n'était jamais allée à Londres mais avait été assassinée ici et enterrée sur la propriété. Puis il remarqua que l'anneau rattaché à la clé de contact en portait une autre, et, supposant qu'il s'agissait de la clé du cottage, Robbie s'en empara et se rua vers la porte d'entrée.

Ce qu'il avait l'intention de chercher, il ne le savait pas. Tout ce qu'il savait, c'était qu'il devait faire quelque chose. Alors, il ouvrit des tiroirs dans la cuisine. Il inspecta le réfrigérateur. Il regarda dans le four. Il alla dans la salle de séjour et retira les coussins du canapé et des fauteuils. Ne trouvant rien, il monta l'escalier quatre à quatre. Les armoires étaient bien rangées. Les poches des vêtements étaient vides. Rien ne traînait sous les lits. Les serviettes dans la salle de bains étaient humides. Un cercle de tartre dans la cuvette des W-C indiquait qu'ils avaient besoin d'être nettoyés, et il avait beau espérer que quelque chose soit caché à l'intérieur du réservoir, il n'y avait rien dedans.

À ce moment-là, dehors, Frank se mit à aboyer. Puis un autre chien commença à aboyer. Robbie rejoignit une fenêtre. Là, il vit deux choses en même temps. D'une part, Gordon Jossie était revenu en compagnie de son golden retriever, d'autre part, les poneys étaient encore dans le paddock alors que, ça allait de soi, ils auraient dû être en train de gambader dans la forêt. Pourquoi, bon sang, se trouvaient-ils encore ici ?

Les aboiements se firent de plus en plus frénétiques, et Rob dévala l'escalier. D'accord, il était entré sans permission, mais il avait des questions à poser.

Frank aboyait comme un fou, et l'autre chien aussi. Rob vit en sortant du cottage que, pour une raison ou une autre, Jossie avait eu la sottise d'ouvrir la portière du Land Rover et de laisser Frank s'échapper. Penché dans l'habitacle, il fouillait le véhicule comme s'il ne savait pas pertinemment à qui il appartenait.

Le braque de Weimar hurlait littéralement. Il vint à l'esprit de Rob que l'animal ne hurlait pas après l'autre chien mais après Jossie lui-même. La rage de Rob en fut attisée parce que si Frank hurlait, c'était qu'on lui avait fait du mal, or personne n'avait le droit de porter la main sur son chien, et sûrement pas Gordon Jossie, dont la main avait déjà sévi ailleurs avec un résultat fatal.

Le retriever glapissait à présent parce que Frank hurlait. Deux chiens de la ferme de l'autre côté du chemin se joignirent au concert, et cette cacophonie énerva les poneys à l'intérieur du paddock. Ils se mirent à trotter le long de la clôture, agitant la tête et poussant des hennissements.

— Qu'est-ce que tu fous, bordel ? demanda Robbie, impérieux.

Jossie fit volte-face et lui posa à peu près la même question mais de façon bien plus fondée, vu que la porte du cottage était grande ouverte et qu'il n'y avait aucun doute sur ce que Robbie avait pu trafiquer. Rob cria à Frank de se taire, ce qui ne fit que déchaîner encore plus ses aboiements. Il ordonna au braque de Weimar de remonter dans la voiture, mais au lieu de cela Frank s'approcha de Jossie comme s'il avait l'intention de sauter à la gorge du chaumier.

— Ça ira, Tess, dit Jossie à sa propre chienne, qui cessa aussitôt d'aboyer.

Rob pensa aux notions de pouvoir et d'autorité, qui étaient peut-être au cœur de ce qui était arrivé à Jemima. Puis il repensa aux billets de train, à la facture d'hôtel, au voyage de Jossie à Londres, à ses mensonges, et il marcha à grands pas vers le chaumier, qu'il souleva et plaqua contre le Land Rover.

— Londres, espèce de salopard, grommela-t-il.

— Bordel, qu'est-ce que… ?

— Elle ne t'a pas quitté parce qu'elle avait quelqu'un d'autre, dit Robbie. Elle voulait t'épouser, même si on se demande pourquoi.

Il écrasa Jossie encore plus violemment, appuyant son bras sur sa gorge sans que le chaumier puisse se défendre. De son autre main, il envoya promener ses lunettes de soleil parce que, bon Dieu, il avait bien l'intention de voir ses yeux pour une fois. La casquette de Jossie valsa avec elles, une casquette de base-ball qui laissa une marque sur son front, pareille à celle de Caïn.

— Mais toi tu ne voulais pas, hein ? fit Robbie. Tu ne voulais pas d'elle. D'abord tu t'es servi d'elle, puis tu l'as chassée, et puis tu t'en es pris à elle.

Jossie repoussa Rob. Il soufflait comme un bœuf, et Rob s'aperçut qu'il était bien plus fort qu'il n'en avait l'air.

— De quoi tu parles ? Je m'en suis servi pour quoi, nom de Dieu ?

— Je comprends même comment ça marchait, espèce de fumier.

Ça paraissait tellement évident à présent que Rob s'étonna de ne pas l'avoir compris avant.

— Tu voulais cette maison – cette ferme, hein ? –, et tu t'es dit que je pourrais t'aider à l'obtenir, parce qu'elle fait partie de mon secteur, et que des terres qui jouissent de droits de propriété sont pas faciles à dégoter. Et que j'accepterais de t'aider à cause de Jemima, pas vrai ? Tout s'explique maintenant.

— T'es tombé sur la tête, dit Jossie. Tire-toi d'ici. Si tu ne fiches pas le camp tout de suite, je…

— Quoi ? Tu vas appeler les flics ? Je ne pense pas. T'es allé à Londres, et maintenant ils le savent.

Il resta pétrifié. Cloué sur place. Il ne dit rien, mais Robbie voyait bien qu'il réfléchissait à cent à l'heure.

Il avait l'avantage, et il décida d'en profiter.

— T'étais à Londres le jour précis où elle a été assassinée. Ils ont tes billets de train. Qu'est-ce que tu dis de ça ? Ils ont la facture de l'hôtel, et je suis sûr qu'il y a ton nom dessus écrit en énorme, pas vrai ? Alors, d'après toi, combien de temps il faudra pour qu'ils viennent te chercher, histoire de bavarder un peu ? Une heure ? Plus ? Un après-midi ? Une journée ?

Si Jossie avait envisagé de mentir à ce moment-là, son visage le trahit. À l'instar de son corps, qui se relâcha complètement. Toute sa combativité s'était envolée : il se savait foutu. Il se baissa, ramassa ses lunettes de soleil et les frotta contre le devant de son tee-shirt taché de sueur et de crasse. Il remit ses lunettes, sans doute pour cacher ses yeux, mais ça n'avait plus d'importance maintenant, car Rob y avait vu tout ce qu'il voulait voir.

— Oui, dit Robbie. Fin de partie, Gordon. Et ne t'imagine pas que tu peux filer parce que je te traquerai jusqu'en enfer, s'il le faut, et je te ramènerai.

Jossie alla récupérer sa casquette, qu'il tapa contre son jean, mais il ne la remit pas sur sa tête. Il avait retiré son coupe-vent, qu'il avait laissé en tas sur le siège du Land Rover. Il l'attrapa, toujours en tas, et dit :

— Très bien, Rob.

Sa voix était calme et Rob vit que ses lèvres avaient pris une couleur mastic.

— Très bien, répéta-t-il.

— Ça veut dire quoi, exactement ?

— Tu sais bien.

— Tu étais là-bas.

— Si oui, tout ce que je pourrai dire ne changera rien.

— Tu as menti à propos de Jemima depuis le début.

— Je n'ai pas…

— Elle ne partait pas rejoindre quelqu'un à Londres. Ce n'est pas pour ça qu'elle t'a quitté. Elle n'avait personne d'autre, à Londres ou ailleurs. Il n'y avait que toi, et c'était toi qu'elle voulait. Mais tu ne voulais pas d'elle : l'engagement, le mariage, que sais-je… Alors tu l'as chassée.

Jossie regarda en direction des poneys dans le paddock.

— Ça ne s'est pas passé comme ça.

— T'es en train de nier que t'étais là-bas ? Si les flics vérifient les films des caméras de surveillance des gares – à Sway, à Londres –, tu ne seras pas dessus le jour de sa mort ? S'ils montrent ta photo dans cet hôtel, personne ne se souviendra que tu y as passé une nuit ?

— Je n'avais aucune raison de tuer Jemima.

Gordon se lécha les lèvres. Il jeta un coup d'œil par-dessus son épaule, vers la petite route, comme s'il cherchait quelqu'un pour le sauver de ce face-à-face.

— Bon Dieu, pourquoi j'aurais voulu sa mort ?

— Elle avait rencontré quelqu'un d'autre une fois à Londres. Elle me l'a dit. Alors ça t'a exaspéré. Tu ne voulais pas d'elle mais, bon sang, personne d'autre ne l'aurait.

— J'ignorais totalement qu'elle avait quelqu'un d'autre. Tu viens de me l'apprendre. Comment j'aurais pu le savoir ?

— Parce que tu as cherché à la retrouver. Tu l'as retrouvée, et tu lui as parlé. Elle te l'a forcément dit.

— Et quand bien même, qu'est-ce que j'en aurais eu à faire ? Moi aussi j'avais quelqu'un d'autre. J'ai quelqu'un d'autre. Je ne l'ai pas tuée. Je jure devant Dieu…

— Tu ne nies pas être allé là-bas. Là-bas à Londres.

— Je voulais lui parler, Rob. Ça faisait des mois que j'essayais de la retrouver. Et puis j'ai eu un coup de fil… Un mec qui avait vu les cartes que j'avais affichées. Il a laissé un message pour dire où était Jemima. Juste l'endroit où elle travaillait, à Covent Garden. J'ai téléphoné là-bas – une boutique de cigares –, mais elle a refusé de me parler. Puis elle a appelé quelques jours plus tard et elle a dit que oui, d'accord, elle voulait bien me rencontrer. Pas à son boulot, elle a dit, mais là-bas.

Au cimetière, comprit Rob. Mais ce que Jossie disait ne tenait pas debout. Jemima avait un nouveau mec. Jossie avait une nouvelle nana. De quoi devaient-ils discuter ?

Rob marcha vers le paddock, où les poneys avaient recommencé à paître. Debout près de la clôture, il les contempla. Ils étaient trop soignés, trop bien nourris. Gordon ne leur rendait pas service en les gardant ici. Ils étaient censés trouver à se nourrir tout seuls à longueur d'année ; ils faisaient partie d'un troupeau. Rob ouvrit la barrière et entra dans l'enclos.

— Qu'est-ce que tu fais ? demanda Jossie.

— Mon job.

Derrière lui, Rob entendit le chaumier qui le suivait dans l'enclos.

— Pourquoi ils sont là ? Ils sont censés être dans la forêt avec les autres.

— Ils boitaient.

Rob s'approcha des poneys. Il les apaisa en faisant « Chhh » alors que, derrière lui, Jossie refermait la barrière. Rob ne mit pas longtemps à voir que les poneys étaient en pleine forme. Il sentait leur nervosité et leur impatience de retourner dans la forêt rejoindre le reste du troupeau.

— Ils ne boitent plus. Alors pourquoi tu…

C'est alors qu'il vit quelque chose de bien plus étrange que des poneys en pleine santé enfermés dans un paddock au mois de juillet. Il vit la façon dont leurs queues étaient taillées. Même si les poils avaient repoussé depuis l'automne dernier quand les poneys avaient été marqués, la manière dont leurs queues étaient taillées était encore tout à fait reconnaissable, et ce que cette taille indiquait, c'était qu'aucun de ces animaux n'aurait dû se trouver dans cette zone de la New Forest. En fait, la marque qu'ils portaient les identifiait comme venant de la partie nord de la Perambulation, près de Minstead, d'une ferme située à côté de Boldre Gardens.

— Ces poneys ne sont pas à toi. Bon Dieu, qu'est-ce que tu trafiques ?

Jossie ne répondit rien.

Robbie attendit. Ils se trouvaient dans une impasse. Rob comprit qu'il était inutile de continuer à parler ou à se disputer avec le chaumier. Il comprit aussi que ça n'avait pas d'importance. Les flics étaient sur sa piste à présent.

— Très bien, dans ce cas, dit-il. Comme tu voudras. Je viendrai demain avec un fourgon pour les emmener. Ils doivent retourner d'où ils viennent. Et toi tu dois éviter de toucher aux animaux des autres.

Dans un premier temps, Gordon tenta de se convaincre que Robbie Hastings avait bluffé, car de deux choses l'une : soit il avait mal placé sa confiance une fois de plus dans sa vie, soit quelqu'un s'était introduit par effraction dans sa maison, avait trouvé les pièces compromettantes et les avait gardées patiemment, dans le but de les présenter aux flics au moment où elles pourraient lui nuire le plus.

De ces deux propositions, il préférait la seconde, car même si elle signifiait que la fin était proche, au moins elle ne signifiait pas qu'il avait été trahi par quelqu'un en qui il avait confiance. Si, par contre, la première possibilité était la bonne, il craignait de ne pas s'en remettre.

Pourtant, il le savait, il était bien plus probable que Gina ait découvert les billets de train et la facture d'hôtel que d'imaginer que Meredith Powell ou quelqu'un lui vouant une antipathie similaire ait pénétré dans sa maison, fouillé dans les poubelles, et empoché les documents à son insu. C'est pourquoi, quand Gina rentra, il l'attendait.

Il entendit d'abord sa voiture. Elle avait coupé le moteur en s'engageant dans l'allée. Elle avança en roue libre pour s'arrêter derrière son pick-up. Une fois sortie du véhicule, elle referma la portière si doucement qu'il n'entendit même pas le déclic. Il n'entendit pas non plus ses pas sur le gravier ni le bruit de la porte de derrière qui s'ouvrait.

Elle ne cria pas son nom comme elle le faisait d'habitude. Au lieu de cela, elle monta l'escalier et pénétra dans la chambre, sursautant lorsqu'elle le vit à la fenêtre, simple silhouette dans le contre-jour. Elle ne tarda pas à se ressaisir.

— Ah, te voilà, lança-t-elle.

Elle sourit comme si tout allait bien et, durant ce bref instant, il voulut croire de tout son cœur qu'elle ne l'avait pas dénoncé à la police.

Il ne souffla mot tandis qu'il s'efforçait de rassembler ses esprits. Elle écarta une mèche sur sa joue. Elle prononça son nom, et comme il ne répondait pas, elle fit un pas vers lui.

— Quelque chose ne va pas, Gordon ?

Quelque chose ? Tout. Y avait-il eu un moment où il avait cru que les choses pourraient un jour aller bien ? Et pourquoi y avait-il cru ? Le sourire d'une femme, peut-être, la caresse, douce et délicate, d'une main sur sa peau, ses propres mains sur des hanches pleines et des fesses rebondies, sa bouche sur des seins délicieux... Avait-il été sot au point d'imaginer que le

620

simple fait de posséder une femme puisse abolir tout ce qui s'était passé avant ?

Il se demanda ce que savait Gina. Qu'elle soit là laissait penser qu'elle ne savait pas grand-chose, mais qu'elle ait peut-être – sans doute – trouvé les billets de train et la facture de l'hôtel, qu'elle les ait gardés pardevers elle en attendant de pouvoir s'en servir pour lui nuire… Pourquoi, d'ailleurs, ne les avait-il pas jetés sur le quai de la gare de Sway en rentrant ? C'était ça, la vraie question. S'il avait seulement pensé à le faire, cette femme et lui ne seraient pas debout dans cette chambre, dans cette insupportable canicule, à se faire face avec le péché de trahison dans leurs cœurs à tous deux, pas seulement son cœur à elle, car il ne pouvait pas prétendre qu'elle était la seule à avoir péché.

Il n'avait pas jeté les billets sur le quai de la gare, et il ne s'était pas débarrassé de la facture, parce qu'il n'avait pas envisagé qu'il puisse arriver quelque chose à Jemima, que le fait qu'il détienne ces bouts de papier puisse l'incriminer, que Gina puisse les trouver, les conserver, et ne pas lui reprocher de lui avoir menti sur la Hollande, le laisser s'enferrer de plus en plus et continuer à ne pas souffler mot de ce qu'elle savait sur sa destination réelle, qui n'était pas la Hollande, qui n'était pas une ferme où il aurait discuté de roseaux avec quelqu'un, qui n'était pas à l'étranger du tout mais plutôt au cœur d'un cimetière de Londres à essayer d'arracher à Jemima ces choses qu'elle avait en sa possession et qu'elle pouvait utiliser pour le détruire si ça lui chantait.

— Gordon, pourquoi tu ne me réponds pas ? Pourquoi tu me regardes comme ça ?

— Comme quoi ?

— Comme si tu…

Elle repoussa à nouveau sa mèche, même si cette fois elle ne la gênait pas. Son sourire vacilla.

— Pourquoi tu ne veux pas répondre ? Pourquoi tu me fixes comme ça ? Quelque chose ne va pas ?

— Je suis allé lui parler, Gina. C'est tout ce que j'ai fait.

Elle plissa le front.

— À qui ?

— J'avais besoin de lui parler. Elle avait accepté de me retrouver. Si je ne te l'ai pas dit, c'est seulement parce que je n'avais pas de raison de te le dire. C'était terminé entre nous, mais elle avait quelque chose qui m'appartenait et que je voulais récupérer.

Elle dit, semblant comprendre enfin :

— Tu as vu Jemima ? Quand ?

— Ne fais pas comme si tu n'avais pas pigé. Rob Hastings est passé.

— Gordon, je ne vois pas comment… Rob Hastings ?

Elle s'esclaffa, mais d'un rire sans gaieté.

— Tu sais, tu me fais vraiment peur. Tu as un ton… Je ne sais pas… féroce ? Rob Hastings t'a dit quelque chose sur moi ? Il a fait quelque chose ? Tu t'es disputé avec lui ?

— Il m'a dit pour les billets de train et la facture d'hôtel.

— Quels billets de train ? Quelle facture d'hôtel ?

— Ceux que tu as trouvés. Ceux que tu as remis à la police.

Sa main se leva. Elle plaça le bout de ses doigts entre ses seins.

— Gordon, franchement. Tu es… Mais de quoi tu parles ? Est-ce que Rob Hastings a raconté que je lui avais donné quelque chose ? Quelque chose à toi ?

— Aux flics, dit-il.

— Quoi, les flics ?

— Tu as donné les billets de train et cette facture d'hôtel aux flics. Mais si tu m'avais plutôt interrogé dessus, je t'aurais dit la vérité. Je ne l'avais pas fait parce que je ne voulais pas que tu t'inquiètes. Je ne voulais pas que tu t'imagines qu'il y avait peut-être toujours quelque chose entre nous, parce qu'il n'y avait plus rien.

Les yeux de Gina – immenses, bleus, plus beaux que le ciel du Nord – l'observaient alors que sa tête s'inclinait lentement d'un côté.

— Bon Dieu, de quoi tu parles ? Quels billets de train ? Quelles factures d'hôtel ? Qu'est-ce que Rob Hastings a dit que j'avais fait ?

Il n'avait rien dit, bien sûr. Gordon avait simplement tiré ces conclusions-là. Et il avait tiré ces conclusions-là parce que d'après lui, à moins que quelqu'un ne soit sournoisement allé fouiller dans ses poubelles, personne n'aurait pu tomber sur ces documents à part Gina. Il expliqua :

— Rob m'a dit que les flics de Lyndhurst détiennent des éléments qui prouvent que j'étais à Londres ce jour-là. Le jour où elle est morte.

— Mais tu n'y étais pas.

Gina avait un ton parfaitement raisonnable.

— Tu étais en Hollande. Tu es allé te renseigner pour les roseaux parce que ceux de Turquie deviennent de la camelote. Tu n'as pas gardé les billets de ton voyage, alors tu as été obligé de dire que tu travaillais ce jour-là. Et Cliff a raconté à la police – à cet homme et à cette femme de Scotland Yard – que tu travaillais parce que tu savais qu'ils penseraient que tu mentais si tu ne leur montrais pas ces billets d'avion.

— Non. Ce qui s'est passé, c'est que je suis allé à Londres. Ce qui s'est passé, c'est que j'avais rendez-vous avec Jemima dans cet endroit où elle est morte. Le jour où elle est morte.

— Ne dis pas ça !

— C'est la vérité. Mais quand je l'ai quittée, elle était vivante. Elle était assise sur un banc en pierre au bord d'une clairière où il y a une vieille chapelle, et elle était vivante. Je n'ai pas obtenu d'elle ce que je voulais obtenir, mais je ne lui ai pas fait de mal. Je ne suis rentré que le lendemain pour que tu croies que j'étais allé en Hollande, et j'ai jeté ces billets à la poubelle. C'est là que tu les as trouvés.

— Non, dit-elle. Absolument pas. Et si je les avais trouvés et qu'ils m'avaient perturbée, je t'en aurais parlé. Je t'aurais demandé pourquoi tu m'avais menti. Tu le sais, Gordon.

— Alors comment les flics…

— Rob Hastings t'a dit qu'ils avaient les billets ? Alors il ment. Il veut que tu portes le chapeau. Il veut que tu… Je ne sais pas… que tu fasses une folie pour que la police croie… Seigneur, Gordon, il a très bien pu fouiller lui-même dans les poubelles, tomber sur ces billets et les remettre à la police. Ou bien il a pu les garder, dans le but de les utiliser plus tard contre toi. Ou sinon lui, alors quelqu'un d'autre qui te déteste autant que lui. Mais voyons, pourquoi j'irais faire autre chose avec ces maudits billets que simplement t'en parler ? Est-ce que j'ai la moindre raison de faire quelque chose qui pourrait t'attirer des ennuis ? Regarde-moi. Réponds-moi.

— Si tu pensais que j'avais fait du mal à Jemima…

— Mais enfin pourquoi j'irais penser ça ? C'était terminé entre Jemima et toi. Tu me l'as dit et je t'ai cru.

— C'était la vérité.

— Alors… ?

Il ne dit rien.

Elle s'approcha de lui. Il voyait bien qu'elle hésitait, comme s'il était un animal anxieux qu'il fallait amadouer. Et elle était aussi anxieuse que lui, il le voyait bien. Ce qu'il ne comprenait pas, c'était la cause de son anxiété. La paranoïa dont il faisait preuve ? Les accusations qu'il portait contre elle ? La mauvaise conscience qui la rongeait ? L'envie désespérée qu'ils avaient tous les deux que l'autre le croie ? Et pourquoi ce sentiment désespéré, de toute façon ? Il savait ce qu'il avait à perdre, c'est sûr. Mais elle, qu'avait-elle à perdre ?

Elle parut entendre sa question et elle déclara :

— C'est si rare que les gens aient une relation vraiment profonde. Tu ne le vois donc pas ?

Il ne répondit pas, mais il se sentit obligé de la regarder, droit dans les yeux, et le fait même qu'il s'y sente obligé le poussa à détacher son regard de Gina et à le porter ailleurs, n'importe où, en l'occurrence dehors. Il se tourna vers la fenêtre. Il voyait le paddock et les poneys à l'intérieur.

— Tu as dit que tu en avais peur, déclara-t-il lentement. Mais tu es entrée dans l'enclos. Tu étais dedans avec eux. Donc tu n'avais pas peur, n'est-ce pas ? Parce que si tu avais peur, jamais de la vie tu n'y serais entrée.

— Les chevaux ? Gordon, j'ai essayé de t'expliquer…

— Tu pouvais très bien attendre que je les relâche dans la forêt. Tu savais que j'aurais fini par le faire. J'aurais été obligé de le faire. À ce moment-là, tu n'aurais absolument rien eu à craindre en y allant, mais tu n'aurais plus eu de raison d'y aller, pas vrai ?

— Gordon. Gordon, dit-elle en le rejoignant. Écoute-toi un peu. Ça ne tient pas debout.

Comme un animal, il sentait son odeur, là, tout près de lui. Une odeur très légère, mais qui se combinait au parfum qu'elle portait, un léger voile de transpiration, et aussi autre chose. C'était peut-être de la peur. Mais c'était peut-être aussi de la surprise. La surprise de la découverte. La sienne à lui ou la sienne à elle, il n'en savait rien, mais en tout cas c'était là et c'était bien réel. Quelque chose de primitif.

Les poils se dressèrent sur ses bras, comme s'il était en présence d'un danger, ce qui était le cas. Il l'avait toujours été et il trouvait la chose tellement bizarre qu'il eut envie de rire comme un dément en constatant que tout marchait à l'envers dans sa vie : il pouvait se cacher mais il ne pouvait pas fuir.

— De quoi m'accuses-tu ? demanda-t-elle. Pourquoi, d'ailleurs, m'accuses-tu ? Tu te conduis comme un…

Elle hésita, non pas comme si elle cherchait le mot, mais comme si elle se refusait à le prononcer.

Il continuait à regarder les poneys. Il avait l'impression que c'étaient eux qui détenaient les réponses.

— Tu veux que je me fasse arrêter, c'est ça ? Tu veux que j'aie des ennuis ?

— Pourquoi je voudrais ça ? Regarde-moi. S'il te plaît. Retourne-toi. Regarde-moi, Gordon.

626

Il sentit sa main sur son épaule. Il tressaillit. Elle la retira. Elle répéta son nom. Il dit :

— Elle était vivante quand je l'ai laissée. Elle était assise sur ce banc dans le cimetière. Et elle était en vie. Je le jure.

— Bien sûr qu'elle était vivante, murmura Gina. Tu n'avais aucune raison de faire du mal à Jemima.

Les poneys trottaient le long de la clôture, comme s'ils savaient que le temps était venu qu'on les libère.

— Mais personne n'y croira, dit-il, plus pour lui-même que pour elle. Lui, surtout, n'y croira pas, maintenant qu'il a ces billets de train et cette facture.

L'éternel retour, songea sombrement Gordon. Ça n'en finirait jamais. Toujours et encore et jusqu'à la fin des temps.

— Alors tu n'as qu'à dire la vérité.

Elle le toucha à nouveau, sur la nuque cette fois, ses doigts légers sur ses cheveux.

— Enfin, pourquoi n'as-tu pas dit simplement la vérité au départ ?

Là était bien la question, songea-t-il avec amertume. Dire la vérité et tant pis pour les conséquences, même quand les conséquences allaient être la mort. Ou pire que la mort car, au moins, la mort mettrait un terme à l'existence qu'il était contraint de mener.

Elle chuchota, tellement près de lui désormais :

— Pourquoi tu ne me l'as pas dit ? Tu peux toujours me parler, Gordon. Quoi que tu me dises, rien ne pourrait changer ce que je ressens pour toi.

Et alors il sentit sa joue qui s'appuyait contre son dos et ses mains sur son corps, ses mains expertes. D'abord elles se posèrent sur sa taille. Puis ses bras l'enlacèrent, ses mains douces effleurèrent sa poitrine.

Elle dit : « Gordon, Gordon », et les mains descendirent, d'abord sur son ventre et puis, caressantes, entre ses cuisses, le cherchant, le cherchant.

— Jamais de la vie, murmura-t-elle, jamais, jamais, jamais, mon chéri…

Il sentit la chaleur, la pression, puis l'afflux de sang. C'était un refuge tellement agréable que chaque fois qu'il s'y trouvait, rien d'autre ne s'immisçait dans ses pensées. Alors vas-y, vas-y, lâche-toi, songea-t-il. Après tout, il méritait bien…

Il se dégagea soudain avec un cri et fit volte-face pour la regarder.

Elle cligna des yeux.

— Gordon ?

— Non !

— Pourquoi ? Gordon, c'est si rare que des gens…

— Ne me touche pas. Je comprends maintenant. C'est ta faute si…

— Gordon ? Gordon !

— Je ne veux pas de toi ici. Je veux que tu partes. Putain de bordel de merde, tu vas me foutre le camp d'ici.

Meredith se dirigeait vers sa voiture quand son portable sonna. C'était Gina. Elle sanglotait, incapable de reprendre sa respiration assez longtemps pour s'exprimer clairement. Tout ce que comprit Meredith, c'est que quelque chose s'était passé entre Gina et Gordon à la suite de leur visite à la police de Lyndhurst. L'espace d'un instant, Meredith pensa que le commissaire divisionnaire Whiting avait débarqué chez Gordon avec les preuves qu'elles lui avaient remises, mais ce n'était apparemment pas le cas, ou si ça l'était, Gina n'en souffla mot. Elle dit en revanche que Gordon avait découvert d'une manière ou d'une autre que ses billets de train et sa facture d'hôtel étaient entre les mains des flics, et qu'il était dans une rage folle. Gina s'était enfuie de la ferme et se terrait à présent dans sa chambre au-dessus du salon de thé du Chapelier Fou.

— Je suis morte de peur ! cria-t-elle. Il sait que c'est moi. Je ne sais pas ce qu'il va faire. J'ai essayé de jouer la comédie… Il m'a accusée… Qu'est-ce que je pouvais dire ? Je ne voyais pas comment lui faire croire… J'ai tellement la trouille. Je ne peux pas rester ici. Si je reste, il va venir. Il sait où…

Elle se remit à sangloter.

— Je n'aurais jamais dû… Il ne lui aurait jamais fait de mal. Mais je pensais qu'il ferait mieux d'expliquer à la police… parce que si les flics découvraient…

— J'arrive tout de suite, dit Meredith. S'il frappe à la porte, appelez le 999.

— Où êtes-vous ?

— À Ringwood.

— Mais ça va prendre… Il va venir, Meredith. Il était tellement en rogne.

— Installez-vous dans le salon de thé, alors. Il ne s'en prendra pas à vous dans un lieu public. Vous n'aurez qu'à hurler à tue-tête s'il le faut.

— Je n'aurais pas dû…

— Quoi ? Vous n'auriez pas dû aller voir les flics ? Qu'est-ce que vous étiez censée faire d'autre ?

— Mais comment savait-il qu'ils avaient ces documents ? Comment il pouvait le savoir ? Vous l'avez répété à quelqu'un ?

Meredith hésita. Elle ne voulait pas reconnaître qu'elle en avait parlé à Robbie Hastings. Elle accéléra le pas jusqu'à sa voiture.

— Whiting est sûrement allé lui poser des questions juste après notre départ. Mais c'est parfait, Gina. C'est ce qu'on voulait. Vous en êtes bien consciente ?

— Je *savais* qu'il saurait. C'est pour ça que je voulais que ce soit vous qui...

— Tout va bien se passer.

Meredith raccrocha.

Elle se trouvait à une certaine distance de Lyndhurst, mais la deux-voies à la sortie de Ringwood allait lui faciliter la tâche. Ses nerfs réclamaient à cor et à cri la cassette d'affirmation de soi, alors, en chemin, elle l'écouta, répétant fébrilement les formules : *Je t'aime, je te veux, je tiens à toi, je te vois et je t'entends, ce n'est pas ce que tu fais mais qui tu es que j'aime, je t'aime, je te veux, je tiens à toi, je te vois et je t'entends, ce n'est pas ce que tu fais mais qui tu es que j'aime.* Et puis *Je me suffis, je me suffis, je me suffis.* Puis, comme ce mantra ne semblait pas très efficace : *Je suis une enfant de Dieu, aimée de Lui, je suis une enfant de Dieu, aimée de Lui.*

Elle arriva à toute vitesse à Lyndhurst une vingtaine de minutes plus tard, légèrement apaisée. Elle laissa sa voiture près du musée de la New Forest et se dépêcha de gagner la grand-rue, où un bouchon causé par les feux tricolores de Romsey Road lui permit de traverser facilement entre les voitures à l'arrêt.

Gina n'était pas dans le salon de thé. Il avait déjà fermé, mais la propriétaire était encore là à faire son ménage du soir : si Gina avait voulu s'asseoir pour attendre en toute sécurité, elle aurait pu le faire. Autrement dit, conclut Meredith, Gina avait dû se calmer.

Elle monta l'escalier. Le silence régnait à l'étage, seuls les bruits de la grand-rue s'insinuaient par la porte ouverte. Comme la fois précédente, il faisait une chaleur d'enfer dans le bâtiment. Meredith sentait la sueur lui dégouliner dans le dos, mais elle savait que ce n'était pas seulement la température. Il y avait aussi la peur. Et s'il était déjà là ? Dans la chambre ? Avec Gina ? S'il l'avait suivie jusqu'à Lyndhurst, avec les pires intentions ?

Meredith avait à peine frappé à la porte que celle-ci s'ouvrit à la volée. Gina était dans un sale état. Elle avait la figure bouffie et congestionnée. Elle tenait un gant de toilette contre le haut de son bras, et une couture avait lâché sur la manche de sa chemisette.

Meredith s'écria :

— Oh mon Dieu !

— Il était contrarié. Il ne voulait pas…

— Qu'est-ce qu'il a fait ?

Gina se rendit au lavabo dans lequel Meredith vit qu'elle avait déposé quelques malheureux glaçons. Elle les glissa dans le gant de toilette. Meredith remarqua alors la vilaine marque rouge sur son bras. De la taille d'un poing.

— On appelle la police. Ce sont des coups et blessures. Il faut prévenir la police.

— Je n'aurais jamais dû aller voir la police. Il ne lui aurait jamais fait de mal. Il n'est pas comme ça. J'aurais dû le savoir.

— Vous êtes folle ou quoi ? Regardez ce qu'il vient de vous faire ! On doit…

— On en a assez fait. Il a peur. Il reconnaît qu'il était là-bas. Et puis elle est morte.

— Il l'a reconnu ? Vous devez le dire à la police. À ces inspecteurs de Scotland Yard. Oh, bon sang, d'ailleurs, où est-ce qu'ils sont passés ?

— Il n'a pas reconnu qu'il l'avait tuée. Jamais de la vie. Il a reconnu qu'il l'avait vue. Ils avaient convenu d'un rendez-vous. Il a dit qu'il lui fallait savoir avec certitude que c'était fini entre eux pour que lui et moi on puisse…

Se mettant à pleurer, elle posa de nouveau le gant contre son bras et elle hoqueta de douleur quand le tissu-éponge la toucha.

— On doit vous emmener aux urgences. Cette blessure pourrait être grave.

— Ce n'est rien. Un bleu, c'est tout.

Elle baissa le regard sur son bras. Ses lèvres remuèrent convulsivement.

— Je l'avais mérité.

— N'importe quoi ! C'est ce que disent toujours les femmes battues.

— Je n'ai pas cru en lui. Et ensuite je l'ai trahi alors que j'aurais pu simplement lui poser la question. Il n'a rien fait d'autre que d'aller lui parler pour être sûr que c'était fini entre eux pour que lui et moi… Maintenant il me hait. Je l'ai trahi.

— Ne dites pas de bêtises. Si quelqu'un a trahi l'autre, on sait toutes les deux qui c'est. Pourquoi est-ce que vous le croyez, de toute façon ? Il dit qu'il est allé là-bas pour s'assurer que c'était fini entre eux, mais qu'est-ce qu'il pouvait dire d'autre maintenant qu'il sait que les flics ont les preuves matérielles dont ils ont besoin ? Il est dans le pétrin, et il panique. Il va se débarrasser de tous les gens qui le gênent.

— Je n'arrive pas à croire ça de lui. C'est ce policier, Meredith. Le commissaire divisionnaire qu'on a vu.

— Vous croyez que c'est lui qui a tué Jemima ?

— Je vous l'ai dit : il est venu voir Gordon. Il y a un truc entre eux. Un truc pas net.

— Vous croyez que c'est Jemima ? Qu'ils l'ont tuée ensemble ?

— Non, non. Oh, je ne sais pas. Je ne pensais plus à lui, j'avais oublié qu'il était venu voir Gordon, mais, quand on est entrées dans son bureau aujourd'hui et que j'ai vu qui il est réellement... Je veux dire, que c'est un flic, que c'est quelqu'un d'important... Quand il est venu au cottage, il n'a jamais dit qu'il était flic. Et Gordon ne l'a jamais dit non plus. Mais il est forcément au courant, n'est-ce pas ?

Meredith comprit enfin comment les choses concordaient. Mieux, elle comprit qu'elles s'étaient vraiment mises en danger, Gina et elle. Car si Gordon Jossie et le commissaire divisionnaire trempaient dans quelque chose ensemble, Gina et elle avaient remis à Whiting une pièce à conviction qu'il allait détruire sur-le-champ. Mais il n'allait pas détruire uniquement les billets de train et la facture d'hôtel. Il allait aussi détruire les personnes qui en connaissaient l'existence.

Il avait forcément reconnu Gina. Mais il ne savait pas qui était Meredith et elle ne pensait pas lui avoir dit son nom. Alors elle était à l'abri, pour l'instant. Gina et elle pourraient... À moins que ? Avait-elle donné son nom ? S'était-elle présentée, avait-elle montré ses papiers ? C'était ce qu'on faisait toujours. Non, non.

Elle ne s'était pas présentée. Elles s'étaient contentées d'aller dans son bureau. Elles lui avaient remis les preuves, elles lui avaient parlé, et… bon Dieu. Bon Dieu. Elle n'arrivait pas à se souvenir. Enfin, nom d'un chien, pourquoi n'arrivait-elle pas à se souvenir ? Elle avait les idées embrouillées. Il se passait trop de choses. Elle perdait les pédales. Il y avait Gina, il y avait la panique de Gina, il y avait les preuves, il y avait la rage de Gordon, et il y avait sans doute également autre chose, mais elle n'arrivait pas à s'en souvenir.

Elle dit à Gina :

— Il faut nous en aller d'ici. Je vous ramène chez moi.

— Mais…

— Venez. Vous ne pouvez pas rester ici et moi non plus.

Elle aida Gina à rassembler ses affaires, qui n'étaient pas nombreuses. Elles les jetèrent dans un sac en plastique puis se mirent en route. Gina suivrait Meredith dans sa propre voiture, et elles iraient à Cadnam. Cela paraissait l'endroit le plus sûr. Elles allaient devoir partager non seulement une chambre mais un lit, et elles allaient devoir inventer une histoire pour les parents de Meredith. Celle-ci eut le temps de réfléchir à un baratin pendant le trajet, et lorsqu'elle se gara dans l'allée de ses parents, elle expliqua à Gina qu'une fuite de gaz au salon de thé du Chapelier Fou avait rendu son logement inhabitable. Dans un délai aussi court, elle n'avait pas trouvé mieux.

— Vous venez d'être embauchée chez Gerber & Hudson comme réceptionniste, d'accord ?

Gina hocha la tête, mais elle avait l'air apeurée, comme si les parents de Meredith risquaient de téléphoner à Gordon pour lui annoncer où elle était.

Elle se détendit un peu quand Cammie se précipita hors de la maison en criant : « Maman ! Maman ! » La petite fille se rua sur Meredith, passant fermement ses bras autour des jambes de sa mère.

— Mamie veut savoir où tu étais passée, maman.

Puis, à Gina :

— Je m'appelle Cammie. Et toi ?

Gina sourit et Meredith vit ses épaules se décrisper, comme si la tension les quittait.

— Moi, c'est Gina.

— J'ai cinq ans, claironna Cammie, soulignant son âge en brandissant cinq doigts tandis que Meredith la hissait sur sa hanche. Après j'aurai six ans, mais pas avant longtemps parce que je viens juste d'avoir cinq ans en mai. On a fait une fête. Tu fais des fêtes pour tes anniversaires, toi ?

— Non, pas depuis longtemps.

— Dommage. Les fêtes d'anniversaire, c'est bien, surtout si on a du gâteau.

Puis, comme toujours, elle passa du coq à l'âne.

— Maman, mamie est fâchée parce que tu n'as pas téléphoné pour dire que tu serais en retard. Tu dois lui téléphoner.

— Je vais m'excuser.

Meredith embrassa sa fille en faisant claquer ses lèvres le plus fort possible, comme aimait Cammie. Elle reposa la fillette par terre.

— Tu peux courir lui dire qu'on a de la compagnie, Cam ?

Si Janet Powell avait ressenti précédemment un quelconque dépit, il s'était dissipé lorsque Meredith fit entrer Gina dans la maison. Ses parents étaient accueillants, et une fois que Meredith leur eut raconté l'histoire bidon de la fuite de gaz au salon de thé du Chapelier Fou, les justifications devinrent inutiles.

— Terrible, terrible, mon petit chou, murmura Janet en tapotant Gina dans le dos. Eh bien, il n'est pas question qu'on vous laisse loger là-bas. Asseyez-vous donc et je vais vous préparer une bonne assiette de salade au jambon. Cammie, emporte le sac de Gina dans la chambre de ta maman et sors des serviettes propres dans la salle de bains. Et demande à ton papi de bien vouloir nettoyer la baignoire.

Cammie déguerpit pour accomplir ces différentes missions, annonçant qu'elle acceptait même de prêter à Gina ses propres serviettes à petits lapins, et criant : « Papi ! Il faut qu'on nettoie la baignoire, toi et moi », alors que Gina s'installait à table.

Meredith aida sa mère à préparer la salade. Ni elle ni Gina n'avaient vraiment faim – comment auraient-elles eu faim dans de telles circonstances ? –, mais elles firent toutes deux un effort, comme si elles avaient la conviction commune que ne pas manger susciterait des soupçons supplémentaires superflus.

Gina joua le jeu de la fuite de gaz avec un naturel que Meredith se surprit à admirer énormément. Elle avait mis de côté ses inquiétudes sur Gordon comme Meredith elle-même n'aurait jamais réussi à le faire dans la même situation. En fait, Gina ne tarda pas à lancer Janet Powell sur sa propre vie, sur son mariage, le fait d'être mère, et aussi grand-mère. Meredith voyait bien que sa mère était sous le charme.

Rien ne troubla la soirée et, quand la nuit tomba, la vigilance de Meredith s'était évanouie. Elles étaient en sécurité, du moins pour l'instant. Il serait assez tôt demain pour penser à ce qu'elles devraient faire ensuite.

Elle commença à se rendre compte qu'elle s'était trompée sur Gina Dickens. Gina était tout autant une victime dans cette histoire que Jemima l'avait été. Elles avaient commis la même erreur : pour une raison obscure, chacune était tombée amoureuse de Gordon Jossie, et Gordon Jossie les avait flouées l'une et l'autre.

Elle n'arrivait pas à comprendre comment deux créatures intelligentes avaient pu ne pas voir clair en lui, mais elle devait admettre que sa méfiance à l'égard des hommes n'était pas une chose que les autres femmes avaient naturellement en partage. Et puis, les gens tiraient en général des leçons de leurs expériences personnelles avec le sexe opposé, et non pas des récits des échecs amoureux d'autrui.

Il en avait été ainsi pour Jemima, et il en allait incontestablement de même pour Gina. Elle était en train de tirer ses propres leçons, même si apparemment elle s'obstinait dans le déni.

— Je n'arrive toujours pas à croire qu'il lui ait fait du mal, dit Gina à voix basse quand elles furent seules dans la chambre de Meredith.

Avant que Meredith puisse lâcher une remarque acide sur Gordon Jossie, elle ajouta :

— Quoi qu'il en soit, merci. Tu es une vraie amie, Meredith. On peut se dire « tu », n'est-ce pas ? Et puis ta mère est adorable. Et Cammie aussi. Et ton père. Tu as beaucoup de chance.

— Pendant longtemps, ce n'est pas l'impression que j'ai eue.

Elle parla à Gina du père de Cammie. Elle lui raconta toute cette misérable histoire et termina en disant :

— Quand j'ai refusé de me faire avorter, ça a été fini. Il a dit qu'il me faudrait aller au tribunal prouver qu'il était le père, mais à ce moment-là, en fait, j'étais déjà dégoûtée.

— Il ne t'aide pas du tout ? Il ne te verse pas de pension pour elle ?

— S'il m'envoyait un chèque, j'y mettrais le feu. De mon point de vue, c'est lui le perdant dans l'affaire. Moi j'ai Cammie, alors que lui ne la connaîtra jamais.

— Qu'est-ce qu'elle pense de son père ?

— Elle sait que certains enfants ont des pères et d'autres non. On s'est dit – maman, papa et moi – que si on n'en faisait pas une tragédie, elle n'y verrait pas une tragédie.

— Mais elle pose forcément des questions.

— De temps en temps. Mais somme toute, elle préfère aller voir les loutres à la réserve naturelle, et on n'a pas besoin d'en discuter tant que ça. Viendra un jour où j'essaierai de mieux lui expliquer, mais alors elle sera plus grande.

Meredith haussa les épaules, et Gina lui pressa la main. Elles étaient assises sur le bord du lit, dans la faible lumière de l'unique lampe de chevet. La maison était silencieuse à part leurs murmures.

— Je suppose que tu sais que tu as bien fait, mais ça n'a pas dû être facile pour toi, hein ? dit Gina.

Meredith secoua la tête. Elle lui était reconnaissante de sa compréhension, car elle savait que les autres s'imaginaient que oui, ça avait été facile, et elle n'avouait jamais le contraire. Elle habitait avec ses parents, et ils aimaient Cammie. La mère de Meredith s'occupait de la petite fille quand Meredith partait travailler. Qu'y avait-il de plus simple ? Beaucoup de choses, bien sûr, en réalité, et en tête de liste, être célibataire, être libre, et poursuivre la carrière qui l'avait conduite à Londres. C'était fichu maintenant, mais pas oublié.

Meredith cligna rapidement des yeux en se rendant compte que cela faisait une éternité qu'elle n'avait pas eu une amie de son âge. Elle remercia Gina, puis réfléchit à ce que signifiait au fond la vraie amitié : des confidences partagées, pas de secrets pour l'autre. Pourtant, elle avait un secret qu'il lui fallait confesser.

— Gina…

Elle respira à fond, puis ajouta :

— J'ai quelque chose à toi.

Gina eut l'air perplexe.

— À moi ? Quoi ?

Meredith alla chercher son sac sur le dessus de la commode. Elle le vida à côté de Gina, et farfouilla parmi les objets jusqu'à ce qu'elle trouve ce qu'elle cherchait : le minuscule paquet qu'elle avait déniché sous le lavabo dans la chambre de Gina. Le tenant dans le creux de sa main, elle le lui rendit.

— Je suis entrée chez toi.

Elle se sentait devenir écarlate.

— Je cherchais quelque chose qui me dirait…

Meredith hésita. Qu'est-ce qu'elle avait cherché ? Elle ne le savait pas sur le moment, et elle ne le savait toujours pas.

— Je ne sais pas ce que je cherchais, mais voilà ce que j'ai trouvé, et je l'ai pris. Je suis désolée. Je m'en veux vraiment d'avoir fait ça.

Gina regarda le petit sachet de papier replié, mais sans le prendre. Ses sourcils bien dessinés se rapprochèrent.

— Qu'est-ce que c'est ?

Meredith n'avait pas envisagé un seul instant que sa trouvaille puisse ne pas appartenir à Gina. Elle était tombée dessus dans la chambre de Gina, donc c'était à Gina. Ramenant sa main vers elle, elle retira l'emballage qui enveloppait le petit disque en or grossièrement façonné. À nouveau, elle tendit sa main vers Gina, qui, cette fois, prit la rondelle en or.

— Tu crois que c'est du vrai, Meredith ?

— Du vrai quoi ?

— Du vrai or. Elle est très ancienne, non ? Regarde comme elle est usée. J'arrive à distinguer une tête. Et il y a aussi une inscription. Je crois que c'est une pièce. Ou peut-être une médaille, un genre de décoration. Tu n'as pas une loupe ?

Meredith se concentra. Sa mère en avait une petite dont elle se servait pour enfiler l'aiguille de sa machine à coudre. Elle alla la chercher et la donna à Gina. Celle-ci essaya de déchiffrer ce qui figurait sur l'objet qu'elle tenait.

— Une tête d'homme, c'est sûr. Il porte une couronne.

— Comme ces diadèmes que portent les rois dans les batailles, par-dessus leur armure ?

Gina hocha la tête.

— Il y a aussi des mots, mais je n'arrive pas à les lire. Ils n'ont pas l'air d'être en anglais.

Meredith réfléchit. Une pièce ou une médaille sans doute en or, un roi, des mots dans une langue étrangère… Elle réfléchit également à l'endroit où elles vivaient, la New Forest, une région réputée pour avoir fait office de terrain de chasse à Guillaume le Conquérant. Il ne parlait pas anglais. Personne à la cour ne parlait anglais à l'époque. Leur langue était le français.

— C'est du français ?

— Je saurais pas dire, répondit Gina. Jette un œil toi-même. Ce n'est pas facile à déchiffrer.

En effet. Les lettres étaient estompées, sûrement par le temps et l'usure, à l'image de toutes les pièces qui devenaient moins faciles à déchiffrer à force de passer de main en main.

— Je pense qu'elle a de la valeur, dit Gina, ne serait-ce que parce qu'elle est en or. Bien sûr, je ne fais que supposer que c'est de l'or. Je présume que ça pourrait être un autre métal.

— Quel autre métal ?

— Je ne sais pas. Du cuivre ? Du bronze ?

— Pourquoi cacher une pièce en cuivre ? Ou en bronze ? Moi je crois que c'est bien de l'or. La seule question, c'est que si elle n'est pas à toi…

— Franchement ? Je ne l'ai jamais vue de ma vie.

— … alors comment a-t-elle atterri dans ta chambre ?

Essayant de faire montre de délicatesse, Gina expliqua :

— À la vérité, Meredith, si tu es entrée dans ma chambre aussi facilement…

Meredith termina sa phrase :

— Quelqu'un d'autre a très bien pu faire la même chose. Et laisser la pièce sous le lavabo.

— C'est là que tu l'as trouvée ?

Gina se tut, méditant ce détail.

— Bon, reprit-elle enfin. Soit celui qui occupait la chambre avant moi a caché la pièce, est parti précipitamment et a oublié son existence, soit quelqu'un l'a mise là alors que j'occupais déjà les lieux.

— Il faut qu'on découvre qui c'était, déclara Meredith.

— Oui. Je suis bien d'accord.

22

Lynley prit l'appel d'Isabelle Ardery alors qu'il ressortait de Psychic Mews. Par chance, il avait réglé son téléphone sur le mode vibreur, sans quoi il ne l'aurait pas entendu, car le vacarme d'une échoppe diffusant de la musique turque empêchait d'entendre quoi que ce soit.

— Ne quittez pas, il faut que je m'éloigne d'ici, lança-t-il en pressant le pas.

— … n'a sans doute jamais travaillé aussi vite, disait Isabelle alors qu'il remettait l'appareil contre son oreille une fois isolé du bruit.

À la question de Lynley, elle répéta ce qu'elle lui avait dit : que l'inspecteur Stewart, dans une admirable démonstration de ce dont il était réellement capable quand il ne faisait pas exprès de causer des problèmes, avait localisé tous les appels reçus et émis par le portable de Jemima Hastings les jours qui avaient précédé sa mort, le jour de sa mort, ainsi que ceux qui avaient suivi.

— On a un appel de la boutique de cigares le jour de sa mort, dit Ardery.

— Jayson Druther ?

— Et il le confirme. À ce qu'il dit, c'était à propos d'une commande de cigares cubains. Il n'arrivait pas à mettre la main dessus. Le frère de Jemima lui a aussi téléphoné, tout comme Frazer Chaplin, et… j'avoue que j'ai gardé le plus étrange pour la fin. Il y a eu un appel de Gordon Jossie.

— Tiens, tiens.

— Son numéro était là. Le même que sur les cartes postales qu'il avait placardées autour de la Portrait Gallery et de Covent Garden. Intéressant, non ?

— Qu'est-ce qu'on a, côté antennes-relais ? demanda Lynley. Des résultats ?

Il fallait déterminer où se trouvaient les correspondants au moment où ils avaient appelé le portable de Jemima, et c'était en vérifiant les registres des antennes-relais qu'on pourrait y parvenir.

— John s'en occupe. Ça va prendre du temps.

— Des appels après sa mort ?

— Il y a eu des messages de Yolanda, de Rob Hastings, de Jayson Druther, de Paolo di Fazio.

— Rien d'Abbott Langer, donc, ni de Frazer Chaplin ? Rien de Jossie ?

— Rien du tout. Pas après. M'est avis qu'un de ces types savait que ce n'était pas la peine de téléphoner…

— Et les appels qu'elle a passés le jour de sa mort ?

— Trois à Frazer Chaplin – avant celui qu'elle a reçu de lui –, et un à Abbott Langer. Il va falloir leur reparler, à ces deux-là.

Lynley allait s'en charger : il était à quelques mètres de la patinoire.

Il lui répéta ce que Yolanda avait dit au sujet de son dernier rendez-vous avec Jemima. Si Jemima cherchait conseil auprès de la voyante à propos de vérités difficiles qui devaient être dites à quelqu'un, Lynley avait l'impression que ce quelqu'un était un homme. Comme, à en croire la voyante, Jemima était amoureuse de l'Irlandais, celui-ci pouvait fort bien être le destinataire de ces fameuses vérités difficiles. Évidemment, dit Lynley à la commissaire, il ne lui échappait pas qu'il y avait d'autres destinataires potentiels tout aussi crédibles : Abbott Langer, par exemple, mais aussi Paolo di Fazio, Jayson Druther, Yukio Matsumoto, et tous les hommes ayant un lien avec Jemima Hastings, comme Gordon Jossie et son propre frère, Rob.

— Occupez-vous d'abord de Chaplin et Langer, dit Ardery quand il eut terminé. On va continuer à creuser par là.

Elle se tut un instant avant d'ajouter :

— Des vérités difficiles ? C'est ce qu'elle vous a dit ? Croyez-vous que Yolanda nous mène en bateau, Thomas ?

Lynley repensa à ce que Yolanda avait dit de lui, de son aura, du retour d'une femme – partie, mais pas oubliée, jamais oubliée – dans sa vie. Il devait reconnaître qu'il ne savait pas dans quelle mesure les affirmations de Yolanda se fondaient sur son intuition, sur son observation de subtiles réactions chez son auditeur durant son discours et sur ce qu'elle tenait réellement de « l'autre côté ». D'après lui, ils pouvaient ignorer quasiment toutes les déclarations de la voyante quand ses dires ne s'appuyaient pas sur des faits concrets.

— Toutefois, à propos de Jemima, la voyante ne faisait pas de prédictions, chef. Elle répétait ce que Jemima lui avait dit.

— Isabelle, rectifia-t-elle. Pas chef. Nous en étions à Isabelle, Thomas.

Il resta silencieux un moment.

— Isabelle, alors. Yolanda répétait ce que Jemima lui avait dit.

— Mais elle avait également tout intérêt à nous lancer sur une fausse piste, si c'est elle qui a mis ce sac à main dans la poubelle.

— Très juste. Mais quelqu'un d'autre aurait pu l'y mettre. Et elle pourrait essayer de protéger cette personne. Laissez-moi parler à Abbott Langer.

Cette liste d'appels téléphoniques était à la fois une bonne et une mauvaise nouvelle pour Isabelle. Tout ce qui les orientait vers le tueur était forcément positif. Mais, en même temps, tout ce qui les écartait de l'hypothèse Yukio Matsumoto rendait sa propre position périlleuse. C'était une chose si un tueur cherchant à échapper à la police était renversé par un taxi et gravement blessé. C'était une tout autre affaire si un simple malade mental en mal de traitement était renversé par une voiture tandis qu'il fuyait un danger imaginaire, concocté par son cerveau fiévreux. Cela ne faisait pas bon effet dans le climat actuel, où des gens étaient pris à tort pour des terroristes et se faisaient descendre à la suite d'erreurs abominables. En un mot comme en cent, appels de portable ou non, il leur fallait des éléments décisifs – des éléments absolument béton – pour porter le coup de grâce à Matsumoto.

Elle avait regardé la conférence de presse de la Met, organisée préventivement par Stephenson Deacon et la Direction des affaires publiques. Elle devait reconnaître que le service de presse s'était montré d'une efficacité et d'une sérénité remarquables, mais la prouesse n'avait rien d'étonnant. Il avait des années de pratique dans l'art subtil de communiquer des informations censées être explicatives alors que la dernière chose qu'il souhaitait, c'était donner des détails compromettants sur le moindre agent de la Met ou la moindre mesure prise par la Met. Deacon et Hillier lui-même étaient apparus devant les caméras. Hillier s'était chargé de la déclaration qu'ils avaient préparée à l'avance. L'accident de Shaftesbury Avenue était certes regrettable, déplorable, inévitable, et tous les adjectifs en -able que pouvait contenir le dictionnaire, mais les policiers n'étaient pas armés, souligna-t-il, ils s'étaient clairement et à de multiples reprises identifiés comme des policiers, et si un suspect fuit devant les policiers lorsque les policiers désirent l'interroger, il est évident que lesdits policiers vont prendre l'individu en chasse. Dans une enquête pour meurtre, la sécurité publique l'emporte sur toute autre considération, surtout lorsqu'un suspect essaie de se soustraire aux questions des policiers. Pour ce qui était des noms de ces policiers, Hillier se garda de les divulguer. Cela viendrait plus tard, Isabelle le savait, dans la fâcheuse éventualité où quelqu'un devrait être livré en pâture à la presse.

Isabelle avait une idée assez précise de l'identité de cette personne. Il y eut des questions de journalistes après le communiqué, mais elle ne les écouta pas. Elle retourna travailler, et elle travaillait encore quand elle reçut un appel de Sandra Ardery. Fine mouche, celle-ci n'avait pas appelé sur le portable, car Isabelle aurait reconnu le numéro et refusé de répondre. La communication avait suivi la filière classique, pour aboutir sur le poste de Dorothea Harriman. Celle-ci vint personnellement annoncer la nouvelle : Sandra Ardery serait vraiment reconnaissante de « vous dire juste un mot, chef. Ce serait à propos des garçons ? ». Par cette inflexion sur le substantif, Harriman exprimait sa certitude, au demeurant infondée, qu'Isabelle ne manquerait pas de se précipiter pour parler à quiconque avait quelque chose à dire à propos des « garçons ».

Isabelle se retint de saisir le téléphone et d'aboyer « Quoi, qu'est-ce qu'il y a ? » dans le combiné. Elle n'avait rien contre la femme de Bob, qui faisait des efforts héroïques pour rester neutre dans les conflits opposant Isabelle à son ex-mari. Elle fit oui de la tête à l'intention de Harriman et prit la communication.

La voix de Sandra était voilée, comme toujours. Pour une raison inexpliquée, elle parlait comme une mauvaise imitatrice de Marilyn Monroe, ou comme quelqu'un qui exhalait des volutes de fumée, même si, à la connaissance d'Isabelle, elle n'avait jamais aimé la cigarette.

— Bob a dit qu'il avait essayé de vous joindre. Il a laissé un message sur votre portable, non ? Je lui ai pourtant dit d'essayer votre bureau, mais... vous connaissez Bob.

Ah ça oui, songea Isabelle.

— J'étais débordée, Sandra. On a eu un incident avec un type dans la rue.

— Vous avez un rapport avec *ça* ? C'est affreux. J'ai vu la conférence de presse. Elle a interrompu mon émission.

Une émission médicale... Pas une fiction hospitalière toute bête, mais une exploration scientifique très

648

sérieuse de diverses pathologies et autres affections, mortelles ou non. Sandra regardait religieusement ce programme en prenant des notes abondantes, histoire de surveiller la santé de ses enfants. Résultat des courses, elle les emmenait sans arrêt chez le pédiatre, complètement paniquée – la dernière fois à cause de rougeurs sur le bras de sa fille cadette, dont Sandra croyait dur comme fer qu'elles étaient dues à une certaine maladie des Morgellons. La passion de Sandra pour cette émission était le seul sujet sur lequel Isabelle et Bob Ardery pouvaient réellement rigoler ensemble.

— Oui, je planche sur une enquête en relation avec cet incident, confirma Isabelle. C'est pourquoi je n'étais pas en mesure de…

— Vous n'auriez pas dû être à la conférence de presse ? Ce n'est pas comme ça qu'on procède ?

— On ne « procède » pas d'une façon préétablie. Pourquoi ? Est-ce que Bob me surveille ?

— Mais non. Mais non.

Autrement dit, si. Autrement dit, il avait sans doute téléphoné à sa femme pour lui dire de brancher la télé aussi sec parce que son ex avait salement déconné cette fois-ci, et que la preuve en était propagée en ce moment même sur les ondes.

— De toute manière, ce n'est pas pour ça que je téléphone.

— Pourquoi téléphonez-vous ? Les garçons vont bien ?

— Mais oui. Mais oui. Ne vous en faites pas. Ils sont dans une forme olympique. Un peu bruyants, bien sûr, et un peu turbulents…

— Ils ont huit ans.

— Bien sûr. Bien sûr. Je ne voulais pas dire… Isabelle, ne vous en faites surtout pas. J'adore ces petits. Vous le savez bien. C'est juste qu'ils sont extrêmement différents des filles.

— Ils n'aiment pas les poupées et les thés mondains, si c'est ce que vous voulez dire. Mais vous n'espériez pas ça d'eux, quand même ?

— Pas du tout. Pas du tout. Ils sont adorables. On a fait une excursion hier, à propos, les garçons, les filles et moi. Je pensais que ça leur plairait de voir la cathédrale de Canterbury.

— Ah vraiment ?

Une cathédrale, songea Isabelle, accablée. Pour des gamins de huit ans…

— Je ne pense pas que…

— Oui, bien sûr, bien sûr, vous avez raison. Ça ne s'est pas passé tout à fait aussi bien que je l'espérais. J'avais cru que la partie Thomas Becket les intéresserait. Vous voyez ce que je veux dire. Le côté meurtre sur le maître-autel ? Le prêtre renégat ? Et ils ont bien aimé, d'ailleurs. Au début. Mais ça n'a pas été évident de retenir leur attention. Ils auraient sûrement préféré une virée au bord de la mer, mais je me fais tellement de souci pour l'exposition au soleil, avec ces histoires de couche d'ozone et de réchauffement de la planète, et cette augmentation alarmante du nombre de carcinomes. Et ils ne veulent pas mettre d'écran total, Isabelle : ça, je n'arrive pas à comprendre. Les filles s'en enduisent sans problème, mais les garçons, on croirait que j'essaie de les torturer, à voir leur réaction. Vous ne leur en mettiez jamais ?

Isabelle respira à fond pour se calmer.

— Peut-être pas aussi régulièrement que j'aurais dû. Bon, maintenant…

— Mais c'est capital d'en mettre ! Vous le saviez forcément…

— Sandra. Vous me téléphonez pour quelque chose de particulier ? J'ai pas mal de boulot, comprenez-vous, alors s'il s'agit simplement de bavarder… ?

— Vous êtes occupée, vous êtes occupée. Bien sûr, vous êtes occupée. C'était juste pour vous dire : s'il vous plaît, venez déjeuner. Les garçons veulent vous voir.

— Je ne pense pas…

— Je vous en prie. Je projette d'emmener les filles chez ma mère, alors il n'y aura que vous et les garçons.

— Et Bob ?

— Et Bob, naturellement.

Elle se tut un moment, puis elle ajouta de manière impulsive :

— J'ai vraiment essayé de lui faire comprendre, Isabelle. Je lui ai expliqué que ce n'était que justice. Je lui ai dit que vous aviez besoin de passer du temps avec eux. Je lui ai expliqué que je préparerais le repas pour vous, et qu'ensuite on pourrait tous aller chez ma mère. On vous laisserait avec eux et ce serait exactement comme un restaurant ou un hôtel, sauf que ce serait dans notre maison. Mais… J'ai bien peur qu'il n'en soit pas question pour lui. Il n'y a pas moyen qu'il accepte. Je suis vraiment désolée, Isabelle. Il ne pense pas à mal, vous savez.

Il ne pense qu'à ça, songea Isabelle.

— Je vous en prie, venez, d'accord ? Les garçons… Ils sont vraiment pris entre deux feux. Ils ne comprennent pas. Comment pourraient-ils ?

651

— Je suis sûre que Bob leur a très bien expliqué.

Isabelle n'essaya même pas de dissimuler son amertume.

— Pas du tout. Pas du tout. Pas un mot, pas un mot. Seulement que maman est à Londres et qu'elle doit s'adapter à son nouveau travail. Exactement comme vous aviez dit.

— Je n'ai jamais dit ça. Où est-ce que vous êtes allée chercher que j'avais dit ça ?

— C'est seulement qu'il a dit…

— Est-ce que vous auriez été d'accord pour renoncer à vos enfants ? Est-ce que vous seriez d'accord ? Vous me prenez pour ce genre de mère ?

— Je sais que vous avez essayé d'être une très bonne mère. Je sais que vous avez essayé. Les garçons sont fous de vous.

— Essayé ? *Essayé ?*

Isabelle s'entendit soudain parler et elle eut envie de se taper sur le crâne en s'apercevant qu'elle s'était mise à s'exprimer exactement comme Sandra, avec sa manie exaspérante de répéter deux fois les mots et les phrases, un tic nerveux qui donnait l'impression qu'elle croyait que le monde était à moitié sourd et nécessitait une réitération systématique.

— Oh, je ne m'exprime pas bien. Je ne m'expr…

— Je dois retourner travailler.

— Mais vous viendrez, dites ? Vous y réfléchirez ? Il ne s'agit pas de vous et il ne s'agit pas de Bob. Il s'agit des garçons. Il s'agit des garçons.

— Enfin merde, je vous défends de m'expliquer de quoi il s'agit !

Isabelle raccrocha violemment. Elle jura et enfouit sa tête dans ses mains. Je n'irai pas, je n'irai pas, se dit-elle. Là-dessus, elle s'esclaffa, même si elle était la première à trouver son rire hystérique. C'était ce foutu redoublement de mots. Un truc à devenir folle.

— Euh… Chef ?

Elle leva les yeux, mais elle savait déjà à la légère déférence dans le ton employé que l'interruption provenait de l'inspecteur John Stewart. Il se tenait là avec une expression sur les traits qui indiquait à Isabelle qu'il avait entendu au moins une partie de sa conversation avec Sandra. Elle dit sèchement :

— Oui, quoi ?

— Le conteneur Oxfam.

Son esprit mit un moment à réaliser : Bella McHaggis et son jardin converti en centre de tri…

— Et alors, John ?

— On a autre chose qu'un sac à main dedans. Quelque chose qui devrait vous intéresser.

Lynley constata que la vague de chaleur persistante attirait beaucoup de monde au Queen's Ice and Bowl, en particulier sur la glace. C'était sans doute l'endroit le plus frais de Londres, et toute la population, de sept à soixante-dix-sept ans, semblait en profiter. Certains se contentaient de s'agripper au bord de la patinoire et de se traîner tant bien que mal le long de la rambarde. D'autres, plus audacieux, chancelaient autour de la piste sans aucune aide, les patineurs plus aguerris s'efforçant de les éviter. En plein milieu de la patinoire, de futurs champions olympiques s'entraînaient aux sauts et aux pirouettes avec plus ou moins de réussite, tandis que, se faufilant à travers la foule pour trouver un peu de place partout où c'était possible, des moniteurs de danse sur glace exerçaient leur métier avec de médiocres partenaires.

Lynley dut attendre pour parler à Abbott Langer, occupé à donner une leçon au milieu de la patinoire. Il avait été désigné à Lynley par le loueur de patins qui l'avait appelé « le connard aux cheveux ». Lynley ne savait pas trop ce qu'il entendait par là jusqu'à ce qu'il aperçoive le moniteur. En effet, cette description suffisait. Il n'avait jamais vu une tignasse pareille de toute sa vie.

Il n'empêche, Langer savait patiner. Il décolla d'un bond on ne peut plus naturel, démontrant à quel point ce mouvement était facile à un petit élève d'une dizaine d'années. L'enfant s'y essaya et atterrit sur les fesses. Langer le rejoignit en glissant et le remit debout. Il pencha la tête vers celle du garçon, ils discutèrent un moment, et Langer fit une deuxième démonstration. Il était très doué. Il était souple. Il était fort. Lynley se demanda s'il était également un assassin.

Quand le cours fut terminé, Lynley intercepta le moniteur au moment où il disait au revoir à son élève et fixait des protections sur les lames de ses patins. Pouvait-il lui dire un mot ? s'enquit Lynley poliment. Il montra sa carte de police.

— J'ai parlé aux deux autres, dit Langer. Un Black et une petite boulotte. Je ne vois pas ce que je pourrais avoir de plus à dire.

— Des détails à éclaircir, lui expliqua Lynley. Cela ne devrait pas être long.

Il indiqua le snack qui formait une séparation entre la patinoire et le bowling.

— Prenons un café, Mr Langer.

Il attendit que Langer se résigne à le suivre.

Lynley commanda deux cafés qu'il apporta à la table où Langer avait laissé tomber sa masse imposante. Il faisait tourner une salière entre ses doigts. Ceux-ci étaient épais et solides, et ses mains, immenses comme le reste de sa personne.

— Pourquoi avez-vous menti aux autres policiers, Mr Langer ? lui demanda Lynley sans préambule. Vous deviez vous douter que tout ce que vous diriez serait vérifié.

Langer ne répondit pas. Sage attitude, songea Lynley. L'homme attendait la suite.

— Il n'y a pas d'ex-femmes. Pas plus que d'enfants, reprit Lynley. Pourquoi mentir sur une chose si facile à vérifier ?

Langer prit le temps de déchirer deux sachets de sucre, qu'il vida dans son café. Il ne le remua pas.

— Ça n'a rien à voir avec ce qui est arrivé à Jemima. *Je* n'ai rien à voir avec ça.

— Oui, mais vous n'iriez pas dire le contraire, n'est-ce pas ? Réflexe normal, souligna Lynley.

— C'est une question de cohérence. Voilà tout.

— Expliquez.

— Je raconte la même chose à tout le monde. Trois ex-femmes. Quatre enfants. Comme ça, les choses restent simples.

— C'est important pour vous ?

Langer détourna les yeux. De leur place, ils pouvaient voir la patinoire : toutes ces ravissantes créatures qui virevoltaient – ou dégringolaient – dans leurs jupettes affriolantes et leurs collants aux couleurs vives.

— Je préfère ne pas m'engager. Je me suis rendu compte que les ex-femmes et les enfants, ça aidait.

— Ne pas vous engager avec qui ?

— Je suis moniteur. Mon rôle avec elles s'arrête là, quel que soit leur âge. Parfois une jeune ou une moins jeune commence à s'intéresser à moi parce qu'on est proches sur la glace. C'est stupide, ça ne veut rien dire, et je ne leur mens pas. Grâce aux ex-femmes.

— Pareil avec Jemima Hastings ?

— Jemima prenait des leçons avec moi, déclara Langer. Nos rapports s'arrêtaient là. C'était même plutôt elle qui m'utilisait.

— Comment cela ?

— Je l'ai déjà raconté aux autres. Je n'ai pas menti là-dessus. Elle voulait tenir Frazer à l'œil.

— Elle vous a téléphoné le jour de sa mort. Tout comme la vérité sur les ex-femmes et les enfants, vous vous êtes gardé de mentionner ce détail aux autres inspecteurs.

Langer attrapa son café.

— Je ne m'étais pas souvenu de ce coup de fil.

— Et maintenant, il vous revient ?

Il prit un air pensif.

— Oui, en fait. Elle cherchait Frazer.

— Elle devait le retrouver au cimetière ?

— Je crois plutôt qu'elle se rancardait sur lui. Elle le faisait souvent. Toutes les filles que Frazer fréquentait finissaient par faire ça. Jemima n'était pas la première et elle n'aurait pas été la dernière. C'est comme ça depuis le début.

— Les femmes le fliquaient ?

— Les femmes ne lui faisaient pas entièrement confiance et elles s'assuraient qu'il marchait droit. Il faisait souvent des embardées.

— Et pour Jemima ?

— C'était sûrement la routine pour Frazer, mais je n'en sais rien, après tout… Toujours est-il que je ne pouvais rien pour Jemima ce jour-là. Elle aurait dû s'en souvenir avant de m'appeler.

— Pourquoi ?

— À cause de l'heure qu'il était. Il ne bosse pas à la patinoire à cette heure-là. Si elle y avait réfléchi, elle aurait su qu'il ne serait pas là. Mais il ne répondait pas sur son portable, paraît-il. Elle l'avait appelé plusieurs fois et, comme il ne répondait pas, elle voulait savoir s'il était encore ici, parce que, si ça se trouve, avec tout le bruit, il n'entendait pas la sonnerie. Mais, au fond, elle devait bien se douter qu'il était déjà rentré chez lui. En tout cas, c'est ce que je lui ai dit.

Chez lui, songea Lynley.

— Il n'allait pas directement au Duke's Hotel ?

— Il repasse toujours chez lui avant. Paraîtrait qu'il aime pas porter ses fringues du Duke's ici, sous prétexte qu'elles pourraient se salir, mais, connaissant Frazer, il y a une autre raison.

Langer fit un geste obscène avec les mains, mimant les rapports sexuels.

— Il avait sûrement du boulot en chemin, entre ici et le Duke's. Ou même chez lui, allez savoir. Ça m'étonnerait pas. Ce serait bien son style. En tout cas, Jemima a dit qu'elle lui avait laissé des messages et qu'elle commençait à paniquer.

— Elle a employé ce terme ? Paniquer ?

— Non. Mais ça s'entendait dans sa voix.

657

— N'était-ce pas de la peur, peut-être, plutôt que de la panique ? Elle appelait d'un cimetière, après tout. Les gens sont parfois effrayés dans les cimetières.

Langer était sceptique.

— D'après moi, c'était plus que ça. Si vous voulez savoir, d'après moi, c'était l'angoisse de devoir regarder en face un truc qu'elle avait cherché à nier.

Intéressant…

— Développez, dit Lynley.

— Frazer. À mon avis, elle cherchait à se convaincre à toute force que Frazer était le bon, si vous voyez ce que je veux dire. Mais d'après moi, au fond de son cœur, elle savait que non.

— Qu'est-ce qui vous fait tirer cette dernière conclusion ?

Langer eut un mince sourire.

— C'est la conclusion à laquelle elles arrivaient toujours, inspecteur. Absolument toutes les nanas qui le fréquentaient.

Ainsi Lynley était-il très curieux de rencontrer le parangon de virilité dont on lui rebattait les oreilles. Il se rendit à St. James's Place, une impasse presque insoupçonnable où le Duke's Hotel formait un L majestueux de briques rouges, de ferronneries ornementales, de fenêtres en encorbellement et de cascades de lierre se déversant des balcons du premier étage. Laissant la Healey Elliott sous l'œil vigilant d'un portier en livrée, il pénétra dans cette atmosphère de silence recueilli qui règne habituellement dans les églises. Pouvait-on l'aider ? s'entendit-il demander par un groom qui passait.

Le bar, répondit-il. Sourire immédiat de complicité : Lynley possédant la « voix » de l'élite, il était systématiquement le bienvenu dans les établissements où les gens s'exprimaient en murmurant, appelaient les employés « le personnel », et avaient le bon goût de boire du sherry avant le repas et du porto après. Si monsieur voulait bien le suivre… ?

Le bar était décoré de tableaux de marine et de gravures où figuraient des châteaux en ruine ; un portrait de l'amiral Nelson occupait une position prédominante, comme de juste dans un décor au thème maritime. Le bar comprenait trois salles – dont deux séparées par une cheminée dans laquelle, Dieu merci, il n'y avait pas de feu –, et il était meublé de fauteuils capitonnés et de tables rondes à plateau de verre autour desquelles, à cette heure de la journée, étaient réunis en majorité des hommes et des femmes d'affaires. Ils buvaient apparemment des gin tonics, et quelques-uns, plus hardis, des martinis. Le martini semblait être le domaine réservé d'un des barmen, un Italien à l'accent prononcé qui demanda à Lynley s'il désirait la spécialité, laquelle, lui apprit-on, n'était ni secouée ni remuée, mais plutôt pilée jusqu'à devenir une espèce de nectar miraculeux.

Lynley déclina l'offre. Il voulait bien une San Pellegrino, s'ils en avaient. Citron vert et sans glace. Et puis Frazer Chaplin était-il disponible pour une petite conversation ? Il montra sa carte. Le barman – qui portait le patronyme fort peu italien de Heinrich – ne réagit absolument pas à la présence d'un policier. Avec indifférence, il déclara que Frazer Chaplin n'était pas encore arrivé. Il était attendu – coup d'œil sur une montre impressionnante – dans le prochain quart d'heure.

Frazer avait-il des horaires réguliers ? demanda Lynley au barman. Ou bien venait-il simplement en renfort quand il y avait de l'affluence à l'hôtel ?

Des horaires réguliers.

— Il n'aurait pas pris ce boulot, sinon, dit Heinrich.

— Pourquoi ?

— La tranche du soir est la plus chargée. Les pourboires sont meilleurs. Et la clientèle aussi.

Lynley haussa un sourcil, cherchant à comprendre, et Heinrich fut ravi de lui expliquer. Frazer bénéficiait de l'attention de diverses dames d'âges variables qui fréquentaient le bar du Duke's Hotel presque tous les soirs. La plupart étaient des femmes d'affaires étrangères, de passage en ville, et Frazer était tout disposé à leur donner des raisons supplémentaires de traîner au bar.

— Il est à l'affût d'une nana qui puisse l'entretenir sur un grand pied, déclara Heinrich. Il se prend pour un gigolo.

— Et ça marche ?

Heinrich gloussa.

— Pas encore. Mais ça n'empêche pas le lascar de persévérer. Il veut monter un hôtel-boutique. Mais il veut que quelqu'un d'autre mette les fonds à sa place.

— Il cherche beaucoup d'argent, alors.

— C'est tout Frazer.

Lynley réfléchit à ce détail et à la façon dont il pouvait se rattacher aux vérités que Jemima avait à dire. Pour un homme espérant de l'argent d'une femme, le fait qu'elle n'en avait pas à lui donner constituerait une vérité pénible. Tout comme l'éventuelle vérité

660

qu'elle ne voulait plus avoir affaire à lui car elle avait découvert qu'il en avait après son argent... si elle avait bel et bien de l'argent. Seulement voilà, et de façon horripilante, Jemima avait d'autres vérités en stock. À Paolo di Fazio, elle réservait peut-être cette difficile vérité qu'elle allait vivre avec Frazer, malgré les sentiments que Paolo avait pour elle. Quant à tous les autres, d'Abbott Langer à Yukio Matsumoto, il ne faisait aucun doute qu'en fouillant un peu on découvrirait d'autres vérités qui n'attendaient que d'être énoncées.

Lynley se livra à des calculs à partir de l'heure d'arrivée quotidienne de Frazer Chaplin au bar du Duke's Hotel : l'Irlandais avait quatre-vingt-dix minutes entre le moment où il quittait la patinoire et celui où il prenait son poste au bar. Était-ce suffisant pour foncer jusqu'à Stoke Newington, assassiner Jemima Hastings, puis rejoindre l'hôtel ? Lynley ne voyait pas comment. Non seulement Abbott Langer avait laissé entendre que l'homme passait par Putney avant d'aller au Duke's, mais quand bien même, les embouteillages auraient rendu la chose quasi impossible. Et puis Lynley voyait mal le tueur se rendre dans ce cimetière par les transports publics.

Quand Frazer Chaplin arriva au Duke's, Lynley éprouva la sensation agaçante qu'il l'avait déjà vu. Impossible de se rappeler l'endroit exact. Il récapitula les différents lieux où il était allé ces derniers jours, mais rien ne collait. Il laissa tomber provisoirement.

Il n'était pas expert en physique masculin, mais il voyait en quoi Chaplin pouvait plaire aux femmes, avec son côté ténébreux et farouche mâtiné d'un petit air dangereux. Chaplin portait une veste crème et une chemise blanche avec un nœud papillon rouge au-dessus d'un pantalon foncé : on comprenait sans mal qu'il préfère se changer chez lui plutôt que de trimballer ce déguisement ou de le porter à la patinoire. Comme ceux d'Abbott Langer, ses cheveux étaient presque noirs, mais sa coupe était plus moderne. Ils paraissaient lavés de frais et l'homme s'était de toute évidence rasé il y avait peu. Ses mains avaient l'air manucurées, et il portait une opale à l'annulaire gauche.

Ayant été prévenu par le barman, il rejoignit tout de suite Lynley, qui avait pris une table tout près du comptoir en acajou rutilant. Frazer s'effondra dans un des fauteuils, tendit une main et lança :

— Heinrich m'apprend que vous voulez me dire un mot. Vous avez encore quelque chose à me demander ? J'ai déjà parlé à d'autres flics.

Lynley se présenta et expliqua :

— Il semble que vous soyez la dernière personne à avoir parlé à Jemima Hastings, Mr Chaplin.

Chaplin répondit avec son accent mélodieux, qui, pensa Lynley, plaisait sans doute autant aux femmes que sa masculinité un peu fruste.

— Ah, tiens donc, fit-il. Et comment avez-vous conclu ça, inspecteur ?

— D'après son téléphone portable.

— Ah… Enfin bon, je suppose que la toute dernière personne à avoir parlé à Jemima serait plutôt le type qui l'a tuée, à moins qu'elle ne se soit fait agresser sans préliminaires.

— Apparemment, elle vous a téléphoné plusieurs fois dans les heures qui ont précédé sa mort. Elle a également téléphoné à Abbott Langer : elle vous cherchait, à ce qu'il prétend. Abbott pense qu'elle avait une liaison avec vous, et il n'est pas la seule personne à être de cet avis.

— Aurais-je tort de présumer que l'autre personne est un certain Paolo di Fazio ? demanda Chaplin.

— L'expérience m'a appris que là où il y a de la fumée, il y a en général quelque chose qui flambe. Pourquoi avez-vous téléphoné à Jemima Hastings, Mr Chaplin ?

Les doigts de Frazer tambourinèrent sur le plateau en verre de la table. Une coupelle en argent remplie d'un mélange de fruits secs était posée dessus : il en prit quelques-uns dans le creux de sa main.

— C'était une fille adorable. Je vous l'accorde. Je le reconnais sans problème. Mais s'il m'est peut-être arrivé de la voir à l'extérieur de temps à autre…

— À l'extérieur ?

— En dehors de chez Mrs McHaggis. S'il m'est peut-être arrivé de la voir de temps à autre – un pot au pub, une balade dans la grand-rue, un déjeuner quelque part, un cinéma, même –, ça n'allait pas plus loin. Bon, je veux bien reconnaître aussi que les autres aient pu avoir l'impression qu'on était ensemble. D'ailleurs, Jemima elle-même avait peut-être cette impression-là. Le fait qu'elle vienne à la patinoire comme elle le faisait, qu'elle consulte cette femme qui dit la bonne aventure, d'accord, ces trucs-là peuvent laisser penser qu'il y avait quelque chose entre nous. Mais j'étais simplement sympa avec elle… J'étais simplement sympa comme je l'aurais été avec n'importe qui vivant sous le même toit que moi… J'essayais juste de lier amitié avec elle… Mais autre chose que ça, ça relève du fantasme, inspecteur.

— Pour qui ?

— Quoi ?

— Du fantasme pour qui ?

Il fourra les fruits secs dans sa bouche et soupira.

— Inspecteur, Jemima tirait des conclusions. Vous savez bien qu'il y a des femmes comme ça. Vous payez une bière à une fille, et l'instant d'après elle se voit mariée, mère de famille et vivant dans un cottage campagnard aux murs couverts de roses. Ça ne vous est jamais arrivé ?

— Pas que je me rappelle.

— Vous avez de la chance, alors, car moi ça m'est arrivé.

— Parlez-moi du coup de téléphone que vous lui avez passé le jour de sa mort.

— Je le jure sur mon âme : je ne m'en souviens même pas. Si, comme vous dites, elle m'avait téléphoné elle aussi, alors j'ai dû me contenter de la rappeler, histoire de la repousser d'une manière ou d'une autre. Ou du moins essayer. Elle avait le béguin pour moi. Je ne vais pas le nier. Mais je ne l'encourageais absolument pas.

— Et le jour de sa mort ?

— Eh bien ?

— Dites-moi où vous étiez. Ce que vous faisiez. Qui vous a vu.

— J'ai déjà raconté tout ça aux deux autres...

— Mais pas à moi. Et parfois il y a des détails qu'un policier peut ne pas voir, ou omettre de mentionner dans son rapport. Allez, faites-moi plaisir...

— Il n'y a rien d'intéressant. J'ai bossé à la patinoire, je suis rentré prendre une douche et me changer, je suis venu ici. C'est ce que je fais tous les jours, nom d'un chien. Il y a quelqu'un à chaque étape pour le confirmer, alors n'allez pas vous imaginer que je me sois démerdé pour aller à Stoke Newington zigouiller Jemima Hastings. D'autant plus que, bon Dieu, je n'avais aucune raison de faire ça.

— Comment vous rendez-vous de la patinoire à l'hôtel, Mr Chaplin ?

— J'ai un scooter.

— Ah bon ?

— Oui. Et si vous êtes en train de vous dire que j'ai eu le temps de me faufiler à travers les bouchons pour rallier Stoke Newington puis revenir ici... Eh bien, vous feriez mieux de venir avec moi.

Frazer se leva, attrapant une autre poignée de fruits secs, qu'il enfourna. Il parla brièvement à Heinrich et, précédant Lynley, il sortit du bar puis de l'hôtel lui-même.

Au bout de l'impasse formée par St. James's Place était garé le scooter de Frazer. C'était une Vespa, le genre d'engins qu'on voit filer comme des flèches dans les rues de toutes les grandes villes d'Italie. Mais, à l'inverse des Vespa traditionnelles, celle-ci était non seulement peinte dans un vert-jaune criard totalement impossible à oublier, mais aussi recouverte d'autocollants publicitaires rouge vif pour un produit du nom de DragonFly Tonics. Du coup, le scooter était une sorte de panneau publicitaire ambulant, comparable à certains taxis londoniens.

— Aurais-je été assez dingue pour aller à Stoke Newington là-dessus ? dit Chaplin. Pour le garer, puis foncer liquider Jemima ? Vous me prenez pour un débile ? Est-ce que vous l'oublieriez, vous, si vous aviez vu cet engin garé quelque part ? Moi non, et à mon avis, personne. Prenez-en une bon Dieu de photo, si ça vous chante. Montrez-la aux gens là-bas. Faites toutes les maisons et toutes les boutiques dans toutes les rues des environs, et vous verrez que je ne mens pas.

— En disant quoi ?

— En disant, bordel, que je n'ai absolument pas tué Jemima.

Quand, dans l'enregistrement, les policiers demandent à Ian Barker : « Pourquoi avez-vous déshabillé le petit ? », il ne répond pas tout de suite. Sa grand-mère se lamente en arrière-fond, une chaise racle le sol, et quelqu'un tapote sur la table. « Tu sais que ce petit était tout nu, n'est-ce pas ? Quand on l'a trouvé, il était tout nu. Tu le sais, n'est-ce pas, Ian ? » lui demande-t-on ensuite. Puis : « C'est toi-même qui l'as déshabillé avant de le battre avec la brosse à cheveux. On le sait parce qu'il y a tes empreintes sur cette brosse. Tu étais en colère, Ian ? Johnny avait fait quelque chose qui t'avait mis en colère ? Tu voulais lui régler son compte avec cette brosse à cheveux ? »

Ian finit par dire : « J'ai rien fait à ce môme. Demandez à Reggie. Demandez à Mikey. C'est Mikey qu'a changé sa couche, de toute façon. Il savait faire. Il a des

667

frères. Moi pas. Et c'est Reg qu'a piqué les bananes, hein ? »

Quand on évoque pour la première fois la brosse à cheveux, Michael réplique : « Ah ça jamais. Ah ça jamais. Ian m'a raconté qu'il avait fait caca. Ian a dit que je devais le changer. Mais ah ça jamais », et quand on l'interroge sur les bananes, il se met à pleurer. Finalement il dit : « Il avait du caca sur lui. Ce bébé était dans la crotte là par terre… Il était juste couché là… », sur quoi ses pleurs se changent en gémissements.

Reggie Arnold s'adresse à sa mère, comme avant, en disant : « Maman, maman, y avait pas de brosse à cheveux. J'ai jamais déshabillé ce bébé. Je l'ai jamais touché. Maman, j'ai jamais touché ce bébé. C'est Mikey qui lui a donné des coups de pied, maman. Tu comprends, maman, il avait dû tomber. Et Mikey lui a donné des coups de pied. »

Quand on lui répète la déclaration de Reggie, dans la foulée de celle de Ian, Michael Spargo finit par se mettre à raconter le reste de l'histoire pour essayer de se défendre contre ce qu'il considère manifestement comme une tentative de lui faire porter le chapeau. Il reconnaît s'être servi de son pied sur John Dresser, mais il prétend que c'était seulement pour retourner le bébé afin de « l'aider à mieux respirer ».

À partir de là, les détails insoutenables sont peu à peu divulgués : les coups de pied donnés par les garçons au petit John Dresser, les tuyaux de cuivre utilisés sur lui à la manière d'épées et de fouets et, pour finir, les blocs de béton. Certaines parties de l'histoire, toutefois – le détail exact de ce qui s'est passé avec les bananes et la brosse à cheveux, par exemple –, Michael refuse absolument d'en parler, et ce silence concernant ces deux pièces à conviction persiste lorsque les deux autres garçons sont à leur tour interrogés. Mais l'autopsie du corps de John Dresser, ajoutée au degré de détresse systématique montré par les garçons quand la question de la brosse à cheveux est mise sur le tapis, trahit la composante sexuelle du crime, tout comme son abominable férocité démontre la profonde colère qui devait animer chaque garçon dans les derniers instants de la vie du petit.

Une fois que des aveux furent obtenus des garçons, le ministère public prit la décision hautement inhabituelle et hautement controversée de ne pas exposer à la cour tous les détails des blessures ante mortem de John Dresser durant le procès ultérieur. Le raisonnement était double. Tout d'abord, le ministère public avait non seulement les aveux mais aussi les films de vidéosurveillance, les témoignages oculaires et d'abondantes preuves médico-légales, l'ensemble établissant sans aucun doute possible la culpabilité de Ian Barker, Michael Spargo et Reggie Arnold. Ensuite, le ministère public savait que Donna et Alan Dresser seraient présents au procès, comme c'était leur droit, et il ne souhaitait pas aggraver la douleur des parents en leur révélant l'étendue des violences infligées à leur enfant avant et après sa mort. Il était amplement suffisant, selon les procureurs, d'apprendre que son enfant avait été enlevé, traîné à travers la ville, déshabillé, fouetté avec des tuyaux de cuivre, lapidé avec des morceaux de béton et fourré dans les W-C d'un chantier abandonné... En outre, ils avaient les aveux complets d'au moins deux des garçons (Ian Barker daignant seulement admettre en définitive qu'il était aux Barriers ce jour-là et qu'il avait vu John Dresser, avant de s'en tenir fermement à « Peut-être bien que j'ai fait quelque chose et peut-être bien que non » durant le reste de ses interrogatoires), et présenter davantage d'éléments semblait totalement superflu pour obtenir une condamnation. Il faut néanmoins préciser qu'il pouvait fort bien exister une troisième raison au silence du ministère public au sujet des blessures internes de John Dresser : si ces blessures avaient été révélées, des questions quant à l'état psychologique des assassins auraient été soulevées, et ces questions auraient inéluctablement conduit les jurés vers un verdict d'homicide et non pas de meurtre, car on leur aurait forcément ordonné de prendre en compte la loi du Parlement de 1957 qui déclare qu'une personne « ne saurait être reconnue coupable de meurtre si elle souffre d'une anomalie mentale de nature à diminuer considérablement sa responsabilité au moment de ses actes ». « Anomalie mentale », ce sont ici des motsclés, et les autres blessures de John dénotent assurément une profonde anomalie chez ses trois assassins. Mais un verdict d'homicide aurait été inconcevable, étant donné le climat dans lequel les garçons furent traduits en justice. Tandis que le lieu du procès avait été modifié, le crime faisait les gros titres non plus seulement nationaux mais aussi internationaux. Shakespeare disait que « le sang appelle le sang », et cette situation en était l'illustration.

Au dire de certains, quand les garçons ont volé la brosse à cheveux dans le Tout à une livre des Barriers, ils savaient pertinemment ce qu'ils allaient en faire. Or, selon moi, ce point de vue sous-entend un raisonnement et un calcul préalables bien au-delà de leurs capacités. Je ne nie pas que ma répugnance à croire à un tel degré de préméditation relève peut-être d'un manque de propension personnelle à envisager l'existence d'une disposition à la pure barbarie dans les esprits et les cœurs de garçons de dix et onze ans. Je ne nierai pas non plus que je préfère croire que l'utilisation de cette brosse à cheveux a été le fruit d'une impulsion. Mais une chose avec laquelle je suis absolument d'accord, c'est sur ce qu'illustre l'utilisation de cette brosse à cheveux : ceux qui commettent des actes de mauvais traitements et de violences ont eux-mêmes été victimes de mauvais traitements et de violences, non pas à titre exceptionnel mais de manière répétée.

Lorsque la brosse à cheveux était mentionnée dans les entretiens, elle constituait un sujet dont aucun des garçons n'était disposé à discuter. Sur la bande, leurs réactions varient, de Ian affirmant qu'il n'avait « jamais vu de brosse à cheveux » à Reggie se récriant : « Mikey en avait peut-être piqué une dans cette boutique mais bon j'en sais rien » et « J'ai jamais volé de brosse à cheveux, maman. Faut que tu me croies, j'aurais jamais volé de brosse à cheveux », en passant par Michael répétant, sur un ton plus paniqué à chaque dénégation : « On n'avait pas de brosse à cheveux, on n'avait pas de brosse à cheveux, on n'en avait pas, on n'en avait pas. »

Quand un policier lui dit gentiment « Tu sais bien qu'un de vous a pris cette brosse, fiston », Michael reconnaît « Peut-être Reggie, alors, mais moi j'ai rien vu » et « Je sais pas ce qu'elle est devenue ».

C'est seulement lorsque la présence de la brosse à cheveux sur le chantier de construction Dawkins est mentionnée (ainsi que les empreintes dessus, mais aussi le sang et les matières fécales sur son manche) que les réactions des garçons s'intensifient et deviennent extrêmement émotionnelles. Michael commence par « J'ai jamais… J'ai pas arrêté de vous répéter que j'ai pas… j'ai jamais volé de brosse à cheveux… y avait pas de brosse à cheveux du tout », et enchaîne avec « C'est Reggie qui a fait ça à ce bébé… Reggie, il voulait… Ian, il lui a pris la brosse… Je leur ai dit d'arrêter et c'est Reggie qui a fait ça ». Reggie, de son côté, adresse toutes ses remarques à sa mère : « Maman, j'ai jamais… je ferais jamais de mal à un bébé… je l'ai peut-être tapé une fois mais j'ai jamais… j'ai enlevé sa combinaison mais elle était pleine de caca, c'est pour ça… Il pleurait, maman. Je savais bien qu'il fallait pas lui faire de mal s'il pleurait. » Pendant ce temps, Rudy Arnold garde le silence, mais on entend Laura qui gémit tout du long : « Reggie, Reggie, qu'est-ce que tu nous as fait ? », alors que l'assistante sociale lui demande doucement de boire un peu d'eau, peut-être pour essayer de la faire taire. Quant à Ian, il se met finalement à pleurer quand on lui lit le détail des blessures de John Dresser. On entend sa grand-mère qui pleure en même temps que lui, et ses paroles de « Doux Jésus, sauvez-le. Sauvez-le, Seigneur » laissent penser qu'elle a accepté la culpabilité du garçon.

C'est lorsque le sujet de la brosse à cheveux est abordé dans les interrogatoires – trois jours après la découverte du corps de l'enfant – que les garçons passent aux aveux complets. Peut-être peut-on considérer comme une des horreurs supplémentaires du meurtre de John Dresser le fait qu'au moment où les auteurs de ce crime horrible sont passés aux aveux, un seul d'entre eux avait son père ou sa mère auprès de lui. Rudy Arnold est resté avec son fils tout du long. Ian Barker n'avait que sa grand-mère et Michael Spargo était accompagné uniquement de travailleurs sociaux.

23

La personne qui avait tué Jemima Hastings portait une chemise jaune au moment du meurtre. Lynley apprit les détails sur ce vêtement en revenant à New Scotland Yard, où l'équipe était réunie dans la salle des opérations. Une photo de la chemise – désormais aux mains du labo – venait d'être accrochée sur un des tableaux blancs.

Lynley constata que Barbara Havers et Winston Nkata étaient rentrés de la New Forest, et il constata aussi à l'expression de Barbara que, chemise jaune tachée de sang ou pas, elle n'était pas ravie d'avoir été rappelée à Londres. Elle réprimait une envie de prendre la parole, ce qui, dans son cas, voulait dire une envie de se bouffer le nez avec la commissaire intérimaire. Nkata, de son côté, semblait assez conciliant, manifestant sa bonhomie coutumière. Il se prélassait au fond de la salle, sirotant un breuvage dans un gobelet en plastique. Il hocha la tête pour saluer Lynley puis l'inclina en direction de Havers. Lui aussi savait que sa collègue brûlait de franchir la ligne qu'Isabelle Ardery avait dessinée à son intention.

— ... encore inconscient, disait Ardery. Mais, d'après le chirurgien, il devrait reprendre connaissance demain. Dès son réveil, il sera à nous.

Puis, à l'adresse de Lynley, histoire de bien le mettre au courant :

— La chemise était dans le fatras du conteneur Oxfam. Elle a une tache de sang significative sur le devant, à droite, et sur la manche et le poignet droits. Le labo l'examine, mais pour l'instant on présume que le sang est celui de notre victime. D'accord ?

Elle n'attendit pas la réponse de Lynley.

— Bon, très bien. Résumons-nous. Nous avons deux cheveux d'Asiatique dans la main de la victime, pas de blessures défensives sur elle, une artère carotide trans-percée et un Japonais en possession de l'arme du crime et avec le sang de la victime sur ses vêtements. Vous avez découvert autre chose aujourd'hui, Thomas ?

À l'intention de l'équipe, Lynley récapitula ce qu'il avait appris de Yolanda. Il ajouta, pour l'équipe mais aussi pour Isabelle, les détails qu'il avait obtenus d'Abbott Langer, de Heinrich le barman, et de Frazer Chaplin. Il savait qu'il était sur le point d'anéantir la théorie de la commissaire, mais c'était inévitable. Dési-gnant la grande photo de la chemise, il conclut en disant :

— Je crois que nous avons deux individus qui se sont trouvés en rapport avec Jemima dans le cimetière d'Abney Park, chef. Il n'y avait rien dans la garde-robe de Matsumoto qui ressemble même vaguement à cette chemise. Il porte du noir et du blanc – pas de couleurs vives – et quand bien même, les vêtements qu'il avait ce jour-là, un smoking, étaient eux aussi tachés du sang de la victime, comme vous venez de le dire. Il ne peut pas avoir porté à la fois le smoking et la chemise jaune. Résultat, avec un article supplémentaire taché de sang et avec Jemima qui va au cimetière discuter avec un homme, nous avons deux types là-bas et non pas un seul.

— C'est bien ce que j'avais cru comprendre, intervint Barbara Havers. Aussi, chef, il me semble que nous avoir fait revenir à Londres, Winnie et moi…

— Un type pour la tuer et l'autre pour… pour faire quoi ? demanda John Stewart.

— Pour veiller sur elle, j'imagine, dit Lynley. Une mission dans laquelle Matsumoto, qui se voyait comme son ange gardien, a lamentablement échoué.

— Attendez, Thomas, fit Ardery.

— Un peu de patience, répondit Lynley.

Il vit ses yeux s'écarquiller légèrement et il comprit qu'elle n'était pas contente. Il était en train de prendre une direction complètement différente, et Dieu sait qu'elle avait tout intérêt à ce que l'enquête continue à progresser dans le sens de la culpabilité de Matsumoto.

— Un type est allé la retrouver là-bas pour s'entendre dire des vérités pénibles, expliqua-t-il. Nous tenons ça de la voyante et, sa profession mise à part, je pense que nous pouvons la croire. Si nous oublions toutes ses autres divagations concernant Jemima et la maison d'Oxford Road, elle ne fait que nous rapporter ses propres rencontres avec la jeune femme. Donc, par Yolanda, nous savons qu'un homme dans la vie de Jemima avait quelque chose à s'entendre dire, et c'est Yolanda qui aurait suggéré un « lieu de paix » pour leur rendez-vous. Jemima connaissait l'existence du cimetière, puisqu'elle y avait été photographiée. C'est l'endroit qu'elle a choisi.

— Et Matsumoto s'est juste trouvé là par hasard ? demanda Ardery.

— Il l'a sans doute suivie.

— Très bien. Mais supposons que ce n'était pas la première fois qu'il la suivait. Il aurait pu la suivre avant, non ? Pourquoi seulement ce jour précis ? Ça ne tient pas debout. Et puis, s'il la traquait, c'était sans doute lui qui devait s'entendre dire ses quatre vérités, à savoir laissez-moi tranquille ou je préviens la police. Mais il flaire que c'est le tour que va prendre la conversation et, comme tous les désaxés obsessionnels, il est venu avec une arme. Chemise jaune ou non, smoking taché de sang ou non, comment expliquez-vous cette arme en sa possession, Thomas ?

— Et comment vous, vous expliquez le sang sur deux tenues différentes ? intervint John Stewart.

Les autres enquêteurs présents échangèrent des coups d'œil. Le ton employé... Stewart prenait parti. Ce n'était pas le but de Lynley. Il n'avait pas pour intention de transformer l'enquête en intrigue politique.

— Il la voit retrouver quelqu'un dans le cimetière, reprit-il. Ils se réfugient dans l'annexe de la chapelle pour discuter plus tranquillement.

— Mais pourquoi ? insista Isabelle. Ils sont déjà dans un coin tranquille. Pourquoi faudrait-il un coin encore plus tranquille ?

— Parce que, quel que soit celui qui est venu la retrouver, il est venu pour la tuer, intervint Havers. Alors c'est lui qui suggère : « Allons par là-bas. Allons dans ce bâtiment. » Chef, il faut qu'on...

Lynley leva une main.

— Peut-être qu'ils se disputent. L'un d'eux se lève, commence à faire les cent pas. L'autre le suit. Ils

678

entrent dans la remise, mais seul le tueur en ressort. Matsumoto assiste à la scène. Il attend que Jemima reparaisse à son tour. Ne la voyant pas sortir, il va vérifier ce qui se passe.

— Pour l'amour du ciel, il aurait remarqué qu'il y avait du sang sur la chemise du type, quand même ?

— Peut-être qu'il l'a remarqué. Peut-être que c'est pour cette raison qu'il est allé voir ce qui se passait. Mais je crois plus vraisemblable que le type ait enlevé la chemise en question et qu'il l'ait planquée. Il a forcément procédé comme ça. Il ne pouvait pas sortir du cimetière avec du sang partout.

— Matsumoto l'a bien fait.

— Et c'est justement ce qui me laisse penser qu'il ne l'a pas tuée.

— C'est des conneries ! s'exclama Ardery.

— Non, chef.

Le ton de Havers indiquait que, cette fois, elle était sérieuse. Elle allait s'exprimer, et tant pis pour les conséquences.

— Il y a quelque chose de pas net dans le Hampshire. Il faut qu'on retourne là-bas, Winnie et moi.

— Hou, les deux tourtereaux... plaisanta John Stewart.

— Ça ira, John, dit Lynley machinalement, oubliant qu'il n'était plus commissaire intérimaire.

— Je t'emmerde, dit Havers à Stewart sans se laisser démonter. Chef, il faut approfondir certains trucs dans la New Forest. Ce dénommé Whiting... Il a quelque chose de pas clair. Il y a des contradictions dans tous les sens.

— Par exemple ? demanda Ardery.

Havers se mit à feuilleter son carnet en lambeaux. Elle décocha un regard à Winston, l'air de dire « Hé, un peu de soutien, mon pote »... Winston se décida à venir à son secours.

— Jossie n'est pas ce dont il a l'air, chef. Avec Whiting, ils sont liés d'une façon ou d'une autre. Il faut qu'on découvre le fin mot de l'histoire, mais le fait que Whiting était au courant de l'apprentissage de Jossie nous laisse penser – à Barb et moi – qu'il l'a aidé à décrocher cet apprentissage. Et ça, ça implique que c'est lui qui a écrit ces fausses lettres de recommandation. On ne voit pas qui d'autre aurait pu le faire.

— Enfin bon Dieu, pourquoi il ferait ça ?

— Peut-être que Jossie a quelque chose sur lui, répondit Nkata. On ne sait pas quoi. Pas encore.

Havers s'en mêla :

— Mais on pourrait le découvrir si vous nous laissiez...

— Vous resterez à Londres comme vous en avez reçu l'ordre.

— Mais, chef...

— Non.

À Lynley :

— On peut tout aussi bien prendre les choses dans l'autre sens, Thomas. Elle retrouve Matsumoto dans le cimetière. Elle entre avec Matsumoto dans l'annexe de la chapelle. Ils ont des mots, il utilise son arme sur elle, et il fuit. L'autre, vêtu d'une chemise jaune, assiste à la scène. Il entre dans l'annexe. Il vient à son secours mais sa blessure est trop grave. Il se retrouve avec le sang de Jemima sur lui. Il panique. Il sait l'impression que ça va produire quand son passé avec Jemima sera dévoilé. Il sait que les flics soupçonnent toujours celui

680

qui découvre la victime et qui signale le meurtre, et il ne peut pas se le permettre. Alors il détale.

— Et ensuite ? demanda John Stewart. Il met cette chemise dans le conteneur Oxfam de Mrs McHaggis ? Avec le sac à main ? Et le sac à main, au fait ? Pourquoi l'emporter ?

— C'est peut-être Matsumoto qui l'a emporté. Peut-être que c'est lui qui l'a mis dans la benne. Il aura cherché à se défausser, à brouiller les pistes.

— Alors, laissez-moi résumer, fit Stewart d'un ton acerbe. Ce Matsumoto et l'autre type – qui ne se connaissent ni d'Ève ni d'Adam – mettent tous les deux une pièce à conviction comme par hasard dans le même conteneur ? Dans un quartier qui n'a absolument rien à voir avec celui où le crime a été commis ? Enfin merde, quoi. Bon Dieu. D'après vous, quelles chances il y a pour que ce scénario soit le bon ?

Il émit un soupir moqueur puis regarda les autres. Quelle conne, disait son expression.

Le visage d'Isabelle demeura parfaitement impassible.

— Dans mon bureau. Tout de suite, dit-elle à Stewart.

Stewart hésita juste assez longtemps pour souligner son mépris. Isabelle et lui se mesurèrent du regard avant que la commissaire intérimaire sorte de la pièce à grandes enjambées. Stewart se leva d'un mouvement paresseux et lui emboîta le pas.

Un silence tendu s'ensuivit. Quelqu'un siffla doucement. Lynley s'approcha du tableau d'affichage pour regarder de plus près la photo de la chemise jaune. Il sentit quelqu'un à côté de lui : Havers était venue le rejoindre.

— Vous savez qu'elle est en train de prendre de mauvaises décisions, lui dit-elle à voix basse.

— Barbara...

— Vous le savez. Personne n'a autant envie que moi de lui botter le cul, mais cette fois-ci il a raison.

Elle parlait de John Stewart. Lynley ne pouvait qu'être d'accord avec elle. Le besoin désespéré d'Isabelle de faire cadrer les faits avec sa théorie sur Matsumoto altérait l'enquête. Elle était dans la pire situation possible : un statut d'intérimaire à la Met, une première enquête qui dégénère en un bourbier inconcevable avec un suspect à l'hôpital pour s'être enfui, ledit suspect frère d'un violoncelliste renommé à l'avocate irascible, la presse qui s'empare de l'histoire, Hillier qui s'en mêle, et l'abominable Stephenson Deacon qui intervient pour tenter de manipuler les médias, sans oublier les preuves qui pointent dans toutes les directions imaginables. Lynley voyait mal comment les choses pouvaient empirer pour Isabelle.

— Barbara, je ne sais pas trop ce que vous voudriez que je fasse.

— Parlez-lui. Elle vous écoutera. Webberly l'aurait fait et vous auriez parlé à Webberly s'il s'y était pris de cette façon-là. Vous le savez bien. Et si vous étiez dans la situation où elle est en ce moment, vous nous écouteriez, nous. C'est pas pour rien qu'on est une équipe.

Dans un geste qui lui était familier, elle passa ses mains dans ses cheveux mal coupés, tirant brusquement dessus.

— Pourquoi est-ce qu'elle nous a fait revenir du Hampshire ?

— Ses ressources sont limitées. Le phénomène classique.

— Putain, merde, tu parles !

Havers sortit avec raideur.

Lynley lui cria de revenir, mais elle avait disparu. Il se retrouva face au tableau, à contempler la chemise jaune. Il comprit tout de suite ce que ce vêtement lui racontait et aurait dû raconter à Isabelle. Il s'aperçut que lui aussi était dans une situation peu enviable. Il réfléchit à la meilleure manière d'utiliser l'information qu'il avait sous les yeux.

Barbara n'arrivait pas à comprendre pourquoi Lynley ne voulait pas prendre position. Elle pouvait admettre qu'il rechigne à le faire devant le reste de l'équipe, car ce maudit John Stewart n'avait pas besoin d'encouragements pour se rebeller comme Fletcher Christian face au capitaine Bligh qu'était la commissaire intérimaire. Mais pourquoi ne pas lui dire un mot en privé ? C'était ça qui ne tenait pas debout. Lynley n'était pas homme à être intimidé par quiconque – ses mille et une prises de bec avec l'adjoint au préfet Hillier en témoignaient amplement –, il ne pouvait donc avoir peur d'un face-à-face avec Isabelle Ardery. Dans ce cas, qu'est-ce qui l'arrêtait ? Elle n'en savait rien. Ce qu'elle savait, c'était que pour une raison mystérieuse il n'était pas lui-même, or elle avait justement besoin qu'il soit cette personne-là, celle qu'il avait toujours été, pour elle et pour tout le monde.

Qu'il ne se conduise pas comme le Thomas Lynley qu'elle connaissait et avec lequel elle avait travaillé pendant des années la troublait plus qu'elle n'aurait daigné l'avouer. Cela semblait indiquer à quel point il avait changé, et à quel point les choses qui avaient jadis compté pour lui ne comptaient plus. C'était comme s'il flottait dans les limbes, perdu pour eux d'une manière essentielle mais difficile à définir.

Cette manière, Barbara n'avait pas envie de la définir maintenant. Elle voulait simplement rentrer chez elle. Comme c'était Winston qui les avait emmenés dans la New Forest, elle était obligée de prendre cette foutue Northern Line à la pire heure de la journée par la pire des canicules, et devait en plus effectuer ce voyage coincée dans la zone située devant les portes de la rame, à se demander pourquoi, bordel, il n'y avait pas moyen que les gens avancent un peu dans cette bon Dieu de travée, alors qu'on la poussait contre l'énorme postérieur d'une bonne femme qui hurlait dans son portable : « Putain, Clive, tu rentres à la maison, cette fois je rigole pas, ou je te jure, je prends le couteau et je te les coupe », quand on ne la projetait pas contre l'aisselle odorante d'un adolescent en tee-shirt qui écoutait dans son casque un truc aussi bruyant qu'horrible.

Pour couronner le tout, elle avait son sac de voyage avec elle, et quand elle atteignit enfin la station Chalk Farm, elle dut l'extraire de force de la voiture, cassant une des lanières au passage. Elle pesta, shoota dans le sac, et s'écorcha la cheville contre une des boucles. Elle pesta encore.

Elle se traîna péniblement jusque chez elle, se demandant quand le temps allait se gâter et apporter un orage qui laverait la poussière sur les feuilles des arbres et purgerait à fond l'air chargé de pollution. Son humeur continua à se dégrader tandis qu'elle tirait son sac derrière elle, et tout ce qui la faisait fulminer semblait avoir pour origine Isabelle Ardery. Mais penser à

Isabelle Ardery la forçait à repenser à Thomas Lynley. Or, de ce côté-là, Barbara avait sa dose pour aujourd'hui.

J'ai besoin d'une douche, décréta-t-elle. J'ai besoin d'une clope. J'ai besoin d'un verre. Nom d'un chien, j'ai besoin d'une vraie vie.

Quand elle arriva chez elle, elle dégoulinait et elle avait mal aux épaules. Elle essaya de se convaincre que c'était le poids de son sac de voyage, mais elle savait que c'était la tension, purement et simplement. Elle atteignit la porte de son pavillon, soulagée comme jamais de rentrer au bercail. Et tant pis si, à l'intérieur, on aurait pu faire cuire du pain. Elle ouvrit les fenêtres et alla repêcher son petit ventilateur dans un placard. Elle alluma une cigarette, tira une énorme bouffée, bénit la simple existence de la nicotine, s'écroula sur une de ses banales chaises de cuisine, et balaya du regard sa très humble petite demeure.

Ayant déposé son fourre-tout près de la porte, elle n'avait pas tout de suite remarqué ce qu'il y avait sur le divan. Mais maintenant, assise à la table de la cuisine, elle constata que sa jupe trapèze – la forme qui, d'après Hadiyyah, convenait le mieux à sa morphologie – avait été ajustée. L'ourlet avait été raccourci, la jupe repassée, et une tenue complète avait été assemblée sur la banquette-lit : la fameuse jupe, un nouveau chemisier très sobre, des collants fins, un foulard, et même un gros bracelet. Quant à ses chaussures, elles avaient été cirées. Elles étincelaient. La bonne fée était passée par là.

Barbara se leva et s'approcha du divan. Elle devait le reconnaître, cet ensemble faisait de l'effet, surtout le bracelet, qu'elle n'aurait jamais envisagé d'acheter, et encore moins de porter. Elle s'en empara pour l'examiner de plus près. Une étiquette-cadeau y était attachée avec un ruban violet.

« Surprise ! » disait la carte, mais aussi : « Bienvenue ! » Venait ensuite le nom du donateur, au cas où elle n'aurait pas deviné qui lui avait préparé ce cadeau. Hadiyyah Khalidah.

L'humeur de Barbara s'améliora aussitôt. Incroyable, ce qu'une si petite chose, une simple attention de ce genre… Elle écrasa sa cigarette et se rendit dans la minuscule salle de bains. Au bout d'un quart d'heure, elle était douchée, revigorée et habillée. Elle appliqua un peu de blush sur ses joues, histoire de rendre hommage aux efforts déployés par Hadiyyah pour la métamorphoser, et elle quitta son pavillon. Elle rejoignit l'appartement en rez-de-chaussée de la Grande Maison, qui donnait sur la pelouse desséchée.

Les portes-fenêtres étaient ouvertes, et des bruits de casseroles et de conversation lui parvenaient de l'intérieur. Hadiyyah bavardait avec son père et Barbara entendait à sa voix qu'elle était excitée.

Elle frappa et cria :

— Y a quelqu'un ?

À quoi Hadiyyah répondit :

— Barbara ! T'es rentrée ! Génial !

Quand Hadiyyah vint à la porte, Barbara la trouva changée. Plus grande, même si ça n'avait pas de sens : Barbara n'était pas partie assez longtemps pour que la fillette ait grandi.

— Oh, c'est vraiment super ! s'écria Hadiyyah. Papa ! Barbara est là. Elle peut rester dîner ?

— Non, non, bredouilla Barbara. S'il te plaît, non, ma puce. Je suis juste passée te remercier. Je viens de

686

rentrer. J'ai trouvé la jupe. Et le reste. Et c'est une sacrée surprise.

— J'ai cousu moi-même l'ourlet, déclara fièrement Hadiyyah. Enfin bon, peut-être que Mrs Silver m'a un peu aidée, parce que des fois mes points étaient un peu de travers. Mais t'as été surprise ? C'est moi qui l'ai repassée, aussi. Tu as trouvé le bracelet ?

Elle sautait d'un pied sur l'autre.

— Il t'a plu ? Quand je l'ai vu, j'ai demandé à papa si on pouvait l'acheter parce que tu sais qu'il faut accessoiriser tes tenues, Barbara.

— J'ai bien enregistré, lui confirma Barbara avec révérence. Mais jamais je n'aurais trouvé un accessoire aussi parfait que celui-là.

— C'est la couleur, pas vrai ? Et aussi un peu la taille qu'il a. Tu comprends, ce que j'ai appris, c'est que la taille de l'accessoire dépend de la taille de la personne qui le porte. Mais la taille, ça a à voir avec les traits, l'ossature et la silhouette, pas avec le poids en kilos et la taille en centimètres, si tu vois ce que je veux dire. Alors si tu regardes tes poignets – si par exemple tu les compares aux miens –, ce que tu peux remarquer c'est que…

— *Khushi.*

Azhar apparut à la porte de la cuisine, s'essuyant les mains sur un torchon.

Hadiyyah se tourna vers lui.

— Barbara a trouvé la surprise ! annonça-t-elle. Elle lui plaît, papa. Et le chemisier, Barbara ? Il t'a plu, le nouveau chemisier ? J'aurais bien voulu le choisir, mais c'est papa qui l'a choisi, pas vrai, papa ? C'était pas celui-là que je voulais.

— Laisse-moi deviner. Tu en voulais un avec un gros nœud.

— Euh…

Elle se dandina, effectuant quelques petits pas de claquettes dans l'encadrement de la porte.

— Pas exactement. Mais c'est vrai, il avait des frou-frous. Pas trop, tu comprends. Mais il y avait un joli petit volant sur le devant qui cachait les boutons, et ça me plaisait vachement. Je trouvais ça génial. Mais papa a dit que tu voudrais jamais porter de froufrous. Et moi, Barbara, j'ai répondu que la mode, c'était justement élargir ses horizons. Mais lui il a dit que les horizons, c'était pas élastique à ce point, et que le chemisier clas-sique était mieux. Moi j'ai dit que l'encolure du chemisier était censée reproduire la forme du menton, et t'as un visage rond, pas vrai, pas en angles comme le chemisier classique. Alors lui il a dit tant pis, on va essayer, et tu pourras toujours le rapporter si tu l'aimes pas. Et tu sais où on l'a trouvé ?

— *Khushi, khushi*, lança Azhar. Pourquoi n'invites-tu pas Barbara à entrer ?

Hadiyyah éclata de rire, portant ses mains à sa bouche.

— J'étais tellement excitée !

Elle s'écarta de la porte.

— On a de la limonade. T'en veux ? On a un truc à fêter, pas vrai, papa ?

— *Khushi,* fit Azhar sur un ton qui en disait long.

Une sorte de message tacite passa entre eux, et Bar-bara comprit qu'elle avait interrompu une conversation intime entre Azhar et sa fille. Elle dit à la hâte :

— De toute façon, j'allais filer. Je voulais juste vous dire merci à tous les deux. C'était vraiment

688

adorable. Est-ce que je peux vous rembourser le chemisier ?

— Il n'en est pas question, déclara Azhar.

— C'était un cadeau, précisa Hadiyyah. On l'a même acheté dans Camden High Street, Barbara. Pas dans les Écuries ni rien…

— Seigneur, ah ça non ! fit Barbara.

Une fâcheuse aventure personnelle lui avait appris qu'Azhar n'appréciait pas du tout que sa fille déambule dans le labyrinthe que constituaient les Écuries et Camden Lock Market.

— … mais on est bel et bien allés à Inverness Street Market, et c'était vraiment super. J'y étais jamais allée.

Azhar sourit. Il posa la main sur la tête de sa fille et la secoua doucement en un geste affectueux.

— C'est fou ce que tu babilles, ce soir.

Puis, à Barbara :

— Voulez-vous rester dîner, Barbara ?

— Oh, s'il te plaît, reste ! supplia Hadiyyah. Papa prépare un poulet saag masala, et il y a du dhal et des chapatis et du dopiaza aux champignons. En général j'aime pas les champignons, tu sais, mais j'aime comme papa les cuisine. Oh, et puis il fait du riz pilaf avec des épinards et des carottes.

— Ça m'a l'air d'un véritable festin, dit Barbara.

— Mais oui, mais oui ! Parce que…

Elle plaqua ses mains sur sa bouche. Au-dessus, ses yeux dansaient littéralement. Elle dit contre ses paumes :

— Oh, ce que je voudrais pouvoir en dire plus ! Seulement je peux pas, tu vois. J'ai promis.

— Alors tu dois tenir ta langue, dit Barbara.

— Mais t'es tellement une amie. C'est pas vrai, papa ? Je peux, dis… ?

— Non.

Azhar sourit à Barbara.

— Bon, cela fait assez longtemps que nous sommes plantés là. Barbara, nous insistons pour que vous vous joigniez à nous pour dîner.

— Y a plein à manger, annonça Hadiyyah.

— Formulé de cette façon, je ne peux que succomber.

Elle les suivit à l'intérieur, et elle ressentit une chaleur qui n'avait rien à voir avec la température ambiante, laquelle, pourtant, n'avait guère baissé avec les préparatifs culinaires qui avaient eu lieu dans l'appartement. En fait, c'est à peine si elle remarqua la chaleur suffocante de cette fin de journée. Elle remarqua plutôt la façon dont son humeur s'égaya : elle renonça à réfléchir à ce qui arrivait à Thomas Lynley, et ses soucis à propos de l'enquête s'évanouirent.

L'affrontement avec John Stewart avait secoué Isabelle, qui ne s'attendait pas à être ébranlée comme ça. Elle était habituée depuis longtemps à traiter avec des hommes dans la police, mais leur sexisme était en général larvé, s'exprimant par sous-entendus. Comme de juste, ceux-ci étaient tellement sournois qu'on était tout de suite taxée d'hypersusceptibilité ou de paranoïa si on les interprétait de travers. Il en allait différemment avec John Stewart. Les sous-entendus sournois n'étaient pas son style. Du moins en tête à tête, Stewart sachant pertinemment qu'au cas où elle entreprendrait une action quelconque à son encontre, ce serait sa parole contre la sienne auprès de la hiérarchie. Et cela dans une situation où la dernière chose qu'elle avait envie de faire, c'était d'aller voir ses supérieurs pour se plaindre de harcèlement sexuel ou de quoi que ce soit d'autre. John Stewart, elle s'en rendait compte, était malin comme un singe. Il savait qu'elle marchait sur des œufs et il se réjouissait de la pousser à sauter dessus à pieds joints.

Elle se demanda un instant comment un homme pouvait avoir la vue assez courte pour entrer en guerre avec quelqu'un qui risquait de devenir son supérieur. Mais elle ne tarda pas à envisager la situation du point de vue de Stewart : de toute évidence, il ne croyait pas qu'elle serait choisie. D'ailleurs, au bout du compte, elle ne pouvait pas lui reprocher de penser qu'elle prendrait la porte assez vite.

Quel fiasco. Comment les choses pourraient-elles s'aggraver davantage ?

Seigneur, ce qu'elle avait envie d'un verre...

Mais elle tint bon, elle ne regarda même pas au fond de son sac où reposaient ses mignonnettes d'avion tels des nourrissons endormis. Elle n'en avait pas besoin. Elle en avait simplement envie. L'envie et le besoin étaient deux choses différentes.

Un coup frappé à la porte de son bureau la fit pivoter. Elle se tenait à la fenêtre, d'où elle contemplait une vue qu'elle ne voyait même pas. Elle dit « Entrez » et Lynley apparut. Il tenait une enveloppe en papier kraft à la main.

— J'ai fait preuve d'insubordination tout à l'heure. Je suis vraiment désolé.

Elle eut un rire bref.

— Vous n'avez pas été le seul.

— Il n'empêche…

— Ça ne fait rien, Thomas.

Il resta silencieux un moment, à l'observer. Il tapotait l'enveloppe contre le creux de sa main, comme s'il se demandait comment poursuivre. Enfin il commença :

— John est…

Mais il hésita à nouveau, cherchant peut-être le mot adéquat.

— Oui, acquiesça-t-elle. Pas évident à définir. Le terme exact pour décrire l'essence de John Stewart…

— Je n'aurais pas dû le remettre à sa place, Isabelle. C'était une réaction automatique, j'en ai peur.

Elle eut un geste de dédain.

— Comme je l'ai dit, ça ne fait rien.

— Ce n'est pas vous, reprit Lynley. Il faut que vous le sachiez. Barbara et lui se volent dans les plumes depuis des années. Il a du mal avec les femmes. Son divorce… J'ai bien peur que ça ne l'ait aigri. Il ne s'en est pas remis, et il n'y a pas eu moyen qu'il se reconnaisse la moindre part de responsabilité dans ce qui s'est passé.

— Qu'est-ce qui s'est passé ?

Lynley pénétra dans la pièce, refermant la porte derrière lui.

— Sa femme avait une liaison.

— Voilà qui me surprend…

— Une liaison avec une autre femme.

— Je ne lui jetterai pas la pierre. Avec un type comme ça, Ève aurait choisi le serpent plutôt qu'Adam.

— Elles sont en couple maintenant, et elles ont la garde des deux filles de John.

Il l'observait avec insistance. Elle détourna le regard.

— Je n'arrive pas à le plaindre.

— Qui vous le reprocherait ? Mais parfois c'est le genre de détails qu'il est bon de ne pas ignorer, et je doute que son dossier en parle.

— Vous avez raison. Son dossier n'en parlait pas. Êtes-vous en train de me dire que nous avons quelque chose en commun, John Stewart et moi ?

— C'est souvent le cas, quand les gens s'affrontent.

Puis, changeant soudain de sujet :

— Vous voulez bien venir avec moi, Isabelle ? Vous allez devoir prendre votre voiture, car je ne repasserai pas par ici. Il y a quelque chose que je veux vous faire connaître.

Elle fronça les sourcils.

— Qu'est-ce que c'est que cette histoire ?

— Rien de grave, en fait. Mais comme c'est la fin de la journée… Nous pourrons manger un morceau ensuite, si vous voulez. Parfois, discuter d'une enquête fait ressortir des éléments auxquels on n'avait pas pensé avant. Se disputer à propos d'une enquête produit les mêmes effets.

— C'est ce que vous voulez ? Qu'on se dispute ?

— Nous avons bien quelques différends, non ? Alors, vous acceptez de venir avec moi ?

Isabelle regarda autour d'elle. Pourquoi pas, après tout ? Elle hocha la tête avec brusquerie.

— Laissez-moi le temps de rassembler mes affaires. Je vous retrouve en bas.

Lorsqu'il la quitta, elle en profita pour faire un saut aux toilettes. Là, elle s'observa dans la glace : la journée se lisait sur son visage, surtout entre les yeux, où une ride profonde dessinait cette espèce d'incision verticale vouée à devenir permanente. Elle décida de faire quelques retouches à son maquillage, ce qui lui donna un prétexte pour ouvrir son sac. Elle aperçut au fond les nourrissons endormis. Elle savait qu'il ne faudrait qu'une seconde pour en siffler un. Ou même tous. Mais elle referma le sac avec détermination et alla rejoindre son collègue.

Lynley ne lui dit pas où ils allaient. Il se contenta de hocher la tête quand elle déclara qu'il n'aurait qu'à la garder dans son rétroviseur. Leur échange s'arrêta là et il démarra dans sa Healey Elliott, faisant ronfler le moteur tandis qu'il gravissait la rampe pour sortir du parking souterrain. Il se dirigea vers le fleuve. Il tint parole : il la garda dans son rétroviseur. Elle en fut étrangement réconfortée. Elle n'aurait su dire pourquoi.

Connaissant très mal la ville, elle n'avait aucune idée de l'endroit où ils allaient alors qu'ils longeaient la Tamise en direction du sud-ouest. Ce fut seulement lorsqu'elle aperçut au loin le globe doré surmontant un obélisque qu'elle comprit qu'ils approchaient du Royal Hospital, et qu'ils avaient donc atteint Chelsea. Les vastes pelouses des jardins du Ranelagh étaient brûlées par la sécheresse, mais quelques courageux y étaient quand même rassemblés : un match de foot de fin d'après-midi.

Juste après les jardins, Lynley tourna à droite. Il remonta Oakley Street puis tourna à gauche et encore à gauche. Ils se trouvaient dans une partie élégante de Chelsea à présent, caractérisée par d'assez hautes demeures en briques rouges, des grilles en fer forgé et des arbres touffus. Il lui indiqua une place de stationnement, et il avança de quelques mètres en attendant qu'elle se gare. Lorsqu'elle l'eut rejoint dans sa voiture, il continua à rouler un moment. Elle revit le fleuve devant eux, ainsi qu'un pub, devant lequel il se gara. Il dit qu'il en avait pour une minute et il y entra. Il avait un arrangement avec le patron, lui expliqua-t-il en revenant. Quand il ne trouvait pas de place dans Cheyne Row, ce qui était fréquent, il laissait sa voiture à côté du pub et ses clés au barman.

— C'est par là, dit-il, l'entraînant vers une maison qui se trouvait au coin de Cheyne Row et de Lordship Place.

Elle pensait que cet immeuble, comme les autres, était converti en appartements, car elle ne pouvait pas croire que quelqu'un soit propriétaire de tout un hôtel particulier dans un quartier aussi cher de Londres. Mais elle comprit en voyant la sonnette qu'elle se trompait, et quand Lynley l'actionna, un chien se mit à aboyer presque tout de suite, ne se taisant que lorsqu'un homme, tout en ouvrant la porte, lança d'une voix rude :

— Ça suffit ! Bon Dieu, on croirait que les envahisseurs arrivent…

L'homme reconnut Lynley alors même que le chien se précipitait dehors, un basset à longs poils qui, loin de les attaquer, se mit plutôt à bondir autour de leurs jambes, comme s'il voulait qu'on le remarque.

— Attention à Peach, dit l'homme à Isabelle. Elle réclame à manger. En fait, elle passe absolument tout son temps à réclamer à manger.

Là-dessus, il salua Lynley de la tête en marmonnant « Lord Ash'rton », comme s'il savait que Lynley préférait qu'on s'adresse à lui autrement, mais rechignait à se montrer moins protocolaire avec lui. Puis, tenant la porte ouverte, il déclara avec un sourire :

— J'étais en train de préparer un plateau de gin to'. Pour vous aussi ?

— Ils ont l'intention de se saouler ? s'enquit Lynley en faisant signe à Isabelle de le précéder.

L'homme pouffa.

— Les miracles, ça arrive, répondit-il, avant d'ajouter, quand Lynley lui eut présenté Isabelle : Vraiment enchanté, commissaire principale.

Il s'appelait Joseph Cotter, apprit-elle. S'il n'avait pas l'air d'un domestique – bien qu'il préparât les boissons –, il n'avait pas l'air non plus du principal occupant de la maison. Celui-là, ils le trouveraient apparemment « là-haut ». Pour sa part, il se rendit dans une pièce située juste à gauche sur le devant de la maison.

— Gin to', alors, milord ? lança-t-il par-dessus son épaule. Commissaire principale ?

Lynley répondit qu'il en prendrait volontiers un. Isabelle refusa.

— Mais un verre d'eau, ce serait très bien.

— Pas de problème, dit Joseph Cotter.

Le basset reniflait autour de leurs pieds comme s'il espérait qu'ils aient ramené quelque chose de comestible sur leurs chaussures. Bredouille, la chienne déguerpit dans l'escalier, et Isabelle entendit ses pattes contre les contremarches en bois à mesure que l'animal montait de plus en plus haut dans la maison.

Ils l'imitèrent. Isabelle se demanda où diable ils allaient, et ce que le dénommé Joseph Cotter avait voulu dire par « là-haut ». Ils passèrent plusieurs paliers de lambris sombres et de murs crème sur lesquels étaient accrochées des dizaines de photos en noir et blanc, en majorité des portraits, même si quelques paysages intéressants étaient disséminés au milieu. Au dernier niveau de la maison – Isabelle avait perdu le compte des étages –, il n'y avait que deux pièces et pas de couloir, mais encore plus de photos accrochées, et ce carrément jusqu'au plafond. On se serait cru dans un musée.

— Deborah ? Simon ? appela Lynley.

Une voix de femme répondit :

— Tommy ? Coucou !

Puis une voix d'homme lança :

— Par ici, Tommy. Attention à la flaque, ma chérie.

À quoi la femme répliqua :

— Laisse-moi m'en occuper, Simon. Tu ne vas faire qu'aggraver les choses.

Isabelle précéda Lynley dans la pièce, dont la lumière provenait en majeure partie d'une immense lucarne occupant la quasi-totalité du plafond. Sous cette lucarne, une femme rousse, à genoux, était en train d'éponger un liquide. Debout à proximité, son compagnon aux traits émaciés tenait plusieurs serviettes dans ses mains, qu'il lui fit passer alors qu'elle disait :

— Encore deux et je crois que ce sera bon. Seigneur, quelle pagaille.

Elle aurait pu parler de la pièce elle-même, qui ressemblait à l'antre d'un savant fou, avec des tables de travail encombrées de dossiers et de documents voletant sous le souffle de ventilateurs placés sur les rebords des deux fenêtres dans l'espoir illusoire d'atténuer la chaleur. Il y avait des étagères croulant sous les revues et les volumes, des supports pour éprouvettes, vases à bec et autres pipettes, des ordinateurs au nombre de trois, des tableaux d'affichage, des magnétoscopes, des moniteurs de télévision... Isabelle ne voyait pas comment on pouvait réussir à s'y retrouver dans cette pièce.

Apparemment, Lynley non plus, car il regarda autour de lui, fit « Ah... », puis échangea un regard avec l'homme qu'il présenta sous le nom de Simon Saint James. La femme était l'épouse de Saint James, Deborah, et Isabelle reconnut le nom de la photographe qui avait signé le portrait de Jemima Hastings. Elle reconnut également le nom de Saint James. Témoin expert, c'était un spécialiste des données médico-légales, qui travaillait aussi bien pour la défense que pour le ministère public lorsqu'une affaire d'homicide était portée devant les tribunaux. Elle voyait à leur attitude que Lynley connaissait bien Simon et Deborah Saint James, et elle se demanda pourquoi il tenait à ce qu'elle les rencontre.

Saint James dit à Lynley : « Oui, comme tu vois », en réponse à son « ah ». Il employa un ton égal dans lequel Lynley décrypta manifestement une information sur l'état de la pièce.

Après ce cabinet de travail, une deuxième porte s'ouvrait sur ce qui était apparemment une chambre noire : c'était de cette pièce que provenait la flaque de liquide. Du fixateur, expliqua Deborah Saint James en finissant d'éponger. Elle en avait renversé tout un bidon.

— On ne renverse jamais un bidon presque vide, tu as remarqué ? fit-elle.

Lorsqu'elle eut terminé, elle se redressa et rejeta ses cheveux en arrière. Plongeant la main dans la poche de sa salopette – en lin vert olive, froissée, et qui lui allait à merveille alors que cette tenue aurait semblé ridicule sur toute autre qu'elle –, elle en sortit une énorme barrette. C'était le genre de femme à pouvoir rassembler sa crinière en un seul mouvement habile et à donner à sa coiffure un air gracieusement ébouriffé. Elle n'était pas belle, songea Isabelle, mais elle était naturelle et c'était là que résidait son charme.

Lynley n'essayait pas de cacher qu'il était sensible à ce charme. Il dit « Deb » et la serra dans ses bras, l'embrassant sur la joue. Brièvement, les doigts de Deborah lui effleurèrent la nuque.

— Tommy, fit-elle.

Saint James les observait, la mine totalement indéchiffrable. Puis son regard quitta sa femme et Lynley pour aller se poser sur Isabelle. Il demanda d'un ton léger :

— Comment ça se passe à la Met, alors ? On vous y a balancée les pieds devant, j'imagine.

— C'est sans doute mieux que la tête la première, répondit Isabelle.

— Papa nous prépare à boire, intervint Deborah. Il vous a proposé quelque chose ? On ne va pas prendre l'apéritif ici. Il doit y avoir plus d'air dans le jardin. À moins que…

Son regard navigua de Lynley à Isabelle.

— C'est pour le boulot, Tommy ?

— Le jardin conviendra aussi bien.

— C'est à moi que tu veux parler ? Ou à Simon ?

— À Simon, cette fois. Si tu as un moment, précisa-t-il à l'adresse de Saint James. Ça ne devrait pas être long.

— J'avais fini ici de toute façon.

Saint James parcourut la pièce du regard et ajouta :

— Elle avait un système d'organisation absolument dingue, Tommy. Je t'assure, je n'arrive toujours pas à comprendre.

— Elle cherchait à t'être indispensable.

— Eh bien, elle l'était.

Isabelle regarda à nouveau les deux hommes. Une sorte de code, conclut-elle.

— Ça finira bien par se régler, vous ne croyez pas ? dit Deborah.

Apparemment, elle ne parlait pas des dossiers. Puis elle sourit à Isabelle :

— Vous venez ?

En comprenant leurs intentions, la petite chienne, qui s'était installée sur une couverture en loques dans un coin de la pièce, s'empressa de redescendre héroïquement l'escalier qu'elle venait de grimper. Au rez-de-chaussée, Deborah cria :

— Papa, on va dans le jardin.

Joseph Cotter répondit depuis le bureau :

— J'arrive dans une seconde.

D'après le cliquetis qui leur parvenait, il était en train de poser des verres sur un plateau.

Le jardin comprenait une pelouse, une terrasse en brique, des parterres de plantes herbacées et un cerisier ornemental. Deborah Saint James conduisit Isabelle à une table et des chaises disposées sous l'arbre, en bavardant du temps qu'il faisait. Lorsqu'elles furent assises, elle changea de registre, braquant un long regard sur Isabelle.

— Comment s'en sort-il ? demanda-t-elle franchement. Nous nous inquiétons pour lui.

— N'ayant pas travaillé avec lui avant, je ne suis pas le meilleur juge, répondit Isabelle. Il semble réagir parfaitement bien, pour autant que je sache. Il est très gentil, n'est-ce pas ?

Deborah ne répondit pas tout de suite. Elle scruta la maison comme si elle arrivait à voir les hommes à l'intérieur. Au bout d'un moment elle dit :

— Helen travaillait avec Simon. La femme de Tommy.

— Ah bon ? Je l'ignorais complètement. Elle était expert légiste ?

— Non, non. Elle était… Eh bien, elle était surtout Helen. Elle l'aidait quand il avait besoin d'elle, en général trois ou quatre fois par semaine. Elle lui manque terriblement, mais il refuse d'en parler.

Quittant la maison des yeux, elle reporta son regard sur Isabelle.

— Il y a des années, ils devaient se marier – Simon et Helen –, mais ils ne l'ont jamais fait.

Elle ajouta avec un sourire :

— Et Helen a fini par épouser Tommy. Pas très évident comme situation, de passer du statut d'amants à celui d'amis…

Isabelle ne demanda pas pourquoi la femme de Lynley et le mari de Deborah ne s'étaient pas mariés. Elle en avait envie, mais l'arrivée des deux hommes l'en empêcha. Joseph Cotter surgit juste après eux avec le plateau de boissons et la chienne de la maison qui faisait des bonds à travers la pelouse. Elle avait dans la gueule une balle jaune qu'elle entreprit de mâchouiller, s'affalant aux pieds de sa maîtresse.

On reparla du temps qu'il faisait mais, assez vite, Lynley en vint à la raison de sa visite à Chelsea. Il

701

tendit à Simon l'enveloppe en papier kraft qu'il avait déjà à la main dans le bureau d'Isabelle. Simon l'ouvrit et en sortit le contenu. Isabelle vit qu'il s'agissait de la photo de la chemise jaune trouvée dans le conteneur Oxfam.

— Qu'est-ce que tu en penses ? demanda Lynley à son ami.

Saint James étudia la photo une minute en silence avant de déclarer :

— Je dirais que c'est du sang artériel. Le motif formé sur le devant de la chemise ? Résultat de l'aspersion.

— Autrement dit ?

— Autrement dit, cette chemise était portée par le tueur, et il se tenait tout près de la victime quand il lui a donné le coup fatal. Regarde les gouttelettes sur le col de la chemise.

— Ça signifie quoi, d'après toi ?

Saint James réfléchit, l'air lointain.

— Eh bien, je dirais qu'il la tenait dans ses bras. Sinon, ce serait forcément sur la manche qu'il y aurait le plus de sang, pas sur le col et le devant de la chemise. Laisse-moi te montrer. Deborah ?

Il se leva de sa chaise, ce qui n'était pas facile pour lui avec son handicap. Isabelle n'avait pas remarqué avant qu'il portait une prothèse à la jambe, ce qui rendait ses mouvements laborieux.

Sa femme se leva à son tour et se posta juste à côté de son mari. Il passa son bras gauche autour de sa taille et l'attira vers lui. Il se pencha comme pour l'embrasser et, ce faisant, il souleva sa main droite et la descendit vers le cou de sa femme. Sa démonstration achevée, il caressa légèrement les cheveux de sa femme et dit à Lynley, en désignant la photo :

— On voit bien que c'est assez haut sur la partie supérieure droite de la chemise qu'il y a le plus de sang. Il est plus grand qu'elle ne l'était, mais pas de beaucoup.

— Pas de blessure défensive sur elle, Simon.

— Ça laisse penser qu'elle le connaissait bien.

— Elle était là-bas avec lui de son plein gré ?

— J'imagine.

Isabelle ne dit rien. Elle comprenait le but de cette visite aux Saint James, et elle ne savait pas si elle devait être reconnaissante à Lynley de ne pas avoir exposé ces déductions – qu'il avait sûrement déjà faites à la vue de la photo – durant la réunion de l'équipe à la Met, ou bien en colère qu'il ait décidé de procéder de cette façon, en présence de ses amis. Elle n'allait pas l'engueuler ici, et il devait le savoir. C'était un élément de plus contre la culpabilité de Matsumoto. Elle avait intérêt à rattraper le coup, et en vitesse.

Elle remua sur son siège. Elle hocha la tête avec sagesse et déclara qu'elle les remerciait de l'avoir reçue mais que, malheureusement, elle devait filer. Du pain sur la planche. Elle commençait de bonne heure, un témoin à interroger, sans doute un rendez-vous avec Hillier…

Deborah se chargea de la raccompagner à la porte. Isabelle pensa à lui demander si, le jour de la photo, elle se rappelait quoi que ce soit, qui que ce soit, un quelconque détail un tant soit peu insolite ?

Deborah répondit comme on pouvait s'y attendre. Cela faisait plus de six mois. Elle ne se rappelait pratiquement rien hormis que Sidney – « la sœur de Simon » – était là.

703

— Oh, et il devait y avoir Matt, aussi, ajouta Deborah. Il était là.

— Matt ?

— Matt Jones. Le compagnon de Sidney. Il l'avait conduite au cimetière et il a regardé pendant quelques minutes. Mais il n'est pas resté. Désolée. J'aurais dû en parler avant. Je viens seulement de me souvenir qu'il était là.

Isabelle réfléchissait à ce fait nouveau tout en regagnant sa voiture. Elle n'avait pas beaucoup avancé dans ses réflexions lorsqu'elle entendit qu'on l'appelait. En se retournant, elle vit Lynley qui s'avançait vers elle sur le trottoir. Quand il la rejoignit, elle dit :

— Matt Jones…

— Qui ça ?

Il avait récupéré l'enveloppe en kraft. Elle lui fit signe de la lui donner. Il obtempéra.

— Le petit ami de Sidney Saint James. Il était là-bas ce jour-là, au cimetière, d'après Deborah. Ça ne lui est revenu que maintenant.

— Quand ? Le jour où elle a pris la photo ?

— Exact. Qu'est-ce qu'on sait de lui ?

— Jusqu'ici, on sait qu'il y a des centaines de Matthew Jones. Philip était sur le coup mais…

— D'accord, d'accord. J'ai pigé, Thomas.

Elle soupira. Elle avait retiré Hale de l'enquête et l'avait forcé à monter la garde au St. Thomas' Hospital. S'il y avait une info capitale à découvrir sur Matt Jones, elle était toujours là, à attendre d'être déterrée.

Lynley regarda en direction du fleuve.

— Ça vous intéresse de dîner, Isabelle ? Je veux dire, vous avez faim ? Nous pourrions manger un morceau au pub. Ou bien, si vous préférez, j'habite pas loin d'ici. Mais vous le savez, n'est-ce pas, vous êtes déjà venue…

Son invitation était un peu maladroite, mais Isabelle – malgré ses inquiétudes croissantes concernant l'enquête – trouva la chose plutôt charmante. Pourtant, elle était consciente des dangers immédiats qu'il y avait à mieux faire la connaissance de Thomas Lynley. Elle n'avait pas particulièrement envie de s'exposer à un de ces dangers.

Il précisa :

— J'aimerais vous parler de l'affaire.

— C'est tout ?

Et elle fut très étonnée de le voir rougir. Il n'avait pas l'air du genre à rougir.

— Bien sûr. Quoi d'autre ?

Puis il ajouta :

— Bon, je suppose qu'il y a aussi Hillier. La presse. John Stewart. La situation. Et puis il y a le Hampshire.

— Quoi, le Hampshire ? fit-elle avec brusquerie.

Il indiqua le pub.

— Venez au King's Head. On a besoin d'une pause.

Ils restèrent trois heures. Lynley se disait que c'était pour servir l'enquête. Toutefois, leur séjour prolongé au King's Head and Eight Bells avait un autre but que de passer en revue les différents aspects de l'enquête. Il s'agissait aussi de mieux connaître la commissaire principale, et de la voir sous un angle un peu différent.

Comme tout un chacun, elle fit attention à ce qu'elle pouvait révéler sur elle, et ce qu'elle révéla, elle le présenta sous un jour positif : un frère aîné qui élevait des moutons en Nouvelle-Zélande, des parents en vie et en bonne santé près de Douvres, où le père était billettiste pour une ligne de ferry et la mère une femme au foyer qui chantait dans la chorale de l'église ; une éducation dans des écoles catholiques, bien qu'elle ne pratique aujourd'hui aucune religion ; un ex-mari qui était un amour d'enfance épousé trop jeune, avant qu'ils soient l'un et l'autre réellement armés pour faire en sorte qu'un mariage fonctionne.

— J'ai horreur des compromis, avoua-t-elle. Je sais ce que je veux, et c'est comme ça.

— Et qu'est-ce que vous voulez, Isabelle ?

Elle le regarda franchement avant de répondre. Un long regard qui, selon lui, pouvait signifier tout un tas de choses. Elle finit par dire, avec un haussement d'épaules :

— J'imagine que je veux ce que veulent la plupart des femmes.

Il attendit qu'elle continue. Rien ne vint. Autour d'eux, dans le pub, le brouhaha des buveurs du soir sembla tout à coup assourdi. Il était recouvert par les battements de son cœur, inexplicablement sonores dans ses oreilles…

— C'est-à-dire ?

Elle caressa la tige de son verre. Ils avaient pris du vin, deux bouteilles, et il en paierait le prix le lendemain matin. Mais ils avaient bu lentement, et il ne se sentait absolument pas saoul.

Il prononça le prénom d'Isabelle pour l'inciter à répondre, et il répéta sa question.

— Vous êtes un homme d'expérience, alors je pense que vous le savez très bien, dit-elle.

À nouveau les battements de son cœur, et cette fois ils lui bloquèrent la gorge, ce qui n'avait aucun sens. Mais au moins ils lui évitèrent de répondre.

— Merci pour ce dîner, dit-elle. Et aussi pour les Saint James.

— Ce n'est pas la peine…

À ce moment-là, elle se leva, ajusta la bandoulière de son sac sur son épaule, puis posa sa main sur la sienne alors qu'elle s'apprêtait à partir.

— Si, c'est la peine. Vous auriez pu présenter ce que vous aviez d'ores et déjà conclu à propos de cette chemise pendant la réunion de l'équipe. J'en suis bien consciente, Thomas. Vous auriez pu complètement me ridiculiser et me forcer la main pour Matsumoto, mais vous vous êtes abstenu. Vous êtes quelqu'un de très gentil et quelqu'un de très bien.

24

D'après le nom de l'établissement, Lynley s'imaginait que Sheldon Pockworth Numismate était une échoppe située au fond d'une ruelle de Whitechapel, une boutique dont le propriétaire était du genre Mr Vénus, à manipuler des articulations plutôt qu'à s'occuper de médailles et de pièces de monnaie. La réalité qu'il découvrit était toute différente. La boutique elle-même était propre, bien entretenue et vivement éclairée. Elle se trouvait non loin du Vieil Hôtel de Ville de Chelsea, dans un magnifique immeuble en brique au coin de King's Road et de Sydney Street, où elle partageait des mètres carrés sans doute hors de prix avec un certain nombre de marchands d'argenterie, de bijoux, de tableaux et de porcelaine ancienne.

Il n'y avait pas de Sheldon Pockworth, et il n'y en avait jamais eu. Il y avait en revanche un certain James Dugué, qui ressemblait plus à un technocrate qu'à un revendeur de pièces de monnaie et autres médailles militaires des guerres napoléoniennes. Quand Lynley entra ce matin-là, il trouva Dugué occupé à feuilleter un lourd volume posé sur un comptoir vitré immaculé. Dans cette vitrine, des pièces en or et en argent étincelantes tournaient sur un présentoir rotatif. Lorsque Dugué leva les yeux, ses lunettes chic à monture d'acier attrapèrent la lumière. Il portait une chemise rose impeccable et une cravate bleu marine avec des rayures vertes en diagonale. Son pantalon était lui aussi bleu marine et, quand il se déplaça derrière le comptoir pour gagner une autre vitrine, Lynley remarqua qu'il avait aux pieds des tennis d'un blanc éblouissant et pas de chaussettes. « Pimpant » était un adjectif qui le décrivait fort bien. Tout comme « sûr de soi », allait constater Lynley.

Lynley était venu à la boutique directement de chez lui sans passer par le Yard. Il habitait tellement près que c'était plus logique et, par courtoisie, il avait téléphoné à Isabelle sur son portable pour la prévenir. Leur conversation avait été brève, hésitante et polie. La donne avait légèrement changé entre eux.

À la fin de leur dîner, il l'avait raccompagnée à sa voiture bien qu'elle lui eût expliqué que ce témoignage de bonne éducation ne s'imposait pas : elle était parfaitement capable de se défendre dans l'hypothèse improbable où elle se serait fait agresser dans cet élégant quartier de Chelsea. Puis elle s'était apparemment aperçue de l'énormité qu'elle avait dite, car elle s'était arrêtée net sur le trottoir. Elle s'était tournée vers lui, lui avait posé d'instinct la main sur le bras et avait murmuré :

« Oh mon Dieu. Je suis vraiment désolée, Thomas. »

Il avait compris qu'elle avait associé ses remarques à ce qui était arrivé à Helen, assassinée dans un quartier pas si différent de celui-là, à moins de deux kilomètres.

Il avait dit :

« Merci. Mais vous n'avez pas besoin, vraiment… »

Il avait hésité à en dire davantage, bredouillant :

« C'est juste que… »

Il s'était s'interrompu à nouveau, cherchant ses mots.

Ils se tenaient face à face sous les branches d'un hêtre touffu, dont les feuilles avaient déjà commencé à tomber sur le trottoir, victimes de cet été caniculaire. Une fois encore, il avait pris conscience de la taille d'Isabelle : une femme grande, mince sans être maigre, les pommettes saillantes – ce qu'il n'avait pas remarqué avant – et des yeux immenses, ce qu'il n'avait pas remarqué non plus. Les lèvres d'Isabelle s'étaient entrouvertes comme pour dire quelque chose.

Il avait soutenu son regard. Un ange était passé. Une portière avait claqué à proximité. Il avait détourné les yeux.

« Je voudrais vraiment que les gens prennent moins de gants avec moi. »

Elle n'avait rien répondu.

« Ils ont peur de dire quelque chose qui me fasse repenser à ce qui est arrivé. Je le comprends. Je serais sans doute pareil. Mais ce que je ne comprends pas, c'est comment on peut s'imaginer que j'aie réellement besoin de quelqu'un pour y repenser, ou que j'aie peur d'y repenser. »

Elle avait gardé le silence.

« Ce que je veux dire, c'est qu'elle est toujours là de toute façon. C'est une présence constante. Comment voulez-vous qu'il en aille autrement ? Elle était en train de faire une chose tellement simple, elle revenait avec ses courses, et ils étaient là. Ils étaient deux. Douze ans, il avait, celui qui lui a tiré dessus… Il a fait ça sans raison véritable. Juste parce qu'elle se trouvait là. Ils

710

l'ont attrapé, mais pas l'autre, et le gamin refuse de donner son nom. Il n'y a pas moyen qu'il parle de ce qui s'est passé. Il n'a pas dit un mot depuis qu'ils lui ont mis la main dessus. Mais en fait, tout ce que j'ai envie de savoir, c'est ce qu'elle pourrait leur avoir dit avant qu'ils... Parce que, d'une certaine façon, je crois que je pourrais me sentir... Si je savais... »

Sa gorge s'était soudain contractée si violemment qu'il avait compris, à sa grande horreur, qu'il allait pleurer s'il ne se taisait pas. Il avait secoué la tête et s'était raclé la gorge. Il avait continué à contempler la rue.

La main d'Isabelle était d'une douceur extraordinaire lorsqu'elle avait touché la sienne.

« Thomas. Vous n'êtes pas obligé. Accompagnez-moi à ma voiture. »

Elle avait attrapé son coude et, de l'autre main, elle lui avait agrippé le bras. Elle l'avait attiré contre son flanc, et ce contact lui avait offert un étrange réconfort. Il s'était rendu compte qu'à part sa famille immédiate et Deborah Saint James personne ne l'avait touché depuis des mois, sinon pour lui serrer la main. C'était comme si les gens avaient peur de lui, comme si, en le touchant, ils pensaient que la tragédie qui avait frappé sa vie allait en quelque sorte frapper la leur. Cet attouchement lui avait procuré un tel soulagement qu'il avait marché à ses côtés, et que leurs pas avaient adopté un rythme tout naturel.

« Voilà », avait-elle dit quand ils avaient atteint sa voiture.

Elle lui avait fait face.

« J'ai passé une soirée délicieuse. Vous êtes de très bonne compagnie, Thomas.

— J'ai quelques doutes là-dessus, dit-il doucement.

— Ah bon ?

— Oui. Et c'est Tommy, en fait. C'est comme ça qu'on m'appelle.

— Tommy. Oui. J'ai remarqué, avait-elle dit en souriant. Je vais vous serrer contre moi et vous êtes censé comprendre que c'est un geste d'amitié. »

Elle l'avait fait. Elle l'avait serré contre elle un court instant, et elle avait effleuré sa joue de ses lèvres.

« Je crois que pour le moment, si ça ne vous fait rien, je vais continuer à vous appeler Thomas. »

Sur quoi elle l'avait quitté.

À présent, dans la boutique de médailles, Lynley attendait que le propriétaire ait rangé son lourd volume. Il lui tendit la carte qu'ils avaient trouvée dans le sac de Jemima Hastings, et il montra à Dugué la photo de la Portrait Gallery. Il lui montra aussi ses papiers d'inspecteur de police.

Chose étonnante, quand Dugué eut examiné ses papiers, il dit à Lynley :

— Vous êtes le policier qui a perdu sa femme en février dernier, n'est-ce pas ?

— Oui.

— Je me souviens de ces choses-là, expliqua Dugué. Une histoire atroce. En quoi puis-je vous aider ?

Et lorsque Lynley désigna du menton la photo de Jemima, il dit :

— Oui. Je me souviens d'elle. Elle est venue à la boutique.

— Quand ?

Dugué réfléchit. La boutique était entourée de vitres et il regarda à l'extérieur en direction de la galerie.

— Vers Noël. Je ne peux pas être plus précis, mais je me souviens des décorations de Noël. Je la revois éclairée par-derrière, à cause des guirlandes lumineuses installées dans la galerie. Alors ce devait être aux environs de Noël, une quinzaine de jours avant ou une quinzaine de jours après. Contrairement à d'autres établissements, nous ne laissons pas nos décorations trop longtemps. On les a tous en horreur, à vrai dire. Comme les chants de Noël. Bing Crosby rêve peut-être de neige, mais moi, au bout d'une semaine à l'écouter en boucle, je rêve d'étrangler Bing Crosby.

— A-t-elle acheté quelque chose ?

— Autant que je me rappelle, elle voulait que je regarde une pièce. C'était un aureus, et elle pensait qu'il avait peut-être une certaine valeur.

— « Aureus », répéta Lynley, faisant appel à ses souvenirs de latin. En or, donc. Avait-elle énormément de valeur ?

— Pas autant qu'on le penserait.

— Malgré le fait qu'elle était en or ?

Lynley s'imaginait que seul le prix de l'or pouvait donner de la valeur à la pièce.

— Elle désirait la vendre ?

— Elle voulait seulement savoir ce qu'elle valait. Et ce qu'elle était, en fait, parce qu'elle n'en avait aucune idée. Elle se doutait qu'elle était ancienne, et elle avait raison là-dessus. Elle était ancienne. Elle datait des alentours de 150 après Jésus-Christ.

— Une pièce romaine, alors… Vous a-t-elle dit comment elle se l'était procurée ?

Dugué demanda à revoir la photo de Jemima, comme si la contempler allait stimuler sa mémoire. Après l'avoir étudiée un moment, il déclara lentement :

— Je crois qu'elle a dit qu'elle se trouvait parmi les effets de son père. Elle ne me l'a pas précisé, mais j'en ai déduit qu'il était mort récemment et qu'elle avait inspecté ses affaires comme il arrive dans ces cas-là, quand on essaie de décider quoi faire de tel ou tel objet.

— Lui avez-vous proposé d'acheter la pièce ?

— Comme je vous l'ai dit, hormis le prix de l'or, elle n'avait pas suffisamment de valeur. Sur le marché, je n'aurais pas réussi à en tirer grand-chose. Tenez, laissez-moi vous montrer.

Il gagna un bureau derrière le comptoir, dont il ouvrit un tiroir qui avait été conçu pour renfermer des livres. Il fit courir ses doigts sur les ouvrages avant d'en sortir un.

— Sa pièce était un aureus datant du règne d'Antoninus Pius, qui est devenu empereur juste après Hadrien. Vous connaissez ?

— Un des Cinq Bons Empereurs.

Dugué parut impressionné.

— Pas le genre de connaissances que j'aurais attendues chez un flic.

— Je m'intéressais à l'histoire, admit Lynley. Dans une autre vie.

— Alors vous savez que son règne n'a pas été comme les autres.

— Seulement qu'il a été paisible.

— Exact. Faisant partie des gentils, il n'était pas… Eh bien, disons qu'il n'était pas sexy. Ou, du moins, il ne l'est pas aujourd'hui, pas pour les collectionneurs. Il était intelligent, instruit, compétent, il protégeait les chrétiens, il se montrait clément envers les conspirateurs, et comme il se plaisait à Rome, il déléguait son autorité à ses gouverneurs de province. Il aimait sa femme, il aimait sa famille, il aidait les pauvres et il ne jetait pas l'argent par les fenêtres.

— En un mot, ennuyeux ?

— C'est sûr, hein, comparé à Caligula ou à Néron ? dit Dugué en souriant. On n'a pas beaucoup écrit sur lui, et les collectionneurs ont un peu tendance à le négliger.

— Ce qui fait que les pièces de son époque ont moins de valeur sur le marché ?

— Ça, plus le fait qu'il a été battu deux mille pièces de monnaie différentes durant son règne.

Dugué trouva ce qu'il cherchait dans le livre, et le fit pivoter face à Lynley.

Sur la page figuraient à la fois la face et le revers de l'aureus en question. Le côté face représentait l'empereur de profil, drapé à la façon d'un buste antique, avec CAES et ANTONINVS formant deux parenthèses en relief autour de la tête de l'empereur. Le revers montrait une femme sur un trône. Il s'agissait de Concordia, précisa Dugué, une patère dans sa main droite et une corne d'abondance à ses pieds. Ces motifs étaient plutôt courants, poursuivit le numismate, ce qu'il avait également dit à Jemima. Il lui avait expliqué que, bien que la pièce elle-même soit assez rare – « On tombe en général sur des pièces battues dans des métaux plus vils » –, sa vraie valeur dépendait du marché. Cette valeur était déterminée par la demande des collectionneurs.

— Alors de quoi parle-t-on, exactement ? demanda Lynley.

— Pour sa valeur marchande ?

Dugué réfléchit, tapotant sur le dessus de la vitrine.

715

— Je dirais entre cinq cents et mille livres. À condition que quelqu'un en veuille et que cette personne renchérisse sur quelqu'un d'autre. Ce dont il faut se souvenir, conclut Dugué, c'est qu'une pièce doit être…

— Sexy, acheva Lynley. Je comprends. Les méchants sont les plus sexy, pas vrai ?

— C'est triste à dire, confirma Dugué, mais c'est ainsi.

Dans ce cas, Lynley pouvait-il en conclure que Sheldon Pockworth Numismate n'avait pas d'aureus de la période d'Antoninus Pius dans son stock ?

Il pouvait, dit Dugué. Si l'inspecteur désirait voir un authentique aureus de cette époque-là, il en trouverait certainement un au British Museum.

Barbara Havers avait été contrainte de commencer sa journée en se rasant les jambes, et cette corvée n'avait pas vraiment aidé à améliorer son humeur. Modifier son apparence physique produisait un effet domino : par exemple, le port de la jupe – trapèze ou non – nécessitait soit de porter des collants, soit de rester jambes nues, et dans un cas comme dans l'autre elle devait surveiller sa pilosité. Elle devait donc appliquer un rasoir contre sa peau. Il lui fallait de la crème à raser ou une espèce de savon moussant, qu'elle ne possédait pas, aussi eut-elle recours à une bonne dose de produit vaisselle pour obtenir quelques bulles. Mais l'ensemble de l'opération la conduisit à devoir exhumer un pansement de son armoire à pharmacie quand elle se coupa la cheville et que le sang jaillit. Elle poussa un glapissement et maugréa. Putain, merde, de toute façon, quel rapport pouvait-il y avoir entre sa façon de s'habiller et ses performances de policier ?

Il était exclu, cependant, de ne pas mettre la jupe. Cette tenue lui avait été imposée non seulement par la suggestion appuyée de la commissaire intérimaire, mais surtout par le fait que Hadiyyah s'était donné un mal fou pour la lui ajuster. Aussi, ce qu'exigeait également la matinée, c'était que Barbara fasse une halte à la Grande Maison en quittant son pavillon, histoire de montrer à Hadiyyah de quoi elle avait l'air. Elle avait mis aussi le nouveau bracelet et le chemisier, mais s'était dispensée du foulard. Il faisait trop chaud. Elle le garderait pour l'automne.

C'est Azhar qui vint ouvrir. Hadiyyah apparut aussitôt derrière lui en entendant la voix de Barbara. Ils poussèrent tous deux des exclamations devant la métamorphose de leur amie.

— Tu es ravissante ! s'écria Hadiyyah, les mains jointes sous le menton comme pour s'empêcher d'applaudir. Papa, hein que Barbara est ravissante ?

Barbara :

— Pas vraiment le mot, ma puce, mais merci quand même.

— Hadiyyah a raison, dit Azhar. Tout cet ensemble vous va très bien.

— Et elle a mis du maquillage, s'extasia Hadiyyah. Tu as vu qu'elle a mis du maquillage, papa ? Maman dit toujours que le maquillage, c'est seulement fait pour mettre en valeur ce qu'on a déjà, et Barbara s'en est servie exactement comme maman. Tu es pas d'accord, papa ?

Azhar passa son bras autour des épaules de sa fille.

— Absolument. Vous vous êtes toutes les deux très bien débrouillées, *khushi*.

Barbara savoura ces compliments. Elle savait qu'elle les devait à leur gentillesse et à leur amitié, rien d'autre – elle n'était pas et ne serait jamais un tant soit peu jolie –, mais ça ne lui déplaisait pas que leurs regards demeurent fixés sur elle tandis qu'elle gagnait le portail du jardin avant de rejoindre sa voiture.

Une fois à Scotland Yard, elle supporta les railleries bon enfant de ses collègues. Elle subit leurs réflexions sans broncher tout en cherchant Lynley des yeux, mais il n'était pas là. La commissaire principale non plus, apprit-elle. À peine arrivé ce matin-là, Hillier avait convoqué Isabelle Ardery dans son bureau.

Lynley y était-il allé avec elle ? demanda-t-elle à Winston Nkata. Elle s'efforça de prendre un ton désinvolte, mais il n'était pas dupe.

— Faut prendre ton mal en patience, Barb. Sinon, tu vas te rendre dingue.

Elle se renfrogna. Ça l'exaspérait que Winston Nkata la connaisse si bien, et elle n'arrivait pas à comprendre comment il avait accompli cette prouesse. Merde, elle était donc limpide à ce point ? Qu'est-ce que son collègue avait deviné d'autre ?

Elle demanda abruptement si quelqu'un avait réuni des informations intéressantes sur Zachary Whiting. Y avait-il autre chose à part le fait qu'il s'était montré une fois ou deux un peu trop enthousiaste dans sa mission de flic ? Mais non, il n'y avait rien. Tout le monde travaillait sur autre chose. Barbara soupira. Apparemment, si un élément devait être déterré sur quelqu'un dans le Hampshire, il allait falloir qu'elle manie elle-même la pelle.

C'était à cause du rapport du SO7 concernant les cheveux retrouvés dans le poing de Jemima Hastings. Avec des cheveux asiatiques prélevés sur le corps, l'arme du crime en la possession d'un violoniste japonais, le sang de la victime sur les vêtements dudit Japonais, sans compter les témoins qui avaient vu ledit Japonais à proximité habillé des vêtements en question le jour de la mort de Jemima, il ne semblait pas extrêmement urgent de creuser plus avant dans le passé d'un flic un peu louche sur les bords. Et ce, malgré la découverte d'une chemise jaune tachée de sang dans une benne de recyclage de l'autre côté du fleuve à Putney. Ça voulait forcément dire quelque chose, tout comme la présence du sac de la victime dans cette même benne.

Barbara s'occupa d'abord de Whiting. Puisque quelqu'un avait raconté qu'il s'était montré un peu trop enthousiaste dans son boulot, il y aurait sans doute des archives quelque part pour définir de manière plus précise à quoi s'appliquait son enthousiasme. Il suffisait de suivre la piste de la carrière de Whiting pour tomber sur quelqu'un qui accepterait de parler avec franchise de ce type. Où, par exemple, avait-il travaillé avant Lyndhurst ? Il ne pouvait quand même pas avoir passé sa carrière entière à grimper les échelons dans un seul commissariat.

Le ministère de l'Intérieur serait sans doute la meilleure mine de renseignements, mais l'extraction risquait de se révéler aussi lente que difficile. La hiérarchie du Home Office constituait un véritable labyrinthe, que peuplaient un sous-secrétaire, des sous-secrétaires adjoints, des sous-secrétaires en second et des secrétaires en second. La plupart de ces individus avaient sous leurs ordres leurs propres équipes, et ces équipes fournissaient en personnel tous les différents services chargés du maintien de l'ordre dans le pays. Parmi tous les services, la section chargée des effectifs et de la procédure paraissait la meilleure option aux yeux de Barbara. La question était de savoir à qui téléphoner, rendre visite, payer un café, verser un pot-de-vin ou bien adresser ses prières… C'était un vrai problème car, contrairement aux autres flics, qui cultivaient les relations de la même manière que des fermiers cultivent leurs champs, Barbara n'avait jamais eu l'art de courtiser les individus qui auraient pu lui être utiles ultérieurement. Mais il devait bien se trouver quelqu'un qui possédait ce talent-là, qui en avait fait usage, et qui lui dénicherait un nom…

Parmi ses collègues, Lynley constituait la meilleure possibilité, mais il n'était pas là. Philip Hale était lui aussi envisageable, mais, si absurde que ce soit, il avait reçu l'ordre de rester au St. Thomas' Hospital. John Stewart était la dernière personne sur terre à qui Barbara demanderait un service. Quant aux relations de Winston Nkata, elles étaient plus du genre loubard, étant donné le temps qu'il avait passé comme premier conseiller en stratégie du gang des Brixton Warriors. Cela lui laissait les constables et le personnel civil, qui lui-même lui offrait le recours le plus évident de tous… Barbara se demanda pourquoi elle n'avait pas pensé tout de suite que Dorothea Harriman pourrait lui prêter main-forte dans cette affaire.

Elle trouva la secrétaire du service dans la salle des photocopies, où, au lieu de faire des photocopies, elle était, allez comprendre, en train d'appliquer du vernis à ongles sur ses collants. Elle portait une de ses jupes droites super-classe qui convenaient à sa silhouette tout en longueur – Barbara se sentait de plus en plus experte en matière de jupes… –, et elle l'avait remontée jusqu'à mi-cuisses pour badigeonner ses collants.

— Dee, fit Barbara.

Harriman sursauta.

— Oh, juste ciel ! Vous m'avez fait peur, sergent Havers.

L'espace d'un instant, Barbara crut que c'était son allure qui avait effrayé la secrétaire. Puis elle comprit que son habillement n'y était pour rien.

— Désolée. Je ne voulais pas vous prendre au dépourvu. Qu'est-ce que vous fabriquez ?

— Ça ? fit Harriman en brandissant le flacon de vernis à ongles. Une échelle.

Et, comme Barbara la regardait d'un air ébahi, elle ajouta :

— Sur mes collants… Le vernis empêche les échelles de s'agrandir. Vous ne le saviez pas ?

— Ah bien sûr, s'empressa de répliquer Barbara. Les échelles. Pardon. Où avais-je la tête ? Dites, vous avez un moment ?

— Pas de problème.

— Est-ce qu'on peut… ?

Comme elle agissait de sa propre initiative, il était plus sage de ne pas ébruiter la chose. Elle inclina la tête vers le couloir et Harriman la suivit. Elles gagnèrent la cage d'escalier.

Barbara expliqua ce dont elle avait besoin : une taupe au ministère de l'Intérieur, quelqu'un qui accepterait de fureter un peu au sujet d'un certain Zachary Whiting, commissaire divisionnaire de la police du Hampshire. D'après elle, il fallait que cet indic potentiel soit employé dans la section effectifs et procédures du ministère, parce que c'était là qu'étaient archivées les informations concernant les casiers judiciaires, les brigades criminelles de région, les investigations diverses et les plaintes. Elle avait dans l'idée qu'à l'intérieur d'une de ces rubriques il y aurait un détail minuscule qui pourrait sembler insignifiant à quelqu'un qui ne le chercherait pas spécifiquement mais qui l'éclairerait sur ce que traficotait Whiting là-bas dans le Hampshire. Dorothea connaissait sûrement quelqu'un qui serait en mesure de les orienter vers une autre personne, laquelle à son tour pourrait en trouver une troisième… ?

Harriman pinça ses lèvres bien dessinées. Elle palpa sa chevelure aux mèches soignées et à la coupe tendance. Elle tapota sa joue rehaussée de blush. Dans d'autres circonstances, Barbara lui aurait peut-être réclamé des cours de maquillage, car elle était indéniablement une adepte de la philosophie de simple mise en valeur prônée par la mère de Hadiyyah. Mais pour le moment elle devait se borner à constater et à admirer.

Elle contemplait le distributeur de boissons sur le palier. Deux étages au-dessous, une porte s'ouvrit, une voix se plaignit bruyamment qu'on lui ait servi « une assiette de purée qui ressemblait à du gravier dans du ciment en train de prendre », et des pas gravirent l'escalier avec fracas. Barbara attrapa Harriman par le bras pour la ramener dans le couloir et, de là, à nouveau dans la salle des photocopies.

Cet intermède permit de toute évidence à Harriman de réfléchir aux diverses possibilités dont elle disposait, soit dans son Rolodex, soit dans son répertoire personnel. Une fois isolées de l'autre côté de la photo-copieuse, elle murmura en aparté :

— Il y avait bien un type dont la colocataire de la sœur...

— Ouais ? fit Barbara.

— Je suis sortie un temps avec lui. On s'était rencontrés à un cocktail. Vous savez comment c'est...

Barbara n'en avait aucune idée, mais elle acquiesça obligeamment.

— Vous pouvez lui téléphoner ? Le voir ? Enfin, quelque chose ?

Harriman tapota un ongle contre ses dents.

— C'est un peu délicat. Il était assez mordu et moi non, si vous voyez ce que je veux dire. Mais...

Elle s'illumina.

— Laissez-moi voir ce que je peux faire, sergent Havers.

— Vous pouvez vous en occuper tout de suite ?

— C'est important, on dirait ?

— Dee, vous ne pouvez pas imaginer à quel point.

Plus moyen de couper au rendez-vous avec l'adjoint au préfet de police. Judi MacIntosh avait téléphoné à Isabelle d'assez bonne heure – sur son portable, qui plus est – pour lui transmettre très clairement les souhaits de David Hillier. La commissaire intérimaire devait se rendre dans le bureau de sir David dès qu'elle arriverait à Victoria Street.

Histoire qu'Isabelle comprenne bien, la requête fut réitérée lorsqu'elle atteignit son bureau. Cette fois, elle lui fut énoncée par Dorothea Harriman. La secrétaire pénétra dans le territoire d'Isabelle juchée sur des talons de douze centimètres qui lui vaudraient fatalement par la suite de graves soucis orthopédiques.

— Il insiste pour que vous veniez immédiatement, expliqua Dorothea d'un ton d'excuse. Voulez-vous que j'aille vous chercher un café à emporter, commissaire principale Ardery ? Je ne le fais pas d'habitude, ajouta-t-elle comme pour clarifier ses attributions, mais il est tôt et vous voulez peut-être prendre des forces… ? Vu que l'adjoint au préfet peut parfois se montrer un peu autoritaire… ?

Ce n'était pas avec du café qu'elle avait envie de prendre des forces, mais pas question de céder à cette tentation-là. Elle déclina l'offre, rangea ses affaires dans un tiroir, puis se dirigea vers le bureau de Hillier dans Tower Block. Là, Judi MacIntosh la salua, la fit entrer directement dans le bureau de son patron et lui annonça que le directeur du service de presse ne tarderait pas à les rejoindre.

Ce n'était pas de bon augure. Cela voulait dire que d'autres manœuvres étaient en cours. D'autres manœuvres qui signifiaient que la situation d'Isabelle était encore plus fragile que la veille.

Hillier terminait une communication : « Je vous demande de garder l'info encore quelques heures, le temps de vérifier certaines choses… Non, ce n'est pas de la négociation… Il y a des points à éclaircir et je m'apprête à le faire… Bien sûr, vous serez le premier au courant… Si vous croyez que c'est le genre de coup de fil qui m'enchante… Oui, oui. Très bien. » Sur ce, il raccrocha. Il indiqua un des fauteuils devant son bureau. Isabelle s'assit et il fit de même, ce qui la rassura un tout petit peu.

— Il est temps que vous me racontiez précisément ce que vous saviez à l'avance, et je vous suggère de bien réfléchir à votre réponse.

Isabelle fronça les sourcils. Sur le bureau de l'adjoint au préfet, un tabloïd et un quotidien grand format étaient posés à l'envers ; elle en conclut que la presse avait appris une chose qu'elle n'avait pas révélée à Hillier et Deacon, ou bien une chose qu'elle ne savait pas auparavant et ne savait toujours pas. Elle aurait dû jeter un coup d'œil aux journaux du matin avant de venir, ne serait-ce que pour se préparer. Mais elle ne l'avait pas fait, pas plus qu'elle n'avait allumé la télévision pour regarder la revue de presse matinale.

— Je ne suis pas sûre de comprendre, monsieur, fit-elle, même si elle avait conscience que c'était ce qu'il voulait qu'elle dise, car cet aveu le mettait dans une position plus forte encore.

Elle attendit la suite. Elle aurait parié qu'à ce moment-là il allait retourner les journaux d'un geste spectaculaire, et c'est ce qu'il fit. Elle apprit ainsi que la conférence de presse de Zaynab Bourne, à qui la réunion préventive de la Met avec les médias était censée couper l'herbe sous le pied, avait pris au contraire une place tellement importante dans les nouvelles que le communiqué de la Met aurait aussi bien pu n'avoir jamais été fait. Zaynab Bourne était arrivée à ce résultat en dévoilant une information qu'Isabelle n'avait pas divulguée à Hillier ou à Deacon lors de leur réunion : que Yukio Matsumoto était un schizophrène paranoïaque avéré. Que la Met n'ait pas rendu public cet élément constituait, selon les mots de l'avocate, « une tentative de rétention d'information aussi évidente que scandaleuse », dont la police devrait impérativement répondre.

Isabelle n'avait pas besoin de lire la suite de l'article pour deviner que Mrs Bourne affirmait que les enquêteurs étaient au courant de l'état de Yukio Matsumoto, lequel leur avait été révélé à l'occasion d'un entretien avec le propre frère du violoniste, avant que les policiers ne se lancent à ses trousses. Les forces de l'ordre se trouvaient donc accusées non seulement d'avoir pourchassé un homme dans Shaftesbury Avenue au milieu de la circulation de l'après-midi – ce qui aurait pu passer pour un incident malheureux mais inévitable, causé par la tentative d'un individu de se soustraire à une conversation raisonnable avec des policiers sans armes –, mais aussi d'avoir pris en chasse un malade mental terrifié au milieu de ladite circulation, un homme qui était sans doute en plein épisode psychotique, risque dont les policiers avaient été prévenus par le propre frère de l'homme. Pour couronner le tout, ce frère n'était autre que le violoncelliste virtuose mondialement réputé Hiro Matsumoto.

Isabelle réfléchit à sa défense. Elle avait les mains moites, mais il n'était pas question qu'elle les essuie mine de rien sur sa jupe. Si elle s'y hasardait, elle était convaincue que Hillier repérerait leur tremblement. Elle s'astreignit à se détendre. Elle devait à tout prix démontrer sa force de caractère en indiquant clairement qu'elle n'était pas du genre à se laisser impressionner par les tabloïds ou les journaux sérieux, pas plus que par les avocats, les conférences de presse ou Hillier en personne. Regardant l'adjoint au préfet droit dans les yeux, elle déclara :

— De mon point de vue, le fait que Yukio Matsumoto soit un déséquilibré ne compte pas vraiment, monsieur.

Le teint de Hillier rosit. Isabelle enchaîna avec assurance avant qu'il l'interrompe.

— Son état mental ne comptait déjà pas quand il s'est dérobé à nos questions, et il compte encore moins maintenant.

Le teint de Hillier devint encore plus rose.

Isabelle continua sur sa lancée. Elle prit une voix ferme et calme. Ce calme signifiait qu'elle n'avait pas peur que l'adjoint au préfet réprouve son analyse de la situation. Il signifiait qu'elle croyait toujours que sa théorie était béton.

— Dès que Matsumoto sera prêt pour une séance d'identification, nous avons un témoin qui confirmera sa présence à proximité du lieu du crime. Il s'agit du témoin à l'origine du portrait-robot reconnu par le propre frère de l'homme. Matsumoto était, comme vous le savez, en possession de l'arme du crime, et il portait des vêtements ensanglantés, mais ce que vous ne savez peut-être pas encore, c'est que deux cheveux trouvés dans la main de la victime ont été identifiés comme étant d'origine asiatique. Lorsque les analyses ADN auront été effectuées, ces cheveux s'avéreront lui appartenir. Il connaissait la victime, elle habitait le même immeuble que lui, et il avait semble-t-il coutume de la suivre. Alors, franchement, monsieur, qu'il soit ou non un malade mental me paraît accessoire. Je n'ai pas jugé bon de le mentionner lors du rendez-vous que j'ai eu avec vous et Mr Deacon parce que, à la lumière de tous les autres éléments que nous détenions sur cet homme, le fait qu'il souffre d'un trouble mental – ce

727

qui, à propos, n'a été attesté par personne hormis son propre frère et l'avocate de celui-ci – est un point négligeable. Ce serait même plutôt un élément supplémentaire à sa charge : il ne serait pas le premier malade mental à assassiner quelqu'un lors d'une crise et, c'est triste à dire, mais il ne sera pas le dernier.

Elle remua sur son siège, se penchant en avant et plaçant ses bras le long du bureau de Hillier. Ce geste était destiné à montrer qu'elle se considérait comme son égale, et qu'ils se trouvaient tous les deux, et par conséquent la Met, embarqués dans le même bateau.

— Bon, reprit-elle. Voici ce que je préconise. L'incrédulité.

Hillier ne répondit pas tout de suite. Isabelle sentait son cœur qui battait dans sa cage thoracique. Il cognait à grands coups, en fait. Ces pulsations se seraient sûrement vues sur ses tempes si elle avait été coiffée autrement, et elles devaient être évidentes sur son cou. Mais là non plus elles n'étaient pas tout à fait dans le champ de vision de Hillier, et du moment qu'Isabelle n'ajoutait rien et se contentait d'attendre sa réponse, forte de sa foi dans les décisions qu'elle avait prises... Il suffisait qu'elle garde ses yeux rivés sur les siens, des yeux qui, elle ne s'en était pas vraiment aperçue jusque-là, étaient glacials et comme sans âme.

— L'incrédulité, répéta enfin Hillier.

Son téléphone sonna. Il décrocha vivement et écouta un moment avant de dire :

— Dites-lui de rester en ligne. J'ai presque fini.

Puis, à Isabelle :

— Continuez.

— Comment ça ? fit-elle, l'air éberlué qu'il n'ait pas suivi sa logique et qu'il ait besoin d'éclaircissements.

Les narines de Hillier se dilatèrent, comme s'il reniflait l'air ambiant. Sans doute pour flairer sa proie... Elle tint bon.

— Développez, commissaire Ardery. Comment envisagez-vous les choses ?

— On va jouer la stupéfaction à l'idée que l'état mental d'un individu, si regrettable qu'il soit, puisse l'emporter sur la sécurité de la population. Nos agents se sont rendus sur place sans armes. L'homme en question a paniqué pour des raisons que nous n'avons pas encore établies. Nous avons en main des preuves concrètes...

— Lesquelles, pour la plupart, ont été réunies après l'accident, souligna Hillier.

— Un simple détail, ça va de soi.

— L'important étant ?

— Que nous détenions un individu d'intérêt majeur qui pourra, selon la formule consacrée, « nous aider dans nos investigations » comme aucun autre témoin ne pourrait le faire. Ce que nous recherchons, bonnes gens de la presse, c'est – dois-je vous le rappeler – la personne responsable du meurtre brutal d'une femme innocente dans un parc public, et si ce cher monsieur peut nous conduire au coupable, eh bien, c'est ce que nous allons exiger de lui. Les journalistes rempliront les blancs. La dernière chose qu'ils demanderont, c'est dans quel ordre se sont déroulés les événements. Des preuves sont des preuves. Ils voudront savoir quelles sont ces preuves, et non pas quand nous les avons trouvées. Et quand bien même ils découvriraient que nous les avons trouvées après l'accident de Shaftesbury Avenue, ce qui compte, c'est le meurtre, le parc, et notre conviction que la population préfère à coup sûr que nous la protégions de cinglés qui brandissent des armes plutôt que de tourner sur la pointe des pieds autour de quelqu'un qui entendrait Belzébuth lui marmonner à l'oreille.

Hillier réfléchit aux arguments d'Isabelle. Isabelle réfléchit au cas Hillier. Elle se demanda en passant ce qui lui avait valu son titre de chevalier, car il était bizarre qu'un homme dans sa position se soit vu décerner une distinction honorifique en général accordée à des personnages plus haut placés. Son titre de chevalier ne témoignait pas tant de ses états de service héroïques que du fait que Hillier connaissait des gros bonnets et, plus important, qu'il savait les utiliser. Mieux valait éviter de le contrarier.

— Vous êtes une rusée, pas vrai, Isabelle ? Il ne m'a pas échappé que vous aviez réussi à faire basculer ce rendez-vous à votre avantage.

— Je ne m'attendais pas un instant à ce que cela vous échappe. Un homme comme vous n'accède pas à la position qui est la vôtre en manquant de discernement. J'en suis bien consciente. Et c'est une qualité que j'admire. Vous êtes un animal politique. Mais moi aussi.

— Tiens donc.

— Eh oui.

Un instant s'écoula durant lequel ils se jaugèrent mutuellement. Il y avait là-dedans quelque chose de clairement sexuel, et Isabelle se laissa aller à s'imaginer aux prises avec David Hillier, engagée sur un lit dans une lutte d'une nature totalement différente. Il imaginait sans doute à peu près la même chose. Lorsqu'elle en eut la quasi-certitude, elle baissa le regard.

— Je suppose que Mr Deacon attend dehors, monsieur. Désirez-vous que je reste pour ce rendez-vous ?

Hillier ne répondit que quand elle releva les yeux.

— Ce ne sera pas nécessaire, déclara-t-il alors avec lenteur.

Elle se mit debout.

— Dans ce cas, je vais retourner travailler. Si vous voulez de moi (le choix du verbe était délibéré), Ms MacIntosh a mon numéro de portable. Mais vous l'avez peut-être aussi ?

— Je l'ai, en effet. À plus tard.

25

Elle se rendit tout droit aux toilettes. Le seul problème, c'était qu'elle n'avait pas pensé à emporter son sac pour aller chez Hillier. Par conséquent, elle était démunie et devait se contenter de l'eau du robinet. Ce n'était pas la substance rêvée pour apaiser son mal. Mais, faute de mieux, elle s'en servit sur son visage, ses mains et ses poignets.

Elle se sentait un peu revigorée lorsqu'elle quitta Tower Block pour regagner son bureau. Elle entendit Dorothea Harriman qui l'appelait. Celle-ci, apparemment, était incapable de s'adresser à elle en des termes plus concis que « commissaire principale intérimaire Ardery ». Isabelle l'ignora, referma sa porte de bureau et rejoignit directement sa table de travail, où elle avait laissé son sac. En l'ouvrant, elle découvrit qu'elle avait trois messages sur son portable. Elle les ignora aussi. Elle se dit : Oui oui oui ! en sortant une des mignonnettes de vodka. Dans son impatience, elle laissa tomber le flacon sur le sol en lino. Elle se mit à quatre pattes sous son bureau pour le récupérer, et elle le siffla tout en se redressant. Ça ne suffisait pas, bien sûr. Elle vida son sac par terre pour trouver le deuxième. Elle le siffla aussi ainsi que le troisième. Elle méritait bien ça. Elle avait survécu à un entretien dont, normalement, elle n'aurait pas dû ressortir vivante. Elle avait évité l'intrusion de Stephenson Deacon et de la Direction des affaires publiques dans cette entrevue. Elle avait plaidé sa cause, et elle avait gagné, du moins provisoirement. Et comme, en effet, ce n'était que provisoire, elle avait besoin d'un remontant et le méritait bien, et s'il y avait quiconque entre ici et l'enfer qui ne comprenait pas ça…

— Commissaire principale intérimaire Ardery ?

Isabelle fit volte-face. Elle savait, bien sûr, qui se tenait à la porte. Ce qu'elle ignorait, c'était depuis combien de temps la secrétaire était là et ce qu'elle avait pu voir. Elle lança sèchement :

— N'entrez jamais dans ce bureau sans frapper !

Dorothea Harriman eut l'air sidérée.

— Mais j'ai frappé. Deux fois.

— Et vous m'avez entendue répondre ?

— Non. Mais je…

— Alors vous n'entrez pas. Vous comprenez ça ? Si jamais vous recommencez…

Isabelle s'entendit parler. À sa grande horreur, on aurait cru une harpie. Elle s'aperçut qu'elle avait toujours la troisième mignonnette à la main ; elle referma ses doigts autour pour la cacher dans son poing.

— L'inspecteur Hale a appelé du St. Thomas' Hospital, madame, dit Harriman d'un ton poli et cérémonieux. (Elle était, comme toujours, parfaitement professionnelle, et Isabelle se sentit au-dessous de tout.) Désolée de vous déranger, mais il a téléphoné deux fois. Je lui ai bien précisé que vous étiez avec l'adjoint au préfet, mais il a dit que c'était urgent, que vous voudriez être au courant et que je devais vous prévenir dès votre retour. Il a dit qu'il avait appelé sur votre portable mais qu'il n'arrivait pas à vous joindre…

— Je l'avais laissé ici, dans mon sac. Que s'est-il passé ?

— Yukio Matsumoto a repris conscience. L'inspecteur a dit que vous deviez être avertie dès votre retour.

Quand Isabelle arriva, la première personne qu'elle vit fut l'inspecteur Philip Hale, dont elle pensa à tort qu'il marchait à sa rencontre sur le trottoir. En réalité, il retournait au Yard, ayant atteint la conclusion exaspérante qu'il avait suffisamment respecté la consigne en restant à l'hôpital jusqu'à ce que leur suspect principal reprenne connaissance. Il avait donc téléphoné pour la prévenir. Il avait, lui dit-il, demandé à deux constables en tenue de monter la garde à la porte de Matsumoto. À présent, il retournait à la salle des opérations pour plancher à nouveau sur les vérifications que lui et ses agents…

— Inspecteur Hale, le coupa Isabelle. C'est moi qui vous dis ce que vous devez faire. Est-ce que c'est clair ?

— Quoi ? fit Hale en se renfrognant.

— Qu'est-ce que ça veut dire, « quoi » ? Vous n'êtes pas stupide, si ? En tout cas, vous n'en avez pas l'air. Seriez-vous stupide, par hasard ?

— Écoutez, chef, je…

— Vous étiez dans cet hôpital, et vous allez rester dans cet hôpital jusqu'à ce qu'on vous donne l'ordre d'en partir. Vous allez vous poster à la porte de la chambre de Matsumoto. Assis ou debout, je m'en fiche. Si nécessaire, vous allez tenir la main du patient. Mais ce que vous n'allez pas faire, c'est quitter les lieux de votre propre initiative et demander à des constables de vous remplacer. Jusqu'à nouvel ordre, vous êtes cantonné ici. Est-ce que c'est clair ?

— Sauf votre respect, chef, mon temps pourrait être mieux employé.

— Laissez-moi vous faire remarquer quelque chose, Philip. Nous sommes où nous sommes à cet instant précis à cause de la décision que vous avez prise antérieurement d'attaquer Matsumoto de front alors qu'on vous avait ordonné de rester à distance.

— Ce n'est pas ce qui s'est passé.

— Et maintenant, poursuivit-elle, bien qu'on vous ait demandé de rester ici à l'hôpital, vous avez pris sous votre bonnet de vous faire remplacer. Ce n'est pas la vérité, Philip ?

Il fit passer le poids de son corps d'une jambe sur l'autre.

— Seulement en partie.

— Ah bon ?

— Je ne l'ai pas attaqué de front à Covent Garden, chef. Je n'ai pas dit un mot à ce type. Je me suis peut-être trop rapproché de lui, à la rigueur… Mais je n'ai pas…

— Est-ce qu'on vous avait dit de vous approcher de lui ? D'aborder le bonhomme ? De respirer le même air que lui ? Je crois bien que non. On vous a ordonné de le trouver, de présenter votre rapport et de le surveiller. En d'autres termes, on vous a ordonné de garder vos distances, ce que vous n'avez pas fait. Et maintenant nous sommes ici, là où nous sommes, parce que vous avez pris une décision que vous n'étiez pas censé prendre. Exactement comme maintenant. Alors retournez dans cet hôpital, retournez à la porte de Matsumoto, et tant que vous n'aurez pas reçu de moi une instruction contraire, vous resterez là-bas. Me suis-je bien fait comprendre ?

Durant le discours d'Ardery, le muscle dans la mâchoire de Hale n'avait pas arrêté de tressauter. Il ne répondit pas et elle aboya :

— Inspecteur ! Je vous pose une question.

Il répondit enfin :

— Comme vous voudrez, chef.

Là-dessus, elle se dirigea vers l'entrée de l'hôpital et il la suivit quelques pas derrière, ce qu'elle aimait autant. Elle n'en revenait pas que les inspecteurs placés sous son commandement cherchent tous à n'en faire qu'à leur tête dans cette enquête. Cette attitude en disait long sur l'autorité manifestée par le précédent commissaire principal, Malcolm Webberly, et par tous ceux qui lui avaient succédé, y compris Thomas Lynley. Un peu de discipline s'imposait, mais être obligée de la rétablir au milieu de tous ces événements était on ne peut plus irritant. Il allait falloir procéder à des changements. Cela ne faisait aucun doute.

Alors qu'elle atteignait la porte avec Hale dans son sillage, un taxi arriva. Hiro Matsumoto en descendit, accompagné d'une femme. Dieu merci, il ne s'agissait pas de son avocate mais d'une Japonaise à peu près du même âge que lui. La sœur, conclut Isabelle. Miyoshi Matsumoto, la flûtiste de Philadelphie.

Elle avait vu juste. Elle s'arrêta, désignant la porte du pouce pour que Hale entre avant elle. Elle attendit que Matsumoto ait réglé le taxi, après quoi le violon-

736

celliste la présenta à sa sœur. Elle était arrivée d'Amérique la veille au soir, dit-il. Elle n'avait pas encore vu Yukio. Mais ils avaient appris ce matin par les médecins…

— Oui, dit Isabelle. Il est conscient. Et je dois parler avec lui, Mr Matsumoto.

— Pas sans son avocate.

C'était Miyoshi Matsumoto qui avait parlé, et son ton n'avait rien à voir avec celui de son frère. Manifestement, elle vivait dans l'Amérique des grandes villes depuis assez longtemps pour savoir que la présence d'un avocat était la règle numéro un quand on avait affaire à la police.

— Hiro, appelle tout de suite Mrs Bourne.

Et, à Isabelle :

— Restez à distance. Pas question que vous approchiez de mon frère.

Isabelle apprécia l'ironie de la situation : elle s'entendait ordonner exactement ce qu'elle-même avait ordonné à Philip Hale juste avant que Yukio Matsumoto ne prenne la fuite.

— Ms Matsumoto, je sais que vous êtes bouleversée…

— Ça, ça ne fait aucun doute.

— … et je suis d'accord avec vous pour dire que c'est un gâchis.

— Ah vraiment, vous appelez ça un gâchis ?

— Mais ce que je vous demande de voir…

— Laissez-moi passer.

Miyoshi Matsumoto bouscula Isabelle et se dirigea à grands pas vers les portes de l'hôpital.

— Hiro, appelle cette avocate. Appelle quelqu'un. Empêche-la d'entrer.

Elle pénétra dans le bâtiment, laissant Isabelle dehors avec Hiro Matsumoto. Il regardait le sol, les bras croisés sur sa poitrine. Elle lui dit :

— Je vous en prie, intercédez en ma faveur.

Il sembla réfléchir à sa requête et Isabelle eut un léger espoir, mais il déclara :

— C'est quelque chose que je ne peux pas faire. Miyoshi a à peu près les mêmes sentiments que moi.

— C'est-à-dire ?

Il leva la tête. Derrière ses lunettes, ses yeux paraissaient éteints.

— Nous nous sentons responsables.

— Vous n'y êtes pour rien.

— Non pas de ce qui s'est passé, mais de ce qui ne s'est pas passé.

Il salua Isabelle et gagna les portes de l'hôpital. Elle commença par le suivre, puis elle marcha à ses côtés. Ils pénétrèrent dans le bâtiment et se dirigèrent vers la chambre du violoniste.

— Personne n'aurait pu prévoir, dit Isabelle. J'ai été assurée par l'inspecteur qui se trouvait sur place qu'il ne s'est pas approché de votre frère, mais que votre frère a dû voir quelque chose, entendre quelque chose ou peut-être sentir quelque chose – on ne sait pas trop –, et qu'il a tout simplement détalé. Comme vous l'avez dit vous-même…

— Commissaire principale, ce n'est pas ce que je veux dire.

Matsumoto se tut. Autour d'eux, les gens déambulaient : des visiteurs apportant des bouquets de fleurs et des ballons à des êtres chers, des membres du personnel hospitalier marchant d'un pas décidé d'un couloir à un autre. Au-dessus de leurs têtes les haut-parleurs demandèrent au Dr Marie Lincoln de rallier la salle d'opération, et à côté d'eux deux garçons de salle qui emmenaient un patient sur un chariot répétaient : « Pardon, pardon… » Matsumoto sembla prendre la mesure de toute cette effervescence avant de poursuivre.

— Nous avons fait ce que nous pouvions pour Yukio pendant des années, Miyoshi et moi, mais ça ne suffisait pas. Nous avions nos carrières, et c'était plus facile de le laisser livré à lui-même de façon à pouvoir nous concentrer sur notre musique. Si nous avions dû nous préoccuper de Yukio, nous inquiéter pour lui, comment aurions-nous pu grimper si haut, Miyoshi et moi ? Et maintenant ça… Comment avons-nous pu tomber si bas ? J'ai atrocement honte.

— Il n'y a aucune raison, lui affirma Isabelle. S'il est malade, comme vous le dites, et qu'il ne prend pas son traitement, s'il souffre d'un trouble mental qui l'a poussé à faire quelque chose, vous n'en portez absolument pas la responsabilité.

Pendant qu'elle parlait, il avait continué à marcher, appelé l'ascenseur, puis pivoté vers elle. Lorsque les portes s'ouvrirent presque en silence, il se tourna à nouveau et elle le suivit dans la cabine. Il lui dit doucement :

— Là encore, vous m'avez mal compris, commissaire. Mon frère n'a pas tué cette pauvre femme. Il y a une explication à tout : au sang sur lui, à ce… à cette chose que vous avez trouvée dans son meublé…

— Alors, pour l'amour du ciel, laissez-le me donner cette explication ! Laissez-le me dire ce qu'il a réellement fait, ce qu'il sait, ce qui s'est véritablement passé. Vous pouvez être présent à son chevet. Votre sœur peut être présente. Je ne suis pas en tenue. Il ne saura pas qui je suis, et vous n'avez pas besoin de le lui préciser si vous pensez qu'il risque de paniquer. Vous pouvez lui parler en japonais si cela peut lui faciliter les choses.

— Yukio parle un anglais parfait, commissaire.

— Alors parlez-lui en anglais. Ou en japonais. Ou les deux. Ça m'est égal. Si, comme vous dites, il n'est coupable de rien d'autre que d'avoir été dans le cimetière, alors il a peut-être vu quelque chose qui peut nous aider à trouver le meurtrier de Jemima Hastings.

Ils atteignirent l'étage demandé et les portes coulissèrent. Dans le couloir, Isabelle arrêta l'homme une dernière fois. Elle prononça son nom sur un ton si implorant que même elle s'aperçut du désespoir dans sa voix. Et quand il la regarda d'un air grave, elle enchaîna :

— Nous sommes à un moment crucial. Nous ne pouvons pas attendre que Zaynab Bourne arrive. Si par malheur nous attendons, vous et moi savons tous les deux qu'elle ne me laissera pas parler à Yukio. Si, comme vous dites, il n'est coupable de rien d'autre que de s'être trouvé dans le cimetière d'Abney Park quand Jemima Hastings a été agressée et assassinée, lui-même pourrait fort bien être en danger, car le tueur aura appris par tous les journaux de la ville que Yukio intéresse la police parce qu'il était là-bas. Et s'il était là-bas, il a probablement vu quelque chose et il y a des chances qu'il nous le dise. Ce qu'il ne sera pas en mesure de faire si votre avocate arrive.

Elle était carrément aux abois. Elle bredouillait presque, et peu importait ce qu'elle disait, ou qu'elle croie ou non à ce qu'elle disait. Elle n'y croyait pas, en fâit… La seule chose qui comptait à ce moment-là, c'était de plier la volonté du violoncelliste à la sienne.

Elle attendit. Elle pria. Son portable sonna et elle le laissa sonner.

Enfin, Hiro Matsumoto dit :

— Laissez-moi parler à Miyoshi.

Barbara découvrit que Dorothea Harriman avait des talents cachés. À voir son physique et sa façon d'être, elle avait toujours pensé que la secrétaire du service n'avait pas de problèmes pour attirer les hommes. Ce que Barbara ignorait, c'était que Harriman réussissait à marquer la mémoire de ses victimes durant un temps infini, et à susciter en elles un véritable empressement à exaucer ses moindres désirs.

Une heure et demie à peine après la requête de Barbara, Dorothea était de retour avec un morceau de papier voletant au bout de ses doigts. C'était leur « entrée » au ministère de l'Intérieur, la colocataire de la sœur du type qui était encore sous le joug de Dorothea. La colocataire était un infime rouage dans la machine bien huilée qu'était le Home Office, elle s'appelait Stephanie Thompson-Smythe, et – « C'est ça, en fait, qui est excellent », glissa Dorothea – elle sortait avec un type qui avait accès à tous les codes, clés et autres formules magiques permettant de consulter le dossier professionnel de n'importe quel policier du pays.

— J'ai été forcée de lui parler de l'affaire, avoua Dorothea.

Assez imbue de son succès, la secrétaire mourait d'envie de s'en gargariser, et Barbara se dit qu'elle lui devait bien ça. Aussi écouta-t-elle obligeamment son récit et attendit-elle qu'on lui remette le morceau de papier.

— Bien sûr, elle en avait entendu parler. Elle lit les journaux. Alors je lui ai expliqué – enfin, j'ai dû déformer un peu la vérité, naturellement... – qu'une piste semblait conduire au ministère de l'Intérieur, et, bien sûr, elle en a déduit que le coupable travaillait peut-être au Home Office et était protégé par un personnage haut placé dans la hiérarchie. Un peu comme Jack l'Éventreur, vous voyez... Toujours est-il que je lui ai dit que tout ce qu'elle pourrait trouver pour nous aider serait génial, et je lui ai juré que son nom n'apparaîtrait nulle part. En tout cas, je lui ai précisé qu'elle nous rendrait un service *héroïque* en nous donnant même le plus petit coup de main. Ça a semblé lui plaire.

— Super, fit Barbara.

Elle désigna le morceau de papier que tenait toujours Dorothea.

— Alors elle a dit qu'elle téléphonerait à son petit ami, et elle l'a fait, et vous êtes censée les retrouver tous les deux au Suffragette Scroll dans...

Dorothea consulta sa montre qui, comme le reste de sa personne, était mince et en or.

— ... vingt minutes.

Elle avait un ton triomphant, sa première incursion dans le milieu interlope des indics et des canailles s'étant révélée une réussite hors pair. Elle remit enfin le papier à Barbara : il s'agissait du numéro de portable du petit ami de la colocataire. Juste au cas où il adviendrait quelque chose et où ils « omettraient de se présenter », expliqua Dorothea.

— Vous êtes une vraie perle, déclara Barbara.

Dorothea rougit.

— Oui, je crois que je me suis assez bien débrouillée.

— Mieux que ça, lui assura Barbara. Bon, je file là-bas. Si quelqu'un pose la question, je suis en mission d'une extrême importance pour la commissaire.

— Et si c'est la commissaire qui pose la question ? Elle est juste allée au St. Thomas' Hospital. Elle va finir par rentrer.

— Vous trouverez bien quelque chose, dit Barbara en attrapant son sac à main miteux avant de partir rejoindre son indic potentiel au Home Office.

Le Suffragette Scroll n'était pas très loin, tant du ministère que de New Scotland Yard. Dédié à ce mouvement éponyme du début du XXe siècle, le monument se dressait au coin nord-ouest de la place gazonnée que formait le carrefour de Broadway et de Victoria Street. C'était à cinq minutes à pied pour Barbara – attente de l'ascenseur comprise –, elle eut donc tout le temps d'élaborer son plan d'action et de se remonter à grand renfort de nicotine avant de voir deux êtres arriver vers elle main dans la main d'une démarche nonchalante, faisant leur possible pour avoir l'air de deux amoureux s'offrant un petit break dans une journée exténuante.

La femme était Stephanie Thompson-Smythe – Steph T-S, comme elle se présenta – et l'homme était Norman Wright, un individu dont le nez à l'arête incroyablement fine témoignait d'une grave consanguinité parmi ses ancêtres. Il aurait pu couper du pain en tranches avec l'extrémité de son appendice nasal.

Norman et Stephanie T-S regardèrent autour d'eux, comme des agents du MI5. Stephanie dit à son compagnon : « Tu parles. Je surveille », et se replia vers un banc à quelque distance de là. Barbara trouva que c'était une bonne idée. Moins il y avait de gens impliqués, mieux ça valait.

Norman lui dit :

— Que pensez-vous du Scroll ?

Il contemplait le monument avec intensité et parlait du coin de la bouche. Barbara comprit qu'ils étaient censés se faire passer pour des admirateurs de Mrs Pankhurst et consœurs, et elle n'y voyait pas d'inconvénient. Tournant autour du Scroll, elle leva les yeux vers son sommet et confia à voix basse à Norman quel résultat elle escomptait obtenir de leur relation, si brève soit-elle vouée à être.

— Il s'appelle Whiting, dit-elle en conclusion. Zachary Whiting. J'ai besoin de tout savoir. Il y a forcément quelque chose dans son dossier professionnel qui a l'air ordinaire mais qui ne l'est pas.

Norman hocha la tête. Il tira sur son nez et Barbara eut un frisson en pensant aux dégâts que ce geste pourrait causer à cet organe si délicat.

— Donc, vous voulez la totale, c'est ça ? Ça pourrait être difficile. Si je vous l'envoie en ligne, ça laissera une trace, dit-il.

— Nous allons devoir procéder à l'ancienne. Avec prudence et à l'ancienne.

En digne rejeton de l'ère électronique, il la regarda sans comprendre. Ses yeux se plissèrent tandis qu'il méditait.

— À l'ancienne ?

— Photocopieuse…

— Ah, fit-il. Et s'il n'y a rien à photocopier ? La plupart de ces archives sont sur informatique.

744

— Une imprimante, alors. L'imprimante de quelqu'un d'autre. L'ordinateur de quelqu'un d'autre… Des moyens existent, Norman, et vous devez en trouver un. On parle de vie ou de mort, là. Un cadavre de femme à Stoke Newington et il y a quelque chose de pourri…

— … au royaume de Danemark, compléta Norman. Oui. Je vois.

Barbara se demanda de quoi diable il parlait, mais elle comprit avant de se ridiculiser en demandant ce que le Danemark avait à voir avec la choucroute.

— Ah. Très juste. Merde, vous avez raison. Ce qu'il faut se rappeler, c'est que ce qui a l'air ordinaire n'est peut-être pas en fait si ordinaire que ça. Ce type a réussi à devenir commissaire divisionnaire de la police du Hampshire, alors on ne risque pas de tomber sur des pistolets qui fument.

— Des choses plus subtiles. Oui. Bien sûr.

— Alors ? demanda Barbara.

Il verrait ce qu'il pouvait faire, lui dit Norman. En attendant, leur fallait-il un mot de passe ? Un signal, peut-être ? Une façon pour lui de lui annoncer qu'il avait la marchandise sans téléphoner à New Scotland Yard ? Et s'il devait faire des copies de documents, où s'effectuerait le dépôt ?

De toute évidence, il avait beaucoup trop lu les premiers livres de John le Carré… Elle décida de jouer le jeu. Le dépôt, lui dit-elle, s'effectuerait au distributeur de billets devant la Barclays de Victoria Street. Il appellerait le portable de Barbara en disant : « Un verre ce soir, poupée ? », et elle saurait qu'elle devait le retrouver à cet endroit-là. Elle ferait la queue derrière lui. Il laisserait la marchandise au distributeur en retirant de l'argent ou, du moins, en faisant semblant d'en retirer. Elle récupérerait la marchandise en même temps qu'elle prendrait du liquide à la machine. Elle savait que ce n'était pas le système le plus sophistiqué, vu toutes les caméras de surveillance qui enregistraient à coup sûr le moindre mouvement dans les parages, mais on n'y pouvait rien.

— Très bien, dit Norman.

Il attendit qu'elle lui donne son numéro de portable, puis ils se séparèrent.

Barbara lança dans son dos :

— Ne tardez pas, Norman.

— Question de vie ou de mort, répondit-il.

Bon Dieu, ce qu'il ne fallait pas faire pour mettre la main sur un tueur… Elle regagna Victoria Block.

De retour dans la salle des opérations, elle constata que ça s'agitait sec. C'était à cause d'un rapport du SO7 qui venait d'arriver : le sang sur la chemise jaune de la benne Oxfam appartenait bien à Jemima Hastings.

Elle s'approcha du tableau d'affichage avec sa batterie de photos, ses informations griffonnées, ses listes de noms et ses schémas chronologiques. Elle ne l'avait pas examiné sérieusement depuis qu'elle avait été rappelée du Hampshire, or, entre autres nouveautés, était désormais affichée une photo assez bonne de la chemise jaune. Ce détail lui apprendrait peut-être quelque chose, se dit-elle. Elle se demanda à quoi Whiting ressemblait en jaune.

Pourtant, ce ne fut pas la chemise qui retint son attention, mais une tout autre photo. Elle contemplait le cliché de l'arme du crime, avec, à côté, la règle graduée pour indiquer sa taille.

Elle pivota aussitôt pour chercher Nkata des yeux. À l'autre bout de la pièce, celui-ci leva la tête, un téléphone collé à l'oreille, et il dut remarquer l'expression de sa collègue car il ajouta quelques mots à l'intention de son interlocuteur avant de raccrocher et de venir la rejoindre.

— Winnie…

Elle désigna la photo. Elle n'eut pas besoin d'en dire plus. Elle l'entendit siffler, et elle sut qu'il pensait comme elle. La seule question était de savoir si sa conclusion était également la même.

— Il faut qu'on retourne dans le Hampshire, dit-elle.

— Barb…

— Ne discute pas.

— Barb, on a reçu l'ordre de rentrer. On ne peut pas repartir comme si on était libres de décider.

— Téléphone-lui, alors. Elle a son portable.

— On n'a qu'à téléphoner là-bas. On peut dire aux flics de…

— Téléphoner où ? Dans le Hampshire ? Avec Whiting qui dirige tout ? Winnie, bon sang, tu crois que ça tient debout ?

Il regarda la photo de l'arme, puis la photo de la chemise jaune. Barbara savait que Winston réfléchissait à la politique qui sous-tendait ce qu'elle proposait et, dans son hésitation, elle eut sa réponse : Nkata marcherait toujours droit. Elle ne pouvait pas lui jeter la pierre. Sa propre carrière avait déjà tellement d'accrocs qu'une ou deux entorses de plus ou de moins… Ce n'était pas le cas pour Winston.

— D'accord, fit-elle. C'est moi qui téléphonerai au chef. Mais après je pars. C'est la seule solution.

À son grand soulagement, Isabelle Ardery se rendit compte que Hiro Matsumoto avait bel et bien un peu d'influence sur sa sœur. Après une conversation dans la chambre d'hôpital de leur frère, Miyoshi Matsumoto ressortit pour dire à Isabelle qu'elle pouvait parler à Yukio. Mais si par hasard son jeune frère était bouleversé par les questions d'Isabelle ou par sa présence, l'entretien prendrait fin sur-le-champ. Et c'était elle, et non Isabelle, qui déterminerait son degré de « bouleversement ».

Isabelle n'eut d'autre choix que d'accepter les conditions de Miyoshi. Elle attrapa son portable au fond de son sac et l'éteignit. Elle ne voulait pas courir le risque qu'un élément extérieur vienne perturber le violoniste.

La tête de Yukio était bandée, et il était relié à différentes machines et à des perfusions en tout genre. Mais il était conscient et il semblait puiser un certain réconfort dans la présence de son frère et de sa sœur. Hiro s'était posté près de son épaule, sur laquelle il avait posé sa main. Miyoshi avait pris place de l'autre côté du lit. Elle ajustait maternellement le col de sa chemise d'hôpital ainsi que sa fine couverture. Elle lorgna Isabelle avec méfiance.

— Vous pouvez lui parler en attendant que Mrs Bourne arrive.

C'était le compromis auquel ils étaient parvenus. Hiro avait téléphoné à l'avocate, en échange de quoi sa sœur avait accepté de laisser Isabelle s'entretenir quelques minutes avec leur frère. Elle dit : « Très bien », et elle examina le violoniste. Il était plus petit qu'il ne lui avait paru en prenant la fuite. Il avait l'air bien plus vulnérable qu'elle ne l'avait prévu.

— Mr Matsumoto… Yukio, je suis la commissaire principale Ardery. J'ai besoin de vous parler, mais vous ne devez pas vous inquiéter. Ce que nous disons ici – dans cette pièce – n'est pas enregistré ni consigné. Votre frère et votre sœur sont ici pour s'assurer que je ne vous affole pas, et vous pouvez avoir l'assurance que je n'ai en aucun cas l'intention de vous affoler. Est-ce que vous me comprenez ?

Yukio hocha la tête, même si son regard alla d'abord se poser sur son frère. Il n'y avait entre eux qu'une vague ressemblance. Bien qu'il soit l'aîné, Hiro Matsumoto paraissait bien plus jeune.

— Quand je suis allée dans votre meublé de Charing Cross Road, j'ai trouvé un morceau de ferraille, pointu comme une lance, au bord du lavabo. Il y avait du sang dessus et il s'est avéré que ce sang appartenait à une femme du nom de Jemima Hastings. Savez-vous comment cette pointe métallique a atterri là, Yukio ?

Yukio ne répondit pas tout de suite. Isabelle se demanda s'il finirait par le faire. Elle n'avait jamais été confrontée à un schizophrène paranoïaque, et elle ne savait pas du tout à quoi s'attendre.

Lorsqu'il parla enfin, il indiqua son cou, à peu près là où se trouvait la blessure de Jemima Hastings.

— Je l'ai retirée, dit-il.

— La pointe ? demanda Isabelle. Vous avez retiré la pointe du cou de Jemima ?

— Déchiré.

— La pointe lui a déchiré la peau ? Elle a aggravé la blessure ? C'est ce que vous êtes en train de dire ?

Cela correspondait à l'état du corps.

— N'orientez pas ses réponses dans le sens que vous voulez, dit sèchement Miyoshi Matsumoto. Si vous devez poser des questions à mon frère, il y répondra à sa façon à lui.

Yukio reprit :

— La fontaine de la vie a jailli, comme Dieu disant à Moïse de taper sur une pierre. De la pierre est sortie de l'eau pour étancher leur soif. L'eau est une rivière et la rivière se change en sang.

— Le sang de Jemima ? demanda Isabelle. Vous en avez eu sur vos vêtements quand vous avez retiré la pointe ?

— Il y en avait partout.

Il ferma les yeux.

— Ça suffit, dit sa sœur à Isabelle.

Vous êtes folle ? fut tentée de répliquer Isabelle. Pas vraiment la question à poser à la sœur d'un schizophrène paranoïaque... L'homme ne lui avait quasiment rien dit, en tout cas pas un seul mot pouvant être utilisé au tribunal. Ni même pour l'inculper. Ou inculper quiconque. Ses supérieurs lui riraient au nez avant de la virer si elle essayait.

— Pourquoi étiez-vous là-bas, dans le cimetière, ce jour-là ?

Les yeux toujours fermés – allez savoir ce qu'il voyait derrière ses paupières... –, il répondit :

— C'était le choix qu'ils m'avaient donné. Protéger ou combattre. J'ai choisi de protéger mais ils voulaient autre chose.

— Alors vous avez combattu ? Est-ce que vous vous êtes battu avec Jemima ?

— Ce n'est pas ce qu'il est en train de dire, intervint Miyoshi. Il ne s'est pas battu avec cette femme. Il a tenté de la sauver. Hiro, elle déforme ses paroles...

— Je veux apprendre ce qui s'est passé ce jour-là. Si vous n'arrivez pas à le comprendre…

— Alors essayez d'infléchir la conversation dans un autre sens, riposta Miyoshi. Yukio, étais-tu là-bas pour protéger cette femme dans le cimetière ? Est-ce pour ça que tu étais là-bas quand elle a été attaquée ? Est-ce que tu as essayé de la sauver ? Est-ce que c'est ça que tu es en train de dire ?

Yukio ouvrit les yeux. Il regarda sa sœur mais sans sembler la voir. Il déclara, et pour la première fois sa voix était parfaitement claire :

— Je la surveillais.

— Tu peux me dire ce que tu as vu ? demanda Miyoshi.

Il répondit de manière hésitante, et la moitié de ses propos étaient embrouillés par des sortes de références bibliques ou des créations de son esprit enfiévré. Il parla de Jemima dans la clairière où se dressait la chapelle du cimetière. Elle était assise sur un banc, lisait un livre, se servait de son téléphone portable. En fin de compte un homme l'avait rejointe. Des lunettes de soleil et une casquette de base-ball. Yukio Matsumoto ne donna pas davantage de détails, or cette description aurait pu s'appliquer à un quart de la population masculine du pays, sinon de la planète. Ces accessoires sentaient tellement le déguisement qu'Isabelle se dit qu'il y avait deux solutions : soit Yukio Matsumoto venait d'inventer ces détails, soit ils avaient enfin une image – totalement inexploitable – de leur assassin. Elle ne savait pas trop. Là-dessus, les choses se compliquèrent.

L'homme avait eu une conversation avec Jemima sur le banc en bois où la jeune femme était assise. Yukio n'avait aucune idée de la durée de la conversation, mais quand elle s'était terminée, l'homme était parti.

Et quand il était parti, Jemima Hastings était indubitablement en vie.

Elle avait à nouveau utilisé son portable. Une fois, deux fois, trois fois ? Cinq cents fois ? Yukio ne savait pas. Mais soudain c'était elle qui avait pris une communication. Après, elle avait rejoint le côté de la chapelle et elle était sortie de son champ de vision.

Et puis ? demanda Isabelle.

Rien. Du moins pas au début, pas pendant quelques minutes. Puis un homme avait surgi de ce même côté de la chapelle en ruine. Un homme en noir...

Seigneur, pourquoi étaient-ils toujours en noir ? s'interrogea Isabelle.

... qui portait un sac à dos et qui avait pris la direction des arbres. Il s'était éloigné de la chapelle, puis il avait disparu.

Yukio avait alors attendu. Mais Jemima Hastings n'était pas revenue dans la clairière. Alors il était allé à sa recherche, et c'est comme ça qu'il avait découvert ce qu'il n'avait pas vu avant : il y avait un minuscule bâtiment contigu à la chapelle. Dans cet appentis, Jemima gisait grièvement blessée, ses mains tâtonnant autour de sa gorge, et c'est comme ça qu'il avait vu la pointe. Il avait cru qu'elle s'efforçait de l'arracher, alors il l'avait aidée.

Résultat, songea Isabelle, les flots de sang qui avaient déjà giclé sur la chemise jaune du tueur s'étaient mis à jaillir de sa carotide à chaque battement de son cœur... Yukio n'aurait rien pu faire pour la sauver. Pas avec une blessure pareille, aggravée en retirant la pointe.

Si en effet on devait croire son récit… Mais elle avait la sensation atroce qu'il disait vrai.

Un homme avec des lunettes de soleil et une casquette de base-ball. L'autre habillé en noir… Isabelle allait tenter d'obtenir des portraits-robots des deux individus, et elle pria pour y parvenir avant que Zaynab Bourne rapplique pour tout fiche en l'air.

26

Robbie Hastings ne rencontra pas de difficultés en allant au commissariat de Lyndhurst. Il comptait insister pour que des mesures soient prises rapidement, mais finalement cela ne fut pas nécessaire. Après avoir décliné son identité, il fut escorté jusqu'au bureau du commissaire divisionnaire, où Zachary Whiting lui offrit un café de onze heures et l'écouta jusqu'au bout sans l'interrompre une seule fois. Pendant que Rob parlait, Whiting fronçait les sourcils, mais cet air préoccupé tenait plus à la contrariété de Rob qu'à ses questions ou à ses revendications. Quand Rob termina sa litanie, Whiting dit :

— Nous avons la situation en main, Mr Hastings. Vous auriez dû en être informé, et je ne comprends vraiment pas pourquoi vous ne l'avez pas été.

Rob se demanda quelle situation ils avaient en main, et il posa la question, ajoutant qu'il existait des billets de train et une facture d'hôtel. Il savait que ces documents avaient été remis à Whiting. Qu'avait-il fait à leur sujet ? Qu'avait-il fait au sujet de Jossie, en fait ?

À nouveau, Whiting le rassura. Ce qu'il voulait dire en affirmant qu'ils avaient la situation en main, c'était que tout ce qu'il savait, lui, Whiting, tout ce qu'on lui avait dit et tout ce qu'on lui avait remis, était désormais en possession des inspecteurs de Scotland Yard qui étaient venus dans le Hampshire. Cela englobait les billets de train et la facture d'hôtel. Ces documents se trouvaient sûrement à Londres à l'heure qu'il était, puisqu'il les y avait envoyés par courrier spécial. Mr Hastings ne devait pas s'inquiéter. Si Gordon Jossie avait perpétré ce crime contre la sœur de Mr Hastings…

— Si ? s'écria Rob.

… alors Mr Hastings pouvait s'attendre à ce que Scotland Yard se repointe très vite dans la région.

— Je ne comprends pas pourquoi ce serait la police de Londres et pas vous ici…

Whiting leva la main. Il déclara que c'était une affaire compliquée car elle impliquait plusieurs juridictions. Quant à la raison pour laquelle c'était Scotland Yard qui s'en occupait et non pas les policiers du secteur où la sœur de Mr Hastings avait été tuée, il n'aurait su le dire. Mais ce que Whiting pouvait dire, c'était que si la police du Hampshire ne se chargeait pas de cette affaire, c'était parce que le meurtre n'avait pas eu lieu dans le Hampshire. La police du Hampshire voulait bien coopérer avec Londres et, d'ailleurs, elle coopérait pleinement. Ils transmettaient à Scotland Yard tout ce qu'ils détenaient, tout ce qu'on leur remettait ou tout ce qu'ils apprenaient, et une fois encore, Whiting tenait à assurer Mr Hastings que la collaboration était effective et qu'elle continuerait.

— Jossie reconnaît être allé à Londres, répéta Rob Hastings à Whiting. Je lui ai parlé moi-même. Le salopard le reconnaît.

Et ce détail lui aussi serait transmis à la police de Londres. Quelqu'un serait traduit en justice, Mr Hastings. Et sans doute sous peu.

Whiting le raccompagna personnellement à l'accueil après leur entretien. Il le présenta au passage à l'officier de police chargé des relations avec la presse, au sergent responsable des gardes à vue ainsi qu'à deux constables qui assuraient la liaison avec la communauté.

À l'accueil, Whiting informa l'auxiliaire de garde qu'en attendant qu'une arrestation ait eu lieu dans le cadre du meurtre de Jemima Hastings à Londres, chaque fois que son frère aurait besoin de voir le commissaire divisionnaire, il serait le bienvenu. Rob apprécia ces égards. Son esprit s'en trouva grandement apaisé.

Il rentra chez lui et accrocha le van à sa voiture. Frank à ses côtés – la tête surgissant par la vitre, la langue et les oreilles flottant au vent –, il quitta Burley et prit les petites routes jusqu'à Sway, puis jusqu'à la ferme de Gordon Jossie. À cause de l'étroitesse des routes et du fourgon à chevaux, il progressait lentement, mais ce n'était pas grave : il ne pensait pas que Gordon Jossie serait sur place à cette heure de la journée.

En effet, il n'était pas là. Quand Rob fit marche arrière dans l'allée du cottage et plaça le fourgon à chevaux près du paddock qui renfermait les deux poneys de la région de Minstead, personne n'apparut pour l'arrêter. L'absence du golden retriever de Jossie lui confirmait qu'il n'y avait personne. Rob laissa Frank sortir du Land Rover pour courir un peu, mais ordonna au braque de rester à distance quand il alla chercher les poneys. Comme s'il comprenait parfaitement cette requête, Frank mit le cap vers la grange, reniflant le sol en chemin.

Les poneys n'étant pas aussi ombrageux que certains de leurs congénères de la Perambulation, Rob n'eut aucun mal à les faire monter dans le fourgon. Cela expliquait comment Jossie s'était débrouillé pour les amener ici, puisque, contrairement à Rob, Jossie n'était pas un cavalier émérite. Mais cela n'expliquait pas ce que Jossie fabriquait avec ces deux poneys : non seulement ils étaient très loin de leurs lieux de pâture habituels, mais ils ne lui appartenaient pas. Jossie avait forcément remarqué la façon dont leurs queues étaient taillées, et quand bien même il les aurait pris dans un premier temps pour des poneys à lui, en y regardant de plus près il avait bien dû voir qu'ils venaient d'un autre secteur. Les garder sur son domaine alors qu'ils ne tombaient pas sous sa responsabilité, et plus longtemps qu'ils n'en avaient manifestement besoin, représentait des frais que n'importe quel autre commoner[1] aurait évités. Rob n'arrivait pas à comprendre pourquoi Gordon Jossie avait assumé cette dépense.

Lorsqu'ils furent prêts pour le transport, Rob regagna le paddock pour fermer la barrière. Là, il remarqua ce qu'il aurait pu remarquer lors de ses visites précédentes s'il n'avait pas été tout d'abord dévoré d'inquiétude au sujet de sa sœur puis absorbé par des considérations allant de la présence de Gina Dickens à celle des poneys. Jossie avait effectué des

1. Fermier installé dans la New Forest, détenteur d'un droit de vaine pâture pour son bétail.

travaux dans le paddock. La barrière était neuve, un certain nombre de piquets avaient été remplacés, et le fil de fer barbelé tendu entre les piquets, lui aussi, était neuf. Ces rénovations ne concernaient qu'une partie de l'enclos. Le reste était encore à restaurer. En fait, le reste était quasiment à l'abandon, avec des piquets tout penchés et des parties entières envahies de mauvaises herbes.

Il demeura perplexe. Il n'était pas inhabituel qu'un commoner procède à des travaux de rénovation sur les terres qu'il occupait. En général c'était nécessaire. Il était pourtant bizarre que quelqu'un comme Jossie – avec la minutie quasi compulsive qu'il appliquait à tout ce qu'il faisait – n'ait pas terminé une tâche comme celle-là. Il retourna dans l'enclos pour y regarder de plus près.

Rob se rappela l'envie de jardin de Gina Dickens, et l'espace d'un instant il se demanda si Jossie et elle avaient pris la décision peu vraisemblable de le créer à cet endroit-là. Si Gordon avait l'intention d'aménager un autre paddock ailleurs pour les poneys, cela expliquerait pourquoi le chaumier n'avait pas poursuivi son entreprise de rénovation. D'un autre côté, renoncer à utiliser ce paddock comme enclos signifierait déplacer le lourd abreuvoir en granit, besogne nécessitant un type d'équipement que Gordon ne possédait pas.

Rob se renfrogna. L'abreuvoir lui causa soudain la même sensation que la présence des poneys : une impression de superflu. Car le paddock devait bien déjà renfermer un abreuvoir, non ? Obligatoirement.

Il le chercha. Il ne mit pas longtemps à trouver l'ancien abreuvoir dans la partie non réaménagée du paddock, complètement recouvert de ronces, de vigne vierge et de mauvaises herbes. Il se trouvait à une certaine distance du point d'eau, ce qui justifiait un peu le nouvel abreuvoir, que le tuyau d'arrosage atteignait plus facilement. N'empêche, il était étrange que Gordon ait fait cette acquisition sans avoir essayé de dénicher l'ancien. Il devait bien se douter qu'il était quelque part.

C'était décidément curieux. Rob lui en toucherait un mot.

Il regagna son véhicule et murmura des mots apaisants aux poneys qui s'agitaient dans le fourgon. Il appela Frank, le chien arriva en courant, et ils partirent pour la zone le plus au nord de la Perambulation.

Il lui fallut presque une heure pour arriver là-bas, même en prenant les routes principales. Rob fut bloqué dans sa progression par un train qui, arrêté en pleine voie à Brockenhurst, barrait le passage à niveau, puis par un car de tourisme qui avait crevé, provoquant un bouchon au sud de Lyndhurst. Une fois Lyndhurst enfin passé, la nervosité des animaux dans le van le porta à croire que ce n'était pas une bonne idée de les emmener jusqu'à Minstead. Par conséquent, il obliqua sur Bournemouth Road et se dirigea vers Bank. Après Bank, le long d'une petite route abritée, se trouvait la minuscule enclave de Gritnam, un cercle de cottages sans jardin construits dos à dos et donnant sur les prairies, les arbres et les ruisseaux qui constituaient Gritnam Wood. La petite route elle-même n'allant pas plus loin que Gritnam, il n'y avait sans doute aucun endroit plus sûr dans la New Forest pour relâcher ces poneys restés trop longtemps enfermés dans le paddock de Gordon Jossie.

Rob s'arrêta au milieu de la route qui faisait le tour des cottages, car il n'y avait pas la place de se garer ailleurs. Là, au milieu d'un silence que rompaient seulement les cris des pinsons et les trilles des roitelets, il rendit leur liberté aux poneys. Deux enfants surgirent d'un des cottages pour le regarder faire, mais, rompus depuis belle lurette aux usages de la New Forest, ils n'approchèrent pas. Ils attendirent que les poneys s'éloignent vers un ruisseau qui miroitait à une certaine distance sous les arbres pour prendre la parole :

— On a des petits chats, si vous voulez les voir. On en a six. Maman dit qu'il faut qu'on les donne.

Rob rejoignit les deux enfants, pieds nus et pleins de taches de rousseur dans la chaleur estivale. Un garçon et une fille, chacun tenant un chaton dans les bras.

— Pourquoi vous aviez ces poneys ? demanda le garçon.

Il semblait avoir quelques années de plus que sa sœur. Celle-ci le regardait avec adoration. Elle lui fit penser à la manière dont Jemima le regardait autrefois. Elle lui fit penser qu'il n'avait pas été à la hauteur.

Il s'apprêtait à expliquer ce qu'il faisait avec les poneys quand son portable sonna. Il l'avait laissé sur le siège de son Land Rover, mais il l'entendit clairement.

Il alla répondre, reçut la nouvelle que tous les agisters redoutaient, et pesta en l'apprenant. Pour la deuxième fois en une semaine, un poney avait été heurté par un automobiliste. Les services de Rob étaient requis pour la mission qu'il détestait le plus : il allait falloir achever l'animal.

L'inquiétude qu'éprouvait Meredith Powell s'était carrément transformée en angoisse quand arriva le matin. C'était dû à Gina. Elles avaient partagé son grand lit, et Gina avait demandé dans le noir si Meredith voulait bien lui tenir la main jusqu'à ce qu'elle s'endorme. Elle avait dit : « Je sais que c'est ridicule mais je crois que ça me calmerait un peu… » Meredith avait dit oui, bien sûr, elle n'avait même pas besoin de se justifier, et elle avait recouvert la main de Gina avec la sienne, et la main de Gina s'était retournée pour empoigner celle de Meredith, et leurs mains étaient restées ainsi des heures et des heures sur le matelas entre elles. Gina s'était vite endormie – ça allait de soi, épuisée qu'était cette pauvre fille après ce qu'elle avait enduré chez Gordon Jossie –, mais son sommeil s'était révélé léger et agité, et chaque fois que Meredith avait essayé de retirer sa main, les doigts de Gina s'étaient resserrés autour des siens, elle avait émis un petit gémissement, et Meredith s'était laissé émouvoir. Alors, dans l'obscurité, elle avait réfléchi à ce qu'il fallait faire pour protéger Gina. Car Gina devait être protégée de Gordon, et Meredith savait qu'elle était peut-être la seule personne disposée à la protéger.

Demander la participation de la police en la matière était hors de question. Étant donné la mystérieuse relation du commissaire divisionnaire Whiting avec Gordon, cette éventualité n'était pas envisageable, et quand bien même, la police n'allait pas déployer ses ressources pour protéger une personne sur la seule foi des ecchymoses que celle-ci présentait. En fait, il fallait bien plus que quelques bleus pour que les flics agissent. Ils avaient généralement besoin d'une ordonnance du tribunal, d'une injonction officielle ou d'un dépôt de plainte, et Meredith avait le sentiment que Gina Dickens était trop effrayée pour entamer la moindre démarche.

On pouvait la persuader de rester chez Meredith, mais cet arrangement ne pouvait pas durer éternellement. S'il était vrai qu'il n'y avait pas plus accommodant que les parents de Meredith, il était également vrai qu'ils hébergeaient déjà Meredith et sa fille. Et de toute façon, Meredith ayant impulsivement inventé l'histoire de la fuite de gaz pour expliquer la présence de Gina, ils supposeraient que la fuite en question serait réparée dans les vingt-quatre heures.

Dès lors, Gina serait censée retourner dans son meublé au-dessus du salon de thé du Chapelier Fou. Or c'était évidemment l'endroit à proscrire puisque Gordon Jossie savait où la trouver. Il fallait donc élaborer une autre solution et, le lendemain matin, Meredith avait une vague idée de ce qu'elle pourrait être.

— Rob Hastings te protégera, dit-elle à Gina pendant le petit déjeuner. Une fois qu'on lui aura raconté ce que Gordon t'a fait, il acceptera sûrement de t'aider. Rob n'a jamais aimé Gordon. Il a des chambres chez lui que personne n'occupe, et il t'en offrira une sans même qu'on le lui demande.

Gina ne mangea pas grand-chose ; elle se contenta de grignoter quelques quartiers de pamplemousse et de prendre une unique bouchée de toast sans beurre ni confiture. Elle garda le silence un moment avant de dire :

— Tu devais être une très bonne amie pour Jemima, Meredith.

Sans doute que non, puisqu'elle n'avait pas été fichue de dissuader son amie de fréquenter Gordon… Meredith allait faire cette remarque, mais Gina poursuivit :

— Il faut que j'y retourne.

— Dans ta chambre ? Mauvaise idée. Il saurait où te trouver. Alors qu'il ne pensera jamais que tu puisses être chez Rob. C'est l'endroit le plus sûr.

Mais, contre toute attente, Gina dit :

— Non, pas dans ma chambre. Je dois retourner chez Gordon. J'ai eu la nuit pour réfléchir à ce qui s'est passé. Je me rends compte que c'est moi qui ai provoqué…

— Non, non, non ! s'écria Meredith.

C'était comme ça que réagissaient les femmes battues… Si elles prenaient le temps de « réfléchir », elles concluaient en général que c'était leur faute à elles, qu'elles avaient en quelque sorte poussé les hommes à la violence. Elles finissaient par se convaincre que si seulement elles l'avaient bouclée, si elles s'étaient montrées dociles ou si elles avaient prononcé des paroles différentes, jamais elles n'auraient récolté de coups de poing.

Meredith fit son possible pour expliquer le phénomène à Gina, mais celle-ci resta inflexible. Elle répondit à Meredith :

— Je sais tout ça, Meredith. J'ai un diplôme de sociologie. Mais là c'est autre chose.

— C'est ce qu'elles disent toutes ! la coupa Meredith.

— Je sais. Fais-moi confiance. Je sais très bien. Mais ne va pas croire que je le laisserais me refaire du mal. La vérité…

Elle tourna la tête, comme pour trouver le courage d'avouer le pire.

— La vérité, c'est que je l'aime vraiment.

Meredith était atterrée. Cela devait se voir sur ses traits car Gina enchaîna :

— J'ai beau essayer, je n'arrive tout bonnement pas à croire qu'il ait fait du mal à Jemima. Il n'est pas ce genre d'homme.

— Il est allé à Londres ! Il a menti sur ce voyage ! Il t'a menti à toi, et aussi à Scotland Yard. Pourquoi il mentirait s'il n'avait pas une bonne raison ? Et puis il t'a menti depuis le début à propos de ce voyage. Il a dit qu'il était allé en Hollande. Pour acheter des roseaux. Tu me l'as raconté et tu te rends forcément compte de ce que ça signifie.

Gina laissa Meredith dire tout ce qu'elle avait à dire avant de lui exposer ses propres conclusions.

— Il savait que je serais bouleversée s'il me disait qu'il était allé voir Jemima. Il savait que j'en ferais des tonnes. Et en effet j'en ai fait des tonnes, tout comme hier soir. Écoute. Tu as été bonne avec moi. Tu as été la meilleure amie que j'aie dans la New Forest. Mais je l'aime et il faut que je voie s'il y a une chance que ça marche entre lui et moi. Il subit une pression terrible en ce moment à cause de Jemima. Il a mal réagi, mais je n'ai pas bien réagi non plus. Je ne peux pas tout bazarder sous prétexte qu'il a fait quelque chose qui m'a un peu blessée.

— Toi, il n'a peut-être fait que te blesser, s'écria Meredith, mais il a tué Jemima !

— Ça, je n'y crois pas, dit Gina d'un ton ferme.

Ce n'était pas la peine d'insister. Gina ne pensait qu'à retourner auprès de Gordon Jossie, « pour réessayer », comme toutes les femmes battues. C'était triste, mais, plus triste encore, Meredith n'avait pas le choix. Elle ne pouvait que la laisser partir.

Son inquiétude pour Gina Dickens n'en domina pas moins la majeure partie de sa matinée. Elle n'avait pas la moindre énergie créative à appliquer à son travail pour Gerber & Hudson, et lorsqu'un appel arriva pour elle au bureau, elle ne fut pas mécontente de devoir utiliser sa pause-café pour foncer à l'agence de Michele Daugherty. La détective privée lui avait dit au téléphone : « J'ai quelque chose pour vous. Vous avez du temps pour qu'on se voie ? »

Meredith acheta un jus d'orange à emporter qu'elle sirota en chemin. Elle avait presque oublié qu'elle avait engagé Michele Daugherty, tant il s'était passé de choses depuis qu'elle lui avait demandé d'enquêter sur Gina Dickens.

La détective était en communication quand elle arriva. Enfin, Michele Daugherty la fit entrer dans son bureau, où une pile rassurante de papiers semblait indiquer qu'elle avait travaillé d'arrache-pied à la mission que lui avait confiée Meredith.

La détective ne perdit pas de temps en préliminaires.

— Il n'y a pas de Gina Dickens, annonça-t-elle. Êtes-vous sûre d'avoir le nom exact ? L'orthographe exacte ?

Tout d'abord, Meredith ne comprit pas ce que voulait dire la détective. Elle répliqua :

— C'est quelqu'un que je connais, Ms Daugherty. Ce n'est pas un nom que j'ai entendu citer dans un pub ou quoi que ce soit. En fait c'est… comme qui dirait… enfin bon, comme qui dirait une amie.

Michele Daugherty ne demanda pas pourquoi Meredith voulait enquêter sur une amie. Elle se borna à déclarer :

— C'est possible. Mais il n'y a pas de Gina Dickens. Il y a des Dickens à la pelle mais aucune prénommée Gina dans sa tranche d'âge. Ni dans une autre tranche d'âge, d'ailleurs.

Elle expliqua qu'elle avait essayé toutes les orthographes et toutes les variantes possibles du nom en question. Comme Gina était sans doute un surnom ou un diminutif, elle avait entré dans ses bases de données les prénoms Gina, Jean, Janine, Regina, Virginia, Georgina, Marjorina, Angelina, Jacquelina, Gianna, Eugenia et Evangelina.

— Je pourrais continuer comme ça indéfiniment, mais je suppose que vous n'avez pas envie de payer pour ça. En fin de compte, quand les choses prennent cette tournure, je dis à mes clients qu'il est plus sûr de considérer qu'il n'y a aucune personne de ce nom-là, à moins que cette Gina n'ait réussi à se glisser dans le système sans laisser aucune trace nulle part, ce qui n'est pas possible. Elle est bien anglaise, non ? Aucun doute là-dessus ? Impossible qu'elle soit étrangère ? Australienne ? Néo-Zélandaise ? Canadienne ?

— Bien sûr qu'elle est anglaise. J'ai passé la soirée avec elle, nom d'un chien.

Comme si ça voulait dire quoi que ce soit, songea Meredith aussitôt.

— Elle vit depuis quelque temps avec un homme du nom de Gordon Jossie, mais elle loue une chambre à Lyndhurst au-dessus du salon de thé du Chapelier Fou. Dites-moi comment vous avez procédé pour vos recherches. Dites-moi où vous avez cherché.

— Là où je cherche toujours. Là où n'importe quel enquêteur, y compris de la police, chercherait. Ma chère, les gens laissent des traces. Ils en laissent sans le savoir : naissance, études, santé, prêts bancaires, transactions financières au cours de leur vie, contraventions, biens, quels qu'ils soient, qui aient pu nécessiter un financement ou faire office de garantie et devoir ainsi être enregistrés, abonnements à des magazines, à des journaux, factures de téléphone, d'eau, d'électricité... On fouille dans tous ces trucs-là.

— Qu'êtes-vous en train de dire exactement, alors ?

Meredith se sentait complètement hébétée.

— Je dis qu'il n'existe pas de Gina Dickens, un point c'est tout. Il est impossible de ne pas laisser de traces, qui que vous soyez et quel que soit l'endroit où vous habitez. C'est pourquoi, si une personne ne laisse pas de traces, on peut conclure sans trop de risques que cette personne n'est pas celle qu'elle prétend être. Voilà.

— Alors elle est qui ?

Meredith réfléchit aux possibilités.

— Elle est quoi ?

— Aucune idée. Mais d'après les faits, elle est quelqu'un de très différent de celle qu'elle prétend être.

Meredith dévisageait la détective. Elle ne voulait pas comprendre, mais elle ne comprenait que trop bien. Elle dit d'un air assommé :

— Gordon Jossie, alors... J-o-s-s-i-e.

— Quoi, Gordon Jossie ?

— Attaquez-vous à lui.

Gordon dut retourner à la ferme chercher une cargaison de roseaux turcs. Ceux-ci avaient été retenus au port pour inspection pendant une éternité, un contre-temps qui avait considérablement ralenti ses travaux sur le toit du Royal Oak. Il avait l'impression que les attaques terroristes des dernières années avaient persuadé les autorités portuaires que des extrémistes musulmans se cachaient à l'intérieur de chaque caisse sur chaque navire qui arrivait en Angleterre. Elles se méfiaient particulièrement des articles en provenance de pays qu'elles connaissaient mal. Que des roseaux poussent bel et bien en Turquie était un fait ignoré de la plupart des employés portuaires. Résultat, ces roseaux devaient être examinés en long et en large, et si cet examen prenait une semaine ou deux, Gordon n'y pouvait pas grand-chose. Raison de plus pour essayer de se fournir aux Pays-Bas. Au moins était-ce un pays familier à ces pauvres types chargés d'inspecter ce qui pouvait arriver par bateau dans le pays.

En revenant à la ferme avec Cliff Coward pour la livraison des roseaux, il vit tout de suite que Rob Hastings avait tenu parole. Les deux poneys avaient disparu du paddock. Il ne savait pas trop ce qu'il allait faire à ce sujet, mais bon, vu le contexte actuel, peut-être qu'il n'y avait rien à faire, songea-t-il avec lassitude.

C'était une question dont Cliff avait voulu discuter. Constatant que la voiture de Gina n'était plus dans les parages, Cliff demanda des nouvelles de la jeune femme. Il ne demanda pas où elle était mais comment elle allait, ce même « Alors comment va Gina ? » qu'il lui lançait presque tous les jours. Gina avait fait une grosse impression à Cliff dès le début.

Gordon lui dit la vérité.

— Partie, répondit-il simplement.

Cliff répéta le mot d'un air stupide, comme si l'idée mettait du temps à s'enfoncer dans son crâne. Quand elle atteignit son cerveau, il s'écria :

— Quoi ? Elle t'a quitté ?

— C'est comme ça que ça marche, Cliff.

La nouvelle donna lieu à un très long discours de Cliff sur ce qu'il appela la « remise en circulation » des filles comme Gina.

— Tu as maximum six jours pour la récupérer, mon vieux. Tu t'imagines que les mecs vont laisser une gonzesse comme Gina se balader dans les rues sans tenter leur chance ? Appelle-la, excuse-toi, demande-lui de revenir. Excuse-toi même si t'as rien fait pour la faire partir. Dis n'importe quoi. Mais fais quelque chose.

— Y a rien à faire, lui affirma Gordon.

— T'es vraiment à la masse, décréta Cliff.

Du coup, quand Gina rappliqua pendant qu'ils étaient en train de charger les roseaux à l'arrière du pick-up de Gordon, Cliff s'éclipsa. Depuis la benne de la camionnette, il aperçut la Mini Cooper rouge de Gina qui remontait la petite route.

— Je te laisse vingt minutes pour régler ça, Gordon, dit-il avant de s'esquiver en direction de la grange.

Gordon se rendit à pied au bout de l'allée, si bien que quand Gina entra dans la propriété, il se trouvait à proximité du jardin de devant. Au fond de son cœur, il savait que Cliff avait raison. C'était le genre de nana dont tous les mecs rêvaient, et il serait un imbécile s'il n'essayait pas de la récupérer.

Elle freina en le voyant. La capote de la Mini était baissée, et le vent avait ébouriffé ses cheveux. Il avait envie de les caresser car il savait qu'ils seraient doux sous sa main.

Il s'approcha de la voiture.

— On peut parler ?

Il faisait encore une superbe journée et elle portait ses lunettes de soleil, mais elle les remonta sur sa tête. Ses yeux étaient bordés de rouge. C'était lui qui avait provoqué ses pleurs. Un fardeau de plus, encore un loupé dans ses efforts pour être l'homme qu'il voulait être…

— S'il te plaît. On peut parler ? répéta-t-il.

Elle le regarda avec méfiance. Elle serra les lèvres et il vit qu'elle les mordait. Pas comme si elle voulait s'empêcher de parler, mais comme si elle craignait ce qui pourrait se passer si au contraire elle prenait la parole. Il posa la main sur la poignée de sa portière, et elle tressaillit légèrement.

— Oh, Gina…

Il recula d'un pas, afin de lui permettre de décider. Quand elle ouvrit sa portière, il se sentit respirer à nouveau. Il dit :

— On peut… ? Asseyons-nous là.

« Là », c'était le jardin qu'elle avait rendu si agréable, avec la table et les chaises, les flambeaux et les bougies. « Là », c'était l'endroit où ils s'installaient pour dîner par ce magnifique été, au milieu des fleurs qu'elle avait plantées et méticuleusement arrosées. Il gagna la table et attendit qu'elle le rejoigne. Il la regarda, mais sans rien dire. Elle devait prendre sa décision toute seule. Il pria pour qu'elle choisisse celle qui leur accorderait un avenir.

Elle sortit de voiture. Elle jeta un coup d'œil à son pick-up, aux roseaux qu'il était en train de charger, au paddock derrière. Il la vit froncer les sourcils.

— Où sont passés les chevaux ? demanda-t-elle.

— Ils ne sont plus là.

Quand elle le regarda, Gordon comprit à son expression qu'elle croyait qu'il avait fait ça pour elle, parce qu'elle en avait peur. D'un côté, il avait envie de lui dire la vérité : Rob Hastings les avait emmenés parce qu'il n'avait pas le besoin, et encore moins le droit, de garder ces animaux. Mais d'un autre côté il savait qu'il pouvait profiter de ce malentendu pour la récupérer, or il voulait la récupérer. Alors il la laissa croire ce qu'elle avait envie de croire sur la disparition des poneys.

Elle vint le rejoindre dans le jardin. Ils étaient séparés de la petite route par la haie. Ils étaient également préservés des yeux curieux de Cliff Coward par le cottage qui se dressait entre le jardin et la grange. Ils pouvaient parler ici sans être vus ni entendus. Gordon se sentit un peu plus à l'aise même si c'était semble-t-il le contraire pour Gina, qui regardait autour d'elle, frissonnant comme si elle avait froid et plaquant ses bras contre son corps.

— Qu'est-ce que tu t'es fait ? demanda-t-il.

Elle avait de gros bleus sur les bras et de vilaines marques qui le poussèrent à s'approcher.

— Gina, qu'est-ce qui s'est passé ?

Elle contempla ses bras comme si elle avait oublié. Elle répondit d'un ton morne :

— Je me suis frappée toute seule.

— Qu'est-ce que t'as dit ?

— Tu n'as jamais eu envie de te faire du mal en voyant que, quoi que tu fasses, ça ne réussit jamais ?

— Quoi ? Comment tu t'… ?

— Je me suis donné des coups. Quand ça n'a pas suffi, je me suis servie de…

771

Elle leva les yeux et il vit qu'ils étaient pleins de larmes.

— Tu t'es servie de quelque chose pour te faire mal ? Gina...

Il fit un pas vers elle. Elle recula. Il était abasourdi.

— Pourquoi t'as fait ça ?

Une larme déborda. Elle l'essuya du revers de la main.

— J'ai tellement honte, dit-elle. C'est moi...

L'espace d'un instant atroce, il crut qu'elle voulait dire qu'elle avait tué Jemima. Mais elle précisa :

— C'est moi qui ai pris ces billets de train, cette facture d'hôtel. Je les ai trouvés et je les ai pris, et c'est moi qui les ai remis à... je suis vraiment désolée.

Elle se mit à pleurer pour de bon à ce moment-là, et il la rejoignit. Il l'attira dans ses bras et elle le laissa faire, et parce qu'elle le laissa faire, il sentit son cœur s'ouvrir à elle comme il ne s'était jamais ouvert à personne, même à Jemima.

— Je n'aurais pas dû te mentir, dit-il. Je n'aurais pas dû prétendre que j'allais en Hollande. J'aurais dû te dire dès le début que j'allais voir Jemima, mais je croyais que je ne pouvais pas.

— Pourquoi ? dit-elle, serrant son poing contre la poitrine de Gordon. Qu'est-ce que tu t'imaginais ? Pourquoi tu ne me fais pas confiance ?

— Tout ce que je t'ai dit sur le fait que j'ai vu Jemima était vrai. Je le jure devant Dieu. Je l'ai vue, mais elle était en vie quand je l'ai laissée. Nous ne nous sommes pas quittés en bons termes, mais nous ne nous sommes pas quittés furieux.

— Alors quoi ?

Gina attendit sa réponse, et il s'efforça de la lui donner, avec son corps, son âme, et sa propre vie qui dépendait des mots qu'il pourrait choisir. Il déglutit et elle dit :

— Enfin, de quoi as-tu si peur, Gordon ?

Il mit ses mains de chaque côté de son joli visage.

— Je n'en ai eu qu'une avant toi.

Il se pencha pour l'embrasser, et elle le laissa faire. Sa bouche s'ouvrit à lui et elle accepta sa langue. Ses mains se posèrent sur sa nuque et elle le serra contre elle, si bien que leur baiser se prolongea. Il se sentait enflammé et ce fut lui, pas elle, qui rompit cette étreinte. Il respirait aussi fort que s'il avait couru.

— Rien que Jemima et toi. Personne d'autre, dit-il.

— Oh, Gordon.

— Reviens. Ce que tu as vu en moi… cette colère… la peur…

— Chh, murmura-t-elle.

Elle lui toucha le visage avec ces doigts incroyables qu'elle avait, et là où elle le toucha il sentit sa peau qui prenait feu.

— Tout ça, dit-il, tu le fais disparaître. Reviens. Gina. Je te promets.

— D'accord.

27

Lynley prit le premier appel sur son portable alors qu'il sortait de Sheldon Pockworth Numismate et se dirigeait vers sa voiture pour se rendre au British Museum. C'était Philip Hale. Au départ, le message était positif. Yukio Matsumoto était conscient, et Isabelle Ardery était en train de l'interroger en présence de son frère et de sa sœur. Néanmoins, il y avait autre chose et, Hale n'étant absolument pas du genre à élever des protestations au cours d'une enquête, lorsqu'il le faisait, Lynley savait que la situation était grave. Ardery lui avait ordonné de rester à l'hôpital alors qu'il aurait pu être plus utile ailleurs... Il avait tenté d'expliquer à la commissaire qu'il valait mieux que des constables se chargent de surveiller le suspect et que lui-même s'emploie à des activités plus productives, mais elle ne voulait rien entendre. Il avait autant l'esprit d'équipe qu'un autre, mais venait un moment où il fallait bien s'insurger. De toute évidence, Ardery était incapable de déléguer et ne laisserait jamais aucun membre de sa brigade prendre la moindre initiative. Elle était...

— Attendez, Philip ! le coupa Lynley. Je n'y peux rien. Ce n'est pas mon rôle.

— Mais vous pouvez au moins lui parler, répliqua Hale. Si vous lui apprenez les ficelles, comme elle le demande, alors apprenez-lui celle-là. Est-ce que vous imaginez Webberly… ou bien vous… ou même John Stewart, et pourtant Dieu sait que John est obsessionnel… ? Allons, Tommy.

— Elle a des excuses.

— Elle vous écoutera forcément. J'ai vu comment… Oh, et puis merde.

— Vu comment quoi ?

— Elle vous a persuadé de revenir travailler. On en est tous conscients. Il y a une raison à ça, et elle est sûrement d'ordre personnel. Alors jouez là-dessus.

— Il n'y a rien de personnel…

— Tommy. Pour l'amour du ciel. Ne faites pas celui qui ne voit rien quand ça saute aux yeux de tout le monde.

Lynley attendit un instant avant de répondre. Il réfléchit à ce qui s'était passé entre Ardery et lui : l'apparence des choses et leur réalité. Il finit par lâcher qu'il verrait ce qu'il pouvait faire, même si, d'après lui, cela n'irait pas bien loin.

Il téléphona à la commissaire intérimaire, mais tomba aussitôt sur sa boîte vocale. Il lui demanda de le rappeler, tout en continuant à marcher vers sa voiture. Il n'était pas responsable de cette femme, songea-t-il. Si elle sollicitait ses conseils, il pouvait certes les lui donner. Mais le but était qu'elle se débrouille seule sans qu'il s'en mêle, malgré les requêtes dont il pouvait faire l'objet par ailleurs. Sinon, comment réussirait-elle à prouver qu'elle était à la hauteur ?

Il se dirigea vers Bloomsbury. Il reçut un deuxième appel sur son portable alors qu'il était coincé dans les embouteillages non loin de la station de métro Green Park. Cette fois c'était Winston Nkata. Barb Havers, « dans la plus pure tradition du personnage », s'apprêtait à braver les consignes de la commissaire, qui lui avait ordonné de rester à Londres. Elle était en route pour le Hampshire. Il n'avait pas réussi à l'en dissuader.

— Vous connaissez Barb, résuma Winston. Vous, elle vous écoutera. Parce que, moi, putain, ça non, elle m'écoute pas.

— Bon sang, marmonna Lynley. Ce qu'elle peut être horripilante. Qu'est-ce qu'elle mijote, encore ?

— L'arme, répondit Nkata. Elle l'a reconnue.

— Comment ça ? Elle sait à qui elle appartient ?

— Elle sait de quoi il s'agit. Moi aussi. On n'avait pas vu la photo jusqu'à aujourd'hui. On n'avait pas regardé le tableau d'affichage avant ce matin. Et compte tenu de la nature de l'arme, le champ se trouve nettement restreint et on en revient au Hampshire.

— Cela ne vous ressemble pas de me tenir sur le gril, Winston.

— Ça s'appelle un crochet, lui dit Nkata. On en a vu tout un tas dans le Hampshire, quand on a discuté avec ce Ringo Heath.

— Le maître chaumier.

— C'est ça. Ces crochets, c'est ce qui sert à maintenir les roseaux en place quand on les installe sur le toit. Pas vraiment un truc qu'on a l'habitude de voir à Londres, c'est sûr, mais dans le Hampshire, partout où il y a des toits de chaume et des chaumiers, on trouve des crochets comme ça.

— Jossie, fit Lynley.

— Ou Hastings. Parce que, ces fameux crochets, ils sont fabriqués à la main.

— Hastings ? Pourquoi ? Ah, oui, il a fait une formation de forgeron…

— Et c'est les forgerons qui fabriquent ces crochets. Chacun les fait à sa façon, comprenez-vous. Ils sont aussi personnels…

— … que des empreintes digitales, acheva Lynley.

— Oui. C'est pour ça que Barb retourne là-bas. Elle était censée appeler Ardery avant, mais vous connaissez Barb. Alors je me suis dit que vous pourriez… vous savez. Barb vous écoutera. Comme je vous ai dit, avec moi, y a pas eu moyen.

Lynley jura dans sa barbe. Il raccrocha. Les voitures se mirent à avancer et il redémarra, bien décidé à joindre Havers dès qu'il pourrait. Mais son téléphone sonna à nouveau. Cette fois c'était Ardery.

— Qu'est-ce que ça a donné avec le marchand de pièces de monnaie ? demanda-t-elle.

Il la mit au courant, lui expliquant qu'il faisait route vers le British Museum.

— Excellent, dit-elle. Ça constitue un mobile, non ? Et comme on n'a trouvé aucune pièce de monnaie dans les affaires de Jemima, quelqu'un a dû la lui subtiliser à un moment ou un autre. On progresse enfin. Ouf.

Elle lui raconta ce que Yukio Matsumoto lui avait appris : il y avait deux hommes à proximité de la chapelle dans le cimetière d'Abney Park, et non pas un seul. En fait, il y en avait trois, en comptant Matsumoto.

— On travaille avec lui sur un portrait-robot. Son avocate est arrivée pendant que je discutais avec lui et nous nous sommes un peu bagarrées – bon Dieu, cette nana est un vrai pit-bull… –, mais elle nous accorde deux heures. Du moment que la Met reconnaît sa culpabilité dans l'accident de Yukio.

— Isabelle, Hillier ne marchera jamais, se récria Lynley.

— C'est plus important que Hillier.

L'adjoint au préfet n'était pas près de voir les choses sous cet angle… Avant que Lynley ait pu faire remarquer ce détail à la commissaire intérimaire, Isabelle avait déjà raccroché. Il soupira. Hale, Havers, Nkata, Ardery… Par où commencer ? Il choisit le British Museum.

Enfin parvenu à destination, il dénicha une femme nommée Honor Robayo qui avait la puissante carrure d'une nageuse olympique et la poignée de main d'un politicien à succès. Elle déclara franchement et avec un sourire attendrissant :

— Je n'aurais jamais cru parler à un flic. J'ai lu des quantités de romans policiers, pourtant. D'après vous, alors, à qui vous ressemblez le plus, à Rebus ou à Morse ?

— J'ai un penchant fatal pour les voitures anciennes, reconnut Lynley.

— Alors c'est Morse.

Robayo croisa les bras sur sa poitrine, très en hauteur, comme si ses biceps étaient trop volumineux.

— Bon, que puis-je pour vous, inspecteur Lynley ?

Il lui expliqua la raison de sa venue : discuter avec la conservatrice d'une pièce datant de l'époque d'Antoninus Pius. Une pièce qui serait un aureus, précisa-t-il.

— Vous en avez un à me montrer ?

— J'espérais l'inverse, répliqua-t-il.

Ms Robayo était-elle en mesure de lui dire ce que pouvait valoir une telle pièce ?

— On m'a cité un chiffre entre cinq cents et mille livres. Vous êtes d'accord ? demanda-t-il.

— Allons jeter un coup d'œil.

Elle l'emmena dans son bureau où, au milieu des livres, des magazines et des documents qui encombraient sa table de travail, elle avait également un ordinateur. Il fut enfantin d'accéder à un site sur lequel on vendait des pièces anciennes, et encore plus enfantin de trouver sur ce site un aureus de l'époque d'Antoninus Pius qui y était mis aux enchères. Le prix était énoncé en dollars : trois mille six cents. Plus que le montant évoqué par Dugué. Pas une somme énorme, mais assez importante pour provoquer un meurtre ? Possible.

— Les pièces comme celles-ci ont-elles besoin d'un certificat d'origine ? demanda Lynley.

— Eh bien, ce n'est pas vraiment comme pour une œuvre d'art. On se moque un peu de l'identité des propriétaires antérieurs, à moins, j'imagine, qu'il ne s'agisse d'un nazi qui aurait spolié une famille juive. Les véritables questions concernant une telle pièce tourneront plutôt autour de son authenticité et du métal dans lequel elle a été frappée.

— C'est-à-dire ? .

Honor Robayo indiqua l'écran d'ordinateur sur lequel apparaissait l'aureus mis en vente.

— Soit c'est un aureus, soit ce n'en est pas un : il est en or massif ou il ne l'est pas. Ce n'est pas trop compliqué à déterminer. Quant à l'âge de la pièce – date-t-elle vraiment de l'époque d'Antoninus Pius ? –, je suppose qu'on pourrait en fabriquer une fausse, mais n'importe quel expert serait à même de repérer la fraude. Et puis, il y a la question de savoir pourquoi quelqu'un se donnerait tout ce mal pour fabriquer un faux aureus. Je veux dire, on ne parle pas d'un tableau « fraîchement découvert » de Rembrandt ou de Van Gogh... Vous imaginez ce que vaudrait une chose pareille si quelqu'un fabriquait un faux et réussissait à duper son monde. Des dizaines de millions, c'est sûr... Mais une pièce de monnaie ? Trois mille six cents dollars justifient-ils d'aussi grands efforts ?

— Mais avec le temps ?

— Vous voulez dire, si quelqu'un en avait fabriqué toute une cargaison dans le but d'écouler le stock petit à petit ? Possible, je suppose.

— Je pourrais en voir une ? demanda Lynley. Ailleurs que sur cet écran d'ordinateur, j'entends. Vous en avez, ici au musée ?

En effet, lui confirma Honor Robayo. S'il voulait bien la suivre... ? Ils allaient devoir rejoindre la collection proprement dite, mais ce n'était pas loin et elle pensait que Lynley la jugerait intéressante.

Traversant le musée, elle remonta avec lui dans le temps et l'espace – l'Iran ancien, la Turquie, la Mésopotamie – jusqu'à la collection romaine. Lynley n'était pas venu depuis des années. Il avait oublié toutes les merveilles que recelait le musée.

Mildenhall, Hoxne, Thetford. On les appelait les « trésors » car c'était bien de cela qu'il s'agissait. Des trésors enfouis du temps de l'occupation romaine. Les choses n'avaient pas toujours marché comme sur des roulettes avec les peuples que les Romains voulaient assujettir. Ces peuples n'ayant en général pas tellement apprécié d'être vaincus, des rébellions se produisaient.

Durant ces périodes de soulèvement, les Romains dissimulaient leurs objets précieux afin de les tenir à l'abri. Parfois, ils n'étaient pas en mesure de revenir les chercher, et ces trésors pouvaient demeurer ensevelis pendant des siècles. Dans des jarres scellées, dans des coffres en bois garnis de paille, dans tous les récipients dont on pouvait disposer à l'époque...

Tel avait été le cas pour les trésors de Mildenhall, de Hoxne et de Thetford, les plus importants à avoir été découverts. Enterrés pendant plus d'un millier d'années, ils avaient été mis au jour au cours du XXe siècle et ils contenaient de tout, des pièces de monnaie aux aiguières, en passant par les parures corporelles et les tablettes religieuses.

La collection comprenait également des trésors moins spectaculaires, chacun représentant une région d'Angleterre jadis colonisée par les Romains. Le plus récemment découvert était le trésor de Hoxne, mis au jour dans le Suffolk sur des terres domaniales en 1992. Par miracle, le découvreur – un type nommé Eric Lawes – avait laissé le trésor exactement là où il était et téléphoné illico aux autorités. Avaient alors été exhumés plus de quinze mille pièces de monnaie en or et en argent, de la vaisselle en argent, ainsi que des bijoux en or sous forme de colliers, bracelets et bagues. C'était une trouvaille sensationnelle. Sa valeur devait être incalculable.

— Tout à son honneur, murmura Lynley.

— Hmm ? fit Honor Robayo.

— Le fait que ce Mr Lawes ait remis le trésor aux autorités.

— Oui, bien sûr. Mais en réalité, moins qu'il n'y paraît.

Tous deux se tenaient devant une des vitrines renfermant le trésor de Hoxne, où était exposée une reproduction en acrylique de la malle dans laquelle il avait été enterré. Quittant cette vitrine, la conservatrice traversa la salle pour rejoindre les immenses plats et plateaux en argent du trésor de Mildenhall. Elle s'appuya contre la paroi vitrée en disant :

— N'oubliez pas que de toute façon le dénommé Eric Lawes était là-bas pour trouver des objets en métal. Il n'ignorait sûrement pas la loi. Bien entendu, la législation a été un peu modifiée depuis la découverte de ce trésor, mais, à l'époque, un trésor comme celui de Hoxne serait devenu propriété de la couronne.

— Il aurait donc eu toutes les raisons de le garder, non ? demanda Lynley.

— Qu'est-ce qu'il en aurait fait ? répondit la conservatrice en haussant les épaules. D'autant que, d'après la loi, les musées pouvaient le racheter à la couronne – au prix fort – et que le découvreur touchait la somme en récompense. Soit pas mal d'argent.

— Ah. Autrement dit, le découvreur était tout de suite plus motivé pour remettre le trésor aux autorités.

— Exact.

— Et aujourd'hui ?

Il sourit, se sentant un peu bête de poser cette question. Il ajouta :

— Excusez-moi. Je devrais sans doute connaître la loi à ce sujet, en tant que policier…

— Bah. Je doute que vous tombiez sur beaucoup de gens qui exhument des trésors, dans votre branche. Enfin bon, la loi n'a pas tellement changé. Celui qui trouve le trésor a quatorze jours – s'il *sait* qu'il s'agit d'un trésor – pour déclarer sa découverte auprès du coroner local. En fait, il encourt des poursuites s'il ne prévient pas le coroner. Le coroner local...

— Attendez. Que voulez-vous dire par « s'il *sait* qu'il s'agit d'un trésor » ?

— Eh bien, c'est la singularité de la loi de 1996, comprenez-vous. Elle définit ce qu'est un trésor. Une seule pièce de monnaie, par exemple, ne constitue pas un trésor, voyez-vous. Mais dès qu'il y en a deux, vous êtes sur un terrain glissant si vous ne prenez pas le téléphone pour avertir les autorités compétentes.

— Pour qu'elles puissent faire quoi ? demanda Lynley. Si, par hasard, tout ce que vous avez trouvé, ce sont deux malheureuses pièces et non pas vingt mille ?

— Pour qu'elles puissent faire venir une équipe d'archéologues qui laboureront votre propriété comme des dingues, je suppose. Mais, pour être franche, la plupart des gens acceptent volontiers cet inconvénient, puisqu'ils finissent par récolter une somme d'argent plutôt coquette.

— À condition qu'un musée veuille acheter le trésor.

— Exact.

— Et si personne n'en veut ? Si la couronne le réclame ?

— C'est un autre détail intéressant de la nouvelle loi. La couronne ne peut mettre la main que sur les trésors du duché de Cornouailles et du duché de Lancaster. Quant au reste du pays... ? Bon, ce n'est pas tout à fait qui le trouve le garde, mais qui le trouve touchera au bout du compte une récompense quand le trésor sera vendu, et si le trésor ressemble un tant soit peu à ces objets-là, dit-elle en désignant les vitrines d'argent, d'or et de bijoux de la salle 49, vous pouvez parier que la récompense sera rondelette.

— Donc, ce que vous êtes en train de dire, c'est que le découvreur d'un trésor comme celui-ci n'a absolument aucune raison de garder une telle nouvelle pour lui.

— Aucune, en effet. Bien sûr, je suppose qu'il pourrait planquer le trésor sous son lit et le sortir la nuit pour le caresser avec délectation. Genre Silas Marner, si vous voyez ce que je veux dire… Mais, en définitive, j'imagine que la plupart des gens préfèrent de l'argent.

— Et si tout ce que le découvreur a trouvé, c'est une pièce de monnaie et rien d'autre ?

— Oh, il peut la garder. Ce qui nous amène à… Par ici. Voici l'aureus que vous cherchiez.

Il se trouvait à l'intérieur d'une vitrine plus petite, dans laquelle étaient exposées et identifiées diverses pièces de monnaie. L'aureus ne paraissait pas différent de celui qu'il avait vu peu avant sur l'écran d'ordinateur de James Dugué chez Sheldon Pockworth Numismate. Lynley le contempla, espérant que la pièce lui dirait quelque chose au sujet de Jemima Hastings, censée l'avoir possédée à un moment donné. Si, comme Honor Robayo l'avait expliqué, une pièce ne constituait pas un trésor, il y avait toutes les chances que Jemima l'ait conservée simplement comme un souvenir ou un porte-bonheur qu'elle envisageait de vendre, peut-être pour mettre du beurre dans ses épinards londoniens. Elle aurait tenu au préalable à savoir ce qu'elle valait. Cela n'avait rien de déraisonnable. Mais ce que Jemima avait raconté au numismate était en partie mensonger : son père n'était pas mort récemment. D'après le rapport de Havers, pour autant qu'il se souvenait, le père de Jemima avait quitté ce monde depuis des années. Ce mensonge avait-il une signification ? Lynley n'en savait rien. Mais il lui fallait à tout prix parler à Havers.

S'écartant de la vitrine contenant l'aureus, il remercia Honor Robayo de lui avoir accordé du temps. Elle semblait penser qu'elle l'avait déçu car elle s'excusa :

— Enfin bon. Quoi qu'il en soit. Je regrette de ne pas… Je vous ai un tout petit peu aidé, j'espère ?

Là encore, il ne savait pas vraiment. Certes, il disposait de plus d'éléments d'information. Quant à déterminer en quoi ces éléments représentaient un mobile pour tuer Jemima Hastings…

Il fronça les sourcils. Le trésor de Thetford attira son regard. Ils ne l'avaient pas examiné d'aussi près que les autres car il ne comprenait pas de pièces de monnaie mais plutôt de la vaisselle et des bijoux. La vaisselle était surtout en argent. Les bijoux en or. Il alla jeter un coup d'œil.

C'étaient les bijoux qui l'intéressaient : bagues, boucles, pendentifs, bracelets et colliers. Les Romains avaient le don de la parure et appréciaient les pierres précieuses et semi-précieuses : les plus gros bijoux, ainsi que certaines des bagues, contenaient des grenats, des améthystes et des émeraudes. Parmi ces pierres s'en détachait une en particulier, de couleur rougeâtre. Lynley vit tout de suite qu'il s'agissait d'une cornaline. Or ce qui retint son attention, ce n'était pas tant la présence de la pierre au milieu des autres, mais le travail effectué dessus. Vénus, Cupidon et l'armure de Mars y étaient gravés : la pierre était presque identique à celle trouvée sur le corps de Jemima.

Lynley pivota soudain. Honor Robayo haussa un sourcil, l'air de dire : Que se passe-t-il ?

— Pas deux pièces de monnaie mais une pièce de monnaie et une gemme ensemble. Est-ce qu'on a un trésor ? Est-ce qu'on doit signaler cela au coroner local dont vous parliez à l'instant ?

Elle réfléchit, se grattant la tête.

— Je suppose que ça peut se discuter. Mais on peut aussi bien alléguer que quelqu'un qui tombe par hasard sur deux objets en apparence sans aucun lien entre eux pourrait fort bien les nettoyer, les mettre de côté, et ne pas penser qu'il faut en rendre compte. Je veux dire, il n'y a pas des foules de gens qui connaissent cette loi. Trouvez un trésor comme celui de Hoxne et vous êtes plus que susceptible de vous renseigner un minimum sur les démarches à faire, pas vrai ? Mais trouvez une pièce de monnaie isolée et une pierre, l'une et l'autre à coup sûr noires de crasse... Pourquoi sauter sur le téléphone pour ça ? Je veux dire, ce n'est pas comme si les présentateurs de journaux répétaient chaque semaine à leurs téléspectateurs qu'ils doivent téléphoner au coroner au cas où ils déterreraient une malle au trésor en plantant leurs tulipes ! Et puis, en plus, les gens associent les coroners à l'idée de mort, pas à la découverte de trésors.

— Il n'empêche que, d'après la loi, deux objets constituent un trésor, n'est-ce pas ?

— Eh bien... En effet. C'est exact. Oui.

C'était assez peu, songea Lynley, et Honor Robayo aurait assurément pu se montrer plus ferme dans son affirmation. Mais c'était déjà ça. Sinon une torche, du moins une allumette, et une allumette, c'était toujours mieux que rien quand on déambulait dans le noir.

Barbara Havers s'était arrêtée pour prendre de l'essence et pour casser la croûte lorsque son portable sonna. Sans quoi elle l'aurait religieusement ignoré. Elle venait de se garer sur le vaste parking d'une station-service, et elle marchait à grands pas vers le Little Chef – les priorités d'abord, et la priorité, c'était un plat bien calorique, histoire de tenir le reste de la journée – quand elle entendit retentir « Peggy Sue ». Extirpant l'appareil des profondeurs de son sac, elle vit que c'était l'inspecteur Lynley. Elle décrocha tout en se dirigeant avec énergie vers sa pitance et l'air conditionné.

— Où êtes-vous, sergent ? demanda Lynley tout de go.

À son ton, Havers comprit que quelqu'un avait mouchardé. Ce ne pouvait être que Winston Nkata, puisque personne d'autre ne savait ce qu'elle manigançait et que Winnie était très à cheval sur le respect des consignes, si exaspérantes soient-elles. Winnie, en fait, obéissait même aux non-consignes. Merde, cet homme allait jusqu'à devancer les ordres.

— Je m'apprête à planter les dents dans un aliment qui a été trempé dans de la pâte à beignet puis frit sur toutes ses faces, et croyez-moi, au stade où j'en suis, je me fiche complètement de sa teneur en graisse. Appeler ça « un petit creux » est un énorme euphémisme, si vous voyez ce que je veux dire. Où êtes-vous ?

— Havers, vous n'avez pas répondu à ma question.

Elle soupira.

— Je suis dans un Little Chef, monsieur.

— Ah. Un de ces temples de la diététique. Et où se trouve ladite succursale de cette excellente chaîne de restauration ?

— Eh bien, laissez-moi voir…

Elle réfléchit à une manière de biaiser, mais elle savait cet effort inutile.

— Sur la M3, dit-elle enfin.

— Où sur la M3, sergent ?

À contrecœur, elle lui cita le numéro de la sortie la plus proche.

— Et avez-vous mis la commissaire Ardery au courant de votre destination ?

Elle ne répondit pas. Il s'agissait d'une question de pure forme. Elle attendit la suite.

— Barbara, votre objectif est-il réellement le suicide professionnel ? s'enquit Lynley d'un ton poli.

— Je lui ai téléphoné, monsieur.

— Tiens donc.

— J'ai eu sa boîte vocale. Je lui ai dit que j'étais sur une piste. J'étais censée faire quoi ?

— Peut-être accomplir la tâche qui vous était assignée ? À Londres ?

— Ce n'est pas vraiment le sujet. Écoutez, monsieur, est-ce que Winnie vous a parlé du crochet ? C'est un outil de chaumier et…

— En effet, il m'en a parlé. Et votre intention en allant dans le Hampshire, quelle est-elle, exactement ?

— Mais quoi, c'est évident, non ? Jossie possède des outils de chaumier. Ringo Heath possède des outils de chaumier. Rob Hastings a sans doute jadis fabriqué des outils de chaumier, qui traînent sûrement encore dans sa grange. Et puis il y a le type qui travaille pour Jossie, Cliff Coward : il pourrait mettre la main sur un outil de chaumier. Et puis il y a aussi ce flic, ce Whiting, qui a un truc pas clair, au cas où vous vous apprêteriez à me dire que j'aurais dû appeler le commissariat de Lyndhurst pour lui parler du crochet. J'ai une taupe au ministère de l'Intérieur, au fait, qui se renseigne sur le bonhomme.

Ce qu'il n'y a pas eu moyen que vous fassiez, fut-elle tentée d'ajouter.

Si elle s'imaginait que Lynley serait impressionné par les bonds de géant qu'elle avait accomplis pendant que lui se baladait tranquillement dans Londres à obéir aux ordres d'Isabelle Ardery, elle déchanta vite.

— Barbara, je veux que vous restiez où vous êtes.

— Quoi ? Monsieur, écoutez-moi...

— Vous ne pouvez pas prendre les choses...

— ... en main moi-même ? C'est ce que vous alliez dire, c'est ça ? Eh bien, je ne serais pas obligée de le faire si la commissaire – la commissaire *intérimaire*, notez bien – n'avait pas des œillères. Elle se goure complètement sur ce pauvre Japonais et vous le savez.

— Et maintenant elle le sait aussi.

Il lui raconta ce qu'Ardery était parvenue à tirer de son entretien avec Yukio Matsumoto.

— *Deux* hommes dans le cimetière avec elle ? fit Barbara. En plus de Matsumoto ? Enfin bon sang, monsieur. Vous ne comprenez donc pas que l'un des deux est venu du Hampshire, et si ça se trouve, les deux ?

— Je suis on ne peut plus d'accord, concéda Lynley. Mais vous n'avez pas toutes les cartes sous le coude, et vous savez aussi bien que moi que si vous avancez vos pions trop tôt, vous perdrez la partie.

Barbara sourit malgré elle.

— Vous vous rendez compte du nombre de métaphores que vous venez de mélanger ?

Elle perçut le sourire dans la voix de Lynley lorsqu'il dit :

— Ce doit être l'émotion : elle m'empêche de bien réfléchir.

— Pourquoi ? Qu'est-ce qui se passe ?

Elle écouta alors ce qu'il avait appris sur les trésors romains, sur le British Museum, sur la loi, sur les découvreurs de trésors et les récompenses qu'ils percevaient. Quand il eut terminé, elle dit avec un sifflement :

— Génial. Whiting doit le savoir. Forcément.

— Whiting ? répéta Lynley, incrédule. Barbara…

— Non. Écoutez. Quelqu'un déniche un trésor. Jossie, disons. Il ne sait pas quoi faire, alors il appelle les flics. Qui appeler d'autre si on ignore cette loi, hein ? La nouvelle fait le tour des popotes au commissariat de Lyndhurst, remonte jusqu'à Whiting et, hop, le tour est joué. Il pose les yeux sur le butin. Il voit ce que l'avenir pourrait lui réserver s'il réussit à se l'approprier – les pensions de flics étant ce qu'elles sont –, et alors…

— Quoi ? fit Lynley. Il file à Londres et il tue Jemima Hastings ? Je peux vous demander pourquoi il ferait cela ?

— Parce qu'il doit tuer tous ceux qui sont au courant du trésor, et si elle est allée voir ce fameux Sheldon Mockworth…

— Pockworth, rectifia Lynley. Sheldon Pockworth. Et il n'existe pas. C'est juste le nom de la boutique.

— Peu importe. Elle va le voir. Elle vérifie ce qu'est cette pièce de monnaie. Elle sait qu'il y en a d'autres

– beaucoup d'autres, des tas d'autres –, et maintenant elle sait que c'est du sérieux. Des tonnes de pognon, qui ne demandent qu'à être ramassées. Et, bon Dieu, Whiting le sait aussi.

Barbara s'échauffait. Ils étaient tellement près de résoudre l'énigme. Tout son corps la picotait.

Lynley déclara patiemment :

— Barbara, êtes-vous un tant soit peu consciente de tous les éléments que vous négligez avec votre théorie ?

— Exemple ?

— Rien que pour commencer : pourquoi Jemima a-t-elle subitement quitté le Hampshire s'il y avait un immense trésor de pièces romaines qui lui tendait les bras ? Pourquoi, après avoir identifié la pièce de monnaie – il y a des mois et des mois, entre parenthèses –, n'a-t-elle apparemment rien fait d'autre à ce sujet ? Pourquoi, si l'homme avec qui elle vivait dans le Hampshire avait déterré tout un trésor romain, n'en a-t-elle jamais touché un seul mot à quiconque, y compris, je le souligne, à une voyante à qui elle a semble-t-il rendu visite de nombreuses fois pour l'interroger au contraire sur sa vie amoureuse ?

— Il y a une explication, nom d'un chien.

— Très bien. Vous l'avez ?

— Merde, je l'aurais si vous...

— Quoi ?

Si vous acceptiez de travailler avec moi. C'était ça la réponse. Mais Barbara ne put se résoudre à la formuler à cause de ce que sous-entendait une telle déclaration.

Mais Lynley la connaissait bien. Beaucoup trop bien. Il dit de ce ton extrêmement raisonnable qu'il avait :

— Écoutez, Barbara. Vous voulez bien m'attendre ? Vous voulez bien rester où vous êtes ? Je peux être là en moins d'une heure. Vous étiez sur le point de déjeuner. Déjeunez. Et puis attendez-moi. Vous voulez bien ?

Elle réfléchit, même si elle savait déjà ce qu'elle allait répondre. Lynley, après tout, était toujours son équipier. Il était encore et toujours Lynley.

Elle soupira.

— D'accord. Je vais attendre. Vous avez déjeuné, vous ? Vous voulez que je vous commande une assiette ?

— Juste ciel, non.

Lynley savait que Barbara n'était absolument pas du genre à se rouler les pouces sous prétexte qu'elle avait accepté de suspendre pour un temps ce qu'elle était bien décidée à faire. Il ne fut donc pas étonné, en entrant dans le Little Chef quelque quatre-vingt-dix minutes plus tard – retardé à son grand agacement par la rupture d'une conduite d'eau dans le sud de Londres –, de la découvrir en train de griller des minutes de forfait sur son téléphone portable. Les reliefs de son repas gisaient devant elle. Dans la pure tradition Havers, c'était un vrai hymne au cholestérol. À sa décharge, elle avait laissé quelques frites, mais la présence d'une bouteille de vinaigre de malt indiquait à Lynley que le repas – comme elle l'avait promis – avait par ailleurs sans doute consisté en beignets de morue enrobés d'une énorme quantité de pâte. Elle avait apparemment enchaîné avec un bon gros pudding bien gluant. Il regarda tout cela puis posa les yeux sur elle. Elle était incorrigible.

Elle le salua de la tête alors qu'il inspectait la chaise en plastique située en face d'elle afin de vérifier s'il n'y traînait pas des bouts de frites ou autres miettes bien poisseuses. Il s'assit. Elle dit « Ah, ça c'est intéressant » à son interlocuteur et, quand elle raccrocha enfin, elle griffonna quelques notes dans son carnet à spirale en lambeaux.

— Vous prenez quelque chose ? demanda-t-elle à Lynley.

— J'envisage de renoncer complètement à manger.

Elle eut un grand sourire.

— C'est à cause de mes habitudes alimentaires, c'est ça, monsieur ?

— Havers, répondit-il d'un ton solennel, croyez-moi, les mots me manquent.

Elle gloussa et sortit ses cigarettes de son sac. Elle savait pertinemment qu'il était interdit de fumer dans le restaurant. Il attendit de voir si elle allait malgré tout allumer sa cigarette. Mais non. Elle posa le paquet de Players sur le côté et continua ses explorations, pour dénicher un rouleau de bonbons Polo. Elle en délogea un pour elle et lui en offrit un. Il refusa.

— Encore deux, trois infos sur Whiting, expliqua-t-elle, désignant le téléphone sur la table entre eux.

— Et ?

— Oh, je pense décidément qu'on va dans le sens qu'il faut par rapport à ce type-là. Vous verrez. Vous avez des nouvelles d'Ardery ? Est-ce qu'on a le portrait-robot des types que Matsumoto a vus dans le cimetière ?

— J'imagine qu'on s'en occupe, mais je n'ai pas de nouvelles.

— En tout cas, je peux vous dire que si l'un des deux est le sosie de Jossie, alors l'autre sera le jumeau de Whiting.

— Et sur quoi fondez-vous cette certitude ?

— C'était à Ringo Heath que j'étais en train de parler. Vous savez. Le type…

— … avec lequel Gordon Jossie a appris son métier. Oui. Je sais qui c'est.

— Bien. Parfait. Apparemment, le sieur Ringo a reçu plusieurs visites du commissaire divisionnaire Whiting au fil des années, et la première a eu lieu *avant* que Gordon Jossie ne se fasse embaucher comme apprenti.

Lynley réfléchit aux paroles de Havers. De son point de vue, l'information ne justifiait pas vraiment un ton aussi triomphant.

— Et c'est important parce que… ?

— À cause de ce qu'il voulait savoir quand il est venu le voir la première fois : est-ce que Ringo Heath prenait des apprentis ? Et quelle était la situation familiale de Mr Heath ?

— C'est-à-dire ?

— Avait-il une femme, des mômes, des clébards, des mainates, et tutti quanti ? Deux semaines plus tard – peut-être trois ou quatre, il ne savait plus trop – rapplique le fameux Gordon Jossie avec, en l'occurrence, et ça, bon sang, on le sait, des lettres bidon du Collège technique de Winchester II. Alors Ringo – qui a déjà dit à Whiting qu'il prenait des apprentis, souvenez-vous – embauche notre cher Gordon. Les choses auraient dû s'arrêter là.

— Donc elles ne se sont pas arrêtées là ?

— Ah, ça, non. De temps en temps, Whiting se pointe. Il lui arrive même de tomber sur Ringo au pub. Un pub, vous pouvez le parier, qui n'est pas le pub que fréquente Whiting. Il se renseigne, mine de rien. Du genre « Comment se passe le boulot, mon ami ? », mais Ringo n'est pas complètement abruti, hein, alors il se doute qu'il s'agit d'autre chose que de simples questions amicales posées par un des flics du coin tout en se tapant une bière. Et puis, qui aime que les flics soient amicaux ? Même moi, ça me rendrait nerveuse, et pourtant je suis flic.

Elle respira à fond. Lynley eut l'impression que c'était la première fois qu'elle reprenait son souffle depuis le début de son récit. De toute évidence, son discours touchait à sa fin car elle dit :

— Bon. Comme je vous l'ai expliqué, j'ai une taupe au Home Office qui se tuyaute sur le sieur Zachary Whiting. En attendant, on doit s'occuper du crochet de chaumier. Aucun des suspects de Londres n'aurait pu mettre la main sur un tel outil…

— Attendez un peu. Pourquoi pas ?

Elle en resta comme deux ronds de flan.

— Comment ça : « Pourquoi pas » ? Ces trucs-là ne poussent quand même pas dans les parterres de fleurs.

— Havers, l'outil en question était vieux et rouillé. Ça vous suggère quoi ?

— Qu'il était vieux et rouillé. Qu'on l'avait laissé traîner quelque part. Qu'on l'a piqué sur un toit. Qu'il était abandonné dans une grange. Qu'est-ce que ça pourrait vouloir dire d'autre ?

— Qu'il a été vendu sur une brocante de Londres par un marchand de vieux outils ?

— Ah ça, sûrement pas.

— Pourquoi pas ? Vous savez aussi bien que moi qu'il y a des brocantes partout dans la ville, des marchés officiels aux déballages improvisés du dimanche après-midi. À ce compte-là, il y a un marché à l'intérieur même de Covent Garden, où un des suspects – vous vous souvenez de Paolo di Fazio, n'est-ce pas ? – tient bel et bien un stand. Le crime a été commis à Londres, pas dans le Hampshire, et il tombe sous le sens…

— Ah ça non, bordel ! s'écria Havers d'une voix forte.

Plusieurs clients du Little Chef regardèrent dans leur direction. Elle les remarqua et dit à Lynley :

— Désolée. Monsieur. *Monsieur.* Vous ne pouvez pas être en train de me dire que l'utilisation d'un outil de chaumier pour tuer Jemima Hastings était une parfaite et absolue coïncidence : ce serait totalement incroyable. Il est tout bonnement impossible que vous soyez en train de dire que notre assassin a fortuitement choisi quelque chose pour la zigouiller, et que ce quelque chose s'est comme par hasard trouvé être un des outils qu'utilise Gordon Jossie dans son travail. Ça ne tient pas la route, et vous le savez bien.

— Je ne suis pas en train de dire ça.

— Alors quoi ? *Quoi ?*

Il réfléchit.

— Peut-être qu'on s'en est servi pour faire accuser Gordon Jossie. Vous croyez, vous, que Jemima n'a jamais raconté à personne à Londres qu'elle avait laissé un homme derrière elle dans le Hampshire, et que cet ancien amant était maître chaumier ? Une fois que Jossie est venu à sa recherche, une fois qu'il a commencé à placarder ces cartes dans les rues avec son numéro de téléphone, est-ce qu'il ne va pas de soi qu'elle a confié à quelqu'un – Paolo di Fazio, Jayson Druther, Frazer Chaplin, Abbott Langer, Yolanda, Bella McHaggis... bref, *quelqu'un* – de qui il s'agissait ?

— Qu'est-ce qu'elle leur aurait raconté ? demanda Havers. OK, mon ex-copain, à la rigueur. Je vous l'accorde. Mais mon ex-copain le chaumier ? Pourquoi irait-elle raconter qu'il était chaumier ?

— Pourquoi pas ?

Havers se redressa brusquement. Jusque-là elle était penchée en avant, résolue à bien faire valoir ses arguments, mais à présent elle l'observait. Autour d'eux le vacarme du Little Chef montait et retombait. Quand Havers reprit enfin la parole, Lynley fut désarçonné par sa remarque.

— C'est Ardery, n'est-ce pas, monsieur ?

— Comment ça, Ardery ? De quoi parlez-vous ?

— Merde, vous le savez bien. Vous parlez comme ça à cause d'elle, parce qu'elle pense que l'affaire se situe à Londres.

— Mais l'affaire se situe bien à Londres. Havers, je n'ai quand même pas besoin de vous rappeler que le meurtre a été commis à Londres.

— Très juste. Excellent. Vachement brillant de votre part. Non, vous n'avez pas besoin de me le rappeler. Et je ne crois pas devoir vous rappeler que nous ne sommes plus à l'époque des voyages à cheval. Vous avez l'air de penser que personne du Hampshire – c'est-à-dire ni Jossie, ni Whiting, ni Hastings, ni le putain de père Noël... – n'aurait pu venir à Londres par je ne sais quel moyen, commettre le meurtre, puis rentrer chez lui.

— Le père Noël ne vient pas vraiment du Hampshire, observa Lynley, pince-sans-rire.

— Merde, vous savez très bien de quoi je parle.

— Havers, écoutez. Ne soyez pas…

— Quoi ? Ridicule ? C'est le mot que vous emploieriez, non ? Mais au bout du compte le vrai problème, c'est que vous la protégez et que nous le savons tous les deux, même s'il n'y en a qu'un seul de nous deux qui sait pourquoi.

— C'est n'importe quoi et c'est faux, répliqua Lynley. Et en outre, pourrais-je ajouter, bien que cela ne vous ait jamais arrêtée avant, vous dépassez les bornes.

— Bon sang, n'allez pas me faire le coup du respect de la hiérarchie. Depuis le début, elle veut que ce soit une affaire purement londonienne. C'était déjà le cas quand elle s'est focalisée sur Matsumoto, et ce sera toujours le cas quand elle aura obtenu de lui un portrait-robot, vous verrez. En attendant, le Hampshire grouille de salopards que personne ne daigne même prendre en compte…

— Pour l'amour de Dieu, Barbara, c'est quand même elle qui vous a envoyée dans le Hampshire.

— Et elle m'a ordonné de rentrer avant que j'aie fini. Webberly n'aurait jamais fait ça. Vous n'auriez pas fait ça. Même ce branleur de Stewart n'aurait jamais fait ça. Elle a tort, tort, tort, et…

Havers s'interrompit soudain, comme à bout de souffle.

— Il me faut une clope, décréta-t-elle.

Elle attrapa ses affaires et se dirigea à grandes enjambées vers les portes du restaurant. Il la suivit, se faufilant entre les tables des clients, qui se demandaient ce qui se passait entre eux.

Lynley pensait le savoir. La déduction de Barbara ne manquait pas de logique. Sauf que ce n'était pas la bonne.

Dehors, elle marchait d'un pas pressé en direction de sa voiture, à l'autre bout du parking, vers les pompes à essence. Lui-même était garé plus près du Little Chef : il monta dans la Healey Elliott et arriva à sa hauteur. Elle fumait furieusement, tout en marmonnant. Elle lança un regard vers lui et accéléra l'allure.

— Havers, grimpez.

— J'aime mieux marcher.

— Ne soyez pas stupide. Montez. C'est un ordre.

— Je n'obéis pas aux ordres.

— Maintenant, si, sergent.

À ce moment-là, voyant le visage de sa collègue et y lisant la douleur qui, il le savait, motivait sa conduite actuelle, il nuança :

— Barbara, s'il vous plaît, montez dans la voiture.

Elle le dévisagea. Il lui rendit son regard. Finalement, elle envoya promener sa cigarette et grimpa dans la Healey Elliott. Il ne souffla mot et traversa le parking jusqu'au seul point d'ombre disponible, ménagé par un énorme camion dont le chauffeur était sans doute à l'intérieur du Little Chef.

Havers râla :

— Cette voiture a dû vous coûter bonbon. Pourquoi elle n'a pas la clim, nom d'un chien ?

— Elle date de 1948, Barbara.

— Nul, comme excuse.

Elle ne le regardait pas, et elle ne regardait pas non plus les arbustes devant eux, au-delà desquels, sur la M3, les autos filaient plein pot vers le sud. Non, elle regardait par sa vitre, offrant à Lynley le spectacle de sa nuque.

— Il faut que vous arrêtiez de vous couper les cheveux toute seule, lui dit-il.

— Taisez-vous, lâcha-t-elle doucement. Vous parlez comme elle.

Un moment s'écoula. Il leva la tête et contempla le plafond immaculé de la voiture. Il envisagea de demander conseil à Dieu, mais il n'en avait pas réellement besoin. Il savait ce qui devait être dit entre eux. La question n'en demeurait pas moins le Grand Sujet Tabou qui régissait sa vie depuis des mois. Il ne voulait pas l'évoquer. Il voulait simplement continuer à avancer.

Il dit d'un ton paisible :

— Elle était la lumière, Barbara. C'était ce qu'il y avait de plus extraordinaire chez elle. Elle avait cette… cette capacité qui était simplement au cœur de la personne qu'elle était. Ce n'était pas qu'elle prenait les choses à la légère – les situations, les gens, vous comprenez ce que je veux dire –, mais qu'elle était capable d'apporter la lumière avec elle, de vous élever uniquement en vertu de la personne qu'elle était. Je l'ai vue faire ça je ne sais combien de fois, avec Simon, avec ses sœurs, avec ses parents, et puis bien sûr avec moi.

Havers s'éclaircit la gorge. Elle ne le regardait toujours pas.

— Barbara, est-ce que vous croyez, est-ce que vous croyez franchement, que je pourrais me détacher de cela aussi facilement ? Que, voulant à tout prix sortir du désert, et j'avoue que oui, je veux en sortir, je pren-

drais n'importe quelle voie qui s'ouvrirait devant moi ?
Vous croyez vraiment cela ?

Elle ne répondit pas. Mais sa tête se baissa. Il
l'entendit émettre un petit son, et il sut ce qu'il signifiait. Seigneur, oui, il le savait.

— Arrêtez, Barbara, dit-il. Arrêtez de vous inquiéter
à ce point. Apprenez à me faire confiance. Parce que,
sinon, comment pourrai-je apprendre à me faire
confiance moi-même ?

Elle se mit à pleurer pour de bon, à ce moment-là, et
Lynley savait ce que lui coûtait cette manifestation
d'émotion. Il se tut, car, en réalité, il n'y avait rien à
ajouter.

Lorsqu'elle se tourna enfin vers lui, ce fut pour
bougonner :

— Merde, j'ai pas de Kleenex.

Elle se mit à se tortiller sur son siège, comme si elle
cherchait quelque chose. Il attrapa son mouchoir et le
lui tendit. Elle s'en servit.

— Merci. Ça m'aurait étonnée, aussi, que vous
n'ayez pas de mouchoir…

— Ma fichue éducation. Il est même repassé.

— J'ai remarqué, dit-elle. Mais j'imagine que ce
n'est pas par vous.

— Seigneur, non.

— La bonne blague. Vous ne devez même pas savoir
comment on s'y prend.

— Eh bien, je reconnais que le repassage ne fait pas
partie de mes talents. Mais je suppose que si je savais
où le fer est rangé – détail que, Dieu merci, j'ignore –,
je pourrais m'en servir. Sur quelque chose d'aussi
simple qu'un mouchoir, en tout cas… Quoi que ce soit
de plus compliqué, et je serais complètement démuni.

Elle gloussa avec lassitude. Elle se carra dans son siège et secoua la tête. Puis elle sembla examiner la voiture elle-même. La Healey Elliott était une berline quatre places et Barbara se contorsionna pour jeter un coup d'œil à l'arrière.

— C'est la première fois que je monte dans votre nouvelle auto, fit-elle remarquer.

— La première mais pas la dernière, j'espère. Du moment que vous ne fumez pas.

— Je n'oserais pas. Mais je ne peux pas vous promettre que j'y casserai pas une croûte. Un bon petit cornet de fish and chips pour embaumer l'habitacle. Vous voyez ce que je veux dire. C'est quoi, ça ? Un peu de lecture légère ?

Elle attrapa quelque chose sur la banquette arrière. Il constata que c'était l'exemplaire du *Hello !* que lui avait donné Deborah Saint James. Havers regarda Lynley, inclinant la tête d'un air sceptique :

— On se tient au courant de la vie mondaine ? Je n'aurais pas cru ça. À moins que vous ne l'emportiez chez la manucure. Vous savez. Un truc à lire pendant que vous vous faites polir les ongles…

— Il est à Deborah. Je voulais regarder les photos du vernissage de la Portrait Gallery.

— Et ?

— Des tas de gens sur leur trente et un avec des verres de champagne. C'est à peu près tout.

— Ah. Pas vraiment mon genre, alors ?

Havers ouvrit le magazine et commença à le feuilleter. Elle trouva les pages en question, où s'étalaient les photos du vernissage du concours de portraits.

— J'avais raison, pas une seule pinte de bière, quelle misère. Parce qu'une bonne mousse, on a beau dire, c'est quand même mieux qu'un dé à coudre de champa…

Sa main se crispa sur le magazine.

— Bordel de merde ! s'exclama-t-elle en se tournant vers Lynley.

— Qu'y a-t-il ?

— Frazer Chaplin était là-bas, dit Havers, et sur la photo…

— Ah bon ?

Lynley se rappela soudain que le visage de Frazer lui avait dit quelque chose quand il l'avait rencontré. C'était donc ça. Il avait sans doute aperçu l'Irlandais sur une des photos du vernissage, puis l'avait oublié. Lynley jeta un coup d'œil sur le magazine et vit que Havers indiquait en effet une photo de Frazer. C'était l'homme au teint mat sur la photo de Sidney Saint James.

— Une preuve de plus qu'il avait une liaison avec Jemima, souligna Lynley. Même s'il pose avec Sidney.

— Non, non, fit Havers. Ce n'est pas Frazer qui compte. C'est elle. Elle.

— Sidney ?

— Pas Sidney. Elle.

Havers désignait une autre femme, jeune, blonde, et très séduisante. Un membre de la jet set, se dit Lynley. La femme ou la fille d'un mécène, sans doute. Mais Havers le détrompa en annonçant :

— C'est Gina Dickens, inspecteur.

Avant d'ajouter inutilement, car, à ce stade, il savait très bien qui était Gina Dickens :

— Elle habite le Hampshire, avec Gordon Jossie.

On a beaucoup glosé non seulement sur le système pénal britannique mais aussi sur le procès qui suivit les aveux des garçons. Des mots tels que « barbares », « pervers », « primitifs », « inhumains » ont été employés, et les commentateurs du monde entier ont pris des positions très tranchées sur le sujet, certains soutenant avec passion que l'inhumanité, quelle que soit sa source, devait susciter une inhumanité analogue (invoquant Hammurabi), et d'autres rétorquant avec tout autant de passion que mettre au pilori des enfants ne servait à rien et que, pire, ce n'en était que plus dommageable. Il n'en demeure pas moins ce fait singulier : tombant sous le coup d'une loi qui rend les enfants responsables de leur conduite à l'âge de dix ans dans le cas des crimes capitaux, Michael Spargo, Reggie Arnold et Ian Barker devaient être jugés comme des adultes. Ils seraient par conséquent envoyés aux assises.

Autre élément notable, lorsqu'un crime grave a été commis par des enfants, il est juridiquement interdit auxdits enfants d'avoir le moindre accès thérapeutique à des psychiatres ou à des psychologues avant le procès. Ces médecins ont beau être impliqués de manière indirecte dans les procédures engagées contre des enfants, leur examen des accusés se borne strictement à déterminer deux choses : si l'enfant en question était – au moment des faits – capable de distinguer le bien du mal, et s'il était responsable de ses actes.

Six pédopsychiatres et trois psychologues ont examiné les garçons. Chose intéressante, ils ont abouti à des conclusions identiques : Michael Spargo, Ian Barker et Reggie Arnold étaient d'intelligence moyenne à au-dessus de la moyenne ; ils connaissaient parfaitement la différence entre le bien et le mal ; ils n'ignoraient en rien la notion de responsabilité personnelle, bien qu'ils aient tenté (ou peut-être parce qu'ils avaient tenté) de s'accuser les uns les autres de la torture et de la mort de John Dresser.

Dans le climat qui entourait l'enquête sur l'enlèvement et le meurtre de John Dresser, quelles autres conclusions aurait-on pu tirer ? Comme il a déjà été souligné, « le sang attire le sang ». Or la pure énormité de ce qui avait été infligé à John Dresser exigeait une approche objective de la part de toutes les parties impliquées dans l'enquête, l'arrestation et le procès. Sans ce type d'approche dans ces affaires-là, nous sommes condamnés à nous agripper à notre ignorance, et à croire que la torture et le meurtre d'enfants par des enfants sont en quelque sorte normaux, quand aucun esprit rationnel n'accepterait une pareille idée.

Nous n'avons pas besoin de pardonner le crime, ni de l'excuser. Mais nous avons bel et bien besoin de comprendre la raison de ce crime, de manière à empêcher qu'un tel crime puisse se reproduire. Cependant, quelle qu'ait été la véritable cause à l'origine du comportement odieux des trois garçons ce jour-là, elle n'a pas été présentée à leur procès car elle n'avait pas besoin de l'être. Le rôle des policiers ne consistait pas à fouiller dans la psychologie des garçons une fois leur arrestation effectuée. Non, leur rôle consistait à procéder à cette arrestation et à monter le dossier d'inculpation pour le ministère public, en réunissant les pièces à conviction, les dépositions des témoins et les aveux des garçons. De son côté, le rôle du ministère public consistait à obtenir une condamnation. Et comme la moindre attention psychologique ou psychiatrique d'ordre thérapeutique apportée aux garçons avant leur procès était juridiquement interdite, leurs avocats, pour les défendre, n'ont pu que s'efforcer de rejeter la faute sur les deux autres, et tenter de démolir les divers témoignages et autres éléments de preuve présentés au jury par l'accusation.

Au bout du compte, évidemment, rien de tout cela ne comptait. Le nombre de preuves accumulées contre les trois garçons rendait l'issue de leur procès inéluctable.

Les enfants victimes de maltraitance ont tendance à reproduire les actes de maltraitance dont ils ont été victimes. Ils perpétuent ce don inconcevable. De multiples études soulignent cette conclusion, or cette donnée fondamentale ne fut pas évoquée lors du procès de Reggie Arnold, Michael Spargo et Ian Barker. Elle n'aurait pu l'être, non seulement en raison du droit pénal, mais aussi de la soif du public (nous pourrions dire la « soif de sang » du public) de voir rendue une certaine justice. Quelqu'un devait payer pour ce qui était arrivé au petit John Dresser. Le procès avait établi la culpabilité irréfutable des trois garçons. Il incombait au juge de déterminer le châtiment.

Contrairement à beaucoup de pays plus avancés socialement dans lesquels les enfants accusés de crimes sont remis à la garde de leurs parents, de leurs parents adoptifs ou d'un foyer d'accueil dans l'attente de ce qui est en général un procès à huis clos, au Royaume-Uni les enfants criminels sont placés dans des « centres de détention » où ils sont hébergés avant leur passage en justice. Durant leur procès, les trois garçons étaient amenés tous les jours de trois centres de détention différents – dans trois fourgons blindés qu'il fallait protéger des hordes déchaînées qui les attendaient au palais de justice –, et, pendant l'audience, ils étaient assis en compagnie de leurs assistantes sociales personnelles à l'intérieur d'un box conçu exprès pour eux et aménagé de telle sorte qu'ils puissent voir les débats. Ils se conduisirent bien pendant toute la durée du procès, même s'ils se montrèrent parfois agités. On avait donné à Reggie Arnold un album de coloriage pour qu'il puisse se distraire quand il s'ennuyait trop ; les autres garçons disposaient de blocs et de crayons. Ian Barker resta stoïque pendant toute la première semaine, mais à la fin de la deuxième, il n'arrêtait pas de balayer la salle du regard comme s'il cherchait sa mère ou sa grand-mère. Michael Spargo parlait fréquemment à son assistante sociale, qui avait souvent son bras autour du garçon et qui l'autorisait à poser sa tête sur son épaule. Reggie Arnold pleurait. À maintes reprises, au cours des témoignages, les jurés observèrent les accusés. Ayant juré de faire leur devoir, ils ne pouvaient que se demander en quoi consistait exactement leur devoir dans la situation à laquelle ils étaient confrontés.

Le verdict de culpabilité fut atteint au bout de seulement quatre heures de délibéré. La décision concernant la peine allait prendre deux semaines.

28

Le poney se débattait à terre sur Mill Lane, juste à la sortie de Burley. Il se contorsionnait, ses deux postérieurs cassés, tentant désespérément de se relever pour fuir le petit groupe rassemblé derrière la voiture qui l'avait renversé. De loin en loin, il poussait un cri horrible en se cambrant et en battant des membres.

Robbie Hastings se gara sur l'étroite bande du bas-côté. Il ordonna à Frank de rester dans la voiture, et sortit dans le tumulte : le poney, les conversations, les cris… Alors qu'il approchait, une des personnes du groupe se détacha pour venir à grands pas à sa rencontre. Un homme en jean, bottes en caoutchouc et tee-shirt. Le jean était usé avec des taches marron aux genoux.

Rob le reconnut : il l'avait vu certains soirs au Queen's Head. Il s'appelait Billy Rodin, et il travaillait comme jardinier à plein temps dans une des grandes demeures le long de la route. Rob ne savait pas laquelle.

— Des Américains.

Billy tressaillit en entendant hennir l'étalon et indiqua du pouce le reste du groupe. Ils étaient quatre :

deux couples d'âge moyen. Une des femmes pleurait, et l'autre tournait le dos à la scène en se mordant le poing.

— Ils se seraient embrouillés.

— Ils roulaient du mauvais côté ?

— Plus ou moins. Une voiture surgie trop vite dans le virage.

Billy désigna l'endroit d'où venait Rob.

— Ils ont été surpris. Ils ont viré à droite au lieu de virer à gauche, puis ils ont essayé de redresser et l'étalon était là. Je leur aurais bien passé un savon, mais regardez dans quel état ils sont…

— Où est l'autre véhicule ?

— Il ne s'est pas arrêté.

— Numéro de plaque ?

— Pas pu voir. J'étais là-bas.

Billy montra un des murs de brique qui bordaient la petite route, à une cinquantaine de mètres.

Rob hocha la tête et alla regarder l'étalon, qui se mit à hurler. Un des deux Américains arriva. Il portait des lunettes noires, un polo orné d'un logo, un bermuda et des sandales.

— Bon Dieu, je suis désolé. Je peux vous aider à le monter dans le fourgon ou quelque chose ?

— Hein ? fit Rob.

— Le fourgon… Peut-être que si on lui soutenait l'arrière-train ?

Rob comprit que l'homme croyait qu'il avait apporté le van pour le pauvre animal qui gisait devant eux, dans le but, peut-être, de le conduire chez le vétérinaire. Il secoua la tête.

— Il faut que je l'abatte.

— On ne peut pas… ? Y a pas de véto dans les parages ? Oh merde. Oh putain. Ce type vous a raconté ce qui s'est passé ? Il y a eu cette voiture et j'ai complètement déconné parce que…

— Il m'a raconté.

Rob s'accroupit pour examiner le poney de plus près : l'animal roulait les yeux et de l'écume s'échappait de sa bouche. Rob était ulcéré qu'il s'agisse d'un des étalons. Il le reconnut car, avec ses trois compagnons, il avait été transplanté dans son secteur seulement l'année dernière pour monter les juments : un jeune bai puissant avec une étoile sur le front. Il aurait dû vivre plus de vingt ans.

— Dites, fit l'homme, est-ce qu'on doit rester pendant que vous… ? Si je vous demande ça, c'est juste parce que Cath est déjà pas mal bouleversée et que si elle doit vous regarder supprimer ce cheval… Elle aime vraiment les animaux. Cet accident bousille carrément nos vacances – sans parler de l'avant de la voiture –, et on n'est arrivés en Angleterre qu'il y a trois jours.

— Allez au village.

Rob expliqua à l'homme comment s'y rendre.

— Attendez-moi au Queen's Head. Vous le verrez sur la droite. Vous avez sûrement des coups de fil à passer, pour la voiture.

— Dites, on est vraiment dans le pétrin ? Est-ce que je peux arranger les choses d'une manière ou d'une autre ?

— Vous n'aurez pas d'ennuis. Juste des formalités…

Le poney hennit de façon atroce. On aurait dit un hurlement.

— Faites quelque chose, faites quelque chose ! cria une des femmes.

— Le Queen's Head. Très bien, dit l'Américain en hochant la tête.

Puis aux autres :

— Allez. On y va.

Ils déguerpirent aussi sec, laissant Rob, l'étalon et Billy Rodin sur le bord de la route.

— Le mauvais côté du boulot, hein ? fit Billy. Pauvre bête...

Rob ne savait pas trop à qui l'expression s'appliquait le mieux : à l'Américain, à l'étalon ou à lui-même.

— Ça arrive trop souvent, surtout en été.

— Besoin d'aide ?

Non. Il allait abattre le malheureux animal et appeler les New Forest Hounds pour qu'ils viennent récupérer le cadavre.

— Vous n'avez pas besoin de rester.

— Bon, dans ce cas...

Billy Rodin retourna au jardinage qu'il avait quitté précipitamment.

Rob n'avait plus qu'à s'occuper de l'étalon. Il rejoignit son Land Rover pour prendre son pistolet. Deux poneys en moins d'une semaine... Les choses allaient de mal en pis. Il était censé protéger les animaux de cette forêt – surtout les poneys –, mais il ne voyait pas comment il pouvait faire si les gens n'apprenaient pas à les respecter. Il n'en voulait pas à ces pauvres idiots d'Américains. Ils ne roulaient sans doute même pas vite. Venus admirer les splendeurs du paysage, ils avaient peut-être été distraits une seconde par un détail ou un autre, mais Rob avait le sentiment que s'ils n'avaient pas été surpris par le véhicule en face, rien de tout cela ne serait arrivé. En ouvrant la portière du Land Rover, il répéta à Frank de rester dans la voiture, puis tendit le bras pour attraper le pistolet.

L'arme avait disparu. Il s'en rendit compte tout de suite et, l'espace d'un instant troublant, il s'imagina de manière ridicule qu'un des Américains avait dû la subtiliser, puisqu'ils étaient passés à côté du Land Rover en partant vers Burley. Puis il repensa aux enfants de Gritnam qu'il avait rencontrés quand il déchargeait les deux poneys pour les relâcher dans les bois. Cette pensée lui barbouilla l'estomac et il se rua dans l'habitacle pour y entamer une fouille frénétique. Il gardait toujours le pistolet à l'abri derrière le siège passager dans un étui camouflé prévu justement à cet effet. Mais il n'était pas là. Il n'était pas tombé sur le plancher, il n'était pas sous le siège, ni sous le siège du passager. Il repensa à la dernière fois qu'il s'en était servi – le jour où les deux inspecteurs de Scotland Yard l'avaient trouvé au bord de la route avec un autre poney blessé –, et il envisagea que l'un d'eux… peut-être le Noir, parce qu'il était noir… C'était une pensée horrible et il la regretta aussitôt. Derrière lui, l'étalon continuait à agiter ses membres et à pousser des cris.

Il empoigna le fusil. Seigneur, il avait horreur de cette méthode, mais il n'avait pas le choix. Il chargea l'arme et rejoignit le pauvre poney, repassant fiévreusement dans sa tête les images de ces derniers jours, essayant de se rappeler qui s'était approché du Land Rover…

Il aurait dû retirer le pistolet et le fusil de la voiture tous les soirs. Il avait été trop distrait : Meredith, les inspecteurs de Scotland Yard, sa propre visite au commissariat local, Gordon Jossie, Gina Dickens…

Quand avait-il retiré pour la dernière fois le pistolet et le fusil de sa voiture comme il était censé le faire ? Il n'aurait su le dire.

En tout cas, une chose était sûre. Il fallait qu'il retrouve cette arme.

Meredith Powell se tenait face à son patron, incapable de le regarder. Il avait raison et elle avait tort, il n'y avait pas à tortiller. Oui, elle avait exagéré. Oui, elle avait été déconcentrée. Oui, elle avait quitté le bureau sous les prétextes les plus dérisoires. Elle ne pouvait guère le nier, aussi se bornait-elle à hocher la tête. Elle se sentait humiliée comme jamais, même dans les pires moments où, il y avait des années à Londres, elle avait dû se rendre à l'évidence : l'homme à qui elle avait donné son amour n'était que l'indigne objet d'un fantasme féminin alimenté par le cinéma, par certains types de romans et par les agences de publicité.

— Je tiens donc à observer un changement, déclara Mr Hudson en conclusion de ses remarques. Pouvez-vous me garantir qu'il aura lieu, Meredith ?

Bien sûr qu'elle pouvait. C'était ce qu'il voulait l'entendre dire, alors elle le dit. Elle ajouta que son amie la plus chère et la plus ancienne avait été récemment assassinée à Londres et que c'était pour cette raison qu'elle était préoccupée, mais elle allait se ressaisir.

— Oui, oui, je suis désolé pour ça, fit Mr Hudson d'un ton abrupt, comme s'il était déjà au courant des détails de la mort de Jemima. Une vraie tragédie. Mais pour nous autres la vie continue, et elle ne risque pas de continuer si nous nous laissons abattre.

Non, non, bien sûr. Il avait raison. Elle était désolée de ne pas avoir accompli sa part de travail chez Gerber & Hudson, mais elle s'y remettrait dès le lendemain. Enfin, à moins que Mr Hudson ne veuille qu'elle reste tard ce soir pour rattraper le temps perdu, ce qu'elle ferait volontiers, sauf qu'elle avait une fillette de cinq ans à la maison et…

— Ce ne sera pas nécessaire.

Mr Hudson prit un coupe-papier pour se curer les ongles, raclant la crasse dessous avec une application qui écœura Meredith.

— Du moment que je revois l'ancienne Meredith à son poste demain.

Il la verrait, oh, il la verrait, jura-t-elle. Merci, Mr Hudson. J'apprécie la confiance que vous m'accordez.

Quand il la congédia, elle regagna sa table de travail. C'était la fin de journée, et elle aurait pu rentrer chez elle. Mais partir si vite après la réprimande de son patron n'aurait pas fait bonne impression, quelle que soit la manière dont il avait clos l'entretien. Elle avait intérêt à passer au moins une heure de plus que d'habitude à plancher sur sa tâche du moment.

Excepté, bien sûr, qu'elle avait oublié quelle était cette tâche. Et que c'était justement ce que lui reprochait Randall Hudson.

Elle avait une pile de messages téléphoniques sur son bureau. Elle les passa en revue dans l'espoir de trouver un indice. Ils contenaient des noms assortis à des questions précises, et elle aurait pu commencer certaines vérifications, étant donné que tout le monde ou presque semblait s'inquiéter de la façon dont avançait ce projet-ci ou ce projet-là. Mais son cœur n'y était pas, et son esprit refusait totalement de coopérer. Elle avait des préoccupations bien plus importantes que la combinaison de couleurs qu'elle recommanderait pour la publicité du nouveau groupe de lecture d'une librairie locale...

Elle mit les messages de côté. Elle rangea un peu son bureau. Elle faisait tout pour paraître concentrée tandis que ses collègues lui disaient au revoir en partant, mais ses pensées étaient comme une volée d'oiseaux qui décrivaient des cercles, se posaient un instant pour picorer puis reprenaient leur vol. En l'occurrence, c'était autour de Gina Dickens que ses pensées-oiseaux décrivaient des cercles, mais il y avait beaucoup trop d'endroits où atterrir, et aucun assez solide pour s'y poser, ou assez sûr pour échapper aux prédateurs.

Comment aurait-il pu en être autrement ? se demanda Meredith. Pour tout ce qui touchait à Gina, elle avait été surclassée dès le départ.

Elle se força à repenser à toutes les occasions où elle avait eu affaire à la jeune femme, et se sentit bernée de bout en bout. À vrai dire, Gina avait lu en elle aussi facilement qu'en Cammie. Elle n'avait pas plus de jugeote et encore moins d'artifice qu'une gamine de cinq ans, et il n'avait pas fallu dix minutes à Gina Dickens pour s'en apercevoir.

Gina avait tout compris le premier jour, quand Meredith était arrivée au cottage avec ce stupide gâteau à moitié fondu. Gina avait prétendu ne rien savoir concernant Jemima, et Meredith l'avait crue sur parole. Puis, en l'entendant affirmer que le programme pour jeunes filles en danger n'en était qu'au stade embryonnaire, elle l'avait crue aussi. Tout comme elle avait cru que c'était Gordon Jossie – et non Gina elle-même, ce qui, à bien y regarder, était plus vraisemblable – qui était allé à Londres justement le jour où Jemima était morte. Tout comme elle avait cru que c'était Gordon Jossie – et non Gina elle-même – qui avait causé les contusions sur le corps de la jeune femme. Quant à tout ce que Gina avait prétendu au sujet d'un lien unissant le commissaire divisionnaire Whiting et Gordon… Gina aurait pu raconter qu'ils étaient deux siamois débarqués de la planète Mars, Meredith l'aurait certainement crue.

Il ne lui restait qu'une solution. Meredith avertit sa mère qu'elle serait un tout petit peu en retard car elle devait s'arrêter quelque part. Par chance, cette escale se trouvait sur son parcours, aussi n'avait-elle pas à s'inquiéter. Et fais un baiser et un câlin à Cammie pour moi, s'il te plaît.

Elle rejoignit sa voiture et mit le cap sur Lyndhurst. Elle enclencha une cassette de développement personnel pour l'accompagner sur l'A31. Elle répéta les affirmations grandiloquentes vantant ses capacités, sa valeur en tant qu'être humain et son aptitude à opérer un changement dans sa vie.

Alors qu'elle approchait de Lyndhurst, les habituels bouchons de fin de journée ralentirent sa progression sur Bournemouth Road. Les feux rouges de la grand-rue n'arrangèrent pas les choses, mais répéter ces formules pleines d'assurance aidait Meredith à focaliser son attention, de sorte que quand elle atteignit enfin le commissariat, elle était gonflée à bloc et résolue à faire aboutir ses revendications : il fallait à tout prix que la police réagisse.

Elle s'attendait à être refoulée. Elle pensait que le constable à l'entrée la reconnaîtrait et qu'il lui annoncerait, avec force roulements d'yeux, qu'elle ne pouvait pas voir le commissaire divisionnaire sans rendez-vous. Après tout, ce n'était pas un centre d'accueil où on pouvait débarquer n'importe quand. Zachary Whiting avait des choses plus importantes à faire que de recevoir toutes les hystériques qui se présentaient au poste de police.

Mais il n'en fut rien. Le constable à l'entrée la pria de s'asseoir, disparut dans le couloir pendant moins de trois minutes, puis revint en lui demandant de le suivre, car même si le commissaire divisionnaire s'apprêtait à rentrer chez lui, en entendant le nom de Meredith, il s'était souvenu de sa précédente visite – elle lui avait donc bien donné son nom – et avait demandé qu'on la conduise dans son bureau.

Elle vida son sac. Elle lui raconta tout de A à Z sur Gina Dickens. Elle garda le meilleur pour la fin, lui confiant qu'elle avait engagé un détective privé à Ringwood, et lui rapportant ce que ce détective privé avait découvert au sujet de Gina.

Whiting prit des notes tout du long. À la fin, il demanda si cette Gina Dickens était bien la femme qui l'avait accompagnée au commissariat de Lyndhurst la dernière fois, avec des preuves semblant indiquer qu'un certain Gordon Jossie se trouvait à Londres au moment où son ancienne compagne avait été assassinée. Il s'agissait bien de cette femme, n'est-ce pas ?

En effet, confirma Meredith. Et elle avait conscience, dit-elle au commissaire Whiting, de l'impression que cela donnait : qu'elle-même était une cinglée de la plus belle eau. Mais elle avait eu de bonnes raisons de fouiller dans le passé de Gina, parce que tout ce que lui avait raconté cette femme était louche depuis le début, et l'important, n'est-ce pas, c'était que désormais ils savaient que chaque parole proférée par cette femme était un mensonge. Elle avait même menti au sujet du commissaire et de Gordon Jossie. Elle avait dit que lui – Whiting lui-même ! – avait rendu plusieurs visites mystérieuses à Gordon.

Ah bon, elle avait dit ça ? Whiting fronça les sourcils. On allait examiner la chose, lui assura-t-il. Il allait s'occuper de cette affaire personnellement. Il y avait manifestement anguille sous roche, et étant donné qu'il avait accès à des outils d'investigation bien plus perfectionnés que les détectives privés, Meredith pouvait se reposer sur lui.

— Mais allez-vous vraiment faire quelque chose au sujet de cette femme ? demanda-t-elle.

Bien sûr, lui affirma Whiting. Elle ne devait plus se faire de souci. Il était conscient de l'urgence de la situation, d'autant plus que celle-ci avait trait à un meurtre.

Alors Meredith repartit. Elle se sentait sinon enjouée, du moins relativement soulagée. Elle avait fait quelque chose pour tenter de résoudre le problème Gina Dickens, et elle se sentait un peu moins sotte de s'être laissé séduire – il n'y avait pas d'autre mot – par les mensonges de la jeune femme.

Il y avait une voiture dans l'allée de ses parents à Cadnam. Elle ne la reconnut pas, et sa présence la fit hésiter. Elle envisagea un instant l'éventualité qu'elle envisageait toujours, et s'en voulait d'envisager, chaque fois que survenait un imprévu qui pouvait concerner Cammie : le père de sa fille avait décidé de lui rendre visite. Ce n'était jamais le cas, mais pas moyen de s'empêcher de gamberger.

À l'intérieur de la maison, elle fut surprise de voir la détective privée de Ringwood assise à la table de la cuisine avec une tasse de thé et une assiette de biscuits aux figues devant elle. Cammie trônait sur ses genoux, et Michele Daugherty lui faisait la lecture. Pas un livre pour enfants : Cammie ne s'intéressait pas du tout aux histoires d'éléphants, de bambins, de petits chiens ou de petits lapins. Non, la détective était en train de lire à Cammie une biographie non autorisée de Plácido Domingo. La fillette avait tenu à ce que sa mère achète ce livre quand elle l'avait vu dans une librairie de Ringwood et avait reconnu sur la couverture un de ses ténors préférés.

Debout au fourneau, la mère de Meredith préparait des frites et des bâtonnets de poisson pour le repas de Cammie. Elle annonça inutilement à sa fille :

— Nous avons une visiteuse, trésor. Ça suffira pour l'instant, Cammie. Remets Plácido sur l'étagère, tu seras mignonne. On reprendra après le bain.

— Mais, mamie…

— Camille !

Meredith avait employé son ton autoritaire. Cammie fit une grimace mais glissa des genoux de Michele Daugherty et se dirigea d'un pas théâtral vers la salle de séjour.

La détective lança un coup d'œil en direction du fourneau. Meredith estima que des civilités s'imposaient en attendant que le repas soit prêt. Étant donné qu'elle ignorait si sa mère avait été informée de la profession de Michele Daugherty, elle jugea préférable de patienter pour interroger la visiteuse.

Janet Powell, par malheur, prenait son temps, sans doute dans l'espoir de découvrir pour quelle raison cette inconnue était venue voir sa fille. Elles avaient épuisé les menus propos, et Janet Powell continuait à cuisiner. Meredith n'avait plus qu'à proposer à Michele Daugherty d'aller admirer le jardin de derrière. Michele accepta avec empressement. Janet Powell décocha un regard à sa fille : *De toute façon, je saurai…*

Dieu merci, au moins, il y avait un jardin de derrière. Les parents de Meredith partageaient la passion des roses, et celles-ci étaient en pleine floraison. Les époux Powell s'attachant à planter des roses parfumées et non pas simplement dotées de belles couleurs, leurs effluves étaient entêtants : impossible de ne pas les remarquer et de ne pas s'extasier… Michele Daugherty fit les deux, avant d'attraper Meredith par le bras et de l'entraîner le plus loin possible de la maison.

— Je ne pouvais pas vous téléphoner, dit-elle.

— Comment avez-vous su où me trouver ? Je ne vous avais pas dit où…

— Ma chère, vous m'avez bien engagée parce que je suis détective privée, non ? Vous croyez que c'est très difficile de trouver quelqu'un qui n'a pas peur qu'on le trouve ?

Évidemment, songea Meredith. On ne pouvait pas dire qu'elle se cachait. Automatiquement, elle pensa à la personne qui, elle, se cachait.

— Vous avez découvert… ?

Elle laissa sa phrase en suspens et attendit que la femme la termine à sa place.

— La chose est délicate, dit la détective. Il faut se montrer prudent. C'est pourquoi je ne pouvais pas vous appeler. Je me méfie du téléphone à mon bureau ; quant aux portables, ils sont à peu près aussi risqués. Écoutez, ma chère. J'ai poursuivi mes recherches après votre départ. J'ai attaqué l'autre nom, Gordon Jossie.

Meredith sentit un frisson lui parcourir les bras.

— Vous avez découvert quelque chose, murmura-t-elle. Je le savais.

— Ce n'est pas ça.

Michele lança des regards autour d'elle, comme si elle s'attendait à voir quelqu'un enjamber le mur de brique et foncer sur elle à travers les rosiers.

— Ce n'est pas ça du tout.

— D'autres choses sur Gina Dickens, alors ?

— Non plus. J'ai reçu une visite des flics, ma chère. Un homme du nom de Whiting s'est pointé. Il m'a fait comprendre en des termes très clairs ayant un rapport évident avec mon autorisation d'exercer que je ne devais en aucun cas mettre mon nez dans les affaires d'un type nommé Gordon Jossie. « Tout est sous contrôle », a-t-il prétendu.

— Dieu soit loué, soupira Meredith.

Michele Daugherty fronça les sourcils.

— Comment ça ?

— Je suis passée le voir en rentrant cet après-midi. Le commissaire divisionnaire Whiting. Je lui ai raconté ce que vous aviez découvert sur Gina Dickens. Et je lui avais déjà parlé de Gordon. J'étais déjà allée le voir pour ça. Avant de m'adresser à vous, en fait. J'avais essayé de l'intéresser à ce qui se passait, mais…

— Vous ne me comprenez pas, dit Michele Daugherty. Le commissaire divisionnaire Whiting est venu me voir ce matin. À peine une heure après votre départ. J'avais entamé mes recherches mais je n'avais pas encore beaucoup avancé. Je n'avais même pas appelé la police locale. Ni aucune autre, d'ailleurs. Vous l'avez prévenu par téléphone que j'enquêtais ? Avant de le voir cet après-midi ?

Meredith fit non de la tête. Elle ne se sentait pas très bien.

Michele baissa la voix.

— Vous comprenez ce que cela signifie ?

Meredith en avait une vague idée mais elle n'avait pas envie de l'exprimer tout haut.

— Vous veniez seulement de vous y mettre quand il a débarqué ? Ça signifie quoi, exactement ?

— Ça signifie que je suis allée dans les banques de données nationales. Ça signifie qu'entrer le nom de Gordon Jossie dans ces banques de données nationales a déclenché des alarmes quelque part et fait rappliquer le commissaire divisionnaire Whiting sur le pas de ma porte. Ça signifie qu'il y a une énorme anguille sous roche. Ça signifie que je ne peux plus vous aider.

Barbara Havers se rendit directement à la ferme de Gordon Jossie. Elle arriva là-bas en fin d'après-midi sans être interceptée par un appel d'Isabelle Ardery, ce dont elle bénit le ciel. Elle espérait juste que l'inspecteur Lynley intercéderait en sa faveur auprès de la commissaire intérimaire lorsque celle-ci s'apercevrait que son sergent était parti pour le Hampshire. Sinon, elle était cuite.

Pas de voitures dans l'allée qui longeait le cottage. Barbara se gara et, pour faire bonne mesure, frappa à la porte de derrière, même si elle se doutait qu'il n'y avait personne. Ce n'était pas grave. Elle allait pouvoir jeter un coup d'œil alentour. Elle rejoignit la grange et essaya d'ouvrir la grande porte coulissante. Elle n'était pas fermée à clé. Elle la laissa entrebâillée pour avoir un peu de lumière.

Il faisait frais à l'intérieur, avec une odeur de moisi mêlant la pierre, la poussière et le torchis. La première chose qu'elle vit fut une voiture ancienne, bicolore, comme c'était la mode dans les années 1950. Elle était en parfait état et on aurait cru que quelqu'un venait tous les jours lui donner un coup de chiffon. Barbara alla l'examiner de plus près. Une Figaro. Italienne ? L'inspecteur Lynley le saurait, fan de bagnoles comme il l'était. En ce qui la concernait, elle n'avait jamais vu un modèle pareil. L'auto n'étant pas verrouillée, elle l'inspecta de fond en comble, regardant sous les sièges ainsi que dans la boîte à gants. Rien d'intéressant.

La Figaro était garée au fond du bâtiment, pour laisser l'accès libre au reste de la grange. Celle-ci contenait un grand nombre de caisses dépourvues de couvercle, qui avaient sans doute un lien avec la profession de Jossie. Elle alla vérifier.

Il y avait des crochets à foison. Pas étonnant, puisqu'ils constituaient un accessoire indispensable au chaumier. Il n'était pas sorcier non plus de comprendre comment on s'en servait. Le bout recourbé se plaçait sur une extrémité de la botte et maintenait les roseaux. Le bout en pointe s'enfonçait dans les chevrons en dessous. Dans le domaine criminel, l'utilisation du crochet était tout aussi facile à deviner. Le bout recourbé tenait lieu de manche et le bout pointu transperçait la victime.

Ce qui était intéressant avec les crochets de Jossie, c'est qu'ils n'étaient pas tous pareils. Parmi les caisses en bois, trois contenaient des crochets, mais dans chacune les pointes étaient taillées différemment. Dans une caisse, elles avaient été coupées en biseau. Dans une autre, elles avaient été fabriquées en tournant et en martelant le fer à quatre reprises à la sortie du feu. Dans la troisième, une pointe plus lisse avait été obtenue en faisant rouler le fer quand il était encore fondu. L'objectif était le même dans chaque cas, mais le moyen de l'atteindre constituait la griffe du forgeron. Pour une citadine comme Barbara, le fait que, de nos jours, ces instruments soient fabriqués à la main était on ne peut plus extraordinaire. Ils lui donnaient l'impression de remonter dans le temps. Mais bon, à ce compte-là, les toits de chaume aussi.

Elle devait appeler Winston. Il était sans doute dans la salle des opérations à cette heure de la journée : il pourrait examiner de près la photo de l'arme du crime et lui décrire la pointe. Cela ne signerait pas la culpabilité de qui que ce soit dans l'affaire Jemima, mais au moins ils pourraient savoir si les crochets de Jossie présentaient une ressemblance avec celui qui avait été utilisé pour tuer son ancienne compagne.

Elle gagna la porte de la grange pour aller chercher son portable dans sa voiture. Dehors, elle entendit le bruit d'un véhicule dans l'allée, le claquement vif d'une portière et l'aboiement d'un chien. Gordon Jossie venait de rentrer du boulot. Il n'allait pas être ravi de la trouver en train de rôder dans les parages.

En effet. Jossie arriva vers elle à grands pas, et malgré la casquette de base-ball qui plongeait dans l'ombre une partie de son visage, Barbara comprit à la rougeur de son teint qu'il n'était pas content.

— Bon sang, qu'est-ce que vous fabriquez ?

— Jolie réserve de crochets que vous avez là...
Vous vous les procurez où ?

— Qu'est-ce que ça change ?

— Incroyable qu'ils soient encore faits à la main.
Car ils sont faits à la main, n'est-ce pas ? J'aurais cru
que de nos jours ils seraient fabriqués en usine, avec la
révolution industrielle et tout ça. Vous ne pouvez pas
vous les procurer en Chine, ou en Inde, peut-être ? Il y
a forcément des usines qui les produisent en masse.

Le golden retriever – absolument nul comme chien
de garde – semblait l'avoir reconnue. La chienne
bondit pour lui lécher la joue. Barbara lui tapota la tête.

— Tess ! cria Jossie. Ça suffit ! Va-t'en !

— Pas de problème, dit Barbara. En général je préfère les hommes, mais faute de mieux, une chienne, ça
peut aller.

— Vous ne m'avez pas répondu.

— On est quittes, alors. Vous ne m'avez pas
répondu non plus. Pourquoi les crochets sont-ils faits à
la main ?

— Parce que les autres sont merdiques et que je ne
travaille pas avec des outils merdiques. Je mets beaucoup de soin dans mon travail.

— On a ça en commun.

La remarque ne l'amusa pas.

— Qu'est-ce que vous voulez ?

— Vous les faites faire chez qui ? Un artisan du
coin ?

— Il y en a un du coin. Sinon, les autres sont en Cornouailles et dans le Norfolk. On a besoin de plusieurs
fournisseurs.

— Pourquoi ?

827

— C'est évident. Il en faut des tas pour faire un toit et on ne peut pas se retrouver à court au milieu d'un chantier. Vous allez me dire pourquoi on discute de ces crochets ?

— J'envisage un changement de carrière.

Barbara récupéra son sac dans la Mini. Elle en sortit ses Players et demanda :

— Je peux ?

Elle lui en offrit une, mais il refusa. Elle alluma la sienne et observa le maître chaumier. Cette série de gestes lui laissa le temps de se demander pourquoi Jossie lui posait autant de questions qu'elle-même lui en posait. Il était soit très malin, soit très… très innocent du crime, peut-être ? Mais elle avait assez de métier pour savoir que les criminels étaient des criminels parce qu'ils étaient justement très doués dans cette fonction. Parler à l'un d'eux équivalait à danser en costume d'époque dans une dramatique télé : il fallait connaître les pas et leur enchaînement précis.

— Où est notre belle amie ? lui demanda Barbara.

— Aucune idée.

— Elle aurait déménagé ?

— Je n'ai pas dit ça. Vous pouvez voir par vous-même que sa voiture n'est pas là, alors…

— Celle de Jemima est là, pourtant. C'est bien sa voiture dans la grange ?

— Elle l'a laissée.

— Pourquoi ?

— Pas la moindre idée. Elle comptait sûrement revenir la chercher quand elle en aurait besoin, ou quand elle aurait un endroit pour la mettre. Elle ne m'a pas dit, et je n'ai pas demandé.

— Pourquoi ?

828

— Bon Dieu, qu'est-ce que ça peut faire ? Qu'est-ce que vous voulez ? Qu'est-ce que vous faites ici ?

Il regarda autour de lui comme s'il cherchait ce qu'elle avait derrière la tête : son regard navigua de la grange vers le paddock ouest, puis vers le paddock est, et de là vers le cottage.

La chienne sentit son agitation et se mit à aller et venir, regardant tantôt son maître, tantôt Barbara. Au bout d'un moment, elle jappa une fois et mit le cap sur la porte arrière du cottage.

— Je crois que votre chienne a faim, dit Barbara à Jossie.

— Vous n'allez pas m'apprendre à m'en occuper.

Il gagna le cottage et disparut à l'intérieur. Barbara en profita pour aller récupérer le magazine qu'elle avait emprunté à Lynley lors de leur rendez-vous sur l'aire d'autoroute. Elle le roula et marcha vers le cottage, dans lequel elle entra.

Jossie était dans la cuisine, où la chienne engloutissait un bol de croquettes. Debout près de l'évier, il regardait par la fenêtre. Celle-ci donnait sur son pick-up, la voiture de Barbara et le paddock, derrière. La dernière fois, elle s'en souvenait, il y avait des animaux dedans.

— Où sont passés les chevaux ?

— Les poneys, rectifia-t-il.

— Il y a une différence ?

— Retournés dans la forêt, je présume. Je n'étais pas là quand il est venu les chercher.

— Qui ça ?

— Rob Hastings. Il a dit qu'il viendrait les chercher. Maintenant ils ne sont plus là. On peut supposer qu'il les a relâchés dans la forêt : ils ne risquaient pas de sortir tout seuls du paddock.

— Qu'est-ce qu'ils faisaient là ?

Il se tourna vers elle.

— La séance de questions au Premier ministre est terminée.

Pour la première fois, sa voix était menaçante, et Barbara entrevit l'homme qu'il était véritablement sous ces dehors si maîtrisés. Elle tira sur sa cigarette en se demandant si elle courait un danger. Arrivant à la conclusion qu'il n'allait pas la zigouiller ici dans sa cuisine, elle s'approcha de lui, fit tomber sa cendre dans l'évier et dit :

— Asseyez-vous, Mr Jossie. J'ai quelque chose à vous montrer.

Son visage se durcit. Elle crut d'abord qu'il allait refuser, mais il rejoignit bientôt la table et s'assit lourdement sur une chaise. Il enleva sa casquette et ses lunettes de soleil.

— Quoi, fit-il.

Pas même une question. Son ton était exténué.

Barbara déroula le magazine. Elle retrouva les pages mondaines, prit place en face de lui et orienta le magazine de façon qu'il puisse le voir. Elle ne dit rien.

Il jeta un coup d'œil sur les photos puis sur elle.

— Quoi ? répéta-t-il. Des snobinards qui boivent du champagne. C'est censé m'intéresser ?

— Regardez de plus près, Mr Jossie. Il s'agit du vernissage d'une exposition de photos à la Portrait Gallery. Je pense que vous savez de quelle exposition je parle.

Il regarda à nouveau. Elle vit qu'il examinait en particulier la photo de Jemima posant avec Deborah Saint

James, mais ce n'était pas celle-là qui comptait. Elle lui indiqua l'image où figurait Gina Dickens.

— Nous savons tous les deux de qui il s'agit, n'est-ce pas, Mr Jossie ?

Il ne souffla mot. Elle le vit déglutir, mais ce fut sa seule réaction. Il ne leva pas les yeux et il ne bougea pas. Elle regarda sa tempe mais n'y repéra aucune pulsation. Rien du tout. Elle ne s'attendait pas à cela. Il était temps de le bousculer un peu.

Elle attaqua :

— Personnellement, je crois aux coïncidences. Au synchronisme. Appelez ça comme vous voudrez. Ces choses-là arrivent, on ne peut pas le contester, pas vrai ? Mais admettons que la présence de Gina Dickens à ce vernissage n'ait pas été une coïncidence… Cela voudrait dire qu'elle avait une bonne raison de se trouver là. D'après vous, quelle était cette raison ?

Il ne répondit pas, mais Barbara savait qu'il réfléchissait à toute vitesse.

— Peut-être qu'elle est dingue de photographie, reprit Barbara. J'imagine que c'est possible. Après tout, j'aime bien ça moi-même. Peut-être qu'elle passait par hasard dans le quartier et qu'elle s'est dit qu'elle pourrait se taper à l'œil un verre de champ et un ou deux petits-fours. J'en suis bien consciente moi aussi. Mais il y a une autre possibilité, et je pense que vous et moi nous savons laquelle, Mr Jossie.

— Non.

Sa voix était un peu rauque. Parfait, se dit Barbara.

— Si, insista-t-elle. Peut-être qu'elle avait une bonne raison de se trouver là. Peut-être qu'elle connaissait Jemima Hastings.

— Non.

— Elle ne la connaissait pas ? Ou bien vous n'arrivez pas à croire qu'elle la connaissait ?

Il resta muet.

Barbara sortit sa carte de visite, inscrivit son numéro de portable au verso et la fit glisser vers lui sur la table.

— Je veux parler à Gina. Je veux que vous m'appeliez quand elle rentrera.

29

Isabelle était restée au St. Thomas' Hospital la majeure partie de l'après-midi, à explorer les méandres de l'esprit de Yukio Matsumoto, quand elle ne se bagarrait pas avec son avocate et ne faisait pas de promesses qu'elle n'était aucunement autorisée à faire. Résultat des courses, en fin de journée, elle avait un scénario incohérent de ce qui s'était passé dans le cimetière d'Abney Park, ainsi que deux portraits-robots. Elle avait également douze messages sur sa boîte vocale.

Le bureau de Hillier avait appelé trois fois, ce qui n'augurait rien de bon. Le bureau de Stephenson Deacon avait appelé deux fois, ce qui était tout aussi mauvais signe. Elle sauta ces cinq messages, plus deux de Dorothea Harriman et un de son ex-mari. Il restait donc des messages de John Stewart, Thomas Lynley et Barbara Havers. Elle écouta ceux de Lynley. Il avait téléphoné deux fois, au sujet du British Museum, puis au sujet de Barbara Havers. Même si elle remarqua que sa voix distinguée de baryton lui procurait un vague réconfort, Isabelle ne prêta pas grande attention aux messages de l'inspecteur. Indépendamment des messages eux-mêmes, elle avait les boyaux à l'envers, et bien qu'il existât un moyen rapide de remettre à l'endroit aussi bien ses entrailles que ses nerfs, elle n'avait pas l'intention d'y avoir recours.

Elle retourna à Victoria Street. En chemin, elle téléphona à Dorothea Harriman pour lui demander de convoquer l'équipe dans la salle des opérations dès son arrivée. Harriman essaya comme de juste d'aborder la question de l'adjoint au préfet Hillier, mais Isabelle la coupa :

— Oui, oui, je sais. Il m'a appelée. Mais les priorités d'abord.

Elle raccrocha avant que Harriman n'ait le temps d'énoncer l'évidence : dans la tête de sir David, la première des priorités était de se plier aux désirs de sir David. Eh bien, les désirs de sir David attendraient. Elle devait réunir son équipe, c'était le plus important.

Ils étaient tous rassemblés lorsqu'elle arriva.

— Bon, dit-elle en entrant dans la pièce, on a des portraits-robots de deux individus qui se trouvaient dans le cimetière et qui ont été vus par Yukio Matsumoto. Dorothea est en train de les photocopier, vous en aurez très vite chacun un exemplaire.

Elle récapitula ce que lui avait raconté le violoniste au sujet de ce fameux jour dans le cimetière d'Abney Park : les faits et gestes de Jemima, les deux hommes qu'il avait vus et l'endroit où il les avait vus, et ses efforts pour aider Jemima quand il l'avait découverte blessée dans l'annexe de la chapelle.

— Manifestement, il a aggravé la blessure en retirant l'arme. Elle serait morte de toute façon, mais retirer l'arme a accéléré les choses. Ça l'a aussi complètement aspergé de sang.

— Et les cheveux à lui qu'on a retrouvés dans la main de Jemima ? demanda Philip Hale.

— Il ne se souvient pas qu'elle se soit accrochée à lui, mais il est possible qu'elle l'ait fait.

— Et il est possible qu'il mente, souligna John Stewart.

— Lui ayant parlé…

— On se fout de ses histoires.

Stewart roula en boule une feuille de papier qu'il jeta sur son bureau.

— Pourquoi il n'a pas appelé la police ? reprit-il. Cherché du secours ?

— C'est un schizophrène paranoïaque, John. Je ne crois pas qu'on puisse attendre de lui un comportement rationnel.

— Mais on peut attendre de lui des portraits-robots exploitables ?

Isabelle remarqua la nervosité de ses agents. Le ton de Stewart était, comme d'habitude, à la limite du narquois. Elle allait devoir le remettre à sa place.

Harriman pénétra dans la pièce, les photocopies à la main. Elle murmura à l'oreille d'Isabelle que le bureau de l'adjoint au préfet avait encore téléphoné : ils savaient apparemment que la commissaire intérimaire Ardery était revenue dans les murs. Est-ce qu'elle… ?

Elle était en réunion, répliqua Isabelle. Elle contacterait l'adjoint au préfet en temps utile.

Dorothea la regarda comme si elle délirait, mais elle ne pipa mot et s'esquiva aussi vite que le lui permettaient ses talons hauts.

Isabelle distribua les portraits-robots fournis par Matsumoto. Elle avait prévu la réaction de ses agents et s'empressa de leur couper le sifflet :

— Nous avons deux hommes. L'un des deux, notre victime est allée le retrouver aux alentours de la chapelle, dans la clairière, sur un banc en pierre où elle l'a apparemment attendu. Ils ont discuté un certain temps. Puis il l'a quittée, et elle était alors en vie et indemne. D'après Matsumoto, Jemima a répondu à un coup de fil à la fin de sa conversation avec ce type. Peu après, elle a disparu sur le côté de la chapelle, hors de son champ de vision. C'est seulement quand le deuxième homme est apparu, venant de l'endroit où s'était éclipsée Jemima, que Yukio est allé voir où elle était. Il est tombé alors sur l'annexe de la chapelle et il a découvert Jemima blessée à l'intérieur. Où en sommes-nous des antennes-relais, John ? Si on peut déterminer d'où provenait l'appel qu'elle a reçu juste avant d'être agressée…

— Bon Dieu. Ces portraits-robots…

— Attendez, le coupa Isabelle.

C'était John Stewart qui avait parlé – il suivait évidemment sa propre pensée au lieu de répondre à la question de sa supérieure –, mais elle devina à l'expression du sergent Nkata que lui aussi souhaitait intervenir. Philip Hale remuait nerveusement et Lynley était allé se poster près des tableaux d'affichage pour regarder quelque chose, à moins que ce ne soit pour dissimuler sa propre expression, certainement très inquiète. Il pouvait être inquiet. Elle l'était elle-même. Les portraits-robots étaient pratiquement inutilisables, mais il était exclu qu'elle l'admette.

— Ce deuxième homme est brun, déclara-t-elle. Ce qui correspond à trois de nos suspects : Frazer Chaplin, Abbott Langer et Paolo di Fazio.

— Ils ont tous des alibis, parvint à glisser Stewart, les énumérant sur ses doigts. Chaplin chez lui, confirmé par McHaggis ; di Fazio à son stand du Jubilee Market, confirmé par quatre autres tenanciers de stands, et sans doute vu par trois cents personnes ; Langer en train de promener des chiens dans le parc, confirmé par ses clients.

— Dont aucun ne l'a vu, John, le moucha Isabelle. Nous allons démolir ces foutus alibis. Un de ces types a enfoncé une pointe dans le cou d'une jeune femme, et nous allons le coincer. Est-ce que c'est clair ?

— À propos de cette pointe… intervint Nkata.

— Attendez, Winston, dit Isabelle, continuant sur sa lancée. N'oublions pas non plus ce que nous savons déjà des communications passées depuis le portable de la victime. Elle a appelé Chaplin trois fois et Langer une fois le jour de sa mort. Elle a pris un appel de Gordon Jossie et un autre de Jayson Druther – le marchand de cigares – le même jour et dans le créneau horaire où elle a été tuée. Après sa mort, son portable a enregistré des messages de son frère, à nouveau de Jayson Druther, de Paolo di Fazio et de Yolanda, la voyante. Mais pas d'Abbott Langer ni de Frazer Chaplin, qui correspondent tous les deux à la description de l'homme aperçu en train de quitter la zone du meurtre. Je veux qu'on recommence l'enquête de voisinage. Je veux qu'on montre ces portraits-robots dans chaque maison. Pendant ce temps, je veux qu'on vérifie à nouveau les vidéos de surveillance du secteur dans le but d'y repérer un scooter Vespa, de couleur vert-jaune, avec dessus des autocollants publicitaires pour DragonFly Tonics. Et je veux que cette question sur la Vespa soit incluse dans l'enquête de voisinage. Philip, vous coordonnerez ça avec le commissariat de Stoke Newington. Winston, je veux que vous planchiez sur les bandes des caméras de surveillance. John, vous…

— Enfin merde, c'est stupide ! s'écria John Stewart. Ces putains de portraits-robots ne valent rien. Regardez-les donc. Vous voulez nous faire croire qu'ils présentent une seule caractéristique précise… ? Le type brun ressemble à un méchant dans une série télé, et celui à la casquette et aux lunettes noires pourrait être une gonzesse. Vous croyez vraiment à l'histoire de ce bridé…

— Ça ira, inspecteur.

— Non, ça n'ira pas. On aurait arrêté quelqu'un si vous n'aviez pas poussé ce pauvre bougre à fuir au milieu des voitures, puis traînassé pour finalement découvrir qu'en fait ce n'était pas lui l'assassin. Vous avez merdé dans cette enquête depuis le début. Vous avez…

— Laisse tomber, John.

Si incroyable que cela paraisse, l'interruption venait de Philip Hale. Winston fit chorus en disant :

— Attends, mec…

— Vous feriez mieux de commencer à réfléchir à ce qui se passe, répliqua Stewart. Vous avez acquiescé à toutes les conneries qu'a débitées cette bonne femme, comme si on devait allégeance à cette foutue salope.

— Bon Dieu, mec, dit Philip Hale.

— Espèce de connard misogyne ! s'écria une des constables.

— Et toi tu reconnaîtrais pas un tueur s'il te tringlait, lui rétorqua Stewart.

Soudain, ce fut le chaos. Hormis Isabelle, il y avait cinq jeunes femmes dans la pièce, trois constables et deux dactylos. La constable la plus proche bondit de sa chaise, et une dactylo jeta son café à la figure de Stewart. Il allait lui foncer dessus, mais Philip Hale le retint. Il tenta de lui décocher un coup de poing. Nkata l'arrêta. Stewart s'en prit à lui.

— Espèce de sale nèg…

Nkata le gifla. Une gifle violente, rapide et sonore comme un claquement de fouet. La tête de Stewart fut projetée en arrière.

— Quand je te dis attends, tu attends, lui dit Nkata. Assieds-toi, ferme ta gueule, conduis-toi comme quelqu'un de sensé, et félicite-toi que je ne t'aie pas mis au tapis et que je ne t'aie pas pété le nez.

— Bravo, Nkata, s'exclama quelqu'un.

— Ça suffit, tout le monde, lança Isabelle.

Lynley l'observait depuis le tableau d'affichage. Il n'avait pas bougé. Elle lui en était reconnaissante. La dernière chose qu'elle voulait, c'était qu'il s'en mêle. Il était déjà assez ennuyeux que Hale et Nkata aient dû remettre Stewart à sa place alors que ce rôle lui incombait. Elle ordonna à ce dernier :

— Dans mon bureau. Attendez-moi là-bas.

Il sortit de la pièce en claquant la porte. Isabelle attendit pour reprendre :

— Bon, alors, qu'est-ce qu'on a d'autre ?

Jemima Hastings possédait une pièce en or – actuellement absente de ses effets personnels – ainsi qu'une cornaline, toutes deux d'origine romaine.

Barbara Havers avait reconnu l'arme du crime et…

— Où est le sergent Havers ? demanda Isabelle, s'apercevant enfin que Barbara n'était pas dans la pièce. Pourquoi n'est-elle pas là ?

Il y eut un silence, puis Winston Nkata répondit :

— Dans le Hampshire, chef.

Isabelle sentit ses traits se contracter.

— Le Hampshire, répéta-t-elle, sidérée.

— L'arme du crime est un crochet, reprit Nkata. Barb et moi, on en a vu dans le Hampshire… C'est un outil de chaumier. On a deux chaumiers là-bas dans le collimateur, et Barb a pensé…

— Merci, fit Isabelle.

— Un autre truc, c'est que les crochets sont fabriqués par des forgerons, poursuivit Nkata. Rob Hastings est forgeron et comme…

— J'ai dit merci, Winston.

Le silence se fit. Des téléphones sonnaient dans une autre pièce, et ce bruit soudain vint leur rappeler combien la réunion avait déraillé. Au milieu du silence, Lynley prit la parole, plaidant clairement la cause de Barbara Havers.

— Chef, elle a mis au jour un autre lien entre Ringo Heath, Zachary Whiting et Gordon Jossie.

— Et par quel miracle êtes-vous au courant ?

— Je lui ai parlé alors qu'elle était déjà partie pour le Hampshire.

— Elle vous a téléphoné ?

— C'est moi qui l'ai appelée. J'ai réussi à la joindre au moment où elle faisait une halte sur l'autoroute. Mais l'important c'est que…

— Vous ne dirigez pas les opérations, inspecteur Lynley.

— J'en suis bien conscient.

— D'où je déduis que vous êtes bien conscient aussi qu'il n'était pas de votre ressort d'encourager le sergent Havers à faire quoi que ce soit d'autre que ramener ses fesses à Londres. Je me trompe ?

Lynley hésita. Isabelle le fixa du regard. Le silence s'installa à nouveau dans la pièce. Seigneur, se dit-elle. D'abord Stewart, maintenant Lynley. Havers qui batifole dans le Hampshire. Nkata qui en vient aux mains avec un autre agent.

Lynley déclara avec prudence :

— Je m'en rends compte. Mais il y a un autre lien que Barbara a découvert, et je pense que vous serez d'accord pour dire qu'il mérite d'être examiné.

— Et quel est ce lien ?

Lynley lui parla d'un magazine et des photos qu'il contenait du vernissage de l'exposition Cadbury du Portrait photographique de l'année. Il lui précisa que Frazer Chaplin figurait sur ces photos, mais qu'on y voyait aussi, à l'arrière-plan, Gina Dickens. Il conclut par :

— Il m'a semblé préférable de la laisser aller dans le Hampshire. Au pire, elle pourra nous procurer des photos de Jossie, de Ringo Heath et de Whiting à montrer à Stoke Newington. Et à Matsumoto. Mais, connaissant Barbara, elle ne va sûrement pas s'en tenir là.

— Ça ne m'étonne pas, fit Isabelle. Merci, inspecteur. Je toucherai un mot au sergent plus tard.

Elle regarda les autres et, sur leurs visages, elle lut les différents stades du malaise.

— Vous avez tous vos tâches assignées pour demain. Nous nous reverrons l'après-midi.

Elle les quitta. Elle entendit qu'on l'appelait tandis qu'elle s'éloignait. Elle reconnut la voix de Lynley mais elle le congédia d'un geste.

— Je dois m'occuper de l'inspecteur Stewart, lui dit-elle, et ensuite de Hillier. Comme corvées, croyez-moi, ça suffira pour aujourd'hui.

Elle fila avant qu'il ait pu répondre. Isabelle n'avait pas atteint la porte de son bureau que Dorothea Harriman lui annonçait que l'adjoint au préfet venait de téléphoner en personne, et l'accent mis sur « en personne » traduisait le caractère pressant de la communication. Il laissait le choix à la commissaire : soit elle venait tout de suite dans son bureau, soit il venait dans le sien.

— J'ai pris la liberté… fit la secrétaire d'un ton qui en disait long. Parce que, sauf votre respect, commissaire principale Ardery, vous ne tenez pas à ce que l'adjoint au préfet se déplace…

— Prévenez-le que j'arrive.

John Stewart allait devoir attendre. Un instant, elle se demanda comment les choses pourraient encore empirer, mais elle se dit qu'elle n'allait pas tarder à le découvrir.

Le tout était de tenir le coup encore environ une heure. Isabelle se persuada qu'elle y parviendrait. Elle n'avait pas besoin de fortifiant pour ces ultimes soixante minutes au Yard. Elle en avait peut-être envie mais pas besoin. L'envie et le besoin étaient deux choses totalement différentes.

Quand elle arriva chez Hillier, Judi MacIntosh lui dit d'entrer tout de suite dans le bureau. L'adjoint au préfet l'attendait, désirait-elle du thé ou du café ? Isabelle accepta un thé avec du lait et du sucre. En réussissant à le boire sans que ses mains tremblent, elle démontrerait qu'elle gardait le contrôle de la situation.

Hillier était assis derrière son bureau. Il désigna sa table de réunion, et il lui précisa qu'ils allaient attendre l'arrivée de Stephenson Deacon. Hillier la rejoignit lorsqu'elle s'installa. Il avait plusieurs messages téléphoniques à la main, des morceaux de papier qu'il posa devant lui et fit mine d'étudier. La porte du bureau s'ouvrit au bout de deux minutes d'un silence tendu, et Judi MacIntosh surgit avec le thé d'Isabelle : tasse et soucoupe, pot à lait et sucre, cuillère en inox. Voilà qui serait moins commode qu'un gobelet en plastique ou en polystyrène. Quand elle la soulèverait, la tasse allait cliqueter sur la soucoupe et trahir sa nervosité. Très rusé, songea Isabelle.

— Je vous en prie, buvez votre thé, l'enjoignit Hillier.

Le ton devait être le même que pour Socrate avec la ciguë.

Elle prit du lait mais renonça au sucre. Le sucre aurait exigé qu'elle se serve habilement de la cuillère, et elle ne pensait pas en être capable. Déjà, lorsqu'elle mélangea le lait, le bruit de l'acier contre la porcelaine sembla lui crever les tympans. Elle n'osa pas porter la tasse à ses lèvres. Elle reposa la cuillère sur la soucoupe et attendit.

Stephenson Deacon les rejoignit moins de cinq minutes après, mais le temps lui parut plus long. Il la salua de la tête et se laissa tomber dans un fauteuil, plaçant un dossier en papier kraft devant lui. Ses cheveux étaient clairsemés et couleur souris. Il passa ses mains dedans en disant :

— Bon.

Après quoi il la regarda en face et ajouta :

— Il semble que nous ayons un léger problème, commissaire Ardery.

Le problème était double et le directeur du service de presse le leur exposa sans autres remarques préliminaires. Un, il y avait l'arrangement sans autorisation. Deux, le résultat dudit arrangement. Les deux étaient tout aussi préjudiciables à la Met.

Isabelle ne tarda pas à découvrir que « préjudiciable à la Met » n'avait rien à voir avec un réel préjudice. La police n'avait perdu aucun pouvoir sur le plan technique. Non, le préjudice subi par la Met était un préjudice porté à l'image de la Met, et chaque fois que l'image de la Met était entachée, cette souillure venait en général de la presse.

Cette fois-ci, les nouvelles colportées par la presse semblaient issues mot pour mot de Zaynab Bourne. Elle avait accepté avec enthousiasme l'accord proposé par la commissaire principale Isabelle Ardery au St. Thomas' Hospital : un accès sans entraves à Yukio Matsumoto en échange de l'aveu de la culpabilité de la Met quant à la fuite du Japonais et ses blessures ultérieures. La dernière édition de l'*Evening Standard* faisait son gros titre là-dessus, mais malheureusement le *Standard* ne racontait que la moitié de l'histoire, et c'était bien sûr la moitié culpabilité. LA MET RECONNAÎT SES TORTS, clamait le journal en énorme, avec, sous cette manchette, des photos du lieu de l'accident, des photos de l'avocate à la conférence de presse où elle avait fait cette annonce, et un cliché publicitaire de Hiro Matsumoto avec son violoncelle, comme si la victime de l'accident en question était lui et non pas son frère.

Maintenant que Scotland Yard avait reconnu son rôle dans les terribles blessures dont Yukio Matsumoto tentait héroïquement de guérir, avait déclaré

Mrs Bourne, elle allait étudier les dédommagements financiers dus à son client. On pouvait d'ailleurs remercier le ciel qu'aucun policier armé n'ait pris part à la poursuite de ce pauvre homme. Si les agents avaient été armés, elle était convaincue que Mr Matsumoto attendrait aujourd'hui sa mise en terre.

Isabelle imaginait que la véritable raison pour laquelle elle se trouvait dans le bureau de Hillier avec l'adjoint au préfet et Stephenson Deacon avait à voir avec l'indemnisation financière mentionnée par Zaynab Bourne. Fiévreusement, elle se remémora la conversation qu'elle avait eue avec l'avocate – l'échange avait eu lieu dans le couloir devant la chambre de Yukio Matsumoto –, et elle se rappela un élément que Bourne n'avait pas pris en compte avant de parler à la presse.

— Mrs Bourne exagère, monsieur, dit-elle, s'adressant à Hillier. Nous avons eu une conversation sur ce qui a conduit aux blessures de Mr Matsumoto, mais rien de plus. Je n'ai pas plus acquiescé à son analyse des circonstances que je n'ai proposé de me trancher les poignets devant des caméras de télévision.

Elle tressaillit intérieurement. Mauvaise métaphore visuelle... À voir l'expression de l'adjoint au préfet, il n'aurait été que trop content qu'elle se tranche les poignets ou même toute autre partie du corps.

— Je souligne que nous avons discuté seules.

Elle espérait qu'ils sauraient remplir les blancs : leur conversation n'avait pas eu de témoins. Peu importait ce que disait Zaynab Bourne. La Met pouvait se contenter de nier.

Hillier regarda Deacon. Deacon dressa un sourcil. Deacon regarda Isabelle. Isabelle poursuivit :

— En plus de cela, il y a la question non négligeable de la sécurité publique à considérer.

— Expliquez-vous, dit Hillier.

Il jeta un coup d'œil aux messages téléphoniques déployés en éventail sur la table. Ils émanaient sans doute de Bourne, des médias, et du supérieur de Hillier.

— Il y avait des centaines de gens à Covent Garden quand Mr Matsumoto s'est sauvé, déclara Isabelle. Il est vrai que nous l'avons pris en chasse et que Mrs Bourne peut soutenir que nous l'avons fait alors que nous savions qu'il s'agissait d'un schizophrène paranoïaque. Mais nous pouvons contrer cette affirmation par une affirmation plus importante : nous l'avons pris en chasse précisément pour cette raison. Nous le savions instable, mais nous le savions également impliqué dans un meurtre. Son propre frère l'avait identifié d'après le portrait-robot des journaux. En outre, nous avions des cheveux sur la victime dont nous savions qu'ils appartenaient à un Asiatique, et ce détail, ajouté à une description de ce même homme en train de fuir les lieux d'un meurtre très violent avec des vêtements en désordre…

Elle laissa sa phrase en suspens. La suite lui semblait implicite : la police n'avait pas d'autre choix que de se lancer à ses trousses.

— Nous ignorions totalement s'il était armé, conclut-elle. Il aurait très bien pu frapper à nouveau.

Hillier regarda Deacon une nouvelle fois. Ils communiquaient sans parler. À ce moment-là, Isabelle comprit que quelque chose avait d'ores et déjà été décidé entre eux et qu'elle se trouvait dans cette pièce pour entendre cette décision et non pour essayer de justifier ce qui était arrivé dans la rue. Hillier finit par prendre la parole.

— Les journalistes ne sont pas stupides, Isabelle. Ils sont parfaitement capables d'éplucher la chronologie des événements et de l'utiliser contre vous et, par conséquent, contre la Met.

— Monsieur ? fit-elle, sourcils froncés.

Deacon se pencha vers elle. Sa voix était patiente.

— Nous nous efforçons de ne pas opérer comme nos cousins américains, ma chère. Tirer d'abord et poser les questions après ? Ce n'est pas tout à fait notre style.

Son ton condescendant la hérissa.

— Je ne vois pas comment...

— Alors laissez-moi vous éclairer, la coupa Deacon. Quand vous lui avez donné la chasse, vous ignoriez totalement que les cheveux trouvés sur la victime appartenaient à un Asiatique, encore moins à Mr Matsumoto. Vous ignoriez tout aussi totalement qu'il était bien la personne qui avait fui les lieux du crime.

— Il s'est avéré que...

— Eh bien, oui, en effet. Et heureusement. Mais le problème, c'est la poursuite elle-même et le fait que vous ayez reconnu votre culpabilité dans ladite poursuite.

— Comme je l'ai dit, il n'y avait pas de témoin à la conversation que j'aie eue avec...

— Et c'est ce que vous voudriez que je déclare à la presse ? Notre parole contre la sienne ? C'est vraiment la meilleure riposte que vous ayez à proposer ?

— Monsieur, dit-elle, s'adressant maintenant à Hillier. Je n'ai pas eu le choix, à l'hôpital. Nous avions Yukio Matsumoto qui avait repris connaissance. Nous avions son frère et sa sœur qui avaient accepté de me

847

laisser lui parler. Et il m'a bel et bien parlé. Nous avons récolté deux portraits-robots, et si je n'avais pas conclu un marché avec l'avocate, nous n'aurions rien de plus que ce que nous avions hier.

— Ah oui, les portraits-robots, fit Deacon, ouvrant la chemise en kraft qu'il avait apportée.

Isabelle constata qu'il n'était pas venu sans biscuit : il avait déjà réussi à s'en procurer des copies. Il regarda les portraits-robots, puis regarda Isabelle. Il tendit les portraits-robots à Hillier. Hillier les examina. Il prit son temps. Tout en se tapotant le bout des doigts, il évalua les avantages – et les dommages – de l'accord d'Isabelle avec Zaynab Bourne. Il n'était pas plus bête qu'Ardery, que Deacon ou que les officiers chargés de l'enquête. Il tira sa conclusion, mais se garda de l'énoncer. Pas besoin. Il leva les yeux vers elle. Des yeux bleus, sans âme. Contenaient-ils aussi du regret ? Et, dans ce cas, quel était ce regret ?

— Vous avez deux jours pour boucler cette affaire. Après, je crois que nous pourrons considérer que votre séjour chez nous est terminé.

Lynley trouva la maison sans trop de difficultés bien qu'elle se situât au sud du fleuve, où une seule erreur pouvait vous faire atterrir sur la route de Brighton au lieu, par exemple, de celle du Kent ou du Cambridgeshire. Mais en l'occurrence, d'après le *Londres de A à Z*, la rue qu'il cherchait s'étirait juste entre la prison de Wandsworth et le cimetière de Wandsworth. *Sordide*, aurait dit sa femme. *Chéri, cet endroit a tout ce qu'il faut pour plaire aux suicidaires et aux dépressifs chroniques.*

Helen n'aurait pas été loin de la vérité, surtout concernant le bâtiment dans lequel Isabelle Ardery avait élu domicile. L'immeuble en soi n'était pas si abominable – malgré l'arbre agonisant sur le devant, et la dalle de béton autour qui en faisait justement un arbre agonisant –, mais Isabelle avait pris l'appartement en sous-sol et, la maison étant orientée au nord, on aurait dit un puits de mine. Lynley pensa aussitôt aux mineurs gallois, et ce avant même de mettre un pied à l'intérieur.

Il vit la voiture d'Isabelle dans la rue, donc elle était chez elle. Mais elle ne répondit pas à la porte quand il frappa. Il frappa à nouveau puis il cogna. Il cria son nom et, n'obtenant aucun résultat, il essaya la poignée pour constater que, folle imprudence, Isabelle ne s'était pas enfermée à clé. Il entra.

Il y avait peu de lumière, comme souvent dans les appartements en sous-sol. Un peu de jour filtrait à travers une fenêtre de cuisine crasseuse, censée apporter de la clarté non seulement à la cuisine mais aussi à la pièce qui la prolongeait et qui était apparemment la salle de séjour. Celle-ci présentait des meubles bon marché, suggérant une unique virée chez Ikea, rapidement expédiée. Canapé, fauteuil, table basse, lampadaire, sans oublier un tapis destiné à dissimuler les carences domestiques de l'occupante.

Il n'y avait rien de personnel nulle part, hormis une photographie sur une étagère au-dessus d'un radiateur électrique. Lynley s'en empara : une photo encadrée d'Isabelle entre deux petits garçons, les bras autour de leurs tailles. Elle était de toute évidence habillée pour aller travailler, tandis qu'eux portaient des uniformes scolaires, leurs casquettes posées crânement sur leurs têtes, leurs bras passés autour des épaules de leur mère. Ils souriaient tous les trois. Première rentrée scolaire ? L'âge des jumeaux le laissait penser.

Il remit la photo sur l'étagère. Il regarda autour de lui, étonné. Il n'arrivait pas à imaginer qu'Isabelle puisse faire vivre ses enfants ici, et il se demanda pourquoi elle avait choisi un endroit pareil. C'était très cher de se loger à Londres, mais il devait bien exister des choses un peu plus gaies, des appartements où les garçons, au moins, pourraient voir le ciel en regardant par la fenêtre. Et puis où étaient-ils censés dormir ? Il partit à la recherche des chambres à coucher.

Il y en avait une, et sa porte était ouverte. Elle se trouvait à l'arrière de l'appartement, sa fenêtre donnant sur une cour minuscule d'où on avait peut-être accès au jardin, si jardin il y avait. La fenêtre était fermée et elle semblait ne pas avoir été nettoyée depuis la construction de l'immeuble. Mais l'éclairage qu'elle procurait suffisait pour distinguer une chaise, une commode et un lit. Sur ce lit, Isabelle Ardery était affalée. Elle respirait profondément, comme quelqu'un qui n'a pas bien dormi depuis des jours. Il répugnait à la réveiller, et il envisagea de lui écrire un mot et de la laisser tranquille. Mais lorsqu'il contourna le lit pour aller ouvrir la fenêtre et renouveler un peu l'air de la pièce, il aperçut par terre le reflet d'une bouteille. Il comprit qu'elle ne dormait absolument pas du sommeil du juste. Elle était ivre.

— Nom de Dieu, marmonna-t-il. Quelle imbécile.

Il s'assit sur le lit. Il la souleva.

Elle grogna. Ses yeux papillotèrent, puis se refermèrent.

— Isabelle, fit-il. Isabelle.

— Comment z'êtes entré, dites donc ?

Elle le regarda en plissant les yeux, avant de les refermer à nouveau.

— Hé, j'suis agent de police, attention.

Sa tête tomba lourdement contre le torse de Lynley.

— Je vais ap… appeler… quelqu'un… ça oui… si vous ne partez pas.

— Debout, lui ordonna Lynley. Isabelle, debout. Il faut que je vous parle.

— Assez parlé.

Elle leva la main pour lui tapoter la joue mais sans le regarder : elle manqua sa cible et lui atteignit l'oreille.

— Terminé. Il a dit que de toute façon…

Elle parut sombrer de nouveau dans sa torpeur.

Lynley soupira. Il essaya de se rappeler la dernière fois qu'il avait vu une personne aussi ivre. Elle avait besoin de café. Mais il fallait d'abord qu'elle soit en état d'avaler, et il n'y avait qu'un seul moyen d'atteindre cet objectif.

Il la mit debout. Il lui serait impossible, il le savait, de la porter dans ses bras à la manière d'un héros de cinéma. Elle faisait pratiquement sa taille, elle était un poids mort, et quand bien même il aurait été capable de la hisser sur son épaule comme le faisaient les pompiers, il n'y avait pas assez de place pour manœuvrer. Il fut donc obligé de la traîner depuis le lit jusqu'à la salle de bains. Là, il n'y avait pas de baignoire, juste une étroite cabine de douche, mais qu'importe. Il l'y fourra tout habillée avant de faire couler l'eau. Malgré l'âge de la bâtisse, la pression était excellente et le jet alla frapper Isabelle directement sur le visage.

Elle hurla, battit des bras.

— Merde, qu'est-ce que… s'écria-t-elle.

Puis elle sembla le voir et le reconnaître enfin.

— Mon Dieu !

Elle serra ses bras autour de son corps comme si elle craignait de se découvrir nue. Voyant qu'elle était tout habillée – elle avait même ses chaussures –, elle geignit :

— Oh, noooon !

— Je vois que j'ai enfin votre attention, déclara Lynley, flegmatique. Restez là-dessous en attendant d'avoir suffisamment dessaoulé pour former des phrases cohérentes. Je vais faire du café.

Il la quitta, retourna dans la cuisine et commença à chercher. Il trouva une cafetière à piston ainsi qu'une bouilloire électrique et tout ce dont il avait besoin. Il mit une généreuse quantité de café dans la cafetière et remplit la bouilloire. Il la brancha. Lorsque le café fut prêt et qu'il eut placé les tasses, le lait et le sucre sur la table – avec deux tranches de toast qu'il beurra et coupa en triangles –, Isabelle sortit de la salle de bains. Elle avait retiré ses vêtements trempés et enfilé un peignoir en éponge. Ses pieds étaient nus, et ses cheveux mouillés collés sur son crâne. Debout à la porte de la cuisine, elle l'observait.

— Mes chaussures sont fichues, dit-elle.

— Hmm, je veux bien le croire.

— Ma montre n'était pas étanche non plus.

— Négligence fâcheuse au moment de son achat.

— Comment êtes-vous entré ?

— Vous n'aviez pas fermé la porte à clé. Négligence fâcheuse là aussi, au fait. Vous avez dessaoulé, Isabelle ?

— Plus ou moins.

— Du café, alors. Et des toasts.

Il la rejoignit et lui prit le bras.

Elle le repoussa.

— Je peux marcher toute seule, merde !

— Nous avons progressé, dans ce cas.

Elle avança avec précaution jusqu'à la table, où elle s'assit. Il versa du café dans les deux mugs puis en poussa un vers elle, en même temps que les toasts. Elle eut une moue de dégoût en voyant le pain grillé et secoua la tête.

— Tout refus est exclu, décréta Lynley. Dites-vous que c'est thérapeutique.

— Je vais être malade.

Elle parlait tout aussi précautionneusement qu'elle avait marché de la porte à la table. Elle était plutôt douée pour feindre la sobriété, mais elle devait avoir des années de pratique.

— Buvez un peu de café, l'encouragea-t-il.

Elle s'exécuta et en avala quelques gorgées.

— Ce n'était pas la bouteille entière, précisa-t-elle à propos du cadavre qu'il avait trouvé sur le sol de sa chambre. J'ai seulement bu le fond qui restait. Ce n'est quand même pas un crime. Je n'avais pas l'intention de prendre le volant. Je n'avais pas l'intention de quitter l'appartement. Ça ne regarde que moi. Et il me fallait bien ça, Thomas. Pas besoin d'en faire une montagne.

— Oui, je comprends. Vous avez sans doute raison.

Elle le dévisagea. Son visage resta parfaitement impassible.

— Qu'est-ce que vous faites ici ? demanda-t-elle. Bon Dieu, qui vous a envoyé ?

— Personne.

— Ce ne serait pas Hillier qui voudrait savoir comment je prends ma déconfiture ?

— Sir David Hillier et moi n'avons pas vraiment ce genre de rapports. Que s'est-il passé ?

Elle lui raconta son rendez-vous avec l'adjoint au préfet et le directeur du service de presse. Elle jugeait apparemment inutile de chercher des faux-fuyants. Elle lui déballa tout. Depuis son marché avec Zaynab Bourne pour pouvoir parler à Yukio Matsumoto jusqu'à son aveu que les portraits-robots ainsi obtenus, malgré ce qu'elle avait affirmé à l'équipe dans la salle des opérations, étaient totalement inexploitables, en passant par la condescendance à peine déguisée de Stephenson Deacon – « Il m'a bel et bien appelée "ma chère", si vous arrivez à le croire, et le pire c'est que je n'ai pas giflé cette trogne bouffie de suffisance » – et enfin l'épilogue, à savoir l'ultimatum de Hillier.

— Deux jours, dit-elle. Après, je suis finie.

Ses yeux se mirent à briller, mais elle chassa cet accès d'émotion.

— Enfin bon, John Stewart va jubiler, dit-elle avec un petit rire triste. Je l'ai oublié dans mon bureau, Thomas. Il m'attend sûrement encore là-bas. Vous pensez qu'il va y passer la nuit ? Seigneur, j'ai besoin d'un autre verre.

Elle parcourut la cuisine du regard comme si elle s'apprêtait à se lever pour aller chercher une autre bouteille de vodka. Lynley se demanda où elle rangeait ses réserves. Il faudrait les vider dans l'évier. Elle en rachèterait, mais au moins sa soif d'oubli immédiate resterait inassouvie.

— J'ai complètement foiré cette affaire, reprit-elle. Vous, vous ne vous seriez pas planté. Malcolm Webberly ne se serait pas planté. Même ce salopard de Stewart ne se serait pas planté.

Elle croisa ses bras sur la table et posa sa tête dessus.

— Je suis complètement nulle et foireuse et nase et...

— ... et pleurnicharde, compléta Lynley.

Elle redressa soudain la tête et il ajouta gentiment :

— Sauf votre respect, chef.

— Cette remarque vient-elle du lord à col d'hermine ou du simple citoyen donneur de leçons ?

Lynley fit semblant de réfléchir.

— Étant donné que l'hermine me donne de l'urticaire, je dirais le deuxième.

— C'est bien ce que je pensais. Cette réflexion était donc déplacée. Si j'ai envie de dire que je suis nulle, foireuse et nase, nom d'un chien, je le dirai, compris ?

Il lui resservit du café.

— Isabelle, il faut vous secouer. Ce n'est pas moi qui contesterai que Hillier est un patron épouvantable et que Deacon vendrait sa propre sœur pour préserver l'image de la Met. Mais, pour l'heure, là n'est pas la question. On a un tueur à arrêter et un dossier à bâtir contre lui pour l'accusation. Et ni l'un ni l'autre ne se feront si vous ne vous ressaisissez pas.

Elle attrapa son mug de café et Lynley se demanda un instant si elle comptait le lui jeter à la figure. Mais non, elle se mit à en boire des gorgées tout en le regardant par-dessus sa tasse. Semblant enfin se rendre compte qu'il ne lui avait toujours pas expliqué la raison de sa présence chez elle, elle répéta :

— Enfin bon sang, qu'est-ce que vous fabriquez ici, Thomas ? Pourquoi êtes-vous venu ? Ce n'est pas exactement votre quartier, alors j'imagine que vous n'êtes pas passé devant chez moi par hasard. D'ailleurs, comment avez-vous su où j'habite ? Quelqu'un vous l'a dit... ? Est-ce que cette Judi MacIntosh a surpris quelque chose... ? C'est elle qui vous envoie ? Ça ne m'étonnerait pas qu'elle écoute aux portes. Il y a quelque chose chez elle...

— Arrêtez votre parano cinq minutes. Je vous avais dit que je voulais vous parler. J'ai attendu plus d'une heure dans la salle des opérations. Dee Harriman a fini par me prévenir que vous étiez rentrée chez vous. D'accord ?

— Me parler de quoi ?

— Frazer Chaplin.

— Quoi, Frazer Chaplin ?

— J'ai eu presque toute la journée pour y réfléchir sous tous les angles. Je pense que Frazer est notre homme.

Elle attendit que Lynley développe. Elle but encore du café et décida d'essayer un toast. Son estomac ne se retournant pas totalement à l'idée de manger, elle attrapa un des triangles que Lynley lui avait préparés et en prit une bouchée. Elle se demanda si les talents culinaires de l'inspecteur se limitaient à ça. Sans doute. Il avait mis beaucoup trop de beurre.

Comme précédemment dans la salle des opérations, Lynley évoqua un magazine que lui avait donné Deborah Saint James. Frazer Chaplin figurait sur une des photos. Cela pouvait indiquer plusieurs choses, lui dit-il : Paolo di Fazio prétendait depuis le début que Jemima avait une liaison avec Frazer, malgré le règlement intérieur que Mrs McHaggis avait affiché partout à l'intention de ses pensionnaires. Abbott Langer avait abondé dans ce sens et Yolanda – non sans mal, au demeurant – avait elle aussi indiqué que Jemima entretenait une relation avec un homme brun.

Voilà qu'on va devoir écouter des voyantes, maintenant ? gémit Isabelle.

Attendez un peu, lui dit Lynley. On savait que la liaison de Jemima n'était pas avec di Fazio puisqu'elle avait demandé à Yolanda à plusieurs reprises si son nouvel amant l'aimait en retour, or elle n'aurait sûrement pas posé cette question au sujet de di Fazio après avoir rompu avec lui. Dès lors, ne pouvait-on supposer sans trop s'avancer que Frazer Chaplin, malgré ses protestations du contraire, était l'homme qu'ils recherchaient ?

Enfin, bon Dieu, où était la logique ? demanda Isabelle. Même s'il avait bel et bien une liaison avec Jemima, cela ne voulait pas dire pour autant qu'il l'avait assassinée.

Minute, dit Lynley. Si elle daignait seulement l'écouter jusqu'au bout... ?

Oh, bon sang, allez-y. Isabelle était lasse. Elle lui fit signe de continuer.

Faisons quelques suppositions. D'abord, supposons qu'avant sa mort Jemima ait effectivement eu une liaison avec Frazer Chaplin.

Très bien. Supposons, dit Isabelle.

Bon. Ensuite, supposons que le fait qu'elle possède une pièce en or et une cornaline ne signifie pas qu'elle avait un porte-bonheur ou qu'elle gardait par sentimentalisme un souvenir de son père. Supposons que ces objets fassent partie d'un trésor romain qui aurait été découvert. Et puis supposons que Gordon Jossie et

Jemima soient les individus qui ont découvert ce trésor, et qu'ils l'aient découvert quelque part autour de leur cottage du Hampshire. Enfin, supposons qu'avant le signalement de ce trésor aux autorités – signalement obligatoire selon la loi – quelque chose se soit passé entre Jemima et Jossie qui ait précipité leur rupture. Elle fiche le camp à Londres, mais elle sait qu'il y a un trésor à récupérer et que ce trésor vaut une fortune.

— Voyons, qu'est-ce qui a pu causer entre eux une rupture telle qu'elle ait dû se cacher pour lui échapper ? demanda Isabelle.

— On ne le sait pas encore.

— Merveilleux, marmonna-t-elle. Je meurs d'impatience d'en informer Hillier. Pour l'amour du ciel, Thomas, ça fait trop de suppositions. Quel genre d'arrestation croyez-vous qu'on puisse effectuer à partir de tant de conjectures ?

— Aucune arrestation. Du moins pas encore. Il manque des pièces au puzzle. Mais si vous y réfléchissez un instant, Isabelle, le mobile, lui, est bien là.

Isabelle fit le point : Jemima Hastings, Gordon Jossie et un trésor enfoui.

— Jossie a un mobile, Thomas. Mais pas Frazer Chaplin.

— Bien sûr que si. S'il y a un trésor enfoui et si Jemima lui en a parlé.

— Pourquoi l'aurait-elle fait ?

— Pourquoi pas ? Si elle est amoureuse de lui, si elle espère qu'il est « le bon », il est fort possible qu'elle lui ait parlé du trésor pour s'assurer qu'il reste « le bon ».

— D'accord. Très bien. Elle lui a parlé du trésor. Alors il tombe sous le sens que Chaplin chercherait à

se débarrasser de Gordon Jossie plutôt que de Jemima
Hastings, non ?

— Dans ces conditions, il ne mettrait la main sur le
trésor qu'en conservant l'affection de Jemima. Ses différentes visites chez la voyante indiquent qu'elle était
peut-être en train de se raviser à son sujet. Pourquoi,
sinon, demander sans arrêt s'il était « le bon » ? Imaginons qu'il ait compris qu'elle avait des doutes.
Imaginons qu'il ait senti le vent du boulet. S'il perdait
Jemima, il perdait la fortune. Le seul moyen d'empêcher cette catastrophe serait de se débarrasser des deux
– de Jemima et de Jossie –, et il n'aurait plus à
s'inquiéter de rien.

Isabelle réfléchit à cette théorie. Pendant ce temps,
Lynley quitta la table pour rejoindre l'évier. Il s'y
appuya et garda le silence, l'observant et attendant.

Elle dit finalement :

— C'est vraiment tiré par les cheveux, Thomas. Il y
a trop de choses qui restent à confirmer. D'abord il a
un alibi solide...

— McHaggis pourrait avoir menti. Elle pourrait
aussi s'être trompée. Elle affirme qu'il était en train de
prendre une douche, mais c'est ce qu'il faisait tous les
jours, non ? On lui a posé la question des jours après,
Isabelle, et elle pourrait fort bien vouloir le protéger.

— Pourquoi ?

— C'est une femme.

— Oh, pour l'amour de Dieu, qu'est-ce que vous
allez...

— Tout le monde s'accorde à reconnaître qu'il a le
chic avec les femmes. Pourquoi pas aussi avec Bella
McHaggis ?

— Quoi, alors ? Il couche avec elle ? Avec elle, avec Jemima, avec… qui d'autre, Thomas ?

— Avec Gina Dickens, sans doute.

Elle le regarda avec des yeux ronds.

— Gina Dickens ?

— Réfléchissez. On la voit dans ce magazine sur les photos du vernissage de la Portrait Gallery. Si Frazer était là – et on sait qu'il y était –, est-il si impossible de croire qu'il ait fait la connaissance de Gina Dickens ce soir-là ? Est-il si impossible de croire que, faisant la connaissance de Gina Dickens, il soit tombé amoureux d'elle ? Qu'il ait voulu l'ajouter à son tableau de chasse ? Qu'il ait au bout du compte décidé de remplacer Jemima par elle ? Qu'il l'ait envoyée dans le Hampshire pour embobiner Jossie de façon que…

— Vous vous rendez compte du nombre de suppositions que tout ça représente ?

Elle mit sa tête dans ses mains. Elle avait la cervelle en capilotade.

— On peut supposer ci et supposer ça, Thomas, mais on n'a pas la moindre preuve qu'aucune des choses que vous avancez ait réellement eu lieu, alors à quoi bon ?

Lynley poursuivit, sans se laisser démonter. Ils avaient bel et bien des preuves, insista-t-il, mais d'après lui, ils ne les avaient pas assemblées correctement.

— Quoi, par exemple ?

— Pour commencer, le sac à main et la chemise tachée de sang trouvés dans la benne Oxfam. Nous avons supposé que quelqu'un les avait placés là pour impliquer un des pensionnaires de Bella McHaggis. Nous n'avons pas envisagé que, sachant que la benne n'était pas vidée régulièrement, un des occupants ait pu y fourrer ces articles simplement pour les stocker.

— Les stocker ?

— En attendant qu'ils puissent être emportés dans le Hampshire, remis à Gina Dickens, puis laissés quelque part sur la propriété de Gordon Jossie.

— Seigneur. C'est insensé. Pourquoi ne pas se contenter de...

— Écoutez.

Lynley revint s'asseoir. Il se pencha par-dessus la table et posa sa main sur le bras d'Isabelle.

— Isabelle, ce n'est pas aussi insensé que ça en a l'air. Ce crime dépendait de deux choses. Un, le tueur connaissait forcément le passé de Jemima, son présent et ses intentions envers Gordon Jossie. Deux, le tueur n'a pas pu agir seul.

— Et pourquoi cela ?

— Parce qu'il devait rassembler les pièces à conviction nécessaires pour faire accuser Gordon Jossie, et que ces preuves devaient être retrouvées dans le Hampshire : l'arme du crime et une chemise jaune prise, j'imagine, dans l'armoire de Jossie. En même temps, le tueur devait savoir où Jemima en était par rapport à Jossie. Si Frazer était en effet son amant, n'est-il pas raisonnable de supposer qu'elle lui a montré les cartes postales que Jossie avait collées aux alentours de la Portrait Gallery dans l'espoir de la localiser ? N'est-il pas raisonnable de conclure que, apprenant l'existence de ces cartes et ayant d'ores et déjà une liaison avec Gina Dickens, Frazer Chaplin ait commencé à entrevoir une solution qui lui permettrait de tout cumuler : le trésor dont il avait appris l'existence, un moyen d'obtenir ce trésor, mais également Gina Dickens ?

Isabelle cogita. Elle essaya de se figurer le scénario : un coup de fil au numéro de la carte postale pour indiquer à Gordon Jossie où trouver Jemima ; la décision de Jemima de donner rendez-vous à Gordon Jossie dans un lieu tranquille ; quelqu'un dans le Hampshire pour tenir Jossie à l'œil et surveiller ses mouvements et quelqu'un à Londres pour faire la même chose avec Jemima, et ces deux personnes intimement liées avec Jossie et avec Jemima, et au courant de la relation qui avait existé entre eux ; ces deux personnes par ailleurs en contact ; ces deux personnes engagées dans un délicat menuet d'une parfaite harmonie… ?

— J'en ai la tête qui tourne, dit enfin Isabelle. C'est impossible.

— Non, surtout si Gina Dickens et Frazer Chaplin se connaissaient depuis cette soirée de vernissage. Et ça aurait marché. Avec un plan aussi soigneusement conçu, ça aurait marché à la perfection. La seule chose qu'ils n'avaient pas prévue, c'était la présence de Yukio Matsumoto dans le cimetière ce jour-là. Frazer ne savait pas que Matsumoto se prenait pour l'ange gardien de Jemima. Jemima ne le savait sans doute pas elle-même. Ni Frazer Chaplin ni Gina Dickens n'avaient pensé que quelqu'un pourrait voir non seulement Jemima avec Gordon Jossie, mais aussi voir Gordon Jossie prendre congé d'elle, on ne peut plus vivante.

— S'il s'agissait bien de Gordon Jossie.

— Je ne vois pas qui d'autre, et vous ?

Isabelle considéra la chose sous toutes les coutures. D'accord, ça aurait pu se passer de cette façon-là. Mais il y avait un truc qui clochait, et elle ne pouvait pas plus le négliger que lui.

— Jemima a quitté le Hampshire depuis belle lurette, Thomas. S'il y a un trésor romain quelque part sur la propriété de Gordon Jossie, alors pourquoi durant tout ce temps aucun des deux, Jossie ou Jemima, n'aurait rien fait à ce sujet ?

— C'est ce que j'aimerais bien savoir, dit Lynley. Mais j'aimerais commencer par démolir l'alibi de Frazer.

Toujours en peignoir, elle l'accompagna dehors. Elle n'avait pas vraiment l'air en meilleure forme que quand il l'avait collée sous la douche, mais elle semblait assez requinquée pour ne pas recommencer à boire ce soir-là. Cette pensée rassurait Lynley. Il préférait ne pas se demander pourquoi.

Elle alla avec lui jusqu'à l'étroit escalier qui montait vers la rue. Il avait gravi les deux premières marches lorsqu'elle prononça son prénom. Il se retourna. Elle se tenait en contrebas, une main sur la rampe comme si elle avait l'intention de le suivre et l'autre sur sa gorge, pour fermer son peignoir.

— Tout cela aurait pu attendre demain matin, non ?

Il hésita un instant avant de répondre :

— Je suppose que oui.

— Pourquoi, alors ?

— Pourquoi maintenant au lieu de demain matin, vous voulez dire ?

— Oui.

Elle inclina la tête vers l'appartement, dont la porte était restée ouverte mais sans lumières à l'intérieur.

— Vous vous doutiez ?

— De quoi ?

— Vous savez bien.

— Je pensais qu'il y avait un risque.

— Pourquoi prendre cette peine, alors ?

— De vous dessaouler ? Je voulais échanger quelques idées avec vous, et je ne pouvais guère le faire si vous étiez ivre morte.

— Pourquoi ?

— J'aime la communication. C'est ainsi que je travaille le mieux, Isabelle.

— Vous êtes fait pour ça.

Elle tapota sa propre poitrine : ce geste semblait indiquer qu'elle parlait du poste de commissaire principale.

— Moi pas, ajouta-t-elle. C'est assez clair aujourd'hui.

— Je ne suis pas d'accord. Vous l'avez dit vous-même : l'affaire est compliquée. Vous avez écopé d'un dossier plus délicat que je n'en ai jamais eu à traiter.

— Je n'en crois absolument rien, Thomas. Mais merci quand même. Vous êtes quelqu'un de très bien.

— Souvent, je pense le contraire.

— Alors vous pensez n'importe comment.

Son regard soutint le sien.

— Thomas, je…

Le courage parut lui manquer. Cette hésitation ne lui ressemblait pas, aussi Lynley attendit-il qu'elle termine sa phrase. Il redescendit une marche. Elle se tenait une marche plus bas que lui et sa tête lui arrivait juste au-dessous des lèvres.

Le silence entre eux s'éternisa. Il se transforma en tension. La tension se mua en désir. Dans le mouvement le plus naturel du monde, il se pencha pour l'embrasser, et la bouche d'Isabelle s'ouvrit tout aussi naturellement sous la sienne. Les bras d'Isabelle se glissèrent autour de lui et les siens autour d'elle. Les mains de Lynley se faufilèrent sous les plis du peignoir pour toucher sa peau fraîche et douce.

— J'ai envie, murmura-t-elle, j'ai envie que vous me fassiez l'amour.

— Je ne pense pas que ce soit très sage, Isabelle.

— Ça m'est complètement égal, répondit-elle.

30

Gordon n'avait pas téléphoné au sergent de Scotland Yard quand Gina était rentrée la veille au soir. Il avait préféré l'observer. Il fallait qu'il comprenne exactement ce qu'elle faisait ici dans le Hampshire. Il fallait qu'il sache ce qu'elle savait.

Il était nul pour jouer la comédie, mais tant pis. Elle s'était aperçue que quelque chose n'allait pas dès qu'elle était arrivée à la ferme et l'avait trouvé assis dans le noir à la table de jardin. Elle était très en retard. Ça tombait bien. Il lui laissa croire que ce retard était la cause de son mutisme scrutateur.

Elle raconta qu'elle avait été retenue, mais ses explications restèrent vagues. Elle avait oublié l'heure, dit-elle : un rendez-vous avec une assistante sociale de Winchester et une autre de Southampton, et il y avait de très, très bonnes chances qu'à partir d'un programme spécial mis en place pour des jeunes filles immigrées on puisse obtenir un financement pour… Elle n'arrêtait pas de jacasser. Gordon se demanda comment il n'avait pas vu plus tôt que Gina avait la parole beaucoup trop facile.

La soirée s'était achevée et ils étaient montés se coucher. Elle s'était lovée tout contre son dos dans le noir, remuant ses hanches en rythme contre ses fesses. Il était supposé se retourner et la prendre, et il s'exécuta. Ils s'accouplèrent dans un silence furieux censé passer pour un désir farouche. Après, ils étaient tout luisants de sueur.

— C'était merveilleux, mon chéri, mumura-t-elle.

Elle le garda dans ses bras tout en s'endormant. Il demeura éveillé, sentant le désespoir monter en lui. Il ne savait plus vers qui se tourner.

Le matin, elle était d'humeur coquine, comme elle l'avait été si souvent : paupières qui papillotent, sourire tout en lenteur, bras et jambes qui s'étirent, corps qui ondule… Elle se glissa sous le drap.

Il s'écarta brusquement et quitta le lit d'un bond. Il ne se doucha pas mais remit ses vêtements de la veille et descendit à la cuisine, où il se prépara du café. Elle le rejoignit.

Il la vit hésiter sur le pas de la porte. Il était à table, sous l'étagère où Jemima avait naguère exposé ses poneys en plastique, exemple mineur d'une des nombreuses collections dont elle n'arrivait pas à se séparer. Il ne savait plus où il avait mis ces figurines, et cela l'agaçait. Il n'avait pas de problèmes de mémoire, d'habitude.

Gina inclina la tête vers lui. Son expression était douce.

— Tu es inquiet. Que s'est-il passé ?

Il fit non de la tête. Il n'était pas encore prêt. Parler n'était pas le plus difficile pour lui. C'était écouter qui lui faisait peur.

— Tu n'as pas dormi, je me trompe ? Qu'est-ce qui ne va pas ? Tu veux bien me le dire ? Est-ce que c'est encore cet homme ? demanda-t-elle en indiquant l'extérieur.

L'allée menant à la propriété se trouvait juste devant la cuisine, et il supposa qu'elle parlait de Whiting. Elle devait s'imaginer qu'il était revenu pendant son absence. Ce n'était pas le cas, mais Gordon ne perdait rien pour attendre, Whiting n'ayant toujours pas obtenu ce qu'il voulait.

Gina alla au réfrigérateur et se servit un jus d'orange. Elle portait une robe de chambre en lin, sans rien dessous, et la lumière du matin accentuait les lignes voluptueuses de son corps. Elle était consciente de ses charmes. Elle connaissait le pouvoir de la sensualité. Elle savait qu'avec les hommes la sensualité triomphait toujours de la raison.

Debout près de l'évier, elle regardait par la fenêtre. Elle fit un commentaire sur la météo. Il ne faisait pas encore trop chaud, mais cela ne saurait tarder. Était-il plus difficile de travailler avec les roseaux quand il faisait très chaud ? s'enquit-elle.

Elle ne parut pas contrariée qu'il ne lui réponde pas. Elle se pencha comme si quelque chose dehors avait attiré son attention. Puis elle proposa :

— Je peux t'aider à dégager le reste du paddock maintenant que les chevaux sont partis.

Les chevaux. Il s'étonna du mot pour la première fois. Du fait qu'elle les appelle des chevaux et non pas ce qu'ils étaient, c'est-à-dire des poneys. Elle les appelait des chevaux depuis le début, et il ne l'avait pas corrigée parce que... Pourquoi ? se demanda-t-il. Qu'avait-elle représenté à ses yeux pour qu'il ne se soit pas interrogé sur tous les détails qui lui indiquaient depuis le début qu'il y avait quelque chose de pas net ?

Elle continua.

— Je serais ravie de m'en occuper. Un peu d'exercice ne me ferait pas de mal et je n'ai rien de prévu aujourd'hui de toute façon. À ce qu'ils disent, il faudra environ une semaine pour que l'argent soit débloqué. Moins si j'ai de la chance.

— Quel argent ?

— Pour le programme.

Elle se retourna.

— Tu as déjà oublié ? Je t'en ai parlé hier soir. Gordon, qu'est-ce qui ne va pas ?

— Tu parles du paddock ouest ?

Elle eut l'air perplexe, avant de comprendre son coq-à-l'âne.

— T'aider à déblayer le reste du paddock ouest ? confirma-t-elle. Oui. Je peux dégager les herbes folles près de la partie ancienne de la clôture. Comme j'ai dit, l'exercice me ferait…

— Laisse le paddock tranquille, la coupa-t-il, abrupt. Je veux qu'il reste comme ça.

Elle parut interloquée, mais se reprit suffisamment pour esquisser un sourire.

— Mon chéri, bien sûr. J'essayais seulement de…

— La policière est passée, dit-il. Cette femme qui était déjà venue avec le Noir.

— La femme de Scotland Yard ? Je ne me souviens plus de son nom.

— Havers.

Soulevant un support à serviettes en papier qui se trouvait sur la table, il attrapa la carte que lui avait donnée le sergent Havers.

— Qu'est-ce qu'elle voulait ? demanda Gina.

— Elle voulait parler d'outils de chaumier. De crochets, en particulier. Elle s'intéressait aux crochets.

— Mais enfin, pourquoi ?

— J'imagine qu'elle envisage une reconversion.

Elle se toucha la gorge.

— Tu plaisantes, bien sûr. Gordon, mon chéri, de quoi tu parles ? Tu n'as pas l'air bien du tout. Je peux faire quelque chose… ?

Il attendit qu'elle termine, mais elle se tut. Ses mots s'éteignirent et elle resta là à le regarder fixement, comme si elle guettait l'inspiration.

— Tu la connaissais, n'est-ce pas ? dit-il.

— Je ne l'ai jamais vue de ma vie. Comment veux-tu que je la connaisse ?

— Je ne parle pas du flic. Je parle de Jemima.

Les yeux de Gina s'écarquillèrent.

— Jemima ? Enfin voyons, comment aurais-je pu connaître Jemima ?

— À Londres. C'est pour ça que tu les appelles des chevaux. Tu n'es pas de la région. Tu n'es même pas de Winchester, et tu n'es pas de la campagne. Tu l'as connue à Londres.

— Gordon ! C'est n'importe quoi. Est-ce que ce flic t'a dit…

— Elle m'a montré.

— Quoi ? *Quoi ?*

Il lui raconta alors les photos du magazine, le cliché sur lequel elle figurait. À la National Portrait Gallery, lui dit-il. Elle était là en arrière-plan à l'exposition où la photo de Jemima avait été présentée.

La posture de Gina changea tandis que son corps se raidissait.

— C'est absolument n'importe quoi. La National Portrait Gallery ? Je n'y suis jamais allée ! Et quand étais-je censée me trouver là-bas ?

— Le soir du vernissage.

— Mon Dieu.

Elle secoua la tête, les yeux rivés sur lui. Elle posa son jus d'orange sur le plan de travail. Le claquement contre les carreaux fut si sonore qu'il crut que le verre allait se casser.

— Et que suis-je censée avoir fait d'autre ? Tué Jemima ? C'est ce que tu penses ?

Elle n'attendit pas sa réponse. Elle rejoignit la table.

— Donne-moi cette carte. Comment elle s'appelle, déjà ? Et je peux la trouver où, Gordon ?

— Havers. Le sergent Havers. Je ne sais pas où elle est allée.

Elle lui arracha la carte et empoigna le téléphone. Elle composa le numéro. Elle attendit que l'appel aboutisse.

— Vous êtes le sergent Havers ?... Merci... S'il vous plaît, confirmez ça à Gordon Jossie, sergent.

Elle lui tendit l'appareil.

— Je veux que tu sois sûr que je lui ai téléphoné à elle, Gordon, et pas à quelqu'un d'autre.

Il prit le combiné.

— Sergent...

— Bordel, vous savez l'heure qu'il est ? fit-elle avec son accent cockney si caractéristique. Qu'est-ce qui se passe ? C'était Gina Dickens ? Vous étiez censé m'appeler quand elle rentrerait, Mr Jossie.

Gordon rendit le téléphone à Gina, qui lui dit avec condescendance :

— Satisfait, mon chéri ? Sergent Havers, où êtes-vous ?... À Sway ? Merci. S'il vous plaît, attendez-moi là-bas. J'arrive d'ici une demi-heure, d'accord ?... Non, non. Pas la peine. C'est moi qui vous rejoins. Je tiens à voir cette photo de magazine que vous avez montrée à Gordon... Il y a bien une salle de restaurant à l'hôtel, non ?... Je vous retrouve là-bas.

Elle raccrocha, puis se tourna vers lui. Elle le regarda comme on pourrait contempler un cadavre d'animal sur la route.

— Ça me paraît incroyable.

Il avait les lèvres sèches.

— Quoi donc ?

— Qu'il ne te soit jamais venu à l'esprit qu'il puisse tout bonnement s'agir de quelqu'un qui me ressemble, Gordon. On est devenus vraiment pitoyables tous les deux.

Après une nuit blanche causée par la paranoïa de Michele Daugherty, Meredith Powell avait quitté la maison de ses parents à Cadnam. Elle avait laissé un mot pour prévenir sa mère qu'elle était partie plus tôt parce qu'elle avait un boulot fou. Après le sermon de Mr Hudson la veille, Meredith savait qu'elle ne pouvait pas se permettre le moindre faux pas sans mettre son emploi en péril, mais elle savait aussi que jamais elle n'arriverait à se concentrer sur sa tâche de graphiste si elle ne résolvait pas l'énigme Gina Dickens. Aussi, à cinq heures du matin, avait-elle renoncé à l'espoir de dormir et s'était-elle rendue à la ferme de Gordon Jossie, où elle avait garé sa voiture à l'entrée d'un champ cultivé, un peu plus loin sur la petite route.

Après une marche arrière sur cette rampe creusée d'ornières, elle était restée là à contempler le cottage de Gordon, lui-même dissimulé par la haie qui bordait la propriété.

Elle passa un temps considérable à tenter de récapituler tout ce que Gina Dickens avait pu lui dire depuis le jour de leur rencontre. Il y avait tellement d'éléments d'information qu'elle avait du mal à s'y retrouver. Mais c'était sans doute l'intention de Gina dès le départ, conclut-elle. Plus Gina Dickens lâchait de détails, plus Meredith peinerait à faire le tri et à accéder à la vérité. Gina n'avait simplement pas prévu que Meredith engagerait Michele Daugherty pour faire le tri à sa place.

Vu l'évolution des choses, Meredith pensait qu'ils étaient tous de mèche : le commissaire divisionnaire Whiting, Gina Dickens et Gordon Jossie. Elle ne savait pas exactement comment fonctionnait l'association, mais elle était maintenant convaincue que chacun avait joué un rôle dans ce qui était arrivé à Jemima.

Il était à peine plus de sept heures quand Gina fit marche arrière sur la petite route au volant de sa Mini Cooper d'un rouge rutilant. Elle se dirigea vers Mount Pleasant et, au-delà, vers la route de Southampton. Meredith attendit un peu pour la suivre. Il n'y avait pas tant de routes aux environs, et elle ne voulait pas prendre le risque de se faire repérer.

Gina roulait tranquillement, capote baissée, les cheveux miroitant au soleil. Elle roulait comme quelqu'un qui part faire une virée à la campagne, son bras droit reposant sur l'arête de la portière, quand il n'était pas levé pour démêler ses cheveux ébouriffés par le vent. Cheminant sur les petites routes étroites de Mount

Pleasant, elle prenait soin de klaxonner dans les virages pour avertir les éventuelles voitures venant en sens inverse, et quand enfin elle déboucha sur la route de Southampton, elle prit la direction de Lymington.

S'il avait été plus tard, Meredith aurait supposé que Gina Dickens allait faire ses courses. D'ailleurs, quand, au rond-point, elle s'engagea dans Marsh Lane, Meredith se figura un instant qu'elle comptait attaquer sa journée très tôt en se garant non loin de la grand-rue et en s'offrant peut-être un café dans un troquet qu'elle savait ouvert de bon matin. Mais avant la grand-rue, Gina obliqua à nouveau pour franchir le fleuve. Meredith eut un moment de frayeur : elle crut que Gina voulait s'enfuir en prenant le ferry pour l'île de Wight.

Là encore elle se trompait, mais elle en fut soulagée. Une fois de l'autre côté du fleuve, Gina partit dans la direction opposée, faisant route vers le nord. Elle mettait le cap droit sur Hatchet Pond.

Meredith ralentit pour ne pas être vue. Elle craignait de perdre Gina à l'embranchement juste après Hatchet Pond. Elle regardait devant elle à travers son pare-brise, heureuse que le soleil éclatant rebondisse sur les chromes de la Mini : les reflets lui servaient de guide.

Alors que l'étang se profilait au loin, Meredith pensa que Gina avait peut-être donné rendez-vous à quelqu'un là-bas, comme elle-même y avait retrouvé Gina quelques jours plus tôt. Mais là encore Gina poursuivit sa route et Meredith la vit tourner vers les cottages en briques rouges de Beaulieu. Au lieu d'entrer dans le village, Gina prit au nord-ouest au triple embranchement au-dessus de Hatchet Pond, et au bout de trois kilomètres elle tourna dans North Lane.

Évidemment ! songea Meredith. North Lane était une vraie mine d'or pour les rendez-vous. D'accord, Gina avait emprunté un itinéraire inepte pour y aller, mais il était indéniable que les bois et les enclos des environs offraient le genre de tranquillité qu'une personne comme Gina – qui, bon sang, à coup sûr, mijotait quelque chose – devait apprécier.

North Lane longeait la Beaulieu River, qui disparut à gauche sous les arbres, et Meredith ralentit à nouveau. Elle connaissait bien ce secteur qui conduisait à la bretelle de Marchwood, laquelle menait chez elle à Cadnam. Quand Gina l'entraîna tout droit vers cette bretelle au lieu de faire halte sur North Lane, Meredith supposa qu'elle l'avait repérée dans son sillage et comptait rouler jusque chez les Powell, où elle se garerait, sortirait de voiture et attendrait que Meredith la rejoigne toute penaude.

Mais une fois de plus elle se trompait. Gina les emmena en effet à Cadnam, mais elle ne s'y arrêta pas plus qu'elle ne s'était arrêtée précédemment. Elle prit vers le sud en direction de Lyndhurst, et si Meredith pensa fugitivement au salon de thé du Chapelier Fou et au meublé de Gina, il était totalement absurde que la jeune femme retourne là-bas.

C'est pourquoi Meredith ne fut pas vraiment étonnée quand Gina poursuivit son chemin vers le sud, traversa Brockenhurst à la même allure, et prit en fin de compte la route de Sway. Sway, bien sûr, n'était pas sa destination : Meredith l'avait déjà compris avant que Gina contourne le village sans y faire escale. Elle aboutit bientôt à la ferme de Gordon Jossie, point de départ de cette folle équipée. Gaspillage de temps et de carburant.

Meredith pesta : elle avait été idiote, elle avait mis son emploi en danger, et elle s'était laissé voir par Gina. Car Gina l'avait forcément vue, pour avoir roulé ainsi sans but dans la campagne. Elle pesta aussi contre Gina, cette roublarde tellement plus rusée qu'elle, et sans doute plus rusée que tout le monde.

Néanmoins, elle hésita avant d'admettre sa défaite et de rejoindre Ringwood avec une excuse toute prête à présenter à Mr Hudson.

Elle recula dans le champ où elle s'était garée plus tôt pour épier la maison de Gordon Jossie, et repensa à la longue balade de Gina dans la New Forest. Gaspillage de temps et de carburant, avait-elle conclu il y a un instant. « Tuer le temps », voilà l'expression qu'elle cherchait… Si Gina Dickens n'avait pas repéré Meredith, était-il possible qu'elle se soit contentée de tuer le temps ?

Mais pourquoi ? À la réflexion, la raison la plus vraisemblable était aussi la plus évidente : Gina attendait que Gordon soit parti travailler, lui laissant le champ libre.

Meredith semblait avoir vu juste. De sa cachette, elle entendit claquer la portière de la Mini Cooper, puis une deuxième porte, celle du cottage, tandis que Gina y entrait. Meredith sortit de sa Polo et alla se poster près de la haie : à un endroit, les animaux l'avaient grignotée, y créant une sorte de judas. De ce poste d'observation, Meredith pouvait voir à la fois le cottage et le paddock ouest. Gina ressortit du cottage.

Elle s'était changée. À la place d'une robe bain de soleil, elle portait maintenant un jean et un tee-shirt, et elle avait coiffé sa tête blonde d'une casquette de baseball. Elle rejoignit la grange, disparut à l'intérieur, puis ressurgit quelques instants plus tard, poussant une brouette d'où dépassaient les manches de divers outils. Elle la fit rouler jusqu'au paddock ouest. Là, elle ouvrit la barrière puis entra dans l'enclos. À cause de la brouette et des outils, Meredith crut d'abord que, maintenant que les poneys étaient partis, Gina avait l'intention de déblayer le crottin et de le déposer sur un tas de compost. Pareille occupation semblait saugrenue pour quelqu'un comme Gina, mais à ce stade Meredith commençait à se dire que tout était possible.

Gina, toutefois, se mit à jardiner. Pas à charrier du crottin, mais plutôt à débroussailler comme une folle le fond du paddock, où Gordon Jossie n'avait pas beaucoup avancé dans sa réfection de la clôture. Les fougères, les mauvaises herbes et les ronces poussaient allègrement, formant comme un monticule auquel Gina s'attaquait avec une vigueur remarquable. À son corps défendant, Meredith admirait l'énergie que la jeune femme mettait dans sa besogne. Elle-même n'aurait pas tenu plus de cinq minutes à cette cadence. Elle taillait, elle jetait, elle creusait, elle bêchait. Elle jetait, elle bêchait. Elle taillait à nouveau. La nonchalance de sa balade dans la campagne était apparemment oubliée. Elle était à cent pour cent concentrée sur son objectif. Meredith se demanda quel était cet objectif.

Elle n'eut pas le temps de se perdre en conjectures. Une voiture pénétra dans l'allée du cottage, arrivant de la direction opposée. Meredith attendit pour voir ce qui allait se passer, et elle ne fut pas le moins du monde étonnée lorsque le commissaire divisionnaire Whiting regarda autour de lui comme s'il cherchait à repérer des intrus, puis gagna le paddock pour aller parler à Gina Dickens.

Au bout de quarante minutes, Gina Dickens ne s'était toujours pas montrée au Forest Heath Hotel de Sway, et Barbara Havers se dit qu'elle ne viendrait pas. Sway se trouvait à moins de dix minutes de voiture de chez Gordon Jossie, et il était inconcevable que Gina ait pu se perdre entre les deux. Barbara appela le portable de Jossie dans l'espoir d'apprendre où elle était, mais Gina, paraît-il, avait filé à peine un quart d'heure après avoir eu Barbara au téléphone.

— Elle affirme que ce n'est pas elle sur cette photo de magazine, ajouta-t-il.

Ben voyons, répondit mentalement Barbara. Elle raccrocha et rangea son portable dans son sac. C'était peu probable, mais il était toujours possible que Gina Dickens ait eu un accident. Une petite mission de reconnaissance ne coûtait rien.

Ce fut rapide. Le trajet depuis Sway jusqu'à la ferme de Jossie exigeait de tourner exactement deux fois, et la partie la plus délicate consistait à bien prendre le virage aux abords de Birchy Hill Road. La manœuvre n'avait rien de compliqué. Malgré tout, Barbara ralentit et roula tout doucement, au cas où il y aurait une voiture retournée contre une haie.

Rien de tel, et absolument rien sur tout le chemin jusque chez Jossie. Quand Barbara arriva, elle trouva les lieux déserts. Jossie était parti travailler, il devait être sur un toit lorsqu'elle avait téléphoné. Quant à Gina Dickens, allez savoir où elle avait disparu... Ce qui était intéressant, c'était ce que cette disparition suggérait.

Barbara jeta un coup d'œil aux alentours pour vérifier que la voiture de Gina n'était pas planquée quelque part, et que Gina elle-même ne se cachait pas derrière les rideaux du cottage. Ne trouvant pas d'autre voiture que la Figaro de Jemima Hastings à sa place habituelle, Barbara rejoignit sa Mini. Prochaine étape, Burley.

Son portable sonna à mi-chemin du village, alors qu'elle s'était arrêtée sur le bas-côté pour étudier la carte et essayer de s'y retrouver dans ce labyrinthe de petites routes. Elle décrocha, supposant que c'était enfin Gina Dickens, qui allait lui expliquer comment elle avait réussi à se fourvoyer sur la route de son hôtel. Mais en fait il s'agissait de l'inspecteur Lynley.

La commissaire Ardery était plus ou moins d'accord pour son voyage non autorisé dans le Hampshire, mais Barbara devait faire vite et elle devait revenir avec des résultats.

— Qu'est-ce que ça veut dire, exactement ? lui demanda Barbara.

C'était le « plus ou moins » qui la faisait tiquer.

— Je suppose que ça veut dire qu'elle a d'autres chats à fouetter, et qu'elle s'occupera de vous plus tard.

— Ah. Voilà qui me rassure.

— Hillier et la Direction des affaires publiques lui mettent pas mal de pression, expliqua-t-il. À cause de Matsumoto. Elle a obtenu deux portraits-robots, mais j'ai bien peur qu'ils ne soient pas très utilisables, et comme la manière dont elle les a obtenus se révèle finalement discutable, elle se retrouve sur la sellette. Hillier lui a laissé deux jours pour boucler le dossier. Si elle n'y arrive pas, elle est finie. Il y a des chances qu'elle soit finie quand même, dans un cas comme dans l'autre.

— Seigneur. Et elle a raconté ça à l'équipe ? Pas idéal pour inspirer confiance !

879

Silence.

— Non. En fait, l'équipe n'est pas au courant. Je l'ai appris hier soir.

— C'est Hillier qui vous l'a raconté ? Bon Dieu. Pourquoi ? Il veut que vous rempiliez à la tête de la brigade ?

Deuxième silence.

— Non. C'est Isabelle qui me l'a raconté.

Lynley s'empressa d'enchaîner, quelque chose à propos de John Stewart et d'un affrontement, mais ce que Barbara venait d'apprendre occultait tout le reste. « C'est Isabelle qui me l'a raconté. »

Isabelle, songea-t-elle. *Isabelle ?*

— C'était quand ? lui demanda-t-elle enfin.

— Au briefing hier après-midi. Du John pur sucre, j'en ai…

— Pas son conflit avec Stewart, le coupa Barbara. Quand est-ce qu'elle vous l'a raconté ? Pourquoi elle vous l'a raconté ?

— Hier soir, je vous l'ai dit.

— Où ça ?

— Barbara, quel rapport ? Et, d'ailleurs, je vous le raconte en confidence. Je ne devrais sans doute même pas vous en parler. J'espère que vous garderez cette information pour vous.

Cette remarque la glaça, et elle n'avait pas grande envie de réfléchir à ce qui la sous-tendait.

— Alors pourquoi m'en parlez-vous, monsieur ? dit-elle poliment.

— Pour vous mettre au courant. Pour que vous compreniez l'urgence… l'urgence de… eh bien, je suppose que la meilleure formulation serait l'urgence

880

de… d'attraper des infos et de les rapporter le plus vite possible.

Là, Barbara fut complètement estomaquée. Les mots lui manquaient pour répondre. Entendre Lynley bafouiller comme ça… Lynley, entre tous… Lynley, qui avait appris ce qu'il savait la veille au soir par « Isabelle »… Barbara ne tenait pas à approfondir ce que trahissaient les remarques, le ton et le langage maladroit de Lynley. Elle ne tenait pas non plus à se demander pourquoi elle ne voulait pas approfondir.

Elle dit vivement :

— Bien. Parfait. Vous pouvez me faire parvenir ces portraits-robots ? Vous pouvez demander à Dee Harriman de me les envoyer par fax ? J'imagine que l'hôtel en a un et vous pouvez demander à Dee de leur téléphoner pour avoir le numéro. Forest Heath Hotel. Ils ont sans doute aussi un ordinateur si c'est mieux par e-mail. D'après vous, y a-t-il une petite chance qu'un de ces portraits-robots soit une femme ? Déguisée en homme ?

Lynley parut soulagé de changer de sujet. Il répondit aussi vivement qu'elle :

— En vérité, à mon avis, tout est possible. Nous nous appuyons sur des descriptions fournies par un homme qui a dessiné des anges de deux mètres de haut sur les murs de sa chambre.

— Putain, merde, murmura Barbara.

— Comme vous dites.

Elle lui raconta pour Gordon Jossie, ses crochets, lesquels correspondaient au type de crochet utilisé par le tueur, la réaction du chaumier devant la photo de Gina Dickens, et le coup de fil qu'elle avait reçu de cette dernière. Elle lui annonça qu'elle se rendait à Burley pour avoir une nouvelle conversation avec Rob

Hastings. Ils évoqueraient entre autres des histoires de crochets et de forgerons. Et lui, de son côté, quoi de neuf ?

Frazer Chaplin, lui dit-il, et de sérieux efforts pour démonter son alibi.

Ça ne revenait pas à pisser dans un violon, par hasard ?

En cas de doute, reprendre au commencement, répliqua-t-il. Il disserta sur le fait de se retrouver au point de départ au terme d'un voyage et d'avoir l'impression de découvrir l'endroit pour la première fois, mais comme il s'agissait sûrement d'une de ses maudites citations, elle maugréa « Oui. Bon. Bien. D'accord » et raccrocha pour vaquer à ses occupations. C'était, selon elle, le meilleur baume pour apaiser le trouble que lui causait l'étrange comportement de Lynley.

Rob Hastings était chez lui. Il effectuait un grand ménage dans son Land Rover, qu'il avait vidé de tout ce qu'il avait pu enlever, à l'exception du moteur, des pneus, du volant et des sièges. Tous les objets qui se trouvaient dans l'habitacle gisaient par terre autour du véhicule, et l'homme s'employait à les trier. Vu la quantité de bazar qu'il avait sortie, la voiture devait lui servir de maison ambulante.

— Nettoyage de printemps à retardement ? fit-elle.

— C'est un peu ça.

Le braque de Weimar avait accouru de derrière la maison en entendant la Mini de Barbara, et Hastings ordonna au chien de s'asseoir. L'animal obéit aussitôt, même s'il haletait, enchanté de cette visite.

Barbara demanda à Hastings s'il voulait bien lui montrer son matériel de forgeron et, en toute logique, Hastings voulut savoir pourquoi. Elle envisagea d'éluder la question, mais se dit que sa réaction à la vérité serait peut-être plus parlante. Elle expliqua que l'arme utilisée pour tuer sa sœur avait sûrement été fabriquée à la main par un forgeron, mais elle se garda de lui préciser quelle était cette arme.

Il ne broncha pas. Son regard se braqua sur elle.

— Vous pensez que j'ai tué ma propre sœur, à présent ?

— Nous cherchons quelqu'un qui ait accès à du matériel de forgeron ou à des outils fabriqués au moyen d'un tel matériel, lui dit Barbara. Tous ceux qui répondent au profil et qui connaissaient Jemima seront interrogés. Je présume que vous n'y verrez pas d'objection.

Hastings baissa le regard. Il admit que non.

Quand il l'emmena dans la dépendance pour lui montrer son équipement, elle constata que celui-ci n'avait pas servi depuis des années. Elle savait assez peu de choses sur le métier de forgeron, mais tous les ustensiles que possédait l'agister en rapport avec cette activité laissaient penser que ni lui ni personne n'y avait touché depuis qu'ils avaient été rangés là. Les outils étaient entassés sans aucun espace pour se faufiler entre eux. Un énorme établi accueillait la plus grande partie du matériel : tenailles, broches, ciseaux, fourches et emporte-pièces. Juste à côté, des barres en fer forgé traînaient à l'abandon en une pile anarchique, et deux enclumes étaient posées à la verticale contre le devant de l'établi. Il y avait plusieurs vieilles vasques, trois étaux, et ce qui ressemblait à une meuleuse. Indice révélateur, il n'y avait pas de forge, et, de toute façon, la poussière semblait s'être accumulée sur les objets depuis des lustres. Barbara s'en rendit compte sur-le-champ mais prit quand même son temps pour tout examiner. À la fin de son inspection, elle hocha la tête et remercia l'agister.

— Je suis désolée. Il le fallait.

— De quoi on s'est servi pour la tuer, alors ? demanda Hastings, hébété.

— Je regrette, Mr Hastings, mais je ne peux pas…

— C'était un outil de chaumier, c'est ça ? Forcément. C'était un outil de chaumier.

— Pourquoi ?

— À cause de lui.

Hastings regarda vers la large porte qu'ils avaient empruntée pour entrer dans le vieux bâtiment où était entreposé son matériel. Ses traits se durcirent.

— Mr Hastings, Gordon Jossie n'est pas le seul chaumier à qui nous ayons parlé au cours de l'enquête. C'est vrai, il a du matériel de chaumier. Ça ne fait aucun doute. Mais c'est aussi le cas d'un dénommé Ringo Heath.

Hastings réfléchit.

— C'est Heath qui a formé Jossie.

— Oui. Nous lui avons parlé. Chaque personne ayant un lien avec l'affaire doit être retrouvée et rayée de la liste. Jossie n'est pas le seul à…

— Et Whiting ? Vous avez étudié ce lien-là ?

— Le lien entre lui et Jossie ? Nous savons qu'il y a quelque chose, mais rien de plus pour l'instant. On continue à y travailler.

— Y a intérêt. Whiting serait allé plusieurs fois chez Jossie pour discuter avec lui.

Hastings parla à Barbara de Meredith Powell, la vieille amie et ancienne camarade de classe de Jemima. Il lui raconta ce que Meredith lui avait révélé à propos des visites de Whiting à Jossie. Meredith tenait cette information de Gina Dickens. Il conclut en disant :

— Et Jossie était à Londres le jour où Jemima est morte. Vous avez bien établi ce lien, j'espère ? Gina Dickens a trouvé les billets de train. Elle a mis la main sur la facture d'hôtel.

Barbara sentit ses yeux s'écarquiller et ses narines se dilater.

— Depuis combien de temps vous savez ça ? Vous aviez ma carte. Pourquoi ne pas m'avoir appelée à Londres, Mr Hastings ? Ou le sergent Nkata. Vous aviez aussi sa carte. Lui ou moi…

— Parce que Whiting a dit que la situation était sous contrôle. Il a raconté à Meredith que le renseignement avait été transmis à Londres. À vous. À New Scotland Yard.

Un ripou. Elle n'était pas surprise. Barbara savait depuis le début qu'il y avait quelque chose de pas clair chez Zachary Whiting. Depuis le moment où il avait regardé ces fausses lettres vantant les résultats de Gordon Jossie au Collège technique de Winchester II. Il s'était trahi en parlant de l'apprentissage chez Ringo Heath, et aujourd'hui Barbara et ce brave commissaire divisionnaire allaient avoir une petite conversation.

Ouf, soupira-t-elle en étudiant fiévreusement sa carte de la New Forest. Il lui suffisait de revenir sur ses pas à partir de Honey Lane et de retraverser le village de Burley. Ensuite, c'était tout droit jusqu'à Lyndhurst. Peut-être le seul chemin un peu droit dans tout le Hampshire…

Elle se mit en route. La tête lui tournait. Gordon Jossie à Londres le jour de la mort de Jemima. Zachary Whiting lui rendant des visites. Ringo Heath en possession d'outils de chaumier. Gina Dickens transmettant des infos au commissaire divisionnaire. Et maintenant Meredith Powell, qu'ils auraient trouvée plus tôt si cette foutue idiote d'Isabelle Ardery ne leur avait pas ordonné de rentrer prématurément à Londres. « C'est Isabelle qui me l'a raconté. » Barbara repensa à Lynley – la dernière chose qu'elle ait envie de faire – et s'obligea à se concentrer sur Whiting.

Un déguisement. C'était ça. Elle se disait bien, aussi, que la casquette de baseball et les lunettes de soleil sentaient le déguisement : c'était l'évidence même. Mais l'autre ? Vêtements sombres, cheveux bruns… Ma foi, Whiting était chauve comme un nouveau-né, mais dégoter une perruque n'était pas bien difficile non plus.

Avec toutes ces pensées qui s'enchaînaient, elle prêtait peu d'attention à la route. Il y avait un embranchement qu'elle n'avait pas remarqué sur la carte, et au niveau du Queen's Head, aux abords du village de Burley, elle obliqua à gauche. Elle comprit immédiatement son erreur en voyant la route rétrécir – elle aurait dû prendre à droite – et se glissa aussitôt dans le grand parking derrière le pub pour y faire demi-tour. Elle était en train de manœuvrer devant des cars de tourisme quand son portable sonna.

Elle le sortit des profondeurs de son sac et aboya : « Havers » lorsqu'elle réussit enfin à l'ouvrir.

— Un verre ce soir, poupée ? demanda une voix d'homme.

— Enfin merde, qu'est-ce que… ?

— Un verre ce soir, poupée ?

La voix était vibrante de sérieux.

— Un verre ? Bordel, vous êtes qui ? Ici le sergent Barbara Havers. Qui est à l'appareil ?

— Je le sais bien. Un *verre* ce soir, poupée.

L'homme parlait comme s'il avait les dents serrées.

— Un verre, un verre, un verre ?

Tout à coup, elle comprit. C'était Norman, du ministère de l'Intérieur, sa taupe personnelle, qu'elle devait à l'aimable intervention de Dorothea Harriman et de son amie Stephanie Thompson-Smythe. Il lui donnait le mot de passe, ils étaient censés se retrouver au distributeur de billets de la Barclays dans Victoria Street, il avait quelque chose pour elle et…

— Putain, merde, fit-elle. Norman. Je suis dans le Hampshire. Dites-le-moi au téléphone.

— Impossible, chérie, lança-t-il, jovial. Absolument écrasé de boulot pour l'instant. Mais un verre ce soir, ce serait parfait. Pourquoi pas notre bistrot ? Tu te laisseras bien tenter par un petit gin tonic ? Au bar habituel ?

Elle réfléchit à fond de train.

— Norman, écoutez. Je peux y envoyer quelqu'un dans… disons une heure ? Ce sera un homme. Il dira « gin tonic », d'accord ? C'est comme ça que vous le reconnaîtrez. Dans une heure, Norman. Au distributeur de billets de Victoria Street. Gin tonic, Norman. Quelqu'un sera là.

Au Royaume-Uni, la « détention au bon plaisir du monarque régnant » – euphémisme pour « réclusion à perpétuité » – est la seule peine qui puisse être infligée à une personne reconnue coupable de meurtre. Mais c'est une loi qui s'applique aux meurtriers de plus de vingt et un ans. Dans le cas de John Dresser, les tueurs étaient des enfants. Cet élément, associé à la nature sensationnelle du crime, avait forcément eu un impact sur monsieur le juge Anthony Cameron lors de ses réflexions concernant les recommandations qu'il ferait en prononçant la sentence.

Le climat autour du procès était hostile, avec une hystérie sous-jacente surtout perceptible dans la réaction des personnes rassemblées à l'extérieur du Palais de Justice. Si, à l'intérieur de la salle d'audience, il y avait de la tension mais pas d'agressivité patente à l'égard des trois garçons, à l'extérieur de la salle

d'audience, il en allait différemment.
Après les démonstrations initiales de
fureur à l'égard des trois accusés – carac-
térisées d'abord par les rassemblements de
populace devant leurs domiciles, puis par
des tentatives d'attaque répétées sur les
fourgons blindés dans lesquels ils arrivaient chaque jour à leur procès et en
repartaient –, on était passé à des mani-
festations organisées qui s'étaient
terminées par ce qu'on appela bientôt la
Marche silencieuse pour la justice, une
procession muette ayant réuni le nombre
stupéfiant de vingt mille personnes. Les
manifestants avaient effectué à pied le
trajet des Barriers jusqu'au chantier de
construction Dawkins, où ils avaient prié,
une bougie à la main, et écouté l'éloge
funèbre qu'Alan Dresser, d'une voix brisée,
avait prononcé pour son petit garçon. « Pas
question de laisser la mort de John finir
aux oubliettes. » Ces mots de conclusion
aux allures d'injonction reflétaient bien
le sentiment général.

On ne peut qu'imaginer le mal que dut
avoir le juge Cameron à décider de l'arrêt
qu'il rendrait. Ce n'était pas pour rien
qu'on le surnommait « Tony Maximum » : il
avait une certaine propension à requérir la
peine maximale à l'issue des procès qu'il
présidait. Mais il n'avait jamais été
confronté à des criminels de dix et onze
ans auparavant, et il ne pouvait pas fermer

les yeux sur le fait que les auteurs de cet acte horrible n'étaient eux-mêmes que des enfants. Sa mission, cependant, exigeait qu'il prenne en compte uniquement ce qui pourrait avoir force à la fois de châtiment et de dissuasion. Sa recommandation fut une peine privative de liberté de huit ans, sanction qui, aux yeux du public et de la presse à scandale, passa pratiquement pour une absolution. Ainsi furent engagées une série de manœuvres juridiques jusquelà inédites. Au bout d'à peine une semaine, le président de la Haute Cour de justice réexamina l'affaire et porta la peine à dix ans, mais six mois plus tard les Dresser avaient recueilli cinq cent mille signatures sur une pétition exigeant que les meurtriers soient condamnés à perpétuité.

C'était une histoire qui refusait de s'éteindre. Les tabloïds s'étaient approprié les parents de John Dresser ainsi que John lui-même et avaient fait de sa mort une cause célèbre. Après l'énoncé du verdict, les identités des assassins et leurs photographies purent être révélées au public, tout comme les détails les plus abominables du meurtre. La nature monstrueuse de celui-ci devint un signe de ralliement pour tous ceux qui estimaient que la peine capitale constituait la seule et unique sentence appropriée à un pareil crime. Ainsi le ministre de l'Intérieur dut-il intervenir, augmentant une nouvelle fois la sanction et la portant à une durée extra-ordinaire de vingt années, afin, dit-il, « d'assurer au public que la confiance du peuple dans le système judiciaire est parfaitement fondée, et de bien lui démontrer que le crime est toujours puni, quel que soit l'âge de celui qui le commet ». La sentence en resta là jusqu'à ce qu'elle soit examinée par la Cour européenne du Luxembourg, où les avocats des garçons soutinrent avec succès que les droits de leurs clients se trouvaient lésés par le fait qu'un homme politique – inévitablement influencé par l'opinion publique – avait été autorisé à fixer les termes de leur condamnation.

Lorsque leur peine de prison fut ramenée à dix ans, les tabloïds se déchaînèrent à nouveau. Ceux qui détestaient l'idée même de l'unification européenne, y voyant la cause de tous les maux qui rongeaient le pays, utilisèrent la décision prise au Luxembourg comme un exemple de l'intrusion étrangère dans les affaires internes de la société britannique. Et après ? s'interrogeaient-ils. Le Luxembourg allait-il nous imposer l'euro ? Et pourquoi pas un décret abolissant la monarchie ? Les partisans de l'unification eurent la sagesse de n'émettre aucun commentaire. Car approuver la décision de la Cour européenne était une prise de position dangereuse, laissant entendre en quelque sorte que dix petites années de prison étaient un châtiment suffisant pour la torture et la mort d'un bébé innocent.

Personne ne pouvait raisonnablement envier les officiels – élus ou non – qui eurent à prendre les décisions concernant le sort de Michael Spargo, Reggie Arnold et Ian Barker. La nature du crime a toujours laissé supposer que les trois garçons étaient profondément perturbés, et eux-mêmes des victimes de la société. On ne peut contester que leurs situations familiales étaient peu reluisantes, mais on ne peut contester non plus que d'autres enfants grandissent dans des conditions aussi peu reluisantes, voire plus catastrophiques encore, et qu'ils n'assassinent pas de jeunes enfants pour autant.

Peut-être la vérité est-elle que tout seuls, individuellement, les garçons n'auraient jamais commis un acte de violence tel que celui-là. Peut-être la vérité est-elle que c'est un malheureux concours de circonstances, ce jour particulier, qui a conduit à l'enlèvement et à la mort de John Dresser.

En tant que société évoluée, nous sommes assurément obligés de reconnaître qu'à un niveau ou un autre quelque chose n'allait pas chez Michael Spargo, Reggie Arnold et Ian Barker, et de la même façon, en tant que société évoluée, nous étions assurément tenus d'apporter de l'aide à ces trois garçons sous la forme d'une intervention directe bien avant que le crime puisse avoir lieu, ou tout du moins de leur apporter une assistance thérapeutique une fois qu'ils avaient été arrachés à leurs foyers pour attendre leur jugement. Ne pouvons-nous pas dire qu'en nous étant gardés d'intervenir et de fournir une assistance à ces garçons, nous, en tant que société, avons manqué à nos obligations envers Michael Spargo, Reggie Arnold et Ian Barker tout aussi assurément que nous avons manqué à notre obligation de protéger le jeune John Dresser contre leur agression ?

Il est facile de qualifier ces garçons de malfaisants, mais en les déclarant tels, nous ne devons pas oublier qu'au moment où le crime a été perpétré ces garçons étaient des enfants. Et nous devons nous demander à quoi il peut servir d'amener des enfants devant la cour d'assises plutôt que de leur apporter au plus tôt l'aide dont ils ont besoin.

31

« Je ne suis pas amoureuse de vous, avait-elle dit
après. C'est juste un truc qui est arrivé.

— Bien sûr, avait-il répondu. Je comprends
parfaitement.

— Personne ne doit être au courant.

— C'est sans doute le point le plus évident.

— Pourquoi ? s'était-elle étonnée. Il y en a d'autres ?

— Quoi ?

— Des points évidents. Hormis le fait que je suis
une femme et que vous êtes un homme, et que ce sont
des choses qui arrivent. »

Bien sûr qu'il y en avait d'autres, avait-il songé. À
part le pur instinct animal, il y avait sa motivation.
Sans compter sa motivation à elle. Il y avait aussi :
qu'est-ce qui se passe maintenant, qu'est-ce qui se passera après, et qu'est-ce qu'on fait quand la donne a
changé de cette façon ?

« Le regret, je suppose, lui avait-il dit.

— Vous regrettez ? Pas moi. Comme je l'ai dit, ce
sont des choses qui arrivent. N'allez pas me raconter
que ça ne vous est jamais arrivé, surtout vous. Je n'y
croirais pas. »

Il n'était pas tout à fait celui qu'elle avait l'air de penser, mais il n'avait pas protesté. Il avait pivoté sur le lit, s'était assis au bord et avait réfléchi à la question qu'elle lui avait posée. La réponse était oui et en même temps non, mais il avait gardé le silence.

Il avait senti sa main sur son dos. Elle était fraîche, et sa voix s'était altérée quand elle avait prononcé son prénom. Elle n'était plus sèche et professionnelle, mais… était-elle maternelle ? Seigneur, non. Elle n'avait rien de maternel.

Elle avait dit :

« Thomas, si nous devons être amants…

— Je ne peux pas pour l'instant. »

Non qu'il ne pouvait s'imaginer comme l'amant d'Isabelle Ardery. Au contraire, il se l'imaginait trop bien, et la chose l'effrayait pour tout ce qu'elle impliquait.

« Il faut que je parte.

— On se reparle plus tard. »

Il était arrivé chez lui à une heure indue. Il avait très peu dormi. Le matin, il avait discuté au téléphone avec Barbara Havers, une conversation qu'il aurait mieux aimé éviter. Ensuite, dès qu'il fut en état, il s'attela à la tâche : il devait plancher sur Frazer Chaplin et sur son alibi.

DragonFly Tonics avait ses locaux dans une ruelle derrière l'oratoire de Brompton et l'église de la Sainte-Trinité. Ils donnaient sur le cimetière, même si un mur, une haie et un sentier les en séparaient. En face de l'établissement, il remarqua deux Vespa garées. L'une orange vif et l'autre rose fuchsia, chacune ornée d'autocollants DragonFly Tonics, comme ceux qu'il avait vus sur le scooter de Frazer Chaplin devant le Duke's Hotel.

Lynley gara la Healey Elliott juste devant l'immeuble. Il marqua une pause pour contempler l'assortiment de produits exposé en vitrine. Des bouteilles renfermant des substances aux noms évocateurs comme Pêche Réveille-Toi, Citron Purge-Toi et Orange Secoue-Toi. Il inspecta ces articles en pensant avec amusement à celui qu'il aurait choisi si la firme l'avait fabriqué : Fraise Reviens-sur-Terre. Ou encore Pamplemousse Ressaisis-Toi… Il aurait eu bien besoin des deux.

Il entra. Le décor était plus que dépouillé. À part quelques cartons présentant le logo DragonFly Tonics sur le côté, il n'y avait qu'un bureau d'accueil avec une femme entre deux âges assise derrière. Elle portait un costume d'homme en seersucker. Du moins on aurait dit un costume d'homme, car elle flottait dans la veste, tellement immense qu'elle aurait pu appartenir à Churchill.

La femme fourrait des brochures dans des enveloppes et poursuivit sa besogne en demandant :

— Je peux vous aider ?

Elle avait l'air étonnée. De toute évidence, sa journée était rarement interrompue par des visiteurs.

Lynley l'interrogea sur leurs méthodes publicitaires, et elle en conclut un peu vite qu'il avait l'intention de recouvrir la Healey Elliott – on la voyait par la vitrine – d'autocollants DragonFly Tonics. Il frissonna intérieurement à l'idée d'une telle profanation. Bien que tenté de s'exclamer, indigné : « Non mais, vous êtes folle ? », il continua à afficher une mine intéressée. Elle sortit de son bureau un impeccable dossier en papier kraft, dans lequel elle prit ce qui était apparemment un contrat. Elle décrivit les tarifs proposés en fonction de la taille et du nombre d'autocollants appliqués, et des kilomètres censés être parcourus par le véhicule. Les taxis noirs, normal, étaient les mieux rémunérés, suivis de très près par les coursiers à moto ou à scooter. Roulait-il beaucoup ? demanda-t-elle à Lynley.

Il profita de la question pour la détromper. Il lui montra sa carte de police et lui demanda s'ils tenaient des registres sur les gens dont les véhicules étaient, disons, « décorés » des autocollants DragonFly Tonics. Elle lui rétorqua que, bien sûr, il y avait des registres car sinon comment auraient-ils fait pour payer les gens qui se baladaient dans Londres ou ailleurs avec des publicités placardées sur leurs véhicules ?

Lynley espérait découvrir qu'aucun Frazer Chaplin n'avait signé de contrat pour faire la réclame de DragonFly Tonics. De là, on aurait pu déduire que la Vespa que Frazer avait montrée à Lynley devant le Duke's Hotel n'était pas la sienne, mais un scooter qu'il avait dégoté au pied levé et fait passer pour le sien. Il donna le nom de Frazer à la réceptionniste en lui demandant si elle pouvait retrouver son contrat.

Malheureusement, oui, et il correspondait point par point à ce que Frazer avait déclaré. La Vespa était à lui. Elle était vert-jaune. Des autocollants y avaient été apposés, par des professionnels installés à Shepherd's Bush, DragonFly Tonics ne tenant pas à ce que le travail soit fait n'importe comment. Ils étaient appliqués pour résister aux intempéries et ne pas se décoller facilement, et à l'expiration du contrat, lorsqu'ils seraient bel et bien retirés, le véhicule serait repeint.

Lynley soupira. À moins que Frazer n'ait pris un autre engin pour se rendre à Stoke Newington, ils étaient de retour à la case vidéosurveillance et à l'espoir que l'une des caméras ait enregistré la présence de sa Vespa à proximité du cimetière. Ils étaient également de retour à la case corvée de porte-à-porte – d'ores et déjà entamée sur ordre d'Isabelle – et à l'espoir que quelqu'un ait aperçu le scooter. Ou bien, deuxième solution, il fallait envisager que Frazer se soit servi du deux-roues de quelqu'un d'autre, car avec seulement quatre-vingt-dix minutes pour faire ce qu'il avait à faire puis rejoindre le Duke's Hotel à l'heure, il n'y avait que ce moyen de locomotion. Il était tout bonnement impossible, autrement, de couper aux embouteillages.

Lynley réfléchissait à tout cela lorsque ses yeux se posèrent sur la date du contrat. Une semaine avant la mort de Jemima… Ce détail le poussa à s'attarder sur les dates en général, et il se rendit compte qu'il y avait un élément qu'il avait négligé. De fait, le meurtre de Jemima Hastings pouvait fort bien avoir été perpétré d'une autre manière.

Havers l'appela au moment où il remontait dans sa voiture. Le sergent divaguait, il n'y avait pas d'autre terme. Elle parlait de Victoria Street, d'un distributeur de billets, du ministère de l'Intérieur et de boire un gin tonic.

Il pensa d'abord que c'était ce qu'elle avait fait. Boire un gin tonic. Ou même deux ou trois. Mais soudain, au milieu de son monologue délirant, il discerna le mot « taupe », et il finit par comprendre qu'elle lui demandait d'aller retrouver quelqu'un à un distributeur de billets dans Victoria Street, même s'il ne savait toujours pas très bien pourquoi il lui fallait faire cela.

Lorsqu'elle reprit enfin haleine, il dit :

— Havers, quel rapport avec…

— Il était à Londres. Le jour où Jemima est morte. Jossie. Et Whiting le sait depuis le début.

Il dressa l'oreille.

— Qui vous a donné l'information ?

— Hastings. Le frère.

Elle se remit à discourir, cette fois sur Gina Dickens et une certaine Meredith Powell, mais aussi sur des billets, des factures, l'habitude qu'avait Gordon Jossie de porter des lunettes noires et une casquette de baseball, et n'était-ce pas justement ainsi que Yukio Matsumoto avait décrit l'homme qu'il avait vu dans le cimetière, et s'il vous plaît, s'il vous plaît, allez à Victoria Street à ce distributeur de billets parce que, quoi qu'il ait pu découvrir, Norman ne voulait pas le divulguer au téléphone, or il fallait absolument qu'ils sachent de quoi il s'agissait. Elle-même allait braver Whiting dans sa tanière, mais avant cela il fallait qu'elle sache ce que Norman avait à dire, et Lynley devait donc à tout prix aller à Victoria Street et où est-ce qu'il était, de toute façon ?

Elle reprit sa respiration, ce qui donna à Lynley l'occasion de lui expliquer qu'il se trouvait dans Ennismore Gardens Mews, derrière l'oratoire de Brompton et l'église de la Sainte-Trinité. Il travaillait sur la piste Frazer Chaplin, et il pensait…

— On se fiche de Frazer ! Là, c'est du sérieux, c'est Whiting, et c'est ça la piste ! Pour l'amour du ciel, inspecteur, j'ai besoin que vous y alliez.

— Et Winston ? Où est-il ?

— Il faut que ce soit vous. Écoutez, Winnie s'occupe du visionnage, non ? Ces vidéos de Stoke Newington ? Et de toute manière, si Norman... bon Dieu, pas moyen de me souvenir de son foutu nom... Il a fréquenté les écoles privées. Il porte des chemises roses. Il a cette voix... Il prononce toutes ses phrases de si loin dans la gorge qu'il faut presque l'opérer des amygdales pour arriver à lui extraire les mots. Si Winnie se pointe au distributeur et commence à lui parler... Surtout Winnie... Winnie... Enfin, monsieur, réfléchissez un peu.

— D'accord, dit Lynley. D'accord, Havers.

— Merci, merci ! Cette affaire est un vrai sac de nœuds, mais l'écheveau commence à se démêler.

Il n'en était pas si sûr : chaque fois qu'il se laissait aller à le croire, des faits nouveaux venaient tout embrouiller.

Il arriva à l'heure à Victoria Street en empruntant un itinéraire qui lui fit traverser Belgrave Square. Il se gara dans le parking souterrain de la Met et repartit à pied vers Victoria Street, où il trouva le distributeur de la Barclays le plus proche de Broadway, à côté d'une papeterie Ryman.

La taupe de Havers était en effet parfaitement reconnaissable à ses vêtements. Sa chemise n'était pas rose, elle était carrément fuchsia, et il y avait des petits canards sur sa cravate. Il n'était manifestement pas taillé pour une vie d'intrigues, car il arpentait le trottoir puis s'arrêtait devant la vitrine de Ryman, comme s'il hésitait sur un modèle de classeur.

Lynley se sentait particulièrement ridicule, mais il aborda l'homme en disant :

— Norman ?

Quand l'autre sursauta, il ajouta d'un ton affable :

— Barbara Havers pensait que vous seriez peut-être intéressé par un gin tonic.

Norman jeta un regard à droite et à gauche.

— Bon Dieu, l'espace d'un instant je vous ai pris pour l'un d'eux.

— Qui cela ?

— Écoutez. On ne peut pas parler ici.

Il consulta sa montre, un de ces modèles à cadrans multiples, utiles pour la plongée sous-marine et sans doute aussi pour aller sur la Lune.

— Faites comme si vous me demandiez l'heure, je vous prie. Réglez votre montre ou quelque chose comme ça… Ma parole, vous portez une montre de gousset ? Je n'en ai pas vu depuis…

— C'est un objet de famille.

Lynley regarda l'heure alors que Norman lui montrait ostensiblement son poignet. Lynley ne savait trop quel cadran il était censé regarder mais il hocha obligeamment la tête.

— On ne peut pas parler ici, répéta Norman quand le premier acte de cette petite comédie fut terminé.

— Pourquoi diable…

— Les caméras de surveillance, murmura Norman. Il faut qu'on aille ailleurs. Elles vont nous filmer, et là je suis mort.

Il en rajoutait un peu, mais Lynley comprit que Norman craignait de perdre son emploi, non de perdre la vie.

— Ça risque d'être un peu compliqué, non ? Il y a des caméras partout.

— Écoutez, allez au distributeur. Retirez un peu d'argent. Je vais entrer chez Ryman acheter quelque chose. Vous ferez de même.

— Norman, Ryman aura sûrement une caméra aussi.

— Bon sang, allez-y, je vous dis, grommela Norman entre ses dents.

Lynley se rendit compte que l'homme avait franchement peur, qu'il ne se contentait pas de jouer aux espions. Il attrapa sa carte bancaire et rejoignit le distributeur. Il retira un peu d'argent, entra dans la papeterie, et vit Norman qui étudiait des blocs de Post-it. Il ne s'approcha pas de lui, par crainte de le perturber. Il alla examiner les cartes de vœux : il en prit une, puis une autre, puis une troisième et une quatrième, tel un homme décidé à dénicher le modèle idéal. Lorsque Norman se dirigea enfin vers la caisse, il choisit une carte au hasard et lui emboîta le pas. C'est là qu'eut lieu leur tête-à-tête express, Norman s'efforçant d'avoir l'air le plus naturel possible, douce illusion, vu qu'il parlait du coin de la bouche.

— C'est un peu la panique, dit-il.

— Au Home Office ? Qu'est-ce qui se passe ?

— Aucun doute, ça a un rapport avec le Hampshire. C'est une chose énorme, gravissime, et ils se démènent comme des fous pour régler le problème avant que l'affaire s'ébruite.

Dans sa vie, Isabelle Ardery avait toujours pris soin de cloisonner. Aussi n'eut-elle aucune difficulté à le faire le lendemain de la visite de Lynley. D'un côté il y avait l'inspecteur Lynley qui travaillait dans son équipe, de l'autre il y avait Thomas Lynley qui avait fait un séjour dans son lit. Il n'était pas question de confondre les deux. Du reste, elle n'avait pas la bêtise de se figurer que leur union était autre chose que sexuelle, une union mutuellement satisfaisante et potentiellement renouvelable. Et puis, sa situation à la Met ne lui laissait même pas une seconde pour se souvenir de quoi que ce soit, surtout pas de la nuit précédente avec Lynley. C'était en effet le jour numéro un dans le scénario de fin du monde que lui avait clairement exposé l'adjoint au préfet Hillier, et si on devait lui montrer la porte de New Scotland Yard, elle avait la ferme intention de la prendre en laissant derrière elle une affaire parfaitement bouclée.

Telles étaient ses réflexions quand Lynley arriva dans son bureau. Elle sentit son cœur faire un bond désagréable en le voyant, et elle lança vivement :

— Qu'y a-t-il, Thomas ?

Elle se leva, se faufila derrière lui et cria dans le couloir :

— Dorothea ? Quelles nouvelles de l'enquête de voisinage à Stoke Newington ? Et où en est Winston, avec les vidéos ?

N'obtenant pas de réponse, elle beugla :

— Dorothea ! Enfin, bon sang… Et merde, soupira-t-elle.

Elle regagna sa table de travail.

— Qu'y a-t-il, Thomas ? répéta-t-elle, mais cette fois en restant debout.

Il allait fermer la porte mais elle lança :

— Laissez-la ouverte, s'il vous plaît.

— Ce n'est pas personnel, dit-il en se retournant.

Il laissa néanmoins la porte telle quelle.

Elle se sentit rougir.

— Très bien. Allez-y. Que s'est-il passé ?

Il lui donna un mélange d'informations d'où il ressortait que le sergent Havers – qui semblait décidément n'en faire qu'à sa tête dans les enquêtes pour meurtre – avait dégoté quelqu'un à l'intérieur du Home Office pour effectuer des recherches au sujet d'un policier du Hampshire. Ce fameux indic venait à peine de commencer à fureter quand il avait été convoqué dans le bureau d'un fonctionnaire très haut placé, dont la proximité avec le ministre était plus que perturbante. Pourquoi Zachary Whiting intéressait-il un employé subalterne du Home Office ? avait-on demandé à Norman.

— Norman s'est livré à quelques acrobaties pour sauver sa peau, dit Lynley. Mais il a réussi à dénicher quelque chose qui pourrait se révéler utile pour nous.

— À savoir ?

— Whiting s'est apparemment vu confier la responsabilité de protéger quelqu'un d'extrêmement important pour le ministère.

— Quelqu'un du Hampshire ?

— Quelqu'un du Hampshire. C'est une protection de haut niveau, du plus haut niveau. Le genre de niveau à déclencher des alarmes dans tous les sens dès que quelqu'un s'en approche si peu que ce soit. Et les alarmes, m'a laissé entendre Norman, se déclenchent directement dans le bureau du ministre.

Isabelle s'assit lentement dans son fauteuil. Elle désigna du menton un deuxième siège, et Lynley y prit place.

— D'après vous, à quoi a-t-on affaire, Thomas ?

Réfléchissant aux différentes possibilités, elle cita la plus probable :

— Quelqu'un qui aurait infiltré une cellule terroriste ?

— Et l'agent infiltré serait aujourd'hui protégé ? C'est tout à fait possible.

— Mais il y a aussi d'autres possibilités, n'est-ce pas ?

— Pas autant qu'on l'imaginerait. Pas au niveau le plus élevé. Pas avec le ministre de l'Intérieur au courant. Il y a le terrorisme, comme vous l'avez dit : un agent infiltré qu'on met en sécurité avant un coup de filet. Il y a la protection d'un témoin censé comparaître dans un procès important. Par exemple, une affaire de crime organisé, ou une affaire de meurtre un peu sensible dont les répercussions...

— Une affaire à la Stephen Lawrence.

— Oui. Il y a aussi la protection de personnes menacées par des tueurs à gages.

— Les victimes de fatwa.

— Ou des personnes recherchées par la mafia russe. Ou par des gangsters albanais. En tout cas, c'est quelque chose d'important, quelque chose de grave...

— Et Whiting sait très bien ce que c'est.

— Exact. Car quel que soit l'individu que protège le Home Office, cet individu se trouve dans la juridiction de Whiting.

— Dans une planque ?

— Peut-être. Mais il se peut aussi qu'il vive sous une nouvelle identité.

Elle regarda Lynley, qui lui rendit son regard. Silencieux l'un et l'autre, ils évaluaient les différentes possibilités, les comparant aux éléments dont ils disposaient.

— Gordon Jossie, dit enfin Isabelle. La protection de Jossie est la seule explication de l'attitude de Whiting. Ces fausses lettres de recommandation du Collège technique de Winchester II. Le fait que Whiting ait évoqué l'apprentissage de Jossie quand Barbara lui a montré les lettres…

Lynley était d'accord.

— Havers est sur une autre piste, Isabelle. Elle est pratiquement sûre que Jossie était à Londres le jour où Jemima Hastings a été assassinée.

Il lui raconta plus en détail le coup de fil de Barbara, la conversation qu'elle avait eue avec Rob Hastings, la révélation que l'agister lui avait faite concernant les billets de train et la note d'hôtel, et l'assurance donnée par Whiting à une femme du nom de Meredith Powell que cette information avait été transmise à Londres.

— Elle s'appelle Meredith Powell ? Pourquoi n'a-t-on pas entendu parler d'elle avant ? Et pourquoi, d'ailleurs, le sergent Havers vous rend-il compte à vous et non pas à moi ?

Lynley hésita. Son regard plein de franchise se porta sur la fenêtre derrière elle. Se rappelant qu'il avait lui-même occupé ce bureau peu de temps avant, Isabelle se demanda s'il n'avait pas envie de le récupérer maintenant qu'elle était hors jeu. Il pouvait à coup sûr se mettre sur les rangs si le poste le tentait, et il savait qu'il ferait un meilleur candidat qu'elle.

Elle répéta d'un ton brusque :

— Thomas, pourquoi Barbara vous rend-elle compte à vous, et pourquoi n'a-t-on pas entendu parler de cette Meredith Powell avant aujourd'hui ?

Son regard revint se poser sur elle. Il ne répondit qu'à la deuxième question, mais la réponse à la première était implicite :

— Vous vouliez que Havers et Nkata rentrent à Londres.

Il ne s'agissait pas d'une accusation. Ce n'était guère son style de souligner à quel point elle s'était plantée. Mais, quoi qu'il en soit, elle avait échoué de manière tellement évidente…

Elle fit pivoter son fauteuil vers la fenêtre.

— Bon Dieu, murmura-t-elle, je me suis trompée sur toute la ligne depuis le début.

— Je ne dirais pas…

— Oh, je vous en prie, dit-elle en se retournant vers lui. Inutile de me ménager, Thomas.

— Ce n'est pas ça. C'est une question de…

— Chef ?

Philip Hale se tenait dans l'encadrement de la porte. Il avait un papier à la main.

— On a trouvé Matt Jones, annonça-t-il. Le bon Matt Jones.

— On en est sûrs ?

— Ça semble cadrer.

— Et ?

— Mercenaire. Soldat de fortune. Un truc comme ça. Travaille pour un groupe qui s'appelle Hangtower, la plupart du temps au Moyen-Orient.

— On sait pour quel genre de boulot ?

— Seulement que c'est top secret.

— Ce qui veut dire des assassinats ?

— Sans doute.

— Merci, Philip, dit Isabelle.

Il hocha la tête et les quitta, lançant à Lynley un coup d'œil qui n'avait pas besoin de traduction. Si leur supérieure avait utilisé ses compétences comme il convenait, ils auraient élucidé le cas Matt Jones ainsi que tous les autres depuis des jours. Au lieu de quoi, elle l'avait obligé à rester au St. Thomas' Hospital. Une mesure punitive, se disait-elle aujourd'hui, témoignant d'une gestion des troupes absolument déplorable.

— J'entends d'ici Hillier…

— Isabelle, la coupa Lynley. Ne vous inquiétez pas pour Hillier. Rien de ce que nous avons appris aujourd'hui…

— Pourquoi ? Vous essayez de me rassurer, genre « ce qui est fait est fait » ? Ou bien le pire est-il encore à venir ?

Elle le scruta et lut sur son visage qu'il y avait quelque chose qu'il ne lui avait pas encore dit.

Les lèvres de Lynley esquissèrent un demi-sourire. Cette expression affectueuse ne plut pas vraiment à Isabelle.

— Quoi ? fit-elle, agacée.

— Hier soir, commença-t-il.

— Pas question de parler d'hier soir, dit-elle d'un ton farouche.

— Hier soir, répéta-t-il fermement, nous avions tout décortiqué et nous étions arrivés à Frazer Chaplin, Isabelle. Rien de ce que nous avons appris aujourd'hui ne contredit cette conclusion. En fait, ce que Barbara a réussi à découvrir nous conforte dans cette direction.

Comme elle s'apprêtait à protester, il ajouta :

— Écoutez-moi jusqu'au bout. Si Whiting a en effet pour mission de protéger Gordon, nous savons deux choses sur lesquelles on achoppait hier soir.

Elle réfléchit un moment et comprit où il voulait en venir.

— Le trésor romain… Si trésor il y a.

— Supposons que oui. Nous nous demandions pourquoi Jossie n'aurait pas tout de suite signalé sa trouvaille, comme il était censé le faire, et maintenant nous le savons. Considérons sa situation : s'il déterre un trésor romain, ou même une partie de trésor romain, et qu'il appelle les autorités, il verra aussitôt arriver une meute de journalistes qui l'interrogeront sur les circonstances de la découverte. Le genre de chose impossible à garder sous le boisseau… Surtout si la trouvaille s'apparente un tant soit peu aux trésors de Mildenhall ou de Hoxne. Très vite, la police débarque pour mettre en place un cordon de sécurité autour de la zone, des archéologues déboulent, des experts du British Museum rappliquent. Forcément, la BBC rapplique aussi et hop, voilà Jossie aux infos du matin… Il est censé se planquer, et alors adieu sa couverture. La publicité est la dernière chose qu'il recherche.

— Mais ça, fit Isabelle d'un ton songeur, Jemima Hastings ne le sait pas, parce qu'elle ignore qu'il bénéficie d'une protection.

— Exactement. Il ne le lui a pas dit. Il n'en a pas éprouvé le besoin, ou peut-être n'a-t-il pas eu envie de le lui dire.

— Peut-être était-elle avec lui quand il a trouvé le trésor, reprit Isabelle. Ou peut-être a-t-il rapporté quelque chose dans la maison parce que lui-même ne savait pas encore sur quoi il avait mis la main. Il nettoie la pièce de monnaie. Il la lui montre. Ils retournent à l'endroit où il l'a trouvée et…

— Et ils en trouvent encore, termina Lynley. Jemima sait qu'il faut signaler cette découverte. Ou du moins elle présume qu'ils sont censés faire autre chose que déterrer ces pièces, les nettoyer et les disposer sur la cheminée...

— Et puis ils ne peuvent pas vraiment les écouler, n'est-ce pas ? dit Isabelle. Or ils doivent bien en faire quelque chose... Alors elle se renseigne, c'est bien normal, sur ce qu'on est censé faire dans ces cas-là.

— Et Jossie se retrouve dans la pire situation possible. Il ne peut pas rendre publique sa découverte, donc...

— Il la tue, compléta Isabelle, accablée. Soyez raisonnable, Thomas. Il est le seul à avoir un mobile.

Lynley secoua la tête.

— Au contraire, Isabelle, il est quasiment le seul à ne pas en avoir. La dernière chose qu'il veuille, c'est se faire remarquer, or en la tuant il attirerait forcément l'attention sur lui, puisqu'elle vit avec lui. S'il se cache, il cherchera à tout prix à rester caché, vous ne croyez pas ? Si Jemima insiste pour prendre des mesures concernant le trésor – après tout, en le vendant sur le marché libre, ils en tireraient une fortune... –, la seule façon de l'en empêcher et d'éviter les projecteurs, c'est de ne pas la tuer du tout.

— Mon Dieu, murmura Isabelle en le fixant du regard. C'est de lui avouer la vérité... C'est pour cette raison qu'elle l'a quitté. Thomas, elle savait qui il était. Il a été obligé de le lui avouer.

— Et c'est pour cette raison qu'il est venu à sa recherche à Londres.

— Parce qu'il avait peur qu'elle n'en parle à quelqu'un d'autre...

Les pièces du puzzle s'emboîtaient parfaitement.

— Et c'est ce qu'elle a fait, reprit-elle. Elle en a parlé à Frazer Chaplin. Pas tout de suite, bien sûr. Mais une fois qu'elle a vu les cartes postales, avec le numéro de portable de Jossie dessus. Mais pourquoi ? Pourquoi le dire à Frazer ? Aurait-elle peur de Jossie pour une raison ou une autre ?

— Si elle l'a quitté, on peut supposer que soit elle ne voulait plus rien avoir à faire avec lui, soit elle avait besoin de temps pour réfléchir à un plan d'action. Elle est effrayée, elle est révulsée, elle est inquiète, elle est stupéfaite, elle est préoccupée, elle est âpre au gain, elle a vu sa vie tomber en morceaux, elle sait que continuer à vivre avec Jossie la met en danger… Il a pu y avoir une quantité de raisons à son départ pour Londres. Il a pu y avoir un enchaînement de raisons.

— Elle commence par partir. Puis elle rencontre Frazer.

— Ils ont une liaison. Elle lui raconte la vérité. Vous voyez bien, on en revient à Frazer.

— Pourquoi pas à Paolo di Fazio ? demanda Isabelle. Après tout, elle a été sa maîtresse et il a vu les cartes postales ? Ou Abbott Langer, à ce compte-là, ou…

— Elle a rompu avec Paolo avant les cartes postales et Abbott Langer ne les a jamais vues.

— … Jayson Druther, pourquoi pas ? Bon sang, Frazer a un alibi, Thomas.

— Alors démolissons-le. Et tout de suite.

D'abord, lui dit Lynley, ils devaient faire une halte à Chelsea pour rendre une autre visite à Deborah et

Simon Saint James. De toute manière, c'était sur leur route, et, à son avis, les Saint James détenaient quelque chose qui pourrait être très utile.

Une escale dans la salle des opérations leur apprit que les bandes visionnées par Winston Nkata n'avaient rien révélé de plus qu'avant, c'est-à-dire rien du tout. On n'apercevait sur les films aucune Vespa vert-jaune appartenant à Frazer Chaplin et arborant des publicités pour DragonFly Tonics. Pas vraiment une surprise, songea Isabelle.

Elle découvrit aussi que, comme Lynley, le sergent Nkata avait parlé à Barbara Havers ce matin-là.

— D'après Barb, l'extrémité du crochet de chaumier indique qui l'a fabriqué. Mais elle a dit qu'il fallait rayer le frère de la liste. Robert Hastings a tout un attirail de forgeron chez lui, mais qui n'a pas servi. De son côté, Jossie possède trois sortes de crochets, et sur le lot il y en a un qui ressemble à notre arme. Elle veut aussi voir les portraits-robots.

— J'ai demandé à Dee de les lui envoyer, dit Lynley à Nkata.

Isabelle ordonna à Nkata de continuer dans cette voie, et elle suivit Lynley au parking.

Les Saint James étaient chez eux. Simon vint ouvrir en personne, le basset familial aboyant comme un perdu autour de ses chevilles. Il fit entrer Isabelle et Lynley, et rabroua le chien, qui l'ignora joyeusement et continua à aboyer jusqu'à ce que Deborah s'écrie, depuis une pièce située à droite de l'escalier :

— Enfin, Simon ! Fais-la taire, voyons !

Il s'agissait de la salle à manger, une pièce majestueuse comme on en rencontrait dans les vieilles demeures victoriennes. Elle était d'ailleurs décorée dans le goût victorien, du moins pour ce qui était des meubles. Il n'y avait pas, Dieu merci, de bibelots partout ni de papier William Morris aux murs, mais la table, massive, était en bois foncé et un buffet accueillait une profusion de poteries anglaises.

Lorsqu'ils la rejoignirent, Deborah Saint James était en train d'examiner des photos étalées sur la table. Elle se dépêcha de les rassembler.

— Ah... Alors, non ? dit Lynley, faisant semble-t-il référence aux photos.

— Vraiment, Thomas... J'aimerais bien que tu ne lises pas en moi comme dans un livre.

— L'heure du thé n'étant pas... ?

— Ma tasse de thé. Exactement.

— Dommage, dit Lynley. Mais je me doutais bien qu'une théière et des tasses n'étaient pas... euh... comment dirai-je... le support idéal pour mettre tes talents en valeur ?

— Très amusant. Simon, tu vas le laisser me mettre en boîte ou tu vas enfin te décider à prendre ma défense ?

— Je voulais voir combien de temps vous pourriez prolonger ce petit jeu, tous les deux.

Saint James se tenait dans l'embrasure de la porte, appuyé au chambranle.

— Tu es aussi impitoyable que lui.

Deborah dit bonjour à Isabelle, et s'excusa pour aller « jeter ces photos minables » à la poubelle. En sortant de la pièce, elle demanda par-dessus son épaule s'ils voulaient un café. Elle avoua qu'il réchauffait depuis des heures dans la cuisine, mais qu'en y ajoutant du lait et « plusieurs cuillerées de sucre » il serait sans doute buvable.

— Ou bien je peux en refaire, proposa-t-elle.

— Pas le temps, dit Lynley. Nous espérions te dire un mot, Deb.

Isabelle fut légèrement étonnée, car elle avait cru qu'ils étaient venus voir non pas Deborah Saint James mais son mari. Deborah parut aussi étonnée qu'Isabelle, mais elle dit :

— Par ici, alors. C'est bien plus chaleureux.

« Par ici » était une sorte de bibliothèque, constata Isabelle en pénétrant dans la pièce avec Lynley. À cet emplacement-là, on se serait attendu à trouver une salle de séjour, avec sa fenêtre donnant sur la rue. Il y avait des livres à foison – sur des étagères, sur des tables, et posés par terre –, mais aussi des fauteuils confortables, une cheminée et un bureau ancien. Il y avait aussi des journaux, des tas et des tas de journaux. Isabelle eut l'impression que les Saint James étaient abonnés à tous les quotidiens de Londres. N'aimant pas s'encombrer, Isabelle jugea la pièce un peu surchargée. Deborah dut remarquer sa réaction car elle dit :

· — C'est Simon. Il a toujours été comme ça, commissaire. Demandez à Tommy. Ils étaient à l'école ensemble, et Simon faisait le désespoir du responsable des internes. Il ne s'est absolument pas amélioré depuis cette époque. Je vous en prie, posez ce qui vous gêne par terre et asseyez-vous. Quand même, d'habitude, ce n'est pas à ce point-là. N'est-ce pas, Tommy ?

Après un coup d'œil à Lynley, Deborah regarda à nouveau Isabelle et esquissa un sourire. Ni amusé ni amical, ce sourire semblait plutôt dissimuler quelque chose.

Isabelle repéra un fauteuil ne nécessitant pas un déménagement excessif.

— S'il vous plaît, appelez-moi Isabelle, pas commissaire, dit-elle.

À nouveau, ce bref sourire de Deborah, suivi à nouveau d'un coup d'œil à Lynley. Deborah Saint James semblait lire quelque chose sur le visage de Lynley, se dit Isabelle. Elle se dit également que Deborah connaissait bien mieux Lynley que ne le laissait croire sa désinvolture.

— Isabelle, dans ce cas…

Puis à Lynley :

— Il doit mettre de l'ordre avant la semaine prochaine, de toute façon. Il l'a promis.

— Ah bon, ta mère vous rend visite ? plaisanta Lynley à l'adresse de son ami.

Tout le monde éclata de rire.

Isabelle eut une fois encore la sensation que le trio parlait un langage codé. Elle brûlait d'envie de dire : « Oui, bon, si on passait aux choses sérieuses », mais quelque chose la retint et elle n'aimait pas ce que reflétait ce « quelque chose », que ce soit sur elle-même ou sur ses sentiments. En la matière, elle n'avait pas de sentiments.

Lynley en vint au sujet de leur visite. Il interrogea Deborah Saint James sur l'exposition de la National Portrait Gallery. N'aurait-elle pas par hasard un autre exemplaire du magazine avec les photos du soir du vernissage ? Barbara Havers lui avait pris le sien, mais il se rappelait que Deborah en avait un deuxième. Deborah rejoignit une des piles de périodiques et farfouilla dedans pour en extraire le magazine. Elle le tendit à Lynley. Puis elle en trouva un autre – un différent –, qu'elle lui tendit aussi.

— Je t'assure, ce n'est pas moi qui les ai tous achetés, Tommy. Les frères de Simon et sa sœur... Et puis papa était plutôt fier...

Elle rougit.

— À ta place j'aurais fait exactement la même chose, déclara Lynley d'un ton solennel.

— Son quart d'heure de gloire, dit Saint James à Lynley.

— Vous êtes impossibles, tous les deux. Ils aiment bien me taquiner, ajouta-t-elle à l'intention d'Isabelle.

Saint James demanda ce que Lynley voulait faire de ce magazine. Que se passait-il ? C'était en rapport avec l'enquête, n'est-ce pas ?

En effet. Ils devaient mettre à mal un alibi, et Lynley pensait que les photos du vernissage allaient les y aider.

Une fois les magazines en leur possession, ils étaient prêts à attaquer la phase suivante de leur périple. Isabelle ne voyait pas en quoi les clichés allaient leur être utiles. Elle le dit à Lynley lorsqu'ils furent à nouveau sur le trottoir. Il attendit qu'ils soient remontés dans la Healey Elliott avant de lui répondre. Quand elle tomba sur les photos du vernissage de la National Portrait Gallery, il se pencha pour lui en désigner une. Frazer Chaplin, dit-il. Le fait qu'il ait été présent au vernissage allait leur faciliter la tâche.

— Pour arriver à quoi ?

— À distinguer la vérité du mensonge.

Elle se tourna vers lui. Il était, soudain, à quelques centimètres d'elle. Il en avait sûrement conscience car il avait l'air sur le point de dire quelque chose ou, pire, de faire quelque chose qu'ils regretteraient tous les deux par la suite.

— Quelle vérité, exactement ? demanda-t-elle.

Il s'éloigna d'elle, puis il mit le contact.

— Tout bien réfléchi, la date sur son contrat ne voulait rien dire.

— Quelle date ? Quel contrat ?

— Le contrat avec DragonFly Tonics, par lequel Frazer Chaplin acceptait que sa Vespa serve de support publicitaire au produit. Le contrat exigeait une peinture de couleur vive ; il précisait le nombre d'autocollants requis. À en croire sa signature, il serait allé faire transformer son scooter tout de suite après.

— Or, non, dit Isabelle, comprenant où Lynley voulait en venir. Sur les vidéos, Winston cherchait une Vespa vert-jaune avec des autocollants. Dans l'enquête de voisinage, on a interrogé les gens sur une Vespa vert-jaune avec des autocollants.

— Un engin qui ne risquait pas de passer inaperçu.

— Alors que Chaplin ne s'est absolument pas servi d'une Vespa vert-jaune avec des autocollants pour aller à Stoke Newington.

Lynley acquiesça.

— J'ai téléphoné à l'atelier de peinture de Shepherd's Bush après avoir raconté à Barbara mon rendez-vous avec son indic. Frazer Chaplin est en effet allé là-bas faire repeindre sa Vespa et poser les autocollants. Mais il l'a fait le lendemain du jour où Jemima est morte.

Bella McHaggis s'escrimait à sortir de sa voiture un nouveau bac de lombricompostage quand Scotland Yard arriva. Ses visiteurs étaient les deux agents à qui elle avait parlé à la Met, le jour où elle avait trouvé le sac à main de cette pauvre Jemima. Ils se garèrent en face de chez elle dans une voiture tellement ancienne qu'elle ne put que les repérer. L'apparition d'un tel véhicule dans Oxford Road – ou dans n'importe quelle rue – attirait forcément les regards. Cet engin devait coûter une fortune et engloutir un maximum d'essence. Où était l'écologie dans tout ça ? Et le bon sens ? Elle ne se rappelait plus leurs noms, mais elle salua les policiers de la tête lorsqu'ils traversèrent la rue pour la rejoindre.

L'homme refit poliment les présentations : il était l'inspecteur Lynley et sa collègue était la commissaire Ardery. Il prit le relais de Bella et se chargea de sortir le bac à compost de sa voiture. Il avait des manières, cela ne faisait aucun doute. Il avait été élevé convenablement : on ne pouvait pas en dire autant de la plupart des gens de moins de quarante ans, de nos jours.

De toute évidence, ils n'étaient pas venus à Putney pour l'aider à installer son bac à compost, aussi Bella les invita-t-elle à entrer. Comme l'inspecteur devait mettre le bac dans le jardin de derrière et que pour s'y rendre il fallait forcément traverser la maison, Bella eut la courtoisie de leur proposer une tasse de thé.

Ils refusèrent, mais déclarèrent – la femme, la commissaire Ardery – qu'ils désiraient lui parler. Bella répondit bien sûr, et ajouta vaillamment qu'elle espérait qu'ils étaient venus lui annoncer qu'ils avaient procédé à une arrestation dans cette terrible affaire de la mort de Jemima.

C'était imminent, dit l'inspecteur Lynley.

Ils étaient venus discuter avec elle de Frazer Chaplin, renchérit la commissaire.

Elle parlait avec douceur, et cette douceur fit se dresser les antennes de Bella.

— Frazer ? répéta-t-elle. Quoi, Frazer ? Vous n'avez donc rien fait au sujet de cette voyante ?

— Mrs McHaggis…

C'était Lynley. Le ton qu'il avait ne plut pas beaucoup à Bella, car il était étrangement chargé de regret. Son expression lui plut encore moins car elle y lut quelque chose comme… Était-ce de la pitié ? Elle se raidit.

— Quoi ? aboya-t-elle.

Elle avait envie de leur montrer la porte. Elle se demandait combien de fois encore elle allait devoir orienter ces imbéciles dans la direction qu'il fallait, c'est-à-dire vers cette garce de Yolanda la Spirite.

Lynley se lança dans une explication. Il y était question du portable de Jemima et des appels reçus le jour de sa mort, de ceux reçus après sa mort, ainsi que de machins appelés des antennes-relais. Frazer avait téléphoné à Jemima dans le créneau horaire où elle était morte, mais comme il n'avait pas rappelé après, les flics pensaient qu'il avait tué la pauvre fille ! S'il avait un jour existé théorie plus absurde que celle-là, Bella McHaggis n'en avait jamais eu vent.

La femme flic reprit le flambeau. Son discours avait trait au deux-roues de Frazer. Elle pérora sur sa couleur, les autocollants qu'il y avait fait poser pour gagner quelques sous, et la façon dont un scooter comme celui de Frazer pouvait simplifier les déplacements en ville.

— Attendez une minute ! s'écria Bella.

Elle n'était pas aussi bête qu'ils semblaient le penser, et elle avait compris leur raisonnement. Elle

souligna que si c'était à des scooters qu'ils s'intéressaient, dans ce cas avaient-ils réfléchi au fait que le
scooter qui les obsédait tant était un scooter italien, que
les scooters italiens pouvaient se louer à la journée, et
qu'elle hébergeait justement un Italien sous son toit, un
Italien qui avait été intime avec Jemima avant que
celle-ci mette un terme à leur relation ? Alors, bon
sang, s'ils tenaient absolument à coller ce meurtre sur
le dos d'un de ses pensionnaires, ils feraient quand
même mieux de se pencher sur Paolo di Fazio, non ?

— Mrs McHaggis…

À nouveau Lynley. Ces yeux émouvants. Marron.
Pourquoi cet homme avait-il des cheveux aussi blonds
avec des yeux aussi marron ?

Bella n'avait pas envie d'écouter et encore moins
d'entendre. Elle leur répéta que rien de ce qu'ils racon-
taient n'avait d'importance parce que Frazer n'était
jamais allé à Stoke Newington le jour de la mort de
Jemima. Il se trouvait exactement là où il se trouvait
toujours après son boulot à la patinoire et avant son
service au Duke's Hotel. Il se trouvait ici dans sa
maison, en train de prendre une douche et de se
changer. Elle le leur avait déjà dit, bon Dieu, combien
de fois allait-elle devoir encore…

— Vous a-t-il séduite, Mrs McHaggis ?

La question venait de la femme et elle était posée
sans détour. Ils étaient assis à la table de la cuisine. Il
y avait dessus une salière-poivrière que Bella fut tentée
de jeter à la tête de la femme ou contre le mur, mais
elle se retint. Elle se borna à dire : « Comment osez-
vous ! », une remarque vieillotte qui, elle s'en rendait
compte, trahissait son âge plus que toute autre réaction.
Les jeunes gens – comme ces deux policiers – parlaient

de ce genre de chose à longueur de temps. Ils n'employaient d'ailleurs pas le mot « séduire », lorsqu'ils en discutaient entre eux, et trouvaient tout naturel de s'ingérer ainsi dans la vie privée d'autrui...

— C'est ce qu'il fait, Mrs McHaggis, déclara la commissaire. Nous en avons eu confirmation par...

— Cette maison a un règlement, affirma Bella avec raideur. Et je ne suis pas ce genre de femme. Laisser entendre... et même simplement imaginer... même simplement commencer à imaginer...

Elle bredouillait, et elle le savait. Elle devait passer pour la parfaite idiote à leurs yeux, une vieille bique qui s'était fait embobiner par un beau parleur venu la soulager de son argent, mais comme elle n'avait pas d'argent de toute façon, pourquoi serait-il allé s'embêter avec quelqu'un comme elle ? Elle rassembla ses esprits. Elle rassembla le peu de dignité qui lui restait. Elle déclara :

— Je connais mes pensionnaires. Je mets un point d'honneur à connaître mes pensionnaires parce que je partage une maison avec eux, et que je n'aurais tout de même pas envie de partager ma maison avec un meurtrier, si ?

Elle n'attendit pas qu'ils répondent à la question, au demeurant surtout rhétorique.

— Alors écoutez-moi bien parce que je ne vais pas me répéter : Frazer Chaplin habite cette maison depuis la première semaine où j'ai commencé à louer des chambres et, bon sang, je pense que je l'aurais deviné il y a un sacré bout de temps s'il était... celui pour qui vous semblez le prendre.

Les deux flics échangèrent un regard interminable. Ce fut l'homme qui reprit :

— Vous avez raison. Cette question-là n'avait pas grand intérêt. Je crois que la commissaire voulait simplement dire que Frazer plaisait aux femmes.

— Et après ? Ce n'est quand même pas sa faute.

— Je suis bien d'accord.

Lynley lui demanda s'ils pouvaient revenir sur ce qu'elle leur avait dit au sujet du lieu où se trouvait Frazer le jour où Jemima Hastings était morte.

Elle le leur avait déjà raconté. Elle le leur avait raconté encore et encore, et le leur raconter une fois de plus n'y changerait rien. Frazer avait fait ce qu'il faisait toujours…

C'était ce qui les tracassait. Si toutes les journées se déroulaient de manière exactement identique dans la vie de Frazer Chaplin, n'était-il pas possible qu'elle se trompe, qu'elle soit en train de leur raconter ce qu'elle pensait qu'il avait fait, n'était-il pas possible qu'il ait fait ou dit quelque chose par la suite visant à lui faire croire ou supposer qu'il était repassé à la maison à l'heure à laquelle il repassait d'habitude, alors qu'en réalité il n'était pas repassé du tout ? Le croisait-elle à chaque fois quand il rentrait se doucher et se changer entre ses deux boulots ? L'entendait-elle à chaque fois ? Était-elle présente systématiquement, en fait, à cette heure-là ? Allait-elle de temps en temps faire des courses ? Lui arrivait-il de jardiner ? D'aller retrouver une amie ? De sortir boire un café ? D'être absorbée par une conversation téléphonique, une émission de télé ou une occupation quelconque qui la fasse sortir de la maison ou qui l'entraîne simplement dans une autre partie de la maison, en conséquence de quoi il était possible qu'elle n'ait pas l'absolue certitude, qu'elle ne puisse pas jurer, qu'elle n'ait pas vu de ses yeux, qu'elle ne puisse pas confirmer…

Bella avait le vertige. Ils lui faisaient tourner la tête avec toutes leurs hypothèses. La vérité, c'était que Frazer était un brave garçon et qu'ils ne voulaient pas se rendre à l'évidence parce qu'ils étaient des flics et qu'elle connaissait les flics, pour ça oui. Tout le monde savait comment ils étaient. Tout le monde savait que ce que les flics faisaient le mieux, c'était de mettre la main sur un prétendu tueur, puis de trafiquer les faits pour que l'homme paraisse coupable. Les journaux n'avaient-ils pas démontré on ne sait combien de fois que, sur des preuves falsifiées, la Met était capable de mettre à l'ombre pendant des années des types censés appartenir à l'IRA, et bon Dieu, bon Dieu, Frazer était irlandais, bon Dieu, il était irlandais et c'était sûrement ça qui le rendait coupable à leurs yeux !

Lynley se mit alors à parler de la National Portrait Gallery. Il évoqua le nom de Jemima ainsi que la photo de Jemima, et Bella en déduisit que la conversation avait changé, qu'on était passé de Frazer à des photos et, franchement, elle n'était que trop heureuse de jeter un coup d'œil à ces clichés.

— … une coïncidence un peu trop énorme à notre goût, disait Lynley.

Il mentionna quelqu'un du nom de Dickens et, pour une raison obscure, il relia cette personne au Hampshire, puis il dit encore quelque chose au sujet de Frazer, puis de Jemima, puis soudain cela n'eut plus la moindre importance car :

— Qu'est-ce qu'elle fait là, celle-là ? s'exclama Bella.

Elle eut comme un étourdissement et ses mains se glacèrent.

— Qui ? demanda Lynley.

— Elle. *Elle !*

Bella se servit de son doigt glacé pour désigner la photo qui lui faisait voir la réalité en face. Celle-ci lui fonçait dessus à tombeau ouvert, un vrai train express de la vérité. Son sifflet répétait *idiote, idiote, idiote*, et le bruit était assourdissant alors que le train filait droit sur elle en hurlant.

— C'est la femme dont nous parlons, lui expliqua la commissaire, se penchant pour regarder la photo. C'est Gina Dickens, Mrs McHaggis. Nous supposons que Frazer l'a retrouvée ce soir-là…

— Gina Dickens… Vous êtes fous, tous les deux. C'est Georgina Francis, il n'y a aucun doute. Je l'ai jetée dehors l'année dernière parce qu'elle avait enfreint une de mes règles.

— Laquelle ? demanda la commissaire.

— La règle sur…

Idiote, idiote, idiote.

— Oui ? l'encouragea l'inspecteur.

— Frazer et elle, fit Bella. *(Idiote, idiote, idiote, idiote.)* Il a dit qu'elle était partie. Il a dit qu'il ne l'avait jamais revue après son départ. Il a dit que c'était elle qui lui avait couru après… mais que lui n'était pas du tout intéressé…

— Ah. J'ai bien l'impression qu'il vous a menti, déclara Lynley. Pouvons-nous reparler de ce que vous vous rappelez du jour de la mort de Jemima Hastings ?

32

Elle était dans de très sales draps, aucun doute là-dessus. Meredith était d'ores et déjà tellement en retard au travail qu'elle allait devoir justifier son absence en prétextant à tout le moins un enlèvement par des extra-terrestres. Toute excuse plus ordinaire risquait de lui valoir un licenciement.

Il fallait bien parler d'absence à ce stade, pas de simple retard. C'était certain. Car en voyant Zachary Whiting discuter avec Gina Dickens, Meredith ne put s'empêcher de prendre des mesures, et ces mesures ne consistaient en rien à repartir pour Ringwood et à rester docilement assise dans son box chez Gerber & Hudson.

Pourtant, elle ne prévint pas Mr Hudson. Elle aurait dû, mais elle ne put se résigner à l'appeler. Il allait être furieux, et elle se disait que si elle se débrouillait pour établir le lien entre Gina Dickens, Zachary Whiting, Gordon Jossie et la mort de Jemima avant la fin de la journée, apparaître comme une héroïne capable de soumettre les méchants lui apporterait assez de gloire pour lui éviter de perdre son emploi.

Tout d'abord, en voyant le commissaire divisionnaire bavarder avec Gina Dickens, elle ne sut pas quoi faire, quoi penser, ni où aller. Elle retourna discrètement à sa voiture et commença à se diriger vers Lyndhurst parce que c'était là que se trouvait le commissariat, et qu'on était censé se reposer sur la police. Mais à quoi bon aller là-bas, quand le chef de la police de Lyndhurst était ici, et que Gina Dickens et lui s'entendaient manifestement comme larrons en foire ?

S'arrêtant au bord de la route, Meredith s'efforça de récapituler ce qu'elle avait appris de la bouche de Gina Dickens, ce qu'elle avait découvert sur elle au cours de sa propre enquête et ce qu'elle avait appris par Michele Daugherty. Elle essaya de se remémorer chaque déclaration qu'on lui avait faite et de démêler qui Gina était vraiment. Elle aboutit à la conclusion qu'il y avait forcément un détail sur Gina, une vérité sur son compte que l'intéressée elle-même avait laissée échapper. Meredith avait besoin de trouver cette vérité : ensuite, elle saurait exactement quoi faire.

Le problème, bien sûr, c'était de savoir où chercher. Où était-elle censée trouver cette vérité ? Si Gina Dickens n'existait pas, qu'était-elle censée faire, elle, Meredith Powell, pour découvrir qui était réellement cette femme, et pourquoi elle était de mèche avec le commissaire divisionnaire Whiting. De mèche dans quoi ? Quelle était, exactement, la raison de leur association ?

D'après Meredith, s'il existait des documents relatifs à Gina, à ce qu'elle fabriquait dans le Hampshire et à sa véritable identité, elle les conservait certainement à portée de main. Elle devait les garder sur elle, ou bien dans son sac, ou peut-être dans sa voiture.

Sauf que ça ne tenait pas debout... Gina Dickens ne prendrait pas un tel risque. Gordon Jossie pourrait très bien tomber dessus si elle conservait cette preuve à proximité, elle avait donc dû chercher une cachette plus sûre pour y dissimuler ses secrets.

Les mains de Meredith se crispèrent sur le volant. Il y avait bien un endroit où Gina pouvait être en toute liberté celle qu'elle était vraiment : entre les quatre murs de sa chambre meublée. Car si Meredith avait fouillé cette chambre de fond en comble, elle n'avait pas regardé partout… Elle n'avait pas regardé entre le matelas et le sommier, par exemple. Elle n'avait pas non plus enlevé les tiroirs pour vérifier s'il n'y avait pas quelque chose de scotché dessous. Ni derrière les tableaux.

Cette satanée chambre détenait forcément toutes les réponses, car à la réflexion, il n'avait jamais été très logique que Gina garde ce logement tout en habitant avec Gordon… Pourquoi s'imposer ces frais-là ? Les réponses aux diverses énigmes concernant Gina Dickens étaient donc à Lyndhurst, là où elles avaient toujours été. Non seulement Lyndhurst était l'endroit où se trouvait la chambre de Gina, mais également celui où se trouvait le commissariat de Whiting. C'était plutôt pratique, non ?

Malgré tous ces subtils raisonnements, Meredith commençait à se sentir complètement dépassée par la situation. Meurtre, prévarication policière, fausses identités, ces choses-là n'étaient pas exactement son rayon. Il n'empêche qu'elle devait découvrir le fin mot de l'histoire, puisque personne d'autre ne semblait décidé à le faire.

Quoique… Mais bien sûr ! Meredith prit son portable et composa le numéro de Rob Hastings.

Par un merveilleux hasard, il se trouvait justement à Lyndhurst. Par un hasard moins merveilleux, il devait participer à une réunion avec les autres agisters, et cette réunion avait des chances de durer une heure et demie, si ce n'est deux.

Elle lâcha à toute vitesse :

— Rob, il s'agit de Gina Dickens et de ce commissaire divisionnaire. Il s'agit d'eux ensemble. Il n'existe *aucune* Gina Dickens de toute façon. Et puis le commissaire Whiting a dit à Michele Daugherty qu'elle devait arrêter d'enquêter sur Gordon Jossie, or elle n'avait même pas encore commencé et…

— Doucement. Qu'est-ce que tu racontes ? demanda Rob. Merry, enfin, qu'est-ce qui se passe ? Qui est Michele Daugherty ?

— Je vais fouiller sa chambre à Lyndhurst.

— La chambre de Michele Daugherty ?

— Celle de Gina. Elle a un meublé au-dessus du Chapelier Fou, Rob. Dans la grand-rue. Tu sais où c'est ? Le salon de thé sur la route de…

— Bien sûr que je connais, mais…

— Il y a forcément quelque chose là-bas, quelque chose que j'ai laissé passer la dernière fois. Tu m'y rejoins ? C'est important, parce que je les ai vus ensemble. À la ferme de Gordon. Rob, il est arrivé tout droit là-bas, il est sorti de voiture, il est allé dans le paddock et ils sont restés là à discuter…

— Whiting ?

— Oui, oui. Qui d'autre ? C'est ce que je me tue à t'expliquer.

— Scotland Yard est revenu, Merry. Une dénommée Havers. Il faut que tu lui téléphones et que tu lui racontes. J'ai son numéro.

928

— Scotland Yard ! Rob, comment leur faire confiance à eux si on ne peut pas faire confiance à Whiting ? C'est blanc bonnet et bonnet blanc. Et pour leur dire quoi ? Que Whiting discute avec Gina Dickens qui n'est pas vraiment Gina Dickens ? Non, non. Il faut qu'on…

— Merry ! Pour l'amour du ciel, écoute. J'ai tout raconté à cette femme, cette fameuse Havers. Ce que tu m'as dit sur Whiting. Que tu lui avais donné les renseignements. Qu'il avait prétendu avoir la situation bien en main. Elle va vouloir t'interroger sur ce que tu peux savoir d'autre. Elle va sûrement vouloir fouiller ce meublé, elle aussi. Écoute-moi.

Il lui annonça qu'il devait aller à la réunion des agisters. Il ne pouvait pas la rater car, entre autres choses, il devait… Enfin bref, il fallait qu'il y soit. Et elle, il fallait qu'elle téléphone à ce flic de Scotland Yard.

— Oh non ! s'écria-t-elle. Oh non. Non. Si je fais ça, elle n'acceptera jamais d'entrer par effraction dans la chambre de Gina. Tu le sais bien.

— Entrer par effraction ? répéta-t-il. Entrer par effraction ? Meredith, qu'est-ce que tu manigances ?

Il lui demanda si elle pouvait l'attendre. Il la retrouverait au Chapelier Fou tout de suite après sa réunion. Il y serait aussitôt que possible.

— Ne fais pas de bêtises, l'enjoignit-il. Promets-le-moi, Merry. S'il t'arrivait quelque chose…

Il se tut.

D'abord elle ne dit rien. Puis elle promit et raccrocha subitement. Elle avait l'intention de tenir parole et d'attendre Rob Hastings, mais une fois à Lyndhurst, elle comprit que c'était hors de question. Elle ne pouvait pas attendre. Quoi qu'il y ait là-haut dans la chambre de Gina, elle comptait mettre la main dessus immédiatement.

Elle se gara près du musée de la New Forest et remonta à pied la grand-rue jusqu'au salon de thé du Chapelier Fou. À cette heure de la matinée, le salon de thé était ouvert et les affaires marchaient bien. Personne ne prêta attention à Meredith quand elle franchit la porte qui menait vers les chambres.

Elle monta les marches quatre à quatre. Arrivée à l'étage, elle se déplaça sur la pointe des pieds. Elle écouta à la porte de la chambre face à celle de Gina. Aucun bruit. Elle frappa doucement pour être tout à fait sûre. Personne ne répondit. Parfait. Le délit qu'elle allait commettre n'aurait pas de témoin.

Elle sortit sa carte bancaire de son sac. Elle avait les mains moites, mais c'était sans doute la nervosité. Entrer dans la chambre de Gina était plus risqué que la dernière fois. À ce moment-là, elle n'avait que des soupçons. Aujourd'hui, elle avait des certitudes.

Elle agita maladroitement la carte dans l'interstice et la laissa tomber à deux reprises avant de réussir enfin à ouvrir la porte. Elle jeta un ultime coup d'œil dans le couloir et pénétra dans la chambre.

Il y eut un brusque mouvement sur sa gauche. Un courant d'air et comme une ombre. La porte se referma derrière elle et elle entendit un verrou intérieur coulisser. Elle fit volte-face et se retrouva nez à nez avec un parfait inconnu. Un homme. L'espace d'un instant, son esprit lui souffla de manière absurde qu'elle s'était trompée de chambre, que la chambre avait été louée à quelqu'un d'autre, que la chambre de Gina n'avait jamais été ici au-dessus du Chapelier Fou. Puis elle comprit qu'elle était réellement en danger, car l'homme lui empoigna le bras, la fit pivoter et lui plaqua brutalement la main sur la bouche. Elle sentit quelque chose contre son cou. Quelque chose d'affreusement pointu.

— Ma parole, qu'est-ce que nous avons là ? lui chuchota l'homme à l'oreille. Et qu'est-ce que nous allons pouvoir faire ?

Après le coup de fil du sergent de Scotland Yard, Gordon Jossie sut que la partie était définitivement terminée avec Gina. Il y avait eu un moment dans la cuisine ce matin-là où les dénégations de Gina au sujet de Jemima avaient failli le convaincre, mais après l'appel du sergent Havers s'étonnant que Gina ne soit pas venue à son hôtel à Sway, il comprit que sa foi en Gina avait plus à voir avec ses espérances qu'avec la réalité. C'était une bonne description de toute sa vie d'adulte, songea-t-il, morose. Il y avait eu au moins deux années de cette vie – celles qui avaient suivi sa rencontre avec Jemima – où il avait fantasmé sur son avenir. Il avait cru que ce fantasme pourrait se concrétiser à cause de Jemima elle-même, et parce que Jemima semblait avoir tellement besoin de lui. Elle paraissait avoir besoin de lui comme une plante a besoin d'une terre riche et d'un arrosage adéquat, et il s'était dit qu'avec un besoin pareil la simple présence d'un homme dans sa vie serait plus importante pour Jemima que l'homme lui-même. Elle semblait correspondre exactement à ce qu'il voulait, bien qu'il n'ait rien recherché du tout. Il était absurde de chercher, selon lui. Pas quand le monde qu'il s'était construit – ou, plutôt, le monde qu'on lui avait construit – pouvait s'effondrer à tout moment… Et puis, soudain, elle était là sur Longslade Bottom avec son frère et son chien. Et lui était là avec Tess. Et c'était elle qui avait fait le premier pas, comme on dit. Une invitation dans la maison qu'elle partageait avec son frère. Une invitation à boire l'apéritif un dimanche en fin de journée, même s'il ne buvait pas, même s'il ne pouvait pas, et ne voulait surtout pas, prendre le risque de boire.

Il y était allé à cause de ses yeux. Il trouvait ridicule aujourd'hui de penser que c'était pour ses yeux qu'il s'était rendu à Burley, mais voilà. Il n'avait jamais rencontré quelqu'un avec des yeux de deux couleurs différentes, et il avait bien aimé les regarder, du moins était-ce l'argument qu'il s'était donné. Alors il y était allé. Quant à la suite ? Quelle importance ? La suite l'avait amené là où il en était à présent.

Elle avait les cheveux plus longs quand il l'avait revue à Londres. Ils semblaient également un peu plus clairs, mais c'était peut-être sa mémoire. Pour le reste, Jemima était toujours Jemima.

Il n'avait pas compris, au début, pourquoi elle avait choisi le cimetière de Stoke Newington pour leur rendez-vous. Mais quand il avait vu le parc avec ses sentiers sinueux, ses monuments en ruine et sa végétation luxuriante, il avait su qu'elle avait choisi cet endroit pour ne pas être vue en sa compagnie. La chose aurait dû le rassurer sur ses intentions, mais il voulait quand même l'entendre de sa bouche. Il voulait aussi qu'elle lui restitue la pièce ainsi que la pierre. Il était bien décidé à les récupérer. Il devait les récupérer parce que si elle les gardait en sa possession, allez savoir ce qu'elle pourrait en faire.

Elle avait dit : « Alors comment tu m'as retrouvée ? Je suis au courant pour les cartes postales. Mais comment… ? Qui… ? »

Il avait répondu qu'il ne savait pas qui lui avait téléphoné, juste que c'était une voix d'homme, lui parlant de la boutique de cigares de Covent Garden.

Elle avait répété : « Un homme. » Pour elle-même, pas pour lui. Comme si elle passait en revue les diverses possibilités. Il devait y en avoir pas mal. Jemima n'avait jamais été très portée sur l'amitié féminine mais avait toujours recherché les hommes, des hommes à même de la combler comme l'amitié des femmes n'aurait jamais pu le faire. Il se demanda si c'était pour cette raison qu'elle était morte. Peut-être un homme avait-il mal compris la nature de son besoin et avait-il attendu d'elle une chose qui excédait de loin ce qu'elle attendait de lui. D'une certaine manière, cela expliquait le coup de téléphone qu'il avait reçu. Cet appel pouvait être décrit comme une trahison, une sorte de prêté pour un rendu, tu ne fais pas ce que je veux alors je te dénonce à celui qui, apparemment, te recherche, car je me fiche de qui c'est, je veux juste te rendre la monnaie de ta pièce.

Il avait dit :

« Tu en as parlé à quelqu'un ?

— C'est donc pour ça que tu me recherchais ?

— Jemima, tu en as parlé à quelqu'un ?

— Tu crois réellement que j'ai envie que quelqu'un soit au courant ? »

Il comprenait sa position, mais il lui sembla qu'elle s'efforçait de le blesser plutôt que de simplement lui répondre. Il y avait quelque chose dans le ton de sa remarque qui le fit douter. Il la connaissait trop bien.

« Tu as un nouveau mec ? lui demanda-t-il tout à trac, non parce qu'il tenait vraiment à le savoir mais à cause de ce que cela pourrait signifier si tel était le cas.

— Je ne vois pas en quoi ça te regarde.

— Est-ce que tu as quelqu'un ?

— Pourquoi ?

— Tu le sais bien.

— Mais non, je ne sais pas.

— Si tu en as parlé… Jemima, dis-moi seulement si tu en as parlé à quelqu'un.

— Pourquoi ? Tu es inquiet, c'est ça ? Oui, c'est bien naturel. Je serais inquiète à ta place. Alors laisse-moi te poser une question, Gordon : est-ce que tu as réfléchi à ce que moi je ressentirais si d'autres gens étaient au courant ? Est-ce que tu as réfléchi à l'enfer que ma vie à moi pourrait devenir ? "Je vous en prie, Miss Hastings, accordez-nous une interview. Rien qu'un mot pour nous dire comment ça s'est passé pour vous ? Vous ne vous en êtes jamais doutée ? Vous n'avez rien deviné… ? Quel genre de femme ne sentirait pas qu'il y a quelque chose de louche… ?" Tu crois réellement que je pourrais avoir envie de ça, Gordon ? Ma photo en première page des tabloïds à côté de la tienne ?

— Ils te paieraient. Comme tu l'as dit, ce serait un tabloïd. Ils te donneraient beaucoup d'argent pour une interview. Ils te paieraient une fortune. »

Elle avait reculé, livide.

« Tu es fou. Si tant est que ce soit possible, tu es encore plus fou que quand tu…

— Ça suffit ! avait-il lancé d'un ton féroce. Qu'est-ce que tu as fait de la pièce ? Où est-elle ? Et la pierre ?

— Pourquoi ? En quoi ça te regarde ?

— C'est évident : je compte les remporter dans le Hampshire.

— Ah vraiment ?

— Tu le sais très bien. Il faut que je les rapporte là-bas, Jemima. C'est la seule solution.

— Non. Il y a une solution toute différente.

— Et laquelle ?

— D'après moi, tu la connais déjà. Puisque tu as essayé de me retrouver. »

À cet instant-là, il sut qu'elle avait bel et bien quelqu'un d'autre dans sa vie. Il comprit soudain, malgré ses protestations du contraire, que Jemima était sur le point de dévoiler à un autre la part la plus sombre de son âme, si ce n'était déjà fait. Le seul espoir de Gordon – la garantie qu'il avait du silence de Jemima et du silence du troisième larron – résidait dans son assentiment à ce qu'elle allait lui demander.

Il savait qu'elle allait demander quelque chose parce qu'il connaissait Jemima. Décidément, il était maudit :. une fois de plus, il le savait, c'était lui et lui seul qui s'était mis dans cette situation inextricable. Il avait voulu replacer la pièce et la gemme dans la terre où elles étaient enfouies depuis plus de mille ans. Surtout, il avait voulu être sûr que Jemima ne divulguerait pas son secret. Alors il avait affiché ces cartes postales et, de ce fait, il lui avait forcé la main. Maintenant, elle allait jouer son va-tout.

« On a besoin de l'argent, avait-elle dit.

— Quel argent ? Qui ça "on" ?

— Tu sais quel argent. On a des projets, Gordon, et cet argent…

— Alors c'est pour ça ? C'est pour ça que tu es partie ? Pas à cause de moi, mais parce que tu veux revendre ce qu'il peut y avoir d'enterré ? »

Mais non, il ne s'agissait pas du tout de ça, du moins pas au début. L'argent, c'était bien, mais l'argent n'avait pas été son moteur. L'argent permettait d'acheter des choses, mais ce que l'argent n'achetait pas, ce que l'argent n'achèterait jamais et n'avait jamais acheté, c'était ce dont Jemima avait le plus besoin.

Il avait dit, comprenant de mieux en mieux :

« C'est ce type. C'est à cause de lui, n'est-ce pas ? C'est lui qui veut l'argent. Pour vos fameux projets. »

Il avait tapé dans le mille. Il l'avait vu à la rougeur qui avait envahi ses joues. Oui, elle l'avait quitté pour fuir la vérité sur lui, mais elle avait rencontré un autre homme, elle avait le chic pour ça, et c'était à cet autre homme qu'elle avait confié les secrets de son ancien compagnon.

« Pourquoi tu a as mis si longtemps, alors ? avait-il demandé. Pourquoi tu ne lui as pas dit tout de suite ? »

Elle avait détourné les yeux un moment, avant de répondre :

« Ces cartes postales… »

Il avait compris alors que c'était sa propre peur d'être découvert, son propre besoin d'être rassuré – différent de son besoin à elle et pourtant similaire – qui avaient provoqué leur rendez-vous de ce jour. Il était normal que son nouvel amant lui demande pourquoi quelqu'un cherchait à la retrouver. Elle aurait pu mentir, mais elle avait dit la vérité.

« Bon, qu'est-ce que tu veux, Jemima ?

— Je te l'ai déjà dit. »

Il avait répondu :

« Je vais devoir réfléchir.

— À quoi ?

— À comment nous y prendre.

— Comment ça ?

— C'est évident, non ? Si tu comptes déterrer tout le trésor, il faut que je disparaisse. Sinon… À moins que tu ne veuilles aussi que je sois démasqué ? Tu veux peut-être que je meure ? Enfin quoi, pendant un temps, on a quand même été quelque chose l'un pour l'autre, non ? »

Elle était demeurée silencieuse. Autour d'eux la journée était radieuse, torride et sans nuages, et les chants des oiseaux s'intensifiaient.

« Je ne veux pas que tu meures, avait-elle fini par dire. Je ne veux même pas que tu aies des ennuis, Gordon. Je veux seulement oublier. Tout ça. Nous. Je veux une nouvelle vie. Nous allons émigrer et monter une affaire, et pour ça… Et puis c'est ta faute à toi. Si tu n'avais pas collé ces cartes postales. Si seulement… J'étais dans tous mes états, et il a voulu savoir, alors je lui ai raconté. Il m'a demandé – quoi de plus naturel ? – comment j'avais appris la vérité, car il se doutait bien que c'était la dernière chose que tu irais claironner. Alors je lui ai raconté cette partie-là aussi.

— À propos du paddock.

— Pas du paddock lui-même mais de ce que tu y avais trouvé. Que j'imaginais qu'on s'en servirait, qu'on le vendrait, ou que sais-je, mais que tu n'avais pas voulu, et alors… Eh bien, oui. J'ai été obligée de lui dire pourquoi.

— Obligée ?

— Bien sûr. Tu ne comprends donc pas ? Entre gens qui s'aiment, on n'est pas censés avoir de secrets.

— Et il t'aime.

— Oui, il m'aime. »

Pourtant, Gordon sentait ses doutes, et il voyait en quoi ces doutes avaient également joué un rôle dans leur situation présente. Ce nouvel homme, Jemima voulait se l'attacher, et ce nouvel homme voulait de l'argent. C'était la combinaison de ces deux désirs qui avait engendré la trahison.

« Quand ? lui avait-il demandé.

— Quoi ?

— Quand as-tu décidé de faire ça, Jemima ?

— Je ne fais rien du tout. C'est toi qui as demandé à me voir, pas l'inverse. C'est toi qui m'as recherchée. Si tu ne l'avais pas fait, je n'aurais pas eu besoin de parler de toi.

— Et quand la question de l'argent se serait posée entre vous ?

— Justement, elle ne s'est jamais posée, jusqu'à ce que je lui dise pourquoi… »

Sa voix s'était éteinte, et il avait deviné qu'elle était en train d'effectuer certaines déductions, d'envisager une éventualité qui pour lui n'était que trop flagrante.

« C'est l'argent, avait-il dit. C'est l'argent qu'il veut. Pas toi. Tu le vois bien, n'est-ce pas ?

— Non, ce n'est pas vrai. »

Il avait insisté :

« Et j'imagine que tu as des doutes depuis le début.

— Il m'aime.

— Si c'est ainsi que tu vois la chose…

— Tu es vraiment dégueulasse.

— Oui, je suppose. »

Il avait accepté qu'elle revienne à la ferme rechercher son butin. Il serait parti, mais il lui faudrait du temps pour organiser sa disparition. Elle avait demandé combien de temps et il avait répondu qu'il ne savait pas trop. Il allait devoir parler à certaines personnes et ensuite il la préviendrait. Elle pouvait, bien sûr, téléphoner aux médias dans l'intervalle et se faire un peu de fric supplémentaire. Il avait prononcé cette dernière phrase d'un ton amer avant de s'en aller. Il avait décidément tout bousillé, se dit-il.

Et maintenant Gina. Ou quel que soit son bon Dieu de nom. S'il ne s'était pas mis en tête de remplacer la clôture de ce foutu paddock, rien de tout cela ne serait arrivé. Mais, en réalité, le premier événement à l'avoir conduit là où il en était aujourd'hui avait eu lieu dans un McDonald's bondé, quand un « Allez, on n'a qu'à l'embarquer » avait abouti à un « Allez, on le fait pleurer », qui avait à son tour abouti à un « Fais-le taire ! Comment on fait pour qu'il la ferme ? ».

Quand Zachary Whiting débarqua au Royal Oak quelques heures après l'arrivée de Gordon, celui-ci était sur le faîte du toit. Il vit le véhicule familier entrer dans le parking, mais il n'éprouva ni inquiétude ni peur. Il s'était préparé à le voir rappliquer à un moment ou un autre. Étant donné qu'ils avaient été interrompus la dernière fois, Gordon se doutait que le commissaire divisionnaire tiendrait à terminer l'épisode entamé.

Le flic lui fit signe de descendre du toit. Cliff était en train de lui passer une javelle de paille, et Gordon lui proposa de faire une pause. Comme le temps était aussi chaud que les jours précédents, il lui dit d'aller boire un cidre, en précisant que c'était lui qui le lui offrait.

— Vas-y, ajouta-t-il. J'arrive tout de suite.

Cliff obéit de bon cœur même si, en voyant approcher Whiting, il marmonna à l'adresse de son patron :

— Y a quelque chose qui va pas, vieux ?

Il ne savait pas qui c'était, mais il sentait une menace chez cet homme. Whiting respirait la menace à plein nez.

— Tout va bien... Prends ton temps, répondit Gordon en désignant la porte du menton. Je ne vais pas tarder.

Débarrassé de Cliff, il attendit Whiting. Le commissaire s'arrêta devant lui. Il fit comme d'habitude, il se posta trop près, mais Gordon ne se déroba pas.

— Tu dégages d'ici, fit Whiting.

— Quoi ?

— Tu as bien entendu. On te déménage. Ordres du ministère. Tu as une heure. On y va. Laisse le pick-up. T'en auras pas besoin.

— Mon chien est dans...

— On se fout du clebs. Le clebs reste ici. Le pick-up reste ici. Ça...

Il eut un mouvement de tête vers le pub, ce qui, comprit Gordon, voulait dire les toits, son métier de chaumier, son gagne-pain.

— Ça, c'est terminé. Monte dans la voiture.

— Où est-ce qu'on m'envoie ?

— J'en sais foutre rien et je m'en tape. Monte dans cette putain de voiture. Inutile de se faire remarquer. De *te* faire remarquer.

Il était exclu que Gordon coopère s'il n'avait pas plus d'informations. Il était exclu qu'il monte dans cette voiture à l'aveuglette. Il y avait plein de petites routes isolées entre ici et sa ferme près de Sway, et l'affaire inachevée entre lui et cet homme laissait penser que Whiting, malgré ce qu'il prétendait, ne le ramènerait pas directement là-bas. Il ne pouvait même pas être sûr que le flic disait la vérité, même si la mort de Jemima et la présence de New Scotland Yard dans la région indiquaient que si.

— Je ne laisse pas cette chienne ici. Si je pars, elle part.

Whiting enleva ses verres de soleil clippés et les essuya sur sa chemise, qui collait à son torse. Chaleur ambiante ou jouissance anticipée, les deux étaient possibles.

— Tu t'imagines pouvoir négocier avec moi ?

— Je ne négocie pas. J'énonce un fait.

— Ah vraiment, mon gars ?

— Je suppose que ta mission est de m'emmener quelque part et de refiler le colis. Je suppose que tu as un planning à respecter. Je suppose que tu as reçu l'ordre de ne pas foirer ton coup, de ne pas déclencher de scène, de donner simplement l'impression de deux mecs qui bavardent, avec moi qui monte dans ta voiture à la fin de la conversation. Un autre scénario attirerait l'attention, non ? Par exemple, celle des clients à la terrasse du pub, là, dehors… Si toi et moi on a une empoignade, ils vont appeler les flics, et puis, si c'est une vraie bagarre – une bagarre genre coups de boule –, ça fera encore plus de ramdam et on va se demander en haut lieu comment tu t'es débrouillé pour rater à ce point une mission aussi simple…

— Va chercher ton bon Dieu de clébard ! ordonna Whiting. Je veux que tu dégages du Hampshire. Tu pollues l'atmosphère.

Gordon eut un mince sourire. En fait, la sueur ruisselait sur ses flancs et dégringolait en cascade le long de sa colonne vertébrale. Ses mots étaient durs mais il n'y avait rien derrière : ils étaient son unique protection. Il rejoignit le pick-up.

Tess était à l'intérieur, sommeillant, Dieu merci, sur le siège. Sa laisse était passée dans le volant : il l'ôta d'un geste vif et la posa sur le plancher. Tess se réveilla, cligna des yeux et bâilla à s'en décrocher la mâchoire. Elle commença à se lever. Il lui donna l'ordre de ne pas bouger et grimpa dans le pick-up. D'une main, il attacha la laisse au collier de la chienne, tout en se préparant de l'autre. Il enfila un coupe-vent qu'il gardait dans l'habitacle. Il rabattit les pare-soleil. Il ouvrit et referma la boîte à gants. Entendant les pas de Whiting sur le gravier du parking, il dit :

— Je suppose que tu ne veux pas que j'entre dans le pub, mais il faut que je laisse un mot à Cliff.

Il se félicita de sa présence d'esprit.

— Alors fais vite, lança Whiting, retournant à sa voiture.

Il ne monta pas dedans mais alluma une cigarette et attendit.

Son mot était bref : *Mon vieux, cette voiture est à toi jusqu'à ce que je revienne.* Cliff n'avait pas besoin d'en savoir davantage. Si Gordon, par la suite, pouvait récupérer le véhicule, il le ferait. Sinon, au moins, il ne tomberait pas entre les mains de Whiting.

Il avait laissé les clés sur le contact, comme à son habitude. Il retira de l'anneau la clé du cottage, ordonna à Tess de le suivre et descendit du pick-up. L'ensemble de la procédure avait pris moins de deux minutes. Moins de deux minutes pour bouleverser à nouveau le cours de sa vie.

— Je suis prêt, annonça-t-il à Whiting alors que la chienne remuait la queue, comme si le salopard devant eux n'était qu'un passant qui allait lui caresser la tête.

— Ah ça, je n'en doute pas, répondit Whiting.

Par la suite, Barbara Havers se dirait non sans stupeur que tout avait découlé du fait que le centre de Lyndhurst jouissait d'un plan de circulation à sens unique. Le circuit formait un triangle quasi parfait, et vu la direction d'où elle venait, elle fut obligée de suivre le côté nord du triangle. Elle aboutit dans la grand-rue, où, à mi-hauteur et juste après la façade à colombages du Crown Hotel, elle était censée tourner dans Romsey Road, qui la mènerait au poste de police. En raison du feu rouge au croisement, il y avait presque toujours des embouteillages. Il en était ainsi quand Barbara voulut s'engager le long des étendues de pelouses et des rangées de chaumières de Swan Green pour pénétrer dans le village.

Elle se retrouva coincée derrière un camion vomissant d'atroces quantités de gaz d'échappement qui s'engouffraient par ses vitres ouvertes. Autant en griller une en attendant que le feu passe au vert. Elle n'allait pas louper une excellente occasion d'encrasser un peu plus ses poumons…

Elle était occupée à attraper son sac quand elle reconnut Frazer Chaplin. Aucun doute : c'était lui. Il sortait du bâtiment juste devant elle. Elle était tout près du trottoir de gauche avant de tourner dans Romsey Road, et le bâtiment en question – d'après son enseigne, il s'agissait du salon de thé du Chapelier Fou – se trouvait du côté gauche de la rue. Elle songea brièvement : C'est quoi, ce bordel ? Et soudain elle remarqua la femme avec lui. Ils débouchèrent sur le trottoir avec cet air si caractéristique des amants après un cinq à sept, mais il y avait quelque chose d'un peu étrange dans la façon dont Frazer enlaçait sa compagne. Son bras droit lui enserrait fortement la taille. Son bras gauche passait devant son propre corps pour agripper le bras gauche de la femme au-dessus du coude. Ils s'arrêtèrent un instant devant la devanture du salon de thé, et il lui dit un mot. Puis il l'embrassa sur la joue et la contempla d'un œil plein de tendresse, d'admiration et d'amour. Sans cette main crispée et cette raideur indéniable dans le corps de la femme, Barbara aurait peut-être pensé que Frazer, en grand tombeur devant l'Éternel, était arrivé à ses fins. Elle ne l'avait rencontré qu'une seule fois mais elle se souvenait de cette posture jambes écartées qu'il avait quand il était assis, de cette expression dans ses yeux qui semblait dire : Regarde ce que j'ai pour toi, mon chou… Mais la femme avec lui – bon sang, d'où sortait-elle, celle-là ? – ne paraissait pas flotter dans le ravissement postcoïtal. Non, elle paraissait… eh bien, prisonnière semblait une assez bonne description.

Ils allaient dans la même direction que Barbara. Quelques voitures devant elle, ils traversèrent la rue. Ils continuèrent sur le trottoir puis, au bout de quelques mètres, disparurent dans une ruelle sur la droite. Barbara grommela « Merde, merde, merde » et attendit avec une agitation grandissante que le feu se décide à passer du rouge à l'orange, puis de l'orange au vert. La ruelle sur la droite arborait cet universel panneau carré présentant un P blanc sur fond bleu : il y avait un parking quelque part derrière les bâtiments de la grand-rue. Manifestement, c'était là que Frazer emmenait la femme.

— Allez, allez, allez ! lança-t-elle au feu rouge, qui finit par coopérer.

Les voitures avancèrent. Une trentaine de mètres la séparaient de la ruelle.

Il parut s'écouler une éternité avant qu'elle puisse tourner et foncer entre les immeubles. Elle constata que le parking n'était pas uniquement destiné aux gens qui venaient faire leurs courses hebdomadaires au village ; il desservait aussi le musée de la New Forest et l'office de tourisme. Il était bondé et, l'espace d'un instant, Barbara crut avoir perdu Frazer et sa compagne parmi la foule de véhicules. Mais soudain elle repéra Frazer à côté d'une Polo, et si auparavant elle avait peut-être vaguement imaginé qu'il s'agissait de l'épilogue d'un rendez-vous amoureux, la manière dont Frazer Chaplin et sa compagne pénétrèrent dans la voiture mit un terme à l'illusion.

La femme entra naturellement du côté passager, mais Frazer, la cramponnant toujours, monta juste derrière elle. Barbara ne voyait pas bien ce qui se passait, mais il était assez clair que l'objectif de Frazer était de forcer sa compagne à s'installer au volant, et qu'il n'avait aucunement l'intention de relâcher son étreinte tandis qu'elle se coulait d'un siège à l'autre.

Un klaxon retentit. Barbara regarda dans son rétroviseur. Il fallait bien que quelqu'un choisisse ce moment pour entrer dans le parking... Elle ne pouvait pas lui faire signe de la doubler : le passage était beaucoup trop étroit.

Elle tourna dans une des allées, qu'elle remonta à fond de train avant d'en enfiler une deuxième. Quand elle aperçut à nouveau la Polo dans laquelle Frazer était monté, celle-ci avait quitté sa place et se dirigeait vers la sortie.

Barbara suivit le mouvement, avec le double espoir qu'aucune voiture ne surgirait pour l'empêcher de rattraper Frazer et que la circulation dans la grand-rue lui permettrait de se glisser derrière lui assez facilement et assez discrètement. Ça allait de soi, elle devait le prendre en filature. Son explication avec le commissaire Whiting attendrait : si Frazer Chaplin était venu dans la New Forest, elle se doutait que ce n'était pas pour photographier les poneys.

Le seul point d'interrogation était l'identité de la jeune femme. Elle était grande, mince et vêtue d'une espèce de boubou africain. La tunique la recouvrait des épaules aux orteils. Soit elle était déguisée, soit elle se protégeait du soleil d'été, mais dans un cas comme dans l'autre, Barbara était sûre de ne l'avoir jamais vue.

D'après ce que lui avait confié Rob Hastings, il devait s'agir de Meredith Powell. Si, en effet, Meredith Powell avait eu la folie de mener une enquête personnelle – et, au dire de Hastings, elle l'avait eue –, alors, d'une manière ou d'une autre, elle avait dû tomber sur Frazer Chaplin, dont la présence ici dans le Hampshire laissait supposer qu'il était mouillé jusqu'au cou. Entre eux, le langage du corps était facile à interpréter : Meredith, si c'était bien elle, ne voulait pas de la compagnie de Frazer ; quant à Frazer, il n'avait aucune intention de la laisser partir où que ce soit sans lui.

Au bout de la grand-rue, ils prirent plein sud et s'engagèrent dans une autre des rues à sens unique de Lyndhurst. Barbara les suivit. Les panneaux indiquaient Brockenhurst et, arrivés à un autre sommet de ce parcours en triangle, ils tournèrent dans l'A337. Là, ils s'enfoncèrent presque tout de suite dans une vaste zone boisée. Autour d'eux tout était vert et luxuriant, la circulation fluide, mais il fallait prendre garde aux éventuels animaux. Comme la route était parfaitement rectiligne, Barbara ralentit, en conservant la Polo dans son champ de vision. Il y avait très peu d'embranchements jusqu'à Brockenhurst, et Barbara avait une idée assez précise de celui qu'ils allaient prendre.

Elle ne fut pas étonnée quand, quelques minutes plus tard, ils obliquèrent vers Lymington. La route ne passait pas très loin de la ferme de Gordon Jossie. C'était sûrement là qu'ils allaient. Barbara était résolue à savoir pourquoi.

Elle eut sa réponse, ou du moins en partie, lorsque « Peggy Sue » résonna. Comme elle avait vidé le contenu de son sac sur le siège passager en cherchant ses cigarettes, elle n'eut aucun mal à attraper son portable. Elle aboya son nom, puis ajouta :

— Faites vite. Je ne peux pas me garer. Qui est à l'appareil ?

— Frazer…

— C'est quoi, ce bordel ?

Il était impossible qu'il ait son numéro. Son esprit passa en revue l'ensemble des possibilités tandis qu'elle demandait, impérieuse :

— Qui est avec vous dans cette foutue bagnole ? Qu'est-ce que vous…

— Barbara ?

Elle comprit tout à coup que c'était Lynley.

— Merde. Désolée. Je vous ai pris pour… Où êtes-vous ? Vous êtes ici ?

— Où ça ?

— Dans le Hampshire, où voulez-vous ? Écoutez, je suis en train de suivre…

— On a cassé son alibi.

— L'alibi de qui ?

— De Frazer Chaplin. Il n'était pas chez lui le jour où elle est morte, ou, du moins, Bella McHaggis ne peut pas confirmer sa présence. Elle a supposé qu'il était là parce qu'il était toujours repassé à la maison entre ses deux boulots, et qu'il l'a encouragée à croire qu'il avait fait comme d'habitude ce jour-là. Quant à la femme sur la photo de la Portrait Gallery…

Il se tut car quelqu'un, derrière, lui adressait la parole. Il répondit « Oui. D'accord » puis reprit :

— Elle s'appelle Georgina Francis, Barbara, pas Gina Dickens. Bella McHaggis l'a identifiée.

Il fut à nouveau interrompu. Il enchaîna :

— Pour ce qui est de Whiting…

— Quoi, Whiting ? s'agaça Barbara. Qui est Georgina Francis ? À qui parlez-vous, de toute façon ?

Elle pensait connaître la réponse à cette dernière question, mais elle voulait l'entendre de la bouche de Lynley.

— À la commissaire.

Il lui expliqua rapidement comment Georgina Francis s'inscrivait dans le tableau : ancienne pensionnaire de Bella McHaggis, mise à la porte pour avoir enfreint le principe interdisant la fraternisation entre résidents. Le contrevenant masculin était Frazer Chaplin.

— Bon Dieu, qu'est-ce qu'elle fabriquait à la galerie ? demanda Barbara. Fichue coïncidence, non ?

— Pas si elle était là pour évaluer la concurrence. Pas si elle était là parce qu'elle fréquentait et fréquente encore Frazer Chaplin. Pourquoi leur liaison aurait-elle pris fin sous prétexte qu'elle devait loger ailleurs ? Nous pensons…

— Nous ?

C'était plus fort qu'elle, bien qu'elle s'en voulût aussitôt.

— Quoi ?

— Qui pense ?

— Barbara, pour l'amour du ciel…

Il n'était pas idiot.

— D'accord. Désolée. Continuez.

— Nous avons parlé assez longuement à Mrs McHaggis.

Il raconta alors DragonFly Tonics, les autocollants, la Vespa vert-jaune de Frazer, le visionnage des films de vidéosurveillance par Winston Nkata, les deux portraits-robots, la chemise jaune et le sac à main de Jemima trouvés dans la benne Oxfam. Concernant ces derniers, il conclut :

— Nous pensons qu'il projetait de les remettre à Georgina Francis pour qu'elle les dissimule quelque part chez Gordon Jossie. Mais il n'a pas eu le temps. Quand Bella a vu l'article dans le journal à propos du corps, elle a appelé la police et vous êtes venue. Il y avait trop de risques à ce stade-là : il devait rester tranquille et attendre une meilleure occasion.

— Il est ici. Dans le Hampshire. Monsieur, il est ici.

— Qui ?

— Frazer Chaplin. Je suis justement en train de le suivre. Il a une femme avec lui et nous nous dirigeons…

— Elle a Frazer sous les yeux, répéta Lynley à la personne à côté de lui.

La commissaire eut une réplique assez vive. Lynley dit à Havers :

— Appelez des renforts, Barbara. Ce n'est pas moi qui l'ordonne. C'est Isabelle.

Isabelle… songea Barbara. Maudite « Isabelle ».

— Je ne sais pas où on est ni où on va, alors je ne vois pas bien ce que je pourrais dire aux renforts, monsieur.

Pour des raisons qu'elle ne voulait pas approfondir, elle traitait la chose par-dessus la jambe.

— Rapprochez-vous assez pour lire la plaque, si vous pouvez. Et vous savez bien reconnaître la marque de la voiture, non ? Vous voyez bien la couleur.

— Rien que la couleur, dit-elle. Je vais devoir suivre…

— Nom de Dieu, Barbara. Demandez des renforts, expliquez la situation et, bon sang, donnez votre propre numéro de plaque et une description de votre propre voiture. Je n'ai pas besoin de vous dire que ce type est dangereux. S'il a quelqu'un avec lui…

— Il ne va pas lui faire de mal tant qu'elle est au volant, monsieur. J'appellerai des renforts une fois à destination. Et pour Whiting ?

— Barbara, au minimum, vous vous mettez en danger. Ce n'est pas le moment de…

— Qu'avez-vous appris, monsieur ? Qu'est-ce que Norman vous a raconté ?

Autre échange avec Ardery. Lynley dit à la commissaire :

— Elle pense...

Barbara le coupa, désinvolte :

— Je vais devoir raccrocher, monsieur. Une circulation pas possible et puis je crois qu'il n'y a plus de réseau de toute façon et...

— Whiting, fit Lynley.

Il avait lancé ce nom pour retenir son attention. Du Lynley tout craché. Elle fut contrainte d'écouter un catalogue de faits : Whiting chargé par le Home Office de la protection d'un individu au plus haut niveau de sécurité ; d'après Lynley et Ardery, l'individu était Jossie ; c'était la seule explication pour que Whiting n'ait pas transmis à Scotland Yard les preuves de son voyage à Londres ; Whiting savait que la Met se concentrerait sur Jossie ; cette éventualité était exclue.

— Même si ces preuves laissaient penser que Jossie avait tué quelqu'un ? s'insurgea Barbara. Enfin bon sang, monsieur. Quel genre de protection au plus haut niveau justifie de couvrir un truc pareil ? Qui c'est, ce mec ?

Ils ne savaient pas, mais ce n'était pas vraiment important pour l'instant, car c'était Frazer Chaplin qui les intéressait, et étant donné que Barbara avait Frazer Chaplin dans son champ de vision...

— D'accord. D'accord, dit Barbara. Pigé. Oh, zut, je crois que je vous perds, monsieur... Ça capte mal par ici... Je n'ai plus de réseau.

— Appelez des renforts, et tout de suite !

Tels furent les derniers mots qu'elle entendit. Il y avait du réseau, mais, devant elle, la voiture avait tourné brusquement sur une route secondaire aux abords du village de Brockenhurst. Pas question de chinoiser avec Lynley. Appuyant sur le champignon pour rattraper son écart, elle bifurqua à droite sous le nez d'une camionnette de déménagement. Un panneau indiquait Sway.

Dans sa tête, les détails grouillaient dans tous les sens : des faits, des noms, des visages, des hypothèses… Elle pouvait marquer une pause, faire un peu le tri dans tout ça et appeler les renforts auxquels Lynley tenait tant. Ou bien elle pouvait suivre Frazer et Meredith jusqu'au bout, cerner la situation et prendre ses décisions en conséquence.

Elle choisit la deuxième solution.

Tess était installée sur la banquette arrière de Whiting. Le pauvre animal se réjouissait de partir en balade au milieu d'une journée ouvrée. D'habitude, la chienne devait attendre que Gordon ait terminé avant de pouvoir faire autre chose que roupiller à l'ombre en espérant être distraite par un écureuil qu'elle puisse poursuivre. Mais là, les vitres étaient ouvertes, ses oreilles battaient au vent et sa truffe humait les odeurs délicieuses du plein été. Gordon comprit que, quelle que soit la tournure des événements, sa chienne ne lui serait d'aucun secours.

Cette tournure devint bientôt évidente. Au lieu de prendre la direction de Fritham – le premier îlot de cottages qu'ils auraient dû atteindre en se dirigeant vers la ferme de Jossie –, Whiting mit le cap sur Eyeworth

Pond. Avant l'étang, il y avait un sentier qu'ils auraient pu emprunter pour rejoindre Roger Penny Way, puis une autre route qui leur aurait permis de gagner encore assez vite la maison de Gordon. Mais Whiting les dépassa et continua vers l'étang, où il se gara au niveau supérieur des deux terrasses taillées dans la roche qui constituaient le parking. À cet étage, on dominait l'eau.

Tess était aux anges : de toute évidence elle espérait une promenade dans les bois qui bordaient l'étang. La chienne aboyait, remuait la queue et regardait par la fenêtre ouverte d'un air qui en disait long.

— Soit tu fais taire ce chien, dit Whiting, soit tu ouvres la portière et tu le fais partir.

Gordon protesta :

— On ne va pas…

— Fais taire ce clebs.

Gordon comprit que ce qui devait se produire allait se produire ici même dans la voiture. C'était logique, du reste, compte tenu de l'heure qu'il était, de la saison, et des gens autour d'eux. Car non seulement il y avait des voitures dans la partie inférieure du parking, mais il y avait deux familles qui donnaient à manger aux canards sur l'étang en contrebas, un groupe de cyclistes qui s'engageaient dans la forêt, un couple de personnes âgées qui pique-niquaient dans des transats sous un des saules au loin, et une femme qui emmenait une meute de six corgis faire leur promenade de la mi-journée.

Gordon se tourna vers son retriever.

— Couché, Tess. Tout à l'heure, dit-il en priant pour qu'elle obéisse.

Il savait que la chienne se précipiterait vers les arbres si Whiting le forçait à ouvrir la portière. Il savait

954

aussi que le flic ne lui permettrait certainement pas d'aller la rechercher. Soudain Tess fut plus importante que tout le reste dans sa misérable existence. L'affection qu'elle lui vouait, comme chez tous les chiens, était inconditionnelle. Il aurait besoin de ce soutien dans les jours à venir.

La chienne se coucha à contrecœur sur la banquette, non sans lancer à son maître un regard suppliant.

— Tout à l'heure, répéta Gordon. Bon chien.

Whiting ricana. Il recula son siège et le régla.

— Très mignon, dit-il. Très, très mignon. Je ne te savais pas si doué avec les animaux. Je n'en reviens pas d'apprendre un truc nouveau sur toi. Moi qui pensais déjà tout savoir.

Il prit une position plus confortable.

— Bon. On a une affaire à terminer, toi et moi.

Gordon ne répondit rien. Le plan de Whiting ne manquait pas de génie : le flic avait su lire en lui dès le départ. Leur dernier tête-à-tête avait tourné court, mais il avait duré assez longtemps pour que Gordon devine à quoi aboutiraient toutes leurs futures rencontres. Whiting savait que Gordon ne se laisserait plus prendre au dépourvu. Mais s'il essayait de se défendre dans un lieu public, il se ferait remarquer, or c'était un luxe qu'il ne pouvait pas s'offrir. Gordon était à nouveau coincé. Il était coincé de toutes parts. Et il en serait toujours ainsi.

Whiting descendit sa braguette.

— Vois la chose comme ça, mon gars. Je suppose que tu t'es déjà fait prendre par-derrière, mais moi ça me tente pas. Je me contenterai d'une pipe. Allez, viens, et sois bien docile, d'accord ? Après on sera quittes, toi et moi. Tu dégageras et personne ne saura rien. Rien sur rien, mon cher.

Gordon savait qu'il pouvait mettre un terme à tout ça – maintenant, à cet instant précis, et pour toujours. Il était prêt. Mais s'il le faisait, ce serait également la fin pour lui, et il n'avait pas le courage d'affronter ça. Il n'avait tout bonnement pas le cran. Il était faible et il l'avait toujours été.

Combien de temps cela allait-il prendre et qu'allait-il lui en coûter de céder à Whiting ? C'est sûr, il pourrait encaisser l'humiliation. Il avait bien encaissé tout le reste.

Il se retourna sur son siège et jeta un coup d'œil à Tess. Sa tête était posée sur ses pattes, ses yeux le regardèrent avec mélancolie, sa queue remua lentement.

— Le chien vient avec moi, dit-il à Whiting.

— Comme tu voudras, répondit Whiting avec un sourire.

Les mains de Meredith étaient moites sur le volant. Son cœur battait à se rompre. Elle avait du mal à respirer. Le type lui enfonçait quelque chose dans les côtes – le même objet pointu qu'il tenait sans doute prêt lorsqu'elle s'était bêtement introduite dans la chambre de Gina Dickens. Il murmura, parlant dudit objet :

— D'après toi, quel effet ça fait quand ça transperce la chair ?

Elle n'avait pas la moindre idée de qui il était. Mais lui, de toute évidence, savait exactement qui elle était puisqu'il l'appelait par son nom. Il lui avait dit à l'oreille au bout de quelques instants :

« Nous devons être Meredith Powell, qui a piqué ma jolie pièce en or… J'ai entendu parler de toi, Meredith. Mais, crois-moi, je ne m'attendais pas à faire un jour ta connaissance.

— Qui êtes-vous ? avait-elle demandé, consciente qu'il lui rappelait quelque chose.

— Il s'agit là d'une question dont tu n'as pas à connaître la réponse. »

La voix… Le coup de fil qu'elle avait intercepté dans la chambre de Gina. Elle avait pensé à l'époque qu'il s'agissait du commissaire divisionnaire Whiting, mais cet homme était forcément l'individu qui avait téléphoné. La voix correspondait.

« Ton arrivée modifie un tout petit peu la situation », lui avait-il dit.

Ils avaient rejoint la voiture de Meredith. Elle s'était mise à réfléchir à toute vitesse lorsqu'il l'avait forcée à s'installer au volant. Elle devait les emmener chez Gordon Jossie et, dans un premier temps, elle s'imagina tenir sa réponse : ce type et Gordon étaient de mèche, et Jemima était morte parce qu'elle l'avait découvert. Mais cette hypothèse soulevait la question du rôle de Gina Dickens dans l'histoire. Meredith fut forcée de conclure que c'était plutôt Gina et ce type qui étaient de mèche. Mais cette hypothèse soulevait la question de l'identité de Gina, qui soulevait la question de l'identité de Gordon, qui soulevait la question du rôle du commissaire divisionnaire Whiting, puisque, d'après Michele Daugherty, c'était le nom de Jossie qui avait fait apparaître Whiting dans son bureau avec des menaces à la bouche. Mais ce détail-là soulevait la question de savoir si Michele Daugherty elle-même n'était pas impliquée : après tout, elle mentait peut-être aussi, étant donné que tout le monde semblait mentir.

Oh mon Dieu, mon Dieu, mon Dieu. Décidément, elle aurait mieux fait d'aller au bureau ce jour-là.

Quand l'homme lui ordonna de l'emmener à la ferme de Gordon, elle envisagea de rouler n'importe où dans la campagne au lieu de lui obéir. Elle se disait que si elle conduisait assez vite et assez mal, elle avait des chances d'attirer l'attention de quelqu'un – un policier en patrouille, pourquoi pas ? – et de se sortir d'affaire. Mais il y avait cette chose plantée contre son flanc, et la perspective de la sentir s'enfoncer lentement et douloureusement aux environs de… aux environs de quoi ? Était-ce le foie dans cette région-là ? Et où étaient les reins, exactement ? Est-ce que ça faisait très mal d'être poignardée ? Est-ce qu'elle était assez héroïque pour supporter cela ? Mais est-ce qu'il oserait la poignarder alors qu'elle était au volant ? Et que se passerait-il si elle conduisait n'importe comment et qu'il lui ordonnait de s'arrêter puis l'entraînait dans les bois, dans ces hectares de forêt à n'en plus finir ? Combien de temps avant qu'on la retrouve tandis qu'elle se vidait tout doucement de son sang ? Comme pour Jemima. Oh mon Dieu, mon Dieu, mon Dieu.

— Vous l'avez tuée ! s'écria-t-elle.

Ça lui avait échappé. Elle voulait pourtant rester calme. Sigourney Weaver dans ce vieux film sur la créature de l'espace… Ou, encore plus vieux, préhistorique même, cette série télé où on voyait Diana Rigg en bottes à talons administrer des coups de pied à la figure des méchants… Qu'est-ce qu'elles feraient dans cette situation ? se demanda-t-elle. Que feraient Sigourney et Diana ? C'était facile pour elles, tout était écrit dans le scénario, et l'alien, le méchant, le monstre ou que sais-je… il mourait toujours à la fin, non ? Sauf que Jemima était déjà morte.

— Vous l'avez tuée ! Vous l'avez tuée ! hurla Meredith.

La pointe meurtrière appuya davantage contre son flanc.

— Roule, dit l'homme. À ce que j'ai constaté, tuer quelqu'un est plus facile que je ne le croyais.

Elle repensa à Cammie. Sa vue se troubla. Elle se ressaisit. Elle ferait tout ce qu'il fallait pour revenir auprès de sa fille.

— J'ai une petite fille. Elle a cinq ans. Vous avez des enfants ?

— Roule.

— Ce que je veux dire, c'est que vous devez me laisser partir. Cammie n'a pas d'autre parent. S'il vous plaît. Vous ne pouvez pas vouloir faire ça à ma petite fille.

Elle lui jeta un coup d'œil. Il était brun comme un Espagnol, et il avait le visage grêlé. Ses yeux, marron, étaient fixés sur elle. Ils ne reflétaient aucune émotion. On avait l'impression de contempler un tableau noir.

Détournant le regard, elle se concentra sur la route et se mit à prier.

Barbara se dit que si la voiture se dirigeait vers chez Gordon Jossie – sinon pourquoi aurait-elle obliqué vers Sway ? –, Gina Dickens était forcément là-bas. Ou Georgina Francis. Ou quelle que soit sa foutue identité. En pleine journée, ils n'allaient sûrement pas là-bas pour voir Jossie lui-même, le chaumier étant parti travailler. Ils allaient donc retrouver quelqu'un d'autre, et ce quelqu'un d'autre était forcément Gina/Georgina. Tout ce que Barbara avait à faire, c'était les suivre à distance, s'assurer que leur destination finale était bien celle qu'elle soupçonnait, et à ce moment-là appeler des renforts s'il lui semblait qu'elle n'arriverait pas à les maîtriser sans aide.

Si elle intervenait trop tôt contre Frazer Chaplin, Georgina Francis s'enfuirait. Dans cette région, s'échapper n'était pas difficile. Il suffisait de prendre le ferry pour rallier l'île de Wight. Rejoindre l'aéroport depuis Yarmouth n'était pas compliqué. Southampton n'était pas bien loin non plus. Elle devait donc agir avec prudence. Pas question d'abattre ses cartes trop tôt.

Son portable sonna. « I love you, Peggy Sue ». Elle jeta un coup d'œil sur l'écran. C'était Lynley, rappelant sans doute parce qu'il s'imaginait qu'ils avaient été coupés. Elle laissa sa boîte vocale prendre le message et continua à rouler.

La Polo devant elle s'engagea sur la première des petites routes aboutissant au cottage de Gordon Jossie. Ils se trouvaient maintenant à moins de deux minutes de leur destination, et lorsqu'ils l'atteignirent et que la voiture devant elle tourna dans l'allée de Jossie, Barbara ne fut pas étonnée.

Elle continua tout droit – une simple voiture qui passait par là… – et remarqua un espace libre un peu plus loin, juste à l'entrée d'un champ. Là, elle casa sa Mini, attrapa son portable histoire de se montrer coopérative – en prenant soin de le couper –, puis se dépêcha de revenir sur ses pas.

Avant d'atteindre l'allée, elle atteignit le cottage. Depuis la route, la haie d'aubépine dissimulait la bâtisse, mais permettait aussi à Barbara de ne pas être vue. Elle la longea à pas de loup jusqu'à ce qu'elle entrevoie l'allée et au moins une partie du paddock ouest, derrière. Frazer Chaplin et la femme qui l'accompagnait étaient en train de traverser l'enclos. Au bout d'une dizaine de mètres, ils disparurent de son champ de vision.

Elle rebroussa chemin le long de la haie. Elle n'avait pas envie de tenter une percée : les aubépines étant touffues et en pratique infranchissables, il lui fallait trouver un autre moyen de s'introduire dans la propriété. À un endroit, la haie faisait un angle et repartait vers l'intérieur, marquant la frontière est du domaine. Elle aboutissait à un autre paddock, délimité par une banale clôture en fil de fer. Cette clôture était plus facile à passer. Après l'avoir enjambée, Barbara n'était plus séparée du paddock ouest et de Frazer Chaplin que par la grange dans laquelle Jossie gardait la voiture de Jemima et son matériel de chaumier. En contournant le bâtiment, elle déboucherait du côté nord du paddock, où Frazer avait emmené la femme qui l'accompagnait.

Il n'y avait aucune trace visible de Gina Dickens, mais alors que Barbara se coulait vers la grange, elle aperçut l'impeccable Mini Cooper de Gina dans l'allée. L'heure était venue d'appeler les renforts, mais avant, elle devait s'assurer que la pimpante petite voiture rouge indiquait effectivement que sa propriétaire était là.

Elle gagna l'arrière de la grange. Derrière le bâtiment, à une cinquantaine de mètres, commençaient les bois, bordés de châtaigniers et de chênes. Ces arbres auraient pu lui offrir un excellent refuge, une cachette d'où elle aurait pu observer ce qui se passait dans le paddock. Mais, à cette distance, elle n'aurait jamais pu entendre ce qui se disait et, quand bien même, rejoindre les bois sans être repérée depuis le paddock était mission impossible. Même en rampant, elle n'y serait pas parvenue, car le paddock était clôturé par des fils de fer et non par un muret, et la zone entre le paddock et les bois présentait pour unique protection quelques ajoncs par-ci par-là. Toute personne en dehors du paddock serait facilement repérée par toute personne à l'intérieur.

Mais la réciproque était vraie : depuis l'angle de la grange, Barbara pouvait voir sans trop de mal à l'intérieur du paddock. Et ce qu'elle vit en sortant doucement la tête, ce fut Frazer Chaplin le poing refermé sur une arme et cette arme appliquée contre le cou de Meredith Powell. De son autre bras, il la ceinturait fermement. Si elle bougeait, l'arme de Frazer – il devait s'agir d'un crochet de chaumier – lui transpercerait la carotide, exactement comme un autre crochet de chaumier avait transpercé la carotide de Jemima dans le cimetière d'Abney Park.

Demander des renforts ne rimait à rien. Le temps que les flics de Lyndhurst arrivent, Meredith Powell serait sans doute grièvement blessée, si ce n'est pire. Si elle espérait éviter le drame, Barbara ne pouvait compter que sur elle-même.

Il l'appelait George. Meredith pensa bêtement : C'est quoi, ce nom, pour une femme ? avant de comprendre que c'était le diminutif de Georgina. De son côté, Gina l'appelait Frazer. Et elle n'était pas vraiment contente de le voir.

Ils l'avaient interrompue en pleine frénésie de jardinage dans l'enclos où Gordon accueillait les poneys de la forêt quand ils avaient besoin de soins particuliers. Elle était occupée à débroussailler la lisière nord-ouest ; elle avait dégagé un vieil abreuvoir en pierre qui devait se trouver là depuis deux cents ans.

Elle s'était exclamée « Mais enfin bordel… » quand, en se retournant, elle avait aperçu Meredith qui avançait sous la menace dans sa direction. Elle avait ajouté :

« Oh, bon Dieu, Frazer. Nom d'un chien, qu'est-ce qui s'est passé ?

— Une surprise, j'en ai peur. »

Elle avait jeté un bref regard à Meredith avant de demander à Frazer :

« Tu étais obligé de… ?

— Je ne pouvais pas vraiment la laisser là, George.

— Absolument génial. Et qu'est-ce qu'on va en faire, bon sang ? »

Elle indiqua ses travaux de jardinage.

— C'est forcément ici… Il n'y a pas d'autre endroit. On a déjà assez de problèmes, pas besoin d'en rajouter.

— C'est comme ça, déclara Frazer, philosophe. Je ne suis pas tombé sur elle dans la rue, vois-tu. Elle s'était introduite dans ta chambre. On doit s'occuper d'elle, un point c'est tout. Et il est plus logique de faire ça ici qu'ailleurs.

« S'occuper d'elle »… Meredith sentit ses intestins se relâcher.

— Vous comptez faire porter le chapeau à Gordon, c'est ça ? C'est ce que vous faites depuis le début.

— Tu vois bien ? dit Frazer à Gina.

963

Pas besoin d'être un génie pour comprendre le sous-entendu : *Cette sale garce a découvert le pot aux roses et maintenant il faut qu'elle meure.* Ils allaient la tuer comme ils avaient tué Jemima. Après quoi ils planqueraient son corps quelque part sur les terres de Gordon. Il s'écoulerait peut-être un jour, une semaine, un mois, un an, avant qu'on la trouve. Mais de toute façon, quand on la trouverait, Gordon porterait le chapeau car ces deux crapules auraient filé depuis longtemps. Mais pourquoi ? se demandait Meredith.

— Pourquoi ?

Elle s'aperçut qu'elle avait parlé tout haut quand le bras de Frazer se resserra autour de sa taille et que la pointe de son arme pénétra dans sa chair. Sentant la peau se déchirer, elle gémit, et il murmura :

— Juste un avant-goût. Maintenant, putain, tu la fermes. Il nous faut une tombe, George.

Avec un petit rire sarcastique, il observa :

— Tu allais creuser, de toute manière. Ça s'appelle faire d'une pierre deux coups.

— Ici dans le paddock ? dit Gina. Enfin, bon Dieu, qui voudra jamais croire qu'il l'a enterrée ici ?

— On ne peut pas se payer le luxe de répondre à cette question. Allez, creuse, Georgina.

— On n'a pas le temps.

— On n'a pas le choix. Pas besoin de creuser profond. Juste assez pour recouvrir le corps. Dégote-toi une meilleure pelle. Il doit bien y en avoir dans la grange.

— Je ne veux pas assister à…

— D'accord. Bon Dieu, t'auras qu'à fermer les yeux au moment fatidique. Mais va chercher cette pelle et commence à creuser sa putain de tombe parce que, bordel, je ne peux pas la tuer tant qu'on n'a pas un endroit où elle puisse se vider de son sang.

Meredith geignit à nouveau.

— S'il vous plaît. J'ai une petite fille. Vous ne pouvez pas.

— Alors là tu te fourres le doigt dans l'œil, et profond, dit Frazer.

Ils roulaient sans mot dire. Whiting rompait le silence de temps à autre en sifflotant joyeusement un petit air rythmé. Tess le rompait de temps à autre en poussant un long gémissement : la chienne comprenait que quelque chose n'allait pas.

Le voyage ne prit pas plus de temps qu'il n'en fallait normalement pour couvrir la distance entre Fritham et Sway en pleine journée. Pourtant, Gordon avait l'impression qu'ils n'avançaient pas. Il lui semblait qu'il allait être bloqué à tout jamais sur le siège passager de la voiture de Whiting.

Lorsqu'ils tournèrent enfin dans Paul's Lane, Whiting lui donna ses directives : une seule valise, et elle devait être prête dans un quart d'heure. Quant à savoir ce qu'il adviendrait du reste de ses affaires... Gordon n'aurait qu'à soumettre la question à celui qui prendrait le relais, car lui, c'était le cadet de ses soucis.

Imitant un pistolet avec son pouce et son index, le commissaire fit mine de l'armer :

— Estime-toi heureux que je ne t'aie pas laissé tomber quand j'ai appris ton petit périple à Londres. J'aurais pu te plaquer à ce moment-là, tu sais. Bon sang, tu peux vraiment t'estimer heureux.

Gordon comprit ce qui s'était passé dans la tête de Whiting : son voyage à Londres – dont, ça ne faisait aucun doute, il avait eu vent par Gina – avait anéanti toute la réserve que le commissaire avait pu montrer à son égard dans le passé. Avant ce voyage à Londres, Whiting s'était contenté de rôder à l'orée de sa vie, se pointant de loin en loin pour s'assurer qu'il se tenait à carreau, comme il aimait à le formuler, cherchant à l'intimider, mais ne dépassant jamais la limite des menaces en l'air. Avec la révélation de ce voyage à Londres, et le rapprochement entre cette info et la mort de Jemima, les vannes qui jusque-là endiguaient les eaux de son mépris s'étaient brusquement ouvertes. Un mot de lui au Home Office et Gordon Jossie retournait en taule : il avait violé les conditions de sa libération et constituait encore un danger pour la société. Le ministère le priverait de sa liberté et poserait des questions après. Gordon savait qu'il en serait ainsi et cette crainte l'avait rendu coopératif.

Et maintenant… À ce stade, Whiting ne pouvait plus vraiment aviser le ministère de l'escapade de Gordon à Londres le jour de la mort de Jemima. Il lui faudrait justifier cette rétention d'information. Gina pourrait préciser à quelle date elle avait transmis le renseignement. Whiting serait alors contraint d'expliquer pourquoi Gordon était resté en liberté, et le commissaire n'avait aucune envie de le faire. Mieux valait s'amuser un peu une dernière fois à Eyeworth Pond, puis remettre Jossie à celui qui viendrait le récupérer.

Gordon dit à Whiting :

— Au fond, qu'elle soit morte, ça ne te fait ni chaud ni froid, pas vrai ?

Whiting lui lança un regard. Derrière ses lunettes noires, ses yeux étaient invisibles, mais ses lèvres remuèrent avec dégoût.

— T'es sûr de vouloir discuter de mort et de meurtre ?

Gordon ne dit rien.

— Bizarre. J'aurais pas cru que c'était le genre de sujet qui brancherait un type comme toi. Mais on peut en parler si tu y tiens. J'ai rien contre, tu sais.

Gordon regarda par la vitre. Il savait qu'en définitive on en reviendrait toujours là. Pas seulement avec Whiting, mais avec tout le monde. Sa vie, éternellement, se résumerait à ça, et il avait été fou de se figurer le contraire, ne serait-ce qu'un instant, surtout cet instant, il y a des années, où il avait accepté l'invitation de Jemima Hastings à venir boire l'apéritif chez son frère. Il se demandait comment il avait pu s'imaginer pouvoir mener une vie normale. Il fallait qu'il soit à moitié fou, et éperdu de solitude. Eh bien oui, que voulez-vous. La compagnie d'un chien ne lui suffisait pas.

Quand ils arrivèrent à la ferme, il repéra immédiatement les voitures dans l'allée. Il reconnut les deux. Gina était là, mais Meredith Powell aussi, allez savoir pourquoi. Tandis que Whiting dépassait le cottage et se garait devant la haie, il lui demanda :

— Comment tu comptes t'y prendre, alors ? Tout bien considéré, on ne peut pas vraiment appeler ça une arrestation, si ?

Whiting consulta sa montre. Il pensait sans doute au lieu où il était supposé remettre Gordon au Home Office et à quelle heure. Il réfléchissait sûrement aussi au laps de temps déjà écoulé depuis que le ministère lui avait ordonné d'aller chercher Gordon, laps de temps qui comprenait leur petit intermède à Eyeworth Pond. L'horloge tournait : pas question de revenir plus tard, quand Gina et Meredith auraient débarrassé le plancher.

Whiting allait sans doute lui annoncer qu'il allait devoir partir sans l'unique valise précédemment autorisée. Que ses affaires, pour ce qu'elles valaient, lui seraient envoyées par la suite. Mais non, Whiting déclara avec un sourire :

— Oh, je suis convaincu, mon cher, que tu trouveras un truc intéressant à leur raconter.

Pour le commissaire, ce contretemps ajoutait du piquant à la situation. D'abord Eyeworth Pond et maintenant ça : Gordon faisant ses bagages et fournissant à Gina un motif à son départ subit.

— Un quart d'heure, répéta Whiting. Ce délai, à ta place, j'en perdrais pas une seconde à bavarder avec ces dames. Mais à toi de voir. Le chien reste ici, au fait. Histoire d'être sûr. Tu sais bien… Appelons ça une assurance.

— Tess ne va pas aimer, dit Gordon.

— Mais si, si tu lui expliques. Tu as le don avec les dames, pas vrai, trésor ?

À ce moment-là, Gordon se rendit compte qu'au fond il avait intérêt à ce que la chienne reste dans la voiture. Si elle en sortait, elle ne manquerait pas d'aller trouver Gina, trahissant ainsi la présence de son maître. Sans elle, il arriverait peut-être à entrer dans le cottage par la porte principale, à monter sans bruit au premier, à faire ce qu'il avait à faire et à repartir sans être vu. Pas besoin d'explication.

Il fit un signe de tête à Whiting, ordonna à la chienne de rester là, et descendit de voiture. Gina et Meredith devaient être à l'intérieur du cottage, probablement dans la cuisine, mais en tout cas pas à l'étage dans la chambre. S'il entrait par la porte de devant, il arriverait peut-être à monter l'escalier en catimini. Le plancher grinçait à tout-va, mais ça, il n'y pouvait rien. Il s'efforcerait d'être discret en espérant que la conversation des filles suffirait à couvrir le bruit qu'il ferait. Quant à savoir ce que Meredith fabriquait ici... Il ne voyait pas en quoi éclaircir cette énigme le mènerait où que ce soit. Ça n'avait d'ailleurs aucune importance.

Une fois passée la porte d'entrée, il guetta leurs voix. Mais le cottage était silencieux. Il se dirigea tout doucement vers l'escalier. L'unique son alentour provenait de son poids sur les marches.

Il alla dans la chambre. Une seule valise et un quart d'heure. Gordon savait que Whiting tiendrait parole. Une minute de plus et il se pointerait, laissant à Gordon le soin d'expliquer pourquoi on l'embarquait, ou s'en chargeant lui-même.

Gordon attrapa sa valise sous le lit. Il rejoignit la commode et ouvrit le tiroir du haut. La commode se trouvait à côté de la fenêtre, et il prit garde à ses mouvements. En effet, si Gina et Meredith étaient dehors et qu'elles levaient le regard... Il jeta un œil pour vérifier.

Il les vit tout de suite. La fenêtre donnait sur l'allée et une partie du paddock ouest. Gina était à l'intérieur, et Meredith aussi. Mais, avec elles, il y avait un homme qu'il ne reconnut pas. Il se tenait derrière Meredith et il l'agrippait par la taille d'une manière qui laissait penser qu'elle n'était pas consentante. Munie d'une des pelles de la grange, Gina creusait avec frénésie un rectangle de terre juste après le vieil abreuvoir. Elle avait déblayé tout un tas de broussailles. Elle avait dû trimer comme une folle depuis qu'elle était revenue de sa balade ce matin-là.

Il se dit tout d'abord qu'il avait vraiment fait un excellent travail. Les choses avaient exactement l'aspect voulu. Puis il comprit qu'il était redevable à Jemima. Certes, elle avait divulgué une partie de la vérité, mais, pour une raison obscure, elle ne l'avait pas divulguée tout entière. Loyauté envers lui ? Soupçons à l'égard de l'autre ? Il ne le saurait jamais.

Il allait s'écarter de la fenêtre : ils pouvaient creuser jusqu'en Chine, tous les trois, ils ne trouveraient jamais ce qu'ils cherchaient… Mais Meredith eut un brusque mouvement, comme si elle essayait d'échapper à l'étreinte de l'homme. Elle se tourna et il se tourna avec elle, si bien qu'ils ne faisaient plus face à Gina, mais au cottage.

Gordon vit que le type tenait quelque chose contre la gorge de Meredith, et son regard se reporta sur Gina. La taille et la forme du trou… Il comprit ce qu'elle était en train de faire et lâcha un juron. Elle creusait une tombe.

C'étaient donc eux qui avaient tué Jemima… Il avait couché avec un de ses assassins. Gina était bien la femme de Londres dont la policière de Scotland Yard avait dit qu'elle figurait sur les photos de ce vernissage. Elle était venue dans le Hampshire afin de le prendre au piège et, indécrottable idiot qu'il était, il était tombé dans le panneau.

Il comprit quel coup de pouce il leur avait donné en affichant ces maudites cartes postales. *Avez-vous vu cette femme ?* Bien sûr qu'ils l'avaient vue… Jemima s'était confiée à ce type. Ce type s'était confié à Gina. Ils avaient élaboré leur plan : l'un à Londres, l'autre dans le Hampshire et, le moment venu, la suite avait été un jeu d'enfant. Un coup de fil dans le Hampshire, passé par le type. *Voilà où elle est. Voilà où vous pouvez la trouver.* Ils n'avaient plus qu'à attendre de voir ce qu'il allait faire.

Et maintenant ils étaient chez lui, dehors, dans le paddock. Ça aussi, c'était prévu. Il allait y avoir un autre cadavre. Mais celui-là dans l'enceinte de sa propre ferme.

Il ignorait comment ils s'étaient débrouillés pour mettre la main sur Meredith Powell et la conduire ici. Il ignorait pourquoi ils l'avaient fait. Mais en observant la scène, il devina leurs intentions aussi clairement que s'il avait concocté le scénario lui-même. Le dénouement se jouait sous ses yeux.

Il se dirigea vers l'escalier.

Une fois que Gina Dickens se fut mise à creuser pour de bon, Barbara composa le 999. Avant d'éliminer sa prisonnière, Frazer allait sûrement attendre d'avoir un endroit où mettre le corps. La seule façon de faire croire que c'était Gordon Jossie qui avait tué Meredith, c'était de cacher son cadavre quelque part en espérant qu'il séjourne en terre assez longtemps pour que la date exacte de la mort, et donc l'alibi de Jossie soient difficiles à établir avec certitude. Pour cela, il fallait une tombe.

À son honneur, Meredith Powell n'attendait pas docilement le coup qui allait la tuer. Elle se battait du mieux qu'elle pouvait. Mais chaque fois qu'elle bougeait, Frazer appuyait le crochet sur son cou. Elle saignait abondamment sur le devant de sa tunique, mais jusque-là il s'était arrangé pour que la blessure ne soit pas mortelle. Juste assez grave pour la calmer, songea Barbara. Le fumier.

Quand son appel aboutit, Barbara cita son nom en chuchotant. Elle savait que le standard pouvait se trouver n'importe où dans le Hampshire, et ce handicap, combiné à sa propre incapacité à expliquer précisément où elle était, signifiait que les secours avaient peu de chances d'arriver à temps. Mais le commissaire Whiting devait savoir où Jossie habitait, aussi transmit-elle les consignes suivantes : appelez le poste de police de Lyndhurst, demandez au commissaire divisionnaire Whiting d'envoyer des renforts chez Gordon Jossie aux alentours de Sway, il sait où c'est, je suis sur place, la vie d'une femme est en jeu, pour l'amour du ciel faites vite, envoyez un contingent armé et tout de suite.

Puis elle éteignit son portable. Elle n'avait pas d'arme, mais ils étaient à égalité. Elle était parfaitement capable de leur damer le pion et, à tout le moins, elle avait l'avantage de la surprise. Il était temps d'en tirer parti.

Elle gagna l'autre extrémité de la grange.

Meredith ne pouvait pas crier. L'objet pointu lui perforait la chair pour la troisième fois. L'homme lui avait déjà percé le cou une fois, deux fois, à un point différent à chaque reprise. Le sang coulait sur sa maigre poitrine et entre ses seins, mais elle s'abstenait de regarder de peur de s'évanouir. Elle était assez chancelante comme ça.

« Pourquoi ? » fut le seul mot qui lui échappa. Elle savait que « Pitié ! » était hors de question. Et le « pourquoi » se rapportait à Jemima, pas à elle. Il restait pas mal de questions concernant Jemima. Elle n'arrivait pas à comprendre pour quelle raison ils avaient tué son amie. Ils avaient fait en sorte d'orienter les soupçons de la police vers Gordon : ils voulaient donc se débarrasser à la fois de Jemima et de Gordon, mais elle ne voyait pas pourquoi. Au fond, ça n'avait pas grande importance, puisqu'elle allait mourir aussi. Exactement comme Jemima, et tout ça pour quoi, et puis qu'allait-il advenir de Cammie ? Sans père. Sans mère. Et elle, qui la trouverait ? Ils l'enterreraient et alors et alors et ensuite et mon Dieu.

Elle essaya de se calmer. De réfléchir. D'élaborer un plan. C'était possible. Ça l'était. Elle pouvait y arriver. Il le fallait. Mais voilà. La douleur à nouveau. Ses larmes perlaient même si elle ne voulait pas pleurer. Elle était aussi incapable de trouver un moyen de se tirer de ce guêpier que de... de quoi ? Elle n'en savait rien.

Tellement stupide, bon sang. Sa vie entière était une parfaite illustration de la sottise humaine. Aucune cervelle, ma pauvre fille. Totalement infichue de voir clair sur les gens. Sur Gina. Sur tout le monde. Et résultat... Alors qu'est-ce que tu attends ? se demanda-t-elle. Est-ce que tu attends ce que tu as toujours attendu ? Qu'on te sauve du pétrin dans lequel tu t'es fourrée parce que tu es tellement butée que...

— Ça suffit maintenant.

Tout s'arrêta d'un coup. Puis le monde pivota, mais non, voyons, ce n'était pas le monde mais l'homme qui la tenait, il avait pivoté, et elle avec lui, et Gordon était là.

Il était entré dans le paddock. Il approchait. Il tenait un pistolet… ma parole, un *pistolet*, où diable Gordon avait-il dégoté un pistolet… et avait-il toujours possédé un pistolet et pourquoi et…

Elle crut défaillir de soulagement. Un flot d'urine brûlante lui inonda les cuisses. C'était fini, fini, fini. Mais le type ne la libéra pas. Il ne relâcha pas son étreinte.

— Ah. On dirait qu'il va falloir creuser plus profond, George.

Il ne semblait absolument pas décontenancé par l'arme dans la main de Gordon.

— Au fait, ce n'est pas là, Gina, lança Gordon, sibyllin, en indiquant la zone du paddock qu'elle avait déblayée. Mais c'est pour ça que tu l'as tuée, pas vrai ?

Puis, à l'inconnu :

— Vous avez entendu ce que j'ai dit. Ça suffit, maintenant. Lâchez-la.

— Sinon quoi ? Tu vas me buter ? Tu seras le héros ? T'auras ta photo en première page de tous les journaux ? Aux infos du soir ? Dans les talk-shows du matin ? Tss, tss, Ian. Tu ne peux pas vouloir ça. Continue à creuser, George.

— Elle vous a raconté, alors, fit Gordon.

— Bien sûr. On pose des questions, tu sais. Après tout, elle ne voulait pas que tu la retrouves. Elle était… enfin bon, sans vouloir t'offenser, elle avait été pas mal dégoûtée en apprenant qui tu étais. Et puis quand elle a vu ces cartes postales… Elle est rentrée à la maison paniquée et… On pose forcément des questions quand sa nana – désolé, George, mais je crois qu'on est quittes

974

de ce côté-là, hein, ma chérie ? –, eh oui, on pose des questions. Elle te méprisait juste assez pour me raconter. Tu aurais dû laisser tomber, tu sais, après son départ. Pourquoi tu as insisté, Ian ?

— Ne m'appelle pas comme ça.

— C'est pourtant ton nom, il me semble ? George, ma chérie, c'est bien Ian Barker ? Pas un des deux autres. Pas Michael ni Reggie. D'eux, il en parle dans ses rêves, pas vrai ?

— Ses cauchemars, dit Gina. Des cauchemars horribles. Tu ne peux pas imaginer.

— Lâche-la, ordonna Gordon, faisant un geste avec son pistolet.

L'homme resserra l'étau de ses bras.

— Impossible. La partie n'est pas encore finie. Désolé, mon gars.

— Je vais te buter, qui que tu sois.

— Frazer Chaplin, à ton service.

Il avait un ton guilleret. Il tourna très légèrement l'objet qu'il tenait contre le cou de Meredith. Elle cria. Il poursuivit :

— Eh oui, Ian, elle les a vues, ces cartes postales. Elle était affolée. Elle courait dans tous les sens et elle délirait, elle disait que ce type dans le Hampshire ne devait à aucun prix la retrouver. Alors j'ai demandé pourquoi. C'est bien naturel. Et elle m'a tout déballé. T'étais un vilain petit garçon, pas vrai ? Y en a, du monde, qui aimerait bien te mettre la main dessus. Les gens n'oublient pas. Pas ce genre de crime. C'est pour ça, bien sûr, que tu ne vas pas me buter. Sans compter que tu risquerais de me rater et de toucher cette pauvre Meredith en pleine tête.

— Pas de problème, dit Gordon en braquant son arme sur Gina. C'est sur elle que je vais tirer. Jette ta pelle, Gina. C'est terminé. Le trésor n'est pas là, Meredith ne va pas mourir, et je me fiche complètement qu'on apprenne mon nom.

Meredith gémit. Elle ignorait de quoi ils parlaient, mais elle essaya de tendre une main reconnaissante vers Gordon. Il avait sacrifié quelque chose. Elle ignorait quoi. Elle ignorait pourquoi. Mais en tout cas ça voulait dire...

La douleur la déchira. Le feu et la glace. Elle lui remonta dans la tête pour ressortir par les yeux. Elle sentit quelque chose qui éclatait et quelque chose qui lâchait. Elle s'éffondra comme une poupée de chiffon.

Barbara avait rallié le coin sud-est de la grange quand elle entendit le coup de feu. Elle avançait à pas furtifs et elle resta clouée sur place. Juste un instant. Au deuxième coup de feu, elle se précipita. Elle rejoignit le paddock et se rua à l'intérieur. Elle entendit du bruit derrière elle, des pas lourds qui couraient dans sa direction et un homme qui hurlait : « Lâche ce putain de flingue ! »

On aurait dit un tableau vivant vaguement surréaliste. Meredith Powell par terre avec un crochet rouillé sortant de son cou. Frazer Chaplin affalé à moins de deux mètres de Gordon Jossie. Gina Dickens adossée à la clôture une main plaquée sur la bouche. Quant à Jossie, il tenait le pistolet avec raideur, dans la même position depuis le deuxième coup de feu, qu'il avait tiré au-dessus de sa tête.

— Barker !

C'était un rugissement, pas un simple cri. Le commissaire Whiting remontait l'allée comme un bolide.

— Pose ce foutu flingue par terre. Vas-y. Tout de suite ! Tu m'entends. Tout de suite !

Et soudain, dépassant Whiting, le chien, arrivant de nulle part. Bondissant comme un diable. Hurlant. Courant en cercle.

— Lâche ce flingue, Barker !

— Tu l'as tué ! Il est mort !

Gina Dickens, enfin. Poussant des cris perçants, s'élançant vers Chaplin, se jetant sur son corps.

— Les renforts arrivent, Mr Jossie, annonça Barbara. Posez votre ar…

— Empêchez-le ! Il va me tuer aussi !

Le chien continuait à aboyer.

— Occupez-vous de Meredith, dit Jossie. Bon Dieu, que quelqu'un s'occupe de Meredith.

— Lâche d'abord ce foutu flingue.

— Je vous ai dit…

— Tu veux qu'elle meure aussi ? Comme le petit garçon ? La mort, ça te fait bander, Ian ?

Là, Jossie réagit. Il pointa son pistolet sur Whiting.

— Certaines morts, oui. Certaines morts, bon Dieu, oui.

Le chien hurla.

— Ne tirez pas ! s'écria Barbara. Ne faites pas ça, Mr Jossie.

Elle se précipita vers le corps recroquevillé de Meredith. Le crochet était profondément enfoncé, mais pas dans la jugulaire. Elle était consciente mais en état de choc. Il n'y avait pas un instant à perdre. Il fallait que Jossie le sache.

— Elle est en vie, dit Barbara. Mr Jossie, elle est en vie. Posez votre arme. Il faut qu'on l'évacue. C'est la seule chose à faire pour vous, maintenant.

— Alors là, vous vous trompez.

Il tira à nouveau.

Durant la première partie de leur peine, Michael Spargo, Reggie Arnold et Ian Barker furent placés dans des « centres d'éducation surveillée ». Pour des raisons évidentes, ils furent séparés, et hébergés dans des régions différentes. Ces centres ont une fonction éducative et – souvent, mais pas toujours, et « selon la coopération du détenu » – thérapeutique. Les informations relatives aux progrès des garçons dans ces centres ne sont pas accessibles au public, mais ce qui est connu, c'est qu'à l'âge de quinze ans leur séjour là-bas a pris fin, et qu'ils ont été transférés dans un « établissement pour mineurs », euphémisme traditionnel pour dire « prison pour jeunes délinquants ». À dix-huit ans, ils ont été extraits de leurs différents établissements pour mineurs et envoyés dans diverses prisons de haute sécurité afin d'y purger le reste de la peine fixée par la cour du Luxembourg. Dix ans.

Ces dix ans sont bien sûr révolus depuis longtemps. Les trois garçons – devenus des hommes – ont été rendus à la communauté. Comme d'autres enfants-tueurs tristement célèbres tels que Mary Bell, Jon Venables et Robert Thompson, les garçons se sont vu octroyer de nouvelles identités. Le lieu où chacun a été libéré demeure un secret extrêmement bien gardé, et on ne sait pas davantage s'ils sont aujourd'hui bien intégrés dans la société. Alan Dresser a juré de les pourchasser et de « leur faire subir le traitement qu'ils ont infligé à John », mais la loi interdisant jusqu'à la simple publication de leurs photos, il est peu probable que Mr Dresser soit jamais en mesure de les retrouver.

Justice a-t-elle été rendue ? C'est là une question à laquelle il est presque impossible de répondre. S'y essayer nécessiterait qu'on considère Michael Spargo, Reggie Arnold et Ian Barker soit comme des criminels endurcis, soit comme de pures victimes, or la vérité se situe quelque part au milieu.

Passages extraits de Psychopathologie, Culpabilité et Innocence dans l'affaire John Dresser

Par Dorcas Galbraith, PhD

(Présenté à la Convention européenne sur la justice juvénile à la demande du Très Honorable Howard Jenkins-Thomas, MP)

34

Judi MacIntosh fit signe à Lynley d'entrer directement. L'adjoint au préfet l'attendait, dit-elle. Désirait-
il un café ? Un thé ? Sa voix était grave. Rien de plus
naturel, songea Lynley. La nouvelle, comme toujours
et a fortiori quand elle avait trait à la mort, s'était
répandue comme une traînée de poudre.

Il déclina poliment. Il aurait bien aimé une tasse de
thé, mais il espérait ne pas rester assez longtemps dans
le bureau de Hillier pour la terminer.

L'adjoint au préfet se leva pour venir à sa rencontre.
Il rejoignit Lynley à la table de réunion et se laissa
tomber dans un fauteuil.

— Bon sang, quel fiasco. On sait au moins comment
il s'est débrouillé pour mettre la main sur une arme ?

— Pas encore, dit Lynley. Barbara travaille là-
dessus.

— Et la femme ?

— Meredith Powell ? Elle est à l'hôpital. La blessure
était grave mais pas fatale. L'arme est passée tout près
de la moelle épinière, et elle aurait pu se retrouver
paralysée. Elle a eu de la chance.

— Et l'autre ?

— Georgina Francis ? En garde à vue. L'un dans l'autre, monsieur, la méthode n'était pas vraiment orthodoxe, mais nous sommes arrivés à un bon résultat.

Hillier lui décocha un regard.

— Une femme assassinée dans un parc public, une autre grièvement blessée, deux hommes morts, un schizophrène paranoïaque à l'hôpital, une action en justice qui nous pend au nez… Où voyez-vous un bon résultat, inspecteur ?

— Nous avons coincé le tueur.

— Lequel est lui-même un cadavre.

— Nous avons sa complice.

— Laquelle risque de ne jamais passer en jugement. Que savons-nous de cette Georgina Francis qui puisse tenir devant un tribunal ? Elle a vécu jadis sous le même toit que l'assassin. Elle a assisté un jour à une exposition à la Portrait Gallery. Elle était la maîtresse de l'assassin. Elle était la maîtresse de l'assassin de l'assassin. Elle a peut-être fait ci, elle a peut-être fait ça, et voilà. Donnez ces éléments au ministère public et ils vont hurler de rire.

Hillier leva les yeux au ciel comme si, phénomène peu commun, il espérait une aide divine. Lorsqu'il l'eut apparemment obtenue, il reprit :

— Elle est finie. Elle a eu une excellente occasion de démontrer ses capacités de chef, et elle a raté son coup. Elle s'est aliéné plusieurs membres de l'équipe avec qui elle travaillait, elle a assigné des missions inadaptées à certains agents au mépris de leurs compétences, elle a pris des décisions qui ont mis la Met dans la pire des situations, elle a sapé la confiance de tout le monde… Alors, Tommy, ayez la bonté de m'expliquer : où est le résultat ?

983

— Je crois que nous pouvons convenir qu'on lui a mis des bâtons dans les roues, monsieur.

— Ah, tiens donc ? Et lesquels ?

— Des informations dont le Home Office disposait et dont il ne pouvait pas, ou ne voulait pas, lui faire part.

Lynley marqua une pause, le temps que l'argument atteigne sa cible. Il n'y avait pas grand-chose à mettre en avant pour la défense de la commissaire principale intérimaire, mais il lui devait d'essayer.

— Est-ce que vous saviez qui il était, monsieur ?

— Jossie ?

Hillier fit non de la tête.

— Alors, est-ce que vous saviez qu'il était protégé ?

Les yeux de Hillier croisèrent les siens. Il ne dit rien, et ce silence équivalait à un oui. À un moment donné pendant l'enquête, Hillier avait dû être mis au courant. On ne lui avait peut-être pas expliqué que Gordon Jossie était un des trois garçons responsables du meurtre du petit John Dresser des années plus tôt, mais il savait que c'était quelqu'un dans la vie de qui on n'était pas censé fouiller.

— Je pense qu'elle aurait dû être informée, déclara Lynley. Pas forcément de qui il était, mais du fait qu'il était protégé par le ministère.

— Ah vraiment ?

Hillier détourna le regard. Il mit ses doigts en triangle sous son menton.

— Et pourquoi cela ?

— Cette information aurait pu conduire à l'assassin de Jemima Hastings.

— Vous croyez ?

— Absolument, monsieur.

Hillier le scruta.

— J'ai bien l'impression que vous plaidez sa cause. Noblesse oblige, Tommy ? Ou bien avez-vous une autre raison ?

Lynley soutint son regard. S'il avait bien sûr réfléchi à ses motivations avant de venir dans le bureau de l'adjoint au préfet, il n'avait pas réussi à les éclaircir totalement. Il fonctionnait toujours à l'instinct, et il lui fallait espérer que l'instinct qui le guidait émanait d'un sens profond de la justice. Il était tellement facile de se mentir quand il s'agissait de sexe…

Il déclara d'un ton égal :

— Ni l'un ni l'autre, monsieur. La transition a été rude et elle a eu très peu de temps pour s'adapter avant d'être projetée au milieu d'une enquête. Sans oublier qu'en matière d'homicide les faits sont une donnée indispensable. Elle ne les a jamais eus en totalité. Ce qui, sauf votre respect, ne saurait lui être imputé.

— Êtes-vous en train de sous-entendre…

— Je ne prétends pas que ce soit votre faute, monsieur. Vous aviez également les mains liées, je suppose.

— Donc… ?

— C'est une raison suffisante, à mon avis, pour lui accorder une deuxième chance. C'est tout ce que je dis. Je ne dis pas qu'il faut lui attribuer le poste à titre définitif. Je dis simplement que, sur la foi de ce que j'ai vu ces jours passés, et sur la foi de ce que vous-même m'avez demandé de faire par rapport à son activité au Yard, elle mérite une deuxième occasion de faire ses preuves.

Les lèvres de Hillier esquissèrent un sourire, hommage récalcitrant à la force de ses arguments.

985

— Un compromis, alors ?

— Qu'entendez-vous par là, monsieur ?

— Votre présence. Ici.

Hillier gloussa, mais ce rire semblait s'adresser à lui-même : *Qui eût cru que j'en arriverais là ?*

— Mon retour à la Met, vous voulez dire.

— Oui, ce serait le marché proposé.

Lynley hocha lentement la tête d'un air résigné. L'adjoint au préfet de police serait toujours un excellent joueur d'échecs. Lynley n'était pas encore mat, mais la défaite ne saurait tarder.

— Puis-je y réfléchir, monsieur, avant de m'engager ?

— Non, absolument pas.

Isabelle était au téléphone avec Whiting, qui se trouvait dans la salle de commandement opérationnel du commissariat de Lyndhurst. L'arme mise en cause, annonça-t-il, appartenait à un des agisters. Il n'expliqua pas ce qu'était un agister, et elle ne posa pas la question. Mais elle demanda qui était l'agister, et comment Gordon Jossie s'était retrouvé en possession de son arme. L'agister s'avérait être le frère de leur victime initiale, et il n'avait signalé la disparition de son pistolet que le matin même. Pas à la police, cependant, et pas tout de suite, mais remarquez, ça n'aurait pas changé grand-chose... Il en avait parlé à l'agister en chef lors d'une réunion : c'était ce qui avait déclenché le processus, mais, bien sûr, trop tard. Jossie, poursuivit Whiting, avait apparemment l'arme sur lui, soit dans la poche de son coupe-vent, soit rangée dans son pantalon avec le coupe-vent par-dessus. Ou bien il pouvait l'avoir remisée dans le cottage, puisqu'il était allé dans sa chambre préparer sa valise. La première hypothèse semblait la plus probable.

— Il y a des chances que soit entrée en jeu une histoire de trésor, déclara Isabelle. Vous tâcherez d'ouvrir l'œil.

Une histoire de *quoi* ? s'enquit Whiting. De trésor ? Un *trésor* ? Merde, qu'est-ce que…

— Un trésor de l'époque romaine, lui expliqua Isabelle. Nous pensons que c'est la cause de tout. Nous pensons que Jossie était en train de faire quelque chose à l'extérieur – des travaux quelconques – et qu'il est tombé dessus. Il a deviné de quoi il s'agissait mais Jemima aussi.

Et ensuite ? demanda Whiting.

— Elle a dû vouloir signaler la chose aux autorités. La loi l'exige et cette trouvaille avait sûrement de la valeur. Mais compte tenu de qui il était, Jossie devait vouloir que le trésor reste enterré. À la longue, il a dû être obligé de lui expliquer pourquoi, car laisser cette fortune sous terre n'avait aucun sens. Une fois qu'il lui a avoué… Vous voyez le genre, elle était là, à vivre avec un des assassins d'enfant les plus tristement célèbres qu'on ait jamais condamnés. La nouvelle a dû être plutôt difficile à encaisser.

Whiting grogna en signe d'assentiment.

— Alors y a-t-il quoi que ce soit sur la propriété qui indique qu'il faisait des travaux ? Je veux dire, des travaux qui aient pu lui permettre de déceler la présence d'un trésor ?

En effet, acquiesça Whiting d'un ton songeur. Un paddock avait été en partie reclôturé, alors que le reste avait été laissé tel quel. Au moment du grand barnum, tout à l'heure, la femme – Gina Dickens – travaillait sur une zone du paddock pas encore réhabilitée... C'était peut-être pour ça... ?

Isabelle réfléchit.

— Le trésor devrait se trouver dans l'autre partie. Celle qui est déjà réhabilitée. Il va de soi que si Jossie a découvert quelque chose, c'est dans le secteur où il a dû creuser. Il y a de la terre fraîchement retournée dans ce coin-là ? Des choses nouvelles ? Des choses inhabituelles ?

Des nouveaux piquets de clôture, des nouveaux fils de fer, un nouvel abreuvoir, répondit Whiting. Un abreuvoir foutrement énorme, d'ailleurs. Il devait peser dans les cinq cents kilos.

— Qu'est-ce que je disais ! Vous savez, à la réflexion, je vais me charger de mettre les choses en branle sous cet angle-là. Sur cette base. Le trésor. Nous allons demander aux autorités compétentes de se rendre sur place. Vous avez bien assez à faire comme ça.

Elle remarqua un mouvement à la porte de son bureau. Lynley se tenait dans l'embrasure. Elle leva un doigt pour lui demander de patienter. Il entra et prit le siège perpendiculaire à sa table de travail. Il avait l'air détendu. Elle se demanda ce qu'il fallait pour le perturber.

Elle termina son coup de fil. Le responsable du service de presse à Lyndhurst annoncerait que Gordon Jossie était en réalité Ian Barker. Cette révélation allait forcément raviver tous les détails du meurtre barbare de John Dresser, mais le ministère de l'Intérieur tenait à ce que le public soit informé qu'un des trois assassins

988

du garçonnet était mort à son tour, et de sa propre main.

Isabelle demeurait sceptique. Était-ce supposé être un récit édifiant ? Quelque chose qui permette à la famille Dresser de connaître enfin la paix ? Qui remplisse d'effroi Michael Spargo et Reggie Arnold, où qu'ils se trouvent ? Elle ne voyait pas en quoi publier la véritable identité de Gordon Jossie pourrait avoir ces effets-là. Mais elle n'avait pas son mot à dire.

Lorsqu'elle raccrocha, Lynley et elle gardèrent le silence un moment. À l'extérieur de son bureau, on entendait les bruits caractéristiques de la fin de journée. Elle rêvait d'un verre mais elle avait encore plus envie de savoir comment s'était passé le rendez-vous entre Lynley et Hillier. Elle savait que c'était pour aller voir l'adjoint au préfet qu'il avait disparu.

— C'est une forme de chantage, dit-elle.

Il fronça les sourcils. Ses lèvres s'entrouvrirent comme s'il allait parler, mais il ne dit rien. Il avait une légère cicatrice sur la lèvre supérieure, remarqua Isabelle pour la première fois. Apparemment très ancienne. Elle se demanda ce qui l'avait provoquée.

— À ce qu'il a prétendu, il n'ébruitera pas la chose tant que les garçons resteront dans le Kent avec Sandra et lui. « Tu ne veux pas d'une bagarre pour la garde des enfants, Isabelle. Tu ne veux pas te retrouver au tribunal. Tu sais que ça viendra sur le tapis, et tu ne veux pas de ça. » Alors je l'ai dans le baba. Il peut détruire ma carrière. Et même s'il n'avait pas ce pouvoir-là, je perdrais définitivement la garde en allant au tribunal. Il le sait.

Lynley resta d'abord silencieux. Il la dévisageait, et elle n'arrivait pas à deviner ce qu'il pensait, même si elle se doutait qu'il allait lui annoncer que sa carrière était terminée de toute façon, malgré les efforts qu'elle avait déployés pour la sauver.

Lorsqu'il prit la parole, toutefois, ce fut seulement pour dire :

— L'alcool.

— Je ne suis pas alcoolique, Tommy. Il m'arrive de trop boire. Comme la plupart des gens. C'est tout.

— Isabelle...

Sa voix était déçue.

— C'est la vérité. Je ne suis pas plus alcoolique que... que vous. Que Barbara Havers. Tiens, où est-elle, d'ailleurs ? Enfin, bon Dieu, combien de temps faut-il pour rentrer en voiture du Hampshire ?

Il ne la laisserait pas détourner la conversation.

— Il y a des cures. Il y a des programmes. Il y a... Vous n'êtes pas obligée de vivre...

— C'était le stress. L'état dans lequel vous m'avez trouvée l'autre soir. C'était le stress, rien d'autre. Pour l'amour du ciel, Tommy. Vous m'avez dit vous-même que vous buviez pas mal au moment de la mort de votre femme.

Il ne dit rien. Mais ses yeux se plissèrent comme à l'approche d'un projectile. Du sable, une poignée de terre, une méchanceté...

— Pardonnez-moi, dit-elle.

Il remua sur son siège.

— Alors, il a la garde des garçons ?

— Oui. Je peux avoir... Il appelle ça des visites supervisées. Autrement dit, c'est moi qui irai les voir dans le Kent, eux ne viendront pas à Londres, et quand je les verrai, Sandra et lui, ou Sandra ou lui, seront présents.

— C'est la teneur de l'accord ? Jusqu'à quand ?

— Jusqu'à ce qu'il en décide autrement. Jusqu'à ce qu'il décide de ce que je dois faire pour me racheter. Jusqu'à… je ne sais pas.

Elle ne voulait pas en discuter davantage. Elle ne voyait déjà pas pourquoi elle lui en avait tant dit. C'était le signe qu'elle s'ouvrait à lui, or elle ne pouvait pas se le permettre et elle n'y tenait pas. Elle était fatiguée, conclut-elle.

— Vous restez, dit-il.

Elle ne comprit pas tout de suite qu'il avait changé de sujet.

— Je reste ?

— Je ne sais pas combien de temps. Il a reconnu que ce n'était pas le meilleur contexte pour évaluer vos compétences.

— Ah.

Elle devait admettre qu'elle était surprise.

— Mais pourtant il a dit… Parce que, avec Stephenson Deacon… Ils m'ont dit…

— C'était avant qu'on découvre ce que cachait le Home Office.

— Tommy, vous et moi nous savons que mes erreurs n'avaient rien à voir avec le Home Office et les secrets, si dingues soient-ils, qu'ils pouvaient garder là-bas.

Il acquiesça.

— À quelque chose malheur est bon. S'ils avaient été francs dès le départ, le dénouement de cette histoire aurait sans doute été différent.

Elle était toujours sidérée. Mais la stupéfaction laissa peu à peu la place à la lucidité. L'adjoint au préfet ne lui aurait sûrement pas permis de conserver ses fonctions sous prétexte que le Home Office ne lui avait pas avoué la véritable identité de Gordon Jossie. Il y avait autre chose, et elle était convaincue que, pour qu'elle soit maintenue à son poste, Lynley avait dû marchander et faire certaines promesses.

— Qu'est-ce que vous avez accepté exactement, Tommy ?

Il sourit.

— Vous voyez ? Vous apprenez vite.

— Qu'est-ce que vous avez accepté ?

— Quelque chose que j'aurais sans doute accepté de toute façon.

— Vous revenez pour de bon.

— Eh oui.

— Pourquoi ?

— Comme je l'ai dit, je l'aurais sans doute...

— Non. Je veux dire, pourquoi faites-vous ça pour moi ?

Il la fixa du regard. Elle ne détourna pas les yeux.

— Je ne sais pas trop, dit-il enfin.

Ils restèrent silencieux un moment, à s'observer. Pour finir, elle ouvrit le tiroir central de son bureau. Elle en sortit un anneau en métal qu'elle avait placé là plus tôt dans la journée. Une unique clé y était accrochée. Elle l'avait fait faire non sans hésitation, et elle n'était toujours pas très sûre, en vérité. Mais elle maîtrisait l'art d'éluder la vérité, et elle le fit une fois encore.

Elle poussa le porte-clés vers Lynley. Il le regarda, puis leva les yeux vers elle.

— Il ne pourra jamais y avoir autre chose entre nous que ce qu'il y a aujourd'hui, lui dit-elle. Il faut que ce soit clair dès le départ. J'ai envie de vous, mais je ne suis pas amoureuse de vous, Tommy, et je ne le serai jamais.

Il contempla la clé. Puis elle. Puis à nouveau la clé.

Elle attendit qu'il prenne sa décision, se persuadant que ce n'était pas grave, mais consciente qu'en réalité ce ne serait jamais anodin.

Finalement, il saisit ce qui lui était proposé.

— C'est clair, dit-il.

Il fallut des heures pour régler les ultimes détails, si bien que Barbara Havers ne rentra à Londres que très tard. Elle avait envisagé de passer la nuit dans le Hampshire, mais au dernier moment elle avait décidé que sa maison était plus attrayante, même si son pavillon risquait d'être aussi suffocant qu'un sauna après deux jours de canicule. Durant le trajet du retour, elle repensa à ce qui s'était passé dans le paddock, examinant le problème sous tous les angles, se demandant si un autre dénouement aurait été possible.

Au début, elle n'avait pas reconnu le nom. Elle était adolescente à l'époque du meurtre de John Dresser, et même si le nom de Ian Barker lui disait vaguement quelque chose, elle ne l'avait pas tout de suite associé à ce crime dans le centre du pays, et à l'homme qui se tenait dans le paddock une arme à la main. Son souci immédiat était la blessure de Meredith Powell, l'état de Frazer Chaplin et l'éventualité très plausible que Gordon tire sur quelqu'un d'autre.

Elle ne s'était pas attendue à ce qu'il retourne l'arme contre lui. Ensuite, bien sûr, les raisons de ce geste lui avaient semblé on ne peut plus évidentes. Il était acculé. Il n'échapperait pas à la révélation publique de sa véritable identité. Quand cela se produirait, l'acte monstrueux de son enfance serait à nouveau disséqué devant une opinion qui, toujours, éternellement, et de manière compréhensible, exigerait le paiement de cette faute.

Tandis que le chien aboyait, qu'elle-même criait, que Whiting rugissait et que Georgina Francis hurlait, il avait mis le pistolet dans sa bouche et appuyé sur la détente. Il y avait eu un silence total. Le pauvre clebs s'était alors aplati sur le sol, comme un soldat au combat. Il avait rejoint son maître en rampant, avec des geignements, alors que les autres se précipitaient pour s'occuper des blessés.

Un hélicoptère de la base aérienne située près de Lee-on-Solent avait conduit Meredith à l'hôpital. Des policiers étaient arrivés du poste de Lyndhurst. Sur leurs talons, comme toujours, les journalistes avaient débarqué, et, pour les prendre en charge, le responsable des relations avec la presse s'était posté au bout de Paul's Lane. Georgina Francis avait été emmenée en garde à vue au commissariat de Lyndhurst, et tout le monde avait patienté deux heures sur les lieux, le temps que le légiste arrive. Quand sa participation n'avait plus été requise, Barbara avait passé un moment au téléphone avec Lynley à Londres, un moment avec Whiting à faire le point sur la situation dans le Hampshire, puis elle en avait terminé. Elle s'était interrogée : allait-elle passer la nuit sur place ou bien repartir ? Elle avait choisi de repartir.

Elle était totalement épuisée quand elle arriva enfin à Londres. En franchissant d'un pas lourd le portail de la Grande Maison, elle s'étonna de voir que les

994

lumières étaient toujours allumées dans l'appartement du rez-de-chaussée, mais sans s'interroger davantage.

Elle remarqua le mot sur sa porte au moment où elle insérait la clé dans la serrure. Il faisait trop sombre dehors pour le lire, mais elle reconnut son nom écrit de la main de Hadiyyah, suivi de quatre points d'exclamation.

Elle ouvrit la porte et alluma. Elle s'attendait un peu à trouver une autre offrande vestimentaire sur le divan. Mais non. Elle déposa son sac sur la table où elle prenait ses repas, puis elle vit que son répondeur clignotait. Elle écouta le message tout en dépliant le mot de Hadiyyah. Ils contenaient tous deux la même invitation : *Passe nous voir, Barbara ! Quelle que soit l'heure !*

Barbara était claquée. Elle n'avait pas une folle envie de mondanités, mais comme la requête émanait de Hadiyyah, elle se dit qu'elle pourrait survivre à quelques minutes de conversation.

Elle revint sur ses pas. Alors qu'elle traversait le carré de pelouse devant la porte-fenêtre qui servait d'entrée à l'appartement de Taymullah Azhar, un des deux battants s'ouvrit. Mrs Silver apparut, lançant par-dessus son épaule « Réellement ravie », avec un signe de la main tout joyeux. En apercevant Barbara, elle dit :

— Tout à fait charmante, vraiment…

Elle tapota sa tête enturbannée et continua sa route vers le perron de la maison.

Barbara rejoignit la porte, intriguée. Elle l'atteignit au moment où Taymullah Azhar allait la refermer.

— Ah, Barbara, fit-il avant de crier par-dessus son épaule : Hadiyyah. *Khushi.* Barbara est là.

— Oh oui, oui, oui ! s'exclama Hadiyyah.

Elle surgit sous le bras de son père, tellement radieuse que son visage à lui seul aurait pu éclairer la pièce.

— Viens voir ! Viens voir ! dit-elle à Barbara. C'est la surprise !

Une voix de femme se fit entendre à l'intérieur de l'appartement et Barbara comprit tout de suite qui c'était.

— On ne m'a jamais traitée de surprise jusqu'ici. Fais les présentations, ma chérie. Mais au moins appelle-moi maman.

Barbara connaissait son prénom. Angelina. Elle n'avait jamais vu de photos d'elle, mais elle s'était laissée aller à imaginer le physique qu'elle aurait. Elle ne se trompait pas. La même taille qu'Azhar et mince comme lui. Une peau translucide, des yeux bleus, des sourcils et des cils foncés, une coupe de cheveux à la mode. Un pantalon étroit, un chemisier impeccable, des pieds fins dans des chaussures plates. Le genre de chaussures que portait une femme quand elle ne voulait pas être plus grande que son compagnon.

— Barbara Havers, dit Barbara à Angelina. Vous êtes la maman de Hadiyyah. J'ai énormément entendu parler de vous.

— C'est vrai ! claironna Hadiyyah. Maman, je lui ai raconté des tonnes de choses sur toi. Vous allez être de vraies amies.

— Je l'espère bien.

Angelina passa son bras autour des épaules de sa fille. Hadiyyah passa son bras autour de la taille de sa mère.

— Voulez-vous entrer, Barbara ? demanda Angelina. J'ai énormément entendu parler de vous moi aussi.

Elle se tourna vers Azhar :

— Hari, est-ce que nous avons…

— Je suis totalement HS, la coupa Barbara.

Hari… Non. Elle n'était pas à sa place.

— Je viens juste de rentrer du boulot. On remet ça à plus tard ? Demain ? Quand vous voulez ? Ça te va, ma puce ? ajouta-t-elle à l'intention de Hadiyyah.

Pendue à la taille de sa mère, Hadiyyah leva la tête vers Angelina. Elle s'adressait à Barbara mais regardait sa mère.

— On a plein de temps demain, pas vrai, maman ?

— Plein, plein de temps, ma chérie, répondit Angelina.

Barbara prit congé avec un petit salut de la main. Elle était trop crevée pour digérer tout ça. Il serait toujours temps demain.

Elle se dirigeait vers son bungalow quand il l'appela. Elle s'immobilisa sur le passage qui bordait la maison. Elle ne tenait pas à avoir cette conversation, mais elle n'avait guère d'espoir d'y échapper.

— C'est… commença Azhar.

Mais Barbara l'interrompit.

— Vous n'allez jamais arriver à la coucher, dit-elle gaiement. Elle ne va pas arrêter de sautiller jusqu'à l'aube.

— Oui. Sans doute.

Il jeta un coup d'œil dans son dos vers la maison, puis son regard revint sur Barbara.

— Elle voulait vous l'annoncer avant, mais j'ai pensé qu'il valait mieux attendre que…

Il hésita. Toute la complexité de sa relation avec la mère de Hadiyyah était contenue dans ce silence.

— Absolument, dit Barbara, volant à son secours.

— Si elle n'était pas revenue, vous comprenez, comme elle l'avait annoncé, je ne voulais pas que Hadiyyah soit obligée d'expliquer. Cela n'aurait fait qu'aggraver sa déception.

— Absolument, répéta Barbara.

— Alors vous comprenez.

— C'est clair comme le jour.

— Hadiyyah y a toujours cru.

— En effet. Toujours.

— Je ne sais pas pourquoi.

— Enfin, c'est sa mère après tout. Il y a un lien. Elle devait le savoir. Elle devait le sentir.

— Il y a des choses…

Azhar tâta ses poches. Barbara savait ce qu'il cherchait, mais elle n'avait pas ses cigarettes avec elle. Il trouva son paquet et lui en offrit une. Elle secoua la tête. Il en prit une.

— Son retour, fit-il.

— Quoi ?

— Ce qui se cache derrière, voilà ce que je ne sais pas encore.

— Ah… Euh…

Barbara ne savait pas quoi dire. La raison exacte pour laquelle Angelina avait quitté Azhar et sa fille n'avait jamais été évoquée entre eux. « Un voyage au Canada », avait-il toujours prétendu. Barbara avait beau se douter que la formule représentait autre chose que des vacances dans ce pays – si tant est qu'Angelina y soit bel et bien allée –, elle n'avait pas cherché à obtenir plus de détails. Elle supposait que Hadiyyah n'en avait pas et qu'Azhar n'aurait pas été disposé à en fournir.

— J'ai le sentiment que ça n'a pas été tout à fait comme elle l'imaginait, reprit Azhar. De vivre avec lui.

Barbara hocha la tête.

— Oui. Bon. Assez classique, non ? À la longue, on a beau faire, on finit par voir les défauts de l'autre…

— Vous saviez qu'il y avait quelqu'un d'autre, alors ?

Barbara fit non de la tête.

— Je me demandais pourquoi elle était partie et où elle était réellement, mais j'ignorais qu'il y avait une tierce personne dans le coup.

Elle regarda vers la façade de la maison avant de poursuivre.

— Je peux être honnête avec vous, Azhar… ? Ça m'a toujours paru carrément dingue qu'elle vous ait quittés, tous les deux. Surtout Hadiyyah. Je veux dire, les couples ont leurs problèmes, et je le conçois, mais je n'ai jamais pigé qu'elle quitte Hadiyyah.

— Alors vous comprenez.

Il tira sur sa cigarette. Le passage le long de la maison était peu éclairé et, dans l'obscurité, Barbara distinguait à peine son visage. Mais le bout de sa cigarette était incandescent, tant il pompait dessus. Elle se souvint qu'Angelina n'aimait pas qu'il fume. Elle se demanda s'il allait arrêter maintenant qu'elle était de retour.

— Je comprends quoi ? lui demanda-t-elle.

— Qu'elle va emmener Hadiyyah, Barbara. La prochaine fois. Elle la prendra. Et c'est quelque chose… Je ne peux pas perdre Hadiyyah. Je ne perdrai pas Hadiyyah.

Il avait un ton tellement farouche, et en même temps tellement morne, que Barbara sentit quelque chose céder en elle, une fissure dans une façade qu'elle aurait voulue indestructible.

— Azhar, vous avez raison. Je ferais la même chose. Tout le monde ferait la même chose.

Car il n'avait pas le choix et elle le savait bien. Il était prisonnier d'une situation qu'il avait lui-même créée, ayant quitté sa femme et ses deux autres enfants pour Angelina, n'ayant jamais divorcé, ne s'étant jamais remarié... C'était une situation de cauchemar qui finirait au tribunal si Angelina le décidait. Il perdrait, et ce qu'il perdrait, ce serait la seule personne dans sa vie en miettes qui comptait pour lui.

— Je dois faire ce que je peux pour la garder ici, dit-il.

— Je suis entièrement d'accord, acquiesça Barbara.

Et elle était sincère, même si ces paroles bouleversaient autant son univers que celui de l'homme qui se tenait dans l'obscurité avec elle.

35

Douze jours s'écoulèrent avant que Rob Hastings se résolve à aller voir Meredith. Dans l'íntervalle, il avait appelé quotidiennement l'hôpital en attendant qu'elle soit enfin confiée aux bons soins de ses parents, mais il s'était révélé incapable de faire autre chose que demander simplement de ses nouvelles. Ces coups de fil ne lui en apprenaient pas beaucoup, et il aurait pu en savoir davantage s'il s'était rendu là-bas en personne. Il aurait pu, c'est vrai, aller la voir directement. Mais c'était trop difficile pour lui et, quand bien même, il ne savait plus vraiment comment s'y prendre pour lui parler.

Durant ces douze jours, il avait découvert qui avait pris le pistolet dans son Land Rover, et à quoi ce pistolet avait servi. On le lui avait restitué, mais c'était un mauvais point pour sa carrière qu'il se soit laissé subtiliser son arme. Deux personnes étaient mortes à cause de sa négligence, et s'il n'avait pas été un Hastings, descendant de la célèbre dynastie de la New Forest, il aurait sans doute été renvoyé.

Dans les journaux, il n'était question que de Ian Barker, l'horrible assassin d'un petit enfant, un type qui avait réussi à cacher son identité pendant dix ans, depuis que lui et ses copains meurtriers avaient été libérés de leurs centres de détention. Des reporters de tous les médias du pays avaient commencé par rechercher toutes les personnes qui avaient eu un lien, si lointain soit-il, avec Gordon Jossie. L'histoire avait apparemment un côté romantique un peu malsain qui passionnait les tabloïds. L'histoire du tueur d'enfant qui avait tué à nouveau, avec un titre en plus petit indiquant que cette fois il l'avait fait pour sauver une femme, avant de se tuer lui-même. D'après Meredith Powell et le commissaire divisionnaire Zachary Whiting, les choses ne s'étaient pas tout à fait passées ainsi, car en réalité, selon leurs dires, Frazer Chaplin s'était rué sur Jossie et ce n'était qu'à ce moment-là que Jossie lui avait tiré dessus. La chose ne constituant pas un acte de rédemption aussi symbolique que si Jossie avait sauvé quelqu'un avant de débarrasser le monde de sa présence, ce fut donc la première version qui eut la faveur des tabloïds. La photo de Ian Barker enfant fut publiée tous les jours pendant une semaine, aux côtés du portrait plus récent de Gordon Jossie. Certains tabloïds se demandaient comment les habitants du Hampshire avaient fait pour ne pas reconnaître l'individu, mais pourquoi seraient-ils allés reconnaître dans un chaumier bien tranquille un enfant qu'ils se représentaient à coup sûr avec des pattes fourchues en guise de pieds et des cornes sous sa casquette de base-ball ? Personne ne soupçonnait que Ian Barker s'était réfugié dans le Hampshire, où il menait une existence discrète.

Les voisins de Paul's Lane furent interviewés. « Jamais je me serais douté » et « Je fermerai ma porte à clé, maintenant, ça oui », entendit-on le plus souvent.

Zachary Whiting ainsi qu'un porte-parole du Home Office firent quelques déclarations au sujet des devoirs de la police locale en matière de protection d'anonymat, et pendant plusieurs jours des témoins signalèrent avoir aperçu Michael Spargo et Reggie Arnold. Mais peu à peu, comme toujours avec ces histoires-là, l'affaire perdit de son attrait, surtout lorsqu'un membre de la famille royale eut un malencontreux accrochage avec un paparazzi à quatre heures moins le quart du matin devant une boîte de nuit de Mayfair.

Rob Hastings avait réussi à passer entre les gouttes. Il laissait son répondeur prendre les messages des journalistes, mais il ne rappelait jamais. Il n'avait aucune envie de raconter comment l'ancien Ian Barker était entré dans sa vie. Il avait encore moins envie de raconter comment sa sœur l'avait rencontré. Il comprenait maintenant pourquoi Jemima avait quitté la New Forest. Mais il ne comprenait pas pourquoi elle ne s'était pas confiée à son frère.

Il passa des jours à ruminer cette question et à tâcher de déterminer pourquoi Jemima ne lui avait pas expliqué les raisons de son départ. Il n'était pas enclin à la violence, elle le savait bien, elle ne devait donc pas redouter qu'il prenne Jossie à partie pour avoir dupé sa sœur. À quoi bon, de toute façon ? Et puis il était capable de garder un secret, Jemima devait bien le savoir aussi. Sans compter qu'il n'aurait été que trop heureux de l'accueillir les yeux fermés si elle avait voulu revenir à Honey Lane.

Il réfléchit à ce que tout cela indiquait sur lui-même. La seule réponse à laquelle il parvint était une autre question : *Ça aurait servi à quoi que tu saches la vérité, Robbie ?* Et cette question en engendrait une autre : *Qu'est-ce que tu aurais fait, toi qui as toujours eu tellement peur d'agir, de toute manière ?*

Quant aux raisons de cette peur, il était incapable de les affronter après toutes ces révélations et toutes ces morts. Les raisons de cette peur conduisaient directement au cœur de celui qu'il était, de celui qu'il était depuis des années. Solitaire, mais pas par choix. Solitaire, mais pas par nécessité. Solitaire, mais pas par inclination. La triste vérité, c'était que lui et sa sœur, depuis longtemps, se ressemblaient énormément. C'était juste la façon dont ils s'étaient efforcés de mener leur vie qui différait.

Cette conclusion après des jours et des jours passés à cheval dans la forêt fut ce qui poussa Robbie à se rendre à Cadnam. Il y alla en milieu d'après-midi, espérant que Meredith serait seule à cette heure de la journée, et qu'il pourrait lui parler tranquillement.

Il n'eut pas cette chance. Sa mère était à la maison. Cammie aussi. Elles vinrent lui ouvrir en même temps.

Il n'avait pas vu Janet Powell depuis une éternité. Durant les premières années de l'amitié des filles, la mère de Meredith et lui s'étaient croisés de temps en temps lorsqu'il fallait aller chercher les deux copines à tel ou tel endroit. Mais il ne l'avait pas revue depuis que les filles avaient décroché le permis et que les adultes n'étaient plus obligés de leur servir de chauffeurs. Toutefois, il la reconnut.

Il dit, pour se présenter :

— Mrs Powell. Bien le bonjour. Je suis…

— Tiens, tiens, bonjour, Robert ! le coupa-t-elle gentiment. Quelle agréable surprise de vous voir. Entrez donc.

Il ne savait trop comment réagir à cet accueil chaleureux. Enfin voyons, bien sûr qu'elle se souvenait de lui… Il n'avait pas une tête qu'on oubliait aussi facilement.

Comme à son habitude, il avait mis sa casquette de base-ball, mais il l'enleva en franchissant le seuil. Il jeta un coup d'œil à Cammie tout en fourrant sa casquette dans la poche arrière de son jean. La fillette se réfugia derrière les jambes de sa grand-mère et le dévisagea avec des yeux ronds. Il lui sourit.

— J'imagine que Cammie ne se souvient pas de moi, hein ? Ça fait des lustres que je l'ai pas vue. Elle devait avoir deux ans à tout casser la dernière fois. Peut-être moins. Elle ne peut pas savoir qui je suis.

— Elle est un peu timide avec les inconnus, c'est vrai.

Janet Powell posa la main sur l'épaule de Cammie et la força à se montrer, la câlinant contre sa hanche.

— C'est Mr Hastings, trésor. Dis bonjour à Mr Hastings.

— Rob, rectifia-t-il. Ou Robbie. On se serre la main, Cammie ?

Elle secoua la tête et recula d'un pas.

— Mamie, fit-elle, se cachant le visage dans la jupe de sa grand-mère.

— Ah, ça fait rien, dit Robbie.

Il ajouta avec un clin d'œil :

— Je suis pas bien beau à voir, hein, avec mes grandes dents ?

Mais le clin d'œil était forcé et il vit que Janet s'en rendait compte.

— Allons, entrez, Robbie… J'ai un gâteau au citron dans la cuisine qui ne demande qu'à être mangé.

— Oh, merci, mais non. Je devais aller à... En fait, je viens juste pour... J'espérais que Meredith était...

Il respira à fond pour se calmer. C'était la fillette : elle se cachait et il savait qu'elle se cachait à cause de lui. Il ne savait pas comment la mettre à l'aise. Pourtant il aurait bien voulu. Il dit à Mrs Powell :

— Je me demandais si Meredith... ?

— Bien sûr, fit-elle. Vous êtes venu prendre des nouvelles de Meredith. C'est vraiment terrible. Dire que j'ai accueilli cette jeune femme sous mon toit pendant une nuit. Elle aurait pu... enfin, vous savez... (Elle lança un coup d'œil à Cammie.) Elle aurait pu tous nous a-s-s-a-s-s-i-n-e-r dans nos lits. Meredith est dans le jardin avec le chien. Cammie, trésor, tu veux bien emmener ce gentil monsieur dehors voir maman ?

Cammie se gratta la cheville avec son autre pied nu. Elle semblait hésiter. Elle gardait les yeux rivés sur le sol. Quand sa grand-mère répéta son prénom, la fillette murmura :

— Maman a été à l'hôpital.

— Oui, dit Robbie. Je le sais bien. C'est pour ça que je suis venu. Pour lui dire bonjour et voir comment elle se sent. Je parie que tu t'inquiétais un peu pour elle, pas vrai ?

Cammie hocha la tête. Elle s'adressa au plancher :

— Mais ce chien s'occupe bien d'elle.

Puis, levant les yeux :

— Les hôpitaux, c'est comme là où vont les hérissons.

— Ah bon ? Tu aimes bien les hérissons, alors, Cammie ?

— Ils ont un hôpital pour eux. Mamie me l'a dit. On peut aller les voir là-bas.

— Je suis sûre que ça leur plaira, aux hérissons.

— Mais elle a dit pas encore. Quand je serai plus grande. Parce qu'il faut passer la nuit là-bas quand on y va. Parce que c'est loin.

— Ah oui. C'est logique. Elle doit vouloir être sûre que ta maman ne te manque pas trop si tu passes la nuit là-bas.

Cammie se renfrogna et détourna le regard.

— Comment tu le sais ?

— Que ta maman va te manquer ?

Elle fit oui de la tête.

— J'ai eu une petite sœur autrefois.

— Comme moi ?

— Exactement comme toi.

Cet aveu sembla la mettre à l'aise. Elle s'écarta de sa grand-mère et dit doucement à Robbie :

— Il faut traverser la cuisine pour aller dans le jardin. La chienne risque d'aboyer, mais elle est très gentille.

Elle l'emmena dehors.

Meredith était assise sur une chaise longue dans le seul coin à l'ombre, derrière une remise. Le reste du jardin était occupé par des rosiers : leur parfum était tellement intense que Robbie eut l'impression que les effluves lui caressaient la peau comme un foulard de soie.

— Maman ! appela Cammie en précédant Robbie sur un sentier de gravier. Tu te reposes encore comme il faut que tu te reposes ? Ou bien tu dors ? Parce qu'il y a quelqu'un pour toi.

Meredith ne dormait pas. Elle était en train de dessiner. Elle avait un grand bloc déployé sur les genoux et elle s'était servie de crayons de couleur. Elle avait fait des motifs en damier. Pour des tissus, sans doute. Elle continuait à s'accrocher à son rêve de jeunesse. La chienne de Jossie était couchée au pied de sa chaise longue. Tess dressa la tête, puis la reposa sur ses pattes. Sa queue balaya le sol par deux fois en signe de bienvenue.

Meredith referma son bloc et le posa sur le côté.

— Tiens, bonjour, Rob…

Alors que Cammie s'apprêtait à lui grimper sur les genoux, elle dit :

— Pas déjà, ma chérie. Je suis encore un peu fatiguée.

Mais elle se décala et tapota son siège.

Cammie réussit à se caser contre le flanc de sa mère, se contorsionnant pour loger son petit derrière dans l'espace disponible. Meredith sourit en regardant Robbie et embrassa sa fille sur le sommet du crâne.

— Elle était inquiète, expliqua-t-elle. Elle ne m'a jamais vue aller à l'hôpital. Elle ne savait pas quoi penser.

Il se demanda ce qu'on avait raconté à la fillette sur ce qui s'était passé. Pas grand-chose, sans doute. Elle n'avait pas besoin d'être au courant.

Il dit, montrant du menton le golden retriever :

— Tu en as hérité ?

— J'ai demandé à maman d'aller la chercher. Il me semblait… la pauvre bête. Je ne supportais pas l'idée… tu comprends.

— Oui. C'est gentil à toi, ça, Merry.

Il regarda autour de lui et repéra une chaise en bois pliante appuyée contre la resserre.

— Je peux… ?

— Oh, bien sûr, répondit-elle, rougissante. Je suis désolée. Je t'en prie, assieds-toi. Je ne sais pas à quoi je… Enfin bon, ça fait vraiment plaisir de te voir, Rob. Je suis contente que tu sois venu. Ils m'ont dit à l'hôpital que tu avais téléphoné.

— Je voulais savoir si tu tenais le coup.

— Oh, ça oui.

Elle effleura le pansement sur sa gorge, sûrement bien plus petit que celui qui protégeait sa blessure à l'origine. Rob crut le geste instinctif, mais apparemment il ne l'était pas car elle dit avec un rire sans gaieté :

— Enfin bon, quand on me l'enlèvera, j'aurai l'air de la fiancée de Frankenstein, j'imagine.

— Qui c'est ? demanda Cammie.

— La fiancée de Frankenstein ? Juste un personnage dans une histoire, répondit sa mère.

— Ça veut dire que maman va avoir une petite cicatrice, expliqua Robbie. Ça lui donnera de la distinction, c'est sûr.

— C'est quoi de la distinction ?

— Quelque chose qui fait qu'une personne ne ressemble pas aux autres.

— Ah, fit Cammie. Comme toi. Tu ressembles pas aux autres. J'ai jamais vu quelqu'un qui te ressemble.

— Cammie ! s'écria Meredith, atterrée.

Sa main alla se plaquer machinalement sur la bouche de sa fille.

— C'est pas grave, dit Robbie, se sentant rougir jusqu'aux oreilles. C'est pas comme si je le savais pas…

— Mais, maman… (Cammie était parvenue à libérer sa bouche.) C'est vrai, il ressemble pas aux autres. Parce qu'il…

— Camille ! Cette fois tu te tais !

Silence. Des voitures passèrent sur la route devant la maison, un chien aboya, Tess souleva la tête et grogna, le moteur d'une tondeuse toussa. Eh oui, que voulez-vous, songea tristement Robbie. La vérité sortait de la bouche des enfants.

Il se sentit complètement empoté, tout à coup. Un éléphant dans un magasin de porcelaine. Parcourant le jardin du regard, il se demanda combien de temps prolonger sa visite pour ne pas paraître grossier en s'esquivant.

Meredith dit à voix basse :

— Je suis vraiment désolée, Rob. Elle ne dit pas ça méchamment.

Il réussit à pouffer.

— Enfin bon, c'est pas comme si elle avait dit quelque chose que personne n'avait remarqué, pas vrai, Cammie ?

Il sourit à la fillette.

— N'empêche, reprit Meredith. Cammie, tu sais que ça ne se fait pas.

Cammie leva les yeux vers sa mère, puis regarda Rob. Elle fronça les sourcils, puis déclara avec sérieux :

— Mais maman, j'ai jamais vu des yeux de deux couleurs avant… Toi si ?

Meredith entrouvrit les lèvres. Puis les referma. Puis elle renversa la tête contre le dossier de sa chaise longue. Elle soupira :

— Oh Seigneur.

Puis à Cammie :

— Seulement une fois, Cam. Tu as absolument raison.

Elle détourna les yeux.

Robbie constata, à sa grande surprise, que Meredith était profondément gênée. Pas par sa fille, mais par sa propre réaction, par ce qu'elle avait supposé. Pourtant, elle n'avait rien fait d'autre qu'arriver à la même conclusion que lui, en entendant les mots de la fillette. Il était vraiment laid, tous trois le savaient mais seuls deux d'entre eux avaient jugé ce détail digne de commentaire.

Il chercha un moyen d'alléger l'atmosphère mais, ne trouvant rien, il finit par dire à la petite fille :

— Alors c'est les hérissons, Cammie ?

— Les hérissons, quoi ? répondit-elle.

— Je veux dire, que tu aimes. Les hérissons ? C'est ça ? Et les poneys ? Est-ce que tu aimes aussi les poneys ?

Cammie leva les yeux vers sa mère, comme pour vérifier si elle était censée répondre ou bien tenir sa langue. Meredith regarda sa fille, caressa ses cheveux en bataille et hocha la tête.

— Qu'est-ce que tu penses des poneys ? lui demanda-t-elle.

— Je les préfère quand ils sont bébés, dit Cammie avec franchise. Mais je sais que je dois pas trop m'en approcher.

— Pourquoi ça ? lui demanda Robbie.

— Parce qu'ils sont ombrageux.

— Ça veut dire quoi, ça ?

— Ça veut dire qu'ils ont… (Le front de Cammie se plissa tandis qu'elle réfléchissait.) Ça veut dire qu'ils ont peur. Et s'ils ont peur pour un rien, faut faire attention. Maman dit qu'il faut toujours faire attention avec les animaux qui ont peur pour un rien.

— Pourquoi ?

— Oh, parce qu'ils comprennent de travers, j'imagine. Un peu… comme quand tu bouges trop vite autour d'eux, ils risquent de croire que tu leur veux du mal. Alors faut pas faire de bruit et puis faut pas remuer. Ou alors remuer vraiment tout doucement.

Elle se tortilla à nouveau pour mieux scruter le visage de sa mère.

— C'est ça, hein, maman ? C'est comme ça qu'on doit faire ?

— C'est exactement ça, acquiesça Meredith. Très bien, Cam. Tu dois toujours faire attention quand tu sais que quelqu'un a peur.

Elle lui embrassa le dessus de la tête. Sans regarder Rob.

Il n'y avait apparemment plus rien à ajouter. C'était en tout cas la sensation de Robbie Hastings. Il avait fait son devoir et, tout bien considéré, il était temps pour lui de partir. Il remua sur sa chaise. Il dit « Bon… », juste au moment où Meredith disait « Rob… ».

Leurs regards se croisèrent. Il se sentit à nouveau rougir, mais il remarqua qu'elle aussi était écarlate.

— Cammie, ma chérie, dit-elle. Tu veux bien aller demander à Mamie si son gâteau au citron est prêt ? J'en prendrais bien une part, et toi aussi, je suis sûre, hmm ?

— Oh oui, fit Cammie. J'adore le gâteau au citron, maman.

Elle descendit tant bien que mal de la chaise longue puis détala, appelant sa grand-mère. Peu après, une porte claqua derrière elle.

Rob se tapa sur les cuisses. De toute évidence, elle venait de lui donner le signal du départ.

— Enfin bon. Vraiment content que t'ailles mieux, Merry.

— Merci.

Puis :

— C'est drôle, ça, Rob.

Il hésita.

— Quoi ?

— Personne d'autre ne m'appelle Merry. Tu as toujours été le seul.

Il ne savait pas quoi répondre. Il ne savait pas non plus quoi penser.

— Ça me plaît bien. Ça me donne l'impression d'être à part.

— Tu l'es, dit-il. Tu es à part.

— Toi aussi, Rob. Tu l'as toujours été.

C'était le moment. Il le vit clairement, plus clairement qu'il avait jamais vu quoi que ce soit. La voix de Meredith était calme et la jeune femme n'avait pas bougé d'un pouce, mais il la sentait toute proche. L'air devint glacial autour de lui.

Il s'éclaircit la gorge.

Elle ne parla pas.

Puis, sur le toit de la remise, un oiseau sautilla.

Il dit enfin « Merry », juste au moment où elle-même demandait :

— Tu veux bien rester prendre une part de gâteau avec moi, Rob ?

Et, en définitive, il s'aperçut que la réponse était simple.

— Bien sûr, fit-il. J'en serais ravi.

Remerciements

La New Forest elle-même a été une énorme source
d'inspiration pour ce roman, mais l'inspiration n'est
rien sans le renfort des détails. Je suis donc reconnaissante aux personnes qui, dans le Hampshire et à
Londres, m'ont aidée concernant divers aspects du
livre. Tout d'abord je tiens à remercier Simon Winchester, maître chaumier, qui m'a autorisée à
l'observer dans les Furzey Gardens et qui m'a expliqué
les nombreuses techniques et les multiples outils
propres à son métier. Je tiens à remercier aussi Mike
Lovell, un des cinq agisters de la New Forest, qui m'a
accordé un rendez-vous à Lyndhurst afin de m'expliquer la nature de son travail, sans oublier l'honorable
Ralph Montagu et Graham Wilson, qui m'ont communiqué une foule d'informations à la fois sur l'histoire
de la New Forest et sur les fonctions respectives des
administrateurs et des gardes champêtres. Alan Smith,
de la gendarmerie du Hampshire, m'a procuré tous les
renseignements relatifs au maintien de l'ordre dans la
région, et à Londres, Terence Pepper et Catherine
Bromley de la National Portrait Gallery m'ont apporté
les informations nécessaires pour que je puisse créer

ma version du concours Cadbury du Portrait photographique de l'année. Jason Hain m'a gentiment ouvert la porte du Segar and Snuff Parlour à Covent Garden et, dans Jubilee Hall, un adorable créateur de masques d'origine péruvienne, qui m'avait presque convaincue de lui en commander un à mon effigie, m'a donné l'idée du personnage de créateur de masques qui figure dans le roman. Toujours pleine de ressources, Swati Gamble s'est appliquée à répondre aux questions sans nombre que j'ai pu lui poser sur les chapitres les plus variés, allant du ministère de l'Intérieur aux établissements techniques. Enfin, le musée de la New Forest à Lyndhurst s'est avéré une fabuleuse mine de renseignements, tout comme le British Museum à Londres.

Aux États-Unis, le Dr Tom Ruben a une fois encore répondu à mes questions d'ordre médical, ce dont je le remercie, mon assistante Leslie Kelly a effectué des quantités de recherches sur des dizaines de sujets, et ma lectrice de longue date Susan Berner ainsi que ma lectrice de fraîche date Debbie Cavanaugh m'ont été d'un secours extrêmement précieux par leurs remarques sur l'avant-dernière version de ce roman.

Je suis toujours soutenue dans mon travail par mon mari, Tom McCabe ; par mon agent littéraire, Robert Gottlieb ; par mes éditrices américaine et anglaise, Carolyn Marino et Sue Fletcher ; et par mes agents de publicité américain et anglais, Heather Drucker et Karen Geary.

Elizabeth George
Whidbey Island, Washington